Les régions du guide :
(voir la carte à l'intérieur de la couverture ci-contre)

Croatie

Le Guide Vert, mode d'emploi :
un guide en 3 parties

Organiser son voyage :

- Avant de partir.
- À faire sur place de A à Z.
- Des activités pour tous.
- Un agenda des événements.

Comprendre la destination :

- La destination aujourd'hui.
- Histoire.
- Art et culture.
- Gastronomie.
- Nature...

Découvrir la destination :

- Notre sélection de sites.
- Des circuits conseillés.
- Des cartes.
- Notre sélection d'adresses pour tous les budgets.

En fin de guide :
l'explication des symboles et la table des cartes et plans

Le Guide Vert :
découvrir la destination

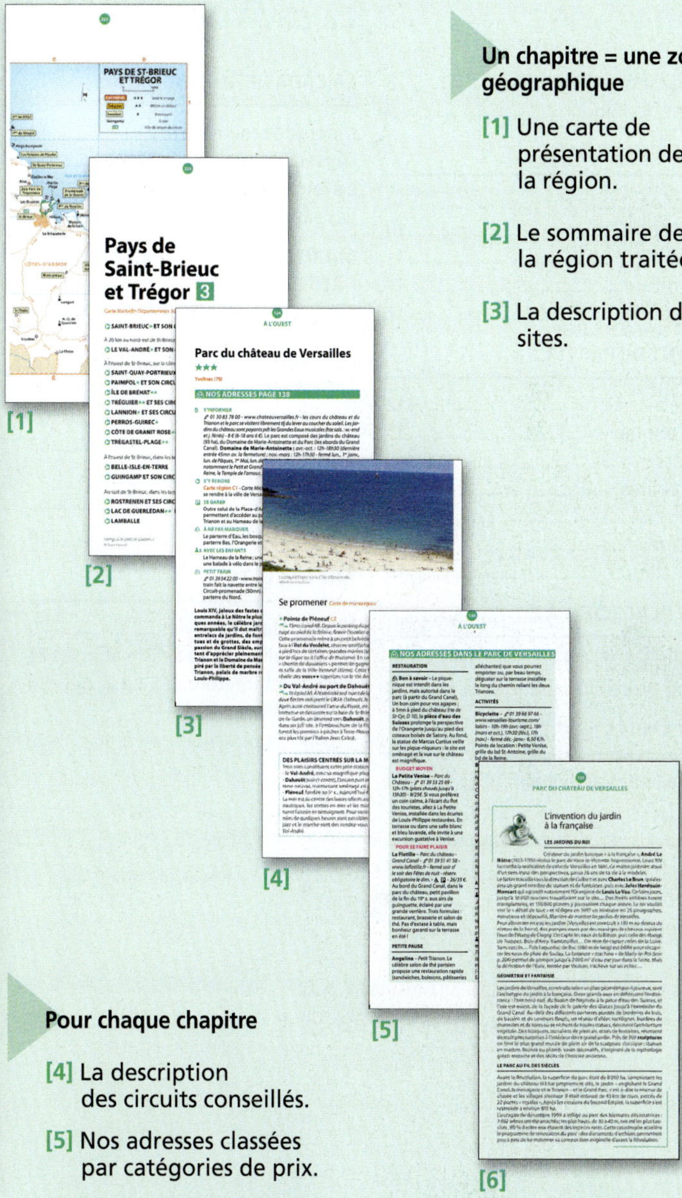

Un chapitre = une zone géographique

[1] Une carte de présentation de la région.

[2] Le sommaire de la région traitée.

[3] La description des sites.

Pour chaque chapitre

[4] La description des circuits conseillés.

[5] Nos adresses classées par catégories de prix.

[6] Des pages thématiques pour en savoir plus.

Retrouvez-nous sur : ***Voyage.ViaMichelin.fr***

Sommaire

1/ ORGANISER SON VOYAGE

2/ COMPRENDRE LA CROATIE

3/ DÉCOUVRIR LA CROATIE

1 DUBROVNIK ET LA CÔTE SUD

2 SPLIT ET LES ÎLES

3 ZADAR ET LE NORD DE LA DALMATIE

4 LE GOLFE DE KVARNER ET L'ARRIÈRE-PAYS MONTAGNEUX

5 ISTRIE

6 ZAGREB ET LE CENTRE

7 LA SLAVONIE

1/ ORGANISER SON VOYAGE

M. Barraud/Ojo Images/Photononstop

Suggestions d'itinéraires

10 JOURS	DUBROVNIK ET L'ANCIENNE RÉPUBLIQUE DE RAGUSE
Programme	**Jours 1 et 2** : Dubrovnik. **Jours 3 et 4** : île de Mljet. **Jour 5** : Kotor (Monténégro). **Jours 6 et 7** : presqu'île de Pelješac. **Jours 8 et 9** : île de Korčula et retour à Pelješac. **Jour 10** : Mostar (Bosnie-Herzégovine) et retour à Dubrovnik.
Transport	600 km env. aller-retour. Transports en commun les quatre premiers jours, puis location d'une voiture. Traversées en ferry.
Étapes	Dubrovnik, Pomena, Mali Ston, Lumbarda.
10 JOURS	SPLIT, ENTRE LA ROME ANTIQUE ET LES ÎLES
Programme	**Jours 1 et 2** : Split. **Jours 3, 4 et 5** : île de Brač. **Jours 6 et 7** : riviera de Makarska. **Jours 8 et 9** : île de Hvar. **Jour 10** : retour à Split et Trogir.
Transport	Env. 420 km. À part à Split, location de voiture recommandée. Traversées en ferry.
Étapes	Split, Bol ou Supetar, Bratuš ou Gradac, Hvar, Trogir.
10 JOURS	ZADAR, ENTRE MER ET MONTAGNE
Programme	**Jour 1** : Zadar. **Jours 2 et 3** : île de Dugi Otok. **Jours 4 et 5** : île de Pag. **Jours 6 et 7** : parc national de Paklenica. **Jour 8** : Parc national de la Krka. **Jour 9** : Šibenik. **Jour 10** : archipel des Kornati et retour à Zadar.
Transport	Env. 570 km. Location d'une voiture, sauf les trois premiers jours. Traversées en ferry.
Étapes	Zadar, Božava, Pag, Starigrad Paklenica, Skradin, Murter.
8 JOURS	ZAGREB ET LE PAYS DU BAROQUE
Programme	**Jours 1 et 2** : Zagreb. **Jour 3** : Samobor. **Jour 4** : Zagorje. **Jour 5** : Varaždin. **Jour 6** : Podravina. **Jour 7** : Lonjsko polje. **Jour 8** : Zagreb.
Transport	Env. 640 km. Location d'une voiture, sauf pour Zagreb.
Étapes	Zagreb, Samobor, Varaždin, Kutina.
3 À 4 JOURS	OSIJEK : DANUBE BLEU ET SLAVONIE VERTE
Programme	Osijek, parc naturel de Kopački rit, Vukovar, Slavonski Brod, Požega.
Transport	Env. 510 km. Location d'une voiture.
Étapes	Kopački rit (Bilje), Slavonski Brod, Požega.
5 À 6 JOURS	RIJEKA ET SES ENVIRONS, DE CASCADES EN CRIQUES
Programme	**Jours 1 et 2** : Rijeka et parc naturel de Risnjak. **Jour 3** : Parc national des lacs de Plitvice. **Jour 4** : massif du Velebit. **Jours 5 et 6** : Rab, Rijeka.
Transport	Env. 630 km. Location d'une voiture.
Étapes	Delnice, Otočac, Plitvice, Rab, Crikvenica.
10 JOURS	GOLFE DE KVARNER ET ISTRIE
Programme	**Jour 1** : île de Krk. **Jour 2** : Opatija. **Jours 3 et 4** : îles de Cres et de Lošinj. **Jour 5** : Pula. **Jours 6 et 7** : Rovinj. **Jour 8** : Poreč. **Jours 9 et 10** : Istrie intérieure.
Transport	Env. 690 km. Location d'une voiture.
Étapes	Krk, Mali Lošinj, Rabac, Pula, Rovinj.

Types de séjour

CÔTÉ CULTURE	
Zagreb	À faire au printemps ou en automne, en prevoyant des escapades dans la campagne, autour de Samobor et dans la Medvednica.
Dubrovnik	Agréable en automne, pour la belle lumière. Pour profiter de la plage, logez à Mlini ou Cavtat. Réservez votre hébergement à l'avance.
Split	Venez au printemps et prévoyez une escapade à Trogir et à Hvar, sur l'île du même nom.
Pula et l'Istrie	Venez à la fin de l'été et en automne pour goûter les truffes. Choisissez de loger à la ferme.
CÔTÉ NATURE	
Lacs de Plitvice et Gorski kotar	À faire en hiver pour les lacs gelés et la randonnée en raquettes ou à ski de fond ; en automne pour les couleurs des feuillages.
Paklenica et Nord Velebit	Évitez de venir avant fin avril, car les sentiers sont encore enneigés. Le printemps est merveilleusement fleuri.
Lonjsko polje, Kopački rit et Papuk	Pour observer les oiseaux migrateurs, venez à partir de mars ou en automne. Pour les cigognes, c'est entre avril et juillet.
CÔTÉ FAMILLE	
Riviera de Makarska	Nombreuses plages, hôtels très bien équipés et randonnées de tous les niveaux dans le Biokovo.
Île de Pag	Plages de qualité, adaptées aux jeunes enfants.
Presqu'île de Pelješac	Nombreuses plages et campings bien équipés pour les adolescents sportifs (windsurf).
CÔTÉ SPORT	
Île de Brač	Plongée, windsurf, kayak, randonnée.
Riviera de Makarska	Randonnée en montagne dans le Biokovo, plongée, tennis, bonnes infrastructures sportives.
Gorski kotar, Nord Velebit et Paklenica	Randonnée en montagne, VTT, escalade, varappe, rafting, canoë.
TERROIR ET VILLAGES	
Zagorje croate	Vignobles, charcuteries, randonnée.
Istrie intérieure	Villages de caractère, huile d'olive et vignobles.
Île de Korčula	Vignobles, folklore, auberges de village.

Aller en Croatie

Capitale : Zagreb
Superficie : 56 594 km^2
Population : 4 284 889 hab.
Monnaie : la kuna
Langue officielle : le croate

En avion

La compagnie nationale croate, **Croatia Airlines**, assure des vols directs pour et depuis les principales capitales européennes.

Depuis Paris

Un vol quotidien direct pour **Zagreb** (1h50 de vol) est assuré d'avril à octobre. Correspondances intérieures pour **Pula**, **Zadar**, **Split** et **Dubrovnik**. Ces deux dernières correspondances vous permettent d'atteindre votre destination en un peu plus de 3h. En saison, la compagnie croate assure en outre 3 vols directs de Paris à **Split** (2h) et 3 vols de Paris à **Dubrovnik** (2h15). Le retour de Croatie en France est assuré selon les mêmes fréquences et conditions.

Depuis la province

Croatia Airlines propose entre avril et octobre un vol direct le samedi de **Lyon** à **Split**, et d'autres vols avec escale depuis la province.

Depuis Bruxelles

Liaison directe pour **Zagreb** (2h de vol), assurée tous les jours par **Croatia Airlines** en partenariat avec **SN Brussels Airlines** *(www.brusselsairlines.com)*. Correspondances pour **Pula**, **Split**, **Dubrovnik** et **Zadar**. En saison, un vol direct hebdomadaire pour **Split** et 2 vols par semaine pour **Dubrovnik** avec **SN Brussels Airlines**.

Depuis Zurich

Vol direct quotidien pour **Zagreb** et en saison pour **Dubrovnik** et **Split**, avec correspondance pour **Zadar** et **Pula (Croatia Airlines** en partenariat avec **Swiss Air).**

Depuis Montréal

Il n'existe pas de vol direct. La plupart des vols **Montréal-Zagreb** sont assurés par **Air France** *via* Paris et par **Lufthansa** *via* Francfort ou Munich.

Les compagnies

Croatia Airlines – *✆ 01 48 16 40 00 - www.croatiaairlines.com ;* à **Bruxelles** : *✆ 02 753 51 32 ;* à **Zurich** : *✆ 044 261 08 40.*

Air France – *Réserv. en France : ✆ 0848 747 100 - www.airfrance.com*

Lufthansa – *✆ 0 892 231 690 (France) - www.lufthansa.fr*

Austrian Airlines – *✆ 0 820 816 816 (France) - www.austrian.fr*

Swiss Air – *✆ 41 848 700 700 (Suisse) -www.swiss.com*

En autocar

Eurolines – *✆ 08 92 89 90 91 ou 01 41 86 24 21 depuis l'étranger - www.eurolines.fr* Aller-retour depuis la France (Paris, Lyon, Lille, Marseille, Strasbourg et Metz) pour **Zagreb** mais aussi **Makarska, Osijek, Poreč, Pula, Rijeka, Rovinj, Sibenik, Slavonski Brod, Split, Varaždin et Zadar**.

En train

Il n'y a pas de liaison directe en train entre la France et la Croatie. Depuis Paris, deux trains quotidiens (au départ de la gare de l'Est) *via* Lausanne ou Munich assurent une correspondance pour Zagreb. Il existe également un train qui, depuis la gare de Paris-Bercy, permet de rallier Zagreb *via* Venise.

Rens. SNCF – ✆ *3635 - www.voyages-sncf.com*

En voiture

Les frontières de la Croatie se trouvent à environ 1 500 km de Paris, 1 000 km de Lyon et de Strasbourg et 700 km de Nice.

Conseils d'itinéraires

Le site **www.ViaMichelin.fr** permet d'obtenir un plan de route détaillé : kilométrage, temps de voyage, informations pratiques et touristiques ainsi qu'adresses d'hôtels et de restaurants.

En bateau

Arriver en Croatie en bateau peut se révéler fort agréable ! C'est possible à partir de certains ports italiens, comme **Ancône**, **Bari**, **Venise** ou **Trieste** reliés à **Split**, **Zadar**, **Pula**, **Poreč** et **Rovinj**. Les tarifs incluent les passagers et le véhicule.

SNAV – Rens. et réserv. à **Ancône** : ✆ *(00 39) 071 207 61 16 - www.snav.it*
Agence à **Split** : ✆ *021 322 252.*
Liaisons vers Split.

SMC/Blue Line International – *www.blueline-ferries.com* - Liaisons vers Split et Hvar. À Ancône :
Agenzia Mauro - ✆ *(00 39) 071 204 041 - www.marittimamauro.it*
À Split : **Split Tours** - ✆ *021 352 533 - www.splittours.hr*

Jadrolinija – *Riva 16 - 51000 Rijeka -* ✆ *(00 385) 051 666 111 - www.jadrolinija.hr* Liaisons Zadar ou Split-Ancona, Dubrovnik-Bari, et entre les ports croates.

Venezia Lines – ✆ *(00 39) 041 882 11 01 - www.venezialines.com*
Liaisons vers l'Istrie et Kvarner.

Avant de partir

Météo

Littoral adriatique

L'Istrie, les îles et la côte dalmate bénéficient d'un climat méditerranéen. Les températures moyennes y sont de 7 °C en hiver et de 26 °C en été, avec des pics pouvant atteindre ou dépasser les 30 °C et des variations locales et saisonnières dues aux vents violents. La **bora**, vent hivernal de nord-est, peut rendre les températures glaciales sur la côte dalmate. L'hiver est généralement doux et pluvieux, l'été est très sec, du moins jusqu'aux **violents orages** de la fin du mois d'août (les campeurs s'en méfieront!).

Dans les montagnes

Enneigement garanti en hiver. L'été, l'abondante couverture végétale préserve des fortes chaleurs.

Intérieur du pays

Zagreb, le Zagorje et la Slavonie connaissent un climat semi-continental avec un hiver long, enneigé et très froid, et un été parfois caniculaire!

Le printemps

Les fêtes de Pâques et les longs week-ends de mai se traduisent parfois par d'importantes affluences. Sachez également que les Italiens du Nord et les Slovènes envahissent en voisins, à chaque fin de semaine, l'Istrie et les îles du Kvarner. Trouver à s'y loger peut se révéler difficile. En mai et juin, de nombreux groupes visitent les villes dalmates, Dubrovnik, Hvar ou Korčula. Enfin, en certains lieux (comme à Rab), la saison ne commence véritablement qu'à la seconde quinzaine de juin; avant cette date, seuls quelques hôtels assurent la permanence, si bien qu'il n'est pas inutile de réserver.
Le printemps est la meilleure saison pour visiter des parcs naturels.

L'été

En juillet et en août, l'afflux de touristes et l'offre hôtelière, relativement faible, rendent la réservation indispensable. Les **fréquentation, prix et taxes** y atteignent leur apogée, notamment lors des trois premières semaines d'août. Début juillet et septembre sont aussi des périodes très fréquentées, mais l'hébergement est un peu moins cher. C'est aussi la saison des festivals dans la plupart des villes et régions du pays.

L'automne

Belle arrière-saison sur la côte où les prix et l'affluence diminuent dès septembre. La température de l'eau reste agréable et ce jusqu'à la fin d'octobre. La plupart des établissements sont encore ouverts.

L'hiver

Visiter Zagreb, le Zagorje, Varaždin ou encore le Gorski Kotar en plein hiver, qui plus est enneigé, ne manque pas de charme. En revanche beaucoup d'îles de Dalmatie, les villes touristiques d'Istrie (Rovinj, Poreč) sont presque fermées au tourisme. On y trouve néanmoins toujours un hôtel et un restaurant « de garde » : tranquillité assurée, mais ambiance un peu triste.
Enfin, la période du carnaval entraîne un afflux de visiteurs lors des dernières semaines de février, notamment à Rijeka, à Opatija ou à Samobor.

Téléphone

Pour téléphoner de France en Croatie : composez le **00** puis le **385**, indicatif de la Croatie, ensuite l'indicatif régional **sans le 0 initial**, et enfin le numéro de votre correspondant.
(*p. 30 pour les appels de la Croatie*)

Adresses utiles

OFFICES DE TOURISME

Office national croate de tourisme en France – *48 av. Victor-Hugo - 75016 Paris - 01 45 00 99 55 - www.croatia.hr - tlj sf w.-end 14h30-17h.*

Office national croate de tourisme en Belgique – *38 pl. de la Vieille-Halle-aux-Blés - 1000 Bruxelles - 255 018 88 - www.visitcroatia.be - tlj sf w.-end 10h-16h.*

Vous trouverez les adresses des offices de tourisme de chaque site traité dans ce guide au fil des rubriques « S'informer » dans la partie « Découvrir la Croatie ».

AMBASSADES

Ambassade de Croatie en France – *7 square Thiers - 75116 Paris - 01 53 70 02 80 - http://fr.mvp.hr - tlj sf w.-end et j. fériés 9h-17h.*

Ambassade en Belgique – *425 av. Louise - B-1050 Bruxelles - 02 639 20 36.*

Ambassade en Suisse – *Thunstrasse 45 - 3005 Berne - 31 352 02 75/79 - www.croatia.ch*

Ambassade au Canada – *229 Chapel Street - Ottawa, Ontario - K1N 7Y6 - 613 562 78 20 - ca.mfa.hr - www.croatiaemb.net*

QUELQUES SITES INTERNET

Rédigé en français, le site de l'ambassade de Croatie à Paris *(www.croatie.eu)* est très complet et comporte nombre d'informations culturelles mises à jour régulièrement.

Istrie – *www.istra.hr*

Golfe de Kvarner – *www.kvarner.hr*

Dalmatie – *www.dalmacija.net* et *www.korcula.net* qui couvre l'île de Korčula et la presqu'île de Pelješac.

Zagreb – *www.zagreb-touristinfo.hr*

VOYAGISTES SPÉCIALISÉS

Bemex Tours – *4 av. Desfeux - 92100 Boulogne-Billancourt - 01 46 08 40 40 - www.bemextours.com.* C'est le grand spécialiste de la Croatie en France. Implanté depuis plus de 20 ans, il propose un choix de programmes originaux et « sur mesure ».

Croatie Tours/Dubrovnik Plus – *5 pl. Charras - 92400 Courbevoie - 01 46 67 39 10 - www.croatie.com.* Classiques **séjours** sur la côte et les îles dalmates, **croisières** au départ de Venise le long de la côte adriatique, **circuits** accompagnés ou « en liberté » (combinés avec un séjour).

Visit Europe – *44 r. Alexandre-Dumas - 75011 Paris - 0 821 00 20 22 - www.visiteurope.fr.* Propose différentes formules classiques sur le littoral dalmate.

Interhome – *15 av. Jean-Aicard - 75011 Paris - 01 53 36 60 20 - www.interhome.fr.* Locations sur le littoral croate.

I.D. Riva Tours – *Neuhauser Strasse 27 - 80331 Munich - (0049) 089 231 10 00 - www.idriva.com* (site en anglais, allemand et hollandais). Locations de voitures, de chambres et de villas et réservation dans les « Agroturizam » d'Istrie.

Voyages culturels

Clio Voyages – *01 53 68 82 82 - www.clio.fr.* Cet organisme propose aux amateurs d'art et d'histoire un **circuit de découverte de la Croatie**, accompagné par un conférencier, et d'une durée de huit jours : ce circuit permet d'explorer de façon détaillée la Dalmatie : Zadar, Šibenik, Trogir, Split et Salona, l'île de Korčula et, enfin, Dubrovnik. Signalons également que Clio peut organiser des « voyages à la carte » pour particuliers ou petits groupes, mettant à la disposition des voyageurs des conférenciers ou des guides locaux (*croisières p. 21*).

VOYAGISTES SUR PLACE

Atlas – *Vukovarska 19 - 20000 Dubrovnik - 020 442 222 (réservations) - www.atlas-croatia.com*. Un des réseaux les plus complets de Croatie.

General Turist – *1 Pile 1 Kruge - 10000 Zagreb - 01 480 56 52 - www.generalturist.eu*. Circuits classiques et sur mesure.

Autotrans – *Žabica 1 - 51000 Rijeka - 060 30 20 10 - www.autotrans.hr*. Compagnie de transport en autobus proposant excursions, circuits et logement chez l'habitant.

TOURISME ET HANDICAP

Les grands hôtels et musées sont généralement bien équipés. Certaines plages de la région de Split (Split, Omiš, Lokva Rogoznica) bénéficient d'un aménagement destiné aux personnes à mobilité réduite. À Zagreb, la compagnie de tramway électrique offre la gratuité de transport aux handicapés (mais leurs accompagnateurs doivent payer le voyage). Pour plus de renseignements, contactez l'**Association des handicapés de Croatie**, *(00 385 1) 482 93 94*.

La ville de Zagreb a édité un guide très complet destiné aux personnes handicapées qui vivent ou séjournent dans la capitale : *Vodič kroz Grad Zagreb za osobe s invaliditetom* (Zagreb, 2002). Rédigé en croate, anglais et allemand, ce guide est disponible à l'office de tourisme de la ville.

Formalités

PIÈCES D'IDENTITÉ

Pour les ressortissants de l'Union européenne, les formalités d'entrée en Croatie sont réduites : pas de visa, ni de vaccins obligatoires. La **carte d'identité** peut suffire, mais si vous comptez faire une excursion dans un pays voisin, le **passeport** devient indispensable. Munissez-vous donc des deux documents, d'autant que les réceptions d'hôtels gardent le plus souvent jusqu'à votre départ le document que vous leur avez présenté à l'arrivée.

Important : en cas de séjour chez des amis, vous devez vous enregistrer dans les 24h au commissariat. Faute de quoi, c'est une amende, voire une expulsion.

CONDUITE AUTOMOBILE

Ayez toujours sur vous votre **permis de conduire** et, si vous voyagez avec votre véhicule, sa **carte grise** et l'**attestation d'assurance internationale**, couvrant la Croatie (symbole HR sur votre carte verte) : au cas où ça ne serait pas le cas, contactez votre assureur pour une extension de garantie qui, le cas échéant, peut être souscrite à la frontière.

SERVICES D'ASSISTANCE

Avant de partir, à titre de sécurité, vérifiez les garanties d'assistance liées à vos différents contrats d'assurances et à l'utilisation de votre carte bancaire.

Mondial Assistance – *2 r. Fragonard - 75017 Paris Cedex 17 - 01 42 99 82 81 - www.mondial-assistance.fr*

SANTÉ

Aucun vaccin n'est exigé pour entrer en Croatie. Cependant, la « **tique du Danube** », que l'on

rencontre en Croatie du Nord et dans la région de Zagreb, peut présenter un risque sérieux. Vaccination possible (trois injections).
La convention passée entre les États de l'Union européenne et la Croatie rend possible le remboursement des frais médicaux engagés en Croatie. Gardez soigneusement tous les justificatifs des paiements effectués sur place et, de retour en France, contactez votre caisse d'assurance maladie pour obtenir les remboursements. Le formulaire E 111 n'est pas encore reconnu en Croatie. Les touristes étrangers bénéficient de l'aide médicale d'urgence.
En cas de traitement particulier, veillez à apporter avec vous vos médicaments ; à tout hasard, si vous vous faites délivrer une **ordonnance**, faites préciser la composition des médicaments plutôt que leur nom.
Pour compléter votre information : fiches pays établies par le **ministère des Affaires étrangères** sur *www.france.diplomatie.gouv.fr/voyageurs*
Comité d'informations médicales (CIMED) – Maison des Français de l'étranger (MFE) - *48 r. de Javel - 75015 Paris - ✆ 01 43 17 60 79 - www.cimed.org et www.mfe.org.*
Centre médical de l'Institut Pasteur – *209-211 r. de Vaugirard - 75015 Paris - ✆ 0 890 71 08 11 - www.pasteur.fr*

PRÉCAUTIONS VESTIMENTAIRES

Si vous comptez vous baigner, n'oubliez surtout pas de vous munir de **sandales en plastique** : la plupart des plages sont de galets et les fonds rocheux peuvent être très coupants (sans parler des oursins !).
Enfin, si vous passez de la côte dalmate à l'intérieur des terres, les températures peuvent baisser spectaculairement dès que vous prenez de l'altitude. Prévoyez donc d'emporter avec vous, même en été, des « petites laines » !

ANIMAUX DOMESTIQUES

Dans les hébergements acceptant les chiens et chats sont exigés : un carnet de vaccination, un « certificat international de bonne santé » délivré par un vétérinaire ainsi qu'une **vaccination antirabique** en cours de validité.

Budget

Sur la côte et en haute saison, le budget de vos vacances approchera celui de vos sorties dans votre pays d'origine. Les restaurants restent cependant plus abordables, ainsi que la restauration à emporter, les cafés et les produits achetés au détail (*tableau ci-contre*).

Se loger

MODE D'EMPLOI

Dans les carnets pratiques des localités décrites, vous trouverez une sélection d'**hébergements** de divers types. Les renseignements les concernant sont donnés sous toutes réserves car susceptibles de changements.
En ce qui concerne les hôtels, et sauf autre précision, les prix indiqués sont ceux communiqués par les hôteliers pour une **chambre double ou par personne en haute saison**. Lorsque le prix du petit-déjeuner n'est pas compris, il est indiqué à la suite du symbole ☕.
Bon à savoir – Si vous voyagez sur le littoral croate en dehors du mois d'août, les tarifs proposés seront sensiblement inférieurs. Sachez également que sur le littoral, il arrive que le prix de la chambre soit majoré de 20 % pour un séjour inférieur à trois nuits, règle qui n'est généralement appliquée qu'en haute saison.

Prix indicatifs de base pour la haute saison, à minorer en dehors de cette période.

SERVICES OU ARTICLES	Prix indicatif en kn	Équivalent en euros
Une chambre double chez l'habitant.	445	60
Un plat de pâtes ou un risotto.	50/70	7,50/9,50
Un repas moyen (viande + dessert + boisson).	150	14
Trajet aéroport de Zagreb/ centre-ville en taxi.	180 à 220	25/30
Un billet de train Zagreb-Split.	165	22
Un ticket de car Zagreb-Split.	185	25
Car-ferry Split-Hvar (1 voiture + 2 passagers).	412	55,50
Trajet aéroport de Dubrovnik/ centre-ville en taxi.	250	35
Un litre d'essence SP 95.	env. 9,65	env. 1,25
Une bière pression.	6/10	0,80/1,50
Une grande bouteille (1,5 l) d'eau minérale.	10	1,34

À l'intérieur des terres, les prix sont stables tout au long de l'année, sauf lors d'événements particuliers (comme la foire de Zagreb).

Avec la **réservation en ligne**, les prix peuvent fortement fluctuer en fonction de l'offre et de la demande. Il est ainsi possible de réserver dans de grands hôtels pour un tarif très avantageux.

Attention – Dans les grandes villes de la côte et les stations balnéaires, les prix sont souvent affichés **par personne**, ce qu'on indique €/pers. ou kn/pers. Certains hôtels affichent uniquement les prix en euros, c'est pourquoi nous les indiquons de même dans nos carnets pratiques.

Il faut savoir également qu'au prix des chambres s'ajoutent différentes **taxes** variables selon la localité et la période de l'année. Elles excèdent rarement 10 kn par jour et par personne.

Les **cartes de crédit** sont acceptées par la plupart des hôtels. Nous signalons les rares établissements où cela n'est pas le cas par le symbole .

LES DIFFÉRENTS TYPES D'HÉBERGEMENT

L'hébergement est diversifié, mais assez inégalement réparti sur le territoire : si le littoral dalmate ou istrien et les îles offrent un large choix, les villes de l'intérieur du pays sont beaucoup moins généreuses en offre hôtelière !

Auberges de jeunesse

Appelées « hostel », elles sont au nombre de neuf. Rens. à Zagreb auprès de la **CYHA** - *00 385 (0)1 48 29 291* - *www.hfhs.hr*

Les campings

Le littoral et les îles croates abondent en campings souvent agréablement installés sur des terrains ombragés au bord de l'eau. Vous n'en trouverez en revanche que très peu à l'intérieur des terres… ce qui n'empêche pas que c'est là, à Plitvice, qu'est situé le meilleur camping du pays. Outre des installations sanitaires, ces campings sont souvent dotés de restaurants et de supérettes. Nombre d'entre eux proposent des mobile homes ou des bungalows.

Le camping sauvage est **strictement interdit** en Croatie ! Les réfractaires risquent de se trouver au petit matin nez à nez avec la police et devront s'acquitter d'une forte amende.

Les hôtels

Sauf rares exceptions, à partir de la classification en « deux étoiles », les hôtels vous proposeront des prestations conformes aux normes internationales. Presque tous possèdent un **restaurant** (souvent, aussi, un buffet), si bien que le prix en demi-pension ou en pension complète est très intéressant.

Sur la côte, les grands complexes hôteliers se complètent souvent par des ensembles de **villas** ou **apartman** qui proposent des logements de 2 à 4 personnes, avec kitchenette.

Les pensions de famille et petits hôtels

La Croatie connaît ces dernières années un développement fulgurant des petits hôtels et pensions de famille. Très prisés par les touristes, ils permettent de découvrir une région en étant plus proche de ses habitants, de ses traditions et de sa cuisine. La plupart se trouvent sur la côte dalmate, en Istrie et dans le Kvarner, mais ils apparaissent également en Croatie continentale. Si les hôtels de charme sont relativement chers, les pensions de famille affichent des prix plutôt modiques. La plupart sont regroupés au sein d'une association nationale :

Association nationale croate des petits hôtels et pensions de famille – *Obala hrvatskog narodnog preporoda 7/3 - 21000 Split - ✆ 00 385 (0)21 317 880 - www.omh.hr*

Chez l'habitant

Dans les stations balnéaires et aux abords des grands sites touristiques, plus rarement à l'intérieur des terres, vous verrez de nombreux panneaux portant les mots *sobe* (chambres) ou *apartman*. D'une manière générale, il s'agit de chambres ou de studios avec kitchenette installés dans des villas modernes. En principe, le prix est majoré de 20 à 40 % (ou plus), pour un séjour inférieur à 3 ou 4 nuits. Dans la réalité, tout dépend du rapport entre l'offre et la demande. Pour réserver, vous pouvez passer par le site Internet de l'office de tourisme de la région.

NOS CATÉGORIES DE PRIX

	Se loger (prix de la chambre double)		**Se restaurer** (prix déjeuner)	
	Province	**Grandes villes Stations**	**Province**	**Grandes villes Stations**
Premier prix	290 kn (40 €) et moins	430 kn (60 €) et moins	60 kn (8 €) et moins	80 kn (11 €) et moins
Budget moyen	de 290 kn (40 €) à 500 kn (70 €)	de 430 kn (60 €) à 650 kn (90 €)	de 60 kn (8 €) à 110 kn (15 €)	de 80 kn (11 €) à 150 kn (20 €)
Pour se faire plaisir	de 500 kn (70 €) à 720 kn (100 €)	de 650 kn (90 €) à 940 kn (130 €)	de 110 kn (15 €) à 200 kn (27 €)	de 150 kn (20 €) à 250 kn (34 €)
Une folie	plus de 720 kn (100 €)	plus de 940 kn (130 €)	plus de 200 kn (27 €)	plus de 250 kn (34 €)

Hébergement à la ferme

Très agréable, l'*agroturizam* est bien implanté en Istrie et se développe dans la Croatie continentale. Il propose, à l'intérieur des terres, de nombreuses solutions d'hébergement en milieu rural, parfois dans de véritables fermes traditionnelles toujours en activité. Souvent, possibilité de repas en formule « table d'hôte » (avec dégustation de produits fermiers).

Rens. et réserv. sur le site internet des offices de tourisme.

Catalogue disponible dans les offices de tourisme.

Locations de phares

Jouer au gardien de phare pour quelques jours ? Pourquoi pas, puisque quelques-uns des nombreux phares de l'Adriatique sont proposés à la location.

Le logement, bien entendu, n'est pas installé au sommet du phare, mais dans la maison aménagée à son pied.

Il faut tout de même savoir que ces phares sont situés dans des lieux très isolés… et que pour l'approvisionnement, vous dépendrez du passage du bateau-épicerie (2 fois par semaine au mieux).

Quant aux baignades, elles sont réservées aux très bons nageurs, les phares étant par définition installés dans des lieux dangereux.

Rens. et réserv. (sites en anglais) : *www.adriatica.net*, *✆ 44 020 71 83 04 37*.

Se restaurer

Horaires

Sauf pour les plus huppés, ouverts seulement aux heures de repas, les restaurants en Croatie ouvrent de 11h à 22-23h, et ce au moins six jours sur sept. Les Croates s'y installent à toute heure pour un plat ou une boisson.

Carte

Rares sont les restaurants proposant un menu du jour. On choisit donc sur une carte qui propose systématiquement des soupes (*juha*, pl. *juhe*), des entrées froides ou chaudes, des plats principaux et des desserts.

Spécialités – *Voir p. 52 la rubrique consacrée aux saveurs croates.*

Addition

(*Račun*, prononcé « ratchoun »)

Sachez que le pain et le couvert sont facturés, pour un montant qui ne saurait excéder 20 kn. Le service est, en principe, compris.

Prix – Si l'on excepte les restaurants de poissons, les prix sont raisonnables. Attention, le poisson est facturé au poids : les « nobles » (catégorie I) peuvent être assez chers : 300-350 kn/kg. La portion faisant entre 400 et 500 g, comptez la moitié du prix.

Un repas léger peut revenir à 100 kn/pers., vin en sus. Le prix de celui-ci n'est pas exorbitant : une bouteille de bon vin croate revient à 120/150 kn (16 à 20 €).

Paiement – Nombre de restaurants acceptent les cartes de crédit.

Faire une pause

Qu'ils s'appellent *kavana*, ou *caffe*, les cafés abondent. Zagreb, Osijek, Dubrovnik, Pula, Split, Zadar, Rijeka, Varaždin possèdent de vénérables institutions, souvent nommées **Gradska Kavana** (« Café de la ville ») et datant de l'époque austro-hongroise, dont ils ont conservé la façade et les amples volumes.

Sur le littoral, les grands cafés à l'italienne déploient leurs terrasses sur les quais des ports.

On y boit selon l'heure, de la bière ou des boissons chaudes – thé *(čaj)*, café *(expreso)* ou chocolat (excellent en Istrie !) – parfois accompagnées de quelques viennoiseries.

Les prix varient selon la ville et la « classe » de l'établissement.

Sur place de A à Z

ACHATS

Pour vos achats de première nécessité, vous disposez de nombre de **libres-services** (*samoposluga*, le plus souvent de l'enseigne « Konzum »).

Les **kiosques à journaux** sont une véritable mine : outre la presse, vous y trouverez tabac, cartes téléphoniques, friandises et sucreries, préservatifs, etc.

Achats détaxés – Pour les achats de produits d'une valeur supérieure à 500 kn, vous pouvez demander le remboursement de la TVA (PDV) en présentant aux bureaux de douane, lorsque vous quitterez le pays, la facture et l'attestation (Tax Cheque) mentionnant le montant de la taxe que vous aura remises le commerçant.

ADRESSES

Les noms propres croates se déclinent, ce qui peut entraîner quelques confusions pour les voyageurs non avertis. Ainsi une rue honorant Stjepan Radić s'appellera sur les panneaux « Ulica Stjepana Radića » et sur les plans sera abrégée en « Radićeva ».

Notez également que les énigmatiques « **bb** » qui suivent certains noms de rues correspondent à notre « sn » (sans numéro).

ARGENT

Monnaie

L'unité monétaire croate est la **kuna** (signifiant « martre » et abrégée, officiellement en HRK, localement en **kn**) qui se divise en 100 **lipa** (« tilleul »). Le taux par rapport à l'euro est relativement stable (autour de 7,20 kn). Vous trouverez des billets de 5, 10, 20, 50, 100, 200, 500 et 1 000 kn, et des pièces de 1, 2, 5 et 25 kn, et de 5, 10, 20 et 50 lipa. Dans les lieux touristiques, on peut parfois régler en euros.

Il n'y a pas de restrictions pour les entrées de devises étrangères en Croatie. La monnaie nationale peut être importée ou exportée jusqu'à 15 000 kunas.

Change

Il s'effectue à la poste, dans les banques, les agences de voyages, dans les hôtels (gare aux commissions !) et parfois dans certains magasins des grandes villes.

En quittant la Croatie, vous pourrez sans problème reconvertir vos kunas en euros, dans les banques et les bureaux de change des aéroports en particulier.

Chèques de voyage

Les chèques de voyage s'échangent dans les banques et les postes croates.

Distributeurs automatiques de billets

Vous en trouverez même dans les petites villes, généralement à l'extérieur des banques. Vous aurez souvent la possibilité d'afficher sur l'écran les instructions en plusieurs langues (allemand, italien ou anglais). Soyez par ailleurs attentif : l'ordre des opérations n'est pas forcément celui auquel vous êtes habitué et l'on peut vous demander de taper le montant souhaité avant votre numéro de code. Votre banque prélèvera une commission constituée d'un montant fixe et d'un pourcentage à chaque opération réalisée. Attention : il n'y a pas toujours de signal sonore qui vous prévient de retirer la carte. Si vous tardez à la récupérer, elle sera avalée par le distributeur !

Cartes de crédit

Les principales cartes de crédit internationales sont acceptées dans la plupart des hôtels et commerces. En revanche, si vous souhaitez loger chez l'habitant, munissez-vous d'espèces. Sachez que certains propriétaires sont friands d'euros…

BAIGNADE

Mer, lacs, rivières, piscines font de la Croatie un paradis pour les amateurs de baignades. Les eaux croates ont une excellente réputation de propreté, grâce à un littoral relativement peu industrialisé. Celle des plages, notamment les plus isolées, peut en revanche laisser à désirer : déchets de plastique en tout genre s'y échouent en effet, illustrant bien la pollution domestique dont est victime l'Adriatique.

Les **plages** de sable sont rarissimes. Vous aurez le plus souvent le choix entre des plages de galets et des plages artificielles de ciment, souvent bondées en été. Il sera donc beaucoup plus agréable de rechercher les rochers des criques isolées. Soyez prudent car l'eau est vite profonde.

À l'intérieur des terres, des baignades sont aménagées au bord des plans d'eau et des rivières, notamment autour de Zagreb, près de Varaždin, ainsi qu'à Osijek où de véritables foules se jettent en été dans la Drave.

CROISIÈRES

Dalmatie Tours – *✆ 00 385 (0)22 441 942 ou 06 81 75 23 37 - www.dalmatietours.com.* Croisières de 7 ou 14 j. sur des bateaux confortables.

Tapis Rouge Croisière – *✆ 01 42 56 55 00 - www.tapis-rouge.fr.* Pendant tout l'été, différentes croisières sont organisées à travers les trois mers : la Méditerranée, la mer Tyrrhénienne et l'Adriatique à bord d'un superbe trois-mâts, *Le Ponant*, et de confortables navires comme *Le Levant* et *Le Diamant*.

Clio – *www.clio.fr.* Leur croisière en Adriatique propose entre autres de découvrir Zadar, Split et Trogir, Korčula, Dubrovnik, les bouches de Kotor au Monténégro et jusqu'à Apollonia d'Illyrie en Albanie.

Agence Atlas – *Vukovarska 19 - 20000 Dubrovnik - ✆ 00 385 (0)20 442 222 - www.atlas-croatia.com*

DÉLINQUANCE

Le taux de criminalité en Croatie est très bas et vous vous sentirez en sécurité un peu partout. Le principal risque encouru est le vol de voiture. Il est bien entendu toujours possible de croiser un pickpocket, raison pour laquelle vous prendrez (sans exagération) les précautions d'usage.

ENVIRONNEMENT

La préservation de l'environnement est un des soucis primordiaux de la Croatie. Vous constaterez sur place la remarquable propreté des villes, parfois dotées (comme à Dubrovnik) de cendriers.

Témoin d'une pollution en mer, vous devez contacter le *✆ 9155 (appel gratuit)*.

Dans les maquis du littoral et dans les zones de forêts, soyez particulièrement attentif aux **risques d'incendie**. Au cas où vous seriez témoin du déclenchement d'un feu, appelez les pompiers au *✆ 193*.

HORAIRES D'OUVERTURE

Commerces et services – Les commerces et administrations ouvrent souvent de 7h à 19h, voire

20h, du lundi au vendredi. En revanche, à l'exception des cafés et restaurants et de quelques centres commerciaux, **tout s'arrête le samedi** à la mi-journée (à 15h à Zagreb), jusqu'au lundi matin. Cette règle est particulièrement suivie à l'intérieur du pays, beaucoup plus souplement sur le littoral en pleine saison touristique. L'été, la coupure de la mi-journée peut, en Istrie ou en Dalmatie, prendre en compte l'indispensable sieste. La vie reprend alors à partir de 17h.

Sites et musées – Hors de rares exceptions, les musées sont en général fermés le lundi. Leurs heures d'ouverture sont parfois soumises à de mystérieux aléas, et, dans les régions les moins touristiques, il ne faut pas hésiter à tambouriner à la porte ! Le personnel sera à la fois ravi et étonné de votre visite…

Églises – Elles sont très souvent fermées, surtout en hiver, sauf à l'heure des offices. Lorsqu'elles dépendent d'une communauté monastique, il est toujours possible de s'adresser au couvent voisin.

ÎLES

Une multitudes d'îles à quelques encablures du continent avec des eaux limpides, une nature généreuse et parfois encore sauvage : voici une des raisons pour lesquelles on vient en Croatie.
Tableau ci-dessous.

Liaisons en ferry et en bateau

En Dalmatie, sachez que chaque groupe d'îles dépend d'un port d'embarquement et que la plupart des îles ne sont pas reliées entre elles. D'autre part, les horaires des ferries sont organisés de façon à permettre aux insulaires de se rendre sur le continent le matin et d'en revenir le même jour. Ceci explique que la plupart des départs vers les îles aient lieu l'après-midi, alors que le retour a lieu tôt le matin. Plus l'île est éloignée, plus les horaires sont extrêmes et vous contraindront, dans presque tous les cas, à passer au moins une nuit sur place : tenez-en compte pour organiser votre périple. Plus proches du littoral, les îles du golfe de Kvarner sont reliées au continent par des navettes quasiment continuelles.

ÎLES CROATES						
	Port d'embarquement	Plages	Avec les enfants	Activités sportives	Végétation	Sauvage
Brač	Split	++	+	+++	+	++
Cres et Lošin	Brestova	+	+	+	++	++
Dugi Otok	Zadar	+	-	+	++	+++
Hvar	Split	+	+	++	++	+
Korčula	Dubrovnik, Split	+	+	++	+++	++
Kornati	Murter, Sali (sur l'île de Dugi Otok)	-	-	-	-	+++
Krk	accessible par pont	++	++	++	+	++
Lastovo	Split	-	-	+	++	+++
Mljet	Dubrovnik	++	+	+	+++	+++
Pag	accessible par pont	+++	+++	++	+	++
Pelješac (presqu'île)	Dubrovnik	+++	+++	++	++	+++
Rab	Jablanac	++	++	++	+++	+
Vis	Split	+	+	+	+	+++

Liaisons – La plupart des traversées sont assurées par la compagnie de transport maritime **Jadrolinija** (*www.jadrolinija.hr*).
Horaires et fréquence – Ils sont comme on l'imagine tributaires de la saison. Notez qu'en hiver certaines lignes secondaires (notamment celles permettant de relier des îles entre elles) ne sont pas en service.
Tarifs – La tarification comprend d'une part la voiture, d'autre part chacun des passagers. Les prix varient en fonction des lignes. Pour donner un ordre d'idée, comptez au maximum de 30 à 68 kn par personne, auxquelles il faut ajouter de 160 à 530 kn pour la voiture, selon la destination.
Embarquement – À chaque embarcadère, un guichet ouvre 1h ou 45mn avant le départ des ferries. La réservation n'étant pas toujours possible, il vaut mieux se présenter avec un peu d'avance.

Autres compagnies

Rapska plovidba – *www.rapska-plovidba.hr.* Compagnie locale qui gère la ligne de ferry entre Stinica et Mišnjak sur l'île de Rab.
Split Tours – *www.splittours.hr - ☎ 021 352 553.* Pour les bateaux rapides au départ de Split vers Ancône et de Hvar vers Ancône.

Liaisons locales

G & V Line – *Dubrovnik - ☎ 020 313 119 - www.gv-line.hr*
MiaTours Zadar – *Zadar - ☎ 023 254 300 - www.miatours.hr*
Rapska Plovidba – *Rab - ☎ 051 724 122 - www.rapska-plovidba.hr*
Split Tours – *Split - ☎ 021 352 553 - www.splittours.hr*
UTO Kapetan Luka – *Krilo Jesenice - ☎ 021 872 994 - www.krilo.hr*

JOURNAUX

Hors Zagreb, Rijeka, Dubrovnik et autres lieux très touristiques, rares sont les villes où vous pourrez vous procurer la presse française. *Le Figaro, Le Monde, Le Monde diplomatique* et *Le Canard enchaîné* sont les seuls journaux distribués.

JOURS FÉRIÉS

Les fêtes religieuses ont une grande importance en Croatie, notamment Pâques et, surtout, Noël (nombre d'établissements s'accordent alors quelques jours de relâche entre le 25 déc. et le 1er janv.). Il faut ajouter les fêtes locales, souvent liées au saint patron de la ville.

LANGUE

Rares sont les Croates qui parlent le français. Suivant les régions, ils s'exprimeront plus volontiers en allemand (intérieur du pays), en italien (Istrie et Dalmatie) et en anglais.

Prononciation

č = « tch » dur
š = « ch »
ž = « j »
đ = « dj »
ć = « tch » mouillé.
c = « ts »
g = « gu » (g dur)
h = *jota* espagnole
j = « y » (Rijeka : *riyeka*)
u = « ou ».
r entre deux consonnes = « eur » ; ville de Krk : « keurk », *trg* (place) : « teurg », *vrt* (jardin) : « veurt ».
Toutes les lettres se prononcent.
« Lexique » p. 566.

NATURISME

Depuis plus de cinquante ans, le littoral de Croatie est un paradis pour les naturistes. Aujourd'hui, on compte près de 150 campings et villages FKK destinés à les accueillir.

NAUTISME

Le littoral, très escarpé et souvent inaccessible par la terre, ne se dévoile vraiment qu'en arrivant du large. À vous les centaines d'îles, les criques désertes, les mouillages idylliques au repli d'un port naturel…

Arrivée dans les eaux croates

Les propriétaires ou les skippers de bateaux immatriculés à l'étranger devront, en arrivant dans les eaux territoriales croates, rallier le port international le plus proche : Umag, Poreč, Rovinj, Pula, Raša/Bršica, Rijeka, Mali Lošinj, Senj, Zadar, Šibenik, Split, Ploče, Metković, Korčula, ou Dubrovnik (ouverts toute l'année) auxquels l'été s'ajoutent Novigrad, Božava, Sali, Primošten, Hvar, Vis, Komiža, Vela Luka, Uble et Stari Grad (sur Hvar). Sur place, ils doivent prendre contact avec les autorités douanières et satisfaire aux démarches administratives : enregistrement du bateau, production des permis et certificats nécessaires pour tous les membres d'équipage. Les passagers doivent être munis d'un passeport en cours de validité et d'un visa, le cas échéant. Une fois l'autorisation obtenue, celle-ci est valable un an. Si le bateau ne satisfait pas aux critères, il peut être demandé un contrôle qui permettra d'obtenir l'autorisation.

Restrictions à la navigation

La navigation est interdite dans une partie des eaux de l'archipel de Brijuni, dans le canal de Lim et dans les baies où l'on pratique la pisciculture ou l'ostréiculture (Ston), ainsi qu'à l'approche des installations de la Marine croate, tandis qu'elle est l'objet de règles particulières dans le Parc national de l'archipel des Kornati.

Météo

Si les calmes plats sont fréquents dans les eaux croates, les vents peuvent être violents. La **bora** et le **jugo** (sirocco), les vents dominants, soufflent principalement de septembre à mai. La bora est un vent sec et froid, parfois glacial, qui vient du nord-est par de brusques et puissantes rafales qui s'engouffrent dans des couloirs naturels tout le long de la côte. Le jugo est un vent chaud et humide de sud-est. Moins soudain que la bora, il est souvent accompagné de pluie. Le **maestral**, soufflant du nord-ouest, est un vent de mer très périodique. Il se lève en fin de matinée pour se calmer dans l'après-midi et s'éteindre au crépuscule. Accompagné de nuages blancs, il annonce le beau temps.

Adresses utiles

Adriatic Croatia International Club (ACI) – M. *Tita 151 - POB. 109 - 51410 Opatija - ✆ 051 704 004 - www. aci-club.hr.* Cette organisation gère la moitié des ports de plaisance et loue des bateaux. Son site Internet, très complet, donne la météo.

Association croate de navigation – *Trg Franje Tuđmana 3/2 - 21000 Split - ✆ 021 345 788 - www.hjs.hr (en croate).*

Fréquences radio et secours :

VHF canal 17 pour tous les ports de plaisance.

VHF canaux 10 et 16 pour les ports de Croatie.

Secours en mer – *✆ 195.*

Principaux ports de plaisance

Un certain nombre de ports de plaisance sont gérés par la chaîne de l'**ACI-Club** *(www.aci-club.hr)*, ce qui garantit une certaine uniformité des services.

Des anneaux sont réservés pour les navigateurs de passage. Il est toutefois préférable (surtout en juillet-août) de prévenir de votre arrivée 24h à l'avance, car certains sont particulièrement prisés.

Le **prix de l'anneau à la journée**, variable selon les ports et la taille des bateaux, peut aller de 20/35 € (7/8 m) à 40/45 € (10/11 m).

Location de bateaux

Près de 1 900 voiliers en location (avec ou sans skipper) gérés par une centaine de compagnies charter vous attendent dans les ports.

Documents – Pour louer un bateau en Croatie, vous devez produire un permis de navigation côtière ou hauturière et un certificat d'utilisation d'une radio VHF.

Réservation – Il est indispensable de réserver votre bateau plusieurs mois à l'avance, avant février si possible, pour l'été. Les locations se font en principe à la semaine, à partir du samedi matin.

À titre indicatif, comptez de 720 à 5 000 € pour une semaine de location, selon la saison et le type de bateau. Les services d'un skipper sont facturés entre 70 et 120 €/j, prix auquel il faudra ajouter le coût de ses repas. Comptez également entre 80 et 100 €/sem. pour un spinaker et 60 € pour un moteur hors-bord. Une abondante documentation vous sera fournie, dans laquelle vous trouverez les coordonnées des ports de plaisance, des cartes marines, etc.

Location en Croatie

ACI – *www.aci-club.hr.* Voiliers basés à Opatija, Vodice et Trogir.

BavAdria Yachting – *Marina Kaštela à Kaštel Gomilica - www.bavadria.com - ☎ 43 316 71 82 70.*

Yachting Pivatus – *www.pivatus.hr.* Agences dans les marinas de Split, de Pula et de Zadar.

Nautika Centar Nava – *Uvala Baluni 1 Split - www.navaboats.com - ☎ 385 21 40 77 00.*

Sun Adriatic Yacht charter Millennium (SAY-Millennium) – *www.say.hr.* Bateaux basés à la Marina ACI Jezera.

Location en France

Évasion Location – *www.evasionlocation.fr - ☎ 04 94 63 69 70.* Bateaux basés à Portorož, Pula, Šimuni, Primošten, Murter, Zadar, Biograd, Trogir, Split et Dubrovnik.

Vent Portant – *www.ventportant.com - ☎ 05 46 44 76 93.*

Sunsail – *www.sunsail.com.* Bateaux basés à Dubrovnik, Pula, Kremik.

Zodiac et catamaran

La multitude d'îles du pays permet d'effectuer des raids en zodiac.

Itinérances Dalmates – *www.itinerances-dalmates.com - ☎ 385 98 72 810.* Location de vedettes et voiliers. Raids au départ de Pakoštane pour les Kornati, la Krka, Vis, Hvar, Mljet, Dubrovnik.

PARCS NATURELS ET NATIONAUX

La Croatie est riche de 8 parcs nationaux et 11 parcs naturels.

Tableau page ci-contre.

PÊCHE

En mer…

Un permis est délivré, soit en ligne (*www.mps.hr/ribarstvo/default.aspx*), soit sur place par les administrations locales du ministère de l'Agriculture, les autorités portuaires ou les offices de tourisme. Présentez une pièce d'identité et une licence. Comptez entre 60 kn (1 j.) et 300 kn (1 sem.).

… et en eau douce

Vous pouvez obtenir un permis temporaire de pêche, ainsi que des informations sur les lieux autorisés en vous adressant aux clubs de pêche locaux, dont les offices de tourisme vous donneront la liste.

POSTE

Les bureaux principaux des grandes villes peuvent être ouverts 24h/24, ou selon des horaires très larges. De façon générale, les horaires sont 7h ou 8h-19h ou 20h lun.-sam. et, parfois, le dim. matin.

PARCS NATIONAUX					
	Type	Connu pour…	Faune, flore	Patrimoine culturel	Activités sportives
Brijuni★★	archipel	vestiges byzantins et romains	végétation méditerranéenne oiseaux migrateurs	vestiges byzantins et romains	golf
Kornati★★	archipel	paysages sauvages	-	-	plongée, voile
Krka★★	cours d'eau et cascades	cascades	espèces endémiques	monastères	rando
Mljet★★★	île	lacs salés	végétation méditerranéenne	monastère	rando, plages
Paklenica	montagne	formations karstiques	papillons	-	rando, escalade
Plitvice★★★	cours d'eau et cascades	lacs	ours, forêts	-	rando, vélo
Risnjak★★	montagne	formations karstiques	lynx, ours	-	rando, ski, pêche sportive
Velebit du Nord★	montagne	formations karstiques	ours	-	rando

POURBOIRES

Le service est compris dans les hôtels, cafés et restaurants. Les pourboires sont donc laissés à votre appréciation. Le salaire moyen en Croatie est de l'ordre de 350/400 €.

RANDONNÉES ET ALPINISME

Les massifs montagneux, les parcs naturels et les côtes escarpées de Croatie offrent différentes possibilités de randonnées et d'escalade. De façon générale, les sentiers sont très bien balisés et entretenus. Vous en trouverez dans les parcs nationaux comme le Velebit (Velebit du Nord, Paklenica) et Risnjak, dans le massif Velika Kapela au nord d'Ogulin, dans les parcs naturels du Biokovo, du Papuk en Slavonie et des monts Učka dans le Kvarner, dans le Zagorje (à partir de Belec) et dans la Medvednica, la montagne qui domine Zagreb.
Association d'alpinisme de Croatie (Hrvatski planinarski savez Croatian Montaineering Association) – *www.plsavez.hr* - *✆ 01/4823 624.*

SÉCURITÉ

Important : la Croatie a retrouvé sa pleine souveraineté sur l'ensemble de son territoire en 1998, mais des **zones minées** subsistent encore.
Il faut donc être particulièrement prudent et ne pas s'aventurer en dehors des chemins balisés dans les zones suivantes :
- **Slavonie orientale** et **Baranja** (régions de Vukovar, Osijek et de Kopački rit) ;
- quadrilatère délimité au sud par la frontière bosniaque (entre Jasenovac et Nova Gradiška), au nord par Virovitica et Slatina (zones de **Daruvar**, **Pakrac** et **Lipik**) ;
- environs de Sisak (région de **Glina**) ;
- région allant de **Gospić** à **Sinj** par **Gračac** et **Knin**.

Sur les itinéraires **Karlovac-Plitvice-Gračac-Zadar** et **Gračac-Knin-Split**, ne pas s'écarter des routes principales.
Les champs de mines sont le plus souvent signalés par des panneaux.
D'une façon générale, dans les anciennes zones de combats, **ne campez que sur les terrains**

autorisés et **ne pénétrez pas dans les maisons abandonnées** qui peuvent être piégées ou minées, ou qui risquent tout simplement de s'effondrer. Vous pouvez consulter à ce sujet les fiches « Conseils aux voyageurs » régulièrement mises à jour sur le site du ministère français des Affaires étrangères : *www.france.diplomatie.fr*

SOUVENIRS

Force est de reconnaître (pour le regretter) que vous trouverez peu d'objets d'un artisanat pourtant de qualité, en particulier en Slavonie. Le cadeau le plus courant est constitué par les **petits cœurs en pain d'épice** *(licitarsko srce)* de Zagreb ; il existe différentes versions que vous trouverez un peu partout.

Artisanat

La **dentelle de Pag**, un des fleurons de l'artisanat croate, est d'une qualité exceptionnelle. Il est préférable de l'acheter dans l'île, ne serait-ce que pour être certain de son origine.
Vous aurez la possibilité de trouver à Dubrovnik des **costumes traditionnels**. Quelques **tissages** de qualité sont proposés à Krk.
Bien entendu, vous rapporterez une **cravate** : les Croates ne sont pas peu fiers de vous expliquer qu'ils sont les inventeurs de cet accessoire masculin (d'où son nom). Jadis offerte par sa femme ou sa fiancée à l'homme partant se battre, elle était attachée autour de son cou par un nœud symbolisant leur engagement mutuel.
Un peu partout sur le littoral, de la Dalmatie à l'Istrie, les **bijoutiers** proposent des bijoux traditionnels en filigrane d'or ou d'argent, parfois rehaussés de corail.
Vous pourrez également, dans une galerie ou dans un atelier de la région de Hlebine, faire l'acquisition d'un **tableau naïf** représentant un paysage hivernal…
Les produits de l'**herboristerie dalmate**, à base d'essence de lavande ou de romarin, souvent élaborés et distribués par Aromatica (goûtez donc à leur *Jadranski čaj* ou thé de l'Adriatique*)*, sont réputés.

Spécialités gourmandes

Salé – Testez les charcuteries, du *pršut* dalmate au *kulen* de Slavonie, en passant par les saucisses de Samobor. Vous pourrez y joindre un pot de *muštarda*, la fameuse « moutarde » de Samobor et une bouteille d'**huile d'olive** d'Istrie, à moins que vous ne la préfériez aromatisée au millepertuis. Si vous allez en Istrie, impossible de manquer les préparations à base de **truffes** blanches ou noires ! *(« Saveurs croates » p. 51).*
Sucré – Vous trouverez des biscuits *paprenjak* et du miel.
Une bonne bouteille ? Il existe des **apéritifs** (le *Bermet*, lui aussi de Samobor), des **eaux-de-vie** (*rakija*, *šlivovica* ou *grappa*, dont celle de Vis, à la caroube) et des **liqueurs** (dont le fameux *maraschino*, liqueur de cerise de la région de Zadar), Quant aux **vins**, ils sont légion : du *prošek*, vin cuit de Pelješac, au *traminac* d'Ilok, en passant par les *žlahtina* de Krk, les *malvazija* et les *teran* d'Istrie, les blancs de Kutjevo, ou encore le fameux *dolac*.

SKI

Les pentes de la **Medvednica**, aux environs immédiats de Zagreb (accès par le funiculaire de Sljeme), constituent le principal domaine skiable du pays.
Citons également **Jasenak-Vrelo**, au sud d'Ogulin, où est implanté un centre olympique.
Enfin la minuscule station de ski de **Baške Oštarije**, entre Karlobag et Gospić, est un des rares endroits où l'on peut s'abandonner aux sensations de la glisse en dominant la mer !

Hôtels ?
Restaurants ?
Savourez les meilleures adresses !
MICHELIN
France
Envie d'une bonne petite table entre amis, d'une chambre d'hôtes de charme pour s'évader le temps d'un week-end, d'une table d'exception pour les grandes occasions ? Plus de 8700 restaurants, hôtels et maisons d'hôtes vous sont recommandés partout en France. Savourez les meilleures adresses avec le guide MICHELIN.
MICHELIN
Une meilleure façon d'avancer

SPORTS AQUATIQUES

Plongée sous-marine

Toute personne en possession d'un brevet de plongée reconnu internationalement peut prendre une carte de membre de l'Association croate de plongée. Valable un an, cette adhésion, obligatoire, se souscrit auprès du centre de plongée, et coûte environ 100 kn. À cela, il faut ajouter, pour qui souhaite pratiquer la **plongée individuelle**, l'achat auprès des autorités portuaires d'un permis qui vous coûtera 2 400 kn.

Vous trouverez plus de 150 centres de plongée *(diving centers)*, sur tout le littoral croate. La plupart proposent un ensemble de prestations s'adressant aux débutants comme aux plongeurs les plus expérimentés.

Sécurité – La Croatie possède plusieurs caissons hyperbares, indispensables en cas d'accident : on en trouve à Zadar, Crikvenica, Pula, Split, Dubrovnik et Zagreb.

Croprodive – *www.croprodive.info*. Association travaillant avec la chambre de commerce croate. Adresses utiles et carte des centres.

Autres...

Ski nautique ou ski-lift, planche à voile, surf, scooter des mers : vous pourrez les pratiquer dans la plupart des stations balnéaires de quelque importance, que ce soit en Istrie (Poreč, Vrsar), dans les îles du Kvarner (Punat et Baška, sur Krk) ou en Dalmatie (riviera de Makarska).

En rivière

Canyoning, rafting et canoë : les rivières du Gorski Kotar et du Biokovo se prêtent à ces activités. C'est le cas de la **Mrežnica**, près de Karlovac (rens. à l'office de tourisme local), de la **Kupa**, entre Osilnica et Brod na Kupi dont les rapides peuvent être parcourus sur près de 35 km à bord de canoës et surtout de la **Cetina**, dont le cours tumultueux s'achève à Omiš.

Dalmatia Rafting – *www.dalmatiarafting.com*. Rafting sur la Cetina.

TÉLÉPHONE

Liste des indicatifs régionaux :
Bjelovar *043*
Čakovec *040*
Dubrovnik *020*
Gospić *053*
Karlovac *047*
Koprivnica *048*
Krapina *049*
Opatija *051*
Osijek *031*
Poreč *052*
Požega *034*
Pula/Istrie *052*
Rijeka/Kvarner *051*
Sisak *044*
Slavonski Brod *035*
Split *021*
Šibenik *022*
Varaždin *042*
Vinkovci *032*
Virovitica *033*
Vukovar *032*
Zadar *023*
Zagreb *01*.

Les numéros commençant par 091, 095 et 098 correspondent à des téléphones portables.

Les numéros commençant par 060 sont des numéros gratuits.

Pour téléphoner en Croatie – À l'intérieur d'une même région, composez directement le numéro à 6 ou 7 chiffres de votre correspondant. D'une région à une autre, composez l'indicatif régional (y compris le 0 initial) puis le numéro de votre correspondant.

Pour téléphoner de Croatie en France – Composez le 00, le 33 et le numéro de votre correspondant sans le 0 initial.

Téléphoner d'une cabine – Elles sont à carte (*p. 20 Achats*). Vous pouvez sinon appeler depuis certaines postes.

Téléphone mobile – Le réseau des trois opérateurs (VIP, T-Mobile et TELE 2) couvre l'ensemble du territoire continental, à l'exception de quelques zones de montagnes, ainsi que 97 % des eaux territoriales, hors les îlots très éloignés de Jabuka et Palagruža. Assurez-vous, bien entendu avant le départ, auprès de votre opérateur, que votre forfait permet d'utiliser votre téléphone mobile à l'étranger et gardez en mémoire que tout appel (passé et reçu) sera facturé comme une communication internationale.

THERMALISME

On a répertorié 91 sources thermales dans la région de Zagreb, dont bon nombre étaient déjà connues des Romains, orfèvres en la matière.

Rares sont les stations thermales implantées dans des villes proposant, outre la cure, de multiples activités : on peut citer **Varaždinske Toplice**, **Daruvar**, **Stubičke Toplice** et, à la rigueur, **Krapinske Toplice** (ces deux dernières dans le Zagorje), sans oublier **Lipik**, jadis surnommée « l'Opatija de Pannonie » et **Topusko** (près de Glina), qui se remettent peu à peu des destructions de la guerre.

La plupart du temps, le thermalisme se réduit à un grand complexe comprenant les thermes proprement dits et un hôtel, le tout en rase campagne. Il est vrai que, dans ces cas-là, l'hôtel est en lui-même une petite ville avec boutiques, restaurants, salles de sport et de cinéma. C'est le cas à **Tuheljske Toplice** (Zagorje), **Bizovačke Toplice** près d'Osijek et **Istarske Toplice**, au pied de Motovun (Istrie).

TRANSPORTS

En avion

Vols quotidiens assurés par **Croatia Airlines**, de **Zagreb** vers **Split** et **Dubrovnik** ; plusieurs vols par semaine pour **Pula** et **Zadar**. *www.croatiaairlines.com - ✆ 385 166 76 555.*

Attention – La compagnie exige d'enlever les **piles** des appareils que vous enregistrez dans vos bagages.

En train

Le réseau ferroviaire n'est pas très dense en Croatie. Relativement lent, il n'est que peu utilisé par les touristes.

Compagnie des chemins de fer croates (Hrvatske željeznice) – *www.raildude.com*

En autobus

Le réseau de bus est très dense, que ce soit pour les liaisons longue distance ou pour les dessertes locales. Il est généralement aisé de rejoindre, en partant des villes principales, les sites touristiques des alentours. Renseignements sur *www.akz.hr* (liaisons au départ et à l'arrivée de Zagreb).

URGENCES

Numéros d'informations, d'urgence et de secours pour toute la Croatie :

Police : *✆ 192.*
Pompiers : *✆ 193.*
Urgences médicales : *✆ 194.*
Assistance routière : *✆ 1987.*
Secours en mer : *✆ 195.*
Numéro d'appel d'urgence unique européen : *✆ 112.*
Informations météorologiques et état du trafic : *✆ 060 520 520.*
Informations générales : *✆ 18981.*
Informations sur les numéros de téléphone internationaux : *✆ 11802.*
Renseignements téléphoniques locaux et interurbains : *✆ 11880/11888.*

« Anges croates » (service téléphonique d'information touristique qui répond à vos questions et problèmes, en anglais, allemand et italien) : ✆ *062 999 999 (juil.-août : 8h-0h, sept.-oct. : 9h-17h).* En cas de problème grave, vous pouvez consulter l'**ambassade de France** à Zagreb : ✆ *01 48 93 600 - www.ambafrance-hr.org* ; et la section consulaire : ✆ *01 48 93 680* (en dehors des heures de bureau, demander l'agent de permanence).

VOITURE

Le réseau routier

Le réseau routier croate est globalement satisfaisant. De grands travaux portant sur la création d'autoroutes et de voies rapides se poursuivent. Les autoroutes relient désormais Zagreb à Rijeka et à Split, Trieste est relié à Pula en Istrie. Une voie rapide permet de se rendre de Zagreb à Varaždin. Néanmoins, nombre de routes, sur le littoral, sur les îles et dans les régions montagneuses sont étroites et sinueuses et la conduite nécessite une attention constante.

Péages

Les autoroutes et certaines voies rapides croates sont soumises à péage, de même que deux ouvrages d'art : le tunnel de l'Učka, en Istrie, et le pont de Krk.

Code de la route

Limitations de vitesse – Sauf indication contraire, la vitesse est limitée à 130 km/h sur autoroute, 100 km/h sur les voies rapides, 80 km/h sur les routes, 50 km/h en agglomération (avec zones à 30 km/h). Les contrôles-radar sont fréquents…

Priorité – Sauf exceptions, la priorité est à droite. Méfiez-vous particulièrement de certains ronds-points où les règles de priorité n'obéissent pas forcément à celles qui sont en vigueur en France.

Panneaux – La signalisation est pareille à la nôtre.

Taux d'alcoolémie – 0,5 g/l. Attention à la grappa !

Obligatoire – Attacher sa ceinture, rouler toute la journée avec les **feux de croisement allumés**, porter un casque dans le cas des deux-roues, et posséder un triangle de signalisation *(trokut)*. Il est interdit d'utiliser son téléphone portable au volant. Sachez qu'il est recommandé de posséder une trousse de secours, une boîte d'ampoules pour les phares et des gilets phosphorescents en nombre égal au nombre de passagers placés dans l'habitacle et non dans le coffre.

Piétons – Ils bénéficient de la priorité lorsqu'ils traversent la chaussée sur des passages protégés. Cette disposition est systématiquement respectée par les conducteurs croates. Ne vous étonnez donc pas de voir des gens traverser devant vous en toute quiétude, parfois même sans regarder…

Amendes – Les amendes pour dépassement de la vitesse autorisée sont payables immédiatement en espèces et d'un montant non négligeable : de 100 à 500 kn suivant les cas.

Signalisation directionnelle

Les indications directionnelles, comme les noms des localités, sont généralement écrits en noir sur fond jaune. Contrairement à l'usage en France, le nom de la ville la plus éloignée est inscrit en haut du panneau, celui de la ville la plus proche, en bas.

Armez-vous de philosophie : vous serez sans doute maintes fois obligé de faire demi-tour après vous être égaré ! La signalisation en Croatie souffre pour l'heure d'un manque de hiérarchisation entre les localités.

DISTANCES EN KM	Dubrovnik	Makarska	Osijek	Pula	Rijeka	Šibenik	Split	Varaždin	Zadar	Zagreb
Dubrovnik		150	521	711	601	305	216	630	377	572
Makarska	150		459	506	388	160	65	529	207	442
Osijek	521	459		572	462	494	505	236	559	280
Pula	711	506	572		104	406	503	390	334	292
Rijeka	601	388	462	110		296	337	250	216	156
Šibenik	305	160	494	406	296		95	436	73	338
Split	216	65	505	503	337	95		463	162	365
Varaždin	630	529	236	390	250	436	463		386	75
Zadar	377	207	559	334	216	73	162	386		288
Zagreb	572	442	280	292	156	338	365	75	288	

Parkings

Dans les villes de l'intérieur, ils sont généralement payants ; soit par horodateur (tarifs variant selon les zones), soit auprès d'employés municipaux.

Carburants

La couverture de stations-service est satisfaisante, mais parfois un peu juste sur certains axes (comme l'autoroute de Zagreb à Rijeka) et dans certaines régions (autour de Sisak). D'une façon générale, les stations d'essence sont ouvertes de 7h à 18h en hiver, 22h en été. Sur les grands axes, il existe des stations du réseau national **INA** ouvertes 24h/24. Vous trouverez sans problème votre carburant *(benzina)* préféré (Eurosuper 95, Super 98, normal et Euro Diesel) dans toutes les stations. Pour les véhicules roulant au GPL, il faudra s'alimenter dans les grandes villes.

Le **prix** des carburants est légèrement inférieur à celui pratiqué en France.

Sauf indication contraire (*samoposluga* : libre-service) dans les petites stations, il n'est pas d'usage de se servir soi-même.

Conduire en Croatie

Il vous faudra être particulièrement prudent, patient et, parfois, avoir des nerfs d'acier. En été, il peut être très difficile de circuler en voiture et de se garer dans certaines villes.

Soyez aussi très vigilant face aux difficultés inhérentes à certaines portions du réseau routier (notamment sur les routes qui bordent la côte) et à la circulation de nombreux camions.

Faites très attention aux **passages à niveau**, souvent sans barrière.

Contrôles

Ils sont fréquents… Vous verrez souvent le long des routes et dans les agglomérations des policiers occupés à contrôler la vitesse des véhicules. Vous rencontrerez également des contrôles de routine : ayez toujours à portée de main les papiers du véhicule ainsi que vos documents d'identité.

En cas de problème

Sécurisez la zone de l'accident ou de la panne (triangle) et appelez la police. Elle vous donnera toutes les informations sur la marche à suivre, établira le constat obligatoire et vous indiquera les ateliers de réparation les plus proches.

Location de voiture

Important : Si vous avez un accident même bénin avec un véhicule de location ou s'il subit une dégradation (sur un parking par ex.), il est obligatoire de le faire constater officiellement par la police *(✆ 192)*, faute de quoi les frais de réparation, non couverts

par l'assurance, seront à votre charge.
Vous trouverez en Croatie les grands réseaux internationaux de location qui ont, pour la plupart, des agences dans les aéroports.
Avis Hrvatska – ✆ *01 46 73 603 - www.avis.com.hr*
Budget – ✆ *062 300 331 - www.budget.hr*
Hertz – ✆ *01 484 67 77 - www.hertz.hr*
Sixt – ✆ *01 66 51 599 - car-rental.sixt.com*
Adriarent Dubrovnik – ✆ *020 437 066 - www.adriarent.hr*
DE-NI Vozila – *Zagreb - ✆ 01 309 63 06 - www.de-ni.hr.*
H & M Rent A Car – *Zagreb - ✆ 01 37 045 35 - www.hm-rentacar.hr*

Numéros utiles

Automobile Club de Croatie (HAK) : *www.hak.hr.* Informations sur l'état du trafic en anglais, allemand et italien.
Dépannage : ✆ *1987.*

Informations touristiques

Les axes les plus fréquentés de Croatie possèdent des **points d'information** où les touristes peuvent obtenir des renseignements sur la région et les produits locaux.
Le **Kvarner** possède trois points d'information appelés **portes de l'Adriatique** : sur la route qui contourne Rijeka (non loin des postes-frontières avec la Slovénie, à Rupa et Pasjak), à proximité du pont de Krk et dans la région de Karlovac. Celui du **Kvarner Sud** est ouvert dans la ville de Novi Vinodolski.
L'**Istrie** dispose de deux points d'information situés sur la voie rapide « Y » : l'un aux environs de Pula, l'autre entre Medak et Umag. L'ouverture d'un autre espace informatif est prévue à Vižinada, au cœur de l'Istrie.
Pour ceux qui se rendent en **Dalmatie**, le point d'information **portes de la Dalmatie** se trouve près du village de Jasenica sous la montagne de Velebit entre la région de Lika et la Dalmatie.

VU DU CIEL

Panorama Flights – *Aéroport de Dubrovnik-Čilipi - ✆ 020 478 674 - www.panoramaflightservice.com.* Baptêmes de l'air au-dessus du littoral de Dubrovnik.
Delic Air – *Valtursko polje 210 - 52000 Pula - ✆ 098 224 577 - www.delicair.hr.* Dessert les grandes villes comme Dubrovnik, Split, Zadar.
À l'intérieur des terres, l'**Aeroklub Ecos** – ✆ *385 123 05 929.* Vols au-dessus de la capitale et du Zagorje (400-900 kn/pers.).
Signalons pour les amateurs de « plus léger que l'air » le **Balon Klub Zagreb** – ✆ *(01) 204 78 38 ou 098 415 161 - www.baloni.hr.* Il organise une fois par an, en été, une rencontre internationale de montgolfières (*Croatian Hot Air Balloon Rally*) qui permet d'effectuer des survols de la capitale et de la région de l'**Istrie** à partir de Motovun. Propose également des stages d'initiation au pilotage.

En famille

La Croatie offre mille et une possibilités de randonnées, à pied, à cheval et à vélo, sur la côte et dans les parcs nationaux mais aussi dans l'arrière-pays. La baignade, la plongée, les promenades en mer font aussi partie du plaisir d'un séjour sur la côte. La plupart des campings et des villages de vacances possèdent des aires de jeu et des piscines avec, parfois, des toboggans qui font la grande joie des enfants. Ceux-ci trouveront leur bonheur sur les plages de sable des îles de Brač, Mljet et Rab. Toutefois, la plupart des plages sont de galets, de gravier, de rochers ou de béton, elles sont rarement surveillées et des déchets plastique peuvent flotter à la surface. Selon les sites, la baignade pourra se révéler inappropriée pour des raisons d'accès, de fond marin ou de courant. Renseignez-vous. Attention aussi à la déshydratation : la chaleur est en effet intense l'été. Pensez aux bouteilles d'eau en voiture, car les embouteillages en plein soleil sont monnaie courante et les habitacles ressemblent à de véritables fournaises après une heure sur un parking.

SITES OU ACTIVITÉS À FAIRE EN FAMILLE

Chapitre	Nature	Musée	Loisirs
Beram	Gouffre	Château	
Île de Brač	Grotte du Dragon	Monastère de Blaca	Kayak, funboard, planche à voile
Îles de Cres et de Lošinj	Eko Centre Caput Insulae (vautours fauves)		Randonnée, baignade
Đakovo	Haras de chevaux lipizzans		
Dubrovnik	Arboretum (Trsteno)	Tour des remparts	Journée à bord du galion Karaka
Dugi Otok	Le lac salé		Randonnée, baignade
Île de Hvar	Péninsule de Stari Grad	Forteresse espagnole de Hvar	Randonnée, VTT
Kopački rit	Observation d'oiseaux		Promenade en barque
Korčula	Plage de Pržina	Maison de Marco Polo	Randonnée, baignade, canoë-kayak
Îles Kornati	Falaises ou « klifs » (île de Piškera)		Plongée (spéciale enfants)
Île de Krk			Randonnée, baignade (plage de Baška)
PN de Krka	Îlot de Visovac	Musée ethnographique du parc	Randonnée, baignade
Labin		Musée populaire de Labin	Baignade, activités nautiques (Rabac)
Île de Lastovo			Randonnées, baignades
Riviera de Makarska	Grotte Tučepska Vilenjača (parc du Biokovo)		Rafting sur la rivière Cetina
Île de Mljet	Grand et petit lacs salés		Baignade (plage de Saplunara), randonnées

SITES OU ACTIVITÉS À FAIRE EN FAMILLE			
Chapitre	**Nature**	**Musée**	**Loisirs**
Motovun	Gouffre de Pazin	Musée ethnographique d'Istrie (château de Pazin)	Baignade à Istarske Toplice
Ogulin	Gouffre de Đula		Randonnée et baignade au lac Sabljaci
Osijek		Musée de Slavonie	Baignade dans la Drave, Aquapolis (Bizovačke Toplice)
Île de Pag	Les salines		Circuits VTT
PN de Paklenica	Grotte (Manita peč), orphelinat des ours (Kuterevo)		Randonnée (Velika Paklenica)
Île de Pelješac		Monastère franciscain N.- D.- des-Anges	Baignade (plage de Trstenica)
PN de Plitvice			Randonnée autour des lacs
Poreč	Grotte (Baredine), fjord de Lim	Basilique euphrasienne et l'aquarium	Promenade à Eko Park Umag
Požega		Citadelle (Slavonski Brod)	
Pula	Safari park (PN des Brijuni), aquarium (Pula)	Amphithéâtre romain, Kastrum byzantin (Brijuni)	Randonnée en petit train au PN des Brijuni
Île de Rab			Baignade (Paradise Beach, Lopar)
PN de Risnjak			Randonnée (sentier de découverte Leska)
Rovinj		Maison de la Batana	Randonnée (parc de Zlatni Rat), visite de Mini-Croatie
Sisak	PN de Lonjsko Polje	Ethnomusée de Čigoć	Balade en barque (Lonjsko Polje), promenades à vélo et à cheval
Split	Colline Marjan	Musée ethnographique	Plage du Bačvice
Šibenik		Forteresse St-Michel	Aquarium de Vodice
Trogir		Forteresse de Kamerlengo et montée au Campanile	
Varaždin		Château et musée	
Île de Vis	Grotte Bleue (îlot de Biševo)		Baignade (plage de Srebrena), randonnée (forteresse King George)
Zadar	PN de Vransko Jezero (Novigrad)	Orgue marin	Baignade
Zagorje		Châteaux de Trakošćan et Veliki Tabor, musée du Vieux Village (Kumrovec), site de Krapina	
Zagreb		Musée d'Art naïf, Musée ethnographique, musée de la Mine (Medvedgrad)	Funiculaire, randonnée dans la montagne de Medvednica

Mémo

Agenda

Les Croates aiment faire la fête : villes et villages, tant sur le continent que sur les îles, rivalisent d'imagination et de créativité. Participer à l'une de ces fêtes est une bonne occasion de « sentir » l'âme de ce pays.

Tout est prétexte à faire la fête : raisons religieuses avec, notamment, la célébration des saints, et tout particulièrement le 15 août en l'honneur de la Vierge pour laquelle les Croates ont une grande dévotion, ou raisons plus païennes telle la Fête des pêcheurs, ou des manifestations gourmandes. En effet, les événements gastronomiques permettent la découverte de nouvelles saveurs, la dégustation de vins, de sardines grillées ou de bouillabaisse, de grenouilles (à Lokve, en avril), d'asperges (en avril à Lovran), de fruits de montagne (dans le Gorski Kotar, en été) ou de marrons (à Lovran, en octobre).

FÉVRIER

Dubrovnik – Fête de la Saint-Blaise (le 3).

Opatija, Rijeka, Samobor, Ludbreg, Zadar – La Saint-Valentin est l'occasion d'agapes très arrosées dans tout le pays.

Carnaval (3e sem. du mois) ; celui de Samobor est le plus grand et le plus ancien.

Zagreb – Zagreb Dox : Festival international du film documentaire.

Županja – Festival traditions et coutumes en Slavonie. Mise en scène montrant la vie d'autrefois, chants et danses traditionnels, costumes, défilés équestres et promenades en calèche sont au programme.

MARS

Zagreb – Revue du film d'amateurs (RAF) : festival de films des jeunes artistes qui s'expriment par la vidéo.

AVRIL

Split – Croatia Boat Show : Salon nautique international.

Zagreb – Fête des fleurs et biennale de musique contemporaine.

AVRIL-MAI

Samobor – Salamijada : dégustation de charcuteries locales.

MAI

Poreč – Vinistra : salon du vin autour du cru local, la *malvazija*.

Požega – Grgurevo : commémoration du départ des Turcs (le 12).

Vukovar – Le Ciel de Vukovar : manifestations culturelles au profit de la reconstruction de la ville et du musée.

JUIN

Krk – Vino Forum.

Motovun – Rencontre internationale de montgolfières.

Požega – Kulenijada : fête gourmande autour des saucisses aromatisées au paprika, les fameux *kulen*.

Rab – Soirées musicales médiévales (merc. jusqu'à sept.).

Slavonski Brod – Brodsko kolo, festival de danses traditionnelles qui s'accompagne de concours

équestres et d'une foire aux gâteaux maison.
Šibenik – Festival international de l'enfant (jusqu'à déb. juil.).
Zagreb – Festival de danse contemporaine.
Zagreb – Festival international de théâtre d'avant-garde.
Zagreb – Festival du film d'animation de Zagreb (années paires).

JUILLET

Dubrovnik – Festival d'été (de mi-juil. à fin août).
Đakovo – Broderies de Đakovo (déb. du mois). Festival dédié à la broderie et aux costumes traditionnels. Démonstrations de danses folkloriques, manifestations équestres, musicales et gastronomiques.
Lovran – Liburnia Jazz Festival.
Motovun – Festival du film de Motovun, consacré au documentaire et au film d'auteur (juil.-août).
Omiš – Festival de chants polyphoniques dalmates (tt le mois).
Opatija – Régate internationale.
Osor (Krk) – Soirées musicales (de mi-juil. à fin août).
Pula – Festival du film de Pula : festival du film croate et européen.
Poreč – Annale de Poreč : salon d'art contemporain.
Rab – Jeux chevaleresques.
Rovinj – Festival d'été : concerts de musique classique.
Split – Été culturel (mi-juil.-mi-août).
Tisno – The Garden Festival - musique électro (déb. juil.).
Umag – Tournoi de tennis ATP de Stella Maris, Internationaux de Croatie (3e sem.).
Zadar – Soirées musicales de St-Donat.
Zagreb – Festival international du folklore (19-23).
Zagreb – Festival baroque.

AOÛT

Dubrovnik – Festival des arts scéniques *(de fin août à déb. sept.)*.
Dugi Otok – Festival *Saljske* Užance : course d'ânes, nuit des pêcheurs (mi-août).
Iž – Fête populaire Iška Fešta qui retrace les Bacchanales antiques avec l'élection du roi d'Iž (le 3).
Našice – Festival de la céramique où, durant une semaine, des artistes réputés exposent leurs créations.
Pula – Histria Festival : musique classique et danse.
Rovinj – Grisia : grande foire à la peinture en plein air (2e dim.).
Sinj – Alka : tournoi de cavalerie de l'Anneau (le 5).
Starigrad – Fête de la Vierge. Pèlerinage dans le Velebit, à 1 000 m d'altitude (le 15).
Ugljan – N.-D.-des-Neiges : procession de bateaux (le 5).

SEPTEMBRE

Daruvar – Fête des moissons : festivités organisées par la minorité tchèque de la ville avec des spectacles et costumes colorés.
Požega – Cordes d'or de Slavonie : festival qui réunit des groupes de musique populaire slavonne à base de *tamburica* (3e w.-end du mois).
Šibenik – Saint-Michel *(le 29)*.
Varaždin – Soirées baroques (de fin sept. à déb. oct.).
Vinkovci – Fête de l'automne (20-22).

OCTOBRE

Dubrovnik – Rallye sportif.
Motovun – Journée de la truffe : dégustations et démonstrations de recherche de truffes avec des chiens.
Zagreb – Zagreb Film Festival, consacré aux œuvres de jeunes auteurs.

LE GUIDE VERT
toujours plus de destinations
à travers le monde...
MICHELIN
INDONÉSIE
MICHELIN
FLORIDE
MICHELIN
ISLANDE
MICHELIN
MARTINIQUE
MICHELIN
GUADELOUPE
LE GUIDE VERT
MICHELIN
MAURICE
Rodrigues
LE GUIDE VERT
MICHELIN
Une meilleure façon d'avancer

NOVEMBRE

Pula – Tribune musicale internationale de Pula. Ce festival réunit des artistes reconnus et des jeunes compositeurs.

Buje, Buzet, Tar, Fažana – Saint-Martin (le 11). Dégustation et célébration des vins nouveaux, avec banquets, musique et danses.

Bibliographie

La Croatie semble, hélas, peu intéresser pour le moment les éditeurs francophones, d'où l'insertion dans cette sélection de titres en anglais et en italien…

GÉNÉRALITÉS

La Croatie, par G. Castellan et G. Vidan, coll. Que sais-je ? (PUF, 1998).

Le Croate de poche (Assimil'évasion 2001).

HISTOIRE

Croatia, a History, par Ivo Goldstein (Hurst & Co, London).

Histoire de la Croatie et des nations slaves du Sud 395-1992, par G. Peroche, F.-X. de Guibert (L'Œil, 1992).

Histoire de l'Adriatique, par P. Cabannes, J. Le Goff (Seuil, 2001).

Le Discours balkanique, par P. Garde (Fayard, 2004).

Atlas des peuples d'Europe centrale, par André et Jean Sellier (La Découverte, 2002).

Les Conflits yougoslaves de A à Z, par J.-A. Dérens et C. Samary (Éd. de l'Atelier, 2000).

ART

Trésor artistique de la Croatie, par Radovan Ivančević (ITP-Motovun, 2e éd., Zagreb, 1993).

Trésors de la Croatie ancienne (AGM Zagreb/Académie croate des sciences et des arts/Somogy, 1999).

Les Anges de Croatie, par Keiichi Tahara, texte de C. Marković (éd. Assouline, coll. Mémoire de l'Art, 1995). Voyage en photos parmi les plus belles églises baroques de Croatie (Zagreb, Samobor, Varaždin, Belec…) et de Slovénie.

VILLES ET SITES

Dubrovnik, par Ivo Pervan. Détails insolites ou secrets de la ville vus par un photographe qui sait être parfois impertinent. *Terra Adriatica*, chants sacrés des terres croates au Moyen Âge interprétés par le groupe féminin *Dialogos* (élu « Diapason d'or » et « Choc du Monde de la Musique » en 1999).

Palmižana, the Saga of the Quintessence, par Dagmar Meneghello. Un envoûtant mariage de photos et des reproductions d'art contemporain, racontant l'histoire d'un collectionneur hors norme et de son île (vendu à Hvar).

Le Goût de la Croatie, par S. Massalovitch (Mercure de France, 2005). Recueil de textes littéraires ou non ayant trait à la Croatie, par Marguerite Yourcenar, Lajos Zilahy, Paul Morand…

LITTÉRATURE

Dubravka Ugrešić – *Le musée des redditions sans condition* (Fayard, 2004).

Marica Bodrožić – *Tito est mort* (l'Olivier, 2004).

Miroslav Krleža – *Enterrement à Theresienbourg* (Ombres, 1998).

Ivo Andrić – *Le Pont sur la Drina* (LGF) et *La Chronique de Travnik* (Le Serpent à Plumes).

Slavenka Drakulić – *Je ne suis pas là* (Belfond), *Peau de marbre* (Robert Laffont) et *Les restes du communisme sont dans la casserole* (J. Bertouin).

La Croatie dans la littérature internationale

Marisa Madieri – *Vert d'eau* (trad. de l'italien par P.-C. Buffaria), Paris, L'Esprit des Péninsules,

2002. Une jeunesse à Rijeka, alors Fiume.

Jules Verne – *Mathias Sandorf.*

Curzio Malaparte – *Kaputt*. L'auteur italien évoque la Croatie de la Seconde Guerre mondiale et la personnalité d'Ante Pavelić.

Isabel Ellsen – *Le Diable a l'avantage* (Paris, éd. Nil). Trois grands reporters dans la Croatie en guerre. Ce roman a inspiré le cinéaste Élie Chouraqui pour son film *Harrison's Flowers* (2001).

POÉSIE, THÉÂTRE

Angle nord, recueil de poésies, par H. Pejaković (Atelier de l'Agneau, 2004).

En ces temps du terrible, Autres Temps/Écrits des Forges. Poésie croate de guerre, 1991-1994.

Ville interdite, par Hrvoje Pejaković (Éd. Est-Ouest Internat., 2001).

Personne ne parle croate. Branko Čegec, Miroslav Mićanović, Ivica Prtenjača (Meandar, 2002).

Mars poetica/Le Printemps des poètes. Anthologie. Krešimir Bagić, Zvonko Maković, Renata Valentić, Zvonimir Mrkonjić et Lidija Bajuk : cinq poètes croates présents à Paris en 2003 pour cette manifestation (Paris-Zagreb, Le Temps des Cerises/SKUD, 2003).

Poèmes (Gallimard, 2004).

Discographie

Tradition

Lijepa naša tamburaša (Narodni Radio-Croatia Records). Sélection de chants slavons accompagnés à la *tamburica*.

Omiš 1967-1975 (Croatia Records). Un résumé, à travers les meilleurs ensembles vocaux, de l'histoire de ce festival de *klapa*.

Pripovid O Dalmaciji (Croma Co.). Splendide sélection de *klapa*.

Za Križem, les chantres de Pharos (Arcana). Rare enregistrement de chants glagolitiques exécutés par les confréries de Hvar.

Classique

Musica Croatica : Lisinski, Bersa, Papandopulo, Gotovac interprétés par différents orchestres de Zagreb ou de Slovénie (Croatia Records, 1992).

Dubrovnik Gala : Luka et Antun Sorkočević et Ivan Mane Jarnović. Interprètes divers : Zagrebački puhački trio, Quatuor à cordes de Zagreb, Solistes de Zagreb (Croatia Records, 1992).

Contemporain

Maksim Mrvica : *Geste*. Œuvres pour piano de compositeurs croates contemporains (Cantus, 2001).

Ivo Malec : *Œuvres pour orchestre et formations de chambre* (Motus, coll. MFA Livres-CD).

Variétés

Oliver : *Trag u Beskraju* (Croatia Records). Contient le fameux *ti si meni sve*, grand « tube » du célèbre crooner dalmate Oliver Dragojević.

Gibonni : *Mirakul*. Le chanteur est accompagné de grands noms de la *world music*.

Boris Novković : *Ko je Kriv* (Croatia Records).

La plage de Gradac sur la côte dalmate.
B. Gardel / hemis.fr

2/ COMPRENDRE LA CROATIE

La Croatie aujourd'hui

Traditionnelle dans ses fêtes, sa cuisine, son artisanat et ses terroirs, dynamique dans sa volonté de reconstruire une terre saccagée par la guerre, moderne par ses préoccupations et ses attentes européennes, la Croatie, une jeune démocratie fière de ses racines, révèle ses contradictions et ses richesses en un tableau aux multiples couleurs, saveurs et sonorités.

L'identité croate

Désormais République souveraine, la Croatie achève de panser ses plaies et, forte de son régime démocratique, a rejoint l'Union européenne dont elle est devenue le 28e membre en juillet 2013. Elle ne renie pas pour autant son originalité et ses traditions.
Le pays est sorti exsangue de sa guerre d'indépendance, si bien que les traces du conflit sont parfois longues à effacer : il faut songer qu'un quart environ du territoire a subi les combats et les destructions, et se rappeler que le jeune État n'a recouvré sa pleine souveraineté sur certaines régions qu'en 1998.

LA POPULATION

4,3 millions d'habitants occupent un territoire dont la superficie terrestre est de 56 542 km².
56,5 % vivent dans les villes dont quatre atteignent ou dépassent les 100 000 habitants : Zagreb, Split, Rijeka et Osijek. On estime à 200 000 l'effectif actuel de la minorité serbe de Croatie. Le pays est administrativement divisé en 21 régions, les **joupanies** *(zupanija)*.

La diaspora

Née de l'émigration du 19e s., la diaspora croate est estimée à 2 millions de personnes dont 1,3 million pour les seuls États-Unis. Les Croates sont très fiers de ceux des leurs qui ont su se rendre célèbres : parmi eux, citons le philosophe **Ivan Illich**, Teodora Marković (plus connue sous le nom de **Dora Maar**), les comédiens **John Malkovich**, **Josiane Balasko** et **Goran Višnjić**, le célèbre Dr Kovač de la série *Urgences*.

LA FERVEUR NATIONALE

Les Croates ont assez durement payé leur accession à l'indépendance pour ne pas éprouver un patriotisme fervent.

Une histoire idéalisée

Expression parfois naïve de ce sentiment national exacerbé, les Croates s'inventent une histoire idéale visant à présenter les dix derniers siècles comme une longue marche vers l'unité et l'indépendance. Nous aurions tort toutefois de sourire : ces « pères de la nation », qui, à tort ou à raison, sont censés avoir incarné

DRAPEAU ET ARMOIRIES

Avec ses trois bandes horizontales rouge-blanc-bleu, le drapeau combine les couleurs des armoiries de Croatie, de Slavonie et de Dalmatie. Il est frappé du blason de l'État croate : un damier de vingt-cinq pièces rouges et blanches (de gueules et d'argent) que surmonte une couronne stylisée composée de cinq écussons représentant les armes des pays croates. Il est indissociable des rassemblements sportifs.

le sentiment national depuis le roi Tomislav, et en l'honneur de qui s'élèvent des statues sur les places principales des villes, tiennent ici le même rôle fédérateur que celui qui fut dévolu chez nous, jadis, à des personnages comme Vercingétorix ou Jeanne d'Arc.

Ainsi, le **roi Tomislav**, fondateur en 925 du royaume croate, et son successeur **Petar-Krešimir IV**, sous le règne duquel le royaume atteint son apogée (1058-1075), sont honorés partout, de même que **Toma Erdődy** qui défit les Turcs à Sisak (1593).

Fran Krsto Frankopan et **Petar Zrinski**, exécutés en 1671 pour s'être révoltés contre l'Autriche, sont vénérés comme des héros nationaux.

La renaissance nationale du 19e s. est illustrée par **Ljudevit Gaj**, fondateur du mouvement Illyrien, le *ban* **Josip Jelačić**, l'évêque **Josip Juraj Strossmayer**, **Ivan Mažuranić** premier *ban* d'origine roturière et **Antun Mihanović**, auteur des paroles de l'hymne national. Quant aux convulsions du 20e s., elles sont représentées par **Stjepan Radić**, leader du parti Paysan, assassiné à Belgrade en 1928, **Tito**, qui a conservé une certaine popularité (en Istrie notamment), et son adversaire le **cardinal Stepinac**, et enfin **Franjo Tuđman**, premier président de la Croatie indépendante.

C'est dans le même esprit que l'**écriture glagolitique** est célébrée comme expression du génie national croate.

LA PASSION RELIGIEUSE

La chute du communisme a contribué à renforcer la popularité de l'Église catholique (symbolisée par le cardinal Stepinac, opposant à Tito et « martyr » de la cause) que son implication dans le renouveau national du 19e s., avec le cardinal Strossmayer en particulier, avait déjà porté aux nues. Les Croates sont particulièrement sensibles au titre de « rempart de la chrétienté » qui leur fut décerné lors de la lutte séculaire contre les Ottomans. La guerre d'indépendance, menée contre les Serbes en majorité orthodoxes, peut aussi être lue comme une guerre de religion. Ajoutons-y l'action du Vatican durant le conflit (ce fut le premier État à reconnaître la souveraineté de la jeune nation).

Les catholiques majoritaires

Les Croates se déclarent à 86 % catholiques. Au-delà des statistiques, la ferveur populaire est impressionnante : le pèlerinage à Marija Bistrica, les fêtes de la Saint-Blaise à Dubrovnik, la tradition du passage de la porte de pierre convertie en chapelle à Zagreb, ou les foules en prière dans les églises, de toutes conditions et de tous âges, sont des témoignages de cette ferveur.

En comparaison de ce catholicisme triomphant, les autres religions du Livre sont faiblement représentées. Il n'y a que 4,4 % d'orthodoxes, essentiellement serbes, et les protestants sont environ 0,3 %. Les musulmans représentent moins de

2 % de la population. Quant aux juifs, même si leur implantation est très ancienne, comme en témoigne l'une des plus vieilles synagogues d'Europe (15e s.) située à Dubrovnik, ils ne sont plus que quelques milliers en Croatie, la plus importante communauté étant réunie à Zagreb.

LE CHANT DU COQ

Où que vous soyez en Croatie (parfois même en ville !), vous entendrez le chant du coq rythmer la vie quotidienne. Parcourir les campagnes croates constitue une vraie « leçon de choses » : poules et coqs, oies, canards, dindes circulent en toute liberté, sinon en toute quiétude, dans les interminables villages-rues de Slavonie ; dans le Lonjsko Polje, il n'est pas rare d'apercevoir des cochons noirs chercher leur pitance sur le bas-côté ou de tomber nez à nez avec une vache vaquant paisiblement à ses occupations au milieu de la route.
En effet, la Croatie est restée un pays avant tout rural : ceux que les aléas de la vie ont conduit à vivre en ville cultivent volontiers à la fois la nostalgie du terroir et un petit jardin potager. Vous pourrez en apercevoir jusqu'entre les barres d'immeubles des cités entourant Zagreb.

Une économie en mutation

Comme la plupart des pays de l'ex-bloc soviétique, la Croatie a dû faire face à une transition difficile d'une économie étatique à une économie de marché.
Les différents conflits qui ont ravagé le territoire ont causé 15 000 morts et durablement endommagé les infrastructures du pays (coût de la reconstruction : environ 37 milliards de dollars). Mais le jeune État dispose de nombre d'atouts qui lui permettent d'envisager l'avenir avec sérénité.

DU COMMUNISME À L'EUROPE

La Croatie était, derrière la Slovénie, la partie la plus riche de Yougoslavie. Elle était notamment connue pour les quatre principaux secteurs de son industrie : la construction navale, la chimie, le pétrole et l'aluminium. Mais, à la différence de Ljubljana, les ressources économiques et naturelles de Zagreb ont été minées par deux guerres.
Le second élément expliquant la détérioration de l'économie croate a été la gestion désastreuse de la politique de privatisation par le gouvernement Tuđman. Le clientélisme flagrant de ces opérations a surtout profité aux proches du président et a effrayé les investisseurs étrangers. Sa mort, fin 1999, provoqua une alternance avec l'arrivée au pouvoir d'une coalition de centre gauche lors d'élections au début de l'année 2000.

Un changement de cap

Depuis 2001, à la suite de la signature de l'accord de stabilisation et d'association avec l'Union européenne, des efforts notables ont permis à la Croatie de remplir les conditions nécessaires à son entrée dans l'Union européenne en juillet 2013.
En 2005, les indicateurs économiques étaient en hausse : croissance soutenue, inflation maîtrisée et augmentation du PIB ; la réforme du système bancaire, de la santé et du budget de l'État est sur la bonne voie. Cependant, certains problèmes restent encore à régler. En 2006, les chantiers problématiques pour le gouvernement sont le chômage (15,8 % de la population active), une réforme administrative à

LE COMMERCE AVEC L'EUROPE

Dans le domaine des échanges commerciaux, les Croates ont pour principaux partenaires l'Italie, la Bosnie et l'Allemagne. La France, pour sa part, n'occupe que le 9e rang, tout en augmentant de façon substantielle le volume de ses échanges depuis 1991. Les biens industriels constituent 95 % des exportations totales croates, le secteur naval se taillant la part du lion.

poursuivre et le développement des pôles économiques autres que le tourisme.

Après avoir espéré intégrer l'Europe en 2009, la Croatie a dû attendre de stabiliser une période de récession dans laquelle elle se trouvait toujours. Pourtant, à l'occasion des vingt ans de l'indépendance croate, en 2011, l'Union des 27 a finalement donné son accord pour une entrée en 2013.

L'INDUSTRIE

On aurait tort de considérer la Croatie uniquement comme un pays agricole : l'industrie représente 22 % du PIB (ce qui est dans la norme européenne) et emploie 25 % de la population active. Les secteurs phares de l'industrie sont dans l'ordre : l'agroalimentaire, le pétrole, la chimie, l'électricité, le papier, l'édition et la construction navale. Au niveau des exportations, ce sont les chantiers navals, l'agroalimentaire, la métallurgie et l'électricité qui dominent le marché. Ajoutons que les travaux de reconstruction et les importants efforts en matière d'équipement contribuent à l'essor du BTP et à la croissance économique.

Enfin, le dynamisme des Croates se manifeste également dans le secteur des services, en plein essor.

LE TOURISME

Le développement du tourisme qui aurait pu paraître, il y a quelques années, un handicap, se révèle aujourd'hui une chance. Ayant échappé à l'industrialisation à outrance et à la désertification des campagnes, la Croatie entend jouer maintenant de ces atouts.

Tout d'abord, elle tire profit de son littoral fabuleux, sans pour autant y développer ces grands ensembles immobiliers qui ont défiguré une partie du pourtour méditerranéen : vous observerez comme les zones hôtelières et les camps de vacances sont souvent disséminés dans des pinèdes, à l'écart des villes historiques. Notez aussi le soin mis à préserver l'environnement : la qualité des eaux, comme celle des fonds marins, est l'un des soucis premiers du gouvernement.

Ces préoccupations devraient également conduire à mettre l'accent sur un « tourisme vert » (déjà développé en Istrie avec les hébergements à la ferme, ou *agroturizam*), qui vise à attirer dans les campagnes les citadins avides de retour à la nature.

Déjà très important (15 % du PIB), le poids du tourisme dans l'économie devrait encore se développer dans les prochaines années grâce à l'entrée de la Croatie dans l'Union européenne. Depuis 1999, le nombre de touristes est en augmentation constante ; les nationalités les plus représentées sont les Allemands et les Italiens, suivis par les Autrichiens et les Slovènes. Quant aux Français, même si leur nombre reste inférieur, ils ont été 420 000 à arpenter le territoire croate en 2012.

L'AGRICULTURE ET LA PÊCHE

La Croatie a su maintenir ce après quoi nous soupirons avec nostalgie : une agriculture vivrière, ayant conservé le rythme des saisons, chacun présentant les produits de sa petite exploitation sur les marchés et, parfois, sur le bord des routes : œufs du jour, fromages faits maison, fruits et légumes de saison (les étals débordent de fraises en juin, de choux en hiver !), deux ou trois bouteilles d'huile d'olive ou de vin de la propriété… La pêche n'est pas en reste : du fait de la configuration du littoral, la pêche industrielle n'a pu se développer – et l'on s'en félicite aujourd'hui : vous trouverez donc, dans les restaurants de bord de mer, la pêche du jour (calamars, fruits de mer, petite friture).

Le maintien d'une agriculture et d'une pêche traditionnelles présente un intérêt écologique certain. Il a aussi des retombées sociales non négligeables : alors que le chômage touche un actif sur cinq (un chiffre qui, malgré les critères requis pour entrer dans l'Union européenne, ne diminue pas), il n'y a pas de réelle misère dans le pays, d'autant que la structure familiale traditionnelle permet de pallier les situations les plus précaires.

UN DYNAMISME VISIBLE

Certes, il reste beaucoup à faire. Pourtant, les traces de la guerre disparaissent peu à peu : dans les lieux très touristiques, comme à Dubrovnik, on chercherait en vain les stigmates des bombardements de 1991. Si, dans d'autres régions qui furent au cœur des combats, en Slavonie orientale ou autour de la frontière avec la Bosnie-Herzégovine, il peut vous arriver de traverser des villages en partie détruits, vous pourrez constater que la **reconstruction**, menée avec des programmes d'aide économique de différents pays de l'Union européenne et des États-Unis, avance : de ce retour à la vie témoignent ces innombrables maisons neuves qui n'attendent qu'un coup de peinture pour trouver un aspect pimpant. Vukovar elle-même est aujourd'hui un grand chantier et les champs de mines sont en voie de disparition.

Parallèlement, d'importants travaux d'**équipement routier**, visant à désenclaver certaines régions, sont menés : Rijeka n'est plus qu'à 2h de route de la capitale, et il sera bientôt possible de rallier Split depuis Zagreb sans quitter l'autoroute.

Malgré le fait qu'elle soit touchée par la crise économique mondiale, la Croatie, en cours de modernisation, peut aujourd'hui tendre la main à ses adversaires d'hier et espérer entrevoir les apports que lui vaudra sa récente entrée dans l'Union européenne.

Une jeunesse européenne

Symbole de cette récente intégration à l'Europe, la jeunesse, en particulier citadine, que rien ou presque ne distingue dorénavant de ses homologues du continent : même musique (si l'on excepte les chanteurs locaux comme **Oliver** ou **Gibonni** – mais qui eux-mêmes s'inscrivent dans des courants qui ne sont pas propres à la Croatie), mêmes habitudes alimentaires (hors les populaires *čevapčići*), mêmes tenues vestimentaires… Désormais intégrée dans le grand courant mondialiste, la jeunesse croate est le plus sûr garant du dépassement des rancœurs tenaces d'un passé que les Croates ne demandent qu'à oublier.

La force des traditions

Culture millénaire, multiples influences extérieures et diversité des matériaux comme des terroirs : dans les arts populaires, comme dans ses traditions, la Croatie, là aussi, sait se montrer multiple.

UNE VÉRITABLE PIÉTÉ POPULAIRE

Symbole de la résistance au communisme, la pratique de la foi religieuse était très répandue, une façon discrète mais profonde de manifester sa rébellion. La religion catholique imprime sa marque sur les fêtes populaires, qui sont l'occasion de ressortir les costumes traditionnels et de s'adonner aux chants et aux danses ancestraux.

À Pâques ou à la Trinité…

La plupart des festivités sont déterminées par le calendrier religieux. Depuis le carnaval, en passant par Pâques et sa Semaine sainte (une longue succession de processions aux flambeaux, de chants et de pénitences théâtrales) jusqu'aux fêtes liées à la Vierge et, bien sûr, Noël, les fêtes donnent lieu à des pèlerinages colorés, marqués par une intense ferveur. Ainsi, la Semaine sainte de Hvar et ses processions chantées en glagolitique, ou celle de Korčula, ses défilés de confréries et ses danses des épées expriment-elles la quintessence de la tradition dalmate. À Sinj, la fête de l'Assomption est l'occasion de remercier la Vierge de sa protection contre les Turcs par les épiques tournois de l'Alka (le 15 août sert un peu partout d'alibi pour fêter un miracle ou un autre…).

Les Rameaux – Dans tout le sud de la Croatie, la tradition du dimanche des Rameaux est très vivante : chacun apporte en procession à l'église une brassée de palmes ou de branches d'olivier tressées pour former des *poma*, que l'on fait bénir. De retour chez soi, on les accroche un peu partout, aux pignons de la maison, dans le potager, sur les étables, les ruches, pour se protéger du malheur et des maladies. Le tressage de la *poma* est très délicat et requiert de jeunes palmes, arrangées en large tresse ou en croix et fixées sur un support.

Par tous les saints…

Le culte des saints est une autre composante essentielle de la vie croate : chaque ville ou village vénère un saint patron (ou plusieurs !) et sa fête est prétexte à grand renfort de processions, de danses et de festivités. C'est le jour où l'on sort les reliques de l'église pour les promener en grande pompe. Parfois, comme pour la Saint-Blaise, le 3 février, à Dubrovnik, toutes les paroisses des environs viennent en costume d'apparat présenter leurs bannières sur le parvis. Même pour les fêtes moins spectaculaires, on observe la tradition, comme pour les feux de la Saint-Jean, le 24 juin, ou pour la Saint-Martin, le 11 novembre, quand les enfants font du porte-à-porte en chantant pour avoir des bonbons.

DES COSTUMES TRÈS COLORÉS

Comme pour la religion, la tradition folklorique est le symbole de l'identité nationale. Dans nombre de cas, on célèbre les victoires

LES SEPT MERVEILLES DE LA CROATIE

Sur la liste du Patrimoine mondial de l'humanité établie par l'Unesco figurent sept trésors à ne manquer sous aucun prétexte. – Le noyau historique de **Split** avec le palais de Dioclétien. – Le parc national des lacs de **Plitvice**. – L'ensemble épiscopal de la basilique euphrasienne de **Poreč**. – La ville historique de **Trogir**. – La cathédrale St-Jacques de **Šibenik**. – La vieille ville de **Dubrovnik**. – La plaine de Stari Grad sur l'île de **Hvar**.

sur les différents envahisseurs, prenant souvent dans la mémoire collective l'allure de véritables épopées. Si depuis le début du 20e s. les costumes traditionnels ne sont plus guère sortis des armoires, désormais, le temps des fêtes, des cérémonies religieuses, ou lors de certains festivals de musique et de danse, ils restent l'une des vitrines culturelles auxquelles les Croates sont le plus attachés.

Pour décrire les styles de costumes, on distingue, en général, trois grands types, déterminés par les grandes « régions ethnographiques » du pays. Pourtant, dans la réalité, les choses sont loin d'être aussi simples et on trouve de nombreux mélanges : autant de villages, autant de costumes. Infinie variété du paysage vestimentaire née du mélange des influences, au gré des migrations, des mariages et des voyages.

Le costume pannonien (Slavonie et Centre)

Ici, l'influence de l'Europe centrale est très nette, avec l'utilisation de lin et de chanvre que complètent des pièces de draps et de fourrures. La toile blanche est richement brodée de fleurs et d'oiseaux aux couleurs vives (où domine le rouge, symbole de la santé et de la jeunesse), autant pour les hommes que pour les femmes. Celles-ci se coiffent d'un foulard coloré et portent des bijoux de perles de couleur et d'or. Les costumes de la région de Đakovo sont considérés comme les plus somptueux de Slavonie. Les hommes ajoutent à leur gilet brodé une veste courte portée négligemment sur une épaule, à la mode hongroise.

– Outre l'occasion de quelques fêtes traditionnelles comme les « **Broderies de Đakovo** » ou la **Saint-Blaise** à **Dubrovnik**, vous pourrez admirer les costumes traditionnels dans les sections ethnographiques des musées : dans l'excellent **Musée ethnographique de Zagreb** (*p. 440*), mais aussi à **Osijek** (*p. 514*), **Našice** (*p. 547*), **Velika Gorica** (*p. 463*), **Ogulin** (*p. 335*), **Karlovac** (*p. 459*), **Koprivnica** (*p. 498*)… N'hésitez pas à pousser la porte de ces lieux parfois confidentiels !

Dans les montagnes (Lika et arrière-pays dalmate)

Conçu en laine pour résister aux conditions climatiques de la montagne, le costume révèle parfois l'influence turque. Celui des hommes comprend des pantalons étroits, avec une large ceinture dans laquelle sont glissées les armes, plusieurs chaussettes et une superposition de vestes ornées de gros boutons en argent, un béret, voire un turban.

Les femmes portent une tunique recouverte d'une veste longue et d'un tablier en épais tissage de laine bariolée. Leurs bijoux sont le plus souvent en métal. Elles se chaussent d'**opanques**, sortes de savates en cuir non traité.

Les jeunes filles cousent des pièces d'argent à leur gilet : signe extérieur de l'importance de leur dot.

Sur le littoral (Istrie et Dalmatie)

Ici, les costumes sont en laine, en toile et parfois en soie, reflet de la longue tradition de sériciculture. Les femmes arborent une ample jupe, une blouse, un tablier et une ceinture richement brodée de motifs souvent géométriques. Les jeunes filles portent fréquemment un petit béret, tandis que les femmes portent le foulard ou une sorte de coiffe blanche amidonnée. Leurs bijoux sont superbes, déclinant les perles et boules d'or filigrané. Les hommes ont

Split, où la douceur de vivre est considérée comme une tradition.
A. Nevenka/Iconotec/Photononstop

en général un pantalon large, un gilet et une ceinture très décorés (où l'on glisse négligemment un impressionnant tromblon !) et se coiffent d'un béret ou d'un bonnet à pompon.

LA MUSIQUE ET LES DANSES

En matière de musique, les héritages les plus marqués remontent au Moyen Âge, lorsque les Hongrois et les Vénitiens se disputaient le pays.

Les instruments et les motifs musicaux sont restés relativement inchangés depuis lors et reflètent l'ancienne tradition des chœurs d'église, des danses de village et des conteurs de veillée.

Des instruments variés

La musique instrumentale, seule ou en accompagnement de la voix, compte des complaintes et des ballades mais aussi des danses. Le plus populaire des instruments est la **tambura**, sorte de luth aux cordes pincées, introduite en Croatie par les Turcs au 17e s.

La **citura** est une cithare à sept cordes que l'on joue en appliquant une baguette de bois sur trois cordes et en pinçant l'ensemble des cordes. Un peu différente, la **cimbal** est aussi une cithare dont les cordes sont frappées à l'aide de deux baguettes. Ces instruments s'associent aux violons et contrebasses.

Au nombre des instruments à vent, le **svirala**, en bois, sorte de flûte, est joué par les bergers, en solo. Plus original, le **diple** est un double tube relié à un soufflet en peau de chèvre ou de mouton (le son évoque la clarinette). En Istrie, on trouve des hautbois de différentes tailles, les **sopila**, qui accompagnent les danses en duo. Parmi les instruments, il ne faut pas oublier le **mišnice**, sorte de cornemuse jouée pour accompagner les danses, notamment dans les îles.

Klapa et tambura

Les polyphonies *a cappella* sont appelées **klapa**. Les chanteurs sont en général des hommes et les paroles s'inspirent de la vie quotidienne. Le style est directement hérité des chants liturgiques et des lignes mélodiques d'Italie ou d'Europe occidentale, mais on chante la klapa aussi bien à la veillée que lors des réunions familiales. Depuis 1967, le festival de klapa d'Omiš, qui anime la ville tout le mois de juillet, est devenu une référence. Très populaire en Slavonie, la tambura voit des orchestres se produire lors du festival annuel, dit des Cordes d'or, à Požega, en septembre.

Les danses à l'ancienne

Lors des fêtes folkloriques, on retrouve des danses bien connues, comme la **polka**, au tempo plutôt modéré. Moins familière, la **drmeš**, au rythme accéléré, se danse en couple ou par petits groupes circulaires. Le **kolo**, typique de la Slavonie, est une ronde en cercle fermé, très enjouée et accompagnée d'un ensemble de tamburas. En Istrie, les danses sont exécutées en couples placés en cercle et formant des figures diverses à petits pas très rapides. Dans le sud de la Dalmatie, la **poskočica** se danse aussi en couples qui réalisent toutes sortes de figures variées.

À côté de ces danses festives, d'autres ont une signification plus symbolique et tiennent de la représentation théâtrale, voire des anciennes danses sacrées. C'est ainsi le cas des célèbres **danses des épées** de l'île de Korčula, la **moreška**, la **kumpanija** ou la **moštra**, véritables scénographies retraçant des épisodes légendaires de l'histoire locale. Le festival qui leur est consacré début juillet est suivi de démonstrations dans la ville et les villages alentour, où troupes amateurs et professionnelles rivalisent de brio à la nuit tombée.

EMBELLIR LA VIE QUOTIDIENNE

Très développé autrefois, comme dans toutes les sociétés rurales, l'artisanat d'art a été délaissé sous le régime communiste, au profit de l'industrie. Le tourisme de masse, de rigueur sous Tito, ne favorisait pas son éclosion et l'on reste frustré de son absence sur les marchés ou dans les boutiques.

Pourtant, les savoir-faire ne demandent qu'à renaître. Ici et là, les **broderies** et les **tissages**, que l'on n'utilisait plus que pour les costumes folkloriques ou pour décorer les églises, tentent d'en sortir et de devenir des objets de collection ou de décoration à part entière.

En Slavonie, outre le travail du **bois tourné** et la décoration de **courges**, la décoration sculptée des **preslica** est l'un des exemples d'embellissement des objets quotidiens. La confection des **cravates** (proposées dans de belles soieries assorties aux pochettes et gilets) et la **joaillerie** sont d'autres artisanats populaires. Les bijoux faisant partie intégrante des costumes, on les trouve partout : depuis les simples pendants d'oreilles en perles d'or filigrané aux lourds colliers d'argent, toujours en filigrane mais agrémenté de corail ou de turquoise, en passant par les pinces à cravate, ils constituent aujourd'hui le plus courant des artisanats d'art.

Tailler la pierre – Pour encourager la renaissance des savoir-faire traditionnels, dans l'île de Brač célèbre pour sa pierre blanche, une école de tailleurs de pierre s'est créée au village de Pučišća. Pour la venue du pape Jean-Paul II en Croatie, en 2003, ces artisans ont créé des chapelets sculptés en pierre de Brač et constitués de perles cubiques au design contemporain.

Les saveurs croates

Pays frontière, la Croatie marie dans sa cuisine des influences multiples, une identité préservée et des terroirs très diversifiés. Des poissons grillés servis sur la côte, aux pâtes et truffes d'Istrie, on passe aux saveurs épicées des viandes, des charcuteries et des goulaschs de Slavonie, pour finir par les douceurs des pâtisseries évoquant l'Autriche.

L'APÉRITIF

Sachez qu'il n'existe qu'un seul véritable apéritif croate : c'est le Bermet, confectionné à Samobor selon une recette gardée secrète. En Istrie, vous pourrez demander un Istra Bitter, variante (voire contrefaçon !) locale de l'apéritif italien bien connu. Enfin, en Slavonie, pays rude et froid, il est de coutume d'attaquer un repas par un verre d'eau-de-vie…

LES ENTRÉES

La **soupe** *(juha)* figure sur la plupart des cartes des restaurants. Parmi les plus courantes, la soupe de poissons *(riblji juha)* servie sur le littoral peut déconcerter : il s'agit d'un bouillon léger avec des morceaux de poisson. On trouve également des soupes consistantes, rehaussées de crème aigre et de morceaux de viande. Variante locale du minestrone, la *maneštra* d'Istrie est une soupe de légumes et de haricots non passés.

Parmi les **entrées froides**, le jambon fumé *(pršut)* est le hors-d'œuvre par excellence, souvent accompagné d'olives et de fromage. On présente également le fromage de Pag *(paški sir)*. En Slavonie, vous trouverez des *kulen*, saucissons aromatisés au paprika, parfois assez relevés, et servis avec du fromage caillé. Les saucisses de Samobor *(češnjovke)* aromatisées à différents degrés et les salamis *(salamijada)* à l'ail constituent également des entrées pleines de robustesse.

Les **crudités** servies en salade *(salata)* sont le plus souvent à base de différentes variétés de choux ; ne manquez pas, sur la côte, les délicieuses salades de calamars et de poulpe *(lignje* ou *hobotnice salata)*.

Outre les anchois et les sardines marinés, vous trouverez du **poisson** sous forme de pâté *(riblja pašteta)* : au thon sur la côte dalmate, à la morue *(bakalar)* en Istrie ou aux poissons d'eau douce en Slavonie où l'on confectionne également des « saucisses » aux œufs de poisson qui rappellent la poutargue.

Les **entrées chaudes** peuvent d'autant plus constituer un plat à part entière que les portions sont souvent pantagruéliques. Vous pourrez goûter sur le littoral aux différents risottos : risotto noir *(crni rišot)* à l'encre de seiche, aux fruits de mer, aux calamars… En Istrie, fromage, jambon, pâtes et omelettes aux truffes constituent d'excellentes mises en bouche. Dans le Zagorje, on sert des *štrukle*, gros raviolis fourrés au fromage et aux œufs. Quant à la *rudarska greblica*, de Samobor, elle n'est pas sans évoquer la quiche lorraine.

LES POISSONS, COQUILLAGES ET CRUSTACÉS…

Les Croates sont de grands amateurs de poissons et de produits de la mer : vous trouverez à Zagreb, mais aussi dans toute la Slavonie, un grand choix de restaurants spécialisés – souvent assez chers. Mais vous pouvez également déguster des poissons d'eau douce : truites *(pastrva)* près des lacs de Plitvice, perches à Sisak, carpes et brochets en Slavonie…

Il faut savoir que, du fait de la configuration particulière des côtes, la pêche industrielle n'est pas pratiquée, si bien que les menus

dépendent de la pêche du jour. Ils proposent souvent deux catégories de poissons : la catégorie I (sole, bar, dorade : *list, brancin, orada*) et la II (maquereaux, sardines : *skuše, srdele*). La plupart du temps, vous devrez vous contenter des omniprésents calamars *(lignje)*, plus imposants en Istrie qu'en Dalmatie.
Le plus souvent, le poisson est servi grillé *(na žaru)*, parfois un peu trop cuit et nageant dans un bain d'huile d'olive, mais on trouve aussi des ragoûts fort sympathiques.
Le brodet *(brodetto)* est constitué de poissons coupés en morceaux, mijotés avec oignons, vin, tomates et aromates, et servis avec de la polenta. La *gregada*, moins fréquente, se rapproche de la bouillabaisse.
Sur la côte dalmate, vous pourrez déguster des huîtres *(kamenice)*, notamment sur la presqu'île de Pelješac, haut lieu de récolte. Vous trouverez aussi sur tout le littoral des moules *(mušule)*, des gambas et des langoustines *(škampi)*, apprêtées de différentes façons, comme la *buzzara*, une sauce relevée à base d'huile d'olive, de vin blanc, d'ail et de persil.
Enfin, les poissons d'eau douce sont le plus souvent grillés. Les carpes, dans la région de Kopački rit, sont cuites verticalement sur de petites fourches de bois *(šaran u rašljama)*.

LES VIANDES ET RAGOÛTS

Gros mangeurs, les Croates apprécient toutes les viandes et elles composent des plats très nourrissants, surtout dans la partie continentale du pays.
Les escalopes *(odrezak)* de veau ou de porc sont roulées et farcies au fromage, au jambon ou aux champignons et les côtes de porc au fromage *(Samoborski kotlet)* sont des recettes typiques de Zagreb et des régions continentales. Elles connaissent des variantes où la viande est en plus enrobée de lard !
La goulasch *(gulač)* est, pour sa part, héritée de l'influence hongroise, bien que le mot ait tendance à désigner à peu près tous les ragoûts. En Istrie, on l'accommode souvent à base de gibier. La *pašticada*, très populaire, est une pièce de bœuf piquée de clous de girofle et de lardons, marinée dans du vinaigre et mijotée dans du vin rouge additionné de sucre, de sauce tomate et d'oignons et servie avec des pâtes ou de la polenta. Elle est parfois réalisée avec du gigot ou de l'épaule d'agneau : la viande, roulée sur une farce constituée de *pršut* et d'aromates, est servie avec une purée d'oignons et de carottes.
Tout aussi roboratifs, les plats de viandes rôties (*pura*, dinde et *janje*, agneau) sont servis avec des *mlinci*, des pâtes entre tagliatelles et lasagnes. Ajoutons le *baranjski paprikaš* à base de *kulen* et de pommes de terre, parfait pour affronter la bise de la Baranja.
Le long des routes, dans nombre de restaurants, agneaux et porcelets sont mis à griller entiers dans de grands fours, à la manière d'un méchoui. Sur la côte, l'agneau grillé

FROMAGES

Servi en entrée, il s'agit le plus souvent de fromage de brebis ou de chèvre, produit en Dalmatie ou en Istrie. Le plus réputé est celui de l'île de Pag (Paški sir) que l'on trouve sur toutes les bonnes tables du pays. Le fromage de chèvre est souvent découpé en petits dés et mariné dans de l'huile d'olive aromatisée. En Slavonie, le fromage est servi frais en accompagnement ou entre dans la confection de plats chauds.

LE FAST-FOOD CROATE
Les *ćevapčići*, particulièrement bon marché, sont des rouleaux de viande hachée, rehaussés d'épices, souvent accompagnés d'une délicieuse purée piquante appelée *ajvar*. Les Croates en sont friands. Signalons aussi, pour une petite faim, les brochettes *(ražnjibi)*.

devient un plaisir gastronomique en raison du lait des brebis, salé par l'herbe du rivage.
Quant aux affamés, ils devraient demander grâce au terme d'un *čobanac* : sept généreuses portions de viandes différentes grillées leur sont en effet présentées successivement. Et le tout est parfois accompagné d'un plat de haricots !
La plupart des viandes peuvent être cuites sous *peka*, une méthode ancestrale qui, sur le feu du foyer, permet une cuisson lente qui en préserve tous les arômes. Bien entendu, au restaurant, il faut en passer commande à l'avance.

LES ACCOMPAGNEMENTS

Artichauts et asperges de Dalmatie, épinards, blettes et poivrons sont les légumes les plus courants.
En Slavonie, le chou cède la place aux beaux jours à la pomme de terre, souvent apprêtée avec des épinards ou des blettes. Quant aux *pomfrit*, c'est un des rares mots croates que le voyageur comprend instantanément ! La tomate est utilisée dans les spécialités de poissons du littoral.
Le radis noir sert à la confection d'un condiment relevé qui accompagne des plats de viande dans le Nord. Un autre condiment très répandu est l'*ajvar*, une purée piquante à base de poivrons, piments et aubergines, dont on agrémente les viandes grillées.
Signalons enfin la vigoureuse *muštarda* ou « moutarde » de Samobor, dont le secret de fabrication aurait été introduit par l'armée napoléonienne.
Le sel, condiment incontournable pour la cuisine, est récolté depuis des siècles sur le sol croate. Les trois sites les plus réputés pour la qualité de ce produit sont : l'île de Pag, la presqu'île de Pelješac et la ville de Nin.

ET POUR FINIR...

Outre les crêpes *(palačinke)*, dans tout le pays, vous pourrez déguster un peu partout des glaces *(sladoled)* dont les Croates sont friands.
En Slavonie et autour de Zagreb, on vous proposera des pâtisseries souvent fourrées à la crème *(kremšnica* et *torte)*, mais aussi du strudel garni de pommes et de cerises, des *baklavas*, héritage direct des Ottomans, ou des gâteaux roulés au pavot, au fromage, voire aux noix.
En Dalmatie et en Istrie, peu de spécialités sucrées hormis la *rožata*, crème caramel, et le *maraska*, un autre entremets d'œufs à la neige, parfumé de vanille de marasquin et d'amandes. À Korčula, on prépare les *prikle*, petits beignets aux raisins et aux amandes, les *cukarini* et les *klašuni*, gâteaux fourrés aux amandes. À Starigrad, sur Hvar, le *paprenjak* est un biscuit au miel, aux noix, à la coriandre et à la cannelle, curieusement poivré. Autrefois, il était parfumé au safran, aphrodisiaque reconnu… Une version moderne est fabriquée artisanalement depuis 1997, mais sans la précieuse épice.
Partout, on produit un miel de thym, de lavande ou de romarin, et les fruits, toujours de saison, sont absolument délicieux !

CÔTÉ CAVE

La vigne fut introduite par les colons grecs au 4e s. av. J.-C. sur les îles de Vis, puis Korčula et Hvar. Les Romains en étendirent la culture au continent, sur des terrains accidentés et sur des sols pauvres. Autant dire que les Croates ont une longue expérience en la matière !
La production de vins est d'une qualité plus que correcte, excellente pour les meilleurs crus qui ne cessent de s'améliorer. Parmi les 697 vins d'appellation contrôlée, plus de 70 peuvent être considérés comme de très bonne qualité. Sachez que le vin rouge se dit « vin noir » *(crno vino)* et le vin blanc : *bijelo vino.*
Les vins les plus réputés se trouvent en Dalmatie. Pelješac est connue pour le *dingač* et le *postup*. Korčula produit aussi de bons crus, tels ceux issus du *grk*, un des plus vieux cépages croates. Hvar est un des meilleurs terroirs du pays.
L'Istrie, quant à elle, s'enorgueillit de sa *malvazija*, un vin blanc sec, qui peut être parfois un peu âpre lorsqu'il s'agit d'un vin ordinaire. Enfin, à Krk, il serait criminel de ne pas goûter au *žlahtina* de Vrbnik, à la fois sec et fruité.
La Croatie continentale fournit beaucoup de vins blancs, issus des cépages *graševina*, riesling (orthographié « rizling »), sauvignon, cabernet, pinot, « burgundac ». Certains se rapprochent du tokay de Hongrie ou des vins d'Alsace. Kutjevo, Požega, Ilok, le Zagorje, le Međimurje sont parmi les terroirs les plus réputés. Ne manquez pas le *krauthaker graševina* de Slavonie et le *traminac* d'Ilok.
Certains vins blancs que les Croates appellent « dessert wines » sont des vins doux naturels et titrent autour de 15° (le plus connu est le *pošip*). Le *prošek* est un vin léger produit dans l'île de Vis.
Certaines habitudes croates pour la consommation du vin dérouteront plus d'un voyageur. Il n'est pas rare de voir le précieux nectar mélangé avec des glaçons, de l'eau, et même parfois de l'eau gazeuse. Ne soyez pas choqué, le titrage oscille habituellement entre 13,5 et 15 degrés d'alcool.
Les amateurs de **bière** sont gâtés : vous trouverez partout, ou presque, l'*ožujsko* et la *karlovačko*, des bières blondes, populaires et de bonne qualité. Quelques villes brassent leur propre bière, comme Daruvar où est produite la *staro česko*.
En ce qui concerne les **alcools**, on vous proposera à la moindre occasion, et à toute heure du jour ou de la nuit, la *šlivovica* qui est une eau-de-vie de prune, toutes sortes de *rakija* à base de poires (le fruit est parfois inséré dans la bouteille selon un procédé d'une simplicité extrême à condition d'y avoir pensé) et, en Istrie, la *grappa*, eau-de-vie de raisin macérée avec des herbes. Difficile de refuser une *grappa* sans froisser son hôte, même si, au petit matin, cela peut s'avérer redoutable !

DALMATIE-USA

Parmi les cépages les plus répandus en Californie, le *zinfandel* retrouve enfin ses lettres de noblesse dans son pays natal. Importé d'Autriche aux États-Unis au 19e s., la vedette des vins californiens s'est révélée être génétiquement très proche du *plavac mali* croate (« petit bleu »). On lui a ensuite découvert des cousins encore plus proches, à Šolta, Brač et Čiovo, avant de trouver son véritable ancêtre chez un vigneron de Kaštel Novi, entre Split et Trogir.

Le *pelinkovac* au goût amer est à base de plantes, tandis que le *maraschino* est une liqueur douce en bouche à base de cerises, fabriquée dans la région de Zadar, et connu dans toute l'Europe. Signalons enfin une liqueur, le *brigljević*, fabriquée dans le Turopolje depuis des temps immémoriaux par la famille du même nom.

L'HABITAT, REFLET DU TERROIR

La pierre sèche et les tuiles

Le long de la côte adriatique et dans les îles, la pierre blonde ou grise domine, taillée en gros blocs, et souvent coiffée de lauzes de la même pierre débitée en larges dalles. Même humble, la maison en impose. Elle compte le plus souvent deux étages, le rez-de-chaussée étant réservé au stockage et l'étage à l'habitation.

Lorsque le toit n'est pas en pierre, il est couvert de tuiles canal et prend une allure très méditerranéenne. Les ouvertures, de taille moyenne, sont équipées de volets de bois à lamelles pivotantes qui filtrent la lumière.

Les bunja – On aperçoit encore, en Dalmatie et en Istrie, ces petites constructions circulaires coiffées d'un toit conique. Ces équivalents de nos bories sont bâtis selon des techniques datant du néolithique.

Le torchis et le bois

En Slavonie, les maisons sont basses, en torchis (mélange de terre et de paille), à l'origine couvertes de toits de chaume. Elles sont placées perpendiculairement à la rue, séparées entre elles par des jardins potagers, et leur pignon visible est souvent ouvragé et décoré de moulures. Une galerie couverte longe la façade latérale, reposant sur des piliers qui peuvent aussi être décorés.

Dans les régions du Turopolje et du Lonjsko Polje, les maisons de bois sont plus imposantes, avec un étage desservi par un escalier extérieur donnant sur une galerie. Le toit peut, lui aussi, être couvert d'écailles de bois. Comme ce matériau est facile à travailler, on y applique des décors gravés et parfois subtilement sculptés.

Dès que l'on monte dans les collines ou la montagne, la forêt et donc le bois sont beaucoup plus visibles. Des maisons au soubassement de pierre arborent un étage constitué de poutres de bois. Sur le plateau de la Lika, les murs ont une ossature de bois garnie d'un torchis peint ou habillée de larges plaques de bois.

Maritime et continentale, latine et slave

Soudain, au détour d'un virage, la mer apparaît, ponctuée d'îles aux rochers ocre. Elle est là, avec toute la force d'une évidence. Cette mer, si transparente, a quelque chose d'éternel : nul ne s'étonnerait d'y apercevoir une trirème, dont les rames se soulèvent en cadence, portant une cargaison d'amphores pleines d'ambroisie vers le port d'Épidaure…

La côte

L'Adriatique est avant tout une voie de communication et d'échanges. Des dizaines d'influences, hellènes, romaines, orientales, byzantines, vénitiennes ou turques, ont modelé ces rivages.

LA TRANSPARENCE DE L'ADRIATIQUE

Rançon de la spectaculaire beauté de ses côtes où la moindre île n'est que le sommet d'une ancienne montagne, cette mer a peu de plages à vous offrir ; et, quand il en existe, elles sont le plus souvent constituées de galets ! Il vous faudra donc, chaussé d'indispensables sandales, vous contenter de rochers, plus ou moins aplanis, de plages artificielles de ciment ou d'un « lungomare » accueillant pour entrer dans l'eau.

La navigation est l'un des meilleurs moyens de profiter de ce cadre. Inscrivez-vous au moins une fois aux excursions proposées dans les ports : exploration d'îles autrement inaccessibles, baignades en des lieux peu fréquentés et grillades de sardines sur le rivage sont au programme.

Particulièrement pure, la mer attire aussi les plongeurs confirmés. Les centres de plongée les emmènent souvent au large et ils y découvrent des fonds marins inviolés où évolue une faune venue trouver son refuge à l'abri de la pêche industrielle.

LA DENTELLE LITTORALE…

Escarpé et spectaculaire en raison de la proximité des montagnes, le littoral adriatique se caractérise par ses 1 185 îles et îlots ! Le long de la côte dalmate, ils s'étirent parallèlement au relief montagneux : leur forme longue et étroite reproduit celle des chaînes montagneuses dont ils sont issus. Une jolie légende explique que l'archipel des Kornati ne serait qu'une poignée de pierres que Dieu jeta dans la mer après avoir construit le monde.

Plus que toutes, les Kornati ou Pag exposent au soleil leur attachant désert pierreux, à peine piqué

La Riviera de Makarska.
J. Huber / Sime / Photononstop

d'une végétation avare qui sent bon la garrigue. D'autres îles sont plus vertes et plus escarpées (Krk). Mais c'est bien la pierre qui est ici l'élément essentiel. Elle constitue parfois (en certains lieux de Pag ou de Rab) d'étranges et envoûtants paysages minéraux et lunaires. Dur environnement pour les paysans contraints de bâtir patiemment des terrasses pour leurs cultures à l'aide de ces innombrables cailloux extraits du sol. À Vis, Krk ou Korčula, elles accueillent des vignobles, dans les Kornati, ce sont quelques oliviers soigneusement protégés du vent par les murets, à Hvar, on trouve aussi de la lavande et du romarin.

Les montagnes

UNE MONTAGNE PIED DANS L'EAU

Difficile, en **Dalmatie**, de dissocier le littoral de la montagne qui plonge le plus souvent presque directement dans la mer, comme le long du Velebit, où les versants gris et désertiques dévalent vers un rivage d'une incroyable beauté mais inhospitalier. Dubrovnik, Makarska, Trogir, bénéficient de cet écrin rocheux. Le moindre élargissement de la bande côtière est mis à profit, comme autour de Zadar ou Ploče, par les vergers et cultures maraîchères. Les estuaires des fleuves (Cetina, Krka…) sont encaissés dans de profonds canyons.

Une touche italienne

Dans le **golfe de Kvarner**, malgré l'arrière-pays montagneux, la végétation est nettement plus exubérante : palmiers, cyprès, pins, lauriers-roses, bougainvillées composent une riviera qui n'a rien à envier à la Côte d'Azur. Étroite péninsule triangulaire et montagneuse, l'**Istrie** compose des paysages on ne peut plus méditerranéens : sur cette terre d'un rouge profond, la vigne et l'olivier sont présents partout, cultivés entre les murets de pierre entrecoupant des maquis et quelques forêts de chênes. Sur les sommets, les villages perchés achèvent de conférer une touche italienne au paysage.

LA BARRIÈRE DINARIQUE

Traversant le pays en retrait du littoral, le massif montagneux des **Alpes dinariques** s'étend sur près de 650 km entre l'Italie, au nord-ouest, et l'Albanie, au sud. Le point culminant en Croatie, le **mont Dinara** (1 830 m), est à cheval sur la frontière avec la Bosnie, près de la ville de Knin, mais la partie la plus accidentée du massif se trouve en Dalmatie (massif du Velebit).
C'est le parallélisme des lignes de crêtes qui donne sa physionomie si particulière à la montagne croate. Barrière climatique entre le littoral, méditerranéen, et l'intérieur,

continental, elle peut aussi être vue comme une barrière culturelle, entre terres latines et slaves.

Le Gorski Kotar

À l'arrière de Rijeka, on pénètre très vite au cœur de ce relief montagneux cependant moins austère qu'ailleurs. Une superbe couverture boisée où les hêtres cèdent peu à peu la place aux sapins, des maisons construites sur le type du chalet, quelques lacs, donnent à l'ensemble une allure de montagne suisse. Ne vous y trompez pas, cependant : dans cette région peu peuplée, protégée (comme le parc de Risnjak) et vouée à l'exploitation du bois, la nature est restée sauvage et impénétrable.

Les hautes terres de la Lika

Au sud du Gorski Kotar, séparée de la mer à l'ouest par la chaîne littorale, de la Bosnie à l'est par la chaîne dinarique, la Lika est un haut plateau karstique aux paysages parfois désolés de prairies rases ponctuées d'affleurements rocailleux, comme autour d'Otočak ou de Gospić, où se pratiquent une petite agriculture d'élevage et la sylviculture, alternant avec des sommets boisés comme les massifs de Velika Kapela et de Mala Kapela, hauts lieux de l'alpinisme croate. Joyau incontesté de cette région, le **parc national des lacs de Plitvice** est enchâssé dans un superbe moutonnement de forêts.

Du Biokovo au Velebit

Dans ces deux spectaculaires massifs ont été aménagés des parcs naturels qui font le bonheur des amateurs de randonnée et d'escalade. Pentes abruptes et désolées ou infranchissable chaos de pierres grises et vallées retirées sont le refuge des animaux sauvages. Sur les versants maritimes, la végétation est méditerranéenne, et de l'autre, à quelques kilomètres seulement, on retrouve les paysages de la montagne, ponctués de hêtres, charmes et sapins.

Entre Save et Drave

Les régions intérieures de la Croatie font partie du **bassin pannonien**, une large zone dépressionnaire de plaines et de collines basses, encadrée par les Alpes dinariques, au sud, et les Carpates, au nord. Le climat y est continental, avec des hivers froids et enneigés, et des étés secs et chauds.

Le plat pays slavon

Les plaines de Slavonie, de la vallée de la Drave ou des environs de Zagreb, sont à l'image de la grande plaine hongroise, vouées à la monoculture du maïs et jalonnées de villages-rues. Une partie de la plaine est inondable (en raison de l'absence de relief et de la présence des grands cours d'eau) et peuplée d'oiseaux. Le parc de **Kopački rit**, par exemple, au nord d'Osijek, protège un tel espace, que l'on peut visiter en barque lorsque le Danube l'envahit.

De vertes collines

Au nord de Zagreb se trouve le **Hrvatsko Zagorje** (ou « Piémont croate ») dont les moindres versants ensoleillés sont occupés par des vignes et à qui les sommets, ponctués des élégants clochers à bulbe des églises des villages, confèrent leur personnalité particulière.

Au centre du pays, la chaîne des **Papuk** ne culmine qu'à 953 m : il faut toutefois lui reconnaître une certaine allure, avec ses pics acérés, ses vallées encaissées, ses forêts de résineux et ses villages escaladant des pentes parfois raides…

Un environnement préservé

La Croatie est riche de ses espaces naturels protégés. Les plus beaux ont acquis le statut de parcs nationaux.

LES PARCS NATIONAUX

Les zones maritimes

Parmi les huit parcs nationaux, trois protègent des zones maritimes.

L'archipel des **Kornati** s'étend sur 140 îles disposées en labyrinthe.

Proche de Dubrovnik, l'île de **Mljet** (100 km^2) abrite dans sa partie ouest le parc national. On y découvre deux lacs salés reliés par un défilé à la mer.

Face à l'Istrie, les îles **Brijuni** forment le troisième parc national maritime. Leur végétation méditerranéenne préservée et leur parc zoologique en font l'une des destinations les plus prisées de la Croatie.

Les montagnes et les forêts

Trois autres parcs couvrent des espaces montagneux et constituent un paradis pour les randonneurs.

Le **Nord Velebit** fait partie depuis 1978 du réseau international de réserve de la biosphère de l'Unesco. Il comprend les réserves naturelles de Rožanski et d'Hajdučki kukovi, l'une des grottes les plus profondes du monde, la grotte Luka, ainsi qu'un jardin botanique situé à 1 480 m d'altitude.

Plus au sud, le parc de **Paklenica** est réputé notamment pour ses deux canyons vertigineux et la paroi Anića Kuk, haute de 712 m, escaladée par des alpinistes de tous niveaux. Le site comprend près de 1 150 espèces végétales.

Proche de la frontière avec la Slovénie, dans la région la plus boisée du pays, le parc de **Risnjak** étend à perte de vue ses forêts de feuillus (hêtre, orme, érable) et de conifères (sapin, épicéa).

Les cours d'eau et les cascades

Le parc national de **Plitvice,** inscrit au Patrimoine mondial de l'humanité, est le plus connu des joyaux naturels de la Croatie : 16 lacs sont reliés par 92 cascades.

Quant au parc national de la **Krka**, situé entre Šibenik et Knin, il accueille au fond d'un canyon creusé dans un plateau calcaire la plus belle rivière karstique de Croatie. Les chutes d'eau de la Krka, et surtout celle de Skradinski Buk, sont particulièrement impressionnantes.

Une faune unique

La diversité des milieux naturels et la politique de protection de l'environnement mise en place ont favorisé la présence d'une faune variée et endémique. 380 espèces protégées profitent maintenant d'un véritable havre de paix.

SUR TERRE

Les montagnes abritent de nombreuses espèces menacées, dont certaines ont disparu ailleurs en Europe. Bien que peu nombreux, les plus grands carnivores d'Europe y sont tous représentés, comme les **loups gris**, les **ours** et les **lynx**. Moins rares, les **chats sauvages**, les **sangliers**, les **cerfs**, les **chamois** et les **mouflons** se partagent les différents espaces de la montagne. Il existe également une faune plus discrète mais tout aussi originale notamment parmi les insectes, reptiles et batraciens.

DANS LES EAUX

L'Adriatique

Les fonds marins tapissés d'herbiers de posidonie et de cavités sont des refuges et des garde-manger pour les mérous, murènes, sars, rougets, oursins, gorgones, éponges, poulpes, thons, poissons-scies, requins... Certains sont menacés d'extinction. Le dauphin à nez en bouteille de l'Adriatique, par exemple, n'est plus estimé qu'à 220 spécimens. Avec un peu de chance, vous pourrez peut-être l'apercevoir, au large de l'île de Krk.

Les lacs et les rivières

La qualité des eaux sur l'ensemble du territoire croate est particulièrement bonne. Les rivières, les lacs et les marécages regorgent de poissons.
Dans les parcs nationaux de Plitvice et Krka se trouve une espèce rare et protégée de loutre marine.

DANS LES AIRS

Pour l'observation des oiseaux, il est conseillé de parcourir la réserve ornithologique de Kopački rit au nord d'Osijek. Rassemblant 260 espèces différentes, elle accueille, lors des migrations, cigogne noire, grande aigrette, spatule blanche, grand cormoran...
Le parc de Risnjak abrite quant à lui une cinquantaine de grands tétras, qui exécutent des parades spectaculaires à la saison des amours.
Les oiseaux de proie sont également bien représentés sur l'ensemble du pays. Aux aigles, faucons pèlerins, pygargues à queue blanche, éperviers, circaètes jean-le-blanc, buses et chouettes s'ajoutent deux communautés de vautours fauves.

L'ORPHELINAT DES OURS

Au cœur du massif montagneux du Velebit, le village de Kuterevo (16 km au sud-ouest d'Otočac ou 59 km au sud-est de Senj) abrite, depuis 2002, un orphelinat pour de jeunes ours ayant perdu leur mère dans différentes circonstances (*p. 280*). Les visiteurs sont les bienvenus et des guides leur raconteront l'histoire de chaque ourson.

Naissance d'une nation

Morcelé entre plusieurs civilisations, cerné par des prédateurs puissants et antagonistes tels les Magyars et les Vénitiens, puis les Ottomans et les Autrichiens, ce pays a connu un parcours tragique, et non des moindres, avant de pouvoir se constituer en État, en 1992, sur les décombres de l'ancienne Yougoslavie.

ILLYRIENS ET ROMAINS

À l'âge du bronze, le territoire de l'actuelle Croatie est surtout peuplé de tribus dites « illyriennes » structurées en royautés indépendantes : les Histres, les Dalmates, les Liburnes…
Au 4e s. av. J.-C., ces guerriers cohabitent avec les **Grecs** qui, depuis l'île d'Issa (Vis), fondent des colonies prospères à Korčula, Trogir et Salona. Dès 229 av. J.-C., les **Romains** font irruption, mais ce n'est qu'en l'an 9 qu'ils contrôlent véritablement l'Illyrie et en font une province romaine.

La Paix romaine

Des **villes** naissent, des **routes** sont tracées, les cultures de la vigne et de l'olivier se répandent : en Istrie, Pola (Pula) et Parentium (Poreč) ; en Dalmatie, Salona et Zara (Zadar) ; en Illyrie intérieure, Siscia (Sisak), Andautonia, Aquæ Iasæ ou Mursa (Osijek) ont conservé des vestiges de cette époque de prospérité. Plusieurs Illyriens deviennent empereurs à Rome, dont **Dioclétien**.

Le temps des Barbares

Les **envahisseurs barbares** déferlent et l'unité du monde romain vole en éclats. Sur le territoire croate, les **Avars** s'établissent sur le cours du Danube moyen au début du 7e s. Pour les combattre, l'empereur byzantin **Héraclius** n'a d'autre choix que de faire appel aux **Slaves** et, parmi ceux-ci, aux **Croates** qui s'installent entre la Drave et la Save.

DIOCLÉTIEN (245-313) L'EMPEREUR ILLYRIEN

Ce général est proclamé empereur par ses légions en 284. Ses talents d'organisateur, sa réforme de l'Empire, partagé entre Orient et Occident, gouverné par deux Augustes épaulés par deux Césars, constituant ainsi la tétrarchie, ses réformes fiscales et administratives permettent à Rome de retrouver sa puissance. Ce règne brillant, marqué par une violente persécution des chrétiens, s'achève lorsque l'Auguste décide d'abdiquer. En 305, Dioclétien fait construire un superbe palais, *Spalatum*, qui plus tard devient Split.

Le général Josip Jelačić.
D.R

UNE PREMIÈRE CROATIE

Au cours des deux siècles suivants, les Croates s'organisent en banats (duchés) rivaux.

En **925**, le duc **Tomislav** (910-928) fonde le **royaume de Croatie**, dont la frontière nord est fixée sur la Drave. L'aide que Tomislav apporte à l'empereur byzantin, en délicatesse avec ses voisins bulgares, lui vaut de recevoir la Dalmatie. Pour la première fois, l'ensemble de l'espace croate (à l'exception de l'Istrie et de la Neretva) est réuni dans une même entité politique. Cette date est considérée aujourd'hui comme celle de la fondation de la Croatie.

Avec ses cités maritimes rivalisant avec Venise, ce royaume connaît sa période la plus brillante sous le règne de **Pierre Krešimir IV** (1058-1075), dont le successeur, **Zvonimir** (1075-1089), obtient la reconnaissance internationale. Pourtant, Zvonimir meurt sans héritier ce qui entraîne la prise du pouvoir par les Hongrois.

Le raid de Koloman

Le roi de Hongrie Koloman conquiert les villes dalmates en 1102. Les nobles croates se rallient au nouvel homme fort. Selon la *Pacta conventa*, la Croatie est administrée par un vice-roi désigné par le souverain magyar, le *ban*, tandis que le pouvoir législatif est assuré par la Diète croate, le Sabor. Cette situation durera jusqu'en 1918 !

L'IMPÉRIALISME VÉNITIEN

Les puissants marchands vénitiens considèrent sans enthousiasme la concurrence des cités maritimes d'Istrie et de Dalmatie.

La Sérénissime impose peu à peu son joug sur la côte adriatique ainsi que sur les îles, et ce jusqu'à sa chute en 1797. Une seule exception : **Raguse** (Dubrovnik), qui se constitue en république indépendante.

Profitant de l'occasion, les marchands ragusains proclament leur **république** en 1358 jusqu'au séisme de 1667.

Privé de ses cités maritimes, le royaume croate n'a comme accès à la mer que la bande allant de Rijeka au Velebit. Il va déplacer dès lors son centre de gravité à l'intérieur des terres. C'est à **Zagreb**, proclamée « ville royale libre » en 1242 par Bela IV, que s'installe le pouvoir.

LA LUTTE CONTRE LES TURCS

En 1453, les Ottomans mettent fin au glorieux Empire byzantin. Entre 1463 et 1482, ils s'emparent de la Bosnie, puis de l'Herzégovine. En 1493, à Krbava, l'armée croato-hongroise est écrasée et la noblesse croate décimée. **Soliman le Magnifique** occupe Osijek et la Slavonie. La bataille de Mohács, en 1526, lui ouvre le territoire hongrois et la route de Vienne. Pire, la Hongrie (et donc la Croatie) se retrouve sans souverain, son roi, Louis II, ayant été tué.

Le royaume gigogne

Neveu de Charles Quint, Ferdinand Ier de Habsbourg est élu, en 1526, roi de Bohême et de **Hongrie** pour succéder à Louis II. Trente ans plus tard, il devient aussi empereur d'**Autriche**. Le royaume de Croatie alors passe sous la coupe de Vienne.

Le rempart de la chrétienté

Ayant farouchement résisté aux Turcs et placés par la géographie aux premières loges, les Croates se retrouvent investis du rôle de « rempart de la chrétienté ».
En 1630, pour assurer l'efficacité de la lutte contre les Ottomans, l'empereur Ferdinand II prend sous son administration directe la partie du territoire croate la plus exposée aux raids des Ottomans, dès lors désignée sous le nom de « **Confins militaires** ». Des places fortes sont érigées dans ces espaces désertés, et de petites cités se développent tout autour. Pour les peupler, on fait appel à des immigrants, souvent des **Serbes** ; quant au royaume croate, il se réduit comme une peau de chagrin : ce sont les *reliquiæ reliquiarum* (« restes des restes »).
Cependant, l'Empire ottoman est sur le déclin et perd des terres. Le **traité de Passarowitz** (1718) fixe la frontière entre Croatie et Bosnie sur son tracé actuel.

LES FERMENTS DE LA RÉVOLTE

Une fois les Turcs repoussés, tout le poids de la domination austro-hongroise se fait sentir…

Les Provinces illyriennes

La fin de la république de Venise (1797) fait passer une grande partie de ses possessions (dont l'Istrie) sous le contrôle des Français. Plus tard, les **traités de Presbourg** (1805) **et de Vienne** (1809) donnent à la France le contrôle de la Dalmatie, puis de Raguse. C'est le **général Marmont** qui est chargé d'administrer ces Provinces illyriennes. Il s'attelle à la modernisation des villes et à leur désenclavement. Pourtant, à la chute de Napoléon, le **traité de Vienne** de 1815 donne les Provinces illyriennes à l'Autriche. Au-delà des travaux de génie civil et des réformes administratives, ce bref épisode va surtout marquer les esprits et participe à l'émergence d'une **identité nationale** et d'une aspiration à l'indépendance.

Vers la renaissance

Poète et grammairien, Ljudevit Gaj codifie la langue littéraire croate, crée le **Mouvement illyrien** et édite le premier journal rédigé en croate (1845). En 1848, le Sabor présente les **Revendications du peuple** : plus d'autonomie par rapport à Budapest, rattachement de la Dalmatie au royaume croate, nomination du général croate **Josip Jelačić** au poste de *ban*… L'empereur cède.

Un tour de vis

Patriote convaincu, le nouveau *ban* multiplie les **réformes sociales, administratives et politiques** comme l'adoption du croate comme langue officielle des débats au Sabor…

Répondant à l'appel de l'empereur, Jelačić réunit une armée croate de 40 000 hommes et joue un rôle décisif dans la capitulation des **rebelles hongrois** (août 1849) qui réclament plus d'autonomie.

S'il pensait pouvoir demander, en vertu de ses états de service, davantage de liberté pour sa patrie, le *ban* se trompait lourdement. Bien au contraire, François-Joseph veut dissuader ses sujets d'imiter les Hongrois. Le gouvernement absolutiste de Bach abolit alors les provinces historiques, les privilèges particuliers et efface d'un trait de plume l'institution du banat.

La lutte continue

Replacé sous administration hongroise en 1867, le royaume croate conclut l'année suivante avec les Hongrois la *Nagodba*, réaffirmant son statut de royaume associé. La lutte pour la libération continue, parfois armée, le plus souvent politique.

Après la période absolutiste, François-Joseph lâche un peu de lest. En 1881, les Confins militaires sont abolis. En revanche, la Dalmatie et l'Istrie continuent à faire partie intégrante de l'Autriche. Les députés croates demandent le rattachement de la Dalmatie au

LES GRANDES DATES DE LA CROATIE

- **Début du 7e s.** – Les Croates (Horvat) s'installent sur l'ancienne Illyrie. Aujourd'hui, le mot croate en dérive directement et se dit *hrvat*. Le nom officiel de la Croatie est *Hrvatska*.
- **925** – Tomislav se proclame roi et fonde le royaume de Croatie.
- **1102** – Les rois de Hongrie deviennent par traité souverains de Croatie.
- **1202-1797** – Venise s'empare de la Dalmatie. Sa suprématie culmine au 15e s., avant de disparaître durant la période napoléonienne.
- **1493** – Les Ottomans occupent près de la moitié du pays.
- **1527** – Le *Sabor* (diète croate) donne le trône de Croatie à Ferdinand Ier de Habsbourg.
- **1699** – Les Ottomans se retirent de Croatie.
- **1809-1913** – La Dalmatie et l'Istrie sont rattachées aux Provinces illyriennes créées par Napoléon.
- **1918-1929** – Création du royaume des Serbes, des Croates et des Slovènes.
- **1941** – Les forces de l'Axe installent à Zagreb l'État indépendant de Croatie, avec, à sa tête, Ante Pavelić, leader des Oustachis.
- **1945** – Création de la Yougoslavie communiste.
- **1971** – Tito brise le « printemps croate ».
- **1991-1995** – La Croatie proclame son indépendance et entre en guerre avec la Serbie, puis la Bosnie.
- **1999** – Mort du président Tuđman.
- **2005** – Début des négociations d'adhésion à l'Union européenne.
- **2013** – Entrée de la Croatie dans l'Union Européenne.

royaume, et les députés serbes approuvent ce projet.
Plus tard encore, des députés serbes, croates et slovènes forment un **Comité yougoslave** pour un royaume à trois composants : en 1917, à Corfou, ils imaginent le futur État serbo-croate.

LES DEUX YOUGOSLAVIE

La Première Guerre mondiale prend fin et l'Empire austro-hongrois, vaincu, vole en éclats. La Serbie est dans le camp des Alliés. La Croatie, restée strictement autrichienne, se trouve dans celui des vaincus. Le **Congrès national yougoslave**, réuni à Zagreb, proclame l'union des territoires croate et slovène avec les royaumes de Serbie et du Monténégro, malgré les avertissements de **Stjepan Radić**, qui s'inquiète de la formation d'une « grande Serbie ».
Le nouvel État, une monarchie parlementaire, prend le nom de **royaume des Serbes, des Croates et des Slovènes**.

Les illusions perdues

En 1921 est adoptée une constitution centralisatrice qui renforce le leadership serbe et confirme les craintes de Stjepan Radić. Il est assassiné en 1928 lors d'une séance du Parlement yougoslave, tandis que la répression policière s'accroît. En 1929, Alexandre Ier proclame la dictature et le royaume prend officiellement le nom de **Yougoslavie**.
Un député de Zagreb, **Ante Pavelić**, crée le mouvement des **oustachis**, qui ne tarde pas à sombrer dans le terrorisme : Alexandre Ier est assassiné à Marseille, en 1934.
Un compromis, signé en 1939 avec le successeur de Radić, Vladko Maček, vise à calmer les esprits en accordant à la Croatie une certaine autonomie.

Le sanglant intermède oustachi

Le 6 avril 1941, les forces de l'Axe lancent une offensive contre la Yougoslavie. Celle-ci est aussitôt dépecée : l'Italie fait main basse sur la Dalmatie. La Serbie et ce qui reste de la Croatie (à laquelle on joint la Bosnie) sont érigés en États indépendants avec, à leur tête, des gouvernements fantoches.
Ante Pavelić institue un régime de terreur : aux **lois raciales** qui entraînent l'extermination des Juifs et des Tziganes se joignent les exactions des oustachis contre les Serbes dont certains combattants, les *tchetniks*, pratiquent les mêmes méthodes de leur côté.
Très vite, la résistance des **partisans** s'organise sous l'égide d'un chef charismatique, le leader du Parti communiste, **Josip Broz**, dit **Tito**. Il établit son QG dans l'île de Vis et constitue un gouvernement provisoire clandestin, bientôt reconnu par les forces alliées.
L'entrée de l'Armée rouge en Yougoslavie en 1945 permet à Tito de conforter une victoire déjà acquise sur le terrain.

35 ANS DE « TITISME »

En 1945, le triomphe aux élections du **Front national** (englobant les communistes) avec plus de 90 % des voix laisse les coudées franches à Tito.
Selon la Constitution adoptée en 1946, la Yougoslavie devient une **fédération de six républiques**, transcendées par un idéal commun : le **communisme**. Une répression menée sans faiblesse contre les opposants, les tenants de l'ancien régime et la hiérarchie catholique lui permet d'instaurer un pouvoir fort et un système de **parti unique**. En 1947, l'Istrie et la Dalmatie retrouvent le giron de la mère patrie.

1948 marque la rupture entre Tito et Staline. C'est en 1950 qu'est mis en place le système original d'**autogestion**, tandis que, sur le plan extérieur, Tito fait partie des créateurs et des animateurs du **Mouvement des pays non alignés** (1956).

Cependant, pour des raisons en partie démographiques, les **Serbes** dominent l'appareil dirigeant. En 1963, une nouvelle Constitution, qui marque un pas vers la décentralisation, ne suffit pas à calmer les esprits : rébellion générale, le « printemps croate » de 1971 est durement réprimé, mais entraîne l'élaboration d'une **nouvelle Constitution** concédant aux républiques des pouvoirs importants.

L'éclatement

En 1980, Tito meurt après trente-cinq ans de pouvoir. Les tensions s'accumulent et l'effondrement du bloc soviétique déchaîne les passions. Les républiques entrent tour à tour en dissidence.

En 1989, **Franjo Tuđman** fonde à Zagreb un **parti nationaliste**, le HDZ. L'année suivante voit l'instauration du **pluralisme politique**. Aux élections générales, les nationalistes écrasent les communistes, sauf en Serbie et au Monténégro. Tuđman est élu président de la République de Croatie. L'année suivante, c'est au tour de **Slobodan Milošević** d'être élu, cette fois-ci à Belgrade.

En 1991, les Serbes sonnent la fin de la Yougoslavie en refusant que le président croate d'alors accède à la présidence fédérale. En Croatie, les milices du HDZ persécutent la minorité serbe. Des régions croates, comme la Krajina, entrent en dissidence. L'armée fédérale, tenue par les Serbes, accourt sous le prétexte de défendre ses concitoyens opprimés. Tuđman proclame alors l'**indépendance de la Croatie**. À la fin de l'année, les Serbes ont bombardé le palais présidentiel de Zagreb, la vieille ville de Dubrovnik, maté la résistance désespérée de **Vukovar** et ont fait main basse sur un quart du territoire croate. D'un côté comme de l'autre, les atrocités contre les populations civiles se multiplient. Au conflit croato-serbe se mêle celui opposant les Croates aux Bosniaques. Prenant prétexte de l'arrivée de réfugiés bosniaques et de la nécessité de protéger les Croates de **Bosnie**, Franjo Tuđman déclenche les hostilités contre son voisin. Un accord est signé à Washington le 18 mars 1994.

Il faut attendre 1995 et les opérations « **Éclair** » et « **Tempête** » pour que la Croatie réinvestisse les territoires perdus en 1991 (l'extrême est du pays, autour de Vukovar, n'est restitué qu'en 1998). Les **accords de Dayton-Paris** mettent fin à la guerre en novembre 1995.

Vers l'Europe

Franjo Tuđman meurt le 10 décembre 1999. Si les rancœurs restaient vives, l'adoption d'une Constitution démocratique et l'élection, le 7 février 2000, d'un président modéré, **Stjepan Mesić**, réélu en janvier 2005, ont néanmoins permis au nouvel État de lancer les négociations en vue d'une adhésion à l'Union européenne, adhésion qui s'est concrétisée le 11 juillet 2013. Depuis 2010, la Croatie est dirigée par le gouvernement d'Ivo Josipović.

Art et culture

Qu'il s'agisse de monuments, de peinture, de sculpture, la Croatie ne compte plus ses chefs-d'œuvre romans, baroques, réalistes… Comme les arts plastiques, la littérature, la musique, la photographie et le cinéma réinterprètent de manière originale les grands courants européens.

Un entrelacs de styles

L'art en Croatie est le reflet des multiples cultures que cette terre a su assimiler pour en faire une étonnante synthèse.

L'ENVOL DE LA COLOMBE

Les cultures néolithiques sur le territoire croate ont livré plusieurs trésors. Le plus spectaculaire provient de la **civilisation de Vučedol**, en bordure du Danube, qui atteint son apogée au cours de l'âge du cuivre (3000 av. J.-C.). La figure emblématique reste la **Colombe de Vučedol**.
Lors des **âges du bronze et du fer** apparaissent en Istrie des oppida, (gradina) dont la plupart ont disparu sous les agglomérations qui leur succèdent.

LES SPLENDEURS ANTIQUES

C'est au 1er s. av. J.-C. que les **Romains** affirment leur emprise sur l'Illyrie : ils construisent une trentaine de villes auxquelles ils appliquent le plan en damier caractéristique de leur urbanisme.
Pola (Pula) a conservé des monuments quasiment intacts : l'amphithéâtre, le temple d'Auguste, l'arc des Serge.
C'est à **Split** qu'ils ont laissé la plus étonnante trace de leur passage avec le palais où Dioclétien se retira (4e s.).

Les derniers feux de l'Antiquité

Comme le littoral croate est passé dans l'orbite de Byzance, d'admirables monuments en portent encore la marque. Les basiliques de Salone, de Pula (Ste-Marie Formose) et la somptueuse **basilique euphrasienne de Poreč** en sont des exemples fascinants. Dans cet âge d'or, le décor est exceptionnellement travaillé, notamment les sculptures et l'orfèvrerie.

L'ART « VIEUX CROATE » (9e-11e S.)

Sur la côte dalmate comme en Istrie, près d'une centaine d'églises apportent un témoignage précieux sur la transition artistique évoluant de l'Antiquité tardive à l'époque romane (9e-11e s.).
C'est dans ces sanctuaires au mobilier de pierre que l'on observe les fameux entrelacs, ou **pleter**, faits d'une tresse à trois brins entrelacés qui recouvrent la moindre surface et dont le dessin devient de plus en plus complexe. Les motifs des mosaïques font appel au répertoire antique : cercles et losanges entrecroisés, nœuds, tresses et volutes.

Fresques d'un monastère de Dubrovnik.
SuperStock / age fotostock

LE MOYEN ÂGE ET LA RENAISSANCE

À l'époque romane sont construites les **cathédrales** de Trogir, Zadar et Rab. C'est à cette période qu'apparaît la **peinture** en Croatie : la linéarité des fresques de Ston (11e-12e s.) montre une influence byzantine. L'architecture **gothique** émerge à la fin du 13e s., avec l'église franciscaine de Pula et le début de la construction de la cathédrale de Zagreb, inspirée de celle de Troyes. L'architecture civile a laissé nombre de palais, très vénitiens d'allure, à Dubrovnik, Split ou Poreč. Dans le domaine militaire, citons la forteresse de Medvedgrad sur les hauteurs de Zagreb.

La proximité de l'Italie favorise ensuite l'introduction de la Renaissance sur le littoral. Sculpteur et architecte, Juraj Dalmatinac (**Georges le Dalmate**, 1410-1473), encore marqué par la flamboyance du gothique vénitien, introduit des éléments caractéristiques de la Renaissance en Dalmatie : son œuvre majeure reste la cathédrale saint-Jacques de Šibenik.

D'autres artistes dalmates s'expatrient et se rendent célèbres en Europe : c'est le cas de Juraj Čulinović (**Giorgio Schiavone**), du miniaturiste Julije Ković (**Giulio Clovio**), du peintre Andrija Medulić (**Andrea Schiavone**) et du sculpteur Franjo de Vrana, *alias* **Francesco Laurana** (1430-1502), qui a laissé nombre d'œuvres à Naples, Messine, Marseille et Avignon.

LE BAROQUE : UN ART TOTAL

L'art baroque se veut un art total : il intervient sur l'architecture et sur l'espace qui l'environne.

L'**architecture baroque** sacrée prend son essor au 17e s., importée par les jésuites, qui font travailler artistes italiens et autrichiens (Ackermann, Andrea Pozzo, Quaglio, A.-J. Quadri…). De grandes églises sont édifiées dans l'esprit du Gesù de Rome : Ste-Catherine de **Zagreb**, l'Assomption à **Varaždin**… Les églises existantes sont modifiées par l'addition d'une chapelle de part et d'autre de la

nef, pour dynamiser l'espace. La décoration est somptueuse.
Mais c'est au 18e s. que la victoire de l'art baroque est complète : en Slavonie, des villes sont créées comme Osijek, Bjelovar, Požega avec des maisons à arcades donnant sur une place dominée par deux églises se faisant face : l'une catholique, l'autre orthodoxe…
La noblesse urbaine fait édifier des palais (Varaždin), les châteaux deviennent des résidences luxueuses (Gornja Bistra).
Des **églises de pèlerinage** sont construites, cernées par une enceinte, le *cinctor*. On atteint là le point culminant de l'euphorie baroque. Sculpture, peinture, architecture, stucs se mêlent et se fondent dans un délire vertigineux.
Tout cela s'affadit ensuite dans la grâce décorative du **rococo** (église de Sela, au plan en ellipse, palais Sermage à Varaždin).

L'EMPREINTE VIENNOISE (1800-1914)

Au 19e s., les modes et les styles viennent de la capitale de l'Empire. Les menaces extérieures disparues, on abat un peu partout les remparts : le paysagisme en profite avec la création de promenades publiques, tandis que l'accroissement de la population entraîne de grandes opérations d'urbanisme. C'est le cas à Rijeka, à Sisak, à Osijek et, bien sûr, à Zagreb où les quartiers hauts se transforment sous la houlette de **Bartol Felbinger**, artisan d'un ordonnancement néoclassique.
Mais, bientôt, avec la construction de la ville basse de Zagreb, et sous l'influence du style éclectique adopté pour les nouveaux édifices du *Ring* viennois, l'**historicisme** s'impose.
Herman Bollé (1845-1926), son principal artisan, a profondément marqué de son empreinte la physionomie de Zagreb. Outre la restauration de la cathédrale, la capitale lui doit nombre d'édifices, dont l'École des arts appliqués.
Côté peinture, le Slovène Mihael Stroy (1803-1871) est, comme son compatriote **Matej Brodnik** (1814-1845) et le miniaturiste autrichien **Jakov Stager**, un portraitiste itinérant. Leurs œuvres sont caractéristiques du style Biedermeier : recherche de la ressemblance et personnages rigides posant sur un fond neutre.
Le réalisme naît avec l'école d'Osijek et surtout, à Karlovac, **Vjekoslav Karas** (1821-1858). Celui qu'on appelle « le premier peintre croate » laisse quelques excellents portraits et ouvre la voie au réalisme pictural.
La **sculpture** est représentée par le Viennois **Anton Dominik von Fernkorn** qui parsème Zagreb de statues (St-Georges, le ban Jelačić).

L'ÂGE DES RUPTURES

Un des disciples de l'architecte viennois Otto Wagner, **Viktor Kovačić** (1874-1926), introduit le

MATIÈRE PREMIÈRE ET SAVOIR-FAIRE

Le palais de Dioclétien à Split, le Reichstag à Berlin, la Maison-Blanche à Washington… Ce qui unit ces monuments, par-delà les époques et les distances, c'est la pierre qui les constitue, le fameux calcaire blanc, d'une finesse évoquant le marbre, extrait depuis l'Antiquité sur l'île de Brač. Tradition ininterrompue puisque l'existence des tailleurs de pierre est mentionnée au 15e s. Des dynasties de sculpteurs, comme les **Stambuk,** perpétuent la renommée de la **pierre de Brač** et le savoir-faire de ses artistes. Quant à la transmission de leur savoir, elle est assurée, depuis 1956, par l'**École des industries et des arts de la pierre** de **Pučišća**.

style Sécession en Croatie. Dans un même esprit de rupture à l'encontre de l'historicisme du 19e s., il défend une architecture fonctionnelle, adaptée aux besoins de ceux qui sont appelés à y vivre. Il fonde en 1906 à Zagreb le Club des architectes croates et montre un attachement aux nouveaux procédés de construction (béton armé) et aux formes pures.
Le chef-d'œuvre de la Sécession croate est l'immeuble des Archives nationales élevé en 1910 par Rudolf Lubynski. Parallèlement, on assiste à l'essor des arts décoratifs avec la ferronnerie, la céramique, la verrerie et l'ébénisterie.
Ivan Meštrović (1883-1962) est un élève de Rodin. Il se fait d'abord remarquer au sein du groupe Sécession. En 1914, il se tourne vers des sujets religieux, qu'il abandonne bientôt. Nus féminins et monuments (Grgur Ninski, Strossmayer) marquent sa période de Zagreb. En 1938, il y construit la Maison des artistes croates, représentative du style « international ». Après avoir été emprisonné par le régime oustachi, il prend en 1942 le chemin de l'exil avant de se fixer aux États-Unis. Trois musées croates lui sont consacrés : à Split (*p. 165*) ; à Zagreb (*p. 433*), où ses œuvres sont aussi visibles dans les rues ; et dans son village natal de Vrpolje (*Đakovo p. 538*).
Dans le domaine de la peinture, l'influence de Paris est sensible. Ainsi, **Vlaho Bukovac** (1855-1922) y a été formé et s'impose d'abord dans le style réaliste. Cependant, sous l'influence de ses amis parisiens, il adopte l'impressionnisme. Autour de lui se groupent de jeunes artistes qui composent **l'école « bariolée » de Zagreb**.
Les peintres du **« cercle de Munich »** s'inspirent également de la peinture française : Miroslav Kraljević est un disciple des fauves, Josip Račić peut être placé à côté des Nabis.

L'ART AU SERVICE DU PEUPLE ?

Tandis qu'après 1918 les architectes de « l'école de Zagreb » **(Drago Ibler, Strizić, Kauzlarić)** tentent de faire la synthèse entre les courants « fonctionnaliste » et « organique », les peintres privilégient le travail sur la couleur et sur les volumes, explorant les voies de l'expressionnisme, du futurisme et de la « nouvelle objectivité ».
Krsto Hegedusić (1901-1975) appartient au groupe de créateurs **Zemlja** (« la Terre ») qui, réunissant peintres, architectes (V. Svečenjak, O. Postružnik) et sculpteurs, veut prendre une part active aux mouvements sociaux, tandis qu'**Antun Motika** (1902-1992), par son lyrisme et son talent de coloriste joyeux, déborde le cadre des écoles, comme l'antagonisme entre abstraction et figuration.

Les peintres-paysans de Hlebine

Hegedusić fait découvrir en 1930 ces peintres-paysans dont le succès devient prodigieux. Les Croates tiennent l'œuvre de leurs naïfs pour une branche à part entière de l'art moderne. La première génération ne manque pas d'artistes de grand talent, à commencer par **Ivan Generalić** (1914-1992) dont l'œuvre a évolué d'un réalisme dénonçant la dureté de la condition paysanne vers une simplification des formes confinant à l'abstraction.

La sculpture post-Meštrović

Antun Augustinčić (1900-1979), élève de Frangeš, puis de **Meštrović**, se consacra pour l'essentiel à la sculpture monumentale. Une de ses œuvres, *Le Monument de la Paix*, a été placée

QUOI ?

Kaj ? *Ča* ? *Što* ? Il suffit que votre interlocuteur vous pose la question « quoi ? » pour que vous puissiez discerner de quelle région il est originaire… Dans le premier cas, il s'exprime en **kajkavien**, dialecte parlé au nord de Zagreb ; dans le second, vous avez affaire à du pur **čakavien**, dialecte de l'Istrie, des îles du Kvarner et des Croates de Bosnie ; dans le dernier, c'est en **štokavien** qu'on s'adresse à vous : vous avez donc affaire à un Slavon ou un Dalmate. Encore faut-il discerner s'il s'agit du sous-dialecte ikavien ou ijékavien, ainsi nommés selon la prononciation de la voyelle *jat* !

à New York devant le siège de l'Onu. **Vanja Radauš** (1906-1975) a parsemé les villes de portraits de personnalités réalisés dans un style évoquant parfois Zadkine.

LES CHEMINS DE LA CRÉATION

L'art abstrait apparaît à Zagreb avec le groupe **Exat 51**. La distance prise avec Moscou se traduit dans l'art par une liberté de thèmes et de styles, et le rejet d'un art officiel (« réalisme socialiste »). On a pu dire que les thèses de l'Est étaient alors exprimées avec le langage de l'Ouest.
Ainsi des artistes comme **Vojin Bakić**, **Dušan Đamonja**, **Oton Gliha**, **Frano Šimunović**, **Ivo Dulčić** évoluent vers l'abstraction.
Edo Murtić (1921-2005), le peintre croate le plus célèbre, représente une abstraction lyrique qui puise son inspiration dans les paysages de Dalmatie et la terre rouge de l'Istrie. Ses tableaux, traversés de larges paraphes, dégagent une impression de force dramatique.
De nos jours, installations, mises en espace, vidéos et bruitages expriment une postmodernité, plus ou moins conceptuelle ou « méta-artistique », s'accompagnant de performances où l'artiste se place au centre de l'œuvre **(Antun Maračić**, **Alen Floričić)**. D'autres se déclarent adeptes du minimalisme : parmi eux, **Boris Demur** et **Dubravka Rakoci**.

Du glagolitique au dessin animé

La culture croate révèle bien des surprises : saviez-vous que la Croatie a inventé sa propre écriture, le glagolitique, sur laquelle nos rois prêtaient serment lors de leur sacre ? Saviez-vous que bien des dessins animés que regardent vos enfants ont été produits dans les studios de Zagreb ? Et qu'un Croate de Dubrovnik a siégé à l'Institut ?

LANGUE ET LITTÉRATURE

Le glagolitique, écriture nationale

Venus de Thessalonique, saint Cyrille et saint Méthode entreprennent vers 863 d'évangéliser la Moravie. C'est à cette occasion qu'ils mettent au point l'**alphabet glagolitique** (du vieux slave *glagoljati*, « parler ») bientôt utilisé sur l'ensemble du littoral croate. Cette forme d'écriture devient, au fil des siècles, de plus en plus anguleuse. Si l'écriture glagolitique, dans la vie profane, cède peu à peu la place à la graphie latine, elle est utilisée par l'Église jusqu'au début du 20e s. Elle a donné naissance à nombre de textes fondateurs, en latin ou en croate, qu'ils soient de caractère juridique, historique ou religieux : parmi eux, la célèbre **stèle de Baška** (1100), plus ancien texte mentionnant le mot « croate ». Aujourd'hui, l'écriture glagolitique est considérée comme l'un des traits caractéristiques du génie national et célébrée comme telle.

– La stèle originale de Baška est exposée au palais de l'Académie croate des lettres, des sciences et des arts, à Zagreb (*voir p. 443*).

Le croate

Le croate fait partie du groupe des langues sud-slaves qui se sont progressivement détachées du vieux slavon : parmi les langues de la même famille figurent le bulgare, le bosniaque, le serbe, le slovène et le macédonien, certaines d'entre elles utilisant des caractères cyrilliques.

Une certaine proximité, tant dans le vocabulaire que dans la grammaire, permet à un Croate štokavien et à un Serbe de se comprendre, comme peuvent se comprendre un Danois et un Norvégien. Pour autant, il n'y a pas lieu de parler d'une langue **serbo-croate** : ce que l'on nomma ainsi était en fait une sorte de langage de compromis, vaguement compris par tout le monde mais que personne ne parlait réellement. Codifiée et normalisée au 19e s. par le fondateur du Mouvement illyrien, **Ljudevit Gaj**, la langue littéraire croate est le štokavien-ijékavien. Le croate s'écrit en caractères latins et utilise trente lettres ! L'orthographe est phonétique, ce qui signifie que toutes les lettres se prononcent et que chacune correspond à un seul son.

Langue et phonétique (méthode de prononciation des lettres croates), *p. 24.*

Humanistes et pétrarquistes

On s'accorde à considérer l'humaniste Marko Marulić (1450-1524) comme le « père de la littérature croate » : auteur de textes latins et italiens, ami d'Érasme, traducteur de Dante et de Pétrarque, il a écrit également une œuvre poétique en croate dont se détache sa *Judith* qui, publiée en 1501, a remporté un très vif succès. **Marin Držić** (1508-1607) est quant à lui l'auteur de comédies, toujours jouées aujourd'hui *(Vénus et Adonis, L'Oncle Maroje, Skup)* : par leurs traits de caractère, cernés avec finesse, ses personnages sont intemporels.

L'une des conséquences de l'interminable conflit contre les Turcs est un sévère coup d'arrêt à l'activité intellectuelle, jusque-là brillante : au 17e s., il n'y a plus qu'une imprimerie dans tout le pays, contre plus d'une dizaine cent ans plus tôt !

Deux siècles un peu austères

En Europe, philosophes et scientifiques croates acquièrent une grande réputation : le jésuite **Ruđer Bošković** (1711-1787), physicien, diplomate, poète, philosophe, astronome et mathématicien, célébré pour sa *Theoria philosophiæ naturalis* (1758), est nommé par Louis XV responsable de l'optique de la Marine. Au 18e s., une littérature croate commence timidement à éclore dans le nord du pays. Son principal représentant est **Andrija Kačić Miošić**, auteur d'un poème très populaire consacré à la lutte contre les Turcs.

Le renouveau illyrien

Au début du 19e s., seules quelques revues perpétuent la littérature croate. Il faut attendre le **Mouvement illyrien** de **Ljudevit Gaj** (1808-1872), lui-même poète, pour voir se développer une véritable vie littéraire.

Mais le premier véritable écrivain est **Stanko Vraz** (1810-1851), fondateur de la revue littéraire *Kolo* et auteur de poèmes romantiques retraçant ses amours malheureuses. Cependant, le grand nom du romantisme croate est le poète **Petar Preradović** (1818-1872). Citons également **Antun Mihanović** (1769-1861)

qui, outre les paroles de l'hymne national, a écrit des poèmes d'amour, et le futur ban **Ivan Mažuranić** (1814-1890) dont le poème épique (*La Mort de Smaïl-aga Čengić*, 1846), devenu rapidement un best-seller, est aujourd'hui un classique.
Bibliographie p. 40.

Naissance de la modernité

C'est à **Ivan Krstitelj Tkalčić** (1840-1905), que revient l'honneur d'avoir écrit le premier roman historique croate.
Le premier romancier célèbre est **August Šenoa** (1838-1881), qui se signale à l'attention par ses romans historiques *L'Or de l'orfèvre* (1871) et *La Révolte des paysans* (1877), évoquant la Croatie entre le 14e et le 18e s. Cet amoureux de Zagreb, émule de Walter Scott, surnommé le « Victor Hugo croate », est également journaliste, poète et directeur du Théâtre national et a laissé une œuvre considérable. Quant à **Silvije Strahimir Kranjčević** (1865-1908), d'aucuns le considèrent comme le plus grand poète croate.

Contes et légendes

Les fées, les elfes et les lutins, présents depuis des temps immémoriaux dans la tradition orale, sont tout naturellement entrés en littérature.
Le grand nom reste **Ivana Brlić-Mažuranić** (1874-1937), « l'Andersen croate », auteur des merveilleux *Contes du temps jadis*.

Le siècle de Krleža

De son apparition sur la scène littéraire, à l'issue de la Première Guerre mondiale, à sa mort, **Miroslav Krleža** (1893-1981) a joué un rôle central dans les lettres croates. Cet écrivain progressiste a laissé nombre de romans dans une veine réaliste *(Le Retour de Philippe Latinowicz)*, polémique (*Mars, dieu croate*, vigoureuse dénonciation de la guerre) ou épique *(Les Ballades de Petritsa Kerempuh)* et lancé le projet d'une encyclopédie croate. Il est l'un des rares écrivains croates traduits en français.
La Yougoslavie d'après-guerre a vu apparaître des poètes de grande valeur : lyrique et parfois satirique, **Vesna Parun**, née en 1922, est une des illustres figures de la poésie du siècle *(L'Olivier noir, Vent de Thrace)* ; pourchassé par la censure, **Radovan Ivšić**, né en 1921, s'est fixé à Paris où il a participé aux activités du groupe surréaliste.
L'un des auteurs les plus connus demeure **Ivo Andrić** (1892-1965), prix Nobel de littérature en 1961. Cet écrivain croate, né à Dolac (Bosnie), a écrit en serbe et se définissait comme « yougoslave ». Poète et nouvelliste, il a, dans le meilleur de son œuvre *(Le Pont sur la Drina, La Chronique de Travnik)*, pris pour cadre la problématique de sa région natale écartelée entre les influences occidentale et orientale.
L'époque contemporaine voit apparaître une génération d'auteurs très marqués par la guerre d'indépendance. Les principaux romanciers de cette nouvelle génération sont **Pavao Pavličić**, **Slobodan Novak**, **Goran Tribuson** et **Slavenka Drakulić**.

UN PEUPLE DE MUSICIENS

Outre les traditions polyphoniques des îles dalmates rappelant parfois les chants des anciennes églises d'Orient, l'espace croate a donné naissance à nombre de compositeurs de talent, surtout au 20e s. où l'insertion de mélodies issues de la musique traditionnelle des Balkans donne une teinte particulière à des œuvres résolument modernes.

L'influence germanique

Ami de Haydn et de Gluck, **Luka Sorkočević** (1734-1789) passe une bonne partie de sa vie à Rome et à Vienne, en qualité d'ambassadeur

CÔTÉ LABO

Faust Vrančić dit **Fausto Veranzio** (1551-1667) a mis au point le premier parachute. **Ruđer Bošković** est considéré comme le père de l'atomisme. **David Schwartz** (1852-1897) a construit à Zagreb le premier dirigeable à armature métallique : la famille a dû se mordre les doigts d'en avoir vendu les plans au comte Zeppelin. **Slavoljub Penkala** a breveté en 1907 le stylo à réservoir intégré qui a fait sa fortune. Le pittoresque **Nikola Tesla** (1856-1943) a inventé la dynamo, le moteur à induction, la génératrice de courant et laissé son nom à l'unité d'induction du flux magnétique. Enfin, **Lavoslav Ružička** et son élève **Vladimir Prelog** ont obtenu le prix Nobel de chimie, respectivement en 1939 et 1975.

de Raguse. Il compose huit symphonies pleines d'invention mélodique et d'une exquise délicatesse.
Violoniste et compositeur, **Ivan Mane Jarnović** (v. 1740-1804), lui aussi ragusain, est mort à St-Pétersbourg. Violoniste adulé dans toute l'Europe, comparé à Paganini, il a écrit quelques brillants concertos pour violon et orchestre.
Au début du 19e s., la musique est sous influence germanique (Zagreb et Varaždin), magyare (Osijek) et italienne (Dalmatie). Il faut attendre la double influence du romantisme et du Mouvement illyrien pour voir apparaître des compositeurs d'importance, avec **Ferdo Livadić** (1798-1878), auteur de pièces pour piano : outre des morceaux « patriotiques », il a laissé un remarquable *Nocturne* (1820) qui semble annoncer Chopin.
Vatroslav Lisinski (1819-1854), quant à lui, est considéré comme le père de la musique moderne croate. Formé à Prague, Lisinski adhéra dès son retour à Zagreb au Mouvement illyrien. En dépit de sa mort prématurée, il a laissé 160 œuvres.

Compositeurs du 20e s.

Blagoje Bersa (1873-1934) donna sa pleine mesure dans des pièces symphoniques conçues pour faire partie d'un vaste ensemble jamais achevé, *Ma patrie*, évoquant, de façon très impressionniste, sa Dalmatie natale.
Les rythmes et ses lignes mélodiques d'inspiration méditerranéenne de **Jakov Gotovac** (1895-1962) lui ont valu une grande popularité. **Ivo Tijardović** (1895-1976) a composé une œuvre tout imprégnée de la musique traditionnelle de sa région natale *(Splitski Akvarel)*. Pianiste, chef d'orchestre et compositeur, **Boris Papandopulo** (1906-1991) allie avec virtuosité la musique de chambre à l'opéra.
Parmi les musiciens contemporains, les plus connus sont **Milko Kelemen**, fondateur de la Biennale de Zagreb de musique contemporaine, et **Ivo Malec**, fixé à Paris depuis 1959. Disciple de Pierre Schaeffer, ce compositeur d'œuvres pour bande magnétique mais aussi pour orchestre est l'auteur de *Reflets* (1960), *Bizarra* (1972) ou encore *Vox, vocis* (1979) pour trois voix de femmes et neuf instruments.
Enfin, il faut citer **Mladen Tarbuk** (né en 1962), auteur de *Variations sur le Međimurje* inspirées du folklore de sa région natale, **Frano Parać**, auteur de ballets et **Srečko Bradić** (1963) qui s'est révélé avec ses *Bagatelles* où l'on note l'influence de Bartok et de Prokofiev.
Agenda (liste des festivals), p. 37.

Interprètes et chanteurs

Outre **Ivan Mane Jarnović**, plusieurs interprètes croates se sont fait connaître du public

international : c'est le cas du violoniste d'Osijek **Franjo Krežma** (1862-1881) et, plus près de nous, les pianistes **Vladimir Krpan**, **Maksim Mrvica**, et surtout **Ivo Pogorelić** dont la renommée va bien au-delà des frontières européennes.
Côté chanson, **Tereza Kesovija** porte à l'étranger le flambeau du répertoire populaire croate. En novembre 2007, elle s'est produite pour la deuxième fois sur la mythique salle de l'Olympia de Paris, accompagnée du Grand Orchestre de Croatie, dirigé par Alan Bjelinski.

ÉCRAN BLANC, CHAMBRE NOIRE ET BD

Pourquoi la photographie s'est-elle imposée si tôt en Croatie ? On ne sait, mais la tradition est longue, puisque, dès les années 1850, une dizaine d'années à peine après l'invention du daguerréotype, ce nouvel art avait ses adeptes à Zagreb. Parmi les pionniers, il faut citer **Ludwig Schwoiser** (*La Cathédrale de Zagreb*, 1864) et **Julius Exner** (*Vues d'Osijek*, 1880). Quant au comte **Juraj Drašković**, il a réalisé des portraits, des nus et des scènes de genre, bien avant 1860. Premier photographe à ouvrir un atelier à Zagreb, **Franjo Pommer** s'est fait connaître par ses portraits d'écrivains publiés en 1856. Il faut citer également **Ivan Standl**, auteur en 1870 d'un ouvrage précieux, *Tableaux photographiques de la Croatie*.

Clichés de la rue

Au 20e s., après des périodes de recherches esthétisantes **(Franjo Mosinger)**, les années 1930-1940 sont placées sous le signe des préoccupations sociales : **Tošo Dabac**, anticipant le photo-journalisme, réalise des photos saisissantes de marginaux (*Mendiantes*, 1936), tandis que l'école de Zagreb se singularise par un expressionnisme dont **August Frajtić** est le principal représentant. **Mladen Grčević** est le grand nom des années 1940-1950. De nos jours, **Frank Horvat**, né à Opatija, s'est fait un renom international, tant dans la photo de mode et le reportage, que par une œuvre personnelle. Enfin, on n'aura garde d'oublier Teodora Marković (1907-1997), plus connue sous le nom de **Dora Maar**.

Moteur !

C'est la création à Zagreb en 1946 de la société Croatia Film qui a permis l'émergence d'un cinéma croate de fiction clairement identifiable. Il faut toutefois attendre 1969 pour voir produire le premier long métrage, *Ljubav i poneka psovka*, réalisé par **Antun Vrdoljak**. L'année suivante voit la sortie d'une comédie musicale, *Qui chante ne pense pas à mal*, de **Krešo Golik**, considérée comme « le film du siècle ». Depuis lors, quelques films de qualité ont été réalisés par **Krsto Papić** *(Représentation de Hamlet au village de Mrdusa Donja*, 1973, et *Une histoire croate*, 1991, évocation des suites du « printemps croate »*)*. **Antun Vrdoljak** s'est spécialisé dans les adaptations littéraires (*Les Glembay*, *Le Cyclope*).
Citons encore **Zvonimir Berković** *(Rondo)*, **Vatroslav Mimica** *(Le Prométhée de l'île de Viševica)*, **Branko Bauer** *(Ne te retourne pas mon fils)* et **Rajko Grlić** *(On n'aime qu'une fois)*.
De jeunes auteurs pourraient donner à la production croate un salutaire coup de fouet : il s'agit de **Vinko Brešan**, auteur d'une réjouissante comédie *(Le Fantôme de Tito)* ; de **Mladen Juran** *(Le Cimetière submergé)* ; et, surtout, de **Dalibor Matanić** dont le long métrage, *Fine dead girls*, avait enthousiasmé la critique en 2003

et lui avait alors ouvert les portes d'une reconnaissance d'estime du public européen.

L'école zagreboise de dessin animé

Il s'agit d'une vieille tradition à Zagreb puisque, dès 1930, des studios y produisaient des films d'animation. C'est après 1950 que le dessin animé connaît ses plus belles heures de gloire grâce à Zagreb Film qui réunit une remarquable équipe de créateurs au style original, tranchant sur les productions de l'époque, tant par le dessin (tournant le dos au réalisme) que par leur thématique. Parmi les auteurs qui se sont distingués, dans un art que l'on a pu qualifier de « peinture animée », les noms de Zlatko Bourek, Borivoj Dovniković ou Vatroslav Mimica s'imposent. Mais c'est **Dušan Vukotić** qui accède à la gloire suprême en remportant en 1961 à Hollywood l'oscar pour son court métrage *Surogat*.

Un festival mondial du film d'animation **(Animafest)**, organisé tous les deux ans à Zagreb depuis 1972, perpétue l'intérêt des Croates pour ce genre, tandis que la production a conservé un remarquable niveau comme en témoigne le succès du film *Lapitch le petit cordonnier* (inspiré d'un conte d'Ivana Brlić-Mažuranić) réalisé en 1996 par **Milan Blažeković**.

BD et dessin humoristique

Andrija Maurović créa sa première bande dessinée *(La Fiancée du glaive)* en 1935. Adaptant des contes, romans ou des scénarios originaux, il a donné vie, dans un style nerveux et très influencé par le cinéma, à des personnages emblématiques tels que le Vieux Chat ou Radoslav. Quant à Srečko Puntarić, alias **Felix**, il s'est fait connaître par ses dessins de presse croquant sans complaisance les personnages de l'actualité.

ABC d'architecture

Les dessins présentés dans les planches qui suivent offrent un aperçu visuel de l'histoire de l'architecture du pays et de ses particularités. Les définitions des termes d'art permettent de se familiariser avec un vocabulaire spécifique et de profiter au mieux des visites des monuments religieux, militaires ou civils.

Antiquité romaine

PULA : Temple d'Auguste

Voué au culte de l'Empereur, ce temple fut élevé au début du 1er s.

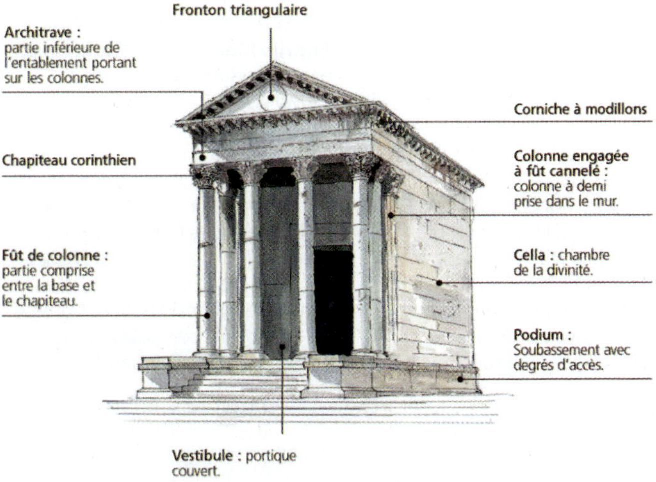

Art préroman ou « vieux croate »

NIN : L'église Sainte-Croix

Exemple d'église préromane de la région de Zadar (9e s.) au plan en forme de croix.

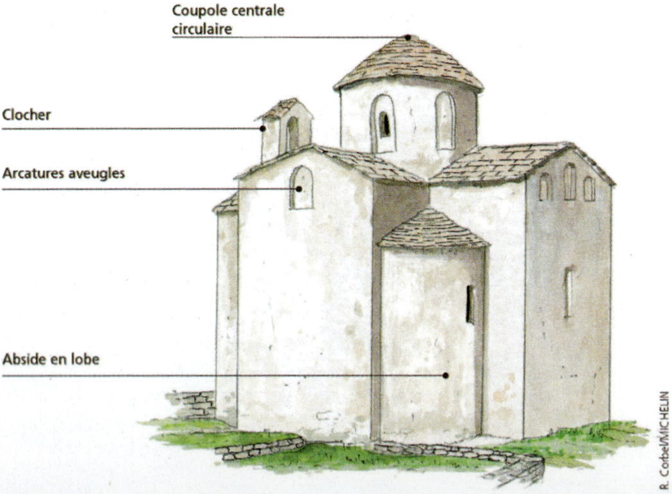

ART ET CULTURE

Art roman

ZADAR : Façade de la cathédrale Sainte-Anastasie

Façade conçue à partir du 13e s. sur le modèle de celle de la cathédrale de Pise.

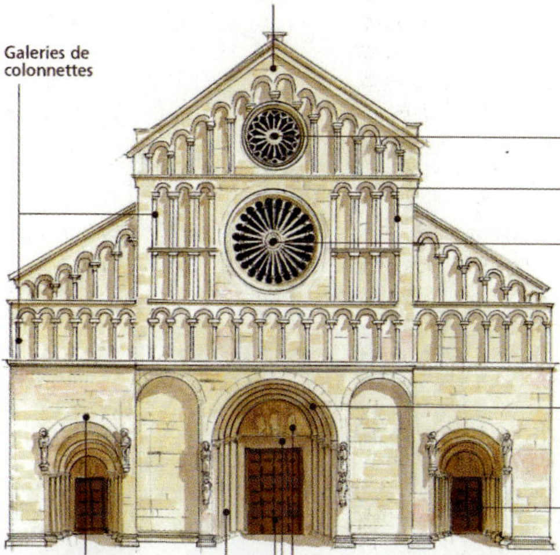

RAB : Campanile de l'église St-André

La taille comme le nombre des ouvertures augmentent avec les étages de ce clocher datant de 1181.

DUBROVNIK : Palais Sponza

Palais illustrant la transition du gothique (premier étage) à la Renaissance (deuxième étage ou attique).

VELIKI TABOR : Forteresse

Exemple de forteresse construite au 16e s. à l'intérieur de la Croatie afin de résister à la pression ottomane.

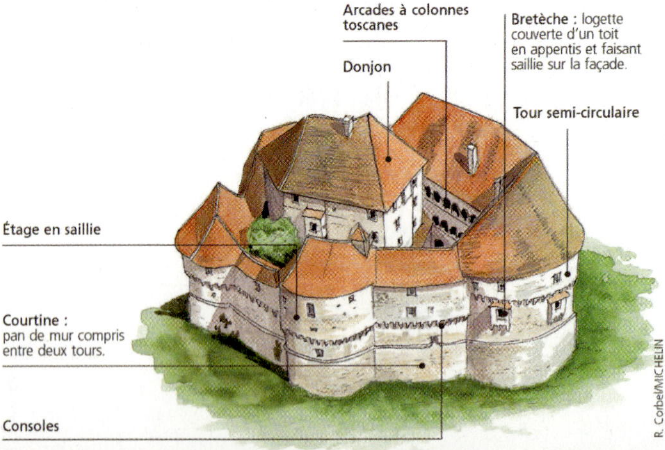

R. Corbel/MICHELIN

ŠIBENIK : Cathédrale St-Jacques

Commencée en style gothique vers 1431, elle fut poursuivie par Georges le Dalmate et son toit, constitué de dalles encastrées sans utilisation de mortier, achevé par Nicolas le Florentin (1536).

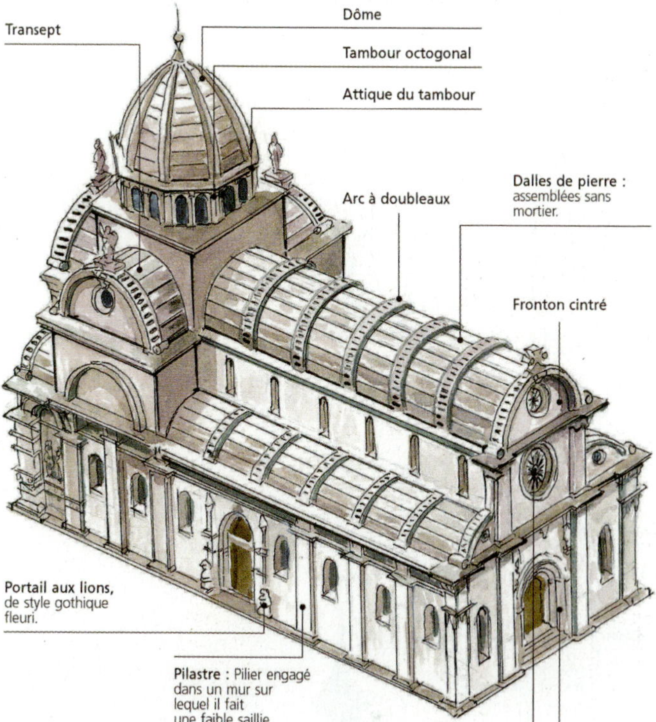

L'empreinte vénitienne

ROVINJ : Clocher de l'église Ste-Euphémie

Élevé en 1654 sur le modèle du campanile de Saint-Marc à Venise.

R. Corbel/MICHELIN

L'âge baroque

VARAŽDIN : Palais Sermage

Au 17e s. Varaždin se couvre de palais baroques. Celui-ci est remanié en 1759 par ses nouveaux propriétaires qui lui donnent sa façade bicolore rococo.

KOPAČEVO : Clocher de l'église réformée

Inséparables du paysage de Slavonie et du Zagorje, les clochers à bulbe…

R. Corbel/MICHELIN

L'euphorie architecturale du 19e s.

OSIJEK : Immeuble de l'avenue de l'Europe

Les riches négociants d'Osijek font appels aux architectes historicistes pour faire bâtir de superbes hôtels : c'est l'heure des pastiches auxquels succèdent bientôt en réaction le style Sécession et le Jugendstil (Art nouveau).

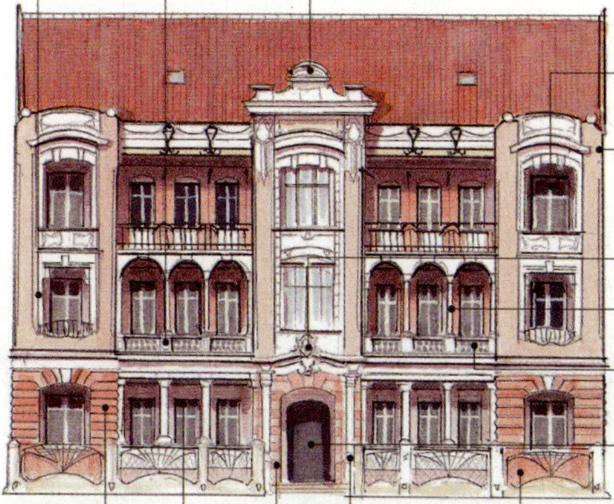

Architecture rurale

Maison paysanne de SLAVONIE

Plus ou moins riches et ouvragées, les maisons de torchis ou de briques sont placées perpendiculairement à la rue sur laquelle elles présentent leur pignon. La porte donne sur une galerie latérale sur laquelle se distribuent les pièces.

3/ DÉCOUVRIR LA CROATIE

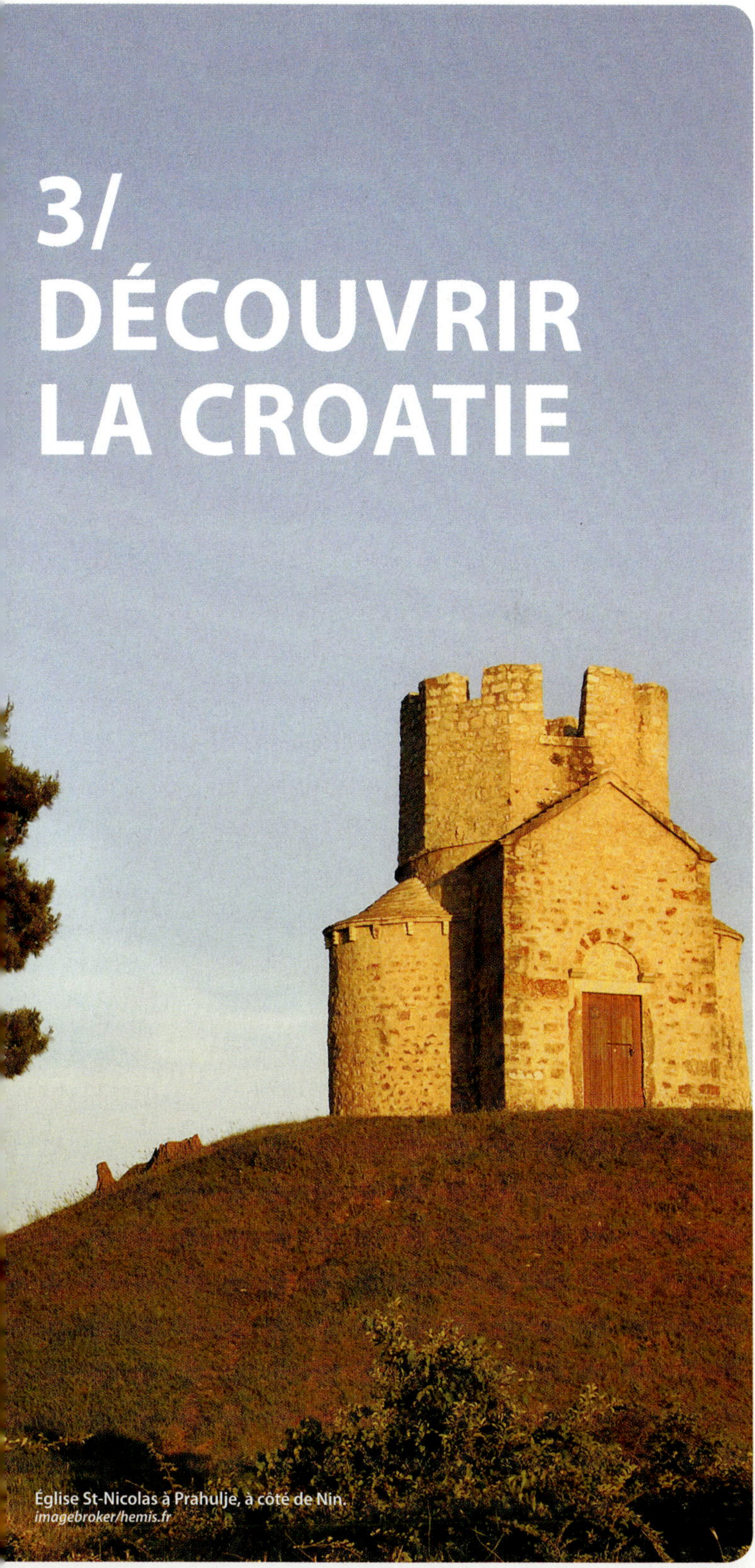

Église St-Nicolas à Prahulje, à côté de Nin.
imagebroker/hemis.fr

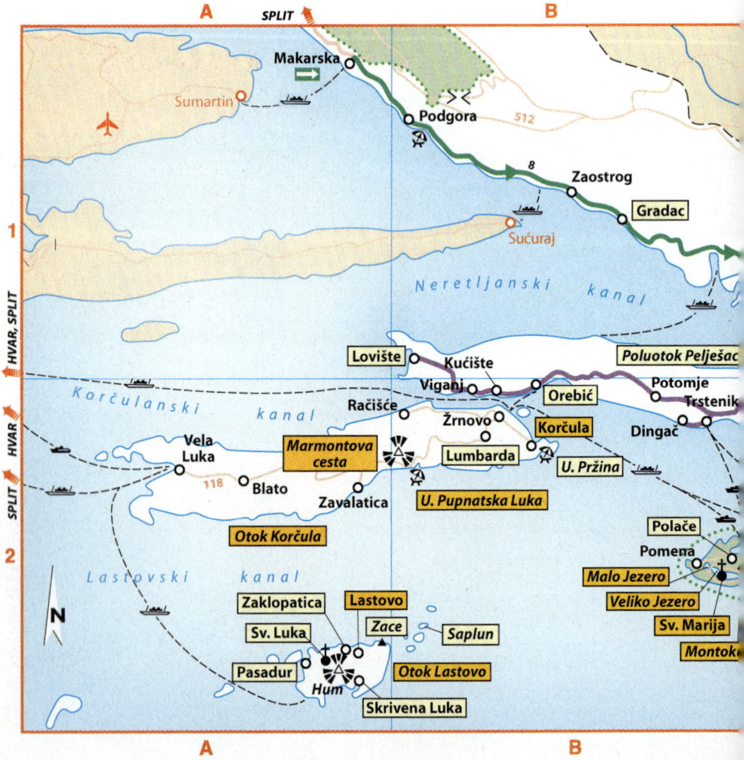
A
SPLIT
B
Makarska
Sumartin
Podgora
512
8
Zaostrog
Gradac
Sućuraj
1
Neretljanski kanal
HVAR, SPLIT
HVAR
SPLIT
Lovište
Kućište
Poluotok Pelješac
Viganj
Orebić
Potomje
Trstenik
Korčulanski kanal
Račišće
Žrnovo
Korčula
Dingač
Vela Luka
Marmontova cesta
Lumbarda
U. Pržina
118
Blato
Zavalatica
U. Pupnatska Luka
Otok Korčula
Polače
Pomena
2
Lastovski kanal
Malo Jezero
Veliko Jezero
N
Zaklopatica
Lastovo
Zace
Saplun
Sv. Marija
Sv. Luka
Pasadur
Hum
Otok Lastovo
Skrivena Luka
A
B

Dubrovnik et la côte sud 1

Carte Michelin 757

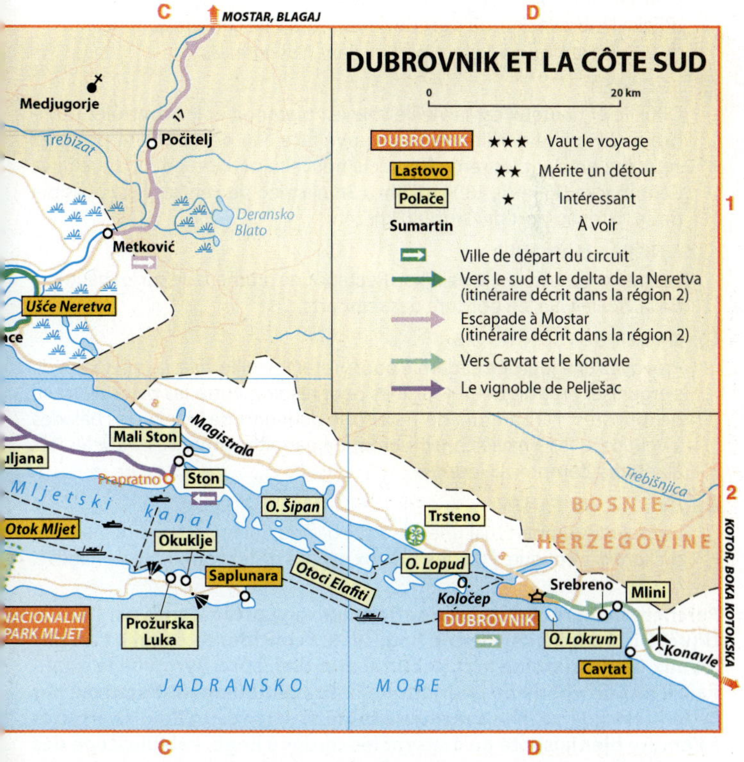

Dubrovnik

★★★

42 615 habitants (les Ragusains) – Dalmatie

NOS ADRESSES PAGE 111

S'INFORMER

Offices de tourisme – **Porte Pile** : *Brsalje 5 - ℘ 020 312 011 - tlj 8h-20h ;* **Gruž** – *Obala Ivana Pavla II, br. 1 - ℘ 020 417 983 - tlj 8h-20h ;* **Lapad** – *Kralja Tomislava 7 - ℘ 020 437 983 - tlj 8h-20h - www.tzdubrovnik.hr.*

SE REPÉRER

Carte de région D2 (p. 88-89) – *carte Michelin n° 757 G-H9.* À l'extrême sud de la Croatie, Dubrovnik occupe une étroite bande littorale, à moins de 5 km à vol d'oiseau de la Bosnie. Au centre, la vieille ville fortifiée, bâtie sur ses falaises, concentre tous les points d'intérêt. À l'est, le faubourg de Ploče égrène les villas sur un rivage vert et escarpé. Vers l'ouest, ce sont les quartiers résidentiels et boisés de Lapad et Babin Kuk. Le port moderne, à Gruž (au nord-ouest), est placé à l'embouchure de la rivière de Dubrovnik (Rijeka Dubrovačka), où s'est développée la ville contemporaine.

Voir la rubrique « Arriver/partir » dans *Nos adresses*.

SE GARER

Difficile et coûteux car la vieille ville est piétonne et les contrôles nombreux. Évitez le parking qui se trouve face à la porte Pile et préférez ceux qui bordent les remparts ou le nouveau parking public situé ulica Zagrebačka (15 kn/h, 180 kn/24h) à 5mn à pied du centre. Il est possible de se garer au port de Gruž (80 kn/24h).

À NE PAS MANQUER

Les deux monastères, le palais du Recteur, une promenade sur les hauteurs de la vieille ville, en bordure des remparts.

ORGANISER SON TEMPS

Prévoyez une journée et demie pour visiter la vieille ville. Le mieux est de s'organiser en trois demi-journées pour respirer entre les bains de foule de touristes : l'arboretum de Trsteno, le petit port de Mlini et les balades à vélo dans le Konavle constitueront de parfaites coupures. Pour les îles Élaphites, comptez la journée.

AVEC LES ENFANTS

Le tour des remparts est une très belle balade. Sur le port de Gruž, la visite du *Karaka*, réplique d'un des fameux galions de la république de Raguse.

Perchée sur un rocher, ceinturée de hauts remparts baignés par l'Adriatique, Dubrovnik, l'ancienne Raguse, est considérée comme l'un des joyaux du patrimoine architectural mondial. Lord Byron ne la qualifiait-il pas de « perle de l'Adriatique » ? Dramatiquement éprouvée par la dernière guerre, elle a recouvré toute sa splendeur. Ruelles étroites à l'ombre bienfaisante où dansent les cordes à linge, kaléidoscope des parasols des cafés, petites places fleuries aux pavés doucement lustrés lui confèrent une atmosphère toute méditerranéenne.

Centre historique de Dubrovnik inscrit au Patrimoine mondial de l'Unesco.
B. Gardel/hemis.fr

Se promener Plans de ville p. 94 et p. 96

Avant même de pénétrer dans l'enceinte, commencez par contourner les remparts jusqu'à la rue F.-Supila surplombant la plage, à l'est : c'est de là que vous découvrirez le plus beau panorama sur le vieux port, les remparts, et les toits de tuiles hérissés de clochers. Descendez alors vers la porte de Ploče pour y flâner. Dirigez-vous ensuite vers la porte Pile.
La promenade à l'intérieur de la ville et le tour des remparts débutent au même endroit, porte Pile. Selon l'heure de la journée, commencez par l'un ou l'autre, en sachant qu'il vaut mieux éviter les remparts à l'heure la plus chaude.

★★★ LA VILLE FORTIFIÉE plan II

Circuit tracé en vert sur le plan II (p. 96) – Comptez 2h environ, ou une demi-journée en visitant les principaux musées.
Avant de pénétrer à l'intérieur de la ville close, arrêtez-vous sous les palmiers de la **place Brsalje** (D), devant la mer, pour un premier **panorama**★ sur la ville fortifiée et la **tour Bokar** (tvrđava Bokar), à gauche, et sur le **fort Lovrijenac** (tvrđava Lovrijenac), à droite, perché à 37 m au-dessus de la mer. Construite aux 14e et 15e s., cette forteresse, dont certains des murs atteignent 12 m d'épaisseur, fut entièrement restaurée après le séisme de 1667. Durant le festival d'été, elle accueille des représentations théâtrales.
Rejoignez ensuite le pont menant à la porte Pile.

★★ Porte Pile (Vrata Pile) D

C'est la plus imposante des deux portes de la ville. On y accède en traversant l'ancien fossé et le pont-levis, gardé par la **statue de saint Blaise** (Vlaho), le patron de la ville, reconnaissable à la maquette de la ville qu'il porte dans la main. Vers la gauche, en suivant les remparts des yeux, on aperçoit la masse imposante de la **tour Minčeta** (tvrđava Minčeta). En raison du danger permanent, la cité était jadis fermée la nuit. Seuls les catholiques étaient autorisés

Un îlot refuge

Les Romains investirent d'abord la cité grecque d'Épidaure (l'actuelle Cavtat) pour y développer un riche comptoir marchand. Mais un tremblement de terre et les invasions barbares en chassèrent les habitants. En 614, ils s'installèrent sur un îlot escarpé, séparé de la terre ferme par un étroit bras de mer. Le village, nommé **Ragusium**, s'agrandit et se fortifia de remparts. Pour se défendre contre les Arabes, il se plaça sous la protection de Byzance. Dans le même temps, un hameau croate, **Dubrovnik** (d'après le mot *dubrava* qui désigne les « chênes verts »), occupait le rivage continental, face à l'îlot. Les deux communautés comblèrent le bras de mer au 11e s. (l'actuel Placa) pour ne plus faire qu'une seule ville, à partir du 12e s. Peu à peu, le nouvel ensemble devint principalement croate, tout en restant un comptoir commercial dynamique.

L'ÂGE D'OR DE LA RÉPUBLIQUE

À partir du 12e s., Dubrovnik, encore nommée Raguse, possède une organisation politique et sociale très structurée. Elle est représentée par un **recteur** élu par les citoyens et gouvernée par deux conseils. En 1205, Raguse passe pourtant sous la coupe de **Venise**, alors toute-puissante république. Mais les Ragusains, marins et marchands entreprenants, réussissent peu à peu à alléger le joug vénitien en nouant des traités avec la plupart de leurs voisins. Libérée en 1358, la ville se proclame bientôt **République** indépendante, sous la férule des grandes familles aristocratiques. Son territoire s'étend de Cavtat et du Konavle, à l'est, à la péninsule de Pelješac, à l'ouest, ainsi qu'aux îles de Mljet et de Lastovo. Pour conserver sa puissance, elle soigne ses rapports avec les **Turcs** qui, après la bataille de Mohács (1526), deviennent de plus en plus menaçants. Durant cet âge d'or, les aristocrates se bâtissent de splendides palais et des résidences secondaires le long de la côte. La ville close compte alors 6 000 habitants (pour 3 500 aujourd'hui). Une **flotte marchande** d'environ 250 navires sillonne les mers, au service du commerce de minerai de plomb, d'argent, de sel et d'orfèvrerie, produite dans les environs. Au sommet de sa puissance, aux 15e et 16e s., Raguse est un foyer artistique et intellectuel rayonnant, posant certains des fondements de la culture croate.

LE GRAND TREMBLEMENT DE TERRE

Le 16e s. est celui des grandes découvertes, de l'ouverture de nouvelles routes maritimes et de la concurrence des puissances rivales. Le dynamisme des navigateurs ragusains aurait peut-être permis à la ville de résister si un tremblement de terre d'une rare violence n'avait précipité son déclin, le **6 août 1667**. Plus de 5 000 habitants périssent sous les décombres de la ville anéantie. Même les navires à l'ancre dans le port sont détruits. Des édifices romans, gothiques ou Renaissance, il ne reste presque rien. Seuls les remparts, le palais Sponza et quelques fragments permettent d'imaginer les trésors évanouis. Tout sera reconstruit, dans le style baroque. La ville sera repensée, mais elle ne retrouvera jamais totalement sa puissance passée. C'est l'annexion de la Dalmatie par Napoléon, en 1806, qui met une fin officielle à la République. Puis, l'Empire austro-hongrois étend sa domination, de 1815 à 1918. Dubrovnik n'est plus qu'une petite ville de province. Elle doit sa renaissance au tourisme, qui explose à partir des années 1950.

à y demeurer. On relevait le pont-levis et on verrouillait les portes chaque soir. Les relèves de la garde de l'ancienne république de Raguse continuent d'ailleurs d'être assurées en costume d'époque durant l'été *(10h-12h, 20h-22h).* La tour circulaire où est percée la porte extérieure est de style Renaissance (1537). La porte intérieure (1460) est gothique. Elle est surmontée, elle aussi, par une statue, moderne celle-ci, du saint patron, incontournable sur tous les monuments de la ville.

Fontaine d'Onofrio (velika Onofrijeva fontana)
Quand on a franchi les remparts, c'est son dôme qui attire d'abord le regard, au centre d'une pittoresque petite place. Baptisée du nom de son constructeur napolitain et achevée en 1438, elle servait de réservoir et de principal point d'approvisionnement pour les habitants. Contrairement à beaucoup de villes dalmates qui captaient l'eau de pluie, Dubrovnik consommait l'eau d'une source située à 12 km de la ville, acheminée par un aqueduc en partie souterrain. De la structure d'origine, détruite par le tremblement de terre de 1667, il ne reste que les mascarons sculptés d'où jaillit l'eau.

Couvent Ste-Claire (Samostan sv. Klare) D
Sur la droite, cet établissement, fondé au 13e s., servait d'orphelinat. Son cloître accueille désormais un restaurant, le Klarisa.
Visia Dubrovnik 5D Theatrum – *✆ 020 324 714 - tlj 9h-22h - 75 kn.* Situé dans le couvent, ce musée nouvelle génération propose un voyage dans le temps où se mêlent histoire et nouvelles technologies. Un film projeté (en français) en 3D remonte le fil de l'histoire de la Croatie et de Dubrovnik.

Église St-Sauveur (Sv. Spasa) D
À gauche de la porte, elle rappelle la triste série de tremblements de terre qui ont secoué la ville. Construite en 1528 en reconnaissance pour la survie de la ville au séisme en 1520, elle est la seule à avoir été épargnée lors du désastre suivant de 1667, et c'est donc l'unique église Renaissance de Dubrovnik.

Église des Franciscains (Franjevačka crkva) D
Été : tlj sf w.-end 7h-19h30 (sam. 7h30-15h). Jouxtant la précédente, elle présente un portail gothico-Renaissance surmonté d'une *Pietà,* exécutée en 1498 par les frères Preradović, des sculpteurs locaux. L'église, de style baroque, contient un imposant mobilier dont une chaire en marbre sculpté et un bel orgue.
Empruntez le passage séparant St-Sauveur de l'église des Franciscains pour visiter le monastère.

★★ **Monastère des Franciscains** (Franjevački samostan) D
9h-18h en été, 9h-17h en hiver - musée et cloître : 30 kn (enf. 15 kn).
★★ **Cloître** – Une grande sérénité se dégage de cette construction de style roman tardif (1360) très élégant. On admire la succession d'arcades reposant sur de fines colonnettes jumelées, aux chapiteaux sculptés de masques ou d'animaux. Certaines d'entre elles, côté sud, ont une base sculptée d'où sortent des mains, des pieds et des têtes. Sous la galerie est, en hauteur, remarquez le sarcophage richement décoré d'un noble Ragusain, accroché en hauteur. Au premier étage, la terrasse à jolie balustrade est réservée aux moines.
★ **Musée** – Il abrite les souvenirs de la plus ancienne pharmacie du pays (la 3e du monde), fondée en 1317 et en activité sans interruption depuis. Ne manquez pas non plus l'imposant tableau représentant *Dubrovnik avant le tremblement de terre de 1667* et, plus proche de nous, l'obus qui a percé le mur durant le siège de 1991-1992 ainsi que le trou qu'il a fait, dûment préservé et encadré ! Parmi les objets remarquables des collections, on compte de très beaux objets sacrés,

1

comme une **croix de procession de Jean de Bâle★★** (1440) ou le **reliquaire de la tête de sainte Ursule★★**, à la facture étonnamment moderne (14e-15e s.).

Pharmacie – *Galerie ouest du cloître*. La pharmacie actuelle du couvent, sous ses boiseries baroques, propose des crèmes fabriquées par la communauté selon d'anciennes recettes.

★★ En longeant Placa (Stradun) DE

En quittant le monastère des Franciscains, empruntez, à gauche, la vaste artère qui constitue l'axe principal de la vieille ville.

Placa★★ (prononcer *platsa*, on l'appelle aussi Stradun, de l'italien *strada*) est plus qu'une rue : c'est le lieu de promenade des habitants et des touristes, avec ses

boutiques et ses terrasses de cafés. Toutes les grandes fêtes et les processions l'empruntent, comme celle de la Saint-Blaise (3 février), et elle constitue l'axe reliant les deux principales portes de la ville. D'un style baroque très sobre, elle doit sa remarquable unité architecturale à la reconstruction qui a suivi le tremblement de terre de 1667, lorsque les autorités de la ville ont imposé une uniformité de matériaux (la pierre blanche de la Dalmatie), de hauteur et de façade. La succession des boutiques, au rez-de-chaussée, souligne bien l'importance du commerce pour l'ancienne république. Chaque soir, à la nuit tombée, le brillant des pavés doucement polis par les siècles renvoie la lumière et ajoute à la magie de la pierre. Pourtant, à l'origine, Placa n'existait pas : c'était un bras de mer qui isolait, au sud, l'îlot sur lequel fut bâtie la première cité. On le combla à partir du 11e s.

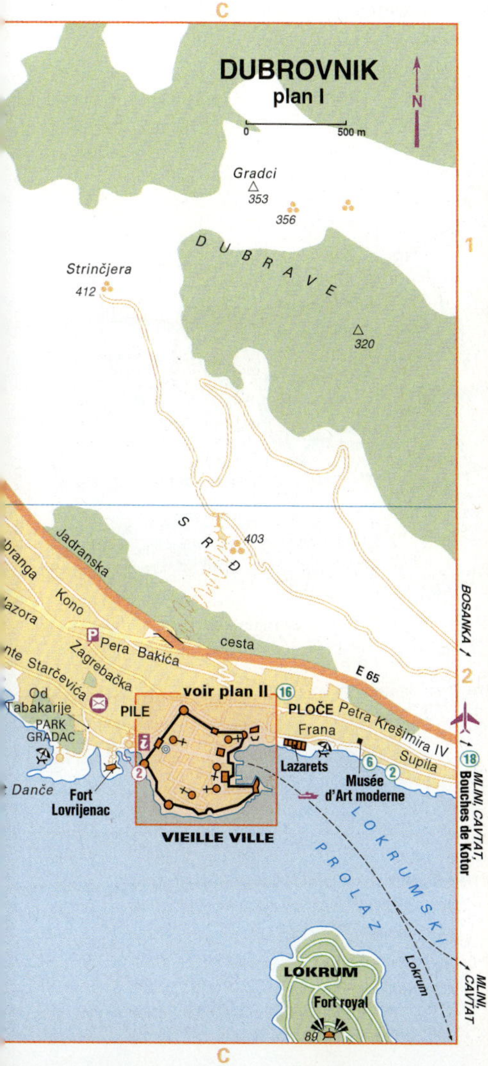

SE LOGER

Chambres Orhan 4
Excelsior 6
Grand Villa Argentina 2
Hotel Ðubrovnik Palace 5
Ivana Žana Ðurić 7
Lapad 10
Valamar Lacroma Dubrovnik 14
Villa Darrer 16
Villa Dubrovnik 18
Zagreb 20

SE RESTAURER

Orhan 2

Ulica Garište D

Ruelle sous voûte perpendiculaire à Placa, à droite en regardant vers le port.

Juste en face de l'église des Franciscains, cette ruelle garde le souvenir des enfants illégitimes que les femmes venaient abandonner en secret. Un système de tourniquet, encastré dans une fenêtre, aujourd'hui murée, permettait de faire passer le nouveau-né à l'intérieur du bâtiment où les religieuses le recueillaient.

En suivant ensuite Placa vers l'est, vous coupez d'autres ruelles. Vers la droite et le sud, elles mènent à la partie la plus ancienne de la ville. Du côté nord, elles se font escaliers pittoresques partant à l'assaut du coteau.

Rue des Juifs (Ulica Žudioska) E

Très nombreux à se réfugier ici après le début de l'Inquisition et leur expulsion d'Espagne, tolérés par les autorités et actifs dans la finance et le commerce, ils n'en faisaient pas moins l'objet d'une ségrégation. La rue des Juifs

SE LOGER

Pucić Palace........................ 12
Stari Grad.............................. 14

SE RESTAURER

Nautika.................................. 2
Buffet Kamenice...................... 4
Café Royal.............................. 6
Delfin..................................... 8
Defne..................................... 10
Domino................................... 12
Dundo Maroje.......................... 14
Klarisa.................................... 16
Konoba Lokanda Peskarija..... 17
Konoba Penatur...................... 18
Proto...................................... 22

INDEX DES RUES

Bunićeva poljana..................2
Lučarica.............................5

DRAME ET RENOUVEAU

Après la proclamation d'indépendance de la Croatie, l'armée yougoslave assiège Dubrovnik durant plus de six mois. Entre le 1er octobre 1991 et juillet 1992, les bombardements venus des crêtes voisines font une centaine de victimes parmi la population civile (dont une partie s'enfuit) et endommagent gravement le patrimoine de la cité. Mais Dubrovnik a su trouver la force de tourner la page et de se reconstruire, avec l'aide internationale et une ardeur difficile à imaginer. Aujourd'hui, il ne reste pratiquement plus de traces de la guerre.

était en réalité un ghetto, avec des portes que l'on verrouillait la nuit. Bien que la communauté juive soit aujourd'hui très peu nombreuse (moins de 50 membres), la **synagogue★** (sinagoga) existe toujours. Créée au 15e s., elle est la plus ancienne d'Europe après celle de Prague.

Elle abrite le **Musée juif** et de rares objets sacrés, comme une torah du 14e s.

Ulica Žudioska 5. Mai-oct. : tlj 10h-20h ; hors sais. : lun.-vend. 10h-15h - 20 kn.

Revenez sur Placa pour rejoindre la plus importante des places de la ville, la Luža.

★★ Place de la Loge (Luža) E

Jadis place du marché, elle s'organise autour de la **colonne de Roland** (Orlandov stup). Selon la légende, le célèbre chevalier aurait sauvé Dubrovnik des Arabes. Équipé de son épée Durandal, il est resté le symbole local de la liberté. La statue (1418) servit même d'étalon de mesure aux commerçants : la longueur de l'avant-bras (51,2 cm) était la « coudée ragusaine » et, à la base de la colonne, des encoches dans la pierre servaient de mesure à la marchandise.

★★ Palais Sponza (palača Sponza) E

Mai-oct. : 10h-19h, 25 kn (enf. gratuit) - nov.-mai : 9h-15h (seule la salle du mémorial est ouverte), entrée libre.

Ce palais *(voir ABC d'architecture p. 80)*, reconnaissable à sa galerie à arcades, abritait la douane et les ateliers de la Monnaie, du temps de la république de Raguse (aujourd'hui on y conserve les archives municipales, certaines remontant à 1022). Sa façade, particulièrement remarquable, marque la jonction entre les styles gothique (nervures, feuilles de trèfle au 1er étage) et Renaissance (colonnes et frontons au 2e étage). C'est l'une des rares à avoir résisté au tremblement de terre de 1667, permettant d'imaginer les palais somptueux de la période précédente.

À l'entrée, sur la gauche, un émouvant mémorial évoque les jeunes combattants croates qui payèrent de leur vie la défense de Dubrovnik durant le siège de 1991-1992. La cour intérieure, à double galerie, accueille des expositions temporaires. Sur la gauche sont exposés d'anciens plans et photos de Dubrovnik ainsi que de précieuses archives comme la Charte de la fondation de la ville (1358) ou le cahier des comptes du Trésor de la république de Raguse (1757-1808). Films d'époque montrant Dubrovnik au début du 20e s.

Loggia (Luža) E

À côté du palais Sponza, au-dessus du passage voûté d'ogives menant à la sortie de la ville, cette loggia, construite en 1463, abrite les cloches qui servaient à sonner l'alerte ou à convoquer le Conseil de la République.

Tour de l'Horloge E

Elle ferme la perspective de la Placa. Datant de 1444, elle avait été très ébranlée par les tremblements de terre et fut entièrement reconstruite en 1929. Les deux jacquemarts de chaque côté de la cloche sont des copies (les originaux

LE JOUR DU SAINT

Chaque année, le 3 février, Dubrovnik fête son saint patron, Blaise (Vlaho), une célébration séculaire qui attire des visiteurs de toute la Croatie et même de Bosnie. Dès le matin, les fidèles des villages environnants se pressent aux portes de la ville, habillés de leur costume traditionnel et portant la bannière de leur paroisse. Chaque groupe se présente devant l'église St-Blaise et fait tournoyer sa bannière pour la présenter à l'évêque qui célèbre ensuite une grand-messe en plein air. Tous les groupes repartent alors en procession à travers la ville, suivis par l'évêque portant le reliquaire de la tête de saint Blaise et le clergé avec d'autres reliques, le tout au rythme des cantiques. C'est aussi le jour où les petits communiants défilent dans leur aube blanche, ajoutant à la ferveur populaire. La fête se poursuit l'après-midi par des réjouissances beaucoup plus profanes…

des « hommes verts » sont visibles dans le palais Sponza). Accolé au beffroi se trouve l'ancien logement de l'amiral qui commandait les armées de la ville. Juste devant, la gracieuse **petite fontaine d'Onofrio** (mala Onofrijeva fontana) (1438), destinée à alimenter le marché, appartenait au même système d'approvisionnement en eau que sa grande sœur.

★ Église St-Blaise (Sv. Vlaha) E

Cet édifice baroque (1715), dédié au patron et protecteur de la ville, offre un contraste saisissant avec la sobriété de Placa. Son imposant perron, sa façade richement ornée et son dôme cachent un intérieur chaleureux, au plan compact. On est surpris par la courte nef et par l'autel opulent, surchargé de sculptures autour de la **statue gothique de saint Blaise★** en argent doré (15e s.), dite miraculeuse, car la seule à avoir échappé à un incendie. Notez aussi la profusion de bandes, festons et linges d'autel à broderies traditionnelles rouge vif.

En quittant la place de la Luža vers le sud, on longe le **Gradska Kavana** (Café de la Ville), une institution locale pour sa terrasse où les Ragusains aiment à refaire le monde. Il occupe le rez-de-chaussée de l'ancien palais du Conseil majeur, aujourd'hui théâtre municipal, reconstruit au 19e s. en style néogothique.

Longez le Café de la Ville pour rejoindre le palais du Recteur.

★★ Palais du Recteur (Knežev dvor) E

Avr.-oct. : 9h-18h ; nov.-mars : 9h-16h - 40 kn (enf. et étud. 25 kn).

Une synthèse architecturale réussie – Sans doute le plus bel édifice de Dubrovnik, il offre un subtil mélange de tout ce qui a fait l'histoire de la ville, résultat de plusieurs campagnes de reconstruction. Au Moyen Âge, c'était une forteresse défensive. Mais les explosions dues à la poudre qu'on y entreposait, les incendies et les tremblements de terre le dévastaient régulièrement. Au 15e s., après l'un de ces sinistres, on confia sa reconstruction à Onofrio, le réalisateur du système d'adduction d'eau. Il n'y avait alors qu'un étage, conçu dans un style gothique très raffiné. Malheureusement, une nouvelle explosion de poudre, en 1463, conduisit la ville à le reconstruire en partie, ce qui fut fait en style Renaissance. Enfin, la reconstruction qui suivit le tremblement de terre de 1667 ajouta des parties baroques, voire rococo. Le mélange des genres reste pourtant harmonieux. Du temps de la République, le palais abritait les appartements et bureaux du recteur, la salle du Conseil mineur, des bureaux administratifs, une salle des gardes, l'arsenal ainsi qu'une prison.

Une vie de recteur – Durant toute la période de la République, le recteur de la ville n'avait pas réellement de pouvoir, mais il en était le représentant.

Élu pour un mandat d'un mois, reconductible une seule fois par période de deux ans, le recteur devait emménager dans le palais pour la durée de son ministère. Chaque soir, il recevait en grande pompe les clés de la ville que l'on avait fermée pour la nuit et les gardait jusqu'au matin où il se livrait au cérémonial inverse. Il pouvait y vivre avec sa famille, mais il avait interdiction de sortir, sauf pour aller à la cathédrale à Noël et à la Saint-Blaise. Il était autorisé à suivre les autres festivités depuis les bancs de pierre de la galerie extérieure du rez-de-chaussée. L'idée était qu'il échappe ainsi à toute influence extérieure, susceptible de corruption.

La visite commence par une très belle **galerie extérieure**. Les **chapiteaux★★**, remarquables pour leur décor Renaissance, datent de la campagne qui fit suite à l'explosion de 1463. Notez celui de l'extrême droite représentant Esculape faisant le commerce de ses médicaments. Sous la galerie voûtée d'ogives, de longs gradins de pierre courent à la base du mur : les notables s'y asseyaient pour assister aux grandes manifestations.

On s'engage ensuite dans les pièces correspondant à l'ancien tribunal, à la cour de justice et aux cachots. On peut aujourd'hui y voir entre autres les deux statues de la tour de l'Horloge et des coffres aux mécanismes très complexes.

★ **Cour intérieure** – Mélange d'éléments gothiques et Renaissance avec un bel escalier baroque (campagne d'après 1667), elle faisait jadis office de place publique, autour d'une fontaine aujourd'hui disparue. Les familles des criminels incarcérés dans la prison y venaient pour les visites, les citadins pour les démarches administratives. L'atrium résonnait du brouhaha des conversations et des apostrophes des prisonniers, voire de leurs cris lorsqu'on les torturait... Sur la droite, la visite dévoile les anciens cachots. Ceux qui donnaient sur l'atrium étaient les plus favorisés, d'autant que les prisonniers dépendaient du ravitaillement de leurs proches pour survivre. La mezzanine abritait le gardien de la prison et le porte-clés. Face à la prison, à gauche de l'entrée, se trouvent les anciens bureaux de l'administration où les Ragusains venaient retirer les documents, actes notariés, etc., conservés dans les grands placards muraux aux portes de bois peint.

★ **Appartements du recteur** – Le premier étage était réservé aux quartiers personnels du recteur, à la salle du Conseil mineur, aux salles de réception ainsi qu'à la chapelle. C'est dans son bureau que le recteur rangeait chaque nuit les deux clés des deux portes de la ville. Parmi les objets intéressants, notez, le rare **cabinet napolitain baroque★**, composé d'une multitude de petits tableaux sur verre (fin 17e s.).

Entresol – L'enfilade de pièces présente armes, ex-voto, mobilier, sceaux et monnaies ainsi que des pièces d'agenterie et d'orfèvrerie.

En sortant du palais, tournez-vous vers le palais Sponza pour apercevoir, en arrière-plan, la crête montagneuse couronnée par le fort napoléonien.

Traversez la rue et rejoignez la place Gundulić ou place du Marché.

QUAND LE VENT TOURNE

Malgré la protection de la montagne, la côte dalmate peut être très ventée. Le plus redoutable est un vent hivernal du nord, la **bora**, une bise glaciale refroidie par le passage des montagnes, qui dévale les pentes vers la mer et fait chuter le thermomètre. Pourtant, il était considéré comme revigorant, propice à un esprit clair. Le vent du sud, en revanche, un sirocco venu d'Afrique, est réputé plus éprouvant et censé rendre fou, au point que, sous la république, les membres du Conseil ne se réunissaient pas les jours où il soufflait, de peur de prendre des décisions peu judicieuses...

Place Gundulić (Gundulićeva poljana) E
Bordée de hautes maisons typiques de la reconstruction baroque, elle est le cadre, tous les matins, d'un pittoresque marché aux fruits et aux légumes. La statue centrale figure l'un des plus célèbres enfants de la ville, le poète Ivan Gundulić, œuvre du sculpteur Ivan Rendić. Les bas-reliefs du piédestal narrent des scènes de l'épopée rédigée par l'auteur.
Quittez la place par ulica Od Puča, une rue parallèle à la Placa.

Musée des Icônes (Muzej pravoslavne crkve) D
Od Puča 8, à l'étage du magasin d'icônes. Mai-oct. : tlj sf dim. 9h-14h ; nov.-avr. : tlj sf w.-end 9h-14h - 10 kn (enf. 5 kn).
Il présente une intéressante collection d'icônes des 16e au 19e s. On relève, entre autres, une icône-calendrier russe (18e s.), un triptyque serbe de Dalmatie (18e s.) et une belle **Dormition de la Vierge** entre des colonnettes torsadées (Monténégro, 17e s.). Juste à côté, l'église orthodoxe (début 20e s.) rappelle que ce rite a toujours compté des fidèles dans la région, même s'ils sont aujourd'hui peu nombreux.
Continuez jusqu'à ulica Široka, où vous tournerez à gauche pour passer devant le n° 7.
Cette ancienne maison a abrité l'un des célèbres écrivains croates et auteur de théâtre, **Marin Držić** (1508-1567). La visite, organisée autour de textes enregistrés et de panneaux, requiert la maîtrise du croate.
Suivez le prolongement d'ulica Široka, le long de ulica Od Domina, et montez les marches vers le haut de la vieille ville jusqu'à ulica Od Rupa où vous prendrez à droite.

Musée ethnographique Rupe (etnografski muzej Rupe) D
✆ 020 323 013 - tlj sf mar. 9h-16h - 70 kn (enf. et étud. : 25 kn).
Les réserves de blé étaient jadis vitales en cas de siège et on a retrouvé les traces de neuf greniers répartis dans toute la vieille ville. Le Rupe (le mot signifie « trous ») est le plus important. On stockait le grain dans une quinzaine d'immenses silos creusés dans le rocher, auxquels on accédait par des ouvertures (les fameux trous) ménagées dans les planchers. Un système de cordes et de poulies permettait de remonter le blé. Le grenier Rupe, construit entre 1542 et 1590, avait une capacité équivalant à 150 wagons de grain. Au 1er étage, une petite collection d'objets usuels évoque la vie rurale en Dalmatie (hélas mal expliquée). Le 2e étage est dédié aux costumes nationaux ; l'occasion aussi de découvrir quelques instruments de musique et une collection de bijoux en or.
En sortant du musée, suivez Od Rupa sur la droite. Après une légère bifurcation, elle devient ulica Strossmayerova et longe le haut mur du couvent des Jésuites. Tournez alors à droite et montez les marches pour arriver sur le parvis de l'église.

★ **Église St-Ignace-de-Loyola** (Sv. Ignacija) D
Elle fut conçue pour la communauté jésuite par l'architecte romain Andrea Pozzo, à partir de 1699. C'est une copie de St-Ignace de Rome, avec sa façade baroque très caractéristique de la Contre-Réforme (formes galbées, colonnes, pilastres, frontons…) et son dôme. La décoration du chœur l'illustre tout autant, avec sa profusion de moulures et de corniches guidant le regard vers la coupole et ses opulentes **fresques murales** (1735-1737) du Sicilien Gaetano Garcia figurant la vie de saint Ignace au cœur de nuages et d'angelots mêlés. Au fond de l'église, la chapelle de droite, avec sa Présentation de Marie enfant au Temple (un thème assez rare) et la **grotte de Lourdes** (inhabituelle dans une église, et l'une des premières de ce style en Europe, en 1885), à gauche, rappellent que le culte de la Vierge est essentiel pour les jésuites.

En ressortant de l'église, prenez le temps d'admirer le parvis et les volées successives de marches en arc de cercle qui redescendent vers la place Gundulić. L'ensemble de ce quartier est l'un des plus anciens de la ville et conserve, à l'exception de la place du parvis, un plan anarchique hérité du Moyen Âge et des ruelles étroites et tortueuses, coupées de passages couverts et pavées de petits galets. C'était, à l'époque de la République, plutôt le quartier des palais aristocratiques, avec leurs jardins et leurs cours intérieures.
Descendez l'escalier et tournez à droite vers la cathédrale, dont on aperçoit le dôme.

★ **Cathédrale de l'Assomption** (Katedrala Uznesenja Marijina) E
Érigée dans le style baroque du début du 18e s., elle a pris la place d'un ancien édifice roman dont la tradition veut qu'il ait été construit en remerciement à la Vierge par Richard Cœur de Lion. De retour de croisade, son navire aurait fait naufrage devant l'île de Lokrum et il aurait été miraculeusement sauvé. En fait, les vestiges découverts lors des travaux révèlent un sanctuaire encore antérieur, daté du 7e s., attestant l'importance précoce de la cité.
Après le terrible séisme, on décida de s'inspirer de ce qui se faisait à Rome, avec les éléments caractéristiques du baroque, colonnes, corniches et frontons rythmant la façade, balustrade ponctuée de statues de saints et dôme percé de fenêtres. L'intérieur surprend par sa simplicité et sa clarté qui font presque oublier les énormes **retables baroques** en pierre et marbre. Sobrement mis en valeur dans le chœur, le polyptyque de l'**Assomption de la Vierge**★★ est attribué au Titien.
★★★ **Trésor** – *Avr.-oct. : 9h-17h, dim. 11h-17h - nov.-mars : 10h-12h, dim. 11h-12h, 15h-17h - 15 kn.* Sans doute, le clou de la visite, il est conservé dans une petite pièce sécurisée par trois énormes clés confiées jadis à trois personnalités distinctes (archevêque, recteur et secrétaire d'État). Le décor baroque exubérant est surchargé d'angelots et de dorures. Vous y admirerez *(sur la tablette, devant à gauche)* les fameux **reliquaires de saint Blaise**★★★ (12e s.), accueillant tête, bras et jambe du saint, que l'on promène en procession lors de sa fête. Réalisés en or, émaux et filigrane, ce sont les plus beaux éléments d'une collection fascinante. À côté des nombreux reliquaires, plusieurs peintures retiennent l'attention, comme une jolie **Madone**★★, attribuée à Raphaël *(à droite)* ou une icône romano-byzantine de la **Vierge à l'Enfant**★ (13e s.).
Sortez de la cathédrale par la porte principale et traversez la rue.
Sur la façade d'une chapelle abandonnée, remarquez l'encadrement de l'ancien portail préroman aux motifs d'entrelacs, un vestige rare à Dubrovnik (11e s.).

DE SAINTS RESTES...

On ne peut manquer de s'étonner devant la profusion de reliques qui envahissent églises et musées de la ville. Que de jambes, bras et têtes ! Il faut souligner toutefois qu'un reliquaire contient rarement un membre entier, mais le plus souvent un morceau d'os ou de crâne prélevé sur le corps du saint ou un éclat de bois prétendument arraché à la vraie Croix. Cette coutume remonte au Moyen Âge, lorsque la tradition des grands pèlerinages est née : une relique hors du commun ne manquait pas d'attirer les foules ! Les sanctuaires plus modestes, souvent sur la route des précédents, se mirent à vouloir attirer eux aussi les fidèles. Un intense commerce, voire un trafic, vit alors le jour, abusant parfois de la ferveur des pèlerins, et l'on éleva des autels, des cryptes et des déambulatoires conçus pour que les fidèles puissent tourner autour des reliques pour vénérer le saint.

Revenez vers le palais du Recteur pour visiter la galerie d'Art moderne qui occupe la vieille maison, à sa gauche, celle jouxtant le passage voûté donnant accès au vieux port.

Galerie Dulčić-Masle-Pulitika (DMP) E

Držićeva poljana 1. 9h-12h, 17h-19h, sam. 9h-12h - 30 kn.

Relais intra-muros du musée d'Art moderne, cette galerie organise sur deux étages des expositions d'artistes contemporains. Ces dernières sont renouvelées entre trois et quatre fois par an.

Empruntez le passage sur le côté du palais du Recteur, en face de la cathédrale, pour rejoindre le port.

★ Le vieux port (Stara luka) E

Une agréable **promenade** conduit autour du port en longeant vers la droite le pied des remparts en direction du **fort St-Jean**. Construit au 14e s., il gardait l'entrée du port et abrite désormais le Musée maritime *(voir p. 106)*. Contournez le fort jusqu'au bout de la petite **jetée** pour voir le promontoire, qui barre l'entrée du port et sert de **brise-lames** contre la houle du sud, et la masse imposante des fortifications de la ville. Au fond du port, les grandes arcades formant le Café de la Ville abritaient jadis les chantiers navals, que l'on fermait la nuit et où l'on construisait les bateaux en grand secret… Sur son côté gauche se trouve un comptoir en pierre derrière une grille : les pêcheurs y vendent encore leur poisson *(6h-13h)*.

Revenez sur vos pas et tout en restant sur le quai, longez le palais du Recteur, la tour de l'Horloge et tournez à gauche en passant sous la loggia. Remontez ulica Svetoga Dominika à droite, jusqu'au large escalier du monastère dominicain, sur la gauche.

★★★ Monastère dominicain (Dominikanski samostan) E

Été : 9h-18h ; hiver : 9h-17h - 20 kn (-14 ans gratuit).

La deuxième grande communauté monastique de la ville, celle des dominicains, rivale des franciscains, fut fondée en 1225. À l'extérieur, l'édifice est très sobre, à part le **portail sud** qui conserve des éléments romans sous un arc brisé gothique. Malgré son **clocher** (14e-18e s.) que coiffe une coupole, l'ensemble garde une allure fortifiée, pratiquement intégrée dans le système défensif des remparts de la ville. L'**abside** est la seule partie portant encore la marque du style roman initial. On accède à l'église et au couvent en montant le large **escalier extérieur** à gracieuses colonnettes, curieusement obturé à sa partie inférieure. On dit que les interstices furent supprimés par les moines qui voulaient éviter que les badauds aperçoivent les chevilles des paroissiennes…

★★ **Cloître** – *Accès libre en hiver.* Passés une première chapelle dédiée à saint Sébastien (aujourd'hui une galerie d'art) et le deuxième portail de l'église dominicaine, on pénètre dans cet endroit empreint d'une fraîcheur paisible, l'un des plus magiques de la ville, loin de l'agitation de la rue. Construit entre 1456 et 1483, il est bordé sur ses quatre côtés d'arcades gothiques ajourées de baies trilobées. Au centre, un ravissant jardin d'orangers et de palmiers entoure un puits. Lorsque les troupes napoléoniennes prirent possession de la ville, le monastère fut réquisitionné pour héberger les troupes et le cloître abrita les chevaux : on voit encore entre les colonnes du côté sud les cavités creusées pour les faire boire.

Église – On y entre par le cloître. D'une grande sobriété, elle offre un contraste entre l'abside ancienne et la nef baroque. Le plus bel élément est l'immense **crucifix**★★ peint (1394), d'influence byzantine, offert en ex-voto après la grande épidémie de peste de 1394. Notez aussi la chaire sculptée et, à l'entrée, les gisants de pierre scellés dans le mur.

★★★ **Musée** – Il rassemble les collections d'art sacré du monastère et une série de tableaux de valeur. Dans la première pièce, à droite, le **triptyque de Nikola Božidarević★** (début 16e s.) mérite que l'on s'y attarde car il figure un saint Blaise tenant la ville telle qu'elle était avant le grand tremblement de terre. On observe ainsi que les remparts étaient très différents et que les clochers étaient pointus… À côté, **l'Annonciation★** (1513), du même artiste, est superbe. En face, c'est le somptueux polyptyque du **Baptême du Christ★**, par Lovro Dobričević (1448), un artiste local, qui retient le regard pour son style Renaissance et son influence italienne. Parmi les collections de reliquaires et d'objets sacrés, arrêtez-vous devant un **encensoir★** en argent, en forme de navire (le no 7, du 16e s.), fabriqué à Dubrovnik, pour rappeler la vocation maritime de la ville, sur le délicat **doigt reliquaire de saint Dominique★**, en argent, vermeil et champlevé (15e s.) ou encore sur les **têtes reliquaires**. La mezzanine présente quelques exemples de **bijoux** ex-voto traditionnels, donnant une idée du style régional, avec les perles et breloques en filigrane d'or que l'on retrouve encore dans les costumes folkloriques et dans les bijouteries de la ville.

La seconde pièce contient un curieux assemblage, décroché d'un **ancien retable** : il s'agit d'une peinture (17e s.) de trois saints en extase devant une icône incrustée dans la première toile, et représentant une Vierge à l'Enfant d'inspiration byzantine (16e s.). Ne manquez pas **sainte Madeleine et saint Blaise★★**, par le Titien (1550), un tableau qui témoigne de la richesse du généreux donateur (il figure d'ailleurs sur la droite de la peinture). Quelques **manuscrits★** très anciens (dont un manuscrit bénédictin du 11e s.) ont été sélectionnés dans la riche bibliothèque du monastère, qui compte plus de 200 incunables.

Sortez du monastère et reprenez ulica Svetoga Dominika.

★ Porte de Ploče (vrata od Ploča) E

La deuxième grande porte de la ville se compose de deux portes intérieures (période romane) et d'une grande porte extérieure (période autrichienne). La plus petite des trois est surmontée de la tête de saint Blaise. Durant presque toute l'histoire de la république de Raguse, c'était l'entrée la plus importante car elle ouvrait vers l'est, d'où arrivaient toutes les caravanes en provenance d'Orient.

Au-delà de la porte, la tour St-Luc garde le port. Tout comme à la porte Pile, les relèves de la garde républicaine sont assurées en costume d'époque durant l'été *(10h-12h, 20h-22h)*.

Traversez le pont de pierre en direction du fort de Revelin.

★ Fort de Revelin (tvrđava Revelin) E

Érigé en 1462, il fut agrandi au siècle suivant, pour résister aux Turcs qui avaient envahi la Bosnie voisine. Au-delà du second pont, la route longe les anciens lazarets, une série de longues salles, où les voyageurs séjournaient durant la quarantaine qui leur était imposée par crainte des épidémies. De là, prenez le temps de suivre des yeux la crête qui barre l'arrière-pays. Au-dessus de la ville se trouvent le **mont Srđ** et la forteresse napoléonienne.

Revenez dans la ville, longez le monastère, montez son escalier et, juste avant le passage menant au cloître, tournez à gauche. La ruelle contourne la minuscule chapelle St-Nicolas, imbriquée dans les maisons, et mène à la rue Prijeko.

★ RUE PRIJEKO ET LES HAUTS DE LA VILLE CLOSE Plan II DE

Église St-Nicolas (Sv. Nikola) E

C'est l'une des plus anciennes de la ville (fondée au 11e s.) malgré sa façade plus récente (16e s.), et chère au cœur des Ragusains car c'est la chapelle des marins.

Rue Prijeko DE

Elle forme l'axe principal de la partie la plus récente de la vieille ville, l'ancien village croate. Après la réunion des deux parties de la ville, ce quartier abritait surtout les marchands. Il est aujourd'hui investi par un grand nombre de restaurants aux terrasses animées. Entièrement redessiné après le séisme de 1667, le quartier fut ensuite occupé par les riches bourgeois. Les architectes ont alors défini la largeur des rues et des blocs, ainsi que leur plan en damier descendant vers la Placa. Chaque maison est construite selon le même modèle et remplace, en général, quatre demeures médiévales. En poussant les portes, vous remarquerez souvent le puits situé sous l'escalier *(comme au n° 8)*. L'ensemble du quartier est construit sur un réseau de canalisations élaboré qui amenait l'eau dans les puits privés des plus riches. Le rez-de-chaussée sert aussi au stockage. Les pièces de réception et de vie sont aménagées dans les premiers étages, tandis que la cuisine se trouve toujours au dernier étage pour éviter les odeurs.

Si les stores des restaurants tirés au maximum ne vous en empêchent pas, admirez la beauté des **façades**, les fenêtres ou les consoles des balcons *(nos 13, 12 et 14)*. Au n° 24, un pied de vigne noueux part à l'assaut de la façade : il est vieux de 200 ans ! Vers la droite, les ruelles qui montent en direction des remparts épousent le relief accidenté et deviennent des escaliers parfois très raides, ponctués de plantes luxuriantes (ficus, philodendron…) et de cordes à linge.

Poursuivez ensuite le long des remparts jusqu'à l'extrémité et redescendez vers la gauche par Ispod Minčete qui devient ulica Celestina Medovića et rejoint la Placa près de la porte Pile.

★★★ TOUR DES REMPARTS Plan II DE

Longueur de 2 km environ, comptez 1h30 au moins pour flâner. L'entrée principale se trouve à l'ouest de Placa, près de la porte Pile. À faire le matin ou en fin d'apr.-midi s'il fait chaud. Avr.-sept. : 8h-18h30 ; juin-juil. : 8h-19h30 ; oct. : 8h-17h30 ; nov.-mars : 9h-15h - 90 kn (enf. 30 kn). Explications audio : 40 kn.

Commencez le tour en vous dirigeant vers la mer : la balade est plus facile dans ce sens. Vous passez en surplomb de la Placa. Admirez l'enfilade harmonieuse des façades et les incomparables toits de tuiles rondes qui ont fait la réputation de Dubrovnik. Après avoir repéré les clochers du couvent franciscain au premier plan, et du monastère dominicain, au fond, à gauche de la tour de l'Horloge, vous retrouvez les dômes de la cathédrale et de St-Ignace.

Vous passez une première tour carrée, au sommet de laquelle on accède par un étroit escalier. Elle fait partie d'un ensemble d'une douzaine de tours du même type qui furent ajoutées au système défensif lors d'une campagne d'amélioration de la sécurité, au 14e s.

Tour Bokar (tvrđava Bokar) D

C'est la tour qui suit, ronde et massive (15e s.), gardant, avec le fort Lovrijenac, en face, l'accès à la porte Pile par la mer. Elle constitue l'un des quatre points forts de l'enceinte, avec le fort St-Jean, le fort Revelin et la tour Minčeta. Comme la plus grande partie des remparts, elle ne prit son aspect actuel qu'après le séisme de 1667. Les différents tableaux visibles dans les musées de la ville donnent une idée de son allure antérieure.

Bastion Mrtvo Zvono (tvrđava Mrtvo Zvono) D
Au sud de la ville, surplombant la mer, directement au-dessus des rochers, la muraille est moins épaisse que du côté des terres, mais elle est ponctuée de tours rectangulaires encadrant le puissant bastion Mrtvo Zvono (16e s.) percé de nombreuses canonnières (la ville en a compté jusqu'à 120). C'est ici, dans ce qui était un îlot, que fut fondée la première communauté, qui possédait déjà de puissants remparts au 9e s. On note à quel point les maisons et les ruelles, de ce côté-ci de la ville, sont imbriquées en un dédale tortueux, loin de la géométrie de la partie nord. Au passage, remarquez, devant la mer, les canons et, en vous penchant pour regarder les échauguettes, l'omniprésente **statue de saint Blaise** veillant l'horizon. Vers le sud, vous apercevez l'**île de Lokrum**.

★ **Fort St-Jean et défenses du port** (tvrđava sv. Ivan) E
Pour une nation de marins, il était particulièrement vital de protéger le port et l'accès aux chantiers navals. C'est ce qui explique l'importance du fort St-Jean (14e s.) et la complexité du dispositif qui l'associe à la **tour St-Luc** (tvrđava sv. Luke) (14e s.) en face, et au large **brise-lames** (qui ralentissait aussi l'approche de l'ennemi et l'exposait au tir des canons). Lorsque l'on continue vers l'intérieur du port, on constate pourtant la vulnérabilité de la muraille à cet endroit, avec les quais, les arcades sous lesquelles on construisait les navires et les deux portes qui permettaient d'entrer dans la cité.

1

★★ **Fortifications terrestres et tour Minčeta** (tvrđava Minčeta) D
Les menaces les plus importantes et les plus difficiles à repousser venaient de la terre, ce qui justifie que la muraille soit ici beaucoup plus épaisse (2 à 3 fois plus, soit entre 4 et 6 m). Pour plus de solidité, on conçut vers l'extérieur un avant-mur oblique pour résister aux boulets de canon et un fossé défensif. C'est de ce côté que l'on a la vue la plus intéressante sur la ville close, avec, au premier plan, la partie baroque et ses rues en damier, reconstruites après 1667. Notez que la porte nord, qui coupe les remparts vers la terre, ne fut percée qu'en 1908 pour faciliter l'accès à la ville. Le point culminant du système est l'énorme tour Minčeta (14e-15e s.), reconnaissable à ses créneaux et à ses mâchicoulis. Initialement carrée, elle devint circulaire, plus élevée et mieux équipée après que la Bosnie fut envahie par les Turcs, au 15e s. (le plus célèbre des architectes croates, Juraj Dalmatinac, Georges le Dalmate, participa aux travaux). Sa terrasse est le point le plus élevé des remparts d'où l'on a un **panorama**★★ unique sur l'ensemble de la ville.

À voir aussi

★★ **War photo limited** Plan II D
Antuninska 6. Juin-sept. : tlj 9h-21h - mai-oct. : tlj sf lun. 10h-16h - fermé nov.-avr. - 40 kn.
Un musée de la photographie de guerre en Croatie... Au-delà du symbole, cet espace d'exposition veut sensibiliser, éduquer le public à la photographie de guerre. Montrer la guerre telle qu'elle est : crue, vénale, effrayante ; à travers le regard de photographes réputés à qui il est ouvert ici un lieu pour témoigner, loin de toute exigence esthétique ou idéologique imposée par la presse... Ici, pas de focalisation sur les guerres yougoslaves. Si une salle leur est dédiée, les

expositions temporaires abordent quant à elles les représentations de la guerre dans le monde, leurs particularités et leurs ressemblances, de l'Afghanistan à la Sierra Leone, en passant par l'Irak...

★ **Musée maritime** (Pomorski muzej) Plan II E

Avr.-oct. : tlj sf lun. 9h-18h ; nov.-mars. : tlj sf lun. 9h-16h - 70 kn (enf. et étud. 25 kn).

Il occupe les étages du fort St-Jean, qui défendait la ville des attaques maritimes. Au premier étage, c'est l'histoire de la marine locale qui est évoquée, expliquant la colonisation progressive de la côte adriatique. Plus attrayant, le deuxième étage s'attache à l'histoire de la marine marchande ragusaine aux 19e et 20e s. Les **maquettes★** des derniers grands voiliers, des bateaux à vapeur, des premiers paquebots sont splendides. On découvre le quotidien de la vie à bord avec des objets tels de beaux coffres de marin en bois peint, une pharmacie portable de bord et une foule d'instruments de navigation. Explications en anglais.

Aquarium Plan II E

Au rez-de-chaussée du fort St-Jean. Accès par Kneza Damjana Jude. Tlj 9h-21h - 40 kn (4-12 ans 15 kn).

Outre les espèces marines de l'Adriatique (dorades, bars, mérous...) réparties en une vingtaine d'aquariums, cet espace permet de découvrir les impressionnantes voûtes du fort St-Jean. La visite s'effectue dans une fraîcheur des plus appréciables en été !

Musée d'Art moderne (Umjetnička galerija Dubrovnik) Plan I C2

Ulica Frana Supila 23. Tlj sf lun. 10h-20h - 30 kn.

Installé dans un palais de l'entre-deux-guerres du faubourg de Ploče, il rassemble une sélection d'œuvres croates modernes et contemporaines. Le 1er étage est réservé aux expositions temporaires. Le 2e étage présente des œuvres figuratives couvrant le 20e s. jusqu'aux années 1960, avec des peintres tels que Ignjat Job, Marco Rašica ou Milivoj Uzelac. Mais la vedette des collections est **Vlaho Bukovac** (1855-1922), né à Cavtat. Outre des portraits, dont il était un spécialiste, on découvre une série de paysages. Le 3e étage propose une sélection d'œuvres contemporaines, abstraites pour la plupart.

À proximité

★ TRSTENO Carte de région D2

À 19 km au nord de Dubrovnik, sur la route de Split. 1h pour l'arboretum et la promenade (prononcez teursténo).

Arboretum

Mai-oct. : 7h-19h ; nov.-avr. : 8h-16h - 35 kn.

Principal attrait du village, il est planté autour de la résidence d'été d'un noble Ragusain. Ce beau parc, datant du 16e s., évoque à merveille l'art de vivre et de jardiner à la Renaissance. S'achevant par une agréable terrasse dominant la mer, il marie une succession de sentiers plantés de toutes sortes d'espèces exotiques ou rares, menant à de petits havres aux thèmes variés, comme celui de la fontaine de Neptune, avec sa grotte, ses statues et son eau ruisselante ou celui de l'aqueduc évoquant la présence romaine.

En sortant, prenez à droite et descendez les marches au milieu des bougainvillées, des potagers et vergers plantés d'agrumes, de kiwis, de lauriers, vers le minuscule **port** en contrebas. Les plates-formes du quai invitent à la baignade dans une eau très claire.

L'arboretum de Trsteno.
A. Alborno / hemis.fr

★ ÎLE DE LOKRUM Plan I A2

▶ *Bateau au départ du port de la vieille ville. Mai-oct. : 10h-18h, ttes les h, 10mn de traversée - 60 kn AR. Café-restaurant sur place. Idéal pour passer la journée.*

En face de la ville close, cette petite île à la végétation luxuriante rassemble bien des atouts. Dès 1023, les bénédictins y fondèrent une abbaye, fermée sous l'occupation napoléonienne. Durant leur présence en Dalmatie, les Français construisirent le **fort royal** (1806) qui domine l'île, au nord-ouest, et offre un beau panorama sur Dubrovnik.

En 1859, Maximilien de Habsbourg, le futur empereur du Mexique, décida de se faire bâtir une résidence d'été à la place de l'ancien monastère et d'aménager un **jardin botanique**, planté d'espèces exotiques importées d'Amérique du Sud et d'Australie.

Pour la baignade, de nombreux rochers sont équipés d'échelles de descente dans l'eau, mais l'île ne possède aucune plage. Ne manquez pas de plonger dans la « **mer Morte** » (Mrtvo more), nom bien pompeux pour un lac salé miniature, dont les eaux claires et chaudes sont enchâssées entre les rochers et communiquent avec la mer.

★ ÎLES ÉLAPHITES (Otoci Elafiti) Plan I A1

▶ *Bateau de Jadrolinija au départ du port de Gruž pour Koločep (30mn), Lopud (50mn) et Šipan (1h05). 4 dép./j., dim. et j. fériés 2 dép./j., 1er dép. 7h35 le dim., 6h en sem. Prévoyez la journée pour chaque île visitée. L'île de Šipan est desservie 1 fois/j. par le ferry vers Mljet (1 ferry suppl. le merc.). Les deux autres îles sont interdites aux voitures.*

Parmi les quatorze îles de cet archipel, trois sont habitées. Leur petite taille se prête aux excursions à la journée (mais on y trouve hôtels et chambres d'hôte).

Koločep

(Prononcez kolochep). C'est la plus proche et la plus petite (moins de 4 km de long), riche de quelques petites plages bordées de pins, de chapelles romanes et de deux modestes villages. Elle est sillonnée de sentiers propices à la promenade à pied.

★ Lopud

L'île du milieu est plus orientée vers le tourisme, tradition héritée de la grande époque de la république de Raguse, lorsque les nobles y possédaient des palais et que les navires marchands y mouillaient. Plus sinistre est le souvenir des Juifs internés sur l'île par les fascistes italiens, durant la Seconde Guerre mondiale. Plus vaste (plus de 4 km de long sur moins de 3 km de large) que sa voisine, Lopud conserve son village traditionnel, un joli **monastère franciscain** (15e s.), ainsi que la **plage de sable de Šunj**.

★ Šipan

(Prononcez chipane). La plus éloignée des trois îles est aussi la plus grande (9 km de long, 2,5 km de large), la plus accidentée et la plus tranquille. Si les vestiges d'anciens palais rappellent qu'elle fut, elle aussi, appréciée des riches Ragusains, elle se partage aujourd'hui entre deux paisibles villages. **Suđurađ**, au sud-est, est le premier port où fait escale le ferry, gardé par la tour en pierre grise d'un ancien palais (15e s.). À 7 km de là, **Šipanska Luka** fait office de petite capitale (le ferry s'y rend aussi). Entre les deux, la route traverse un épais maquis, entrecoupé de vignes et d'oliviers. De nombreux sentiers permettent d'arpenter l'île et de rejoindre des points de baignade (rochers et petites plages de galets).

Circuit conseillé

★★ VERS CAVTAT ET LE KONAVLE Carte de région D2

Circuit tracé en vert clair sur la carte de région (p. 89) – Prévoyez 1 journée par la route. Bus, ligne 10, ttes les heures au dép. de la gare routière de Dubrovnik, arrêt à Mlini puis Cavtat (joignables par bateau). Quittez Dubrovnik et allez vers l'aéroport.

★ Mlini

Mai-sept. : relié à Dubrovnik par des vedettes (5 à 7/j.).

Avec son voisin **Srebreno**, ce village côtier occupe une très jolie baie orientée au midi. Une promenade ombragée longe le bord de mer sous les pins, mais le principal atout est la présence d'une succession de plages de galets et de sable. Celle de Srebreno est idéale pour la baignade en raison de son fond de sable fin.

Continuez vers l'aéroport encore 10 km le long de la côte.

★★ Cavtat et le Konavle

30mn en bateau (mai-sept. : 5 à 8/j.) depuis le port de la vieille ville - 60/70 kn AR. Comme les passages sont assurés par de petits bateaux privés, vérifiez la météo et les horaires.

Cette ravissante station balnéaire *(prononcez tsavtate)*, noyée dans les arbres, est l'ancienne Épidaure des Grecs, prospère à l'époque romaine. Au début de la christianisation, elle fut même le siège de l'évêché, mais fut ravagée par les invasions slaves et avars au 7e s. Ses habitants émigrèrent alors vers le nord pour fonder *Ragusium*. Très populaire sous la domination austro-hongroise, elle a conservé une atmosphère de doux farniente, à l'ombre des immenses palmiers qui bordent les quais.

COSTUMES ET COUTUMES

Les costumes des filles du Konavle se remarquent d'abord à leurs riches broderies reproduisant des motifs géométriques à dominante rouge, déclinés en longues bandes sur les plastrons, ceintures et tabliers. Chaque motif est symbolique et chaque pièce raconte ainsi une histoire. La femme porte traditionnellement un pompon jaune sur la poitrine, le changeant pour un noir lorsqu'elle est veuve. Les jeunes filles arborent un petit chapeau rouge, tandis que les femmes mariées se distinguent par leur large coiffe blanche, aux coins épinglés derrière la tête. De nombreuses fêtes permettent de découvrir ces costumes. Le palais du Recteur de Cavtat expose quelques broderies anciennes et chaque église s'enorgueillit de linge d'autel aux motifs traditionnels.

Commencez la visite devant l'église paroissiale, reconnaissable à son dôme.

Palais du Recteur (Knežev dvor) – *✆ 020 478 556 ou 091 574 26 80 - juin-oct. : 9h30-13h30 - 15 kn.* À côté de l'église, cette belle maison de style Renaissance (15e s.) renferme quelques objets archéologiques et ethnographiques et un grand tableau de Vlaho Bukovac, *Le carnaval de Cavtat*.

Montez l'escalier de l'église, la pinacothèque est un peu plus loin, sur la droite.

Pinacothèque (Pinakoteka) – *✆ 020 478 249 ou 098 17 82 048 - juin-oct. : tlj sf dim. 10h-13h - mieux vaut appeler avant la visite - 10 kn.* Ce petit musée présente une collection d'art sacré, dont de belles icônes et peintures italiennes.

Empruntez ensuite le quai vers la droite, jusqu'à la ruelle, ulica Bukovčeva, où vous tournerez à droite.

Maison de Vlaho Bukovac (Vlaho Bukovac galerija) – *Tlj sf lun. 9h-13h, 16h-20h, dim. 16h-20h - 20 kn.* Vouée à la mémoire de l'enfant prestigieux du pays, elle contient une sélection de ses tableaux, notamment des portraits.

Revenez sur le quai et suivez-le vers la droite.

★ **N.-D.-des-Neiges** (Gospa od snijega) – Au bout du quai, entre pins et palmiers, un petit clocher pointu annonce la chapelle du monastère franciscain, et deux splendides spécimens d'art sacré : une petite **Vierge à l'Enfant** (1494) richement encadrée et surtout, au fond à gauche, le **polyptyque de Saint-Michel★★** par Vicko Dobričević (1510).

Contournez le monastère par la droite et montez la colline (10 à 15mn à pied).

Mausolée de la famille Račić – *En rénovation. Se renseigner au 020 478 646 (Maison de Vlaho Bukovac - mai-nov. : tlj sf lun. 9h-13h, 14h-17h - 20 kn).* Des ruelles en escalier mènent au paisible cimetière que semble dominer cette ambitieuse réalisation commandée au célèbre sculpteur Ivan Meštrović par une riche famille d'armateurs. On reste ébahi par l'étonnant mélange des styles, tantôt grec, tantôt égyptien, toujours très pompeux… De là-haut, la **vue★** est très belle sur la montagne et la côte.

En redescendant, avant de quitter le village, ne manquez pas de suivre le **sentier côtier** qui part du monastère et contourne la péninsule sous les pins.

Cavtat est aussi la capitale du **Konavle**, une petite région de collines et d'étroites plaines, bordée de hautes falaises et riche d'une culture traditionnelle exceptionnellement vivante. L'arrière-pays regorge de hameaux aux innombrables chapelles médiévales et aux maisons typiques en pierre locale.

Escapade au Monténégro

★★★ **LES BOUCHES DE KOTOR** (Boka Kotorska)

Circuit de 165 km au Monténégro. Prévoyez la journée (Aller : 90 km, 1h45, de Dubrovnik à Kotor. Retour : 75 km, 2h, de Kotor à Dubrovnik via le bac).

Frontière à 35 km au sud de Dubrovnik : munissez-vous de votre passeport et des papiers du véhicule (voitures de location autorisées). Distributeurs de billets à Kotor (devise officielle : euros).

Les Bouches de Kotor, fermées par le **défilé de Verige**, forment un fjord large de 350 m, le plus profond de toute la Méditerranée, encadré, sur une centaine de kilomètres, par les derniers sommets abrupts et ravinés des Alpes dinariques (culminant à 1 749 m au-dessus de Kotor). Partie intégrante de la Dalmatie croate, Kotor fut rattachée au Monténégro en 1945 lors de la création de la seconde Yougoslavie fédérale.

Rive nord

Face au village de **Perast**, deux îlots se font face. **St-Georges**, l'île des morts, planté de cyprès, abrite une chapelle (12e s.) et le cimetière du village. Le second, **N.-D.-des-Rochers★** (Gospa Skrpjel), est un îlot artificiel dont l'église baroque (17e s.) contient une émouvante collection de plus de 2 000 ex-voto offerts par les marins.

★★★ Kotor

Joyau architectural du Monténégro, serrée entre la mer et une falaise escarpée, la ville, inscrite au Patrimoine de l'Unesco depuis 1979, fut fondée sous les règnes de Dioclétien et de Justinien (3e-5e s.). Ne manquez pas son spectaculaire système de **remparts**, long de 4 km, qui fut édifié à partir du 9e s. et amélioré constamment jusqu'au 19e s. Il est fermé par trois portes massives (12e-16e s.). Les murailles, d'une épaisseur de 2 à 15 m, peuvent mesurer jusqu'à 20 m de haut par endroits. Une interminable succession d'escaliers irréguliers *(en tout 1 426 marches)* permet d'accéder à la **forteresse St-Ivan★**, dominant Kotor de 250 m.

La ville close est sillonnée d'un délicieux dédale de ruelles et de placettes pavées, suivant un plan anarchique mais plein de charme. Outre la vénérable **tour-horloge** (1602) et la curieuse **pyramide** de pierre qui servait de pilori, on passe devant des palais aristocratiques et de ravissantes chapelles. La **cathédrale St-Tripun★★** (1166), derrière sa façade baroque (17e s.), est restée typiquement romane, avec des traces de fresques murales du 14e s. et nombre d'objets sacrés (15e-18e s.). L'**église St-Michel** et ses fresques gothiques, l'adorable **église St-Luc** (1195) et, si vous avez le temps, le petit **Musée maritime**, à l'intérieur du beau palais Grgurin, retiennent aussi l'attention.

Quittez Kotor vers la rive sud, en direction de Lepetane, à 13 km.

★★ Rive sud

Elle offre le plus impressionnant **panorama★★** de Kotor et de son écrin montagneux. La route suit le bord de l'eau et rencontre de ravissants hameaux, dont le plus beau est celui de **Prčanj★**, avec ses jolis palais baroques et son église à dôme. Vous terminez le tour du fjord à **Lepetane**, où vous retrouvez le défilé de Verige.

Prenez le bac de Lepetane pour Kamenari (maxi 30 voitures). Juin-sept. : ttes les 15mn, 24/24h ; oct.-mai : ttes les 15mn 5h-0h. Regagnez ensuite Dubrovnik, à 60 km.

NOS ADRESSES À DUBROVNIK

INFORMATIONS UTILES

Bon à savoir – La brochure gratuite *Dubrovnik Guide*, en croate et en anglais, fournit une foule d'adresses, les programmes culturels, les horaires des bus et ferries, un plan schématique de circulation des bus.

Bon à savoir – Il existe un centre multimédia dans le fort Lazaret, aux portes de la vieille ville, qui sert aussi de point d'information touristique.

VISITES

Le pass – Il est possible d'acheter pour 117 kn un billet journalier (162 kn/3 j. et 198 kn/sem.) permettant la visite de 7 musées (Musée ethnographique, Musée maritime, palais du Recteur, Maison de Marin Držić, musée d'Histoire naturelle, musée d'Art moderne, Galerie DMP), des remparts et l'accès aux transports publics. Vendu dans les musées concernés. Gratuit -12 ans.

ARRIVER/PARTIR

Aéroport

À 20 km de la vieille ville, vers l'est à proximité de Cavtat - ✆ 020 773 377 - www.airport-dubrovnik.hr. En saison, Croatia Airlines assure 3 vols directs par semaine avec Paris. Sinon, correspondance à Zagreb. Vols directs pour Amsterdam, Francfort, Londres, Rome, Vienne et, *via* Zagreb : Bruxelles, Istanbul, Prague, Tel-Aviv, Varsovie, Zurich. L'aéroport est desservi par une navette Croatia Airlines, et par le bus n° 11 pour Molunat (annoncez au chauffeur votre destination).

Croatia Airlines – *Začna Luka Dubrovnik, Cipili - ✆ 020 773 232 - www.croatiaairlines.com - tlj 5h-20h.*

Location de voitures

Tous les réseaux internationaux ont des agences à l'aéroport, comme **Budget** (*✆ 020 773 811*) et **Avis** (*✆ 020 773 811*).

Gare routière principale

Obala Pape Ivana Pavla II 44 A - ✆ 020 313 275 - www.libertasdubrovnik.hr - consigne ouv. 7j/7 6h-21h. À proximité du port de Gruž, vers le pont après le débarcadère. Lignes quotidiennes nationales : Split (4h30) par Ploče et Makarska - Šibenik, Zadar et Rijeka - Rovinj - Zagreb - Varaždin - Osijek et Vukovar - Ston, Orebić, Korčula et Vela Luka. Le bus 10 relie Dubrovnik et **Cavtat** toutes les heures de 5h à 0h. Dessertes internationales : Mostar, Sarajevo, Trieste, Ljubljana, Francfort et Munich. Pour Kotor, prenez le bus d'Ulcinj (Monténégro).

Ferries

Ferries Jadrolinija – *Obala S. Radića 40 - ✆ 020 418 000.* Il est recommandé de réserver, notamment si vous passez avec une voiture.

La ligne côtière **Bari-Rijeka** passe par Dubrovnik, Korčula, Hvar, Split et Zadar : une vraie croisière qui se termine après 22h de traversée. Dép. quotidiens (de fin juin à mi-sept.), 2 dép./sem. le reste de l'année (jeu. et dim. à 10h).

TRANSPORTS

Gare routière Pile (bus de ville)

Brsalje - ✆ 020 357 020. La compagnie **Libertas** assure la desserte locale entre la vieille ville, le port de Gruž et les presqu'îles de Lapad et de Babin Kuk. Les lignes 1, 1a, 1b, 3 et 8 desservent le port en passant par la gare routière. La ligne 4 traverse toute la presqu'île de Lapad et ses hôtels. Les lignes 5, 6 et 7 desservent les hôtels de Babin Kuk, la ligne 6 passe par l'hôtel Lapad et la pointe de Babin Kuk. La ligne 9 relie Pile à l'hôpital *via* la rive ouest du port de Gruž. 7 kn le ticket en carnet au guichet, 10 kn dans les bus.

Taxis

À Pile ✆ 020 424 343
Quai des ferries ✆ 020 418 112.
À Lapad ✆ 020 435 715.
Service taxi ✆ 0800 09 70.

Téléphérique

Dubrovnik Žičara – *Petra Krešimira 4. bb - ✆ 020 325 393 - www.dubrovnikcablecar.com - janv.-déc. 9h-16h ; fév.-mars et nov. 9h-17h ; avr.-mai et oct. 9h-20h ; sept. 9h-22h ; juin-août 9h-24h.* À l'arrivée, magnifique vue sur la vieille ville et l'île de Lokum. Restaurant panoramique.

Bateaux

Pour **Lopud** et les îles Élaphites : 4 bateaux/j. dont certains continuent jusqu'à Šipanska, 2 dép. dim. et j. fériés (été). Dubrovnik-Sobra **(Mljet)** : 4 liaisons quotidiennes en juil.-août, 2 le reste de l'année.
Lokrum – *✆ 020 311 738 - août : dép. du port de la vieille ville ttes les h. ; hiver : w.-end 3 dép.* Plusieurs bateaux assurent un service régulier avec **Cavtat** et **Mlini**, un bien agréable moyen de rejoindre ces deux ports.

NAUTISME

ACI Marina – *Na Skali 4 - 20236 Mokošica - ✆ 020 455 020 - m.dubrovnik@aci-club.hr.* Situé au fond d'une étroite baie, à proximité du village de Komolac et à 2 milles marins du port de Gruž, ce port de plaisance bien équipé bénéficie d'un cadre agréable. L'arrêt du bus pour la gare routière de Gruž se trouve à la sortie.
Autorités portuaires – *✆ 020 313 333.*

HÉBERGEMENT

Bon à savoir – La plupart des hôtels se situent à l'extérieur de la vieille ville, soit à l'est de la porte de Ploče (les plus proches du centre), soit à Lapad et Babin Kuk. L'hébergement étant assez cher à Dubrovnik et les plages vite bondées, si vous voulez profiter de la mer, logez dans les petites stations alentour, comme Mlini, au sud, voire dans les îles Élaphites.

Chez l'habitant

Les agences disposent d'appartements et de chambres chez l'habitant, aussi bien dans l'enceinte de la vieille ville que dans la ville moderne.
Agence Atlas – *De nombreux bureaux dont Sv. Djurda 1, près de la porte Pile - ✆ 020 442 574 - www.atlas-croatia.com - tlj sf dim. 8h-20h.* Parmi de nombreux services (change, excursions, billets de ferries et d'avions, location de voitures), cette agence permet de réserver une chambre d'hôte (335 kn la ch. double et 440 kn le studio).
TIC Stradun (Turistički informativni centar) – *Placa 21 - ✆ 020 323 350 - www.tic-stradun.hr - 9h-22h, dim. 9h-20h.* Cette agence située à l'entrée de la vieille ville dispose d'un carnet d'adresses de chambres chez l'habitant bien rempli. Comptez entre 350 et 400 kn la chambre double et entre 440 et 750 kn pour un appartement.
Gulliver Travel – *Obala S. Radića 25 - ✆ 020 410 880 - www.gulliver.hr.* Installée sur le port de Gruž, à l'arrivée des ferries, cette agence réputée propose

une large gamme d'appartements et de chambres sur Dubrovnik et sa région.

PREMIER PRIX

Ivana Žana Đurić – Plan I B1 - *Kranjčevića 1 - ✆ 020 356 983 et 091 585 29 55 - ⊭ - 4 ch. 300 kn.* Cette belle maison jaune se cache à côté du supermarché Tommy, au-dessus de la Put Republike, dans une rue calme. Les chambres sont propres et de tout confort. Elles se partagent 2 salles de bains. La charmante propriétaire, infirmière, parle anglais. Une bonne adresse, économique, à 15mn du centre-ville.

BUDGET MOYEN

Chambres Orhan – Plan I B1 - *Uli ca Od Tabakarije 1 - ✆ 020 414 183 - www.restaurant-orhan.com - ⊭ - 10 ch. 450 kn.* Chambres louées par le restaurant du même nom, situé dans le creux de la crique du fort Lovrijenac. Réparties dans deux maisonnettes en contrebas de la porte Pile, elles sont très calmes, idéalement situées pour visiter la vieille ville et d'un confort tout à fait acceptable. Possibilité de prendre le petit déjeuner au restaurant, face à la mer.

Hôtels

Bon à savoir – Le site Internet *(www.dubrovnik-area.com/hoteli.asp)* permet de réserver dans l'un des 26 hôtels que gère le groupe **Hoteli Dubrovnik**, de Dubrovnik à Cavtat *(Put Republike 7 - ✆ 020 422 933).*

Vieille ville

UNE FOLIE

Hotel Stari Grad – Plan II D - *Od Sigurate 4 - ✆ 020 322 244 - www.hotelstarigrad.com - 8 ch. 1 050/1 800 kn* ☕. Dans une ruelle reliant Stradun à Prijeko, c'est une maison ancienne, restaurée en douceur. Le mobilier et de beaux tapis soulignent le charme sobre des lieux, ce qui n'exclut pas le confort. Petit déjeuner banal.

Pucić Palace – Plan II E - *Od Puča 1 - ✆ 020 326 222 - www.thepucicpalace.com - 19 ch. dont 2 suites 220/415 €* ☕. Installé dans une belle demeure aristocratique, ses fenêtres ouvrent sur la place Gundulićeva, au cœur de la vieille ville. L'ameublement et la décoration de chaque chambre s'accordent à ce cadre exceptionnel (hauteur de plafond, alliance raffinée du bois, de la pierre et des mosaïques ; tentures, patines et tapis). C'est sans doute l'un des plus beaux hôtels de Croatie.

À l'est de la porte de Ploče

UNE FOLIE

Grand Villa Argentina – Plan I C2 - *Frana Supila 14 - ✆ 020 430 830 - www.gva.hr - 🏊 🅿 - 159 ch. dont 7 suites 1 600/2 850 kn* ☕. Cet hôtel fraîchement rénové dans un style ancien et raffiné (mobilier en bois, tissus aux motifs floraux cousus de fils d'or) répartit ses chambres dans deux bâtiments et 2 très belles villas anciennes, aux balcons de pierre et jardins de maître. Les prix varient selon le bâtiment et la vue avec ou sans balcon. Piscines intérieure et extérieure, sauna, fitness, centre de soins (*energetic clinic*) et coiffeur complètent cette offre haut de gamme. Plage privée, restaurant sur une terrasse de pierre, à l'ombre des pins.

Excelsior – Plan I C2 - *Frana Supila 12 - ✆ 020 353 353 - www.hotel-excelsior.hr - 🏊 🏋 🅿 - 158 ch. 265/395 € et 17 suites : 685/3 290 €* ☕. Si le bâtiment ressemble davantage à un immeuble de bureaux moderne qu'à un lieu de villégiature, le luxe et le confort intérieurs

1

correspondent bien à sa fonction. Depuis sa récente rénovation, confiée à la designer Renata Strok, l'établissement combine décoration contemporaine et références à l'hôtel originel des années 1950. Il propose une offre spa très complète (piscine intérieure, sauna, massages, fitness, jacuzzi, coiffeur, bains turcs). Proche de la porte de Ploče, ses chambres avec terrasse disposent d'une belle vue sur le port de Dubrovnik et l'île de Lokrum.

Villa Dubrovnik – Plan I C2 - *Vlaha Bukovca 6- ✆ 020 500 300 - www.villa-dubrovnik.hr - P - 48 ch. et 8 suites 2 960/4 400 kn ☕.* Accroché à la falaise, ce petit hôtel, entouré d'un agréable jardin, bénéficie d'un site étonnant. Bâti sur la pente, il est comme suspendu au-dessus de l'eau. Les chambres ont un balcon sur la mer et sont très confortables malgré leurs petites dimensions. Navette gratuite pour le vieux port.

À Lapad et Babin Kuk

UNE FOLIE

Hotel Dubrovnik Palace – Plan I A1-2 - *Masarykov put 20 - ✆ 020 430 000 - www.dubrovnikpalace.hr - P - 308 ch. dont 35 suites et 3 appart. 1 000/3 900 kn ☕.* Construit en 1970 et entièrement rénové en 2004, cet hôtel moderne, en bord de mer, très au calme à l'extrémité de la péninsule de Lapad, propose des chambres modernes et confortables, toutes dotées d'un balcon donnant sur un magnifique panorama. Piscines intérieure et extérieure, spa, fitness et sauna. Plusieurs bars et restaurants. Bus direct pour le centre-ville.

Hotel Zagreb – Plan I A1 - *K. Zvonimira 27 - ✆ 020 436 333 - www.hotels-sumratin.com - 23 ch. : 1 060/1 320 kn ☕ - 1/2 P 50 kn.* Dans un cadre ombragé, en retrait d'une rue calme, ce charmant édifice du 19e s. réaménagé en 2005 est désormais immanquable avec sa façade rose saumon. Il est situé à 100 m de la plage et toutes ses chambres sont maintenant modernes et confortables. Bus 5 et 6.

Hotel Lapad – Plan I B1 - *Lapadska obala 37 - ✆ 020 412 436/432 922 - www.hotel-lapad.hr - juin-oct. - 157 ch. 570/1 740 kn ☕.* Grande bâtisse avec beaucoup de charme donnant sur le petit quai en face du port de Gruž. Elle se prolonge à l'arrière par un bâtiment moderne. On y respire, les chambres sont petites mais très hautes de plafond ; l'escalier en pierre monumental ! La cour spacieuse abrite la piscine, un jardin d'hiver et un restaurant sous les tonnelles. Préférez les chambres du 3e étage dans le vieux bâtiment pour la vue, et celles du récent pour le confort (bus 6 et 9 pour la porte Pile).

Valamar Lacroma Dubrovnik – Plan I A1 - *Babin kuk - Dr. Ante Starcevica 45 - ✆ 020 449 100 - www.valamar.com - P - 401 ch. dont 30 suites 90/310 € ☕.* Grand complexe hôtelier flambant neuf, à l'architecture contemporaine. Choisissez une vue sur mer. Junior suites très agréables, avec duplex, idéal en famille. Beaucoup d'espace partout, on a vu grand ! Salle de sport, 2 vraies piscines, et une petite pour les enfants, terrasse, 2 spa, mixte et réservé aux femmes, salles de détente. Petit déjeuner en buffet très varié et de qualité (bus 6 pour la porte Pile).

À Bosanka

BUDGET MOYEN

Villa Darrer – Plan I C2 - *✆ 020 411 483- www.villadarrer.hr -*

- 5 appart. pour 2 ou 4 pers. : 50/122 €. Situé au-dessus de Ploče à 10mn de la vieille ville. Cuisines équipées. Toute l'année.

À Koločep Carte de région D2

UNE FOLIE

Villas Koločep – *Donje Celo bb - 020 757 025 - www.kolocep.com - mai-oct. - - 151 ch. 890/1 100 kn - 1/2 P 80 kn.* Étagées au flanc d'une colline boisée, au-dessus d'une plage de sable, ces villas forment un ensemble de huit pavillons rénovés en 2006, dont toutes les chambres sont dotées d'un balcon. Confortable. Plage nudiste à proximité.

À Trsteno Carte de région D2

PREMIER PRIX

Camping Trsteno – *020 751 060 - www.trsteno.hr - avr.-oct - - 60 empl. 145 kn (tente + voiture + 2 pers.).* Le camping est une succession de terrasses arborées. Bar et petite taverne à proximité avec possibilité de petit déjeuner *(20 kn)*. Le jardin botanique et la mer sont à 200 m. Très calme. Les sanitaires sont toutefois un peu sommaires.

Chambres Željka Batinić – *020 751 119 - - 6 ch. 300 kn et 1 appart. 400 kn - 25 kn.* Située dans la rue qui conduit au jardin botanique, cette grande bâtisse traditionnelle propose des chambres aux lits et armoires de grands-mères, la poussière en moins. Le tout est très propre et la maison est conçue pour que l'on y circule, qu'on y vive ! Des cuisines sont à disposition dans les dépendances au fond d'un jardin fleuri. Fonctionne toute l'année.

À Mlini Carte de région D2

Vivado Tourism Agency – *Šetalište Marka Marojice 16 - 020 486 471 - www.vivado.hr.* Située à droite dans un tournant sur la route qui descend à Mlini, cette agence concentre l'offre d'hébergement chez les particuliers pour Mlini et ses environs. Comptez environ 400/800 kn la chambre double.

PREMIER PRIX

Camping Kate – *Tupina 1 - 020 487 006 - www.campingkate.com - avr.-oct. - adulte 37 kn (taxe séjour incluse), voiture 20 kn, tente 100 kn.* Proche de l'arrêt de bus, ce petit camping est beaucoup plus sympathique qu'il n'y paraît. Bien équipé, son terrain descend vers une petite chapelle puis une terrasse d'où l'on peut dominer tout Mlini. Réparti sur 2 niveaux (évitez le premier, très proche de la route).

POUR SE FAIRE PLAISIR

Hotel Mlini – *Šetalište Marka Marojice 40 - 020 486 222 - www.hotelimlini.hr - 70 ch. 660 kn - 1/2 P 50 kn/pers.* Établissement sans charme au décor assez froid mais très bien situé devant la mer, à proximité de plusieurs plages.

À Cavtat Carte de région D2

POUR SE FAIRE PLAISIR

Hotel Albatros – *Od Žala 1 - 020 481 550 - www.iberostar.com - P - 94 ch. 800/1 000 kn selon la vue .* Immeuble moderne, impersonnel mais fonctionnel, offrant une belle vue sur la baie, vers le couchant. Les chambres sans vue sont moins chères. Bar et terrasses avec chaises longues devant la mer.

UNE FOLIE

Hotel Croatia – *Frankopanska 1 - 020 475 555/478 055 - www.hoteli-croatia.hr - P - 480 ch. dont 7 suites 180/256 € selon la vue .* Situé sur le cap de Sustjepan, à l'écart du village, ce grand hôtel de 11 étages, construit tout de béton, offre de

1

belles vues tant sur Cavtat que sur le littoral. Piscines d'eau douce et d'eau de mer, piano-bar, night-club, sauna, restaurants et club de plongée sur la « plage »… le Croatia est assurément à la hauteur des prestations des grands hôtels.

RESTAURATION

Vieille ville

PREMIER PRIX

Delfin – Plan II E - *Lučarica 2 - ✆ 020 426 769 ou 091 52 34 744.* Une adresse sympathique où vous pourrez acheter de bons sandwiches confectionnés avec des produits locaux à partir de 20 kn. Si vous le souhaitez, ils préparent des pique-niques à l'avance. Il suffit d'appeler.

Buffet Kamenice – Plan II E - *Gundulićeva poljana 8 - ✆ 020 323 682.* Emplacement idéal pour ce restaurant populaire aux prix stables! La carte simple et polyglotte propose des huîtres à la pièce *(10 kn)*, du risotto *(35/45 kn)*, du poulpe *(59 kn)*, des moules à la *buzzara (48 kn)*, un bon pichet de blanc, le tout sur une magnifique place.

BUDGET MOYEN

Konoba Penatur – Plan II E - *Lučarica 2 - ✆ 020 323 700 - plats 50/95 kn.* Cette taverne populaire entasse quelques tables dans une petite salle donnant à la fois sur l'église St-Blaise et sur la ruelle à l'arrière. La carte propose des produits de la mer dalmates. L'un des restaurants les moins chers de la vieille ville.

Klarisa – Plan II D - *Poljana Paska, Miličevića 1 - ✆ 020 413 100 - plats 100/200 kn, vins 135/200 kn.* Dans le très agréable cloître de Sv. Klare, cuisine croate et internationale. Très fréquenté par les groupes.

Konoba Lokanda Peskarija – Plan II E - *Na ponti bb - ✆ 020 324 750 - www.mea-culpa.hr.* Sur le vieux port, côté palais du Recteur, c'est l'adresse à ne pas manquer pour déguster calamars grillés et autres plats de la mer, en portion généreuse et pour un excellent rapport qualité-prix. On ne peut rêver meilleure terrasse.

Dundo Maroje – Plan II E - *Kovačka bb - ✆ 020 321 021 - fermé 25-31 déc. - 12h-0h - plats 70/90 kn.* Ce restaurant n'a rien à cacher : jetez un coup d'œil à la cuisine visible de la rue avant de goûter des plats simples dans une jolie salle tout en longueur.

POUR SE FAIRE PLAISIR

Domino – Plan II D - *Od Domina 6 - ✆ 020 323 103 - fermé nov. - poissons 360 kn/kg, grillades 100/120 kn.* La salle taillée dans le rocher, qui apparaît encore par endroits, comporte une mezzanine, tandis que la terrasse est aménagée sur la placette d'une ruelle en pente. Spécialités de grillades.

Proto – Plan II D - *Široka ulica 1 - ✆ 020 323 234 - plats 80/200 kn., menu midi 10 €.* L'abondante carte propose poissons et fruits de mer, gibier et viandes comme des filets de veau sauce aux câpres ou des assortiments plus originaux comme les pommes de terre au beurre de cacahuète. Plats soigneusement cuisinés, copieux, présentés et servis dans une belle salle. Aux beaux jours, les repas se prennent sur une vaste terrasse surplombant les ruelles.

Café Royal – Plan II E - *Od Puča 1 - 65/250 kn.* En terrasse sur la place ou dans la salle, le restaurant du Pucić Palace propose une cuisine raffinée mais hélas peu copieuse.

UNE FOLIE

Defne – Plan II E - *Od Puča - ✆ 020 326 222 - uniq. les soirs d'été -*

plats 105/220 kn. Sur la terrasse confortablement aménagée du bar à vins Razonoda, l'équipe du Pucić vous invite à déguster des plats inspirés par les traditions culinaires de la Méditerranée orientale. Au pied des tables se dresse une ravissante petite chapelle. Un lieu enchanteur pour une cuisine sophistiquée et un service apprêté.

Nautika – Plan II D - *Brsalje 3 - ✆ 020 442 526 - 12h-0h - menu midi 15/20 €, repas à la carte 70 € env., belle carte des vins.* À l'extérieur des remparts, ce restaurant très élégant offre une cuisine raffinée avec des spécialités de coquillages, poissons et crustacés dans un cadre exceptionnel et rafraîchissant : terrasses au-dessus de la mer avec vue sur la vielle ville.

À Pile et à Gruž

POUR SE FAIRE PLAISIR

Orhan – Plan I C2 - *Od Tabakarije 1 - ✆ 020 414 183 - fermé déc.-janv. - poissons 120 kn - risotto 60 kn - gambas grillées 90 kn - plats de viande 80/100 kn.* Au pied du fort Lovrijenac, l'endroit est attrayant entre les maisons de pierre et les quelques barques amarrées dans le minuscule port. Une grande variété de prix permet de faire un repas (salade, risotto et moules à la *buzzara*) à un prix raisonnable, mais il faut compter plus de 150 kn si vous y désirez y inclure une bouteille de l'excellent dingač proposé.

Aux alentours

PREMIER PRIX

Buffet Atlas – *Cavtat.* Une petite adresse fort sympathique, à l'ombre des arbres du quai, pour manger à moins de 50 kn, pizzas, pâtes ou salades diverses.

POUR SE FAIRE PLAISIR

Konavoski Komin – *Velji Do 4 - près de Cavtat, sur la rte littorale, à Zvekovica prendre la dir. de Duba/Pridvorje, puis 5 km plus loin prendre à gauche et poursuivre sur 3 km - ✆ 020 479 607 - 12h-2h - plats 50/80 kn.* Un belvédère précède de 500 m le hameau de Velji Do qui, entouré d'arbres et de calme, est un havre de paix. Poissons et autres grillades sont à la carte toute l'année, ainsi que les délicieux *pršut* et *paški sir.* Commandez l'agneau rôti, une des spécialités de la maison.

UNE FOLIE

Leut – *Cavtat - Trumbićev put 11 - ✆ 020 478 477 - fermé déc.-janv. - menus 110/300 kn.* Une bonne adresse sur le port, les menus proposés sont intéressants. Choisissez plutôt les classiques : jambon fumé, calamars, risotto crème aux langoustines, salades de saison et un poisson grillé (ou rôti en sel) accompagné de légumes frais.

PETITE PAUSE

Caffe Festival – *Placa bb - ✆ 020 321 148.* Ce grand café sur Stradun propose une ambiance et un cadre agréables.

Café Orlando – *Sur Stradun Placa.* Petit déjeuner, sandwiches, salades, gâteaux faits maison, goûtez la « Torta Orlando ».

Gradska Kavana – Face à l'église St-Blaise, la salle de droite a beaucoup de cachet. La terrasse donne sur Stradun et le parvis de l'église. Celle de gauche, rénovée dans un style plus moderne, ouvre à l'arrière sur un bar/restaurant à l'ambiance intimiste, qui donne sur une terrasse avec vue sur le vieux port. Concerts vend. et sam.

Razonoda – *Od Puča.* Le bar à vins du Pucić Palace : pour déguster les meilleurs crus de Dalmatie… et d'ailleurs.

Troubadour Caffe – *Bunićeva 2, derrière la cathédrale.* La salle, exiguë, est un vrai capharnaüm, mais en soirée on sort sur la place. Consommations de 10 à 25 kn, cocktails de 40 à 60 kn. Bonne ambiance pour soirées jazz.

ACHATS

Bačan – *Prijeko 6 - tlj sf dim. 9h30-15h30, 17h30-20h30.* Nappes, serviettes, blouses, chemises, sacs en lin, coton, tous sont brodés dans la famille. Les prix varient en fonction des motifs (tourbillon, patte de chat…). Travail de bonne qualité, vendu à des prix raisonnables.
Dubrovačka – *Sv. Dominika 3 vers la porte de Ploče - 9h-22h en été, tlj sf dim. 9h-20h en hiver.* Ambiance chaleureuse dans cette boutique où vous trouverez une sélection de vins dalmates, les produits *Aromatica* à base d'herbes et d'huiles essentielles, des œuvres d'art et des souvenirs de qualité.
Vinoteka Dubrovnik – *Placa bb - 9h-20h.* Grand choix de vins blancs de Brač et Korčula, rouges de Pelješac et d'alcools (rakija, šlivovica).
Pharmacie des Franciscains (Ljekarna « Kod male Braće ») – *Tlj sf dim. 9h-18h, sam. 9h-15h.* Onguents et crèmes de beauté élaborés à partir de vieux grimoires de la pharmacopée traditionnelle. Eau de rose, crème antirides y ont grand succès et sont bon marché.
Cro Art Design – *Angle M. Pracata bb et Od Puča - ✆ 020 324 744.* Véritable caverne d'Ali Baba, cette boutique réunit le travail de jeunes designers autour de bijoux confectionnés à partir de coraux croates. On y trouve de superbes pièces à des prix abordables.

ACTIVITÉS

À Cavtat

Plongée – *Šetalište Žal, à Cavtat - ✆ 020 471 386 - www.epidaurum.com.* Établi à l'extrémité du complexe hôtelier, c'est un club de plongée très rodé, où on peut louer planche à voile et parachute ascensionnel.
Vélo – *Office de tourisme de Cavtat - ✆ 020 479 025 - www.tzcavtat-konavle.hr.* L'office de tourisme de Konavle a déjà finalisé l'aménagement de 3 des 6 pistes cyclables, qui traverseront bientôt sa région : celle de Cavtat à Čilipi, en passant par Močići, celle de Cavtat à Miljasi *via* Zvekovica, et celle de Čilipi à Ljuta où se trouve Konavovski Dvori, un restaurant réputé de la région.

AGENDA

Festival d'été – *Od Sigurate 1 - ✆ 020 326 100 - www.dubrovnik-festival.hr.* Il se tient de début juil. à fin août. Alternent sur des scènes de rues des représentations de théâtre, des spectacles de danse et des concerts de musiques folklorique et classique. Le site Internet donne le programme et permet de réserver.

Île de Mljet

★★

1 088 habitants – Dalmatie

NOS ADRESSES PAGE 122

S'INFORMER

Offices de tourisme – **À Babino Polje** - *Zabrežje 2 - ✆ 020 746 025 - www. mljet.hr.* **À Sobra** - *✆ 020 746 025.* **À Polače** - *✆ 020 744 186.*

SE REPÉRER

Carte de région BC2 (p. 88-89) – *carte Michelin n° 757 G9.* La plus méridionale des grandes îles croates tire un trait montagneux (37 km sur une moyenne de 3 km de large), à l'ouest de Dubrovnik et à 8 km au sud de Pelješac. Avec l'île de Lastovo, c'est l'une des plus boisées, riche d'une flore et d'une faune abondantes. En raison de son étroitesse, la longue crête qui lui sert d'axe central (entre 300 et plus de 500 m d'altitude) accentue l'impression d'escarpement et d'isolement.

Voir la rubrique « Arriver/partir » dans *Nos adresses.*

À NE PAS MANQUER

Le monastère bénédictin, la vue de Montokuc sur les lacs salés et la plage de Saplunara.

ORGANISER SON TEMPS

Prévoyez une nuit sur place, une journée pour le parc national et une autre pour la partie orientale de l'île et ses plages. Si vous vous en tenez au parc, il est possible de se passer de voiture. Pour le reste, les distances sont trop grandes pour faire sans.

Dépêchez-vous d'aller découvrir ce paradis sauvage, que les aménagements touristiques n'ont pas encore gâché : randonnées romantiques sous les pins odorants, escale au monastère oublié sur un îlot, farniente sur le sable fin d'une plage perdue, dégustation du rouget que les pêcheurs viennent de rapporter…

Découvrir

Vous arriverez sur l'île à l'est du village de Sobra, un port de pêcheurs, bien abrité au fond d'une baie escarpée. Vers l'est, la route parcourt la partie la plus déserte de l'île, presque inhabitée, jusqu'à Saplunara, en s'élevant à flanc de montagne et en déroulant des **panoramas**★★ superbes. Vers l'ouest, vous prendrez la direction de la petite capitale de l'île, **Babino Polje**, curieux village étiré comme un chapelet, le long d'une route très étroite. Là aussi, vous traverserez des paysages spectaculaires et sauvages, avant de pénétrer dans le périmètre du parc national. Vous pourrez y pratiquer randonnées, plongée, baignades.

★★★ **PARC NATIONAL DE MLJET** (Nacionalni park Mljet) Carte de région C2

Limite du parc à environ 17 km à l'ouest de Sobra.

À Goveđari -Pristanište 2 - ✆ 020 744 041 - www.np-mljet.hr. Point infos touristiques et guichets sur la route de Polače-Goveđari-Pristanište, à Vrbovica et à

1

Pomena au bout du quai, sur le chemin pédestre allant au petit lac salé - 90 kn, 40 kn pour les étudiants, gratuit pour les -6 ans. Il inclut un passage en bateau vers le monastère Ste-Marie. Pour les randonnées, nous vous conseillons d'acheter la carte du parc et de l'île.

Ce parc couvre le tiers occidental de l'île et englobe plusieurs villages et deux lacs salés.

OLÉICULTURE ET TOURISME

Dès le printemps, les 1 000 habitants de Mljet préparent ensemble la saison touristique, principale ressource de l'île. Ils cultivent aussi des oliviers – 200 000 sur toute l'île – et fabriquent leur propre huile d'olive qu'ils proposent l'été.

★ Polače

À 26 km à l'ouest de Sobra.

Bien que les Illyriens aient déjà occupé les hauteurs à l'arrière du village, Polače fut utilisé par les marins grecs comme mouillage et point de ravitaillement en eau, sur la grande route commerciale de l'Adriatique. Pourtant, ils n'établirent jamais de communauté sur place, puisqu'ils avaient leur colonie sur l'île voisine de Korčula, à Lumbarda. Ce sont les Romains qui fondèrent le premier village, au 1er s. av. J.-C. Ils construisirent un important **palais**, dont on voit encore les vestiges : la route traverse même l'un des murs ! Les fouilles ont révélé des thermes et de nombreuses villas. Avec la christianisation, on construisit deux **basiliques**, aujourd'hui en ruine. Le **port** actuel séduit surtout par son cadre exceptionnel au fond d'une baie très abritée, enchâssée entre les collines verdoyantes et recherchée par les plaisanciers.

Un **sentier de randonnée★**, partant derrière le palais, permet de rejoindre le hameau de Pristanište et le grand lac salé en 30mn (embarcadère pour le monastère) ou de bifurquer vers le sommet du Montokuc.

★★ Montokuc

Ascension en 45mn depuis Polače. Bien que peu élevé (253 m), ce modeste sommet offre le plus beau panorama des deux lacs salés, dans leur écrin de verdure, et de l'îlot du monastère Ste-Marie.

Reprenez la route pour 4 km jusqu'à Pomena.

Pomena

Cet autre mouillage ne s'entoure que d'un hôtel, d'un quai et de quelques maisons, mais c'est le principal centre touristique de l'île, point de départ le plus facile pour découvrir le parc.

★★ Malo jezero et Veliko jezero (Grand et petit lac salé)

Accès pédestre en 10mn, par un escalier montant dans la forêt, à la sortie de Pomena, à côté de la pension Matana. Il est abusif de nommer lacs ces deux larges plans d'eau qui sont en réalité en communication avec la mer et alimentés par elle. Il s'agit en fait de vallées inondées par la mer, jadis partiellement remplies d'eau saumâtre avec les marées. Au Moyen Âge, les moines du monastère bénédictin installé sur l'îlot améliorèrent l'arrivée de l'eau en approfondissant le canal d'entrée. En s'engouffrant dans la brèche, l'eau forme un courant puissant que les moines utilisaient pour actionner un moulin. Le sentier de la **rive nord** mène jusqu'à Soline (moins de 5 km), tandis que celui de la **rive sud**, à peine plus long, offre de beaux points de vue sur les collines. Les amateurs de baignade apprécieront la température de l'eau des lacs, supérieure de 2 ou 3 degrés à celle de la mer, et ses vertus thérapeutiques concernant les rhumatismes et les problèmes cutanés.

★★ **Monastère bénédictin** (benediktinski samostan sv. Marija) – *Accès en bateau en 10mn, assuré entre avr. et oct., à partir du point de jonction entre les*

Parc national de l'île de Mljet.
F. Guiziou / hemis.fr

deux lacs. Départ ttes les heures entre 9h et 19h, retour 45mn plus tard puis ttes les heures. Fréquence moindre en début et fin de saison. Prix inclus dans l'entrée du parc. Isolé sur un gros rocher boisé, au milieu d'un lac, ce petit joyau de l'architecture romane italienne, avec son **église** à voûte de pierre, a été construit par les moines bénédictins qui arrivèrent sur l'île au 12e s. Pour en apprécier la structure extérieure et les motifs romans typiques (arcades aveugles et dents d'engrenage), passez dans le **cloître**, puis contournez l'église par l'extérieur. L'intérieur est conçu sur un plan en croix, avec un beau dallage en rosace, une coupole de pierre et des balustrades ouvragées. Les autels baroques peints forment un mélange de styles un peu naïf. En faisant le tour de l'îlot, ne manquez pas les émouvantes **chapelles votives** miniatures et leurs ex-voto rustiques, croix de bois mort ou d'herbes.

LA PARTIE EST DE MLJET Carte de région C2

★ Prožurska Luka

À 5 km à l'est de Sobra, une route carrossable plonge vers la gauche.
Si vous n'êtes pas un conducteur émérite, ne tentez pas la descente en voiture vers cette jolie baie, creusée entre les montagnes : elle ménage de superbes points de vue, mais elle est étroite et très sinueuse.
Un escalier y descend (*15 à 20mn, beaucoup plus dur au retour)* en dévalant la montagne. Tout en bas, isolé du large par un îlot, vous découvrirez un minuscule port très apprécié par les plaisanciers.

★ Okuklje (Porto Camera)

À la sortie du hameau de Maraović, à 8 km à l'est de Sobra, une petite route carrossable y conduit en 3 km À faire à pied, en moins de 1h.
Encore un havre intact, enserré entre les pentes boisées des montagnes, c'est le plus protégé de l'île, quasiment invisible du large, ce qui explique qu'il soit si populaire parmi les navigateurs. Son autre nom, Porto Camera (chambre, en italien), confirme son caractère intime et préservé.

★★ Saplunara

À 16 km à l'est de Sobra.

Le plus oriental des villages de l'île, presque à son extrémité, n'est en fait qu'un groupe de maisons, mais ses **plages** de sable fin, si rares en Croatie, semblent donner des idées aux investisseurs. Les villas qui se construisent peu à peu entre les arbres ne gâchent pas encore le paysage. Vous arrivez ici au bout du monde : il ne se passe rien et vous n'aurez qu'à vous allonger sur la plage (celle du village est très bien) ou nager dans l'eau claire.

★★ **Plage de Blace** – *Accès par la route carrossable qui part vers le sud, derrière la plage principale du village, puis 5mn à pied à travers la pinède ou 30mn pour la totalité à pied.* On croirait presque un lagon tropical, une baie en arc de cercle, fermée par une barrière de rochers tout juste franchissable en barque. Avec sa frange de pins et son sable fin, elle serait parfaite sans les détritus amenés par les courants. Heureusement, le développement touristique a parfois du bon : on s'attache à l'entretenir plus régulièrement et à en faciliter l'accès.

NOS ADRESSES DANS L'ÎLE DE MLJET

INFORMATIONS UTILES

Circulation – Difficile l'été sur les routes étroites et vite encombrées.

Banques – Attention, pas de banque sur Mljet et deux distributeurs de billets, un à Polače et un dans le hall de l'hôtel Odisej, accessible à tous.

Santé – Deux médecins et un dentiste. Pharmacie à Babino Polje, le village central de l'île.

ARRIVER/PARTIR

Ferries (voitures) – Jadrolinija à Sobra - *✆ 020 746 134 - www.jadrolinija.hr.* Au départ de Dubrovnik : 1 ferry/j. *(14h30 sf lun. et merc. 15h30)* fait escale à Suđurađ (Šipan), 2h30 de traversée. Il arrive à Sobra, au centre de Mljet, en fin d'après-midi (17h30). La ligne Bari-Rijeka, qui passe par Dubrovnik, Korčula, Hvar et Split, dessert aussi Mljet (mar., jeu. et dim.). Au départ de Pelješac, à Prapratno, situé sur la côte sud, une nouvelle ligne rejoint Sobra 4 à 5 fois/j., selon le jour.

Bateaux (piétons) – En saison, des catamarans rapides desservent l'île depuis Dubrovnik jusqu'à Polače. L'agence Atlas à Dubrovnik organise des excursions à la journée sur Mljet en bateau rapide.

TRANSPORTS

Bus – Un bus dessert l'arrivée et le départ des car-ferries, en direction de Babino Polje, Polače et Pomena. Attention : la partie orientale de l'île, vers Okuklje et Saplunara, n'est pas desservie.

Location de véhicules – Il est possible de louer des vélos un peu partout (Sobra, Blato, Polače et Pomena). Location de voitures, réservez à l'avance (Fiat 126, entre 260 et 370 kn/j) et scooters (210 kn/j) chez **Mini Brum** à Babino Polje (antennes sur les ports de Sobra, Polače et Pomena) : *Sobra 33 - ✆ 020 745 084 ou 098 285 566 - www.rent-a-car-scooter-mljet.hr - 9h-19h.*

NAUTISME

Pas de port de plaisance, mais possibilité de s'amarrer à Sobra, Polače, Pomena et de jeter l'ancre dans les baies de Prožurska Luka, Okuklje et Saplunara. Carburant à l'embarcadère des ferries de Sobra (accepte les cartes de crédit).

HÉBERGEMENT

Bon à savoir – En saison, il est fréquent que tout soit complet. Téléphonez à l'avance à l'office de tourisme qui pourra vous réserver une chambre ou un studio chez l'habitant. Vous trouverez aussi une liste fournie de chambres sur le site *www.croatia-vacation.com*. En général, les cartes de crédit ne sont pas acceptées.

PREMIER PRIX

Camping Marina Ropa – *À Ropa - ✆ 020 745 071 - env. 100 pl. 120/140 kn pour 2 pers., douches et électricité*. Situé à 10mn à pied de la plage. Marina vous accueille avec bonne humeur, prête de la vaisselle et dépanne avec un minimarket. Elle loue aussi 3 appart.

BUDGET MOYEN

Chez l'habitant

Pavica Anelic – *À Sobra, à 3 km du port. ✆ 098 203 142. - www.mljetferien.com - 4 appart. 60/100 € et 2 ch. 26/60 €., avec terrasses ou balcon, en bord de mer*. Cuisine équipée, salle à manger. Accueil chaleureux.

Pansion Galija – *À Goveđari - Pomena bb - ✆ 020 744 029 - ivana.matana1@du.t-com.hr - mai-oct. - ⊭ - 10 ch. 365 kn - ☕ 45 kn*. Adresse face à la mer. Des chambres propres et confortables (demandez la vue sur mer) et un bon restaurant de fruits de mer.

Pansion Franka – *À Saplunara - ✆ 020 746 177 - ⊭ - 6 ch. 400 kn (1/2 P), 4 studios 300 kn*. Simples mais bien aménagées, les chambres donnent sur la baie. On y sert une cuisine familiale de produits frais et locaux. Plage en contrebas. Ouvert de mai à oct. Le fils parle bien anglais.

Soline 6 - *parc naturel de Mljet - ✆ 020 744 024 - www.soline6.com - 4 appart. 50/80 € ☕*. Situé à l'intérieur du parc national, Soline 6 est l'adresse 100 % *green* de la région. Dans un bâtiment réalisé à partir de matériaux trouvés sur place ou recyclés, Soline 6 propose un séjour sans impact sur l'environnement, tel un retour à la nature belle et sauvage.

POUR SE FAIRE PLAISIR

Hotel Odisej – *Pomena - ✆ 020 362 111 - www.hotelodisej.hr - avr.-oct. - 157 ch. 80/110 € ☕*. Le seul hôtel de l'île se partage en plusieurs bâtiments agréables et très confortables, le long du quai de Pomena. Une plage bétonnée est aménagée au pied de l'hôtel avec piscine pour enfants, chaises longues et bar.

RESTAURATION

PREMIER PRIX

Konoba Riva – *Sobra - ✆ 020 745 222-* Petit établissement familial bon marché *(40/280 kn)*, salades de poulpes, poissons grillés et autres spécialités locales.

BUDGET MOYEN

Konoba Triton – *Babino Polje - ✆ 020 745 131 - 40/260 kn*. Dans une maison typique, pleine de caractère, vous pourrez goûter du poisson grillé ou les spécialités locales : viande ou poulpe cuits sous la cloche.

Restoran Ana – *Pomena*. L'une des tavernes du quai, juste devant la mer : moules, calamars et poissons du jour conservés dans un vivier.

Stermasi – *Saplunara - ✆ 020 646 179 - www.stermasi.hr - 9 appart. pour 16 pers. - menu spécial midi 120 kn, carte 350 kn.* Très agréable terrasse au-dessus de la mer pour déguster risotto noir de seiche, salade de poulpe, fromage de chèvre, spaghetti à la langouste. Mais aussi sanglier, mouton ou poulpe cuits sous la cloche, et bien sûr du poisson. Belle carte de vins croates. Location de bateaux.

POUR SE FAIRE PLAISIR

Restoran Melita – *Sur l'îlot Ste-Marie à Goveđari- ✆ 020 744 145 - avr.-oct. : 10h-0h.* Situé à l'intérieur du monastère bénédictin, ce restaurant offre, outre son cadre, une cuisine traditionnelle.

ACTIVITÉS

Randonnée – L'île se prête à la randonnée et aux balades à pied. Carte détaillée des circuits vendue par le parc national. Les amateurs de vélo devront être courageux car les montées sont dures !

Plongée – L'hôtel Odisej et la pension Franka proposent des initiations et sorties sur des sites archéologiques et des épaves.

Presqu'île de Pelješac

Poluotok Pelješac

★

7 801 habitants – Dalmatie

S'INFORMER

NOS ADRESSES PAGE 128

Offices de tourisme – **À Ston** – *En bord de route face à l'église - ✆ 020 754 452 - www.ston.hr - juil.-sept. : tlj sf dim. 8h-19h, dim. 8h-12h - mai-juin et sept.-oct. : tlj sf dim. 8h-13h30* – **À Žuljana** - *✆ 020 756 227 - ouv. l'été.*

SE REPÉRER

Carte de région BC1-2 (p. 88-89) – *carte Michelin n° 757 F-G9.* Longue d'environ 70 km, mais jamais plus large que 8 km, cette étroite presqu'île est reliée à la terre ferme à 59 km au nord de Dubrovnik. Articulée autour d'une chaîne de hautes collines, culminant à 961 m, elle égrène les villages, depuis Ston en passant par Potomje et ses caves viticoles, jusqu'à Orebić et l'extrême ouest. Encore préservée, elle possède plusieurs plages de petits galets, notamment autour d'**Orebić**.

Voir la rubrique « Arriver/partir » dans *Nos adresses*.

À NE PAS MANQUER

Montez au monastère franciscain d'Orebić, la vue sur Korčula et Pelješac y est splendide. Déambulez dans le village de Ston, sorte de ville fantôme, dégustez des huîtres.

ORGANISER SON TEMPS

La découverte de Pelješac nécessite un véhicule car les transports en commun sont lents et peu fréquents. Comptez 1h pour le trajet de Ston à

Orebić, mais une journée pour visiter les villages, faire une étape à la plage et goûter les vins (le postup d'Oskorušno ou le dingač autour de Potomje).

Séparée du continent par un étroit chenal, la presqu'île verdoyante et montagneuse de Pelješac a conservé ses traditions agricoles et maritimes. Son ostréiculture, ses délicieux petits vins, ses ports de pêche et ses marais salants en font une étape de choix pour goûter la gastronomie de la côte adriatique. Quelques plages et de pittoresques villages ajoutent à son charme préservé.

Découvrir Carte de région

À 6 km de la grande route côtière de Dalmatie, le petit port de **Mali Ston★** témoigne bien que l'ostréiculture (élevage des huîtres) et la mytiliculture (élevage des moules) sont les premières richesses de l'île. Les parcs à huîtres et à moules ainsi que les cabanes des conchyliculteurs (les éleveurs de coquillages) sont nombreux autour des baies du chenal séparant la presqu'île du continent. Les fouilles archéologiques ont mis au jour des piquets fossilisés où s'accrochaient des huîtres, attestant l'existence d'une très ancienne ostréiculture dans les environs.

★ Ston C2

En bord de route face à l'église - 020 754 452 - www.ston.hr - juil.-sept. : tlj sf dim. 8h-19h, dim. 8h-12h - mai-juin et sept.-oct. : tlj sf dim. 8h-13h30.

La route qui mène de Mali Ston à Ston passe par un défilé entre deux hautes collines. Celle de droite est coiffée par une immense forteresse défendant à la fois Mali Ston et Ston, dont les murailles, d'une longueur totale de plus de 5 km, sont remarquablement conservées.

★ **Forteresse** – Construite au 14e s., elle domine le village et on y accède par un escalier, le long de la route principale. C'est ici que l'on remarque l'originalité du système défensif et sa forme inhabituelle en triangle. La base englobe le village au pied de la pente, tandis que la pointe s'élève à flanc de montagne et s'achève en une **tour de guet** d'où l'on bénéficie d'un beau **panorama★** (notez le plan régulier du village, à angles droits) sur le damier des salines. Ce dispositif triangulaire est lui-même intégré à un ensemble beaucoup plus vaste, dont les murailles escaladent la montagne pour englober Mali Ston, sur le versant nord. En raison de son importance stratégique, la forteresse de Ston a bénéficié de nombreuses améliorations durant les trois siècles qui ont suivi sa construction.

Redescendez de la tour de guet par la droite pour longer le côté ouest du village, en passant au-dessus du monastère franciscain.

OR BLANC

La production de sel conférait jadis une richesse incontestable à la presqu'île de Pelješac. Déjà à la période romaine, la récolte du sel est encouragée dans toutes les colonies. C'est alors, et jusqu'au 19e s., le seul moyen de préserver les aliments. Le sel fait l'objet d'un important commerce durant tout le Moyen Âge et sous la république de Raguse. Les salines de Ston, toujours en activité, sont les vestiges de cette intense activité. Au début de la saison chaude, on retient l'eau de mer dans les bassins des salines où elle se concentre lentement en sel, jusqu'à la cristallisation, sous l'effet du soleil et du vent.

Église St-Nicolas (Sv. Nikola) – Au fond d'une ruelle, derrière le monastère franciscain, cette église très sobre contient un beau **crucifix★** en bois peint par Blaž Jurjev (14e s.).
Sortez de la ville en direction d'Orebić. Après 500 m, arrêtez-vous juste avant le panneau de sortie de Ston, en face du grand portail des salines. Sur la droite, un chemin de terre conduit à la chapelle St-Michel (sv. Mihovil), à 1 km, 15mn à pied.
Chapelle St-Michel (Sv. Mihovil) – *Vérifiez les horaires d'ouverture à l'office de tourisme, car ils sont irréguliers. Entrée libre.* Perchée sur sa colline, bien visible depuis la route, cette petite chapelle, fondée au 9e s., possède des **peintures murales★** du 12e s.
Quittez Ston en direction d'Orebić.

Circuit conseillé Carte de région

LES VIGNOBLES DE PELJEŠAC

Circuit tracé en violet sur la carte région (p. 88-89) au départ de Ston (66 km).
À l'intérieur des terres, entre Ston et Orebić, la longue plaine centrale s'abrite entre les crêtes montagneuses. La terre y est pauvre et rocailleuse, mais l'ensoleillement généreux a encouragé le développement de **vignobles**, parmi les plus réputés de Dalmatie. Remarquez le dessin ingénieux des parcelles : on extrait minutieusement les cailloux du sol pour composer un damier régulier autour des pieds de vigne et élever terrasses et murets de protection contre le vent et le ravinement de la terre. De nombreux oliviers alternent avec les vignes et fournissent aux paysans une richesse supplémentaire.
À 23 km à l'ouest de Ston, au village de Dubrava, tournez à gauche vers Žuljana.

★ Žuljana C2

020 756 227 - ouv. l'été.
À l'issue d'une jolie portion de route escarpée, ce village de pêcheurs (prononcer *jouliana*), dominé par une chapelle toute blanche noyée dans les pins, offre une halte aux amoureux de bains de mer. Un quai minuscule, quelques bateaux de pêche, une étroite plage de galets et des eaux claires se prêtent, soit au farniente, soit à la plongée (club).
Au bout du quai, quelques courtes marches conduisent à un sentier dans la pinède, menant à des petites plages de galets bordées d'eau cristalline et vert émeraude.
Revenez sur la route principale et tournez à gauche en direction d'Orebić. Rejoignez Trstenik (bifurcation à gauche à 14 km, puis 2 km).

OR ROUGE

Importée par les Grecs, puis systématisée et développée par les Romains, la culture de la vigne est très ancienne à Pelješac. Il est bien connu qu'une terre caillouteuse n'empêche pas de produire de bons vins. Ceux que l'on produit ici en sont l'une des meilleures preuves. Parmi les plus célébrés, le *dingač*, blanc ou rouge, est produit autour de Potomje. Certaines cuvées sont même considérées comme pouvant rivaliser avec les vins des pays connus pour leur production de qualité. Autres stars locales, le *postup* ou le *plavac mali* (vins rouges) réservent d'excellentes surprises. Mais n'oubliez pas que le degré d'alcool est aussi au rendez-vous, avec des vins titrant à plus de 13°.

Trstenik B2

Visitez ce petit port le matin, car il est blotti au pied d'un énorme promontoire rocheux qui le met à l'ombre l'après-midi. Sa petite plage se prête parfaitement à une baignade matinale. Ne manquez pas de visiter l'exploitation viticole de la **maison Grgić**, dont le *plavac mali* est reconnu comme l'un des meilleurs du pays.
Retournez sur la route principale et poursuivez jusqu'à Potomje, à 8 km.

Potomje B2

C'est ici que sont rassemblées la plupart des caves viticoles dont on aperçoit, depuis la route, les immenses cuves en inox. Les points de **dégustation** se succèdent. L'un des vins les plus célèbres de l'île est produit à partir des vignes de **Dingač**, un hameau au sud de Potomje (un tunnel sous la montagne permet de l'atteindre. Si le village n'a rien d'exceptionnel, le site et la route étroite qui y mène ménagent des **vues**★★ magnifiques sur la mer).
Poursuivez jusqu'à Orebić, à 19 km.

★ Orebić B2

Zrinsko-frankopanska 2 - ✆ 020 713 718 - www.visitorebic-croatia.hr - juil.-août : 8h-20h ; juin et sept. : 8h-13h, 15h-21h, dim. 8h-14h ; reste de l'année : 8h-13h.
Avant de descendre vers Orebić, la route traverse un spectaculaire paysage montagneux, escarpé et très boisé, et rejoint le bord de mer par une extraordinaire **corniche**★, offrant un panorama sur la petite ville et sur l'île de Korčula, en face.

1

Orebić est bâtie le long du rivage, au pied des pentes abruptes du **mont Sveti Ilija** (961 m), le point culminant de la presqu'île. C'est un petit port très actif, dont la prospérité remonte aux grandes heures de la république de Dubrovnik. C'était alors un important comptoir commercial, une petite ville qui s'enorgueillissait de compter de nombreux capitaines. Au 19e s., les marchands locaux décidèrent même de se faire armateurs et de lancer leur propre compagnie maritime, qui compta jusqu'à 33 navires, tous baptisés de noms bibliques.

Musée maritime (Pomorski muzej) – *Trg Mimbeli 12, près de l'office de tourisme - ✆ 020 713 009 - juil.-sept. : 7h30-14h30, 17h30-21h ; reste de l'année : tlj sf w.-end 8h-14h30 - 10 kn (enf. 5 kn).* Ce modeste établissement conserve quelques amphores et poteries romaines, des instruments de navigation, des ex-voto et une quinzaine de tableaux de la compagnie maritime locale.

★ **Front de mer** – Bien que la compagnie maritime ait rapidement fait faillite, il reste un petit air de splendeur le long des **quais**, notamment sur la partie orientale où se concentrent les **demeures baroques** des capitaines construites sous la République. À l'ombre des palmiers, la promenade longe les villas enfouies dans une végétation exubérante. Vers l'est, elle conduit *(15mn à pied)* à la **plage de Trstenica**, la plus belle des environs.
Quittez le centre-ville en direction de l'ouest. Juste avant les grands hôtels, une petite route mène à droite au monastère franciscain, à 1 km de la route principale.

★★ **Monastère franciscain N.-D.-des-Anges** (Franjevački samostan gospa od anđela) – *La route est raide, étroite mais praticable. Accès libre à l'église et au cloître. Musée : 8h-12h, 16h-19h - 20 kn (enf. 15 kn). En hiver, si la porte est fermée, sonnez car il y a toujours quelqu'un pour ouvrir le musée.* Fondé au sommet d'un éperon rocheux au 15e s., pour accueillir une Vierge à l'Enfant miraculeuse, le monastère domine la ville. Le site tout entier semble dédié à la mer et aux marins. De la terrasse, la **vue**★★ est splendide sur la côte et sur l'île de Korčula. La tradition veut que les navires passant en contrebas actionnent trois fois leur sirène pour saluer la Vierge. La chapelle abrite toujours la fameuse **icône de N.-D.-des-Anges**, apportée de Kotor pour servir de protection aux marins. Le cimetière aligne les orgueilleux tombeaux des capitaines et des riches négociants. Quant au pittoresque petit **cloître**, semé de pierres tombales, il conduit au **musée des Ex-Voto**, installé dans l'ancien réfectoire des moines. Vous y verrez une collection hétéroclite d'images pieuses ou de peintures naïves offertes en ex-voto par les marins rescapés d'un naufrage ou par les familles implorant la protection de la Vierge.

Sortez d'Orebić vers l'ouest, en direction de Kućište et Viganj.

À la sortie d'Orebić, la route épouse de près le bord de l'eau, ombragée de tamaris et longeant d'étroites langues de galets, entrecoupées de petits mouillages pour abriter les barques des pêcheurs. De paisibles hameaux bordés de campings s'étirent, sur une dizaine de kilomètres, **Kućište**, **Viganj** (B2).

La route, très spectaculaire, s'élève ensuite vers l'intérieur des terres et conduit à travers le maquis à **Lovište★** (B1), le dernier port de la presqu'île, à l'extrême ouest (18 km d'Orebić). Bien à l'abri au fond d'une baie presque fermée, la vie y semble suspendue au rythme de la pêche et des récoltes d'olives ou de figues.

DANS LA PRESQU'ÎLE DE PELJEŠAC

ARRIVER/PARTIR

Autobus

De Dubrovnik, peu de bus desservent la presqu'île : 6 bus pour Ston, dont 2 continuent jusqu'à Orebić. D'Orebić à Trpanj 2-3 bus/j., pour Lovište, 2 bus/sem.

Ferries

Ferries (voitures) – *www.jadrolinija.hr - ✆ 020 743 911.*
Au départ de Trpanj, sur la côte nord de la presqu'île, s'atteint en partant de Ploče. Si vous venez de Split, cette ligne vous évitera 120 km de route. 7 liaisons en été de 5h à 20h au départ de Ploče, de 6h à 21h au départ de Trpanj. Hors saison, 3 passages/j. Jadrolinija à Trpanj.
Au départ de Prapratno à Pelješac, sur la côte sud, avant Ston, une ligne rejoint Mljet (Sobra) 4 à 5 fois/j. selon le jour.
Entre Orebić et Dominče (Korčula) – Vous arriverez à Dominče, 3 km à l'est de Korčula. En saison, 18 AR de 0h30 à 22h30. Le reste de l'année, cette fréquence diminue de moitié. Jadrolinija à Orebić : *✆ 020 714 075.*

Bateaux (piétons) – Un bateau assure le service passagers d'Orebić (20mn) au port de Korčula : de 13 liaisons en été, on passe à 9 puis à 5 hors saison.

HÉBERGEMENT

À Ston

POUR SE FAIRE PLAISIR

Vila Koruna – *✆ 020 754 999 - www.vila-koruna.hr - 6 ch. 660 kn (lit suppl. 160 kn) et 6 appart. (3 et 4 pers.) 1 300 kn ☕.*
Petit établissement familial à l'entrée de la ville, les chambres sont sobres et confortables, décorées de tableaux de peintres croates. Mansardées, la plupart n'ont pas de vue. Le tout est bien tenu et le service est agréable.

UNE FOLIE

Hotel Ostrea – *✆ 020 754 555 - www.ostrea.hr - 13 ch. et 1 appart. 850/990 kn ☕.* Ce petit hôtel a été aménagé dans un style ancien.

Mobilier en bois et élégant jeté de lit. Face au petit port de Ston, une adresse de charme.

À Orebić

BUDGET MOYEN

Camping et appartements Adriatic – *À Mokalo, 4 km à l'est d'Orebić - ✆ 020 713 420, 020 714 328 - www.adriatic-mikulic.hr - 13 appart. (2 ou 4 pers.) 60/170 € ☕ - camping 3/8 €/pers., tente 4/9,50 €.* Bien indiqué à droite sur la route de Ston. Les appartements donnent sur le jardin avec vue sur la mer. Le terrain ombragé descend vers le rivage rocheux, bordé de paillottes, où se trouvent le centre de plongée, une piscine, un bar de plage et un dernier appartement. Crique au sable fin à quelques dizaines de mètres.

POUR SE FAIRE PLAISIR

Hotel Orsan – *Obala pomoraca 36 - ✆ 020 797 800 -www.orebic-htp.hr - 🏊 P - 94 ch. 590/630 kn ☕.* Sur la route de Viganj, c'est le plus petit des hôtels du complexe, bordé d'une forêt de pins. Il propose des chambres bien tenues, avec balcon et une vue magnifique sur Korčula. Comptez 380 kn/pers./j en 1/2 P. L'hôtel accueille souvent des groupes.

À Lovište

BUDGET MOYEN

Pansion Gradina – *Lovište bb, le long du rivage vers l'ouest - ✆ 020 718 017 - www.pansion-gradina.de - 10 ch. 240/300 €/sem. en 1/2 P - 2 appart. 3-4 pers. 630/800 €/sem. en 1/2 P.* L'endroit est isolé, c'est là son charme. Les chambres, assez grandes, sont d'un confort convenable. Les appartements, salon et chambre, sont bien équipés. On peut goûter les productions de la famille Jerković : vins, huile d'olive, légumes et poissons. Sur place vous pourrez louer ou emprunter, vélos, barques, voiliers et planches à voile.

RESTAURATION

À Ston

Bon à savoir – De nombreux restaurants se succèdent le long du quai.

POUR SE FAIRE PLAISIR

Vila Koruna – à *Mali Ston - Pelješki put 1 - ✆ 020 754 999 - www.vila-koruna.hr - plats 90/450 kn, vins 80/800 kn.* Le restaurant de l'hôtel Vila Koruna est particulièrement réputé pour la fraîcheur de ses poissons. Vous pourrez aussi y déguster des grenouilles panées *(80 kn)*, des huîtres à la menthe ou au vin blanc pošip *(150 kn)*.

Kapetanova Kuća – *✆ 020 754 264 - www.ostrea.hr - risottos 60/94 kn, plats 150/500 kn, poissons 370 kn/kg, vins 140/450 kn.* C'est le plus élégant de l'endroit, on y choisit et déguste du poisson, des fruits de mer, mais aussi l'habituel risotto à l'encre de seiche ou un plat de viande.

À Orebić

BUDGET MOYEN

Restaurant Amfora – *Kneza Domagoja 6 - ✆ 020 713 779 - poissons 300 kn/kg, plats 60/100 kn, vins 70/260 kn.* Une terrasse au-dessus de la promenade, pour une cuisine sans surprise. Certains poissons peuvent être chers.

ACHATS

Matuško Vina – *Potomje - ✆ 020 742 393.* Au milieu des vignes, ce grand cellier vous permettra de goûter les meilleurs crus locaux et toutes sortes de liqueurs.

1

Île de Korčula

★★

15 522 habitants – Dalmatie

NOS ADRESSES PAGE 137

S'INFORMER

Office de tourisme de Korčula – *Quai ouest, près de l'hôtel Korčula - 020 715 701 - www.visitkorcula.eu - lun.-sam. 8h-14h ; en été : tlj 8h-22h (dim. 9h-14h).*

SE REPÉRER

Carte de région AB2 (p. 88-89) – *carte Michelin n° 757 F9.* Avec ses 46,5 km de long et ses 8 km de large, Korčula compte parmi les grandes îles du littoral dalmate. Comme la presqu'île voisine de Pelješac, elle est escarpée et boisée (60 % de la superficie) et culmine à 569 m. À l'exception de la ville de Korčula et d'une petite partie de la côte sud, l'île est encore peu fréquentée et conserve une vie traditionnelle pittoresque.

Voir la rubrique « Arriver/partir » dans *Nos adresses.*

SE GARER

Il y a peu de places de parking autour de la vieille ville de Korčula. Vous pouvez tout de même essayer entre la marina et la vieille ville ou sur l'autre rive, sur le quai face à l'office de tourisme.

À NE PAS MANQUER

La visite de la cathédrale St-Marc et du trésor, la vue sur la ville de la tour Marco-Polo et la dégustation des traditionnels *cukarini.*

ORGANISER SON TEMPS

Prévoyez une demi-journée pour visiter la vieille ville et une journée entière pour voir l'île.

Vous serez peut-être tenté de ne faire qu'une escale dans la ville fortifiée de Korčula, l'une des plus célèbres perles architecturales de l'Adriatique. Bien que le reste de l'île apparaisse décevant de prime abord, il réserve d'agréables surprises aux randonneurs, cyclistes et amoureux des traditions qui en trouveront les beautés cachées, baies inaccessibles, pinèdes odorantes et vignobles réputés…

Découvrir

Si vous arrivez sur l'île par la presqu'île de Pelješac, la ville de Korčula sera votre première étape. Sa découverte vous enchantera. La visite du reste de l'île vous offrira quelques belles randonnées, entre vignobles et criques sauvages. La moitié orientale en est la plus belle, boisée et accidentée. La partie occidentale, malgré les collines côtières, est surtout occupée par une large vallée agricole.

Le centre historique de Korčula.
S. Sonnet / hemis.fr

★★ KORČULA Carte de région B2

Comparable à Trogir ou à une miniature de Dubrovnik, c'est une ravissante cité fortifiée, campée sur une presqu'île, face à Pelješac. Le plan de ses rues suit une ingénieuse disposition en arêtes de poissons : les rues transversales coupent l'axe central en biais. De plus, les ruelles du côté ouest sont rectilignes, tandis que celles du côté est (d'où vient le vent le plus froid) sont incurvées : ainsi, les bourrasques ne peuvent s'engouffrer trop brutalement entre les maisons. Séparée du continent par 1 270 m, la ville gardait l'île d'éventuels envahisseurs. À son apogée, au 16e s., elle a compté 6 000 habitants. Lorsque les menaces se sont calmées, à partir du 18e s., elle s'est étendue hors de ses murs, le long des deux baies qui l'encadrent. Partout dans les ruelles, notez les détails architecturaux, en particulier les **motifs de musiciens**, l'une des grandes traditions de l'île.

★★ Fortifications

L'ensemble fut érigé dès le 13e s. et renforcé au 15e s. La **porte de Terre-Ferme** (kopnena vrata), la principale, se trouve au sud (côté village), est desservie par un **escalier-pont** majestueux (1863) et gardée par une tour carrée (13e s.). À l'intérieur des remparts, la porte est doublée d'un **arc de triomphe** baroque (1650).

Au pied de l'escalier, sur la droite, le chemin de ronde, aménagé en promenade, est bien préservé et permet de contourner la cité, entre la **tour de Tous-les-Saints** (kula svih svetih) du 15e s. et ses canons, au sud, et la haute **tour Zakerjan** (kula Zakerjan), également du 15e s., couvrant l'accès nord, aujourd'hui transformée en café.

Vers la gauche, l'angle sud-ouest de la cité est gardé par l'énorme masse trapue de la **grande tour du Gouverneur** (velika kneževa kula) doublée de la haute silhouette de la **petite tour du Gouverneur** (mala kneževa kula) qui protégeaient son palais et le port (15e s.). En longeant les quais, on arrive à une tour carrée et à un gracieux **escalier** construit en 1907, dans le style Sécession. Il remplaça l'ancienne porte occidentale de la Mer. Enfin, après la loggia (1548), transformée en office de tourisme, et l'hôtel Korčula, se trouve la **tour Kanavelić** (kula Kanavelić) (15e s.), qui complète le dispositif de protection du port.

Revenez sur vos pas et entrez dans la ville par la porte de Terre-Ferme. Elle ouvre sur la rue principale rectiligne qui se poursuit jusqu'à la tour Zakerjan, au nord.

Chapelle N.-D.-des-Neiges (Gospe od snijega)

À l'intérieur de la porte de Terre-Ferme, sur la gauche, un modeste oratoire s'adosse aux remparts, sur le côté de l'hôtel de ville. Il s'agit d'une chapelle votive érigée en mémoire de la résistance aux Turcs lors d'une sanglante bataille navale en 1531. Abandonnés par les évêques et les dignitaires qui préférèrent la fuite, les habitants attribuèrent leur victoire à la protection de cette Vierge. L'icône est entourée de nombreux ex-voto.

En face de l'hôtel de ville se trouve la **chapelle St-Michel** (Sv. Mihovil), de style baroque. Elle appartient à la confrérie du même nom dont le siège était à la place du restaurant.

Quittez la rue principale vers la droite par ulica Kaporova. Descendez la ruelle jusqu'à atteindre le musée des Icônes et la chapelle de Tous-les-Saints qui lui fait face.

★★ Musée des Icônes

Place de Tous-les-Saints (trg svih Svetih). ✆ 091 593 12 81 - été : 10h-14h, 17h-20h ; hors sais. : réserver par tél. - 15 kn.

La chapelle de Tous-les-Saints est le siège de la confrérie du même nom. On y accède par le petit musée des Icônes qui occupe la maison marquée, sur le mur extérieur, par un bas-relief figurant des pénitents sous les symboles de la Passion.

Dans le petit musée, en plus de la dizaine d'**icônes★** du 15e au 17e s., vous verrez les aubes de la confrérie (les petites sont celles des bébés, qui défilent avec leurs pères) et les énormes cierges portés lors des processions (pesant jusqu'à 88 kg !). Les plus belles pièces se trouvent dans l'église : un **polyptyque de Blaž Jurjev★★** (1439) et un **crucifix créto-byzantin★★** en bois peint (15e s.). Notez le **plafond à caissons★** peints (17e s.), le **baldaquin** gothico-Renaissance (1500), une **pietà** en bois de noyer de l'Autrichien Raphaël Donner (18e s.) et, au fond, la **tribune baroque**.

Revenez sur vos pas et remontez la rue principale en admirant les façades des maisons.

LES CONFRÉRIES DE KORČULA

Très nombreuses au Moyen Âge, les confréries rassemblaient des laïcs chargés de faire pénitence pour les autres fidèles. Outre leur participation à toutes les célébrations religieuses, ils avaient un devoir d'assistance aux plus faibles. Il y a trois confréries à Korčula, celle de la Toussaint, fondée en 1301, est la plus ancienne. La confrérie de Saint-Roch est née, en 1575, d'un vœu fait pendant la grande épidémie de peste (ce saint protège de cette maladie). La plus récente est la confrérie de Saint-Michel ou de la Vierge, fondée en 1603. Lors de la Semaine sainte, les trois confréries défilent dans la plus grande ferveur, en signe de pénitence pour les péchés que le Christ rachète sur la Croix.

Chapelle de l'Immaculée-Conception

Sur la gauche, aujourd'hui transformée en boutique, elle servait de mausolée aux riches familles locales (on en voit encore au sol les dalles funéraires). Autour de l'ancien autel, la jolie mosaïque en pâte de verre fut exécutée par un artiste hollandais (entre 1964 et 1967).

Dans la ruelle adjacente qui rejoint la mer, derrière la haute colonne, le **palais Ismaelić** (16e s.), sur la droite, identifiable à son imposant blason, possède une cour intérieure exceptionnelle.

Revenez sur la place centrale de la ville, avec la cathédrale et les musées.

★★ Cathédrale St-Marc (Sv. Marko)

Sur la partie supérieure de la façade, ne manquez pas la **rosace★**, la splendide **frise sculptée★★** de motifs fantastiques et le campanile, œuvres de Marko Andrijić, l'un des meilleurs tailleurs de pierre de l'île (fin 15e s.). L'horloge avec sa boule noir et or indique les phases de la Lune. Le **portail central** s'encadre de deux lions soutenus par Adam et Ève (1412, par le Milanais Bonino qui a aussi œuvré à la cathédrale de Šibenik). Au-dessus de la porte de gauche, qui ouvre sur la chapelle latérale, ajoutée après la grande épidémie (1525), on reconnaît saint Roch, montrant sa blessure.

À l'intérieur, outre sa triple nef (15e s.), l'édifice s'élargit du côté nord, à gauche, par la grande chapelle St-Roch (16e s.). À droite de l'entrée, une **collection d'armes votives** est accrochée au mur, offerte en remerciement pour les victoires navales de 1483 et 1571. Dans la nef latérale sud, à droite, ne manquez pas le **diptyque de l'Annonciation★★**, attribué au Tintoret ou à son atelier. Notez aussi le **baldaquin★** gothique Renaissance du maître-autel, sculpté par Marko Andrijić (1486) et abritant un **tableau du Tintoret★★** figurant les trois patrons de la ville, Marc, Jérôme et Bartholomé (1550). À gauche du chœur, la **porte gothique de la sacristie★★**, richement sculptée, porte des musiciens jouant de la cornemuse et du tambour, instruments accompagnant les danses des épées.

DANSE AVEC LES ÉPÉES

Parmi les traditions les plus surprenantes, les danses des épées, exécutées par des hommes en costume rutilant, perpétuent une coutume vieille de plus de quatre siècles. La *moreška*, héritée des Espagnols et encore pratiquée en Espagne ou en Sicile, est une représentation dansée du conflit opposant le Blanc au Noir, les chrétiens aux Turcs, le bien au mal. La fiancée du roi chrétien a été enlevée par le roi maure. Pour la sauver, le roi blanc et ses troupes, en réalité costumés en rouge, se livrent à un simulacre de combat contre l'équipe noire, en dansant avec des épées. La *kumpanija* est une autre danse des épées, figurant la résistance contre les pirates et les Turcs, et le déploiement du drapeau. La *moštra*, enfin, est un combat à l'épée, rythmé par le son des cornemuses, qui s'achevait jadis par la mise à mort d'un taureau.

★ Trésor (Riznica muzej)

À côté de la cathédrale. Juil.-août : 9h-14h, 17h-20h ; mai-juin et sept.-oct. : 9h-14h - le reste de l'année sur demande à l'office de tourisme - 20 kn.

Installé dans l'ancien palais des évêques, il renferme de rares objets d'art, notamment des **peintures sacrées★★** de Blaž Jurjev (15e s.), des icônes

LES MAÎTRES TAILLEURS
Moins connue que celle de Brač, la pierre de Korčula et des îlots avoisinants, plus blonde, est cependant très belle. Elle fut exportée vers Dubrovnik, mais aussi à Istanbul, en Europe et même en Amérique. Mais ce sont les tailleurs de pierre qui en ont assuré la célébrité. Le plus prestigieux, **Marko Andrijić,** à qui l'on doit le clocher de la cathédrale, a aussi réalisé celui du monastère franciscain de Hvar. Bien d'autres sculpteurs et ateliers de l'île fournirent des maîtres tailleurs, durant l'âge d'or dalmate, de la Renaissance au baroque, pour l'édification des plus beaux monuments du littoral, à Šibenik, Zadar, Kotor ou encore Venise ou Ancône…

et peintures italiennes (15e-16e s.), des **dessins★★** italiens (Vinci, Raphaël, Tiepolo…), des manuscrits anciens comme un merveilleux **codex enluminé★** (12e s.), des albâtres (15e s.), une ravissante **statuette ouvrante de Marie Stuart★★** (1600) en ivoire. Dans la pièce du milieu, la grande fenêtre gothique a été récupérée dans un autre palais et témoigne du savoir-faire des tailleurs de pierre locaux. À côté des vêtements sacerdotaux (certains remontant au 15e s.), vous serez amusé par de curieux pêle-mêle exposant des **collections privées de reliques miniatures**, preuves de la richesse de leur propriétaire (jadis, les reliques coûtaient très cher!).

★ **Musée municipal** (gradski muzej)
En face du trésor, sur la même place. ✆ 020 711 420 - de juil. à mi-sept. : 9h30-21h ; reste de l'année : 10h-14h - fermé dim. - possibilité de visite sur RV - 15 kn (enf. 5 kn).
Hébergé dans le **palais Gabrielić** (16e s.), il présente les particularités de la vie locale, avec le métier de tailleur de pierre, la marine et le quotidien, au travers d'objets usuels, d'outils, de meubles. Dans l'escalier, le curieux présentoir soutenu par des hippocampes servait à déposer sa carte de visite pour signaler son passage.
Reprenez la rue principale et suivez, à droite, les panneaux vers la maison de Marco Polo.

Maison de Marco Polo (kuća Marka Pola)
✆ 020 716 529 - musée et tour mai-juin : 10h-15h ; été : 10h-22h - fermé hiver, sf sur RV - 15 kn.
Mélange de styles gothique et Renaissance, lieu de résidence improbable du célèbre navigateur qui vécut au 13e s., la légende veut pourtant qu'il soit né à Korčula. On vous en donne pour preuve le nombre de De Polo qui habitent encore la ville.
La maison, proprement dite, a été rachetée par la mairie et se trouve en attente de restauration. La tour, qui appartient encore à un propriétaire privé, abrite une petite exposition permanente sur le navigateur : gravures anciennes de sa maison natale, mappemonde retraçant ses différents voyages, textes anciens de ses voyages en Chine. La **vue★** du haut de la tour offre une tout autre vision de la ville.

À proximité Carte de région B2

★ **Lumbarda**
À 6 km au sud-est de Korčula.
✆ 020 712 005 - www.lumbarda.hr - juil.-sept. : 8h-22h, oct.-juin : 8h-14h.
Rien de très spectaculaire ne distingue ce long village de pêcheurs, séparé en petits hameaux distincts par plusieurs baies. Pourtant, il se dégage un

charme tranquille et on se plaît à flâner le long de ses interminables quais. Mala Postrana est le quartier le plus plaisant, avec une jolie plage de sable et des vignes. Lumbarda est l'un des hauts lieux de la viticulture, avec de nombreuses caves de dégustation.

★ Plage de Pržina

En suivant la route vers l'est, vous arrivez à une petite chapelle plantée entre les vignes. À droite, le chemin mène à une grande plage de sable fin, très recherchée en été (des bus y conduisent depuis Korčula).

Žrnovo

À 3 km à l'ouest de Korčula.

L'un des villages les plus authentiques de l'île conserve la plupart de ses maisons de pierre et ses abris de vignerons aux toits couverts de lauzes. Étiré entre des collines, jonché de chaos rocheux et de cyprès, parcouru de murets et de terrasses caillouteuses, il résume parfaitement la physionomie du vignoble de Korčula.

Račišće

À 13 km à l'ouest de Korčula, sur la côte nord.

Au terme d'une agréable route côtière, on atteint ce port tranquille, niché dans une étroite baie, face aux montagnes de Pelješac, de l'autre côté du bras de mer. Sa petite église (1682) ne manque pas de charme.

Découvrir Carte de région

110 km – Comptez une demi-journée. Quittez Korčula vers l'est en direction de Žrnovo puis Pupnat. Là, tournez à gauche en direction de Pupnatska Luka. La route de Marmont rejoint Čara en 12 km.

★★ Route de Marmont (Marmontova cesta) B2

Elle est carrossable mais comporte des passages impressionnants pour qui est sujet au vertige. Idéal pour les vététistes aux mollets solides ou les randonneurs courageux.

Les locaux l'appellent ainsi car on la doit au général napoléonien Marmont qui s'est attaqué à la construction des routes, ici comme un peu partout en Dalmatie. C'est la plus spectaculaire et la plus sauvage de l'île, conduisant à travers les vignobles, les oliveraies et d'épaisses forêts de pins. La zone qu'elle dessert était traditionnellement consacrée à la sylviculture et fournissait bois, résine et charbon de bois. Elle offre des **panoramas★★** époustouflants, au pied des plus hauts sommets de l'île (plus de 500 m). Une bifurcation descend vers la **plage de Pupnatska Luka★★**, la plus belle de Korčula.

Descendez vers la côte sud.

RENCONTRE DU TROISIÈME TYPE

Dans les vignobles, tout près de Čara, au centre de l'île, une modeste chapelle dédiée à la Vierge évoque la légende d'une bergère mystique qui aurait rencontré Marie au bord de la mer. La Madone lui aurait demandé d'aller chercher le curé. À deux reprises, celui-ci renvoie l'enfant, ne la croyant pas. La Vierge décide alors de monter à pied au village où elle s'endort dans les vignes. Obligés de se rendre à l'évidence, les villageois décident aussitôt d'ériger un sanctuaire là où elle s'est assoupie. Depuis, chaque 25 juillet, jour de la Saint-Jacques, le patron de Čara, on se livre à un grand pèlerinage avec procession dans les vignes et jusqu'à la baie, où l'on bénit les bateaux.

Zavalatica A2

En venant du centre de l'île et du village viticole de Čara, vous déboucherez sur ce port attrayant, encore préservé mais en passe de devenir une véritable station balnéaire en miniature. On aime son bout de quai et ses quelques terrasses de café où il fait bon prendre le frais. De larges rochers plats permettent de prendre le soleil au bord de l'eau.

Revenez à Čara et prenez la direction de Vela Luka, à l'extrémité ouest de l'île.

Vela Luka A2

Le plus gros village de l'île est aussi son port principal, celui par lequel on arrive en venant de Split, Hvar ou Lastovo. Près d'un site occupé dès la préhistoire, il s'est développé tardivement, au 19e s., autour des constructions navales et des conserveries. Détail amusant : les rues ne portent pas de nom, mais des numéros, à l'américaine. L'arrière-pays est l'une des plus importantes zones de production d'huile d'olive de Croatie.

Environs – Vela Luka est encadrée par deux presqu'îles découpées d'innombrables baies rocheuses. La baignade y est difficile sans sandales de plastique mais les paysages sont sauvages et préservés. Vers le nord, préférez la petite baie de **Gradina** *(env. 5 km au nord-ouest de la ville)*, fermée par un îlot. Au sud, passé Potirna, le hameau de **Sveti Petar** est un joli petit havre rocheux *(9 km de Vela Luka)*. Au passage, un sentier pédestre permet l'ascension vers la **chapelle de Sv. Juraj** et son panorama.

Reprenez la même route et, après environ 8 km, tournez à droite vers Blato.

Blato A2

Il est facile de manquer ce gros bourg agricole du centre de l'île car la route principale le contourne. Outre sa jolie **église baroque de Tous-les-Saints** (Crkva svih svetih), contenant des stalles Renaissance et un tableau du Vénitien Santacroce (1540), et sa **loggia** à colonnes, la ville est surtout connue pour son incroyable **rue centrale★** (Zlinja) bordée de tilleuls et d'acacias formant, sur deux kilomètres, un superbe tunnel vert et bruissant. Chaque 28 avril, la ville fête sa patronne, sainte Vicence, et se livre à une représentation de la *kumpanija*, l'une des danses des épées.

Poursuivez la route au sud de Blato, puis sur 8 km le long du rivage jusqu'à Brna.

Côte sud A2

Bien exposée, tournée vers le grand large et l'île de Lastovo, cette portion de littoral attire de plus en plus de touristes. De belles villas s'y construisent entre les arbres, au-dessus des criques rocheuses où descendent des escaliers. Bien que moins sauvage que la côte nord, elle est plus riante et compte de jolis villages, tels Gršćica, Prižba ou Brna, au fond d'une anse protégée.

Continuez jusqu'à Smokvica et, de là, rejoignez Čara puis Korčula via Pupnat.

NOS ADRESSES DANS L'ÎLE DE KORČULA

INFORMATIONS UTILES

Bon à savoir – Les agences de tourisme de Korčula proposent presque toutes un accès Internet.

ARRIVER/PARTIR

Par la mer

Jadrolinija – *À Korčula - ✆ 020 715 410 - juin-sept. : 8h-20h, sam. 8h-13h30, 18h-22h, dim. 6h-13h30 ; hiver : 8h-14h, sam. 8h-13h, dim. 9h-13h - à Vela Luka - ✆ 020 812 015.*

Ferries (avec voitures) – **Orebić-Dominče** *(3 km à l'est de Korčula)* : été 18 passages/j. ; oct.-mai 9/j. **Korčula** : été 2/sem. (ferries « Marco Polo » de la ligne côtière Rijeka-Split-Hvar-Korčula -Dubrovnik-Bari) et 3 liaisons/sem. avec Dubrovnik en passant par Mljet (« Liburnja »). **Vela Luka** sur la ligne Lastovo-Split : 1 ferry/j. le matin en direction de Split (3h), tlj sf lun. et merc. 1 ferry vers 14h. **Vers Lastovo** : 1 ferry/j. vers 18h, 5 ferries/sem. vers 14h. En été, la ligne Ancône-Split se prolonge sur Stari Grad et Korčula (2 ferries/sem.).

Bateaux (piétons) – La navette passagers entre Korčula et Orebić *(voir à Pelješac)* arrive sur le quai ouest. Un catamaran/j. toute l'année sur le trajet Split-Hvar-Vela Luka-Lastovo.

TRANSPORTS

Autobus

Informations : **Korčula Bus** - *✆ 020 711 216.* L'intérieur de l'île est assez bien desservi. **Pour Lumbarda** (Dominče) : tlj sf dim. 7h-18h15 (1 bus/h), 18h45. **Pour Vela Luka** (1h) : 6 bus/j. (4h-18h30), sam. 5 bus, dim. 4 bus. **Pour Račišće** : 6 bus/j. (5h45-19h), sam. 3 bus, dim. 2 bus.

Location de véhicules

Cro Rent – *✆ 020 711 908 ou 098 661 273 - www.korcula-rent.com.* Loue des automobiles *(3 j 1 110/1 460 kn)*, des scooters *(185 kn/j)* et des bateaux à moteur *(sem. 2 775/5 110 kn).*

NAUTISME

Port de plaisance – *✆ 020 711 661 - m.korcula@aci-club.hr.* Dans la partie est du port, il se situe au pied de la vieille ville. Idéalement placé entre Hvar et Mljet, c'est un petit port où les anneaux disponibles sont très rares en août. Carburant au port de Dominče. Équipement : *voir le chapitre Nautisme p. 25.*

Capitainerie – *✆ 020 711 178.*

HÉBERGEMENT

Bon à savoir – L'office de tourisme vous permettra de contacter les propriétaires de chambres ou d'appartements.

À Korčula

PREMIER PRIX

Vila Depolo – *Grande maison jaune sur le quai en face de la vieille ville, à côté de l'office de tourisme - Sv. Nikola bb - ✆ 020 711 621 - tereza.depolo@du.t-com.hr ou viladelo@hotmail.com - 1 ch. 220/240 kn et 3 appart. familiaux 240/290 kn (3 j mini), tarifs valables pour plus d'une nuitée - ☕ 25/35 kn.* Appartements spacieux et propres, 2 donnent sur le port et 1 sur la grande terrasse du jardin. Accueil très gentil.

Agritourisme « Gera » – *À Žrnovo (4 km de Korčula) - ✆ 020 721 280 - stela.segedin@du.t-com.hr - 4 ch. 12/15 €/pers - 1/2 P.* Pour dormir à la ferme. Produits de la maison. Bon point de départ pour des randonnées.

1

BUDGET MOYEN

Gostiona Hajduk – *Sur la route du débarcadère (*Orebić*), juste avant la bifurcation vers Lumbarda - ✆ 020 711 267 ou 098 287 216 - www.hajduk1963.com - 20 ch. 44/52 € -* ☕. Voici une pension familiale aux chambres confortables. Ici, une ambiance simple et conviviale. Une piscine et une salle de fitness concurrencent le potager. Cuisine traditionnelle (*brodetto* à la polenta, *peka*) et produits frais.

POUR SE FAIRE PLAISIR

Zeljko Segedin – *Baia Medvinjak - ✆ 091 505 0557 - www.segedin.info - 3 appart. pour 2 à 6 pers. 35/150 € par appart.* 10mn à pied de Korčula. Belle maison, en bord de mer.

UNE FOLIE

Hotel Korčula – *Šetaliste Frana Kršiniza 102 - réserv. ✆ 020 726 336 - www.hotelkorcula.com - 20 ch. et 4 suites 960 kn au 2e étage/1 200 kn au 1er* ☕ *- 1/2 P 75 kn.* Sur le quai ouest, c'est un immeuble hybride aménagé en hôtel depuis 1912. L'intérieur est un peu vieillot, mais propre et confortable. Les chambres du 1er étage ont de grandes fenêtres et une belle vue sur le port. Évitez celles du 2e étage, dont les ouvertures sont minuscules et le confort sommaire.

À Lumbarda

BUDGET MOYEN

Pansion Bebić – *✆ 020 712 505 - www.bebic.hr - mars-oct. -* 🅿 *6 ch. 300 kn et 7 appart. 350/580 kn -* ☕ *30 kn.* Une pension familiale qui propose chambres, appartements et table d'hôte en demi-pension et pension complète. La vue sur la baie y est magnifique. L'endroit est calme et la cuisine d'excellente qualité. : 50 à 75 kn. Réservez longtemps à l'avance.

RESTAURATION

À Korčula

BUDGET MOYEN

Gradski Podrum – *Kaporova ulica - ✆ 020 711 222 - avr.-oct. - 11h-14h et 18h-22/23h - plats 30/80 kn, poissons 270 kn/kg, vins 75/135 kn.* Dans la vieille ville, sa terrasse sur la place de la mairie est attrayante. On y propose une cuisine copieuse, dans un cadre élégant.

Konoba Marco Polo – *Jakova Banicevica 9 - ✆ 020 715 643.* Cuisine très variée et fraîche.

POUR SE FAIRE PLAISIR

Morski Konjić – *Šetaliste Petra Kanavelića - ✆ 020 711 878 - plats 60/90 kn, poissons 120/160 kn le plat, vins locaux 90/130 kn.* Bien situé sur la rive ouest, entre murailles et mer, sous les arbres, c'est un lieu agréable pour goûter à une bonne cuisine de la mer.

À Vela Luka

BUDGET MOYEN

Restaurant Pod Bore – *Vl. Antun Žuvela Doda - ✆ 020 812 812 - www.podbore.com - Fermé janv. - plats autour de 50 kn, poissons 200/240 kn/kg, vins 95/120 kn.* Sur le port, spécialités de poissons et fruits de mer. Accueil agréable et bonne qualité.

ACHATS

Bon à savoir – Les vins blancs secs, le *grk*, le *pošip* et le *rukatac*, sont les plus réputés, mais le *plavac* et le *plavac mali* sont parmi les rouges les plus recherchés de Croatie.

Vins et produits du terroir

Frano milina « Bire » – *À Lumbarda - ✆ 020 712 007 ou 098 344 712 (portable).* Dégustation de vins à la ferme. Excellent *grk.*

Branko Cebalo – *À Vela Glavica, Lumbarda, en contrebas de l'église - ✆ 020 712 044.* On ira pour ses vins blancs.

Vinarija Šain-Marelić – *À Čara - ✆ 020 833 166.* Connu pour son *pošip* (possibilité de visiter les vignobles).

Vinarija Toreta – *À Paval Baničević - Smokvica - ✆ 020 832 100.* On y trouvera des *pošip, rukatac* et autres produits du terroir, miels, huile d'olive, anchois...

Friandises

Cukarin – *À Korčula - ✆ 020 711 055 - www.cukarin.hr.* C'est la boutique où acheter les douceurs de l'île, notamment les biscuits traditionnels, *cukarini, klašuni...*

ACTIVITÉS

Randonnée – Une carte des circuits de randonnée, numérotés et balisés en jaune, est disponible à l'office de tourisme de Korčula.

Plongée-MM Sub – *À Lumbarda - Tatinja 65 - ✆ 020 712 321/288 ou 098 285 011 - www.mm-sub.hr.* Le long du rivage, ce petit club très sérieux est installé dans un endroit tranquille. Quelques appartements *(300/555 kn)* simples, spacieux dans des maisonnettes étagées par des terrasses arborées de citronniers. Les plongeurs y sont prioritaires.

Canoë-kayak – *À Korčula - Zoran - ✆ 098 344 183 - 300 kn/pers./j (-12 ans demi-tarif).* Cette agence propose des 1/2 journées de canoë-kayak *(9h-15h)* pour découvrir les îlots, criques et plages entre Korčula et Lumbarda.

AGENDA

Bon à savoir – Programme précis de la saison d'été à l'office de tourisme.

Festival de danses des épées – La 1re semaine de juil. à Korčula avec des représentations tous les soirs dans la vieille ville (places limitées, environ 50 kn). Également pour les fêtes religieuses : 25 juil. à Čara, 29 juil. à Korčula, 15 août à Žrnovo, Blato et Smokvica, 19 mars à Vela Luka et 28 avril à Blato.

Démonstrations de moreška – En été, c'est un festival qui commence fin juin ou début juil. Il accueille des groupes venus de Croatie et de nombreux pays européens, qui ont pour dénominateur commun l'utilisation d'armes médiévales au cours de danses « guerrières ». Ces spectacles donnent lieu à des défilés et des animations dans la ville. À Korčula, à 21h au cinéma d'été (100 kn) : juil.-août : lun. et jeu. soir ; juin et sept. : jeu. soir.

Kumpanija – Blato, Čara, Pupnat, Smokvica, Vela Luka, de nombreux villages ont leur *kumpanija.* Ces spectacles nocturnes, qui s'apparentent à la *moreška,* seront réservés à ceux qui ont un moyen de locomotion.

Semaine sainte – Du dim. des Rameaux au lun. de Pâques, les processions des différentes confréries se succèdent tlj dans la vieille ville.

Festival Marco Polo – Durant une semaine, en mai, Korčula joue le retour de l'enfant célèbre, avec force défilés en costume, concerts, expositions et dégustations gastronomiques.

Île de Lastovo

★★

792 habitants – Dalmatie

NOS ADRESSES PAGE 142

S'INFORMER

Office de tourisme de Lastovo – *Dolac 3 - 020 801 023- www.lastovo.hr (taxis, location de scooter, voiture ou bateaux).*

SE REPÉRER

Carte de région AB2 (p. 88-89) – *Carte Michelin n° 757 F9.* La plus éloignée du continent, Lastovo est aussi l'une des plus petites îles (11 km sur moins de 5 km). Son plus haut sommet s'élève à 415 m. Comme Vis, elle abrita une base militaire et fut fermée au tourisme jusqu'en 1989. Selon la tradition, on dit qu'elle compte 46 îlots, 46 églises et 46 petits vallons agricoles. L'agriculture est en effet la seule activité de cette île peuplée d'à peine 800 habitants.

Voir la rubrique « Arriver/partir » dans *Nos adresses*.

À NE PAS MANQUER

La baie de Zaklopatica, la randonnée de Zace, la fête du Poklad.

ORGANISER SON TEMPS

Prévoyez au moins une journée et deux nuits sur l'île, en raison des horaires de bateau. Pour mieux prendre son rythme, restez au moins 3 nuits.

Imaginez un gros caillou escarpé, loin de la terre ferme, mal desservi par les ferries et oublié du tourisme de masse : c'est Lastovo, un minuscule paradis pour plongeurs infatigables ou pour marcheurs contemplatifs. À l'image de l'archipel auquel elle appartient et qui a été classé parc naturel depuis 2006, l'île recèle des espèces marines et terrestres rares, ainsi qu'une flore préservée. Vous y trouverez peu de plages mais d'épaisses forêts, de multiples criques, une côte spectaculaire et découpée et pas moins de 200 km de sentiers bien balisés.

Découvrir Carte de région

Bon à savoir – Les bateaux arrivent à Uble, vous pouvez y loger chez l'habitant ou partir pour les villages de Lastovo, de Zaklopatica ou Pasadur.

★★ LASTOVO A2

10 km d'Uble.

Superbe village en amphithéâtre au pied de sa forteresse, il tourne le dos à la mer, protégé des invasions par une haute colline. Les rues dévalent les gradins de la montagne en larges volées de marches usées où lézardent les chats. L'ensemble conserve un charme fou, malgré les maisons en ruine d'où jaillissent les figuiers. Vous serez sans doute étonné par les **cheminées**. Souvent énormes, presque disproportionnées avec la taille de la maison, ces hautes cheminées circulaires que l'on voit partout sont celles des cuisines. Elles servaient à montrer la richesse de la maisonnée.

LA FÊTE DU POKLAD
Le carnaval de Lastovo est certainement le plus pittoresque de Croatie. **Poklad** est un mannequin grossier que l'on perche sur un âne et que l'on promène en fanfare dans les ruelles. La procession s'arrête devant chaque maison à grand renfort de cris et de chants. Ici et là, on exécute la danse des épées (similaire à celle de Korčula). Ensuite, on fait glisser la pauvre marionnette sur une corde tendue du haut en bas du village, on la perfore à l'épée avant d'y mettre le feu devant l'église. Le cérémonial évoque le sort réservé au messager envoyé jadis par les pirates catalans qui comptaient envahir l'île. On y voit aussi un héritage païen des rites de purification et de rédemption du mal. En juillet et août, une présentation des costumes et des danses est donnée une fois par semaine sur la place de l'église. Rens. : *www.lastovski-poklad.hr.*

★★ **Église St-Côme-et-St-Damien** (Sv. Kuzma i Damjan)
Ouverte aux heures de messes : 7h-9h, 18h-19h.
De style Renaissance (15e-16e s.), elle trône au milieu d'une jolie petite place enserrée entre les maisons et domine les ruelles du village. À l'intérieur, notez un **diptyque** de la Vierge et du Christ (15e s., *à gauche*), une *Déploration* d'un peintre espagnol (1545, *à droite*) et le **maître-autel** et sa peinture italienne des saints patrons. Devant l'édifice, la **loggia**★ servait de tribunal. Sur la place, on concluait les accords et les ventes, on faisait la fête et les condamnés étaient mis au pilori. Le bruyant défilé du carnaval s'y achève toujours. En contrebas, remarquez la jolie **chapelle romane N.-D.-du-Rocher**★ (Sv. Marija) et son toit de lauzes.

1

Musée
Visite sur rendez-vous à l'office de tourisme.
Il abrite une petite collection d'ethnographie locale.

Forteresse de Glavica (Kašćel)
Prenez les escaliers en face de l'église, vers le haut du village. 10 à 15mn.
Les Illyriens en furent les premiers occupants, à l'âge du bronze. Le château ultérieur, construit sous la république de Dubrovnik, fut détruit en 1607 et remplacé par une forteresse napoléonienne en 1808. C'est aujourd'hui une station météorologique. Beau **panorama**★★.

Lučica
Au bout de la route qui traverse Lastovo, une voie étroite et pentue y descend.
Vous pourrez vous baigner dans la petite crique, surplombée par l'église, et le long de la baie. Juste à côté se trouve Mihajla, l'ancien port de l'île. C'est ici qu'accostent les bateaux en excursion.
Quittez Lastovo au sud et roulez 7 km pour atteindre Skrivena Luka.

LE RESTE DE L'ÎLE DEPUIS LASTOVO AB2

★ **Zaklopatica** A2
À 3 km à l'ouest de Lastovo.
C'est la plus belle baie de l'île, presque fermée par un îlot. On y descend par une route noyée dans les pins. Le long du quai tranquille, outre les barques des pêcheurs locaux, se pressent les voiliers des plaisanciers.

★ Îlot de Saplun B2

Excursion au départ de Zaklopatica (9h30-18h), 200 kn avec déjeuner - ✆ 020 801 164. Cet îlot, isolé au nord-est de Lastovo, est très recherché pour sa plage, la seule digne de ce nom sur l'archipel, puisque la plupart des sites de baignade sont rocheux.

★ Chapelle St-Luc (Sv. Luka) A2

À environ 4 km au sud-ouest de Lastovo, en direction d'Ubli, un panneau de bois indique sur la gauche la direction de la chapelle, à 10mn à pied.
Édifié sur un site néolithique, cet exemple d'architecture croate sacrée du 11e s. est le plus ancien sanctuaire chrétien de l'île.

★ Pasadur A2

À 3 km d'Ubli.
Le village est relié à l'îlot de Prežba par un pont. L'ensemble forme, de chaque côté, deux splendides baies bien abritées et ourlées de pins.

Hum A2

Juste avant d'arriver à Ubli en venant de Lastovo, tournez à gauche vers Hum.
Hum est le point culminant de l'île à 417 m. À rejoindre par un sentier de randonnée ou en voiture (route escarpée) : une vue superbe sur l'archipel.

★ Skrivena Luka A2

Un ancien sentier muletier, montagneux et partiellement ombragé, relie Lastovo à Skrivena Luka. Comptez 2h de marche.
Au bout d'une paisible route agricole, cette profonde baie est bordée de larges rochers plats (*à côté de la balise rouge*). Encore tranquille, le site est appelé à se développer sur le plan touristique et il est prévu d'y aménager une plage.

★ Zace A2

1h de marche, à partir du bas du village de Lastovo, sur la route de Prgovo.
Une adorable crique rocheuse, bordée de quelques maisons de pierre désertées. Très bien pour un pique-nique et pour plonger dans l'eau claire.

NOS ADRESSES DANS L'ÎLE DE LASTOVO

INFORMATIONS UTILES

Parc naturel – *www.pp-lastovo.hr.* Pour la préservation du parc, ticket quotidien (20 kn/pers. obligatoire pour les bateaux). Il sera prochainement ajouté au prix de l'hébergement.
Banques – Une banque à Lastovo et un distributeur de billets à Uble.
Essence – Station-service à Uble, près du débarcadère.
Internet - Au Caffe-bar Mamilo à Lastovo.
Capitainerie du port – *✆ 020 805 006.*

ARRIVER/PARTIR

Attention, le ferry arrivant en fin de journée et repartant aux aurores (4h30 ou 4h45), vous serez obligé de passer au moins deux nuits sur l'île. Le ferry propose parfois quelques cabines si vous souhaitez embarquer la veille du départ (120 kn/pers.).
Jadrolinija *à Uble – ✆ 020 805 175 - www.jadrolinija.hr*
Ferries (voitures) – Ligne Split-Hvar-Vela Luka-Uble : 1 dép./j. hors sais.; en été 2 dép./j. mar., vend. et dim. 5h de traversée à partir de Split, 1h30 de Korčula (Vela Luka).

Catamarans (piétons) – Ligne Split-Milna (Brač)-Hvar - Vela Luka-Ubli - mai-sept. : 1 dép/j. - 2h45 de traversée à partir de Split, 45mn de Korčula.

Bus – Une seule ligne Pasadur-Ubli-Lastovo, 5 à 6 bus/j. Le bus passe toujours à l'arrivée du ferry.

HÉBERGEMENT

Bon à savoir – L'OT fournit une liste de chambres chez l'habitant. Il est préférable de réserver.

PREMIER PRIX

Camping Skriveni – *À Skrivena Luka - 020 801 189 - www.camp-skriveni.com.* À l'ombre des oliviers, il peut accueillir 90 pers. Restaurant pour les hôtes avec produits de la ferme.

Apartmani Anticevic – *À Uble - 020 805 055 - www.anticevic.com - - 6 appart. avec balcon 35/52 € pour 2 pers., 58/90 € pour 5 pers.* Katia vous accueille avec beaucoup de gentillesse dans une maison neuve, proche du ferry et devant la jolie route qui va vers Pasadur. Cuisines équipées.

Famille Skratulja – *À Zaklopatica - 020 801 169 - www.lastovo-pansion.com - - 4 appart., 2 ch. avec terrasse et jolie vue sur la baie 35/45 € - pension complète possible.*

BUDGET MOYEN

Villa Maria – *Zaklopatica - Chez Milan Frlan - 020 801 127 - www.lastovo.biz/milan.html - - 6 appart. 45/80 €.* Bien aménagés et clairs, devant la baie, au milieu d'un joli jardin en terrasse. Ceux du haut sont les plus agréables avec un grand balcon.

POUR SE FAIRE PLAISIR

Hotel Solitudo – *Pasadur - 020 802 100 - www.hotel-solitudo.com - - 72 ch. et 12 appart. 500/998 kn (2 pers. 1/2 P), suite 2 025 kn .* Ensemble luxueux. Décoration raffinée, chambres avec vue sur la mer, au cœur d'une pinède. Fitness, sauna. Marina, baignade, club de plongée, kayaks, vélos…

RESTAURATION

PREMIER PRIX

Bačvara – *À Lastovo - Počuvalo bb - 020 801 131.* Au pied du village, vous y dégusterez viandes ou poissons.

Augusta Insula – *Zaklopatica - 020 801 167 - www.augustainsula.com.* Restaurant familial traditionnel de qualité.

Konoba Triton – *À Zaklopatica - 020 801 161 - .* Dominant la baie, cette auberge est populaire chez les navigateurs qui viennent amarrer leur bateau juste devant. Poissons grillés et fruits de mer. Quelques chambres.

Podanje – *À Prgovo - 0989 204 821 (portable) - www.podanje.com - .* Pour déjeuner en pleine nature, à la ferme, une cuisine typique : *peka* de poulet ou d'agneau. Même le pain est préparé à la maison. Réserver.

Konoba Porto Rosso – *À Skrivena Luka - 020 801 261 - www.portorus.com - .* Vue sur la baie pour déguster grillades, langoustes et poissons. Spécialités de *peka* de poisson et d'agneau. Plage et mouillage.

ACTIVITÉS

Plongée – *Club à Pasadur :* **Ronilački Raj** - *020 805 179 - www.diving-paradise.net.* Situé juste à côté de l'hôtel Solitudo. *À Zaklopatica :* **Ankora** - *020 801 170 - www.lastovo-diving-ankora.com*

AGENDA

Festival de musique – Jazz, rock et pop du 25 au 27 août.

Split et les îles 2

Carte Michelin 757

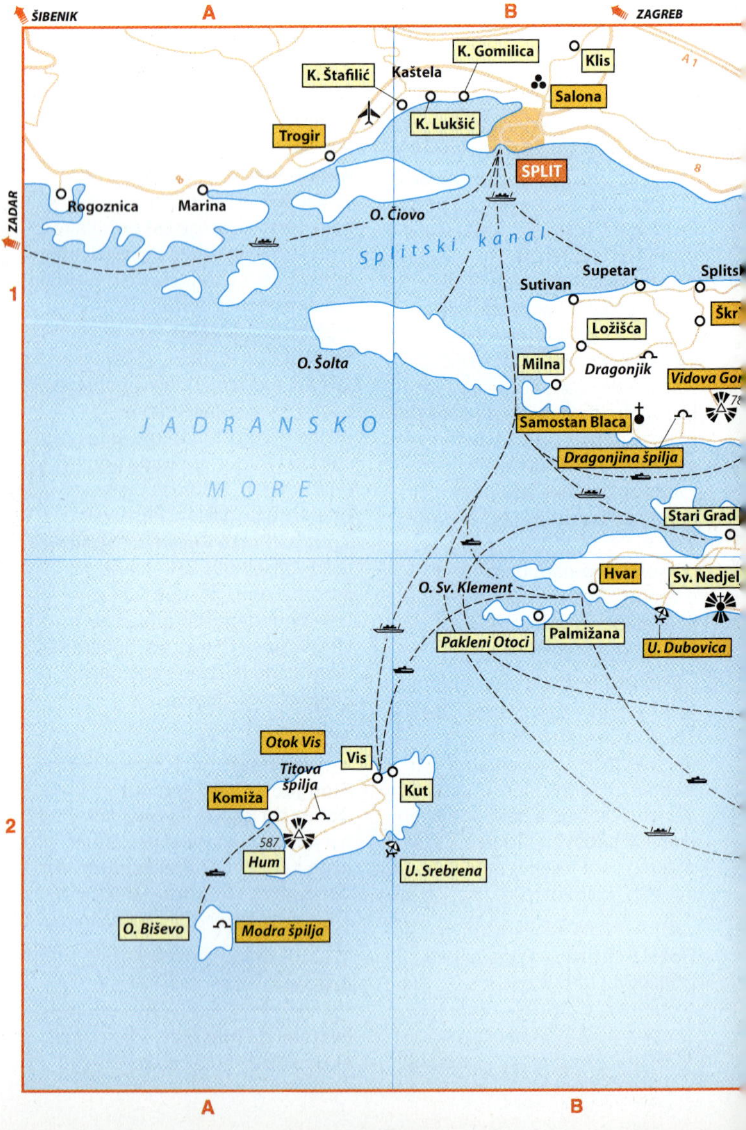

SPLIT ET LES ÎLES
KNIN
C
D
0
10 km
N
Cetina
39
60
Gorges de la Cetina
Zadvarje
Zagvozd
Park Prirode Biokovo
Magistrala
niš
Baška Voda
Brela
Sv. Jure
1762
Tučepska Vilenjača
Kotišina
Promajna
Bratuš
Makarska
Otok Brač
Sumartin
Podgora
512
Riviera de Makarska
Bol
Zlatni Rat
Zaostrog
Vrboska
Otok Hvar
Jelsa
116
Sućuraj
Gradac
DUBROVNIK
tve
Zavala
van
olac
Neretljanski Kanal
Korčulanski Kanal
Žrnovo
Vela Luka
1
2
SPLIT ★★★ Vaut le voyage
Komiža ★★ Mérite un détour
Palmižana ★ Intéressant
Zavala À voir
Ville de départ du circuit
Le nord de la riviera
Tour du Biokovo
Vers le sud et le delta de la Neretva
Lastovski Kanal
O. LASTOVO

Split

★★★

178 102 habitants – Dalmatie

NOS ADRESSES PAGE 169

S'INFORMER

Office de tourisme de Split – **Péristyle** : *021 345 606 - www.visitsplit.com - lun.-sam. 9h-20h, dim. 9h-13h* - **Riva** : *Obala Hrvatsoskog Narodnog Preporoda 7 - 021 360 066.*

SE REPÉRER

Carte de région B1 (p. 144-145) – *carte Michelin n° 757 E8*. Au cœur de la côte dalmate, Split, deuxième ville du pays, est un important centre économique et culturel. Construite sur une péninsule qui se termine à l'ouest par la colline du Marjan, elle garde une longue plaine côtière très urbanisée. L'arrière-pays est fermé par deux massifs montagneux, le Mosor, à l'est, et le Kozjak, à l'ouest.

Voir la rubrique « Arriver/partir » dans *Nos adresses.*

SE GARER

Le parking situé à l'extrémité de la Riva, à l'entrée sur la droite de l'Obala Kneza qui mène aux ferries, est le plus cher *(10 kn/h)*. Vous aurez des tarifs plus intéressants *(50 kn/j)* en laissant votre voiture dans celui qui se trouve derrière la gare routière. Si vous avez de la chance, vous pourrez peut-être même trouver une place sur les boulevards autour de la vieille ville ; n'oubliez pas alors de prendre un ticket !

À NE PAS MANQUER

Le péristyle, la galerie Meštrović, la balade sur la colline de Marjan en passant par le quartier de Veli Varoš.

ORGANISER SON TEMPS

Comptez 3h pour la visite du palais de Dioclétien, une journée pour les villages environnants et les musées.

AVEC LES ENFANTS

La plage de Bačvice et le Musée archéologique.

Se perdre dans un invraisemblable dédale, lever les yeux sur un péristyle digne des Césars, pénétrer dans le mausolée d'un empereur romain, croiser des sphinx importés d'Égypte, s'asseoir à l'ombre d'un campanile roman, boire un café dans un temple antique : flâner dans le vieux Split, c'est suivre le fil de deux mille ans d'histoire. Imaginez un immense palais romain abandonné, peu à peu envahi par la population qui y construit ses maisons. Ainsi grignoté par le temps, l'ancien édifice ne se devine plus qu'ici ou là, au détour d'une ruelle, au-dessus des étals du marché, à la sortie d'un souterrain. Mais quelle surprise alors que cet étonnant mélange où palais vénitiens, architecture autrichienne et bars branchés ont investi le monde romain !

Split, place de la République.
M. Moxter/imagebroker/age fotostock

Se promener Plans de ville

Les faubourgs un peu sinistres de Split ne doivent pas vous décourager car le centre historique réserve en effet des découvertes passionnantes. Avant d'y pénétrer, faites-en le tour, pour mieux appréhender son évolution autour de l'ancien palais de Dioclétien au fil des siècles.
Vraisemblablement construit à partir de 298, le palais de Dioclétien n'était pas tout à fait terminé lorsque l'empereur s'y retira, en 305. Il occupe un immense quadrilatère de 180 m de large (façades nord et sud) et 215 m de long (façades est et ouest), soit une superficie d'environ 30 000 m². Son style était celui des villas romaines de l'époque, un mélange abouti de maçonnerie de pierre, de marbre et de brique, avec des toits de tuiles. Un chemin de ronde couronnait le sommet des murs. L'ensemble était ponctué de 16 tours défensives. 4 tours carrées marquaient les angles, les trois façades terrestres étaient rythmées de 2 autres tours carrées, les 3 portes encadrées de tours octogonales. Seule la façade sud, celle des appartements impériaux, n'était pas renforcée de tours mais occupée par une longue galerie à arcades entrecoupée de trois loggias.

★ **AUTOUR DE LA VIEILLE VILLE** (STARI GRAD) **ET DU PALAIS DE DIOCLÉTIEN** Plan II

Circuit tracé en vert sur le plan II (p. 150-151) – Comptez 45mn. Commencez au grand marché qui se déroule chaque matin, près du front de mer, à l'angle sud-est de la vieille ville.

Marché (tržnica) E2

Vibrant de sons, de couleurs et d'odeurs, ce marché quotidien est la meilleure introduction à la ville. Marchands de légumes et de fruits des environs, de jambons ou de fromages traditionnels, grands-mères proposant leur huile d'olive, leurs figues ou leur miel, bazars ou étals de fripes vendant le maillot de l'équipe locale de football rappellent que Split est avant tout une cité vivante et animée. Installé sur une vaste place, il s'adosse directement à la façade est du palais de Dioclétien.

★ Façade est du palais E2

C'est le meilleur endroit pour découvrir l'énorme structure. Malgré les modifications, on peut encore voir la façade sur toute sa longueur.

Tour sud-est E2

Marquant l'angle sud-est, elle est de section carrée et conserve ses fenêtres, même si celles des étages ont été murées. Au Moyen Âge, les archevêques l'incorporèrent à leur palais. C'est l'une des trois tours subsistant du système originel.

Porte d'Argent

(porta argentea ou Srebrna vrata) E2

Au milieu de la façade, elle fait partie du système de quatre portes conçu lors de la construction. Lors de la période médiévale troublée, quand on craignait les attaques turques, on décida de la murer. Elle fut rouverte et restaurée après la Seconde Guerre mondiale.

La petite porte, un peu au nord, date du 18e s., après le déclin de la menace turque.

Tour nord-est E1

Pendant de celle du sud-est, elle ne conserve que le premier étage d'origine.

Bastion Contarini

(branik Contarini) E1

De l'autre côté de la rue, cette fortification massive date de la période vénitienne (17e s.). Son pendant à l'ouest existe toujours, de l'autre côté du parc municipal.

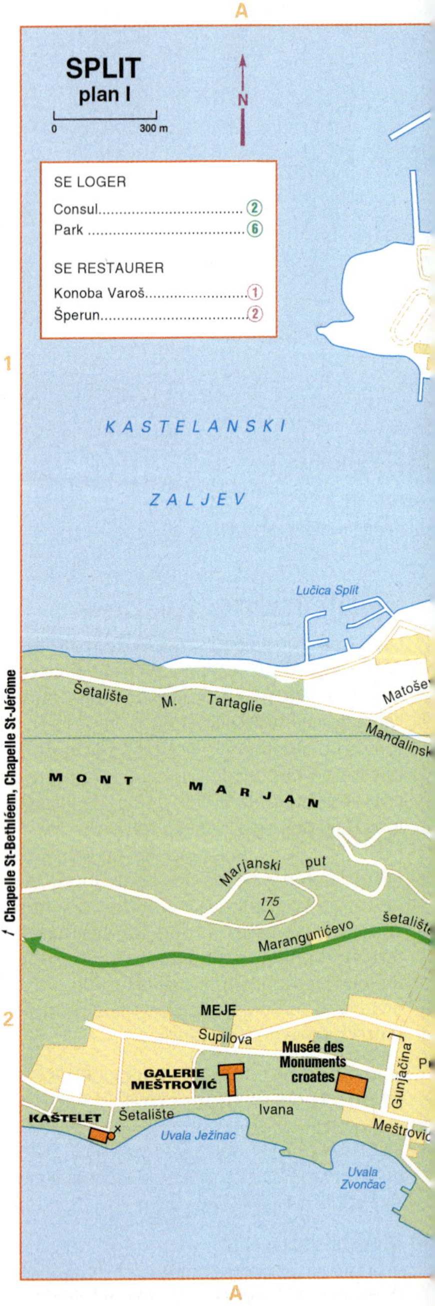

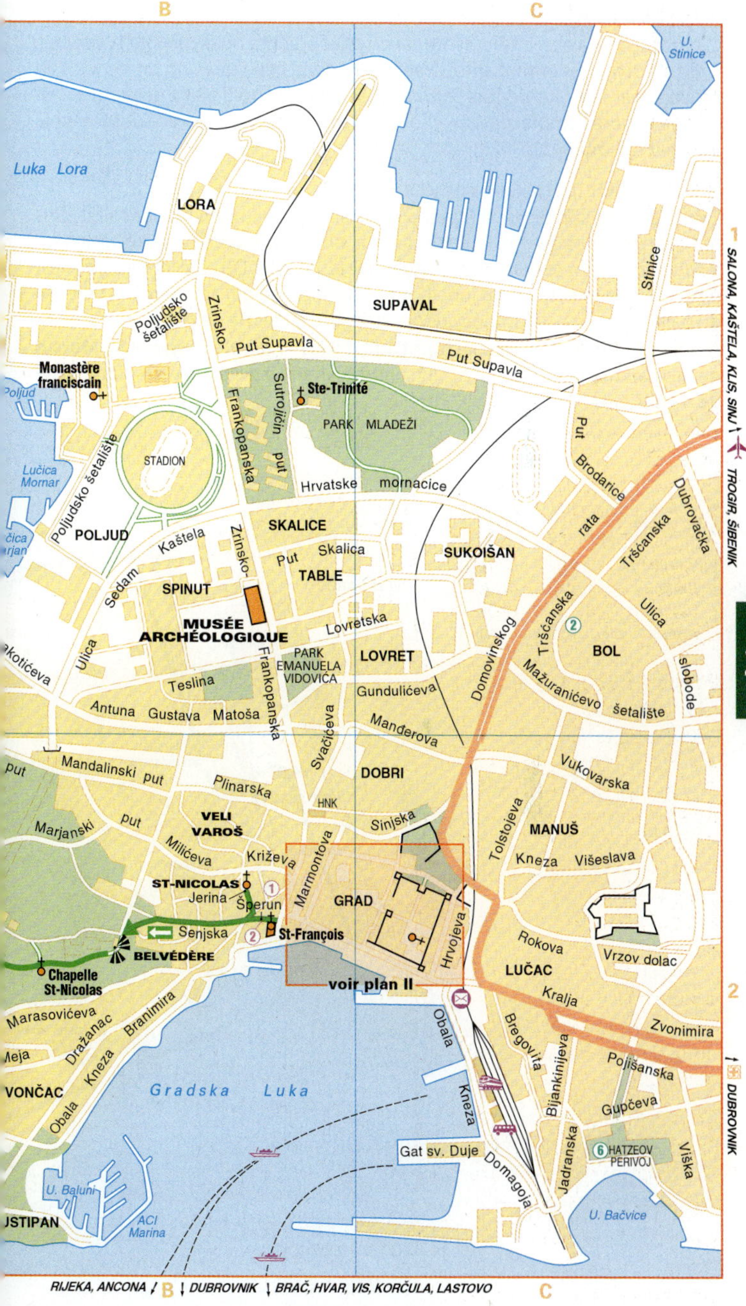
B
C
Luka Lora
LORA
SUPAVAL
Stinice
U. Stinice
Put Supavla
Poljudsko šetalište
Zrinsko-
Monastère franciscain
Ste-Trinité
PARK MLADEŽI
STADION
Frankopanska
Sutrojičin put
Hrvatske mornarice
Lučica Mornar
POLJUD
SKALICE
Kaštela
Put Skalica
TABLE
SUKOIŠAN
SPINUT
Sedam
MUSÉE ARCHÉOLOGIQUE
Lovretska
PARK EMANUELA VIDOVIĆA
LOVRET
Teslina
Antuna Gustava Matoša
Gundulićeva
Domovinskog
Brodarice
rata
Dubrovačka
Trščanska
Ulica slobode
BOL
Mažuranićevo šetalište
Mandalinski put
Marjanski put
Plinarska
Svačićeva
Manđerova
DOBRI
Vukovarska
HNK
Sinjska
VELI VAROŠ
Milićeva
Križeva
Marmontova
Tolstojeva
MANUŠ
Kneza Višeslava
ST-NICOLAS
Jerina
Šperun
GRAD
Senjska
St-François
BELVÉDÈRE
Chapelle St-Nicolas
Hrvojeva
voir plan II
Rokova
LUČAC
Vrzov dolac
Kralja Zvonimira
Marasovićeva
Dražanac
Branimira
Kneza
Obala
VONČAC
Gradska Luka
Obala Kneza Domagoja
Bregovita
Bijankinijeva
Pojišanska
Gupčeva
Jadranska
HATZEOV PERIVOJ
Viška
Gat sv. Duje
U. Baluni
ACI Marina
STIPAN
U. Bačvice
1
2
SALONA, KAŠTELA, KLIS, SINJ
TROGIR, ŠIBENIK
DUBROVNIK
RIJEKA, ANCONA
DUBROVNIK
BRAČ, HVAR, VIS, KORČULA, LASTOVO

2

★ **Façade nord** E1

C'est la façade la plus intéressante car on peut prendre du recul pour l'observer. C'est aussi la plus importante stratégiquement, celle que l'on découvrait en arrivant par la route depuis Salona. Bien que ses tours aient disparu, on en devine encore l'emplacement, et on aperçoit nettement le tracé des fenêtres aujourd'hui murées.

★ **Porte d'Or** (porta aurea ou Zlatna vrata) E1

La richesse de son décor sculpté, consoles, chapiteaux, niches, en fait la plus remarquable des quatre. En haut du mur, on voit la base de quatre socles sur lesquels devaient se dresser les statues des tétrarques. Du côté intérieur, elle est doublée d'une sorte de sas, une petite cour fortifiée qui améliorait la défense du palais. Elle fut condamnée au Moyen Âge, par crainte des attaques turques. Au-dessus de la porte, on construisit au 12e s. la minuscule **chapelle St-Martin** qui abrite une Vierge noire et un superbe chancel préroman en pierre orné de motifs géométriques et d'entrelacs.

SE LOGER

Adriana 2
Slavija 12
Tourist Biro 16
Vestibul Palace 18

SE RESTAURER

Diocletian 2

Statue de Grégoire de Nin (Grgur Ninski) E1
Elle dresse un doigt imprécateur, juste en haut des marches, à l'extérieur de la porte d'Or. Réalisée en 1929 par Ivan Meštrović, elle célébrait le millénaire du synode de Split, où l'évêque Grégoire de Nin demanda à remplacer le latin par le slavon croate dans la liturgie.

Vestiges du couvent bénédictin (benediktinski samostan) E1
Derrière la statue s'élève le **clocher** de la chapelle du Bienheureux Arnir (18e s.). Il appartenait au vaste ensemble du couvent des bénédictines, situé le long du mur nord du palais, sur l'emplacement d'un édifice préroman. Il ne reste quasiment rien de l'ensemble, à l'exception des vestiges de l'église préromane de St-Benoît ou Ste-Euphémie (Sv. Eufemije) (11e s.) et d'une partie de la **chapelle du Bienheureux Arnir** (15e s.). Derrière ses portes vitrées, on aperçoit une copie d'un autel exécuté en 1444 par Georges le Dalmate (Juraj Dalmatinac), aujourd'hui conservé dans l'église de Kaštel Lukšić *(voir À proximité)*.

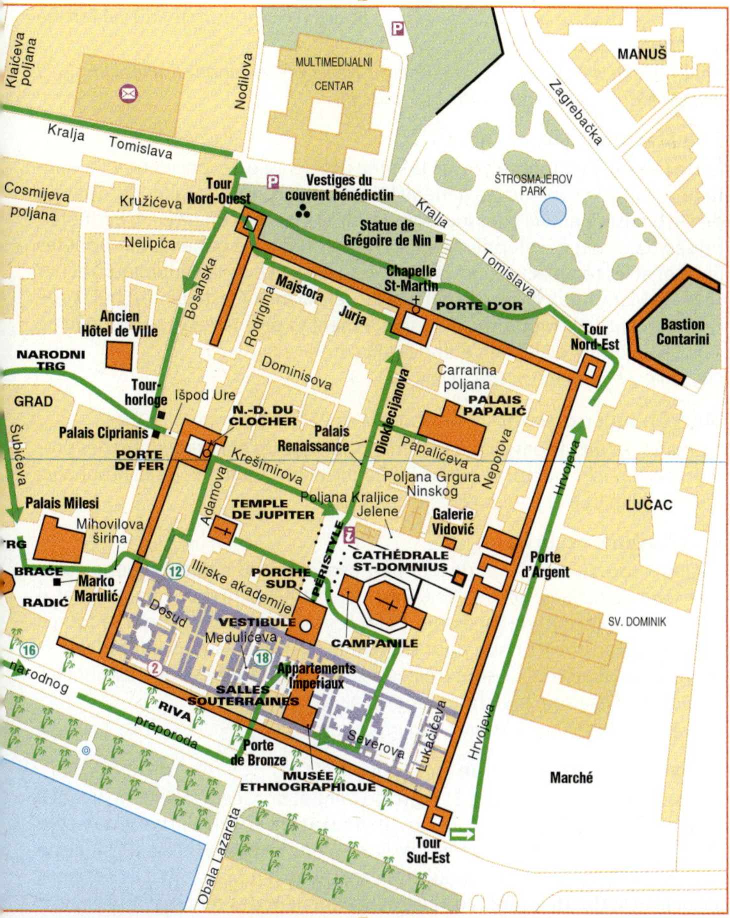

PREMIERS DALMATES
Bien que peuplée dès le paléolithique, c'est à partir de l'âge du bronze que la région a trouvé sa véritable identité, lorsque les Dalmates, une tribu illyrienne, s'y installent. Ils fortifient leurs villages sur les hauteurs et occupent la plaine côtière. À partir du 4e s. av. J.-C., les Grecs, qui colonisent le pourtour méditerranéen, fondent *Tragurion* (Trogir), vers l'ouest, et *Salona* qui, de simple village, devient la capitale commerciale de la côte. Non loin de cette grande ville, un village, nommé *Aspalathos* (« fleur de genêt ») voit le jour. Après la conquête romaine (à partir du 2e s. av. J.-C.), il devient *Spalatum*, le futur Split (« Spalato » en italien). Salona, quant à elle, prend encore de l'importance et s'étend.

Tour nord-ouest E1
Elle marque la fin du mur nord. On observe clairement ici que le mur ouest du palais est complètement invisible, tant il est imbriqué dans les constructions ultérieures. On le retrouve ici et là en flânant dans les ruelles, à l'intérieur de la ville. Au-delà de la tour, à l'ouest, on aborde le faubourg médiéval fortifié à l'époque vénitienne.
Continuez tout droit sans rentrer dans la vieille ville et longez Kralja Tomislava jusqu'à Marmontova, puis tournez à gauche.

Rue Marmont (Marmontova) D1
Cette large rue piétonne marque la limite occidentale de l'ancienne ville vénitienne. Elle doit son nom au général Marmont qui présida à la modernisation de l'urbanisme et à la construction de routes. Avant son arrivée, Split était bridée dans son développement par les remparts. Le général Marmont les fit raser et les remplaça par un jardin (l'actuelle place de la République) et par l'axe de Marmontova qui ouvrait la ville vers la mer. C'est aujourd'hui la rue commerçante à la mode, où les jeunes aiment se promener et se retrouver le soir. Sur la droite de la rue s'étend la ville du 19e s.
Descendez Marmontova vers la mer.

Marché aux poissons (ribarnica) D1
Ne manquez pas de passer par ici le matin, lorsque les étals regorgent des produits de la pêche nocturne et que les négociations vont bon train. Brouhaha, odeurs de marée et couleur locale garantis !

Établissement de bains D1
À l'angle sud du marché et de Marmontova, ce grand bâtiment jaune porte une série de naïades échevelées. Dessiné en 1903 par un architecte local, il est un exemple du style Sécession. L'établissement est réputé pour sa source d'eau sulfureuse, reconnue pour ses bienfaits antiparasites sur les plaies et les voies respiratoires. Ce sont d'ailleurs ses vapeurs soufrées qui tiennent les mouches à l'écart du marché, même au plus chaud de l'été.
Descendez la rue jusqu'à la mer et tournez à droite.

★ **Place de la République** (Trg Republike) D1
Conçue pour imiter la place St-Marc de Venise, bordée d'édifices à arcades et élégante façade orangée, les **Procuraties** (Prokurative), de style néo-Renaissance, ornées de têtes de lions vénitiens (fin 19e-déb. 20e s.), cette place occupe l'emplacement du jardin aménagé par Marmont. Le côté nord accueillait le **théâtre**, tandis que les ailes abritaient des services municipaux.

Malgré son allure grandiose, l'endroit reste aujourd'hui à l'écart de l'animation, sauf en été, lorsqu'il accueille des spectacles en plein air, notamment le festival de Split qui a lieu début juillet.

Vers l'ouest, un lacis de ruelles monte vers la colline du Marjan.

★★ La Riva DE2

C'est sous ce nom que les Splitois désignent la **promenade du front de mer★** (*Obala hrvatskoga narodnog preporoda*, quai de la Renaissance-Nationale-Croate). Le **quai** actuel et son large remblai n'existent que depuis le 19e s. et les travaux lancés par Marmont, bien qu'il y ait eu un port depuis le Moyen Âge. Ce dernier doit son essor à l'arrivée des Juifs expulsés d'Espagne, en 1492. Bon nombre d'entre eux s'installèrent en effet sur la côte dalmate et devinrent vite des acteurs dynamiques de l'économie locale. À Split, c'est un certain Daniel Rodrigo qui lança l'idée de développer le port, au pied de la façade sud du palais. Cette initiative fut décisive pour le commerce maritime de Split.

Avec ses hauts palmiers, l'animation de ses terrasses de café, le va-et-vient des promeneurs et le ballet des bateaux dans la baie, c'est le second salon des habitants, à toute heure de la journée. On y flâne, on y discute, on y prend le café en lisant le journal, on y regarde passer le monde…

En longeant la Riva vers l'est, on passe une petite porte percée sous les Vénitiens, puis, après la place Braće-Radić, on retrouve la façade sud du palais de Dioclétien.

★★ Façade sud E2

La dernière façade du palais impérial était baignée par la mer. C'est ici que l'on mesure le mieux la façon dont il a été investi par les constructions ultérieures. Notez le tracé des anciennes arcades : à l'origine, cet étage du palais était une **galerie** ouverte, sorte de longue terrasse couverte où l'empereur pouvait se promener en regardant la mer. À chaque extrémité et au milieu, trois loggias, dont on peut voir les colonnes, venaient rompre la régularité de l'architecture. Lors de la transformation progressive du palais en habitations, les vides furent murés et de petites fenêtres insérées à la place. Au 19e s., des boutiques ouvrirent leurs portes au pied du mur. Il en résulte un pittoresque mélange des genres, à l'image de cette corde à linge tendue à la fenêtre du palais et sur laquelle flottent parfois des sous-vêtements contemporains.

Porte de Bronze (porta aenea ou Mjedena vrata) E2

Beaucoup plus petite que les autres, elle se cache entre les boutiques, entre les nos 22 et 23 de la Riva. Du temps de Dioclétien, elle ouvrait directement sur le débarcadère. À la différence des autres, elle ne permet pas de pénétrer dans le palais mais seulement de descendre vers les salles souterraines.

★★★ AU CŒUR DU PALAIS DE DIOCLÉTIEN Plan II E1-2

Comptez 3h. Circuit tracé en vert sur le plan II (p. 150-151).

Entrez à l'intérieur de la vieille ville par la porte de Bronze, sur la Riva : de là des marches descendent vers la partie souterraine du palais.

L'intérieur du palais était organisé selon un plan en croix, desservi par deux axes perpendiculaires : le *decumanus*, rue transversale de la porte de l'est à celle de l'ouest, et le *cardo*, reliant la porte nord au péristyle. La partie nord du palais comportait les logements des soldats et des serviteurs, ainsi qu'une fabrique de vêtements où travaillaient les chrétiens condamnés. La partie sud abritait le péristyle, les temples et les appartements impériaux. Aujourd'hui, cette rigueur est beaucoup moins visible puisque l'on évalue à 900 le nombre d'appartements qui se serrent dans le palais, pour environ 3 000 habitants.

DÉCHARGE PUBLIQUE

Au Moyen Âge, pour transformer le palais en habitations, on procéda à d'importantes démolitions et on utilisa les souterrains comme décharge. Le sous-sol fut ainsi peu à peu comblé de gravats jusqu'aux voûtes. Le premier à s'y intéresser fut l'architecte écossais **Robert Adam** (initiateur du style géorgien), au 18e s. Malgré l'intérêt que plusieurs archéologues prêtèrent au sous-sol, les fouilles et le déblayage ne commencèrent qu'en 1956.

★★ Salles souterraines (podrum) E2

Accès par la gauche, en bas de l'escalier. Juin-sept. : 9h-21h ; mai et oct. : 9h-20h (dim. 9h-18h), avril : 9h-20h (dim. 9h-14h), nov.-mars : 9h-18h (dim. 9h-14h)- 35 kn (enf. 15 kn).

Leur visite permet de s'imaginer la configuration intérieure des appartements impériaux juste au-dessus, car les deux plans en étaient similaires. On suppose qu'elles abritaient les logements des esclaves. On y observe en détail les modes de construction, l'harmonie des **voûtes★** et l'incroyable épaisseur des murs. Vous verrez les vestiges médiévaux d'un **pressoir à olives** en pierre. Plus loin, dans la partie est, qui correspond à la salle à manger de l'étage supérieur, une ancienne **table romaine** de marbre, en forme de demi-ellipse : la partie circulaire était encastrée entre des couchettes sur lesquelles les convives mangeaient allongés, tandis que le service se faisait par la partie rectiligne.

Galerie marchande E2

La partie centrale des salles souterraines mène de la porte de Bronze au péristyle du palais. Elle accueille des étals d'artisanat d'art et de souvenirs. On y observe le travail de maçonnerie des voûtes.

Suivez ce large couloir vers le nord et remontez à l'air libre par l'imposant escalier menant au péristyle.

★★★ Péristyle (peristil) E2

Symbole parfait de l'heureux mariage des styles, il a gardé tout son caractère romain malgré les ajouts successifs de l'Histoire. Le péristyle est le prolongement du *cardo* venant de la porte d'Or. Il est bordé de colonnades sur trois côtés. Les appartements de l'empereur se trouvaient au sud, le mausolée impérial, à l'est, et les trois autres temples de la ville, dédiés à Vénus, Cybèle et Jupiter, à l'ouest.

★ Colonnade ouest et café Luxor E2

Parfait exemple d'intégration dans l'architecture du palais, la façade de ce café historique s'inscrit dans la colonnade ouest qui séparait jadis le péristyle de l'esplanade des temples. Au-dessus, l'étage Renaissance est celui d'un **palais du 15e s.**, sans doute dû à Nicolas le Florentin (Nikola Firentinac).

★ Colonnade est E2

Séparant le péristyle de l'esplanade du **mausolée** de Dioclétien (aujourd'hui la cathédrale), elle abrite un **sphinx** (15e s. av. J.-C.). Dioclétien le rapporta de sa campagne victorieuse d'Égypte (297-298), tout comme de nombreux éléments architecturaux intégrés aux différentes parties du palais.

★ Prothyron ou porche sud E2

Côté sud, la colonnade est surmontée d'un fronton et forme le porche d'**entrée des appartements** de Dioclétien, qui lui servait de tribune lors des célébrations. De chaque côté, les deux petites **chapelles** datent des 16e et 17e s.

Empruntez la porte du fond du porche pour pénétrer dans les appartements.

O. N. T. Croatie

Reconstitution du palais de Dioclétien.

Appartements impériaux E2

Cantonnés dans la partie sud du palais, ils s'étendaient le long de sa façade maritime. Leur superficie et leur distribution correspondent à celles des salles souterraines.

★★ **Vestibule** – Les visiteurs y attendaient d'être reçus par l'empereur. De forme circulaire, initialement coiffé d'une coupole et entièrement décoré de mosaïques, il présente la **maçonnerie romaine** typique, avec son alternance de pierre et de brique. Les **dalles des seuils**, à chacune des entrées, sont de l'époque romaine. Dans l'axe du péristyle, une porte conduit du vestibule à ce qui était une salle centrale desservant les appartements.

Appartements – Il n'en reste pratiquement rien, tant les constructions ultérieures les ont altérés, mais une lente restauration a commencé. Vers la droite de la salle centrale se trouvait la **salle de réception**, suivie des appartements privés. En face, une porte à l'encadrement ouvragé ouvrait sur la longue **galerie couverte** donnant sur la mer. Ses arcades sont aujourd'hui murées. *Tournez à gauche.* Vers la gauche de la salle centrale, on entrait dans une immense **salle à manger** ou *triclinium*. Cette partie du palais est peu à peu remise en valeur et on a remonté les départs de murs pour une meilleure représentation des volumes. À l'ouest se trouvaient les antiques chambres des Patriciens, qui étaient mitoyennes de la salle à manger. Cette aile du palais de Dioclétien abrite désormais le Musée ethnographique.

★ **Musée ethnographique** (etnografski muzej) E2

Entrée côté Riva - juin-sept. : lun.-vend. 9h-19h, sam. 9h-13h - oct. et mai. : lun.-vend. 9h-16h, sam. 9h-13h - fermé dim. et nov.-avr. - 10 kn (enf. 5 kn) - explications en anglais.

Le Musée ethnographique réunit une intéressante collection de costumes traditionnels dalmates. Admirez l'incroyable richesse des broderies et des ornements, depuis les boucles de ceinture en métal travaillé jusqu'aux canifs au manche ouvragé, pendus par une chaîne à la taille. Les plus opulents correspondent souvent aux villages de l'arrière-pays. Avec l'exposition sur les sièges et les tabourets en bois sculpté des 19e et 20e s., ils illustrent parfaitement le degré de raffinement de l'artisanat traditionnel. Le musée expose également des armes, des dentelles, la reconstitution d'intérieurs bourgeois du 19e s. (bureau, chambre…), et il conserve d'autres collections destinées à intégrer progressivement la muséographie existante.

En sortant du musée, côté Riva, tournez à gauche et traversez la « salle à manger » pour emprunter le passage menant sur le côté du mausolée-cathédrale.

★★★ **Cathédrale St-Domnius** (Sv. Duje) E2
Tlj sf dim. et messes 8h-19h - 15 kn.
Elle occupe l'ancien mausolée octogonal de Dioclétien, transformé en église au 7e s. À ce moment-là, le sarcophage impérial fut déplacé dans l'une des tours du palais (on a perdu sa trace au 11e s.). Initialement placée sous la protection de la Vierge, elle fut très vite dédiée à saint Domnius, patron de la ville et premier évêque de Salona. Le 7 mai, jour de sa fête, est la plus grande célébration de la ville, avec messe en plein air et processions. L'entrée est précédée d'un portique dont les colonnes soutiennent le plafond à caissons.
★ **Campanile** – *Mêmes horaires que la cathédrale - 10 kn.* Sa construction débuta à la fin du 13e s., dans un style roman tardif. Les étages supérieurs, ajoutés plus tard en style gothico-Renaissance, furent reconstruits en style néoroman au 19e s. À l'extérieur, ne manquez pas, de part et d'autre, au premier niveau, les délicats **bas-reliefs★** de l'*Annonciation* et de la *Nativité* (13e s.), avec la Vierge abritée par un rideau. La **vue★★** depuis le sommet (60 m) est très intéressante car elle permet de repérer le périmètre du palais dans le fouillis des maisons.
★★★ **Vantaux** – L'accès à la cathédrale se fait par une lourde porte à vantaux de chêne, considérés comme l'un des joyaux de la sculpture médiévale mondiale, réalisés en 1214 par **Andrija Buvina**, un artiste de Split. Compartimentés en 28 caissons, ils illustrent la vie de Jésus en autant de scènes, telle une bande dessinée archaïque, encore influencée par le style byzantin. Le battant de gauche relate les épisodes de sa naissance à la résurrection de Lazare. Celui de droite couvre la Passion et l'Ascension. À l'origine, la porte devait être encore plus opulente car le fond était rouge et les personnages dorés.
★★ **Mausolée** – Octogonal à l'extérieur, il conserve son entourage de **colonnes romaines** et une collection de **sarcophages** paléochrétiens.
À l'intérieur, on est surpris par son plan circulaire compact et par l'exceptionnel état de conservation de la structure romaine, notamment les **colonnes**, les **chapiteaux**, la frise et la **voûte** de la coupole. Les matériaux ne sont évidemment pas de la région, sans doute importés par Dioclétien après ses campagnes d'Égypte, voire prélevés sur certains temples égyptiens. La **frise figurative★** qui ourle la base de la coupole égrène des scènes de chasse (chars, Hermès, cerfs, sangliers…) souvent associées aux rites funéraires. Notez les bustes de Dioclétien *(à droite de la colonne, près de la fenêtre)* et de l'impératrice Prisca *(à la symétrie de l'autre)*, portés par des amours.
★★★ **Mobilier** – D'une somptuosité rare, il témoigne de la succession des styles à travers les siècles.
Commencez par la gauche de l'entrée et suivez le tour du sanctuaire.
Admirez d'abord la **chaire romane★★** (13e s.), aux chapiteaux finement ouvragés en marbres de différentes couleurs.
Passez l'**autel de St-Domnius**, une lourde réalisation baroque (1767) de la Foi et la Constance soutenant un reliquaire. Le devant de cet autel porte un bas-relief de la décapitation de Domnius. Le plafond de la niche est occupé par une série de huit peintures de **scènes de la vie de la Vierge** (Capogrosso, 17e s.).
En continuant, vous abordez, sous un incroyable dais sculpté, l'**autel de St-Anastase★★★** (Sv. Staš), un contemporain de Domnius, martyrisé lui aussi par Dioclétien et l'un des protecteurs de la ville. Ce splendide sarcophage, abrité par un drapé de pierre, est l'œuvre de Georges le Dalmate (Juraj Dalmatinac). On reste ébahi par la délicatesse et le réalisme de la sculpture, notamment à la Flagellation du Christ, sur le devant. Détail à relever : le gisant

Sculptures médiévales de la cathédrale St-Domnius.
Funkystock/age fotostock

du saint garde près de lui une meule de pierre figurant son martyre (il fut jeté à la rivière avec une pierre attachée autour du cou).

Juste à côté, une arche menant au chœur abrite le **maître-autel**, sous un riche plafond à caissons peints.

Toujours en tournant dans le sens des aiguilles d'une montre, vous découvrez ensuite le second **autel de St-Domnius**, sarcophage et gisant exécutés par l'artiste milanais Bonino (1427) pour accueillir la dépouille du saint, d'abord enterrée à Salona, puis transférée ici au 9e s.

Chœur – Au 17e s., comme la cathédrale devenait trop petite, on l'agrandit vers l'est pour bâtir le chœur rectangulaire baroque, dans lequel on pénètre en passant derrière le maître-autel. Il recèle l'un des plus beaux trésors de la cathédrale : ses **stalles★★★** en bois sculpté, d'une finesse extraordinaire. On y remarque de nombreux détails et des motifs géométriques ou figuratifs, traduisant des influences artistiques très diverses, du style lombard au style byzantin en passant par celui de l'islam.

★ **Trésor** (riznica) – Conservé dans la sacristie, il rassemble des vêtements sacerdotaux, des pièces d'**orfèvrerie sacrée**, des bustes reliquaires des patrons de la ville, des icônes et surtout le rare **évangéliaire de Split★★★**, un manuscrit (6e s.).

★ **Crypte** – *Mêmes horaires que la cathédrale - 5 kn.* Située sous le mausolée, elle adopte le même plan circulaire. La tradition veut que durant la construction du palais, elle ait servi de prison aux chrétiens. Depuis le 13e s., elle est dédiée à sainte Lucie, protectrice des aveugles. Selon la légende, cette jeune chrétienne aurait voué sa vie à Dieu, mais, obligée de se marier, elle se serait arraché les yeux de désespoir, avant de les retrouver par miracle. Une source miraculeuse est censée rendre la vue. Le jour de sa fête, le 13 décembre, la crypte est ouverte au public, une messe est dite et chacun peut emporter un flacon de l'eau magique.

En ressortant de la cathédrale, traversez le péristyle et empruntez la ruelle juste en face, sous les poutrelles de bois. Elle mène au temple de Jupiter, devenu baptistère.

PERSÉCUTIONS

Pour les premiers chrétiens, les périodes de tolérance alternèrent avec les persécutions. Pour éviter que le pouvoir quasi divin des empereurs ne soit sapé, Dioclétien lança à partir de 303 une campagne contre les chrétiens qui refusaient de rendre un culte à l'empereur et aux dieux païens. Il fit ainsi décapiter saint Domnius dans l'amphithéâtre de Salona, en 304. L'impératrice Prisca et sa fille Valéria, qui s'étaient converties à la nouvelle religion, furent expulsées du palais après sa mort. La légende veut qu'elles aient été enterrées sur l'île de Brač.

★★ Temple de Jupiter E2

8h30-20h - 5 kn.

Pour asseoir son pouvoir, Dioclétien se prétendait le descendant de Jupiter. Entre le *decumanus* et les appartements impériaux, l'espace était réservé aux édifices religieux. D'un côté, le mausolée, voué au culte de l'empereur, de l'autre, les temples de Vénus et Cybèle, aujourd'hui disparus, et celui de Jupiter. Ce dernier fut transformé en baptistère pour la cathédrale à la fin du 9e s. À l'extérieur, le sphinx vient d'Égypte, comme celui du péristyle. Notez les mascarons qui ornent le haut du portail, de gauche à droite : Niké, deux masques, deux tritons, Hélios, Hercule, Jupiter et Apollon.

À l'intérieur, on découvre une **statue en bronze de saint Jean-Baptiste** par Ivan Meštrović (1954), veillant sur les fonts baptismaux.

★★★ **Fonts baptismaux** – En forme de croix, ils surprennent par leur taille imposante. Aux débuts du christianisme, le baptême se donnait en effet par immersion totale. L'ensemble fut réalisé au 12e s. avec des dalles récupérées sur un chancel préroman antérieur (11e s.). La plus belle est celle du devant, figurant un roi croate assis sur son trône.

Revenez dans le péristyle et traversez la place de la cathédrale vers la porte d'Argent. Précédant de peu la porte, la galerie Vidović occupe une maison sur la gauche.

Galerie Vidović E2

Poljana Kraljice Jelene - ✆ 021 360 155 - été : mar.-vend. 9h-21h, w.-end 9h-16h ; hiver : mar.-vend. 9h-16h, w.-end 10h-13h - fermé lun. - 10 kn (enf. 5 kn).

Hormis le rez-de-chaussée, dédié aux expositions temporaires, cette maison est entièrement consacrée à l'impressionniste splitois **Emanuel Vidović** (1870-1953). Son atelier a fidèlement été reconstitué au premier niveau tandis que 70 de ses œuvres se partagent le reste des deux étages : paysages de Vénétie, comme cette brumeuse *Masure de paysans près de Venise, 1914-1918*★, natures mortes, dessins au crayon, intérieurs d'église… Borne interactive sur la vie et l'œuvre de l'artiste.

Revenez dans le péristyle et rejoignez vers le nord l'intersection de Dioklecijanova et Krešimirova.

Rue Dioclétien (ulica Dioklecijanova) E2-1

Intersection du cardo et du decumanus – L'intersection est celle du *decumanus* (ulica Krešimirova) et du *cardo* (ulica Dioklecijanova), l'ancien cœur du palais. C'est ici que convergeait toute la circulation en provenance des quatre portes. De ce point, on les apercevait clairement. Les deux artères étaient alors presque aussi larges que le péristyle.

Palais Renaissance – Le long de Dioklecijanova, surtout sur la gauche, se succèdent plusieurs palais Renaissance à l'architecture typique : élégante cour intérieure, puits ouvragé, escalier extérieur menant à l'étage de réception.

Au-dessus se trouvaient les appartements privés et enfin, au dernier étage (pour éviter les odeurs), la cuisine.
Tournez à droite dans Papalićeva, vers le musée de la Ville (muzej grada).

★ Palais Papalić (palača Papalić) E1

Ce palais somptueux, de style gothique flamboyant, abrite le musée de la Ville. Construit au 15e s., il fut conçu par Georges le Dalmate pour l'une des plus riches familles de Split. On y retrouve l'organisation traditionnelle des palais, avec une belle cour, le puits, un **escalier extérieur** ouvragé, une loggia et une grande **fenêtre sculptée** magnifique (visible depuis la rue). Papalić était un ami du poète Marulić. Tous deux rassemblèrent une collection d'antiquités romaines récupérées à Salona.
Musée de la Ville de Split (muzej grada splita) – *Papalićeva 1 - été. : mar.-vend. 9h-21h, sam.-lun. 9h-16h ; hiver : mar.-vend. 10h-17h, sam.-lun. 10h-13h - 10 kn (enf. 5 kn).* La visite permet de se représenter l'architecture intérieure d'un palais. Le rez-de-chaussée est consacré aux **collections lapidaires**. Le 1er étage présente le **manuscrit des statuts de la ville** (1395). Au second, **armes anciennes** (17e-19e s.) et exposition sur Split au 19e s.
Revenez sur vos pas et reprenez Dioklecijanova en direction de la porte d'Or. Juste avant la porte, empruntez le passage couvert, à gauche, pour rejoindre la rue Majstora-Jurja.

Rue Majstora-Jurja (ulica Majstora Jurja) E1

Elle est également bordée de palais, tel celui occupé par une pizzeria, sur la gauche, avec tous les éléments traditionnels. Aujourd'hui, les terrasses de cafés envahissent la ruelle et ses petites cours pittoresques. Sur la gauche s'étend l'ancien ghetto juif.
À son extrémité, la rue part vers la droite et ressort du palais de Dioclétien. Tournez alors à gauche dans Bosanska et allez jusqu'à Narodni trg (place du Peuple).

★★ DANS LA VILLE VÉNITIENNE Plan II E1-2

Circuit tracé en vert sur le plan II (p. 150-151). Partez de la place du Peuple.

★★ Place du Peuple (Narodni trg) E1

Beaucoup plus vaste que le péristyle, elle est le centre de la ville vénitienne. Initialement, elle s'était constituée autour d'une petite chapelle St-Laurent aujourd'hui disparue. Avec la construction de palais municipaux aux 14e et 15e s., elle est devenue le centre administratif de la vieille ville. Les habitants ont l'habitude de l'apeller **Pjaca** *(prononcez piatsa).*

Ancien hôtel de ville E1

Il trône au centre de la place, reconnaissable à sa **loggia** à triple arcade et à ses fenêtres gothiques. Construit au 15e s., il porte sur sa façade les armes de la ville, figurant le palais de Dioclétien et le campanile. Il abrite aujourd'hui des expositions temporaires.
Ne manquez pas de contourner l'édifice : au-dessus des tables des cafés, remarquez sur le côté sud, la porte murée de l'**ancienne poste** et les mots « boîte aux lettres » gravés dans la pierre en français : il s'agit d'un vestige du réseau postal créé par le général Marmont.

Palais Ciprianis (palača Ciprianis) E1

À l'angle sud-est de la place, ce palais de style roman tardif (fin 14e s.) conserve de superbes fenêtres et une statue de saint Antoine. Le comte Ciprianis, qui avait financé la sculpture, est représenté agenouillé dans

C'EST MARQUÉ LA POSTE !
Le visiteur curieux ne peut manquer de remarquer que de nombreux bureaux de poste dalmates portent très officiellement des panneaux de guichets bilingues croate-français. Ce détail rappelle que la langue française était utilisée comme langue diplomatique lorsque la région fut libérée de la tutelle italienne. La courte période de domination française est associée par certains historiens à l'éveil du sentiment national croate car, pour la première fois, la région fut désignée par le nom de son peuple d'origine : Provinces illyriennes.

les robes du saint. Notez, juste au-dessus, le couple se disputant : il s'agit d'une sculpture plus ancienne, utilisée en remploi comme souvent dans les édifices de la ville.

Tour-horloge E1
Le long d'Išpod Ure, l'étroit passage menant à la porte ouest du palais, en face du palais Ciprianis, cette maison-tour romane porte l'horloge de la ville depuis le 15e s. À la même époque, la tour fut coiffée d'un petit clocher gothique. Juste derrière, vous apercevez le clocher roman qui surmonte la porte de Fer.

★ **Porte de Fer** (porta ferrea ou Željezna vrata) E1
Quatrième des portes du palais, à l'ouest, elle est devenue la plus importante à partir du 16e s., lorsque le faubourg vénitien a pris de l'ampleur et qu'elle constituait le point de jonction avec la ville du palais. Bien que noyée dans les constructions ultérieures, elle conserve son sas de sécurité à **double entrée** et permet de constater la structure massive des murailles du palais. Les gardes logeaient au-dessus de la porte extérieure. Au Moyen Âge, elle fut la seule, avec celle du port, à rester ouverte.
Empruntez l'escalier sur la gauche : il conduit à la chapelle qui surmonte la porte.

★ **Notre-Dame-du-Clocher** E1
À partir du 9e s., nombre de petites chapelles furent fondées un peu partout à Split et dans ses environs immédiats. On en construisit ainsi au-dessus de chaque porte du palais. Celle-ci date du 11e s. et conserve le plus ancien **clocher préroman** de la côte dalmate. L'intérieur est d'une émouvante simplicité.
Revenez sur la place du Peuple et traversez-la vers l'ouest. Tournez à gauche dans Šubićeva et ses nombreux palais, pour rejoindre Trg Braće Radić.

★ **Place des Frères-Radić** (Trg Braće Radić) E2
Beaucoup l'appellent toujours la **place aux Fruits** car jusque dans les années 1960, c'est ici que se tenait le grand marché aux fruits et légumes.

Palais Milesi E2
Sur le côté nord de la place, ce palais baroque (18e s.) présente une façade harmonieuse et équilibrée, conservant des caractéristiques du style Renaissance.

Statue de Marko Marulić E2
Le poète Marko Marulić est né à Split, dans un palais voisin de celui du musée de la Ville. La statue est l'œuvre de **Ivan Meštrović**.

Tour du castel vénitien (Kaštel) E2
Jouxtant une petite porte qui conduisait jadis à la mer, cette tour hexagonale (1435) appartenait au système défensif érigé sous la domination vénitienne pour résister aux Turcs.

Quittez la place par l'angle nord-est et la petite place Mihovilova širina. Prenez les escaliers sur le côté du café Shook et tournez à gauche dans Buvinina. Vous arrivez derrière le temple de Jupiter. Prenez Adamova à gauche, puis, à droite, Krešimirova (ancien decumanus) qui ramène au péristyle.

★★ BALADE SUR LA COLLINE DU MARJAN

Plan I

Circuit tracé en vert sur le plan I (p. 148-149) – Comptez 3h à pied, en incluant un arrêt au café du belvédère et la balade des chapelles (à éviter pendant les heures de forte chaleur). Commencez à l'extrémité ouest de la Riva, près de l'église franciscaine.

Cette presqu'île boisée et escarpée est l'un des buts de promenade favoris des habitants, qui y viennent pour marcher, mais aussi pour leur jogging. Des sentiers en sillonnent la crête, tandis que ses pentes abritent un quartier résidentiel réputé et quelques-uns des plus beaux musées de la ville *(voir À voir aussi)*.

QUARTIER JUIF

La plupart des immigrés juifs élurent domicile dans la vieille ville, à l'intérieur du palais, où ils implantèrent la synagogue, juste au nord de la porte de Fer. On appelait ce quartier le ghetto. Par extension, cette appellation désigne désormais toute la partie nord du palais. Les plus riches, pour leur part, préféraient la colline du Marjan, qu'ils finirent par posséder en partie. C'est ce qui explique que le cimetière juif y soit installé.

★ Quartier des pêcheurs B2

Église St-François (Sv. Frane) – À l'extrémité ouest de la Riva, le monastère franciscain et son église actuelle ont remplacé les édifices originels. De nombreuses célébrités locales y sont enterrées, dont le poète Marko Marulić ou le compositeur Ivan Lučić. Lors de sa fondation, au Moyen Âge, le monastère fut construit hors des murs de la ville, tout comme celui des bénédictins, au nord.

★★ **Veli Varoš** – Peuplé à partir du 14e s., ce quartier, situé à l'ouest de la ville close, abritait les plus pauvres, notamment les pêcheurs, qui n'avaient pas les moyens de loger à l'intérieur des remparts. Il faut imaginer qu'à l'époque la mer baignait les versants rocailleux du Marjan. On voit la trace de ces falaises en suivant le bord de mer, à gauche de l'église St-François. À droite du monastère, au-delà de la rue Šperun, un dédale de **ruelles escarpées** part à l'assaut de la colline. Elles ont gardé toute l'atmosphère pittoresque des quartiers populaires.

Au bout de Šperun, remontez Jerina, un peu vers la droite, jusqu'à l'église St-Nicolas.

★ **Église St-Nicolas** (Sv. Nikola) – Toute petite, cette chapelle préromane (11e s.) est un exemple d'architecture archaïque, avec son plan en croix et son petit **porche** au linteau ouvragé. À l'intérieur, notez les **chapiteaux**.

Une flânerie dans les ruelles environnantes permet de découvrir l'architecture populaire.

Redescendez Jerina et tournez à droite dans Senjska pour monter la colline du Marjan. En haut, prenez à gauche jusqu'au belvédère.

★★ **Belvédère** – À côté de la terrasse du Vidilica Caffe, il offre un point de vue unique. Le port, la Riva, le palais et le campanile se détachent devant la ville moderne et sa forêt d'immeubles. Au loin, vous apercevez les deux massifs montagneux, le Mosor, à droite, et le Kozjak, à gauche. Entre les deux se dresse l'éperon rocheux de la citadelle de Klis *(voir plus loin)*. Derrière le café se trouve le cimetière juif. Vers le large se dessine la silhouette de l'île de Brač.

Une cité privilégiée et rayonnante

RETRAITE IMPÉRIALE

Le futur empereur **Dioclétien** naît à Salona, en 245, dans une modeste famille illyrienne. Proclamé empereur par ses troupes en 284, il doit affronter les terribles tensions qui agitent l'empire déclinant. Pour faciliter la gestion du pouvoir, il le scinde en deux sous-empires, d'Orient et d'Occident, gouvernés par deux augustes (lui-même et Maximien) et deux césars, instituant ainsi une **tétrarchie**. Pour sa part, il conserve le pouvoir sur l'empire d'Orient. Cela lui laisse le temps de parfaire les réformes et de réorganiser la vie politique et administrative. Pourtant, en 305, alors qu'il n'a que 60 ans, il décide d'abdiquer et de se retirer dans le somptueux palais qu'il s'est fait bâtir au bord de la mer, tout près de sa ville natale. Il a même prévu le mausolée où il sera enterré. Il meurt en 313. Le palais demeure possession impériale jusqu'à la chute finale de l'empire, au début du 5e s.

FUIR LES BARBARES

Dès le 4e s., les Goths déferlent sur les Balkans. Au 7e s., ce sont les Avars et les Slaves qui envahissent la baie et détruisent Salona. Les habitants fuient vers les îles ou se réfugient à l'intérieur des murs du palais de Dioclétien. Les immenses pièces sont peu à peu divisées en logements plus petits. Des murs sont élevés, des terrasses transformées en maisons. Le palais devient une petite ville et même le siège de l'archevêché, au 8e s. Le mausolée de Dioclétien est devenu une cathédrale. Seul le péristyle est conservé en l'état et devient la place centrale. Lorsque l'espace vient à manquer, un nouveau faubourg voit le jour à l'ouest de l'enceinte.

DE LA DOMINATION CROATO-HONGROISE À LA RÉPUBLIQUE DE VENISE

À partir du 10e s., Split entre dans le giron des rois hongrois. La ville est florissante et frappe sa monnaie. Pourtant les menaces extérieures existent, notamment de la part des Mongols. On décide de ceinturer le faubourg occidental d'un rempart. De 1327 à 1357, puis après 1409, la ville passe sous le contrôle de la puissante république vénitienne et y restera jusqu'en 1797. Durant cette période, une intense vie culturelle s'épanouit et de nombreux palais sont construits. Mais, comme dans tous les Balkans, la menace turque empoisonne régulièrement la paix de la ville, que l'on doit toujours mieux fortifier.

DE LA YOUGOSLAVIE À L'INDÉPENDANCE

Le 19e s. est celui de l'éveil patriotique croate à Split, ainsi que celui des créations culturelles que sont les musées, théâtres et écoles. En 1918, Split rejoint ce qui constituera le royaume de Yougoslavie, puis, après la Seconde Guerre mondiale, la République fédérale yougoslave. Très éprouvée par les bombardements et les occupations italienne et allemande, elle devient, après la guerre, le premier centre économique et culturel du littoral. Durant la guerre d'indépendance de la Croatie, entre 1991 et 1995, Split assure efficacement sa défense et accueille le flot des réfugiés croates et bosniaques fuyant la Serbie ou la Bosnie. Les hôtels de la ville sont alors mis à leur disposition.

★ Promenade des Chapelles AB2

À faire tôt le matin ou au coucher du soleil, car la chaleur peut être pénible. Prévoyez 1h30 AR. Attention, l'été, pour prévenir les incendies, il est strictement interdit de fumer sur tout le sentier (surveillance permanente et amendes assurées).

Un très agréable sentier part du belvédère vers la pointe de la presqu'île. Il surplombe la mer entre les cyprès, les pins, les lauriers-roses, les genêts. Sur la gauche, en contrebas, vous apercevez la mer, le ballet des ferries vers les îles et la route côtière où se trouvent les musées. Le sentier lui-même est ponctué de petites chapelles construites par des ermites qui recherchaient le calme pour méditer et prier.

Chapelle St-Nicolas (Sv. Nikola) B2 – Toute petite et modeste, elle est la première que vous verrez le long du chemin, construite au 13e s. et reconnaissable à son clocheton latéral.

Le sentier rejoint une route bitumée. Continuez tout droit en reprenant le sentier qui longe la péninsule, côté sud.

Chapelle de Bethléem (Gospe od Betlehema) A2 – On l'atteint par un escalier sur la droite. Datée du 14e s., mais restaurée depuis, elle se blottit entre les cyprès, tout contre la falaise.

Plus loin, dans un grand virage, le sentier continue en face, au pied de la falaise, et atteint la chapelle St-Jérôme.

★ **Chapelle St-Jérôme** (Sv. Jere) A2 – Plaquée contre la paroi, entre les cyprès et les plantes grasses, c'est celle qui dégage la plus grande sérénité (15e s.). Ne manquez pas, en la contournant, de lever les yeux pour apercevoir au-dessus une seconde chapelle, troglodytique, celle-là. Occupée par des ermites durant le Moyen Âge, elle fut réaménagée au 16e s.

Vous pouvez poursuivre la randonnée vers la pointe de la presqu'île en suivant la route bitumée. Sinon, revenez au belvédère et redescendez par les escaliers conduisant par paliers successifs au quai, à l'ouest de St-François.

2

À voir aussi Plan I

À part le Musée archéologique, tous les musées sont concentrés sur la presqu'île de Marjan et nécessitent un moyen de transport. Les lignes de bus sont indiquées pour chaque site.

AU NORD DE LA VIEILLE VILLE

★★★ Musée archéologique (Arheološki muzej) B1

Zrinsko-Frankopanska 25. À 20mn à pied, au nord-ouest du centre-ville, sur la grande avenue menant au stade (stadion). Bus depuis le centre-ville, à côté du marché - ✆ 021 329 340 - juin-sept. : tlj sf dim. 9h-14h, 16h-20h ; oct.-mai : lun.-vend. 9h-14h, 16h-20h, sam. 9h-14h, fermé dim. - 20 kn (enf. 10 kn) - brochure en français : 20 kn (recommandée) - comptez 1h au moins.

Le meilleur moyen de compléter la découverte du passé antique de la ville : il rassemble des collections d'objets sacrés et profanes découverts lors des fouilles dans les environs, notamment à Salona. Très bien présentées, elles résument le passé illyrien, grec et romain de Split. Elles couvrent également la période paléochrétienne du Haut Moyen Âge.

★★★ **Musée lapidaire** – Installé dans les jardins, sous la galerie couverte, il dégage beaucoup de charme. En commençant par la gauche de l'entrée, on passe successivement une **stèle grecque★** (2e s. av. J.-C.) découverte dans l'île de Vis et rappelant une porte de temple, puis des **stèles liburniennes et romaines★** (ces dernières ornées des portraits des défunts).

Dans la tour d'angle se trouve l'exceptionnel **sarcophage de Phèdre et Hippolyte★★★** (2e s.), découvert à Salona, mais sans doute fabriqué en Asie Mineure et inspiré du style grec. Les deux galeries suivantes contiennent d'autres sarcophages et stèles d'intérêt (2e s. av. J.-C. au 4e s.).

Passez devant le bâtiment du musée pour rejoindre les galeries de l'aile droite.

Après plusieurs sarcophages et urnes excavées à Salona, vous passez des vestiges de **mosaïques** issus du mausolée d'un jeune garçon (Salona, 4e s.), des fragments de chancel, d'autel et de dalles funéraires.

Le second joyau du Musée lapidaire (et le plus célèbre) se trouve dans la tour d'angle de droite : le **sarcophage du Bon Pasteur★★★**, ainsi nommé pour le thème sculpté en son centre (début 4e s.). De chaque côté, un homme et sa femme représentent les défunts, entourés de la communauté des chrétiens de Salona. À côté, le **sarcophage du Passage de la mer Rouge★★★** provient sans doute lui aussi de Salona. On le pense réalisé par un atelier de Rome. On y suit les détails de la fuite des Juifs sous la conduite de Moïse et l'armée du pharaon engloutie dans les flots.

Dans la dernière des galeries, notez l'évolution des motifs ornementaux et l'apparition sur les sculptures des motifs de tresses et d'entrelacs typiques de l'art préroman. Enfin, notez les deux grandes **mosaïques★** (2e-3e s.) récupérées au palais du gouverneur de Salona *(près de l'entrée)*.

★★ **Salles d'exposition** – *Les vitrines sont organisées par ordre chronologique et par thème, de la préhistoire au Moyen Âge. Chaque objet est numéroté et légendé en anglais sur les panneaux récapitulatifs de chaque vitrine.*

On découvre ainsi l'art des Illyriens, puis les objets usuels ou sacrés des Grecs et surtout des Romains. Tout est traité, depuis les ustensiles de premiers soins ou de pharmacie aux boîtes à maquillage, peignes, pinces à cheveux, ou aux strigiles (racloirs en forme de cuiller incurvée, prévus pour enlever la crasse et la sueur après la gymnastique et le bain). Éléments de costumes, pièces de jeux (jetons pour entrer au théâtre, dés), monnaies, ustensiles de cuisine ou consacrés aux rites funéraires : c'est tout le quotidien qui défile de façon passionnante. La période chrétienne, jusqu'au Moyen Âge, est évoquée par des objets sacrés (encensoirs, croix…) mais aussi militaires (épées, casques…).

Poljud B1

Au nord-ouest du centre-ville, suivez Zrinsko-Frankopanska vers le stade (stadion).

Ce quartier occupe d'anciens marécages (son nom vient du mot *paludo*, « marécage » en italien). Les moines franciscains s'y établirent au 15e s. Avec l'implantation d'un immense stade, d'une piscine olympique et d'équipements sportifs, c'est devenu le quartier favori des athlètes et des supporters.

Le stade de Split abrite en effet l'un des plus célèbres clubs de football de Croatie : le **Hajduk Split**, dont on trouve le maillot sur tous les étals du marché. Le club fut fondé en 1911 par des étudiants qui en firent l'un des phares de l'éveil national contre la domination autrichienne. Champions de Yougoslavie à de nombreuses reprises, ses joueurs sont soutenus par des supporters particulièrement enthousiastes, qui ont fait du club le symbole de l'identité dalmate et du sentiment nationaliste croate. Depuis l'indépendance, il n'a de rival que le Dinamo Zagreb.

★ **Monastère franciscain** (Franjevački samostan) – *Entre le stade et la mer. Lun. et jeu. 17h-18h30, mar. et vend. 10h30-12h - fermé merc., w.-end et j. fériés. Rens. messes ✆ 021 381 377.* L'église contient un beau **polyptyque vénitien★** du 16e s., figurant saint Domnius tenant la ville dans sa main, attestant qu'il en est le patron. On y observe la structure de la cité à l'époque. Mais le monastère abrite surtout une **collection d'art sacré★**.

Revenez sur vos pas et reprenez Zrinsko-Frankopanska, à gauche, en passant devant le stade. Tournez à droite dans Put Supavla, puis encore à droite dans Sutrojičin put.

★ **Chapelle de la Ste-Trinité** (Sv. Trojica) – Érigée à la fin du 8e s., c'est un remarquable édifice paléochrétien. La petite nef hexagonale est entourée de six absidioles semi-circulaires.

Revenez sur vos pas et, après le stade, tournez à droite dans ulica Sedam Kaštela. Continuez tout droit en direction du Marjan et traversez le tunnel.

AU PIED DU MARJAN Plan I A2

Musée des Monuments croates
(Muzej Hrvatskih Arheoloških Spomenika)

Šetalište Ivana Meštrovića 18. Continuez tout droit après la sortie du tunnel, tournez à droite dans Šetalište Ivana Meštrovića, où se trouve le parking du musée. En bus, ligne 12 au départ de Trg Republike, à l'ouest de la Riva. ✆ 021 323 901 - tlj sf dim. 9h-13h, 17h-20h ; sam. 9h-14h - 10 kn (enf. 5 kn).

Ce bâtiment moderne presque entièrement vitré rassemble les vestiges du patrimoine médiéval croate, principalement la période préromane, que les collectionneurs ont longtemps négligée, lui préférant l'histoire romaine et paléochrétienne. En raison des travaux de rénovation, seul un nombre très limité de pièces sont exposées. À l'extérieur, ne manquez pas les sarcophages médiévaux avec leur couvercle à pignon.

Suivez Šetalište Ivana Meštrovića vers l'ouest jusqu'à la galerie Meštrović. Attention, n'hésitez pas à faire un peu de marche à pied ou à prendre le bus car le stationnement est très difficile devant la galerie et surtout devant le Kaštelet.

2

★★ **Galerie Meštrović** (galerija Meštrović)

Šetalište Ivana Meštrovića 46 - ✆ 021 340 800 - mai-sept. : tlj sf lun. 9h-19h - en hiver : tlj sf lun. 9h-16h, dim. 10h-15h - 20 kn (10 kn enf.) incluant la visite du Kaštelet.

À partir de 1931, le célèbre sculpteur se fit construire cette villa néoclassique. Il y emménagea en 1939 mais n'y vécut que deux ans, avant de fuir l'occupation italienne en 1941.

Les jardins sont ponctués de sculptures mais les plus intéressantes se trouvent à l'intérieur. Bien que l'artiste ait gagné la célébrité par ses œuvres monumentales, on découvre ici un travail plus intimiste, voire spirituel et même tourmenté. Notez au rez-de-chaussée et dans l'escalier les différentes pietà ou une expressive *Après l'accouchement*. Au premier étage, vous pourrez admirer la *Femme souffrant*★ (1928) et surtout le *Job*★★ (1946) au visage torturé par la douleur.

★★ **Kaštelet**

Šetalište Ivana Meštrovića 39. Un peu plus loin, à gauche, sur la même rue que le précédent. Mai-sept. : mar.-sam. 9h-19h, dim. 10h-19h ; reste de l'année : 9h-16h, dim. 10h-15h - entrée comprise dans celle de la galerie.

Meštrović acheta cette ancienne résidence d'été pour y installer ses sculptures. Il y fit construire la chapelle Ste-Croix pour y accrocher l'une de ses réalisations les plus personnelles.

Il s'agit d'une suite de grands bas-reliefs sculptés dans le bois et figurant la **vie du Christ**★★. Comme une longue succession de tableaux, les scènes conduisent le regard vers un saisissant **crucifix**★★ décharné. L'artiste commença cet énorme travail durant la Première Guerre mondiale, en écho à la terrible souffrance qu'elle causa.

À proximité Carte de région

★★ **SALONA** (Solin) B1

Quittez le centre-ville en direction de Trogir et de l'aéroport. À la sortie de la ville, bifurquez à droite en direction de Salona/Solin. Suivez ensuite les panneaux vers la gauche pour Salona, à 2 km. En bus, ligne 1. ✆ 021 211 538 - musée mai-oct. : lun.-vend. : 7h-19h, sam. : 9h-19h, dim. 9h-13h ; de nov. à fin avr. : lun.-vend. 7h-15h, sam. : 9h-14h - 20 kn.

Initialement port de la tribu des Dalmates, Salona devient une grande ville sous César. Comme ce fut le cas pour toutes les colonies, la ville suit le modèle romain et est gardée par des légions. Outre les nombreux bâtiments administratifs et privés, elle possède un forum, des thermes, un théâtre et un amphithéâtre, des temples, un aqueduc, un système d'adduction d'eau et des remparts. Sous Dioclétien, on y recense 60 000 habitants. L'économie florissante et le caractère cosmopolite de la cité favorisent l'éclosion des idées nouvelles. Le christianisme s'y organise dès le 2e s. et des lieux de culte sont érigés, notamment dans la partie est de la ville.

C'est l'**apôtre Paul**, qui, après sa conversion miraculeuse sur la route de Damas, entreprit de prêcher le long de la Méditerranée orientale, tout en faisant route vers Rome. Il fut le premier à apporter la bonne parole aux Dalmates, donnant son départ à la christianisation. À l'époque, Salona est une cité très cosmopolite, où les juifs se mêlent aux Romains. D'abord confidentielle, la conversion des Dalmates au christianisme devint de plus en plus répandue au cours des 2e et 3e s. La vague de persécutions du début du 4e s. ne réussit pas à stopper cet essor.

Manastirine

Premier site sur la gauche, avant d'arriver au musée.

Il s'agit d'une vaste **nécropole** où furent exhumés nombre de sarcophages aujourd'hui exposés au Musée archéologique de Split. Selon la tradition, c'est ici que furent enterrés saint Domnius et, par la suite, les nombreuses victimes des persécutions lancées par Dioclétien. Cette partie de l'agglomération était située hors des remparts.

★ Musée ou Tusculum

La jolie demeure qui abrite le musée fut construite par Frane Bulić, un archéologue passionné qui consacra sa vie à fouiller le site. Notez les nombreux éléments romains utilisés en remploi, sous les fenêtres et les terrasses où l'on peut même s'asseoir sur des fragments de colonnes… À l'intérieur, vous verrez d'autres fragments issus des fouilles.

Suivez ensuite l'allée bordée de cyprès, menant vers le sud.

★ Remparts et ville orientale

Une bonne partie des remparts romains est toujours visible et encadre encore l'ensemble de la cité sur son côté nord. Le sentier en longe le sommet. En le suivant vers la droite, on surplombe, au premier plan, l'ancien centre épiscopal, avec les vestiges de deux grandes **basiliques** à triple nef. Derrière les basiliques, vous verrez les restes des **thermes** de la ville. Cette partie constitue les quartiers est de Salona, principalement habités par les premiers chrétiens. C'est ici que s'installa l'évêque de Salona, à partir du 5e s. En continuant vers le sud-est, vous rejoindrez une partie bien visible du **système d'approvisionnement en eau**.

Remontez vers les deux basiliques et dirigez-vous vers l'ouest.

Porta Cæsarea et vieille ville – Percée dans les remparts, cette énorme porte conduisait à la vieille ville que traverse un sentier. Sur la gauche se trouvaient le **forum**, le **théâtre** et deux autres **basiliques**.
Suivez le sentier vers l'ouest pour rejoindre l'amphithéâtre (10mn à pied).

★★ Amphithéâtre

La partie occidentale de Salona fut ajoutée au noyau primitif au 2e s. Construit vers 170, l'amphithéâtre pouvait accueillir plus de 15 000 spectateurs. Bien que très endommagé, il conserve sa structure. Sur son bord sud, on voit, sous des dalles, les souterrains qui menaient directement à la mer. On y faisait entrer les fauves (importés par bateau), qui accédaient ainsi à l'arène.

KAŠTELA AB1

Quittez Split en direction de Trogir et de l'aéroport. À la sortie de la ville, quittez l'autoroute en direction de Kaštela, pour prendre la route côtière. Les villages se situent à gauche de la route, après une zone industrielle peu esthétique. Attention, pour les découvrir, il faudra tourner à gauche vers la mer, à chaque village. Ils sont aussi desservis par les bus pour Trogir et pour l'aéroport.

Durant l'âge d'or de la domination vénitienne, entre le 15e et le 16e s., les riches familles de Split se faisaient construire des palais d'été (kaštel) le long du rivage, au fond de la baie. Sept manoirs s'égrenaient ainsi entre Split et Trogir. Peu à peu, des villages se sont constitués autour, chacun prenant le nom de son castel. Depuis 1995, les sept villages sont administrativement réunis mais gardent leurs caractères propres.

2

★ Kaštel Gomilica B1

C'est le 2e en venant de Split, environ 5 km après avoir quitté l'autoroute.

Son palais fortifié fut construit sur un minuscule îlot par une communauté de bénédictines, en 1529, qui y accueillirent 16 familles des environs.

★ Kaštel Lukšić B1

2 km plus loin, c'est le 4e village, le plus touristique.

Le **château Vitturi**, qui ouvre directement sur la mer par une petite porte, fut construit en 1564. À l'origine, il était entièrement entouré par la mer. Très bien restauré, il abrite désormais un centre culturel. *☎ 021 260 245/246 - juin-sept. : tlj sf w.-end 9h-13h, 18h-21h ; oct.-mai : 9h-13h, w.-end 18h-21h - 20 kn (enf. 5 kn).*

Tout près, vers l'ouest, l'église paroissiale baroque renferme l'original de l'**autel**★★ sculpté par Georges le Dalmate pour la chapelle du Bienheureux Arnir, à Split.

Entre Kaštel Lukšić et Kaštel Štafilić, vous pouvez suivre le **bord de mer**★ presque sans interruption. Le rivage est ponctué des petits ports des villages suivants : Kaštel Stari et Kaštel Novi. Tamaris et palmiers rythment la balade. Seul regret : la vue imprenable sur les installations industrielles de Split…

★ Kaštel Štafilić B1

Dernier des sept villages, 17,5 km de Split, 3 km après Kaštel Lukšić.

C'est surtout son long **front de mer** animé qui en fait le charme. Le **manoir** (1508) est le seul qui ne fut jamais pris par les Turcs. Le village se vante de posséder un **olivier** vieux de 1 500 ans. Ses racines s'étendent sur un rayon de 50 m, le tronc mesure 6 m de circonférence et l'arbre, haut de 10 m, étend son feuillage sur un diamètre de 22 m. Les habitants essaient même de le faire inscrire au Patrimoine de l'Unesco…

Île de Šolta AB1

4-5 traversées/j., au dép. de Split - 45mn.

Au sud-ouest de Split, cette petite île verdoyante est une destination idéale pour la journée. Longue d'environ 17 km, pour 4 km de large, elle offre quelques agréables criques rocheuses et des villages tranquilles, à l'image de Maslinica, à l'extrémité nord (environ 8 km du débarcadère).

VERS L'ARRIÈRE-PAYS

★ Klis B1

À 8 km au nord de Split, en direction de Sinj. Bus de la ligne Split-Sinj.

Perchée tout en haut d'un éperon rocheux, la citadelle de Klis et son village gardaient le passage stratégique vers l'intérieur des terres. C'était aussi le dernier verrou contre les envahisseurs turcs venus de Bosnie. Aujourd'hui, Klis est constitué de trois villages blottis autour de la citadelle, qui s'animent au printemps, lorsque vient la saison de l'agneau grillé. Il est alors de tradition de venir y déjeuner le week-end.

★ **Forteresse** – *Entrée par Klis-Megdan, sur le versant nord, à gauche après le tunnel. Pour une visite guidée, appelez Mme Slavica ✆ 091 592 48 55 - juin-sept. : 10h-19h ; nov.-mai. : tlj sf. lun. 10h-16h - 20 kn (enf. 10 kn).* Très bien préservée, elle est formée de **trois enceintes** concentriques, ajoutées au fil des occupations successives. La première entrée date des Autrichiens. La seconde est vénitienne, de même que l'enceinte centrale, qui remonte à une première domination vénitienne, avant l'arrivée des Turcs. Au 9e s., la citadelle est déjà une véritable petite cité, avec son recteur et sa petite **église**, qui fait temporairement office de mosquée sous les Turcs, après 1537. Notez l'ingénieux système de récupération et de distribution de l'eau dans les **citernes** en terrasses.

Église paroissiale – *Dans le village de Klis-Varoš, sur le versant sud de la citadelle. Ouverte en été, sinon, demandez à la forteresse.* Son décor intérieur vaut le détour : une immense **fresque★** colorée et réaliste recouvre entièrement les murs. Peinte en 1938-1939 par l'artiste Vjekoslav Parać, elle représente l'histoire de la forteresse.

Sinj Hors plan

À 25 km au nord-est de Split.

Peuplé depuis la préhistoire puis occupé par les Romains, ce gros bourg agricole est célèbre dans toute la Dalmatie pour deux raisons : son pèlerinage à la Vierge miraculeuse et sa pittoresque **fête de l'Alka★★** (Sinjska alka). La ville elle-même est desservie par une agréable rue principale piétonne, très vivante.

FÊTE DE L'ALKA

Célébrée le premier dimanche d'août, c'est l'une des plus pittoresques de Dalmatie. Sorte de joute de cavalerie, elle commémore la victoire, en 1715, de 600 cavaliers aidés miraculeusement par la Vierge dans leur combat contre l'armée turque. Pour honorer leur souvenir, des cavaliers émérites, en costume folklorique de gala, s'élancent au grand galop dans une rue de Sinj. Ils doivent planter leur lance dans des anneaux *(alka)* métalliques accrochés à un filin, à 3 m du sol. Le tout se déroule en musique et au son du canon. Selon l'endroit des anneaux qui est touché, on gagne plus ou moins de points. Le vainqueur remporte pour un an le trophée, un ancien bouclier.

Église franciscaine – Impossible de la manquer : elle se dresse en bas de la rue principale. Vous remarquez d'emblée sa **porte sculptée** en bronze, offerte en 1987 pour le tricentenaire du pèlerinage. Elle figure la fameuse bataille de 1715, quand la Vierge miraculeuse sauva les habitants des Turcs. À l'intérieur, sur la gauche de la nef, un autel est réservé à l'**icône miraculeuse de Notre-Dame de Sinj★** (Sinjska gospa) (début 16e s.). Chaque année, pour la fête de l'Assomption, le 15 août, un très important pèlerinage amène des fidèles de toute la Dalmatie. La coutume veut que les Splitois quittent leur ville la veille au soir, à pied, pour arriver à Sinj au petit matin. Une grand-messe est célébrée et l'icône est sortie en procession.

NOS ADRESSES À SPLIT

VISITES

Bon à savoir – La Splitcard, vendue au prix de 5 € dans les offices de tourisme, donne accès gratuitement à certains musées, offre des réductions de 50 % sur d'autres, ainsi que de 20 % sur les places de théâtre, location de voitures et divers services (hôtel, restaurant, excursions, etc.). Elle est valable 72h et gratuite si vous séjournez à Split plus de 3 j.

ARRIVER/PARTIR

Par les airs

Aéroport – *À Kaštela, 17 km de Split en direction de Trogir - ✆ 021 203 555 - www.split-airport.hr.* Plusieurs vols quotidiens pour Zagreb. Vols directs pour Paris et Bruxelles *(3/sem.)*. Nombreux vols, *via* Zagreb, pour Amsterdam, Francfort, Istanbul, Londres, Manchester, Munich, Paris, Prague, Rome, Vienne et Varsovie.

Pour rejoindre l'aéroport, prendre la navette de la compagnie Pleso Prijevoz, qui part 90mn avant les vols de Croatia Airlines d'obala Lazareto à l'entrée des quais Jadrolinija (Pleso Prijevoz - *✆ 021 203 119 - www.plesoprijevoz.hr)*. Le bus 37, qui part de la gare routière de Domovinskog, mène à Trogir *via* l'aéroport (passage toutes les 20mn - *www.promet-split.hr*).

Croatia Airlines – *Preporoda 9 - ✆ 021 362 997/608 - www.croatiaairlines.hr*

Par la mer

Agence Jadrolinija – *✆ 021 338 333 ou 060 321 321 (1,70 kn/mn) - www.jadrolinija.hr.* Assure la majeure partie des liaisons. Kiosque Jadrolinija à l'entrée des quais, près de la station de bus d'obala Lazareto.

Ferries (voitures) – Les ferries de la ligne côtière **(Rijeka-Dubrovnik-Bari)** font escale à Split : en provenance de Rijeka tôt le matin ; de Dubrovnik en début de soirée. En juil.-août, 2 ferries assurent la liaison : le *Marko Polo* les mar., vend. et sam. et le *Liburnija* les lun., merc., vend. et sam. Hors sais., 3 ferries/sem. avec le *Marko Polo*, les mar., vend. et sam.

De Split à Ancône, en été 6 ferries/sem. (4 hors sais.), env. 10h de traversée de nuit.

Par voie terrestre

Gare routière – *Obala Knesa Domagoja 12 - ✆ 060 327 327 - www.ak-split.hr.* En face des quais Jadrolinija, la gare routière de Split déploie une intense activité. À proximité, poste, cafés, magasins et gare ferroviaire. Guichets ouverts toute la nuit. Consigne de 6h à 22h. Zagreb est relié par des dizaines de bus, *via* Knin ou *via* Zadar. Nombreux bus quotidiens pour Zadar et Šibenik, Rijeka, Makarska, Dubrovnik, Pula et Sinj, *via* Klis et Knin (ligne desservant ensuite Plitvice et Karlovac).

Gare ferroviaire – *✆ 060 333 444 - www.hzpp.hr.* En saison 5 trains/j. pour Zagreb (9h env.) *via* Knin (1h40) et Karlovac, 2 s'arrêtent à Ogulin (chgt pour Rijeka).

TRANSPORTS

Terrestres

Bus locaux – Les lignes 1 et 16 partent du HNK et desservent Solin (Salona) en passant par Domovinskog rata. Le bus 37 dessert de la gare routière de Domovinskog, le littoral de Kaštela, l'aéroport et Trogir.

ITR rent a car – *Obala Lazareta 2 - ✆ 021 343 070.* Une agence sérieuse (365 kn/j. pour un véhicule de 2e catégorie et au moins 1 sem. de location). Comptoir à l'aéroport.

Maritimes

Bon à savoir – Split est une bonne base pour rallier les îles dalmates, surtout si vous comptez passer avec votre véhicule.
1 compagnie assure la majeure partie des liaisons : Jadrolinija (voir « Arriver/Partir »).

Ferries (voitures) – Pour **Brač (Supetar)** : 7, 9 ou 14 ferries/j. de 6h15 à 21h hors sais. et de 5h15 à 0h durant l'été - 45mn de traversée.
Pour **Hvar (Stari Grad)** : 6 ferries/j. en été *(5h-20h30)*, 3 hors sais. *(8h30-20h)* - 1h40 de traversée.
Pour **Vis** : 2 à 3 ferries/j. en été (celui du mar. apr.-midi fait escale à Hvar, passagers uniquement). Hors sais., 1/j., 2 les lun., jeu., vend.

Bateaux (piétons) – Pour **Hvar-Korčula-Lastovo** : lun.-sam. : 1 ferry/j. (dim. : 2 ferries). Ces ferries accostent à Hvar (passagers uniquement). Sur cette ligne, 1 catamaran/j. (3h de traversée) qui fait escale à Vela Luka et Hvar.
Pour **Šolta (Rogač)** : lun.-sam. 3 à 5 bateaux/j.

NAUTISME

ACI Marina Split – *Uvala Baluni bb - ✆ 021 398 548 - fax 021 398 556.* Dans la partie sud-ouest du port. Magasins Boltano et Brodomerkur. Réparations moteurs Mercury, Tohatsa, Mariner, Force, merCruiser et réparation mâture. Équipement : *voir le chapitre Nautisme p. 25.*

Location de bateaux :
Bavadria à la marina Kaštela (Kaštel Gomilica) : *✆ 021 204 020 - www.bavadria.com*
Yacht Charter Club à l'ACI Marina de Split - *✆ 021 398 980 - www.ultra-sailing.hr*
Yachting Pivatus à l'ACI Marina de Split - *✆ 021 321 300 - www.yachtingplus.hr*

HÉBERGEMENT

Chambres chez l'habitant

Bon à savoir – La présence des propriétaires à la descente des ferries et des bus peut rendre superflue l'agence.

PREMIER PRIX

Tourist Biro – Plan II E2 - *Preporoda 12 - ✆ 021 347 271 - juil.-oct. : sem. 8h-21h, sam. 8h-20h, dim. 8h-13h ; nov.-juin : sem. 8h-20h, sam. 8h-13h.* Sur Riva. Chambres : dans la vieille ville, comptez 624 kn pour un séjour d'au moins 4 nuits. Appart. (2 pers.) : 484 kn. Baisse de 30 % hors sais.

Hôtels

POUR SE FAIRE PLAISIR

Hotel Adriana – Plan II D2 - *Preporoda 8 - ✆ 021 340 000 - www.hotel-adriana.hr -*

15 ch. 750/1 000 kn pour un standard ☕. Cet hôtel, ouvert toute l'année, donne dans la partie piétonne de la Riva. Réception dans le restaurant. Les chambres sont récentes, grandes, convenablement insonorisées, confortables.

Hotel Consul – Plan I C1 - *Tršćanska 34 - ✆ 021 340 130 - www.hotel-consul.net - 15 ch. 850/950 kn, 4 appart. (3-4 pers.) 1 100/1 500 kn* ☕. À 10mn à pied du centre ancien, dans une petite rue, un établissement calme, élégant et confortable, entouré d'un jardin. Copieux petit déjeuner.

UNE FOLIE

Hotel Slavija – Plan II E2 - *Buniniva 2 - ✆ 021 323 840 - www.hotelslavija.com - 25 ch. 1 000/1 300 kn* ☕. Dans le palais, cet hôtel propose des chambres ordinaires, dans une maison qui ne l'est pas. En prise directe avec la chaude ambiance du quartier, elles peuvent s'avérer, pour certaines, assez bruyantes. Évitez les vend. et sam. soir.

Hotel Park – Plan I C2 - *Hatzeov perivoj 3 - ✆ 021 406 400/406 - www.hotelpark-split.hr - 55 ch. 1 400 kn la double* ☕, *2 suites simples 2 450/3 120 kn - ✗ - 1/2 P. Demi-pension possible.* À 10mn du centre, derrière les quais Jadrolinija, cette élégante bâtisse abrite une salle à manger et un petit salon, dont le volume des pièces et le raffinement du mobilier sont dignes des grands hôtels. Les chambres, tout en étant très confortables, ont été rénovées dans un style moderne. Une terrasse aérée, ombragée par une glycine, ainsi qu'une petite plage (en contrebas) permettent de profiter du bord de mer.

Hotel Vestibul Palace – Plan II E2 - *Iza Vestibula 4 - ✆ 021 329 329 - www.vestibulpalace.com - 5 ch. 1 367/1 900 kn et 2 suites 2 160/2 808 kn.* Situé au calme juste derrière le musée ethnographique, à quelques mètres des antiques chambres du palais, ce petit hôtel a investi les vieux murs d'un luxueux mobilier design.

À Kaštela

BUDGET MOYEN

Villa Žarko – *Kaštel Lukšić, obala K. Tomislava 7a - ✆ 021 228 160 - www.villa-zarko.com - 16 ch. 555/620 kn* ☕. Idéalement placé face à la mer entre Split et Trogir, ce petit hôtel récent est très bien aménagé. Le service est efficace et sympathique, les chambres claires et spacieuses sont reposantes. Certaines disposent de grandes terrasses.

RESTAURATION

PREMIER PRIX

Diocletian – Plan II E2 - *Dosud 9 - ✆ 0212 346 683 - plats 30/60 kn.* Ambiance locale garantie dans ce restaurant populaire : salle minuscule et terrasse installée dans le mur sud du palais, dont les fenêtres ménagent une vue sur le port. Carte restreinte, mais plats bon marché et une spécialité : le jambon fumé dalmate.

POUR SE FAIRE PLAISIR Plan I B2

Šperun – *Šperun 3 - ✆ 021 346 999.* Salle intime et bien décorée : planchers, tissages et murs de pierre. Carte simple de produits frais. Sardines grillées, plats de poissons (45/360 kn) et vins locaux (70 kn).

Konoba Varoš – *Ban Mladenova 7 - ✆ 021 396 138.* Décor de filets de pêcheurs, marines sur les murs, un peu sombre mais frais. Spécialités de grillades au feu de bois, viandes et poissons frais, *pašticada* (bœuf mariné et braisé), et *peka* de poulpe (sous cloche, cuit dans la braise, mini pour 4 pers. à commander 3h à l'avance). Risotto de fruits de mer (50/400 kn).

BOIRE UN VERRE

Kavana Luxor – *Face au Péristyle et à St-Domnius* - Pour prendre un petit déjeuner, jus de fruits, pâtisserie (bon Strudel) ou juste un café dans un cadre unique.

Ghetto Club – *Dosud 10*. Un lieu animé où l'on écoute une excellente musique jazz, world ou R & B. Clientèle jeune et bonne ambiance.

Vidilica Café – *Marjan*. À côté du belvédère de Marjan, on l'apprécie pour sa terrasse qui domine la ville.

Caffe Gaga – *Iza Lože*. Petit café authentique, derrière l'ancien hôtel de ville. Très fréquenté par les locaux qui apprécient son calme et sa fraîcheur.

Caffe Teak – *Majstora Jurja 11* - Une terrasse très calme, à l'ombre des ruelles au nord de la ville (vers la porte d'Or).

Tropic Club Ecuador et caffé Zbirac – *À Bačvice, face à la mer en dessous de l'hotel Park*. Ces cafés sont l'occasion de sortir un peu de la vieille ville. Face à la mer, l'Ecuador est jeune et branché. Sa terrasse en arrondi au-dessus de la mer est aérée et agréable. Le Zbirac, un peu plus loin, propose des concerts en fin de semaine.

ACHATS

International Bookshop – *Preporoda 21*. Sur la Riva. Bon choix de journaux français.

Bijouterie Mjeda – *Krešimirova 10 - ✆ 021 344 645*. Grand choix de bijoux traditionnels en or et en argent, de pinces de cravate originales. Prix raisonnables.

Vinoteka Sv. Martin – *Majstora Jurja 17 - ✆ 021 343 430*. Vins et liqueurs croates, confiseries de qualité, mais aussi quelques modèles de cravates.

Dancing Bear – *Dioklecijanova 6 - ✆ 021 344 309*. Petite boutique de CD où l'on trouve de la *klapa musikh* ou des musiques instrumentales traditionnelles.

Trogir

★★

13 192 habitants – Dalmatie

NOS ADRESSES PAGE 179

S'INFORMER

Office de tourisme de Trogir – Turistička zajednica - *Trg I. Pavla II, à la porte nord - ✆ 021 885 628 - www.tztrogir.hr - été : tlj sf dim. 8h-20h ; reste de l'année : tlj sf dim. 8h-16h.*

SE REPÉRER

Carte de région A1 (p. 144-145) – *carte Michelin n° 757 E8*. À l'ouest de Split, au pied des derniers contreforts littoraux des Alpes dinariques, Trogir occupe un îlot, séparé de la terre ferme, au nord par un étroit chenal et protégé du large, au sud par l'île de Čiovo. Ces trois éléments sont réunis par des ponts et l'agglomération a pu ainsi s'étendre au-delà du périmètre de la cité médiévale. Voir la rubrique « Arriver/partir » dans *Nos adresses*.

SE GARER

N'hésitez pas à garer votre voiture dans le grand parking dont l'entrée est située avant le pont qui mène à la vieille ville. Une passerelle en bois le relie au centre. En revanche, si vous souhaitez loger dans l'un des hôtels de la vieille ville, passez le pont et tournez tout de suite à gauche, le stationnement sera alors gratuit avec le tampon de l'hôtel.

À NE PAS MANQUER

Le portail de la cathédrale sculpté par maître Radovan, le couvent St-Nicolas, la tour St-Marc.

ORGANISER SON TEMPS

La vieille ville de Trogir est d'une grande richesse architecturale. Comptez 2-3h.

AVEC LES ENFANTS

Le tour de la forteresse de Kamerlengo.

Posée sur un îlot, cette attachante cité médiévale est classée au Patrimoine mondial de l'Unesco. Ses étroites ruelles pavées, bordées de hautes maisons de pierre blanche, et ses quais où s'amarrent les bateaux gardent l'atmosphère d'un autre temps et beaucoup de charme, malgré l'afflux des touristes. Mais, surtout, elle possède l'un des joyaux du patrimoine sacré de Croatie, sa somptueuse cathédrale romane.

Se promener

★★ AU FIL DES RUELLES

★ Porte de la Terre-Ferme

C'est le plus impressionnant vestige des remparts du 13e s. que le général Marmont fit raser durant l'occupation française car, très endommagés, ceux-ci contribuaient à l'insalubrité de la cité. Cette porte date du 17e s. Elle est coiffée

2

de la **statue de Jean de Trogir**, évêque de la ville (1062-1111), dont il devint le saint patron, par le sculpteur milanais Bonino (15e s.).

De l'autre côté de la petite place se trouvent le palais Garagnin et le musée de la Ville.

Palais Garagnin

Comme de nombreux palais de Trogir, il mélange agréablement les styles. Initialement roman, il s'est enrichi d'éléments gothiques et surtout baroques. Il abrite le musée municipal.

Musée municipal (Gradski muzej) – *Été : 9h-13h, 17h-21h ; reste de l'année : 8h-14h - 15 kn ; 25 kn billet combiné avec la forteresse de Kamerlengo.* Sa visite permet de découvrir l'architecture intérieure du palais. Une collection lapidaire rassemble quelques fragments de différentes époques, depuis les Grecs jusqu'au baroque. Modeste section ethnographique et œuvres de peintres locaux. Mais le plus intéressant reste la **bibliothèque Garagnin★**, créée au 18e s. et comptant 5 581 ouvrages.

Prenez vers la droite en ressortant, suivez la ruelle, passez sous l'arche et tournez à droite dans ulica Gradska, la rue principale de la ville. Allez jusqu'à Trg Ivana Pavla II, la place centrale où se dresse la cathédrale.

★★★ Cathédrale St-Laurent (Sv. Lovro)

En été tlj 8h-20h ; en hiver : lun.-sam. 9h-15h, dim. 8h-20h - 25 kn.

Sa construction s'est étendue du début du 13e s. au début du 17e s.

★★★ **Portail occidental** – Abrité sous le vaste porche qui mène au campanile et au baptistère, c'est le joyau du sanctuaire, sculpté à partir de 1240 par Radovan avec une incroyable richesse de détails. De chaque côté, il est encadré de deux lions surmontés des **statues d'Adam et Ève**. Les colonnes supportant les arcades sont soutenues par des Turcs et des Juifs, comme pour symboliser leur condition inférieure aux yeux de l'Église de l'époque. Les colonnes extérieures figurent des apôtres. Celles du milieu représentent les **travaux des quatre saisons** par de petites scènes très vivantes, comme l'abattage du cochon sur celle de gauche (avec, juste en dessous, un homme cuisant une saucisse…). Les colonnes intérieures sont rondes et envahies par d'autres petites **scènes quotidiennes** médiévales, entrelacées des créatures fantastiques traditionnelles de l'imagerie romane.

Le **tympan** est occupé, en haut, par une Nativité, avec la Vierge et l'Enfant encadrés par des rideaux, au-dessus de la même Vierge baignant le jeune Jésus. De part et d'autre, l'Annonciation aux bergers et les Rois mages. À la base, maître Radovan a signé et daté son œuvre.

Le long des **voussures** se déroule toute la **vie de Jésus**, depuis l'Annonciation à Marie jusqu'à la Résurrection, en passant par la Fuite en Égypte, l'Entrée dans Jérusalem ou la Crucifixion. Enfin, au sommet, une niche abrite la **statue de saint Laurent** portant le gril de son martyre.

Nef – L'intérieur surprend par son manque de clarté et par la teinte sale de la pierre (une restauration, déjà réalisée pour la chapelle latérale, est prévue). À noter la **chaire★** octogonale en pierre aux chapiteaux finement sculptés (fin 13e s.). Ne manquez pas le grand **crucifix peint★** (1440) suspendu dans la nef, ni le curieux **chandelier**, en forme de croix, copié sur celui de la basilique St-Marc de Venise (il fut offert par les marins de Trogir).

★★★ **Chapelle de Jean de Trogir** – Rajoutée au 15e s. sur un plan de Nicolas le Florentin (Nikola Firentinac), aidé d'Andrija Aleši et d'Ivan Duknović, cette chapelle latérale est le second joyau de la cathédrale. Restaurée en 2001, elle a retrouvé toute la luminosité de sa pierre blanche. Conçue pour accueillir

Détail du portail de la cathédrale St-Laurent.
F. Guiziou / hemis.fr

le **sarcophage de Jean de Trogir**, elle présente les caractéristiques de la Renaissance : plafond à caissons, colonnes antiques, niches en coquille. La voûte, réalisée en utilisant des pierres taillées en biseau, sans aucun joint, annonce celle que Nicolas le Florentin réalisera à la cathédrale de Šibenik. La base est occupée par une série de **chérubins portant des torches** : sortant de portes entrebâillées, ils figurent le passage entre la vie et la mort. Au niveau intermédiaire, **les apôtres et les saints** représentent la vie sur terre, tandis que, au-dessus, le Couronnement de la Vierge et le plafond, dominé par un Christ Pantocrator et une foule d'anges, sont le symbole de la vie spirituelle. Les anges baroques qui protègent le sarcophage ont été rajoutés au 18e s.

Chœur – Le maître-autel est surmonté d'un **baldaquin de pierre** sculpté au 14e s., figurant l'Annonciation. De chaque côté, les **stalles★★** (1439), en bois, richement ornées, sont inspirées du gothique vénitien.

★ **Trésor** – *Mêmes horaires que la cathédrale. 5 kn.* Installé dans la sacristie, il est protégé à l'intérieur de splendides **armoires★★** (15e s.). On y admire des vêtements sacerdotaux, des reliquaires et des ustensiles sacrés, dont certains très rares, comme une **croix d'Avignon★** (1310).

★★ **Baptistère** – *Entrée par le porche, incluse dans la visite du trésor.* Réalisé au 15e s. par Andrija Aleši, il porte nettement la marque du style de Georges le Dalmate, son maître, notamment aux frises et guirlandes de fleurs, fruits et angelots. Son plafond à caissons est un bel exemple de style Renaissance. Au-dessus de l'entrée, un bas-relief représente le **baptême du Christ**. Notez aussi la sculpture de **saint Jérôme** (sv. Jerolim) **au désert**.

★★ **Campanile** – *Été : 9h-20h - poss. de visite guidée (sur RV au ✆ 021 881 426).* Son ascension offre un beau **panorama★★** sur la ville et l'île de Čiovo, à 47 m de hauteur. C'est lui qui résume le mieux les différentes périodes de construction : du premier étage gothique, on passe au gothique vénitien, beaucoup plus maniéré à l'étage suivant. Le troisième niveau est typiquement Renaissance, tandis que la toiture s'orne de sculptures baroques.

UNE FORTERESSE VÉNITIENNE

Fondée par les Grecs puis occupée par les Romains qui la nommaient *Tragurium*, la ville s'est convertie au christianisme à peu près en même temps que Salona, dont elle dépendait. À la fin du 7e s., Trogir devient un évêché et les églises s'y multiplient. Successivement dominée par les Francs, les Byzantins, puis les Hungaro-Croates, elle tombe dans l'escarcelle de Venise en 1420. Malgré la constante menace turque, la cité se développe et bénéficie de l'éclosion de la Renaissance. Elle renforce ses fortifications. Les riches habitants font construire des palais. Le déclin de la puissance vénitienne entraînera celui de la ville.

Trogir, en dépit de sa taille modeste, possède les plus beaux fleurons de l'art croate. Elle conserve des vestiges de la période grecque, mais surtout une cathédrale qui a, au fil des siècles, mobilisé le savoir-faire des plus grands architectes et sculpteurs, tels Radovan, le maître roman, Nicolas le Florentin (Nikola Firentinac) ou Andrija Aleši, tous deux élèves de Georges le Dalmate (Juraj Dalmatinac). Les palais eux-mêmes déclinent l'histoire des styles gothique, Renaissance et baroque.

Tout en haut, la sphère dorée abrite les reliques des saints protecteurs de la ville. Montée parfois périlleuse, sujets au vertige s'abstenir. À l'extérieur, la petite pyramide de pierre marque l'emplacement de l'ancien cimetière, démantelé par les Vénitiens.

★★ Place Ivana-Pavla-II

Sur le côté sud de la cathédrale, elle est depuis toujours le centre de la vie locale et décline, elle aussi, tous les styles architecturaux.

★ Palais Cipiko

Face à l'entrée principale de la cathédrale, c'est le plus beau de Trogir. Il était autrefois composé de deux parties, réunies par une passerelle : le grand palais, au n° 41, et le petit palais, de l'autre côté de la ruelle. Les deux palais ont été édifiés au 15e s. par trois des maîtres de la cathédrale. Les fenêtres gothiques à triple baie sont le fait d'Aleši. La porte est due à Duknović. Sous le porche, la sculpture d'un coq est un trophée récupéré sur la proue d'un bateau turc, capturé en 1571. La cour intérieure du petit palais fut réalisée par Nicolas le Florentin.

★ Hôtel de ville

Côté est de la place.

Autrefois palais des recteurs (les gouverneurs), il date du 13e s. mais sa façade fut refaite à la Renaissance. Vu du ciel, il se présente comme un énorme quadrilatère, avec les quatre corps de bâtiments encadrant une cour fermée. Ne manquez pas d'y pénétrer pour en voir l'architecture typique, avec l'escalier et le puits d'époque romane. Sur les murs ont été apposés les blasons des familles nobles de Trogir.

★★ Pinacothèque

Été : 9h-20h - RV toute l'année pour une visite guidée au ✆ 021 881 426 - 15 kn.

Musée d'art sacré. Parmi les collections, notez de belles **peintures de Blaž Jurjev★★** (15e s.) ou d'artistes italiens, des **crucifix peints★** et de précieux manuscrits, dont l'**évangéliaire de Trogir★** ou le **lectionnaire de Trogir★★** dans sa reliure d'argent (tous deux du 13e s.).

★ Ancien tribunal

La loggia qui borde le côté sud de la place faisait jadis office de tribunal pour les hommes du peuple (les nobles étaient jugés dans des lieux privés, et les femmes dans une église voisine). La grande sculpture figurant un évêque croate est d'**Ivan Meštrović**. Celle qui surplombe la table est de Nicolas le Florentin : il s'agit d'une **allégorie de la Justice**, entourée de Jean de Trogir portant la maquette de la ville et de saint Laurent avec son gril. À l'extérieur, la **tour d'horloge** est ornée d'un saint Sébastien, qui protégea la ville de Trogir de la peste.

Chapelle Ste-Barbara (Sv. Barbara)

Adossée au côté droit du tribunal, sous le passage couvert de ulica Gradska, c'est un vestige du tout premier style roman. Admirez le sobre **linteau sculpté★★** de motifs archaïques de croix et d'entrelacs.

Juste en face, la cour intérieure du petit palais *(n° 35)* présente un balcon de pierre particulièrement original.

Suivez ulica Gradska vers le sud.

★ Couvent dominicain St-Nicolas (samostan sv. Nikola)

✆ 021 881 631 - tlj 10h-15h - 25 kn.

Fondé en 1064 et toujours occupé par une communauté de bénédictines, il présente la particularité d'être construit entre une partie des remparts remontant à l'Antiquité et une autre de la période vénitienne, ce qui lui valut le nom de monastère « entre les remparts ».

Église St-Nicolas – Son ravissant clocher, qui répond à celui de la cathédrale, fut rajouté au 16e s. Ses ouvertures sont occultées par une fine dentelle de pierre blanche, exécutée par un artiste de l'île de Brač. L'intérieur est du plus pur style baroque maniériste.

★★ **Collection Kairos** – Elle porte le nom de son plus célèbre objet, un bas-relief hellénistique (3e s. av. J.-C.) représentant la recherche de l'instant propice. Les collections rassemblent aussi des peintures intéressantes (13e-16e s.) et des objets profanes ou sacrés.

Poursuivez votre balade en flânant à l'aventure dans les étroites ruelles. Leur ombre bienfaisante, les petites places animées de terrasses de cafés, les chats lézardant au soleil ou le linge claquant dans la brise méritent que l'on s'y perde.

★ TOUR DES QUAIS

Commencez au pont vers Čiovo et longez le quai vers l'ouest.

Remparts

Il n'en reste qu'une très petite partie et la seule section intacte est celle qui constitue la muraille extérieure du couvent bénédictin.

Loggia des Voyageurs

Adossée aux remparts, elle servait d'abri aux voyageurs qui débarquaient après la fermeture des portes, à minuit. Aujourd'hui, les anciens se la sont appropriée, et en ont fait un lieu d'observation stratégique où les commentaires vont bon train.

Porte de la Mer

Construite à la fin du 16e s., elle se remarque surtout par sa lourde porte cloutée.

Longez le quai, passez le bâtiment néogothique de l'école primaire, continuez jusqu'à l'église St-Dominique.

Église St-Dominique (Sv. Dominik)

Au-dessus de la porte de cette église du 15e s., notez le **bas-relief de la Vierge à l'Enfant**, entourée d'un évêque de Trogir (sa statue se trouve devant l'église), mais surtout d'une amusante **Marie-Madeleine**, entièrement revêtue de ses longs cheveux bouclés.

★ Forteresse de Kamerlengo

Juil.-sept. : 8h-22h ; de mi-avr. à juin et sept.-oct. : 10h-19h - visite des remparts 15 kn ; 25 kn billet combiné avec le musée de la Ville.

Barrant l'extrémité du quai, elle fut érigée entre 1420 et 1437. Initialement entourée d'un fossé et équipée de son propre puits, elle pouvait ainsi résister en cas de révolte populaire (elle abritait le responsable des finances de la ville…). La vue sur la ville y est magnifique.
Suivez le bord du quai vers l'ouest.

Gloriette de Marmont

Solitaire et incongru, face à la mer, ce vestige inattendu de la présence française fut conçu comme un monument à la gloire de la France. On y célébrait les mariages civils. Parmi les travaux qui rendirent Marmont populaire, l'assèchement des marécages, qui bordaient le littoral jusqu'à Solin, contribua à assainir la région. Depuis cette extrémité de la ville, on aperçoit les chantiers navals qui se développèrent au début du 20e s.

Tour St-Marc

10h-13h, 17h-0h - gratuit.

Dernier vestige des fortifications vénitiennes du 15e s., cette grosse tour ronde et trapue gardait la ville du côté nord-ouest. Au 1er étage, un petit musée présente les différents instruments de musique qui entrent dans la composition des musiques dalmates, tandis que sur le toit, on peut se détendre ; un café y a été aménagé.
Achevez votre tour de l'îlot en longeant le pittoresque bras de mer où sont amarrées des dizaines de barques colorées.

À proximité Carte de région

ÎLE DE ČIOVO AB1

C'est ici que les Grecs venus de l'île de Vis fondèrent *Tragurion*. Elle est reliée à la vieille ville de Trogir par un pont. On y trouve la marina de Trogir et plusieurs petites stations balnéaires. Son atout est la présence de quelques plages et des coûts d'hébergement plus raisonnables qu'à Trogir.

Côte est

À gauche après le pont, en direction d'Arbanija et Slatine.

C'est la partie la moins prisée en raison de son orientation au nord et de la vue sur la partie industrialisée de Split, mais aussi la plus pittoresque.

Côte ouest

À droite après le pont, en direction de Rožac et d'Okruk.

Nettement plus touristique, cette portion de l'île est bordée de villages animés où pullulent les chambres à louer. Quelques petites plages et une meilleure orientation au soleil en font une alternative pour ceux qui ne veulent pas séjourner à Trogir.

MARINA A1

À 15 km à l'ouest de Trogir par la route de Šibenik.
Abrité dans une profonde échancrure marine, ce petit port est construit au cœur d'une côte boisée, interrompue de minuscules criques et bordée de rochers. Sa haute tour fortifiée vénitienne est devenue un hôtel.

ROGOZNICA A1

À 27 km à l'ouest de Trogir.
Construit au fond d'une baie abritée et sur un îlot, ce pittoresque port de pêche accueille désormais une marina recherchée, car très abritée. Bien que relié à la terre ferme par un pont, l'îlot conserve son atmosphère tranquille et son ancien quai bordé d'arbres.

NOS ADRESSES À TROGIR

INFORMATION UTILE

Internet - KOT Internet – *Ribarska 6 - ✆ 021 885 269 - à côté du restaurant Capo.*

ARRIVER/PARTIR

Gare routière – *Sur la route littorale.* Sur l'axe Zadar-Split, la fréquence des bus est, dans la journée, de l'ordre de 20-30mn dans les 2 directions. Pour Kaštela, pour Split ou l'aéroport, prendre le bus 37.
Aéroport – Split-Kaštela, à 7 km de Trogir *(voir à Split).*

NAUTISME

Bon à savoir – Le port de Trogir est réservé, en été, aux bateaux de plus de 25 m.
ACI Marina Trogir – *✆ 021 881 544.* Sur la rive de Čiovo, face à la vieille ville. En été, il est recommandé de prévenir 24 ou 48h à l'avance.
Agana Marina à Marina – *✆ 021 889 411 - www.marina-agana.hr.*

HÉBERGEMENT

À Trogir

BUDGET MOYEN

Chambres Karagić – *Mornarska 26 - ✆ 091 131 1098 (portable) - biljana.karagic@hi.t-com.hr - 2 ch. 502 kn.* Derrière les remparts, dans l'enceinte de la vieille ville, à droite du palais Lučić, quelques vastes chambres dans une maison ancienne. Ici, rien n'est droit, pas même le parquet, peint en jaune. Les chambres sont meublées de manière hétéroclite, ce qui leur confère un petit côté « bohème », plein de charme.

POUR SE FAIRE PLAISIR

Hotel Concordia – *Obala B. Berislavića 22 - ✆ 021 885 400 - www.concordia-hotel.net - fermé vac. de Noël - 14 ch. 550/730 kn ☕.* Ce confortable petit hôtel familial, aux chambres propres et claires, est idéalement situé dans la vieille ville, sur les quais, face au Čiovo.
Hotel Fontana – *Obrov 1 - ✆ 021 885 744 - www.fontana-trogir.com - 13 ch. 70/100 €, 1 suite 100/145 € ☕.* Les chambres sont belles, grâce à d'agréables volumes et de beaux tapis. Les salles de bains, un peu clinquantes, sont très confortables. Bon accueil.
Hotel Pašike – *Sinjska bb - ✆ 021 885 185 - www.hotelpasike.com - 7 ch. et 1 suite 85/135 € ☕.* Demeure du 15e s., au cœur de la ville. Chaque chambre possède sa particularité, avec souvent du

mobilier 1930. Dommage que les murs des cloisons entre les chambres ne soient pas aussi épais que ceux de l'extérieur. Le petit déjeuner est copieux et l'accueil chaleureux.

Vila Sv. Petar – *Ivana Duknovića 14 - ✆ 021 884 359 - www.villa-svpetar.com - 4 ch. 65/110 € et 2 appart. 100/175 €* ☕. Au centre de la vieille ville, ce petit hôtel est agréable et élégant. La pierre en façade contraste avec le design des chambres. L'établissement joue la carte de la simplicité et de la modernité. Le faible nombre de chambres fait du petit déjeuner un moment convivial. L'accueil est sympathique et discret.

Vila Sikaa – *Obala K. Zvonimira 13 - ✆ 021 881 223 - www.vila-sikaa-r.com - 6 ch. 86/102 € et 2 suites 118/133 €* ☕. Sur le quai de Čiovo, cette demeure abrite un petit hôtel au confort sophistiqué. Les chambres côté rue offrent une jolie vue sur la vieille ville mais sont très bruyantes. Le petit déjeuner se prend à l'arrière de l'hôtel, sur une petite terrasse.

Île de Čiovo

POUR SE FAIRE PLAISIR

Vila Tina – *Arbanija - ✆ 021 888 401 - www.vila-tina.hr - 🐴 - 20 ch. 60/94 € ☕ - 1/2 P 52 kn.* Hôtel familial, propre et élégant. Les chambres sont carrelées, confortables (climatisation). Certaines chambres ont une belle vue sur la mer et le continent et bénéficient d'un grand balcon. Les autres donnent sur un petit jardin. Fermé en hiver.

Hotel Sveti Križ – *Arbanija - Put Sv. Križa bb - ✆ 021 888 118 - www.hotel-svetikriz.hr - 🏊 - 40 ch. 88 € et 10 appart. 150 €* ☕. Assez bien intégré au milieu des pins, au-dessus de la ravissante église de Sveti Križ, cet hôtel n'en demeure pas moins peu chaleureux avec ses murs en béton peint, et ses moquettes au bleu criard. Les chambres sont toutefois confortables (climatisation). Grande salle de restaurant et tennis.

RESTAURATION

Restaurant Fontana – *Obrov 1 - ✆ 021 884 811 - plats entre 60 et 100 kn.* On y propose une excellente cuisine, fraîche et authentique, servie en terrasse sur le quai.

BUDGET MOYEN

Konoba Capo – *Ribarska 11 - ✆ 021 885 334 - www.capo-trogir.com.* L'idée est originale : réinvestir une ruine, telle quelle. Construire un bar en bois, faire la cuisine à ciel ouvert, tout en laissant la vigne vierge courir sur les murs. Des bouées et des filets de pêche parfont le décor. Par contre, les spécialités dalmates y sont assez chères et la qualité de l'assiette assez moyenne.

POUR SE FAIRE PLAISIR

Monika – *Budislavićeva 12 - ✆ 021 884 808 - crustacés 160 kn/kg, poissons 350/480 kn/kg, plats et grillades 70/100 kn.* Belle carte de spécialités et délicieuses grillades. Service attentif. Terrasse fraîche et fleurie.

Alka – *Augustina Kažotića 15 - ✆ 021 881 856 - 150/250 kn.* Une des meilleures adresses de la ville. Poissons, viandes mijotées, tout y est excellent.

AGENDA

En juillet et août, des groupes folkloriques se produisent dans les rues et dans la forteresse de Kamerlengo et des concerts ont lieu dans l'église Sv. Petar.

Île de Brač

★★

13 956 habitants – Dalmatie

NOS ADRESSES PAGE 186

S'INFORMER

Office de tourisme de Supetar – *Turistička zajednica - Porat 1 (quai du débarcadère) - 021 630 551 - www.supetar.hr - En été : tlj 8h-22h ; en hiver : lun.-vend. 8h-15h30.*

SE REPÉRER

Carte de région BC1 (p. 144-145) – *carte Michelin n° 757 F8-9.* Large et accidentée, cette grande île (la 3e de l'Adriatique) s'étend à 11 km du littoral dont elle est séparée par le canal de Brač. Longue d'environ 40 km et large de 13,6 km, elle culmine au Vidova Gora, à 780 m, plus haut sommet des îles croates. Deux lignes de crêtes encadrent un plateau central où la vigne et l'olivier le disputent aux moutons.

Voir la rubrique « Arriver/partir » dans *Nos adresses*.

SE GARER

Le centre de Supetar est inaccessible en voiture. Le mieux est de se garer juste en sortant du débarcadère ou bien de contourner la ville par le haut pour redescendre à l'ouest du port où se trouvent plusieurs parkings.

À NE PAS MANQUER

Le monastère de Blaca, la grotte du Dragon, la plage de Zlatni Rat (pointe d'or).

ORGANISER SON TEMPS

Comptez une après-midi pour visiter Škrip et les carrières ; une journée pour le monastère de Blaca et une demi-journée à Bol pour la plage de Zlatni Rat et le monastère dominicain, qui valent le détour.

AVEC LES ENFANTS

De nombreuses possibilités de randonnées ainsi que des activités de plongée, kayak, funboard et planche à voile spécialement conçues pour eux (plage de Zlatni Rat).

Il y a la carte postale d'une longue plage dorée en forme d'épée, celle de Zlatni Rat, joyau naturel de l'île de Brač et paradis des windsurfers. Pourtant, loin des plages et du farniente, Brač cache un patrimoine original et attachant. Avec ses carrières de pierre et ses pâturages austères, piqués de cyprès et d'oliviers, entrecoupés de murets, l'intérieur des terres promet des découvertes passionnantes.

Découvrir Carte de région

SUPETAR B1

Port d'arrivée des ferries venant de Split, Supetar s'anime à leur rythme et s'organise autour d'un joli bassin carré bordé de palmiers. Vers l'ouest s'étend le quartier boisé des plages et des hôtels. Au nord, sur le continent, le massif du Mosor barre l'horizon.

2

Église de l'Annonciation

Horaires des messes. Au fond du port, en haut d'une volée de marches, elle a adopté le style baroque (1773) et contient quelques imposants retables de la même époque.

Juste à côté, en face de la tour d'horloge, le petit **musée** présente une modeste collection de peintures.

★ Cimetière marin

À l'ouest du port, longez la promenade au bord de la plage de galets que vous contournez en suivant la côte. 30mn AR.

Même si vous n'aimez pas ce genre de visite, ne manquez pas celle-ci pour l'agréable balade sous les pins et les tamaris, pour les mausolées extravagants du cimetière et pour le site bucolique de la pointe St-Nicolas. Dominant les autres, le pompeux **mausolée Petrinović**, de style néo-égypto-byzantin en forme de meringue est coiffé d'un ange ailé. On le doit à un sculpteur de Split, Toma Rosandić. Faites un petit tour parmi les autres tombes, comme celle de la famille Čulić (*près de l'entrée*) par Ivan Rendić *(voir encadré)* ou celle de la famille Rendić (*vers le bas du cimetière*), avec son énorme sarcophage et sa coupole. Notez les décors surprenants, même sur les plus modestes stèles.

LE SCULPTEUR DU PAYS

Ivan Rendić (1849-1932), dont la famille possède l'un des plus imposants mausolées du cimetière, est un artiste né à Supetar. L'un des sculpteurs de Croatie les plus respectés au début du 20e s., il fut choisi par la plupart des grandes familles pour leurs monuments funéraires, mais aussi pour des projets architecturaux plus ambitieux. Il réalisait souvent d'étonnants mariages de styles et d'influences, mêlant sans complexe le byzantin, le grec, l'égyptien… Ironie de l'histoire : mort dans l'oubli à l'hospice des pauvres de Zagreb, ce spécialiste de l'art funéraire eut droit à deux enterrements : le premier en grande pompe à Split, avant que, trois jours plus tard, les habitants de Brač ne réclament son corps pour lui faire des funérailles solennelles. Le comble du paradoxe, c'est que personne ne sait aujourd'hui avec certitude où se trouve la tombe du sculpteur.

Circuits conseillés

★ LA CÔTE OUEST Carte de région B1

Circuit de 44 km. Départ de Supetar vers l'ouest, en direction de Sutivan.

Sutivan

Rien de très spectaculaire, mais un petit port de charme, de belles maisons, des palmiers et une église à l'allure orientale, avec son clocher à bulbe.

Prenez plein sud et roulez 6 km.

★ Ložišća

Depuis la route, c'est son clocher à bulbe d'oignon qui arrête le regard. Ce pittoresque village accroché à un canyon rocailleux piqué de cyprès s'est en effet doté de cet appendice surdimensionné pour rivaliser avec les paroisses

Le monastère de Blaca.
A. Alborno / hemis.fr

voisines. Ivan Rendić fut choisi pour assurer un résultat impressionnant ! Indépendant de l'église, le clocher est réalisé en pierre de Brač (1920).
Continuez au sud-ouest de Ložišća, sur la côte ouest.

2

★ Milna

Le plus occidental des ports de l'île est aussi l'un des plus abrités, au fond d'une longue baie très étroite. En plus de sa flotte de pêche et de ses chantiers navals, il s'est équipé d'un petit port de plaisance qui en fait un site très touristique, moins authentique que Sutivan mais plein de charme tout de même.
Prenez ensuite la direction de l'est par la route Milna/Ložišća-Nerežišća. 2 km après Dračevica, tournez à droite.

Carrière de Dragonjik (Kamenolom Dragonjik)

Une grue et de gros blocs de pierre numérotés marquent l'entrée de cette petite carrière où l'on peut observer la nature de la pierre et la façon dont elle est débitée en gros cubes.
Revenez à Supetar.

LE CENTRE ET LE SUD DE L'ÎLE Carte de région BC1

Départ de Supetar vers l'est, le long de la côte nord, en direction de Postira.

Splitska

Ce petit port est coincé dans une étroite échancrure des collines : une église, de ravissantes maisons, quelques bateaux et un cadre superbe résument le charme de l'île.
Prenez la direction de Škrip, au sud. La route grimpe sur 4 km dans les collines.

★★ Škrip

Ce pittoresque village perché sur les collines au milieu des chaos pierreux fait face aux orgueilleuses crêtes du Mosor, de l'autre côté du canal de Brač. C'est lui qui conserve la mémoire de l'île et de ses liens avec les Romains.

L'ÎLE DE LA PIERRE

Sur Brač, les pierres sont partout. À tel point que, depuis des millénaires, les paysans n'ont cessé de les séparer de la terre pour dégager les maigres parcelles où planter la vigne et l'olivier. Ils en ont fait des terrasses, des murets, des monticules, presque des pyramides, silhouettes lourdes et grises qui rythment le paysage. Ils les ont aussi exploitées.
Le sous-sol de Brač est en effet constitué d'un calcaire d'une blancheur immaculée et sans veines, dont la finesse extrême évoque le marbre. Cette roche se polit naturellement jusqu'à obtenir le doux brillant que l'on admire aux pavés de Dubrovnik, Split ou Hvar. Les tailleurs de pierre vous diront qu'elle durcit en vieillissant, garantissant des palais à l'épreuve du temps comme celui de Dioclétien, à Split. Ses qualités ont fait la renommée et la richesse de l'île depuis l'Antiquité et ses blocs blancs et lisses ont servi aux édifices les plus ambitieux des grandes capitales occidentales, à commencer par la Maison-Blanche à Washington.
Peu à peu privatisées, les carrières emploient désormais 3 000 personnes. Les plus importantes se trouvent au centre de l'île. À leur abord, vous apercevrez les énormes blocs quadrangulaires, empilés comme de gigantesques morceaux de sucre blanc. On les utilise aujourd'hui pour les balustrades des balcons ou toutes sortes de colonnades pseudo-antiques.

Leurs architectes organisèrent l'extraction de la pierre, notamment lors de l'expansion de Salona. Mais c'est la construction du palais de Dioclétien à Split qui a donné le signal de l'exploitation massive et de l'arrivée d'une nouvelle population de tailleurs de pierre, venus de tout l'Empire, notamment du Moyen-Orient.

★★ **Musée de Brač** (Brački muzej) – *Été : 8h-20h (en cas de fermeture, frappez à la porte de la maison mitoyenne, ou ✆ 021 646 325) - 12 kn (enf. 5 kn).*

Il est hébergé dans l'ancien **palais Radojković★**, dont la tour carrée fut bâtie au 16e s. pour résister aux Turcs. Avant d'y pénétrer, traversez la cour et contournez l'édifice pour voir les imposants vestiges de la **muraille illyrienne★** (3e s. av. J.-C., mais certains affirment qu'elle daterait de 1400 av. J.-C.) que l'on reconnaît à la taille massive des blocs de pierre : les Illyriens, qui occupaient l'île bien avant les Romains, s'inspiraient des méthodes de construction des Grecs.

Le musée, consacré à l'histoire de Brač, présente les résultats des fouilles menées tant dans une grotte préhistorique locale, que dans des ruines romaines. Parmi les objets les plus intéressants, notez deux **bas-reliefs d'Héraclès★** (Hercule), une divinité vénérée pour sa force, surtout chez les tailleurs de pierre et les soldats.

Au rez-de-chaussée, en haut des marches de bois, se trouve le **mausolée romain★** au-dessus duquel fut érigée la tour défensive du palais. Selon la tradition, la femme et la fille de Dioclétien, chrétiennes persécutées, y seraient enterrées. Rien ne permet de le confirmer, pas plus qu'une autre légende y voyant le tombeau d'Hélène, la mère de l'empereur Constantin.

L'étage est consacré à la vie dans l'île. Dans un angle, on note les **machines à polir et à étirer l'or** en fil pour le travail en filigrane, typique de la joaillerie croate. Remarquez aussi le **coffre de jeune mariée** (19e s.) : en y apportant sa dot, elle signifiait son renoncement à tout autre héritage familial.

★ **Chapelle du St-Esprit** (Sv. Duha) – Tout près du musée, le cimetière comprend deux chapelles. La plus intéressante est celle de gauche, marquée

par trois périodes : commencée sous l'Empire romain, sa construction a été poursuivie lorsque les chrétiens s'enfuirent de Salona (7e s.) et achevée à l'époque romane (11e-12e s.).
Prenez la direction de Nerežišća.
Au-dessus de Škrip, en direction de Nerežišća et du centre de l'île, la **route pittoresque★★** s'élève dans la montagne et devient très spectaculaire, se faufilant entre les tumuli de pierre, les murets et les capitelles. La **vue★★★** sur le canal de Brač et les montagnes de la riviera de Makarska est splendide.
À Nerežišća, prenez la direction Bol-Sumartin. Après 4 km, tournez à droite et suivez la route jusqu'à la taverne (konoba).

★★ Vidova Gora B1

À pied, un sentier y monte en 2h depuis l'église paroissiale de Bol (assez pénible, pas d'ombre, prévoir beaucoup d'eau).
Le plus haut sommet de l'île est un large promontoire qui se dresse immédiatement au nord de Bol. À 778 m, il surplombe le village en contrebas et offre un **panorama★★** impressionnant sur Zlatni Rat et les îles de Hvar et Vis. La terrasse de la *konoba* est particulièrement agréable pour déguster les spécialités locales.
Depuis la route de Vidova Gora, vous avez la possibilité de rejoindre le **monastère de Blaca★★** *(voir ci-après). À moins de 1 km avant la route principale Supetar-Bol, une route très caillouteuse mais carrossable se présente sur la gauche (à droite si vous arrivez de la grande route). Suivez-la jusqu'à une aire de parking (6,5 km, 30mn en voiture ou 1h45 à pied). Un sentier muletier descend dans une gorge ombragée pour une agréable balade de 30mn. À faire en partant tôt le matin.*
Pour poursuivre le circuit, revenez sur la route principale et suivez-la, direction Bol.

2

★ Bol C1

Turistička zajednica, porat bolskih pomoraca bb (au bout du quai) - 021 635 638 - www.bol.hr - juil.-aout : 8h30-22h, mai-juin et sept-oct. : 8h30-14h 16h-21h, nov.-avril : 8h30-14h.
Bon à savoir – À Bol, n'essayez surtout pas de vous frayer un chemin dans les étroites ruelles du vieux port, vous risquez d'y rester coincé.
Sans caractère particulier, c'est un village plaisant, avec ses ruelles en pente, sa jolie église à fronton à volutes et son quai animé. À l'est du centre, en suivant le sentier côtier, on rejoint le monastère dominicain.
★ **Monastère dominicain** (dominikanski samostan) – *8h-12h, 17h-20h - 10 kn.* Construit sur l'avancée rocheuse de Glavica, il fut fondé en 1475, mais son couvent englobe la plus ancienne église du village (12e s.). Le musée attenant présente une petite collection archéologique, quelques peintures et icônes et une **Vierge à l'Enfant★** attribuée au Tintoret.
★★ **Plage de Zlatni Rat** – Vers l'ouest, le village est beaucoup plus résidentiel et s'achève par l'avancée d'une langue de galets qui s'enfonce dans une eau d'une rare clarté. On traduit son nom par « corne d'or » ou « cap d'or ». Sa forme n'est jamais totalement la même, affectée par les vents et les courants. Si sa partie ouest est fréquentée par les nudistes, elle reste dans l'ensemble une plage sportive et familiale extrêmement populaire, bondée en juillet et août.
À la sortie de Bol, avant l'arrivée à Zlatni Rat, une route carrossable longe la côte vers l'ouest, en direction de Murvica, à 5 km, où vous laisserez votre véhicule.

★★ Grotte du Dragon (Dragonjina špilja)

Un sentier part au-dessus de Murvica et rejoint la grotte en 15mn. Elle n'est ouverte au public que sur rendez-vous pris avec Zoran qui conduit la visite - 091 514 97 87.

Les spécialistes se posent bien des questions sur ce site mystérieux. Il s'agit d'une grotte sculptée de motifs fantastiques représentant des dragons et des créatures extraordinaires. On y a vu un héritage de motifs païens, mais la plupart les attribuent aux moines de Blaca qui s'y cachèrent au 16e s., avant de construire leur monastère.

Deux possibilités s'offrent à vous pour rejoindre le monastère de Blaca. Prévoyez une demi-journée (attention, sentiers caillouteux : évitez les sandales) et beaucoup d'eau à boire.

Après le village de Murvica, continuez à pied sur le sentier le long du rivage. Après 8 km (2h de marche), il arrive au port jadis utilisé par les moines et monte vers l'ermitage en 30mn (pas vraiment d'ombre).

Depuis Bol, en saison, vous pouvez aussi prendre le bateau pour rallier le mouillage des moines (excursions organisées à l'office de tourisme et dans les agences).

★★ **Monastère de Blaca** (Samostan Blaca) B1

Tlj sf lun. 9h-17h (mais pour être sûr de rentrer, mieux vaut prendre rendez-vous à l'office de tourisme) - 30 kn.

L'un des plus beaux sites des îles dalmates, ce monastère totalement isolé dans un canyon rocheux résume parfaitement l'idéal monastique : un site austère et retiré, de maigres terres pour assurer la subsistance de la communauté et des édifices ambitieux. Fondé au 16e s. par des moines qui fuyaient les Turcs, il abrita une école et même une petite imprimerie. Le dernier moine, féru d'astronomie, y installa un observatoire en 1926. La visite permet de comprendre la vie dans un monastère.

Depuis Bol, suivez d'abord la direction de Supetar, puis parvenu à G. Humac, tournez plein est vers Sumartin.

Sumartin C1

À l'extrémité est de l'île, face à la riviera de Makarska.

Ce petit port tranquille, encadré de quelques criques, est encore peu développé et ne doit son animation qu'au ferry de Makarska. Entre chaque bateau, il s'assoupit à nouveau.

NOS ADRESSES DANS L'ÎLE DE BRAČ

INFORMATION UTILE

Accès Internet – *Web'n'Walk, à Bol - Ante Radića 5 - ✆ 021 642 096.*

ARRIVER/PARTIR

Ferries (voitures et/ou passagers) – *Jadrolinija : Supetar - ✆ 021 631 357 ; Sumartin - ✆ 021 648 224 - www.jadrolinija.hr.* Entre Split et Supetar : de 8 à 14 passages/j. selon la saison (5h-0h en été) ; 50mn de traversée. Entre Makarska et Sumartin (juil.-août), 3 à 5 passages/j., 50mn de traversée. Le « Katamaran », navire rapide entre Split et Jelsa (Hvar) fait escale à Bol, 1 bateau/j. Pour passagers seulement.

Autobus – *Porat 12 à Supetar - ✆ 021 631 122 - www.autotrans-brac.hr.* Liaisons quotidiennes sur les lignes Supetar-Bol, Supetar-Selca/Sumartin et Supetar-Milna.

Avion – *Aéroport de Brač, à quelques km au nord de Bol - ✆/fax 021 559 711 - www.airport-brac.hr.* Avr.-oct. : w.-end 1 vol Croatia Airlines entre Zagreb et Bol. Vols charters en été.

NAUTISME

Port de plaisance de Milna – À l'ouest de l'île, c'est un petit port de plaisance très agréable, près d'un chantier de réparation des navires en bois.
Capitainerie – *021 636 205.*
ACI Milna – *021 636 306 ou 366.*
Bus pour Supetar. Équipement : *voir le chapitre Nautisme p. 25.*

HÉBERGEMENT

À Supetar

BUDGET MOYEN

Pansion Palute – *Put Pašike 16, dans le quartier à l'ouest du port - 021 631 541 ou (098) 94 89 463 - www.palute.hr - 12 ch. 380 kn.* Pension familiale chaleureuse et bien tenue, située à l'ouest du port. Pas de vue sur la mer mais des confitures maison (kiwi, figues…) au petit déjeuner. Possibilité de demi-pension dans le restaurant du même nom, sur le port (10mn à pied). Ouvert toute l'année.
Villa Britanida – *Hrvatskih Velikana 26 - 021 631 038 - britanida@st.htnet.hr - fermé pendant les fêtes de fin d'année - 15 ch. 70 €.* À l'est de l'embarcadère, dans une ruelle tranquille, cet établissement propose des chambres très correctes quoique sans cachet.

UNE FOLIE

Svpetrvs hoteli d.d. – *Put Vela Luke 4 - 021 631 133 - www.watermanresorts.com - - 460 ch. 60/100 €/pers.* Entièrement rénové en 2005, ce grand complexe hôtelier est conçu pour que vous y restiez : seule la demi-pension (ou pension complète) y est proposée et 6 jours mini sont requis pendant la période estivale. Proche de la plage, il propose un espace de bien-être et de nombreuses activités sportives, des animations et des excursions. 108 appartements pour 2 à 6 personnes peuvent être aussi loués à la semaine (*Waterman Holiday Club - 021 640 170 - www.watermanresorts.com - de 796 kn à 1 971 kn/j*).

À Bol

Agence Bol Tours – V. *Nazora 18 - 021 635 693 - www.boltours.com.* Outre des excursions et des loisirs, l'agence propose des chambres et des appartements.

POUR SE FAIRE PLAISIR

Villa Nena – *T. Ujevića, 8 - 021 635 257 - www.villanena-bol.com - 8 appart. 70/135 €/j selon les appartements et la saison.* Séjour tout confort, dans une grande maison, à 50 m d'une petite plage de galets, derrière le monastère dominicain.

UNE FOLIE

Hotel Kastil – *Frane Radića - 021 635 995 - www.kastil.hr - avr.-oct. - 32 ch. 95/115 €.* Idéalement situé, au cœur du village, sur le front de mer, cet hôtel est installé dans une belle maison ancienne. Les chambres modernes et confortables ont toutes une vue imprenable sur Hvar. Copieux petit déjeuner en terrasse. Restaurant en saison.
Hotel Elaphusa – *Bračka cesta - 021 306 200 - www.bluesunhotels.com - - 300 ch. 268/291 € en 1/2 P selon la vue et 6 suites.* Situé sur le chemin côtier qui mène à la plage de Zlatni Rat, ce grand hôtel réaménagé en 2006 est réparti en 4 longs bâtiments modernes de 4 étages. Son objectif est d'offrir un maximum de confort ainsi qu'une large palette d'activités tant pour les enfants (vélo, mini-club, salle de jeux, terrains de football,

handball) que pour les adultes (tennis, thalassothérapie, centre de soins, concert, boîte de nuit).

RESTAURATION

À Supetar

BUDGET MOYEN

Bistro Palute – *Quai du port, près du débarcadère - ✆ 021 631 730 - plats 32/100 kn.* Attention à ne pas manquer l'entrée discrète de cette excellente adresse appréciée des locaux. Le menu du jour permet de sortir des classiques, égayer son assiette avec des artichauts aux petits pois par exemple, ou de profiter des derniers arrivages de la mer. Les viandes grillées y sont bonnes.

Konoba Vinotoka – *Jobova 6 - ✆ 021 630 969 - poissons 70/100 kn, plats 70/90 kn.* En retrait du port, dans une rue bordée de jolies maisons, on peut y déguster risotto, pâtes, grillades. Le poisson y est une valeur sûre car il est pêché par le fils du patron. Portions très copieuses. Une grande terrasse couverte agrandit la capacité d'accueil de la taverne.

À Bol

BUDGET MOYEN

Mali Raj – *Put zlatnog rata - ✆ 021 635 282 - poissons 240 kn/kg, plats 50/80 kn.* Situé sur la colline, au-dessus de la plage de Zlatni Rat, dans un cadre agréable de terrasses couvertes de treilles, c'est l'occasion de manger une grillade ou une salade avant de redescendre à la plage. Crabes selon l'arrivage ; n'hésitez pas à demander. Bon accueil.

POUR SE FAIRE PLAISIR

Konoba Gušt – *Frane Radića 14 - ✆ 021 635 911 - avr.-oct - poissons 110 kn, plats 60/90 kn.* La salle est envahie d'un bric-à-brac sympathique d'ustensiles et d'objets anciens. Plats et produits croates, classiques et bien préparés. Bonne sélection musicale.

ACHATS

Bien que les objets en pierre de Brač vendus dans les boutiques ne soient guère inspirés, vous y trouverez de sobres petits cendriers ou vide-poches, à partir de 30/40 kn. Arrêtez-vous de préférence à certaines carrières comme celle de Dragonjik, sur la route de Milna à Nerežišća, pour les acheter directement.

SPORTS NAUTIQUES

Big Blue Sport – *En ville : Podan Glavice 2 ; sur la plage : en dessous de l'hotel Borak - ✆ 091 449 087 - www.bigbluesport.com.* Cours de planche à voile : niveau débutant 135 €/6h, niveau avancé 215 €/5h. Location : 30 €/h, 65 €/1/2 j, 200 €/sem. Plongée et VTT.

Fun System Bol – *Plage de Potočine, en contrebas de l'hôtel Bretanide - ✆ 091 276 111/021 635 946 - www.johnnywindsurfing.com - de mi-avr. à mi-oct.* Planche à voile : 890 kn/8h (débutants), 749 kn/5h (avancés), 590 kn (enf.). Funboard : 470 kn/3h (hors matériel). Kayak : 80 kn/h.

Île de Hvar

★★

11 077 habitants – Dalmatie

NOS ADRESSES PAGE 196

S'INFORMER

Office de tourisme de Hvar – *Sur la place de la cathédrale St-Étienne - ✆ 021 741 059 - www.tzhvar.hr - été : 8h-14h, 15h-21h ; hors sais. : tlj sf dim. 8h-14h.*

SE REPÉRER

Carte de région BC1-2 (p. 144-145) – *carte Michelin n° 757 F9.* Tout en longueur, l'île de Hvar étire ses 68 km d'est en ouest, entre l'île de Brač, au nord, et celle de Korčula, au sud. Malgré sa faible largeur (10,5 km), elle est parcourue par une crête abrupte (628 m au mont Sv. Nikola) qui la protège des vents du large. Son épais maquis, ses côtes très découpées, sa pierre de qualité (elle rivalise presque avec celle de Brač) et son riche terroir (vin, miel et lavande) en font l'une des îles les plus visitées de Dalmatie, malgré la rareté des plages.

Voir la rubrique « Arriver/partir » dans *Nos adresses.*

À NE PAS MANQUER

La forteresse espagnole de Hvar et ses cachots, la maison de Petar Hektorović (ou Tvrdalj) à Stari Grad et le *prošek* (apéritif sucré originaire de l'île), la plaine de Stari Grad, inscrite en 2008 sur la liste du Patrimoine mondial de l'Unesco.

ORGANISER SON TEMPS

Prévoyez au moins deux jours, car si le port de Hvar est enchanteur, il faut bien s'accorder deux demi-journées pour visiter Stari Grad, les villages de pêcheurs alentour, la grotte de Sveta Nedjelja. Pour les îles Pakleni, départ le matin, retour en fin d'après-midi. Pour passer votre voiture à Korčula sans repasser par Split, sachez qu'il n'y a que deux ferries par semaine.

Voici la plus « branchée » des îles, qui se plaît à évoquer le nom des célébrités qui y font escale. Il faut dire que la ville de Hvar a un charme fou et que ses bars et restaurants fourmillent de « beautiful people ». Mais le reste de l'île compte des villages très authentiques, des vignobles d'exception escaladant les montagnes, des champs de lavande et de romarin, une vraie vie…

Découvrir

★★ HVAR

Accès en bateau possible depuis Split pour les piétons. Parking payant obligatoire, cher (100 kn la journée).

C'est ici que se concentre la vie touristique, voire mondaine, de l'île, au fond d'une baie gardée par l'archipel des îles Pakleni. En été, les quais ne sont qu'un alignement de yachts de luxe d'un côté et de terrasses de café, de l'autre, autant d'endroits où voir et être vu. Le site a pris de l'importance sous les Grecs, ainsi

2

qu'en témoignent les nombreuses monnaies retrouvées, mais la ville doit son plus beau patrimoine à l'influence vénitienne. Au 16e s., elle fut reconstruite après avoir été ravagée par les Turcs. La ville basse s'organise autour des quais. La ville haute, dominée par la forteresse, est entièrement close de remparts.

★ Pjaca Sv. Stjepan

Devant la cathédrale, la place principale s'ouvre sur le port. À l'origine, c'était une baie marécageuse, asséchée durant l'Antiquité. Ses larges pavés rappellent ceux de Split ou de Dubrovnik. Au centre, le puits (1520) distribuait l'eau d'une citerne municipale.

★★ Cathédrale St-Étienne (Sv. Stjepan)

9h-13h, 17h-20h. Son campanile et sa façade, typiques de la Renaissance dalmate, sont l'œuvre de deux tailleurs de pierre de Korčula. L'intérieur, en revanche, adopte le style baroque. Au fond du bas-côté gauche, deux **bas-reliefs** (15e s.) figurent la *Vierge et les Saints* et la *Flagellation du Christ*, inspirée d'un motif de Georges le Dalmate pour la cathédrale de Split. Parmi la succession d'**autels baroques**, les plus intéressants sont celui de la famille Hektorović *(bas-côté droit)* encadrant une belle Madone du 13e s. et celui du maître-autel, figurant le pape Étienne (Stjepan) et la Vierge, attribué à Palma le Jeune. Notez aussi les **stalles** du chœur en bois sculpté (1572) et, dans la chapelle latérale gauche du chœur, une effrayante momie (**reliques** du saint croate Prosper), dans un sarcophage de verre…

Trésor des évêques (riznica)

Cour adjacente à la cathédrale. 9h-12h, 17h-19h ; hors saison 10h-12h (attention, horaires parfois imprévisibles) - 20 kn. Il est constitué de reliquaires, tableaux et vêtements sacerdotaux anciens, brodés d'or et d'argent du 15e au 19e s.

Arsenal

Ce bâtiment massif (16e s.), construit à l'angle sud de la place principale, s'identifie à sa grande arcade qui ouvrait jadis sur le chantier naval où l'on fabriquait ou réparait les navires. Sa partie nord abritait le magasin municipal. Côté mer, il est bordé par la **Fabrika**, un large quai maçonné en pierre qui fait le tour du port (1554).

Théâtre (kazalište)

En 1612, on décida de créer le premier théâtre municipal d'Europe au-dessus de l'arsenal, pour célébrer un événement politique d'importance, la fin d'un siècle de lutte pour l'égalité des droits entre la population et la noblesse, un accord signé en 1610. Le décor actuel ne date, lui, que du début du 19e s.

DES GRECS AUX VÉNITIENS

Déjà occupée par les Illyriens, Hvar doit son développement aux Grecs venus de l'île de Paros, qui y fondèrent une première cité dépendante de celle d'Issa, sur l'île voisine de Vis. Dominée ensuite par les Romains, qui implantent la vigne, elle s'enrichit du commerce du vin et de l'huile d'olive. Au Moyen Âge, avec la domination vénitienne, Hvar reçoit le siège de l'évêché et s'épanouit, prenant le pas sur Vis, sa rivale. Pêche, construction navale, commerce, culture de la lavande, du romarin, de l'olivier mais surtout le vin font sa fortune. À partir de la Renaissance, Hvar devient l'un des centres intellectuels de Dalmatie, grâce à ses poètes, écrivains et scientifiques.

La forteresse espagnole de Hvar.
D. Delimont/Stock/Danita Delimont Agency/age fotostock

Mandrač

Ce nom vient d'un mot grec signifiant écurie et désigne le petit bassin entouré de murs, construit devant la Pjaca au 15e s. pour abriter les petits bateaux.

Hôtel Palace

Sa partie inférieure intègre ce qui reste de l'ancien palais du Recteur de la ville. La **tour d'horloge** est le vestige le plus ancien du palais d'origine (15e s.) qui comptait cinq tours. La **loggia Renaissance**, avec ses arcades, fut reconstruite après les destructions dues aux Turcs (fin 16e s.). Juste devant, la colonne **Štandarac** (18e s.) sert toujours de porte-drapeau : on y lisait jadis les proclamations municipales.

Palais Hektorović

À l'est de l'hôtel Palace.

De nombreux palais patriciens ponctuent les ruelles de la ville, à découvrir en flânant. Curieusement, le palais Hektorović, le plus emblématique, ne fut jamais achevé mais ses façades de style gothique tardif racontent l'âge d'or de la ville (15e s.).

Couvent des Bénédictines (Benediktinski samostan)

Ulica Nikola Karkovica, au-dessus du palais Hektorović. Juin-sept. : tlj sf w.-end 10h-12h, 17h-19h (horaires irréguliers) - fermé lors de célébrations - 20 kn.

Collection de peintures, d'icônes, provenant du trésor du couvent et exposition de dentelle exécutée par les nonnes au moyen de filaments tirés de l'agave.

★★ Forteresse espagnole (Fortica španjola)

Montez les marches qui passent devant le couvent bénédictin et suivez le sentier jusqu'en haut de la colline. À faire le matin ou en fin d'après-midi. 40mn AR - 8h-22h - 20 kn.

Le sentier monte entre les agaves, au-dessus de la ville haute, permettant de découvrir au passage les portes de l'ancienne cité. Érigée au 16e s., avec l'aide d'ingénieurs espagnols (d'où son nom), elle remplaça des fortifications illyriennes antérieures à l'occupation grecque. C'est grâce au produit de la vente du sel que la municipalité réussit à financer un tel ouvrage. Lors de la grande attaque turque, en 1571, les habitants s'y réfugièrent et lui durent leur survie. Le plus intéressant reste la visite des anciens **cachots**, tout à fait sinistres, et le **panorama** sur la ville et les îles Pakleni.

Église du St-Esprit (Sv. Duha)

En redescendant de la forteresse, vers l'est, le long de Bože Domančića ulica, ce modeste sanctuaire présente, au-dessus du portail, une amusante sculpture échevelée et surtout une architecture émouvante de maladresse (porte, rosace et clocher ne sont pas dans l'axe).

★ Sentier côtier

Il longe les quais vers l'ouest, passe les hôtels et les riches villas et file sous la pinède, au-dessus des rochers. Tout le long, vous pourrez vous baigner ou bronzer.

★★ Monastère franciscain (Franjevački samostan)

Juin-sept. : 10h-13h 17h-19h ; oct.-mai : 10h-12h - 20 kn.

Au terme d'une agréable balade le long des quais vers l'est du village, il se dresse dans un site idyllique, sur le promontoire de Sridnji, devant la mer. Construit à partir de 1465 et dédié à l'Immaculée Conception, il n'est plus occupé que par deux moines.

Au fond du paisible cloître, à droite, s'ouvre le **musée★**. L'ancien **réfectoire des moines** conserve son mobilier et une impressionnante fresque de **La Cène★**, peinte au début du 17e s. par un artiste italien, peut-être influencé par Palma le Jeune. Une salle adjacente présente une collection de **monnaies**, dont certaines remontent à la période grecque, et une **horloge★** originale conçue par un moine pour égrener, non les heures, mais les cycles de travail du monastère pour les jours sans soleil. Les aiguilles tournent dans le sens contraire de celui de nos montres et la plus grande fait le tour du cadran en 90mn au lieu de 60.

Parmi les autres collections, ne manquez pas le **Mariage mystique de sainte Catherine★** par l'école de Blaž Jurjev (1430) et le précieux **Atlas de Ptolémée★★**, imprimé à Nuremberg en 1524. Notez que certaines des **sculptures contemporaines** en bronze sont l'œuvre de l'un des deux moines résidents, Joakim Gregof.

Faites ensuite un détour par le délicieux **jardin★** pour voir son **cyprès** vieux de 400 ans (il aurait été planté par l'auteur de *La Cène*) et ses amusantes **tables de pierre** avec jeux de société incorporés.

Le tympan de **l'église** est orné d'une **Vierge à l'Enfant** de Nicolas le Florentin (une copie, l'original ayant été transféré à Zagreb). Une bonne partie de l'édifice et le clocher (15e s.) furent érigés par des tailleurs de pierre de Korčula, dont les célèbres frères Andrijić. À l'intérieur, outre les stalles en bois sculpté du chœur, les pierres tombales et les balustrades de pierre ouvragée, on ne peut manquer l'opulent **jubé baroque★★** à caissons et ses peintures de Francesco da Santacroce et Martin Benetović. La chapelle latérale est fermée par un **jubé de pierre★** finement ajouré et contient une **Crucifixion** de Bassano (début 17e s.). Dans la nef, à droite au fond de l'église, le tableau des **Stigmates de saint François★** est de Palma le Jeune *(entrée gratuite, mêmes horaires que le monastère)*.

★ **Îles Pakleni** (Pakleni otoci)

En bateau, depuis le port de Hvar, dép. le matin 9h-12h, retour en fin d'après-midi.

★ **Palmižana** – *50 kn AR.* Ce pittoresque hameau, situé sur l'île de **St-Clément** (Sv. Klement), la plus grande et la plus développée, attire de nombreux visiteurs pour ses restaurants, sa marina, ses rochers plats et sa plage.

Ždrilca – *35 kn AR.* Les quelques maisons de ce hameau, sur l'île de **Marinkovac**, et ses deux criques en font une excursion moins fréquentée et plus sauvage.

Jerolim – *30 kn AR.* Le plus proche des îlots Pakleni, Jerolim était utilisé au Moyen Âge par les moines franciscains pour produire du sel. Il est désormais réservé aux naturistes.

★ STARI GRAD B1

Prenez la direction de Stari Grad, au nord-est (20 km, 25mn).

ℹ ✆ 021 765 763 - www.stari-grad-faros.hr - été : 8h-14h, 15h-22h ; hors sais. : tlj sf dim. 8h-14h.

Bien que les quais du port soient très plaisants, c'est en s'enfonçant dans les ruelles du côté sud que l'on découvre le charme caché de la ville, ses escaliers fleuris, ses balcons sculptés, ses passages voûtés, ses jardins clos.

★★ Tvrdalj

Trg Tvrdalj. ✆ 021 765 763 - juil.-sept. : 10h-13h - 10 kn.

Aussi connu sous le nom de **maison de Petar Hektorović**, ce palais est le monument le plus surprenant de la ville. Conçue comme une forteresse par le poète, issu de l'une des grandes familles de Hvar, sa façade austère cache un adorable jardin intérieur, agencé autour d'un imposant bassin à poissons. Tout autour de l'ouvrage, des inscriptions en latin résument les valeurs de l'auteur et la vanité de la vie. La construction le mobilisa une bonne partie de sa vie, de 1520 à 1569. Salle ethnologique présentant les objets d'une société agricole.

2

Palais Biankini

Dans la ruelle à côté du précédent. ✆ 021 766 324 - juil.-août : 10h-12h, 19h-21h ; mai-juin et sept.-oct. : tlj sf dim. 10h-13h - 20 kn.

Pour découvrir l'**histoire maritime** de la ville, une exposition multimédia est consacrée à une barque grecque coulée devant l'île et à des œuvres de peintres locaux. Le premier étage propose une exposition de peintres croates, originaires de la ville, dont Juraj Plančić.

★ Monastère dominicain (Dominikanski samostan)

Mai-sept. : 9h30-12h30, 16h-18h30 - 20 kn.

Fondé au 15e s., il fut fortifié au siècle suivant, après l'attaque des Turcs. Petar Hektorović y est enterré dans le chœur, à droite de l'autel principal, sous la plaque accrochée au mur. Parmi les autres trésors, on compte une **Déploration du Christ★★** par Tintoret, commandée par le poète (il serait représenté sous les traits du vieillard). Notez aussi une petite collection archéologique, bien agencée, composée d'étonnants vestiges grecs et romains.

Église St-Étienne (Sv. Stjepan)

Construite entre 1604 et 1708 sur le site de la première cathédrale du 12e s. (l'évêché n'était pas encore à Hvar), cette église baroque possède un clocher séparé, bâti sur les vestiges de la porte de la ville grecque de Pharos, avec des pierres récupérées sur les anciens remparts. À l'intérieur, admirez le triptyque de *La Vierge, saint Jérôme et saint Jean-Baptiste*, de Francesco da Santacroce.

COLONIE GRECQUE
Stari Grad, la « vieille ville », fut fondée à partir de 384 av. J.-C., par des Grecs venus de l'île de Paros, alors une puissante communauté insulaire. Ils la baptisèrent Pharos. La découverte de barques grecques et romaines coulées aux environs témoigne de l'intense activité commerciale du port. Le trésor de cette île venait de son agriculture, notamment de la culture de la vigne et de l'olivier. La **plaine** qui s'étend vers Jelsa a conservé l'organisation en parcelles géométriques délimitées par des murets de pierres sèches et le système de récupération d'eau pour l'irrigation mis en place par les colons grecs. Cet ensemble exceptionnel a été inscrit en 2008 sur la liste du Patrimoine mondial de l'Unesco.

★ **Chapelle St-Jean** (Sv. Ivana)
Dans la ruelle qui passe devant l'église St-Étienne, cette émouvante chapelle, le plus ancien monument chrétien de l'île, a été construite au 12e s. à la place d'un temple antique. Des marches descendent dans la **nef romane** très sobre, à l'architecture encore maladroite. Notez les **mosaïques**★ du 6e s.

★★ **Plage de Dubovica** B2
À un peu moins de 1 km après la sortie du tunnel de Stari Grad vers Hvar, laissez la voiture en face de l'arrêt de bus, près de la cabine téléphonique. Un petit sentier caillouteux descend entre les arbres et rejoint la plage en moins de 10mn.
Autour d'une adorable plage de petits galets, c'est un minuscule hameau avec son manoir, sa chapelle et ses quelques maisons de pêcheurs.

Circuits conseillés

VERS LA CÔTE SUD DE L'ÎLE

Depuis Stari Grad, prenez la route de Vrbanj et Pitve (30 km).

Pitve C2
Ce beau village de montagne s'étage à flanc de colline. Avec ses maisons traditionnelles en pierre, ses *konobas* (tavernes) et ses jardins en terrasses, il donne une idée parfaite des villages typiques des îles.
Au sortir du village, la route en direction de Zavala traverse un incroyable **tunnel**★ sommairement creusé à travers la montagne : une longue ligne droite, une seule voie (en fait, on peut se croiser à certains endroits), pas d'éclairage ni de marquage, de l'eau qui suinte, font de sa traversée une expérience un peu angoissante mais inoubliable…

★ **Côte des vignobles**
Particulièrement actif du temps des Romains puis à la Renaissance, le vignoble local faillit disparaître lors de l'épidémie de phylloxéra de la fin du 19e s. Au début du 20e s., beaucoup de vignerons émigrent en Californie où ils jettent les bases de la viticulture moderne. Ceux qui restent reconstituent leur patrimoine pour produire aujourd'hui les meilleurs vins rouges de Croatie le long de la côte sud de l'île, au pied de la crête rocheuse, autour des villages de **Zavala** (réputé pour ses vins blancs) ou d'**Ivan Dolac** (vignobles presque inaccessibles, à flanc de montagne, les meilleurs du pays).
À Zavala, longez la côte vers l'ouest direction Sveta Nedjelja.

Sveta Nedjelja B2

Blotti au pied du plus haut sommet de l'île (Sv. Nikola, 628 m), le site s'est développé à partir d'une grotte qui abrita un petit **monastère★** augustin durant la Renaissance.

Un sentier conduit à ses ruines depuis la place de l'église actuelle. **Vue★** superbe. Les vignobles alentour produisent un excellent vin rouge.

VERS L'EST DE L'ÎLE

Depuis Stari Grad, prenez la route de Vrboska (18 km).

★ Vrboska C1

Dominé par une curieuse église fortifiée, ce petit port s'ordonne autour d'un étroit bras de mer enjambé par trois ponts. Autrefois riche grâce aux conserveries, il ne compte plus guère que sur le tourisme et la pêche.

À 2 km au nord du village, la péninsule de Glavica présente plusieurs **plages★** de galets.

★★ **Église Ste-Marie** (Sv. Marija) – En arrivant au pied de l'énorme structure, on reste surpris par sa hauteur imposante et par son bastion acéré. Bien que bâtie à la Renaissance (1575), elle ressemble plutôt à une forteresse. À l'époque, les Turcs venaient de ravager l'île (en 1571) et il fallait se protéger.

Église St-Laurent (Sv. Lovrinac) – Moins imposante que la précédente, elle en a hérité des peintures sacrées, notamment un **polyptyque★★** attribué à Véronèse et une *Vierge du Rosaire*, de Bassano.

Longez la côte vers le sud jusqu'à Jelsa.

Jelsa C2

Sur le port - ✆ 021 761 017 - www.tzjelsa.hr ou www. jelsa.online.com - été : 8h-23h ; hors sais. : tlj sf dim. 8h-14h.

Longtemps simple port de pêche, Jelsa est devenue un centre touristique où se concentrent la plupart des campings, hôtels et pensions abordables. C'est une baie étroite et abritée, aux abords boisés. L'**église St-Jean** (Sv. Ivana) adopte un plan octogonal inhabituel.

NOS ADRESSES DANS L'ÎLE DE HVAR

INFORMATIONS UTILES

Bon à savoir – De nombreux commerces et services ferment au moment de la sieste.

Internet – Luka Rent - *dolac bb à Hvar - ✆ 021 742 946 - le long de l'hôtel Slavija - 12 ordinateurs - 7,5 kn/15mn.* À droite de la loggia se trouve aussi un petit local équipé de plusieurs ordinateurs, ouvert toute la journée.

ARRIVER/PARTIR

Bon à savoir – Seuls les ports de Stari Grad et de Sućuraj permettent de passer en voiture. Les ferries qui font escale dans celui de Hvar n'embarquent ni ne débarquent les véhicules. Notez aussi que le *trajekt* de Sućuraj est mal desservi par le bus.

Ferries (avec voitures) – *Jadrolinija - face au débarcadère, à Hvar - ✆ 021 741 132 - www.jadrolinija.hr; à Stari Grad - ✆ 021 765 048.* Split-Stari Grad *(1h40 de traversée)* : 5 à 7 ferries/j. en été 5h30-20h; hors sais. 2 ou 3 ferries/j. Le ferry Rijeka-Bari fait aussi escale à Hvar, en passant par Split, Korčula et Dubrovnik, 2 ferries/sem. Drenik-Sućuraj : 11 passages/j. en été, 4 hors sais.

Bateaux (piétons) – Deux lignes rapides font escale sur Hvar. L'une à Jelsa en provenance de Bol (île de Brač) et de Split, l'autre entre Split et Lastovo à Hvar et Vela Luka. Un bateau/j. sur ces 2 lignes.

TRANSPORTS

Autobus – Entre Hvar et Stari Grad : 4 ou 6 bus/j., dim. 3 bus. Certaines correspondances avec les ferries sont assurées.

Dessertes locales régulières : Hvar-Vrboska - Jelsa-Hvar - Stari Grad-Jelsa - Stari Grad-Vrboska et Jelsa et Vrboska plus ou moins fréquentes. Sućuraj est mal desservi : 2 bus/sem. de Hvar, 7 bus/sem. de Stari Grad. En été, 1 ou 2 bus suppl. presque tlj.

Location de véhicules – Luka Rent – *dolac bb à Hvar - ✆ 021 742 946 - www.lukarent.com - voiture (1re ou 2e catégorie) 500/550 kn/j, scooter 250/300 kn/j, vélos 100 kn/j, bateaux à moteur sans cabine 1 350/1 875 kn/j, bateau de type Zodiac 600/900 kn/j.*

Taxis – *✆ 098 33 88 24/098 19 20 232/091 52 69 289 ou 091 51 72 956.*

NAUTISME

Deux petits ports de plaisance, très agréables sur l'île. Un dans l'île de Sv. Klement au large de Hvar, l'autre dans le village de Vrboska.

ACI Marina Palmižana – *✆ 021 744 995 -www.aci.hr* - Située dans une anse très abritée de l'île de Sv. Klement, le port est agréable sans être très pratique. Les bateaux taxis du port de Hvar assurent un service fréquent, surtout en été.

ACI Marina Vrboska – *✆ 021 774 018 - www.aci.hr*- Là aussi un bel emplacement quoique très différent puisque le port de plaisance est situé à l'entrée du petit port, très abrité, de Vrboska. Peu de places disponibles, mais le mouillage est garanti dans le port.

Pour les équipements de ces deux marinas, *chapitre Nautisme p. 25.*

Capitainerie (Hvar) – *✆ 021 741 007.*

Capitainerie (Stari Grad) – *✆ 021 765 060.*

HÉBERGEMENT

Bon à savoir – Dans l'île, deux groupes hôteliers centralisent informations et réservations.

Pour Stari Grad : **Hoteli Helios** – *✆ 021 306 306 - www.heliosfaros.hr*. Pour la ville de Hvar : **Sunčani Hvar** – *✆ 021 750 755 - www.suncanihvar.hr*.

À Hvar

Atlas Hvar – *Sur le port - ✆ 021 741 911 - www.atlas-hvar.com - ch. et appart. : 365/732 kn - majoration de 30 % pour moins de 4 nuits.*

Agence Navigare – *Dans une ruelle, qui descend à la cathédrale - Trg Sv Stjepana 1 - ✆ 021 718 721 - www.renthvar.com - appart. à partir de 250 kn/pers./nuit (mini 3 nuits).*

BUDGET MOYEN

Pansion Laguna Lozna – *Lozna, Hvar - à environ 5,5 km au nord de Hvar, en prenant l'ancienne route de Stari Grad, via Brusje - ✆ 095 517 55 68 - www.hvar-lozna.com - 6 ch. 60/90 €, 3 appart. (3 pers.) 105 €, 1 appart. (4 pers.) 190 € - ☕ 9 € - 1/2 P 28 €.* Le paradis pour les amoureux de calme, de nature et de plongée sous-marine : petite pension familiale isolée dans une baie sauvage, près d'une crique de galets. Possède son propre club de plongée sur place.

POUR SE FAIRE PLAISIR

Hotel Palace – *✆ 020 741 966 - www.suncanihvar.com - 🏊 - 62 ch. et 11 appart. 59/169 € ☕.* Un bel hôtel intégré à l'architecture environnante. L'intérieur est très banal, voire décevant. Les chambres, aménagées dans le style des années 1970, sont toutefois convenables, bien entretenues, certaines ont été refaites et disposent d'une belle vue sur la ville. L'hôtel propose aussi sauna et massages.

UNE FOLIE

Hotel Adriana – *✆ 021 750 200 - www.suncanihvar.com - 50 ch. et 9 suites 169/407 € ☕.* Appartenant à la même grande famille Sunčani Hvar, l'ex-hôtel Adriatic, totalement rénové en 2006, propose un espace spa très élaboré, en plus d'un cadre très design. Piscine en sus.

Hotel Podstine – *Podstine bb - au nord du village à 10mn à pied du centre par le chemin côtier - ✆ 021 740 400 - www.podstine.com - 40 ch. 113/197 € selon la vue ☕ - 1/2 P.* Ce récent hôtel face aux îles Sv. Klement offre confort, calme et un accueil chaleureux à 15mn à pied de la vieille ville. Une succession de petites terrasses ombragées par de grands palmiers mènent à la mer. La pierre est l'élément majeur du décor des chambres et de leur terrasse, toutes équipées de télévision satellite, climatisation et wifi. Le petit déjeuner copieux complète cette prestation haut de gamme.

Hotel Riva – *✆ 021 750 100 - www.suncanihvar.com - 48 ch. et 8 appart. 118/310 € ☕.* Idéalement située en face de l'arrivée des ferries sur le port, cette vieille bâtisse a été luxueusement rénovée en 2006 pour répondre aux besoins du « voyageur moderne ». Les murs des salles de bains sont transparents et des photos de Brigitte Bardot, James Dean, Audrey Hepburn sont accrochées au-dessus des lits. C'est désormais l'une des adresses les plus chères du centre-ville.

À Stari Grad

Hvar Touristik – *Siberija 31 - ✆ 021 717 580 - www.hvar-touristik.com.* Spécialisée dans la location de chambres chez l'habitant, cette agence propose des appartements à partir de 300 kn (2 pers.) et des chambres doubles à 200 kn (4 nuits mini, sinon majoration de 30 %).

Le meilleur moyen d'être logé à petit prix et dans le centre-ville. Accueil sympathique.

POUR SE FAIRE PLAISIR

Trim – *Réserv. ✆ 021 765 566 - fax 021 765 864 - 32 appart. 555/620 kn.* Chaque maisonnette se compose d'un salon avec 2 couchages, d'une cuisine équipée et d'une chambre pour 2 pers. Un peu à l'écart du rivage, c'est neuf et plutôt coquet. Chaque bungalow dispose sur le devant d'un petit patio privatif. Réservez longtemps à l'avance.

À Jelsa

BUDGET MOYEN

Pension Murvica – *✆ 021 761 405 - www.murvica.net - 3 studios (2 pers.) 54 €, 1 appart. (4 pers.) 125 €.* ☕. À l'entrée de la ville, la pension est indiquée sur la droite. Si le cadre est altéré par l'immeuble très laid au bout du jardin, l'endroit est calme et l'accueil chaleureux. Tout est impeccable et d'un bon confort. Le grand appartement et sa terrasse offrent une très belle vue sur la montagne et les jardins.

RESTAURATION

À Hvar

BUDGET MOYEN

Bounty – *✆ 021 742 565 - poisson 240 kn/kg, 130 kn pour une gregada, plats 40/90 kn.* Un petit restaurant sympathique et pas trop cher, bien placé sur le port de Hvar. Bon accueil.

Konoba Menego – *Dans l'escalier qui monte au-dessus du couvent bénédictin vers la forteresse - ✆ 021≈742 036 - www.menego.hr.* Au choix dans l'ancienne cave ou sur la terrasse, voilà une adresse coup de cœur pour goûter les spécialités de l'île. Tout est produit sur place. Même les importations de Split sont bannies ! Essayez absolument les anchois marinés, le fromage de chèvre frais, *la skota,* avec du miel ou les figues « ivres », fourrées d'amandes et macérées dans l'alcool maison. Plats froids uniquement.

POUR SE FAIRE PLAISIR

Hanibal – *Trg sv. Stjepana 12 - ✆ 021 742 760 - poisson 350 kn/kg, plats 80/120 kn.* Dans un décor original et élégant, une bonne table qui sert les classiques dalmates revisités à la mode internationale, tels les calamars grillés farcis ou le bœuf aux figues. La fameuse *gregada* de Hvar (poisson braisé, sauce au vin blanc, oignons, pomme de terre, huile d'olive - *360 kn/kg*) y est aussi délicieuse tout comme les tagliatelles au homard. Un peu plus cher que la moyenne.

À Stari Grad

PREMIER PRIX

Café Antika – *Dans une ruelle parallèle au quai, non loin de l'église St-Étienne - ✆ 021 765 479.* Deux maisons distinctes de chaque côté de la ruelle. D'un côté, le bar à cocktails et sa délicieuse terrasse pour prendre un verre, de l'autre un minuscule restaurant pour déguster de copieuses salades, des sandwiches originaux, chauds ou froids, des pâtes, des risottos ou des poissons à petits prix *(45/65 kn).* Goûtez les crevettes à la *buzzara* ! Très bonne adresse.

À Jelsa

BUDGET MOYEN

Murvica – *Plats 50/90 kn.* Le restaurant de la pension du même nom *(voir Hébergement).* Si la carte est simple et classique, elle s'appuie sur des produits d'excellente qualité, une cuisine soignée et un accueil sympathique. Goûtez le steak fourré au fromage de brebis ou laissez-vous surprendre par les arrivages du port. Pour la cuisine sous *peka*, prévenir 6h à l'avance. Propose des menus enfants.

EN SOIRÉE

Hula Hula Bar – *Podstine bb - au nord du village à 15mn à pied du centre par le chemin côtier - ✆ 021 717 261 - www. hulahulahvar.com*. Haut lieu de la vie nocturne à Hvar, le Hula Hula Bar est à la fois un bar, un restaurant, une plage et une discothèque. Les cocktails y sont fameux !

ACTIVITÉS

Vélo et randonnée à Stari Grad

L'office de tourisme de Stari Grad propose 3 pistes cyclables VTT. Le circuit Kabal vous emmène sur la péninsule, espace écologique protégé, le circuit *Purkin Kuk* est plus sportif. Il rejoint le mont St-Nicolas tandis que celui d'Ager, accessible à tous, court et assez plat, propose une balade au milieu des parcelles agricoles, typiquement croate. Enfin 2 sentiers pédestres, bordés de lavande, figuiers, caroubiers, genêts, ont été imaginés pour satisfaire la vue, le goût et l'odorat des curieux, sans grands efforts. Des balades idéales en famille où l'on peut facilement trouver un petit coin pour pique-niquer au bord de l'eau (*brochure et cartes disponibles en français à l'office de tourisme*).

Randonnées à Hvar

Des promenades entre Hvar et la grotte de Markova, dans la baie de Vira, sont très agréables. Tout comme la balade côtière Hvar-Milna et sur les îlots Pakleni, entre Vinogradišće et Momića Polje en passant par Vlaka *(renseignements auprès de l'office de tourisme).*

Excursions

Atlas Hvar – *Sur le port à Hvar et à Jelsa - ✆ 021 741 911/670 - 8h-15h, 18h-21h30 ; hors sais. : 10h-12h*. Propose de nombreuses excursions, dont le tour de Sv. Klement ou la visite de Dubrovnik, Split, Šibenik, dont le prix par personne inclut entrées et guide.

AGENDA

Festival d'été de Hvar – *✆ 021 741 788 - billets (sur place 1h av. représentations et à l'office de tourisme)*. Il se déroule de la mi-juin à la mi-octobre, les spectacles ont lieu dans le théâtre, au monastère franciscain et à la cathédrale. Musique traditionnelle dalmate, musique classique et théâtre. En juil. et en août, un concert tous les 2 j. env. Ils sont organisés par la ville de Hvar et l'association musicale Uzma. Consultez le programme sur *www.tzhvar.hr*.

Île de Vis

★★

3 640 habitants – Dalmatie

NOS ADRESSES PAGE 204

S'INFORMER

Office de tourisme de Vis – *Turistička zajednica - Šetalište stare Isse 5 - 021 717 017 - www.tz-vis.hr - juin-sept. : lun.-vend. 8h-20h.*

SE REPÉRER

Carte de région A2 (p. 144-145) – *carte Michelin n° 757 E9.* 16 km dans sa plus grande longueur, 7 km dans sa largeur, Vis est une île de petite taille, sauvage et escarpée (culminant à 587 m). Avec celle de Lastovo, c'est la plus éloignée du littoral croate (45 km).

Voir la rubrique « Arriver/partir » dans *Nos adresses.*

À NE PAS MANQUER

La nécropole grecque de Vis, la grotte Bleue de l'îlot de Biševo, le village de Komiža.

ORGANISER SON TEMPS

L'île vaut que l'on y séjourne un minimum de 1 à 2 jours (2 nuits). Comptez une journée entière pour l'excursion sur l'île de Biševo.

Ne manquez pas Vis si vous recherchez l'authenticité : encore préservée, elle n'a pas été défigurée par les grands hôtels et s'éveille doucement à un tourisme soucieux des traditions. On y rencontre des navigateurs, des plongeurs et des sportifs qui apprécient ses côtes découpées. Pourtant, son charme secret se médiatise car les célébrités commencent à y faire escale…

Découvrir

★ VIS A2

Comptez 2h30 avec la balade à pied.

Au 15e s., deux villages furent fondés au fond de la baie. Vis, le plus riche d'histoire mais le moins pittoresque, occupe la rive ouest, à l'ancien emplacement de la cité grecque. Au fil des siècles, les deux hameaux ont fini par n'en plus former qu'un seul.

★ Nécropole grecque

Le long du quai, 50 m à l'ouest du débarcadère, derrière le terrain de tennis. Entrée libre.

Ce n'est qu'un flanc de coteau envahi d'herbes folles, mais il aligne d'émouvantes stèles intactes, sobres portes vers l'au-delà (3e-2e s. av. J.-C.).

Thermes romains (Terme)

Le long du quai, 80 m à l'ouest du débarcadère, face à la station-service.

On peine à imaginer, en voyant ces quelques vestiges de mosaïques et de murs (2e s.), que la ville romaine compta jusqu'à 14 000 habitants…

Le village de Vis.
J. Huber / SIME / Simeone / Photononstop

Monastère St-Jérôme (Samostan sv. Jeronima)
Sur l'avancée rocheuse à l'ouest du débarcadère. Fermé à la visite.
Au 16e s., les franciscains utilisèrent les fondations du théâtre romain (3 500 places à l'origine) et ses pierres pour édifier leur monastère, dont l'intérieur a conservé certaines courbures des gradins.

Forteresse King George (Fortica)
À l'ouest du port, en longeant la côte après le monastère. 45mn AR.
Cette agréable balade permet de découvrir l'un des deux forts construits en 1812 par les Anglais, au moment où ils investirent Vis pour lutter contre la toute-puissance de Napoléon. Le second fort garde l'autre côté de la baie, à l'est de Kut.

Église N.-D.-de-la-Grotte (Gospa od Špilica)
À l'est du débarcadère, le long du quai vers Kut.
Dominant le milieu de la baie de sa lourde silhouette, cette église doit son nom à la grotte qui marquait son emplacement. Construite à partir de 1579, mais achevée au 18e s., elle mélange les styles gothique, Renaissance et baroque. À l'intérieur, *La Vierge et les Saints* est une peinture de Girolamo da Santacroce.

Fortifications
La valeur stratégique de l'île lui a valu d'être solidement fortifiée à toutes les époques. Les exemples les mieux conservés sont répartis le long du quai vers l'est. Avant l'église, on a ainsi passé les restes d'une **tour vénitienne**. Au-delà, ce sont la **forteresse vénitienne** (16e s.) et la **batterie de la Madone** (Gospina baterija) édifiée en 1830 par les Autrichiens, qui sont les plus imposantes.

★ **Musée municipal et collections archéologiques** (Gradski muzej)
Mai-sept. : mar.-sam. 10h-13h, 17h-21h, dim. 10h-13h - 10 kn.
Installé dans la batterie, il retrace la vie quotidienne dans l'île et les épisodes de la résistance de Tito. Mais, surtout, il héberge les résultats des fouilles locales et témoigne du riche passé grec et romain. Le clou de la visite est la célèbre **Tête d'Artémis**★★, une sculpture grecque en bronze (4e s. av. J.-C.).

LE RAYONNEMENT GREC

C'est au néolithique, à partir de 3000 av. J.-C., que les premiers occupants de l'île la baptisent Issa et commencent à ériger les innombrables tumuli qui parsèment les collines, pour se protéger et ménager l'espace pour les cultures. Par la suite, durant l'âge du fer, les Illyriens utilisent ces monticules de pierre pour marquer leurs tombes. Au début du 4e s. av. J.-C., les Grecs envahissent l'île et en font la base de leur colonisation de l'Adriatique, contrôlant les routes maritimes et fondant des colonies à Korčula, Trogir et surtout Salona. Mais Issa, devenue cité, conserve le siège du pouvoir. Pour contrer la résistance illyrienne, elle se tourne pourtant vers Rome et finit par perdre sa prédominance et devenir une simple mais florissante colonie romaine. Le déclin s'amorce avec l'invasion des Croates, à partir du 7e s. puis la domination vénitienne, dès la fin du 10e s. Les dominations successives des Hongrois, Français, Anglais et Autrichiens la confinent ensuite à un rôle d'avant-poste défensif. Après avoir compté 14 000 habitants (sous les Romains et au début du 19e s.), l'île en recense désormais moins de 5 000. Durant la Seconde Guerre mondiale, elle sert de base aux Alliés et de fief pour Tito et ses résistants. Après sa prise du pouvoir, il y installe d'ailleurs une base militaire et interdit le séjour des étrangers. La population vit alors principalement de l'armée et l'île échappe totalement au « boom » touristique. Durant la guerre d'indépendance, l'armée yougoslave quitte enfin Vis qui commence à accueillir ses premiers touristes étrangers. Aujourd'hui, à côté de cette activité, l'île vit de la pêche et de la viticulture. 20 % des terres cultivables sont consacrées à la vigne, pour moitié au réputé *plavac mali*. Une partie de la production, vendangée tardivement, donne aussi un délicieux *prošek*.

★ KUT AB2

À 20mn à pied du centre de Vis, vers l'est. Comptez 1h sur place.
Le second village de la baie, sur sa rive orientale, est le mieux préservé, à l'écart du débarcadère des ferries. Petit paradis de vacances pour les nobles de Hvar qui y firent construire leurs résidences secondaires. Il conserve de splendides **maisons baroques★** aux balcons et fenêtres ouvragés et un quai paisible où il fait bon lézarder au soleil du soir.

Église des St-Cyprien-et-St-Justina (Sv. Ciprijana i Justine)
Coincée entre les maisons, en haut d'un bel escalier, cette charmante église baroque (1742) coiffée d'un campanile affiche aussi des éléments gothiques, illustrant le mélange propre aux églises dalmates.

★★ KOMIŽA A2

À 9 km à l'ouest de Vis. Prévoyez 1h30 pour le village et le monastère.

★ **Forteresse** (kaštel) **et musée de la Pêche** (Ribarski muzej)
Juin-sept. : 10h-12h, 19h-22h (attention, les horaires peuvent varier) - 10 kn (enf. 5 kn).
Le long du quai, la haute silhouette de la forteresse vénitienne (1592) est surmontée d'une tour d'horloge. Sa construction fut largement due aux contributions des pêcheurs. Le musée présente les techniques et traditions locales de pêche, l'histoire des conserveries (il y en eut jusqu'au 19e s.) et celle de la construction navale, avec la *falkuša*, barque traditionnelle ingénieuse, à bords amovibles.

★ **N.-D.-des-Pirates** (Gospa Gusarica)
Ribarska ulica, la ruelle qui longe la baie vers l'ouest, mène à une plage de galets, gardée par cette chapelle originale à trois pignons. Selon la légende, la Vierge serait apparue aux pirates qui avaient volé son icône, pour les persuader de la rendre. Selon une autre version, les malfrats auraient fait naufrage et l'icône aurait flotté jusqu'à la plage. La nef centrale est la plus ancienne (1515), les autres datent des 17e et 18e s. La chapelle abrite le plus vieil orgue de Dalmatie.

Monastère St-Nicolas (samostan sv. Nikola)
Fermé à la visite mais mérite la balade pour l'extérieur et la vue sur la baie.
Perché sur la colline, il fut fondé au 13e s. par des bénédictins chassés de Biševo par les pirates. Au 18e s., il fut renforcé de puissants bastions pour servir de refuge en cas d'attaque. Pour la fête du saint patron des marins et des voyageurs, le 6 décembre, on y amène une barque que l'on brûle en grande cérémonie.

★ **Île de Biševo**
Bateau depuis Komiža. 80 à 90 kn selon la formule choisie, incluant le prix d'entrée dans la grotte Bleue (25 kn). Seulement par beau temps. Une demi-journée pour la grotte, la journée avec la plage. Possibilité de départ de Vis, mais plus long et plus cher.
La deuxième île de l'archipel est célèbre pour sa **grotte Bleue★★** (modra špilja), éclairée d'une lumière irréelle qui y parvient à travers l'eau, par une entrée latérale submergée. Accès possible seulement en barque. La couleur bleutée y est la plus belle en milieu de journée. Les excursions longues conduisent ensuite à une agréable plage (tavernes sur place).

2

LE SUD DE L'ÎLE

★ **Mont Hum** A2
Accès par la route sud de l'île, via Podšpilje et Borovik, puis un chemin carrossable.
Sur le flanc sud, après le hameau de Borovik, le chemin passe l'escalier qui conduit à la **grotte de Tito** (Titova špilja). Cet ensemble de cavités abrita le futur chef d'État et ses partisans, durant la Seconde Guerre mondiale, et fut son quartier général. Le sommet, point culminant de l'île (587 m), offre le plus vaste **panorama★★**.

★ **Plage de Srebrena** (uvala Srebrena) AB2
Sur la côte sud, suivez la direction de Rukavac, puis Srebrena. Continuez ensuite vers la droite et un parking ombragé. Le sentier de droite descend à la plage. Prévoyez un pique-nique et une demi-journée pour la baignade.
La côte sud de l'île est celle des criques, principalement rocheuses. La plus agréable est celle de Srebrena, des galets d'un blanc éblouissant et de larges rochers plats, bordés d'une pinède idéale pour le pique-nique ou la sieste…

NOS ADRESSES DANS L'ÎLE DE VIS

INFORMATIONS UTILES

Banque – Agences et distributeurs sur les quais de Vis et Komiža. Prévoir tout de même quelques kunas d'avance en cas de panne d'un distributeur.
Internet – **Cybercafe Biliba**, *Radojevića prolaz 1* à Vis.

ARRIVER/PARTIR

Ferries – *Jadrolinija- agence de Vis - ✆ 021 711 032 - www.jadrolinija.hr.* Au départ de Split, 2h à 2h30 de traversée. Toute l'année, 1 à 2 ferries/j. (selon les jours de la semaine) et 2 à 3 de juin à sept. Liaison bihebdomadaire avec Ancône en été.
Bateau (piétons) : Liaison quotidienne pour les piétons entre Vis et Hvar.

TRANSPORTS

Autobus – 4 à 5 bus font chaque jour, toute l'année, le trajet entre Vis et Komiža. En saison, des bus supplémentaires assurent le transfert vers et depuis chaque ferry.
Location de véhicules – Ionios Tourist Agency loue à l'heure ou à la journée des vélos *(90 kn/j)*, scooters *(190 kn/j)* et voitures *(400 kn). Obala Sv. Jurja 37- ✆ 021 711 532.*

NAUTISME

Pas de port de plaisance, mais des anneaux équipés à Vis et Komiža. S'ils sont tous occupés, on vous proposera un amarrage alternatif. Accastillage à Vis et Komiža. Carburant à Vis.

HÉBERGEMENT

L'excellent site Internet de l'office de tourisme permet de réserver son hébergement, y compris chez l'habitant. Voir aussi : *www.info-vis.net.*

PREMIER PRIX

Ionios Tourist Agency – *Obala Sv. Jurja 37 - Vis - ✆ 021 711 532 - ionios@st.t-com.hr.* Chambres ou studios chez l'habitant, à Vis, à partir de 200 kn. Comptez 300 € pour un appartement de 2 ou 3 pers.
Darlić & Darlić – *Riva Sv. Mikule 13 - Komiža - ✆ 021 713 760 ou 098 784 664 - www.darlic-travel.hr.* Choix de chambres chez l'habitant, à Komiža, à partir de 250 kn la chambre double. Propose aussi à ses clients le transfert en minibus depuis Vis *(25 kn).*

UNE FOLIE

Issa – *Šetalište Apolonija Zanelle 5 - ✆ 021 711 124 - fax 021 711 740 - ouv. de mai à oct. - 125 ch. 730 kn* ☕. Situé à l'ouest du quai près d'une petite plage de galets, il est bien placé, mais n'a aucun charme. Il convient pour dépanner.
Biševo – *Ribarska 96 - Komiža - ✆ 021 713 144 - www.hotel-bisevo.com.hr - ouv. tte l'année -* **P** *- 126 ch. 730 kn* ☕. Grand hôtel agréablement situé au calme, au-dessus d'une jolie crique de galets. Déco impersonnelle démodée, mais tout confort. Demander la partie la plus ancienne pour ses chambres rénovées. Transfert depuis le ferry sur demande. Prix dégressif au-delà de 3 jours.
Tamaris – *Obala Sv Jurja 30 - ✆ 021 711 350 - hotel-tamaris@*

vis-hoteli.hr - ouv. tte l'année - 26 ch. 800 kn ☕. Sur le quai principal, l'hôtel Tamaris est un bon choix car climatisé et très bien tenu.

Hotel San Giorgio – *Petra Hektorovica 2 à Kut - ✆ 021 711 362 - www.hotelsangiorgiovis.com - ouv. tte l'année - ▤ -10 ch. 152/242 € en haute saison* ☕. Hôtel de charme, réparti entre plusieurs maisons anciennes à la décoration intérieure contemporaine, proches des quais de Kut. Toutes les chambres sont différentes. Petit déjeuner raffiné et copieux. Restaurant de qualité.

RESTAURATION

BUDGET MOYEN

Restaurant Pojoda – *Don Cvjetka Marasović 8 - Kut - ✆ 021 711 575.* Dans une ruelle parallèle au quai de Kut, jolie cour intérieure verdoyante et cuisine traditionnelle dalmate (viandes 50/85 kn, poissons autour de 100 kn).

Konoba Jastožera – *Gundulićeva 6 - Komiža - ✆ 021 713 859 - www.jastozera.com.* Un coup de cœur pour ce restaurant original. On dîne sur les pontons de bois d'un ancien vivier à homards au-dessus du bassin, sur une avancée rocheuse au milieu de la baie. Viandes grillées à partir de 40 kn. Goûtez les médaillons de dinde à la caroube et la *rožata*, traditionnelle crème caramel particulièrement réussie. Terminez par une *grappa* à la caroube…

POUR SE FAIRE PLAISIR

Konoba Vatrica – *Obala kralja Krešimira 15 à Kut - ✆ 021 711 574.* Devant la mer, sur le joli quai de Kut, une sympathique taverne où goûter tous les plats traditionnels, à partir de 40 kn. Poissons grillés (80 à 120 kn).

Konoba Roki's – *Plisko Polje 17 - ✆ 021 714 004.* Situé à l'intérieur de l'île, le Roki's vaut néanmoins le détour, notamment pour sa spécialité de poulpe. Les vins sont excellents et l'accueil charmant.

ACHATS

Plusieurs boutiques, sur le quai de Vis, en direction de Kut, proposent les alcools locaux. Ne manquez pas le *plavac mali*, la *grappa* à la caroube (*rogač*) ou encore le *prošek*.

ACTIVITÉS

Plongée

Les abords de l'île sont particulièrement propices à la plongée en raison des nombreuses grottes sous-marines, des sites archéologiques grecs et romains et des multiples épaves de navire ou même d'avion.

Issa Diving Center – *Ribarska 91, Komiža (sur la plage devant l'hôtel Biševo), ✆ 021 713 651 - www.scubadiving.hr*

Dodoro Diving Center – *Obala Sv. Jurja, Vis, ✆ 021 711 347 - www.dodoro-diving.com*

Randonnée - excursions –

Darlić & Darlić – *Riva Sv. Mikule 13 - ✆ 021 713 760/098 784 664 - www.darlic-travel.hr.* Propose plusieurs types d'excursions vers l'île de Biševo et la grotte Bleue ainsi que des circuits de randonnée.

Alter Natura – *Hrvatskih mučenika 2 - ✆ 021 717 239 ou 091 250 38 09 (Pino) - www.alternatura.hr.* Agence spécialisée dans la découverte sportive (parapente, cheval), la randonnée dans des villages traditionnels et les excursions en bateau.

Riviera de Makarska

★

Dalmatie

NOS ADRESSES PAGE 213

S'INFORMER

Office de tourisme de Makarska – *Obala kralja Tomislava 16 - sur la partie ouest du quai, après l'embarcadère des ferries - 021 612 002 - www.makarska-info.hr - juin-sept. : lun.-sam. 8h-21h, dim. 6h-21h ; oct.-mai : lun.-sam. 7h-14h, dim. 8h-12h.*

SE REPÉRER

Carte de région CD1 (p. 144-145) – *carte Michelin n° 757 F-G/8-9.* Du delta de la Neretva, au sud, à l'estuaire de la Cetina, au nord, cette portion de côte est coincée entre la mer et une montagne abrupte. Sur plus de 100 km se succèdent les plus beaux panoramas de Dalmatie. Les stations au sud de Makarska sont populaires et authentiques, tandis que celles du nord sont nettement plus élégantes et chic. L'arrière-pays est occupé par le massif du Biokovo dont le plus haut sommet, le mont Sveti Jure, culmine, tout près de la mer, à 1 762 m. Au large, l'horizon est bordé par les îles de Hvar et Brač.

Voir la rubrique « Arriver/partir » dans *Nos adresses*.

À NE PAS MANQUER

Les plages, le parc du Biokovo, le pont de Mostar.

ORGANISER SON TEMPS

Il faut compter 4h30 en voiture pour aller de Dubrovnik à Split, sans s'arrêter. Comptez 2 jours si vous souhaitez flâner et ne pas passer votre temps sur la route, souvent embouteillée.

Si vous aimez le mariage spectaculaire de la mer et de la montagne et les pittoresques routes en corniche, si vous rêvez de paresser dans une crique avant de déguster du poisson grillé à la terrasse d'une taverne, faites étape sur la riviera de Makarska. C'est une longue guirlande de villages de pêcheurs ombragés de palmiers et de pins, de plages de galets et d'un maquis odorant. Et pour changer, la montagne, la vraie, vous attend à quelques kilomètres des plages.

Se promener

MAKARSKA

Au centre de la riviera, cette station balnéaire recherchée est toujours très vivante. Elle sert aussi de base aux passionnés de nature et de randonnée, grâce à la proximité du parc naturel du Biokovo. Le port est abrité au fond d'une baie encadrée de deux presqu'îles boisées. Celle de l'ouest, la presqu'île St-Pierre *(Sveti Petar)*, délimite une longue plage (près de 2 km), l'une des plus belles des environs, évidemment très courue en été.

UN NID DE PIRATES
Bien que les **Romains** aient fondé une ville sur un site occupé depuis la préhistoire, c'est au 7e s. que la région trouva son originalité. Des **tribus slaves** s'installèrent le long du rivage, entre les fleuves Neretva et Cetina. Ces pirates téméraires s'attaquaient aux Vénitiens avec une telle efficacité que, malgré leur puissance, ces derniers durent un temps leur payer une sorte de péage ! Mais ils finirent par céder et plusieurs puissances se succédèrent comme dans le reste de la Dalmatie : hongroise, bosniaque, turque, vénitienne, française, autrichienne…

Front de mer
Particulièrement animé aux heures des ferries pour Brač, il mêle sans complexe les vestiges de la période baroque vénitienne, de l'époque autrichienne et les édifices modernes. Pourtant, l'ensemble ne manque pas de charme, avec ses terrasses de cafés, ses vénérables palmiers, le claquement des drisses le long des mâts et les couleurs éclatantes des barques. Vers l'ouest, les pontons du port de plaisance et la **presqu'île St-Pierre** offrent un beau **panorama** sur la ville et le Biokovo en arrière-plan. Sur le côté du port de plaisance, une allée ombragée abrite les joueurs de pétanque et des attractions pour les enfants. Elle conduit à la **plage** bordée de pins.

Musée de la Ville (Gradski muzej)
Obala kralja Tomislava 17 (à côté de l'office de tourisme, près de l'embarcadère). Tlj sf dim. et vacances 9h-13h, 17h-19h (18h-21h l'été) - gratuit.

2

C'est surtout l'extérieur de cette belle demeure baroque, le **palais Tonoli** (18e s.), qui retient l'attention, car il témoigne de l'influence vénitienne. Le musée lui-même contient une très modeste collection de photographies et d'objets évoquant le passé de la ville.

Musée des Coquillages (Malakološki muzej)
Franjevački put 1 (derrière l'église franciscaine, à l'extrémité est du quai). Tlj sf dim. 10h-12h, 17h-19h - 10 kn.

C'est le cloître du monastère franciscain qui abrite cette intéressante collection de coquillages.

En ressortant, poussez la porte de l'église moderne pour voir la gigantesque **Descente de Croix** en mosaïque, derrière l'autel.

Circuits conseillés Carte de région

★ LE NORD DE LA RIVIERA – DE MAKARSKA À BRELA C1

Circuit de 24 km AR tracé en rouge sur la carte de région (p. 145) – Comptez une demi-journée en flânant dans les villages. Le faire en fin de journée permet de prendre l'apéritif devant un port.

Bratuš
Plutôt qu'un véritable village, voici une longue succession de villas noyées dans les pins et quelques chambres à louer, le long d'une plage étroite. On est plongé dans un endroit charmant, à l'écart de l'agitation de la route, comme oublié du temps.

Une route piétonne longe le bord de mer et conduit à Promajna.

Promajna
Encore une plage de petits galets où mouillent quelques barques, un clocher qui pointe au milieu des arbres, de petites pensions de famille et une atmosphère sans prétention : une étape idéale pour le pique-nique et la baignade.
Retournez sur la route côtière principale et tournez à gauche.

Baška Voda
Ici, la scène s'anime : le port fourmille de vie et mêle joyeusement barques de pêche, bateaux d'excursion et voiliers. Une longue plage permet aux adeptes de la baignade et du bronzage de lézarder au soleil, tandis que les terrasses des restaurants proposent un ample choix pour goûter la cuisine locale. Évidemment, en été, la cohue y est à son comble.
Il est possible de rejoindre le village suivant, Brela, en longeant la mer, sans reprendre la route principale.

★ Brela
Suivez les panneaux « Brela-Soline ».
Imaginez un adorable petit port de plaisance et une jolie plage au pied d'un village aux ruelles abruptes envahies par la verdure et les fleurs : vous y êtes et l'endroit a le charme de la Côte d'Azur d'autrefois.
Revenez à Makarska.

★★ PARC NATUREL DU BIOKOVO CD1

Circuit de 65 km AR tracé en orangé sur la carte de région (p. 145) – Comptez une journée et prévoyez chaussures de marche, eau, pique-nique.
Ce trésor de la côte dalmate est classé parc naturel depuis 1981, en raison de son intérêt géologique et de l'exceptionnelle richesse de sa faune et de sa flore. De nature karstique, le Biokovo présente tous les phénomènes de ce type de formation géologique, y compris des grottes et des galeries recherchées par les spéléologues. Les passionnés de faune des montagnes peuvent espérer voir chamois, mouflons ou loups, mais aussi aigles royaux ou vautours fauves.
En voiture, quittez Makarska vers le sud. À 1,5 km, bifurquez sur la route 512 en direction de Vrgorac. Après 1 km, tournez à gauche vers le parc botanique.

Jardin botanique de Kotišina
Un sentier pédestre part de la place centrale de Makarska et conduit au jardin botanique en 45mn.
Juste au-dessus du hameau de Kotišina, ce jardin étagé entre 350 et 500 m d'altitude, le long de plusieurs sentiers, constitue un parfait résumé du parc naturel. Falaises et petits défilés servent d'écrin à une sélection de **300 espèces de plantes**, typiques du Biokovo, depuis les espèces méditerranéennes, jusqu'aux plantes alpines qui caractérisent les sommets. Les ruines qui gardent l'entrée sont celles d'un ancien château du 17e s.
Reprenez la direction de Vrgorac durant 5,5 km. L'entrée du parc est bien signalée sur la gauche.

★★ Parc du Biokovo et mont Sveti Jure
Bureau du parc de Biokovo – *Marineta – Mala obala 16 - ✆ 021 616 924 - www.biokovo.com - de mi-mai à sept. : 7h-20h ; d'avr. à mi-mai et oct. : 8h-16h - entrée : 40 kn/pers. (-7 ans gratuit, étud. 20 kn). Route très escarpée, étroite et tortueuse : 23 km jusqu'au sommet (comptez 1h).*
L'ascension à pied du Sveti Jure est possible au départ de Makarska, en 5h30 à 6h, mais elle demande un très bon entraînement (voir Nos adresses).

★★ **Sentier géologique** – Après avoir passé la grande série de virages en épingle à cheveux, guettez, sur la droite, le sentier balisé qui permet en 20mn de découvrir les différentes formations karstiques. Des schémas expliquent (en anglais) l'origine et la constitution de la montagne. Vous verrez ensuite les traces et les formes étranges laissées par l'érosion du calcaire, constituant trous, fissures, voire sculptures.

Grotte Tučepska Vilenjača – À 1 180 m d'altitude, au pied d'une falaise, cette grotte présente stalactites, stalagmites et draperies, ainsi qu'une étonnante faune souterraine *(visite guidée uniquement, voir Nos adresses).*

Mont Sveti Jure – La route viroleuse atteint enfin le sommet du mont Sveti Jure, délivrant un **panorama**★★★ époustouflant sur les montagnes plissées dévalant vers la mer et les îles. La petite **chapelle St-Georges** (Sv. Jure) accueille chaque année un pèlerinage (*dernier sam. de juil.*).

★★ TOUR DU BIOKOVO CD1

Circuit de 130 km tracé en orangé sur la carte de région (p. 145) – Comptez une journée et prévoyez un pique-nique. Quittez Makarska comme précédemment et dépassez l'entrée du parc. Après 8 km de route spectaculaire, tournez à gauche vers Kozica.

Traversée du massif

Le contraste est total entre le littoral verdoyant et l'austérité des sommets ravinés et rocailleux. L'arrière du massif domine une large vallée, bordée au nord par une seconde ligne de crêtes.

Après une dizaine de kilomètres, rejoignez la route 62, que vous prendrez à gauche, en direction de Šestanovac. Vous arrivez à Zagvozd après 23 km.

2

Zagvozd

À la sortie ouest du village, au bord de la route, sur la gauche, de superbes **sarcophages médiévaux** (14e s.). Posés sous les arbres, ces parallélépipèdes massifs présentent un couvercle à pignon, en forme de toit et de belles sculptures aux motifs géométriques.

Poursuivez jusqu'à Šestanovac. Tournez à gauche vers Zadvarje.

★ Zadvarje et les gorges de la Cetina

Au village de Zadvarje, vous rejoignez la rivière Cetina. Au milieu du village, près de la station-service, un chemin défoncé mène, vers la droite *(suivez le panneau « Vodopad », chute d'eau),* à un belvédère surplombant les **chutes de la rivière**, au fond des gorges creusées dans les falaises calcaires.

Sortez du village et passez devant l'énorme crucifix. Tournez à droite 300 m plus loin, en direction de Kučiće.

Passé la centrale électrique, la route, très pittoresque, longe la Cetina et un **défilé** boisé, à l'écart de la circulation. La rivière est particulièrement sauvage et se prête à la découverte en kayak ou en rafting *(voir Nos adresses).* L'**estuaire de la Cetina**, aux abords de la ville d'Omiš (à 21 km), se faufile de façon spectaculaire entre les hautes **falaises du Biokovo**, au sud, et celles du **massif du Mosor**, au nord. Pour bénéficier d'une vue impressionnante de l'estuaire, en arrivant à Omiš, traversez le pont sur la Cetina et tournez à droite vers Gata. La route mène à un **belvédère**★.

Omiš

La silhouette du Biokovo domine la ville. Des ruelles escarpées grimpent à l'assaut de cet éperon impressionnant, couronné par les ruines d'une double **citadelle vénitienne**. La vieille ville, au pied de cette muraille rocheuse, fut

jadis un nid de pirates, à l'époque où les marins locaux tenaient tête aux puissants Vénitiens.
Reprenez la route de Makarska en suivant la côte.

★ VERS LE SUD ET LE DELTA DE LA NERETVA Carte de région 1 (A-C1)

Circuit de 142 km AR de Makarska au delta de la Neretva, tracé en vert sur la carte de région 1 (p. 88) – Comptez la journée si vous le faites en boucle avec retour à Makarska. Une demi-journée suffit si vous parcourez le circuit (72 km) en continuant vers le sud. Vous pouvez prévoir des arrêts dans l'une des criques entre Podgora et Drvenik. Quittez Makarska par la route côtière.

Podgora

C'est l'une des stations balnéaires typiques de la riviera, avec son **port de pêche**, son quai animé, ses bateaux de plaisance et sa promenade ponctuée de terrasses de cafés et de restaurants. Les maisons aux façades fanées se suivent au cœur d'une végétation luxuriante. Plusieurs jolies **plages** de galets en constituent l'atout majeur.

Zaostrog

Un agréable front de mer bordé de pins, de tamaris et de palmiers, des hôtels et chambres chez l'habitant, quelques baraques de jeux pour les jeunes composent cette petite station populaire (seulement 350 habitants en hiver), nichée au pied du massif du Biokovo. Le centre du village se presse autour du **monastère franciscain** (franjevački samostan) (16e s.), le long d'une étroite plage de galets.

★ Gradac

Voici encore une jolie baie encastrée entre les montagnes et un **front de mer** ombragé. Une très agréable plage de galets complète le tableau.
Reprenez la route côtière, passez Ploče et Rogotin. Un peu plus de 1 km après le pont sur la Neretva, une petite route mal indiquée, à gauche, repart en arrière le long de la rivière (dans l'autre sens, elle est marquée « Autocamp Rio ») et repasse sous le pont.

★★ Delta de la Neretva Carte de région 1 C1

Tour du delta : 30 km.
Sur votre droite, le cours principal de la rivière s'étire et, sur la gauche, de vastes étendues de cultures fruitières et maraîchères occupent le delta. À l'origine, cette zone n'était qu'un grand marécage. Ingénieusement drainé par un système de canaux, délimitant une multitude de parcelles cultivables, le marais est devenu un immense verger d'agrumes. Au moment de la récolte, les cultivateurs vendent leur production au bord de la route.
Après avoir longé une plage caillouteuse, vous passez **Blace**, paisible hameau de pêcheurs. La route s'élève ensuite, adossée au versant boisé de la montagne, au-dessus du delta. Vous voyez clairement le système de drainage des canaux. En contrebas de la falaise, les villages sont organisés en fonction de ces voies d'eau, qui font office de rues. Chaque maison possède son embarcadère et son garage à bateau. Avec un peu de chance, vous verrez les cultivateurs revenir de leurs parcelles dans des barques lourdement chargées de leur cueillette.
Au fur et à mesure que vous avancez, le dessin géométrique des parcelles se précise, pour adopter finalement un tracé en rayons autour des promontoires rocheux qui surgissent de l'étendue plate du marais. Les parcelles sont

reliées par de petits pontons de bois et soigneusement entretenues comme des jardins. Le reflet du ciel dans l'eau immobile des canaux, le bruit du vent dans les roseaux et le vert profond des orangers composent un paysage particulièrement original.
Rejoignez la route principale, après 16 km. Tournez à gauche pour rejoindre le pont sur la Neretva (à environ 14 km) et Ploče, via Opuzen.
Si l'on découvre cette région dans le sens inverse, en venant du sud de la Dalmatie vers Makarska, tournez à gauche (virage très serré) en direction de Blace, dans la grande descente vers le delta, 500 m après avoir aperçu les parcelles entourées d'eau. Le détour n'est rallongé que de 4 km, mais il est nettement plus pittoresque que la route principale.

Escapade à Mostar Carte de région 1 C1

▶ *Circuit de 56 km à partir de Ploče, tracé en rose sur la carte de région 1 (p. 88-89). Frontière avec la* **Bosnie-Herzégovine** *à* **Metković** *(10 km après Ploče). Munissez-vous de vos papiers d'identité (passeport ou carte d'identité, permis de conduire et papiers de la voiture). Boutiques et restaurants acceptent l'euro et la kuna au taux bancaire, mais généralement pas les cartes de crédit. Prévoyez une journée.*
La route suit le cours de la Neretva, sur les berges de laquelle se dressent parfois de jolis villages comme celui de Počitelj, à 10 km environ après la frontière.

Počitelj

Cet ancien village-forteresse construit à flanc de colline est dominé par son minaret et son **donjon** du 15e s., lequel offre un beau panorama sur la **mosquée Hadj Halija** restaurée et l'ensemble du village *(attention, pas de rampe de sécurité)*. On aperçoit entre autres les six dômes du toit de l'ancienne **medresa** (17e s.), à l'entrée du bourg.
Si les vestiges de la guerre sont encore visibles, les galets de la ruelle principale ainsi que certaines demeures traditionnelles en pierre, comme l'ancienne propriété de la famille **Gavrankapetrović** jouxtant la mosquée, confèrent un charme certain à l'ensemble.
Continuez en direction de Mostar. Après une vingtaine de kilomètres, parvenu à Buna, tournez à droite en direction de Blagaj.

2

Blagaj

Traversez le village jusqu'à voir la maisonnette de l'office de tourisme sur la droite. Là, tournez à droite et roulez jusqu'au parking de la tekké.
★ **Tekké** (tekija) – *9h-22h - possibilité de visite guidée en anglais (15mn) - foulard fourni aux femmes, port des chaussures interdit à l'intérieur - 3 km (1,50 €).* Une tekké s'apparente à une université. Les élèves y étudiaient les classiques et les modernes. Celle-ci date de la fin du 15e s. et doit sa renommée au derviche Sari-Saltuk, dont la tombe se trouve à l'étage. Salles d'études, de prière, hammam, cuisine et chambres se partagent le reste de la demeure de style traditionnel ottoman.
★ **Villa Velagomed** – *En revenant de la tekké, sur la gauche, repérable à son mur. Une petite ruelle en pavés disjoints donne accès aux demeures pourvues de belles portes de bois. ☎ 387 61 27 34 59 - www.velagomed.ba - musée : mai-oct. 10h-19h - visite en anglais ou en français - 1 €.* Sur l'ensemble, construit en 1766 et qui comprenait, outre les habitations, un moulin et un lavoir, seules trois maisons sont ouvertes au public, soit à la visite soit en tant que chambre d'hôte. On découvre ainsi l'habitat traditionnel bosniaque avec sa galerie de

bois, sa fontaine et sa cour où poussent des rosiers et un figuier. Le petit jardin, baigné par la fraîcheur de la rivière, est un véritable enchantement. Sur place, hébergement *(4 ch. 25/40 €)*, produits locaux (sirops, confitures), possibilité de randonnées accompagnées.
Revenez sur la route principale et continuez jusqu'à Mostar.

★★ Mostar

387 36 580 275 - tzmostar@hercegovina.ba.
Trésor de l'architecture ottomane médiévale d'Europe, Mostar, capitale d'Herzégovine, fut l'une des villes martyres du conflit des Balkans : les faubourgs et la ville moderne en portent encore d'épouvantables stigmates. Plus de dix ans après sa dévastation, la ville reste déchirée entre ses trois communautés : les Croates catholiques et les Bosniaques musulmans en composent la majorité, tandis que la minorité serbe orthodoxe joue le rôle d'arbitre.
Si les quartiers sont bien distincts, le passage de l'un à l'autre ne présente cependant pas de risque pour le visiteur. Un énorme effort international vise à réhabiliter peu à peu le patrimoine, ce qui a valut en 2005 le classement de la vieille ville au Patrimoine de l'Unesco. En revanche, hormis un poignant témoignage sur la folie de la guerre, la ville moderne ne présente pas d'intérêt. Géographiquement partagée en deux par la Neretva, elle reproduit cette division sur le plan ethnique : rive droite chrétienne, rive gauche musulmane. L'absence de panneaux de signalisation référant de l'une à l'autre est assez déconcertante.
★★ **La vieille ville turque** (Stari grad) – *L'arrivée dans Mostar se fait par la rive gauche. Traversez la rivière et entrez en ville par le bd Ante Starčevića. Au niveau de la grande église catholique grise (à gauche), tournez à gauche vers Stari Grad ou demandez le « old center ». L'office de tourisme se trouve rive droite, à deux pas du pont.* C'était avant la guerre l'une des plus belles images de l'ex-Yougoslavie, avec celle de Dubrovnik. Accrochées de guingois aux falaises escarpées de la Neretva, les maisons ottomanes étagent leurs terrasses mangées par les treilles.
★★★ **Vieux Pont** (stari most) **sur la Neretva** – Symbole de la ville depuis sa construction en 1566 (Mostar signifie « gardien du pont »), il fut entièrement détruit le 9 novembre 1993 par les bombardements croates. Il aura fallu attendre plus de dix ans pour que sa reconstruction soit achevée et qu'il soit inauguré le 23 juillet 2004. Si quelques pierres d'origine ont pu être repêchées dans la rivière, la plupart ont dû être retaillées pour reproduire le pont à l'identique (exposition dans la tour de la rive gauche).
Plus encore que sa valeur patrimoniale, c'est un symbole de réconciliation entre les deux rives que les instigateurs espéraient ériger, pour en finir avec la douloureuse partition de la ville. Sa particularité architecturale est son arche unique enjambant une largeur de plus de 28 m et les solides tours quadrangulaires qui l'encadrent (côté droit, c'était une prison, côté gauche un entrepôt de munitions).
★★ **Quartier médiéval de Kujundžiluk** – *Rive gauche.* Avec ses ruelles en pente pavées de galets ronds et ses échoppes traditionnelles, c'est le quartier des artisans, dinandiers, selliers et tisserands. C'est ici, au milieu des étals abrités sous les auvents de pierre et près des mosquées des 16e et 17e s., que l'on goûte l'atmosphère turque.
Ne manquez pas de visiter la **maison turque** ou **résidence Bišćević** (Bišćević Kuća) du 17e s., véritable havre de paix avec sa fontaine et ses tortues d'eau *(9h-17h - 8 kn).*

NOS ADRESSES SUR LA RIVIERA DE MAKARSKA

ARRIVER/PARTIR

Gare routière – *Ante Starčevića 30 - 021 612 333.* Lignes nationales pour Split (1h15), Zagreb (8h), Dubrovnik (3h15), Mostar. Lignes locales pour Brela, Baška Voda, Podgora.

Ferries – Makarska-Sumartin (Brač) : 3 à 5/j., 1h. Drvenik-Sućuraj (Hvar) : 6 à 12 dép./j., 30 à 45mn de traversée.

Capitainerie du port – *021 611 977.*

HÉBERGEMENT

À Makarska

PREMIER PRIX

Chambres chez l'habitant – Plusieurs agences concentrent les offres de chambres. **Agence Atlas** – *Kračićev trg 9 - 021 617 038.* **Agence Kompas** – *Obala kralja Tomislava 17 - 021 615 411 - www.kompas-travel.com* **Agence Bakros Tours** – *Kralja Zvonimira 7a - 021 613 885.*

POUR SE FAIRE PLAISIR

Hotel Biokovo – *Obala kralja Tomislava 14 - 021 615 244 - www.hotelbiokovo.com - 55 ch. 600/855 kn.* Face à la mer, belle façade blanche, sur la promenade, très pratique car situé devant le point d'embarquement du ferry pour les îles. Sauna, wifi. Majoration de 10 à 20 % pour séjours inférieurs à 3 jours. Demi-pension et pension complète possibles. Prix spéciaux pour les groupes.

À Bratuš

BUDGET MOYEN

Villa Babin Ranč – *Bratuš - 021 621 333 - www.makarska-bratus.com (site en allemand) - 10 ch. 80 € - 5 appart. (4 pers.) 80 €.* Vous apprécierez cette pension très bien située, au calme devant la mer. Chambres sans caractère mais confortables, avec balcon et vue. Accueil chaleureux. Petit déjeuner copieux et possibilité de pension ou demi-pension (75 kn/pers.).

À Promajna

UNE FOLIE

Hotel Conte – *Baška Voda - 021 695 444 - www.promajna-hoteli.hr - 30 ch. 765/1 445 kn.* Petit établissement flambant neuf, bien équipé (fitness, sauna, jacuzzi…), à deux pas de la plage. Les chambres avec vue sur la montagne sont les moins chères.

À Baška Voda

UNE FOLIE

Hotel Slavija – *Zrinsko Frankopanska 71 - 021 604 999 - www.hoteli-baskavoda.hr - avr.-oct. - 72 ch. 580/920 kn en 1/2 P.* Beau bâtiment de pierre entre les pins, face à la plage. Grande terrasse agréable et tout le confort malgré un décor un peu austère.

À Brela

BUDGET MOYEN

Villa Marija – *Obala Kneza Domagoja 56 - 021 619 059 ou 098 77 44 71 - mai-oct. - 6 ch. 360 kn.* Un emplacement en or, du côté calme de Brela, pour cette maison cachée dans les arbres, devant la mer. Décoration basique mais confort suffisant. Pour juil. et août, réserver longtemps à l'avance.

UNE FOLIE

Soline – *Trg Gospe od karmela 1 - 021 603 207 - www.bluesunhotels.com - 206 ch. dont 4 suites 1 368/2 140 kn.* Grand immeuble de

1983 construit au milieu des pins, devant la plage. Très bien équipé, il a été entièrement rénové en 2006. Bars, animations, minigolf, centre de thalassothérapie, salle de gym, sauna… tout est là. Les prix s'en ressentent !

Berulia – *Trg Gospe od karmela 1 - 021 603 599 - www.bluesunhotels.com - - 199 ch. 1 368/2 140 kn.* À l'écart du centre du village, moderne, cet hôtel entièrement rénové en 2005 propose tous les services d'un établissement de luxe : restaurant de plage, bars, minigolf, sauna, fitness… et la plage juste en bas.

À Pisak

BUDGET MOYEN

Anja – *Zapadna ulica 9 - 021 878 398 (rens. en français) - www.anja-pisak.com - - 4 appart. (4 pers.) 40/75 €.* Dans un hameau à mi-chemin entre Makarska (16 km) et Omiš, la famille Bokšic propose une prestation de qualité. Petits appartements tout confort, avec terrasse, possibilité de barbecue et criques en contrebas. Réservez pour juil. et août.

À Podgora

BUDGET MOYEN

Primordia – *Branimirova obala 111 - 021 625 144 - www.hotelprimordia.com - - 25 appart. (4 pers.) 90/110 € en saison .* On ne peut pas manquer la façade jaune orangé de ce joli immeuble entièrement remis à neuf. Aménagement intérieur très confortable, en face de la plage, du côté calme de la ville. Idéal en famille.

UNE FOLIE

Hotel Aurora – *Branimirova obala bb - 021 625 766/111 ou 666 - www.hotelaurorapodgora.com - - 150 ch. 720/860 kn .* Malgré sa taille imposante et son style froid d'hôtel pour groupes, il est bien situé au calme, au-dessus d'une agréable plage et surtout très bien équipé.

À Živogošće

PREMIER PRIX

Autocamp Dole – *10 km au sud de Podgora - 021 628 749 - www.hoteli-zivogosce.hr - de mai à mi-oct. - voiture 4 €, tente 5,40 €, 5,40 €/pers., caravane 8 €, électricité 4,30 €.* Bien que proche de la route, il est ombragé, près d'une belle plage de galets. Pratique pour une étape.

À Zaostrog

BUDGET MOYEN

Chambres et camping Dalmacija – *Hrvatskih domoljuba bb - 0917 851 181 (portable) - mars-oct.- - 60 ch. 350 kn et 70 empl., voiture 19 kn, tente 29 kn, pers. 29 kn, électricité 19 kn.* Site agréable et ombragé, juste à côté de la plage. Sanitaires biens tenus et rénovés. Les chambres sont réparties dans des bungalows basiques mais avec tout le confort et en retrait du camping.

À Gradac

PREMIER PRIX

Travel Agency Paškal – *Obala 15 - 021 697 502 - www.paskal-gradac.com* Chambres et studios.

POUR SE FAIRE PLAISIR

Marco Polo – *Obala 15 - 021 697 502 - www.hotel-marcopolo.com - - 20 ch. 600/840 kn .* Idéalement situé sur la promenade le long de la mer, un petit hôtel de charme, au décor néorustique soigné. Choisissez votre chambre pour sa taille plus que pour sa vue car très peu donnent sur la mer.
Par contre, la terrasse devant

la plage propose des repas de qualité. Un centre de fitness au dernier étage offre aussi une vue superbe. Petit déjeuner copieux et excellent. Accueil d'une grande gentillesse. Ouvert toute l'année.

RESTAURATION

À Makarska

BUDGET MOYEN

Susvid – *Kačićev trg 8 (sur la place centrale, à l'est de l'église) - ✆ 021 612 732 - www.susvid.com*. Pour voir l'animation de la place depuis la terrasse. Cuisine traditionnelle, plats entre 60 et 90 kn, steaks ou calamars frits.

POUR SE FAIRE PLAISIR

Peškera – *Šetalište Donja luka bb - ✆ 021 613 028*. À l'ombre des arbres, sur le chemin de la plage, une adresse sympathique où goûter des poissons grillés (*compter 100 kn*) et les plats de la région.

À Gradac

Nicolo Polo – *Obala 15, dans l'hôtel Marco Polo - ✆ 021 697 185 - www.hotel-marcopolo.com*. L'une des meilleures tables de la région, avec une carte riche en salades composées. Essayez aussi les calamars frits au *prošek* (proche du muscat) ou les viandes grillées (*50/80 kn*).

Dans le delta de la Neretva

BUDGET MOYEN

Villa Neretva – *Krvarac 2 - Metković - ✆ 020 672 200 - www.hotel-villa-neretva.com*. Sur la droite, au bord de la route de Ploče à Mostar, une dizaine de km après le pont sur la Neretva, vous trouverez les spécialités du marais : anguilles ou grenouilles grillées.

POUR SE FAIRE PLAISIR

Restaurant Lopoč – *Momići - ✆ 020 693 034 - www.restaurant-lopoc.com*. À Rogotin, tournez à gauche avant le pont, vers Komin. 8 km après ce village, tournez à gauche vers Vrgorac. Le restaurant se trouve à moins de 2 km, au bord d'une partie très sauvage du marais. Outre les produits du potager et les anguilles, grenouilles et poissons locaux, il organise des dîners dans le marais. Une excellente adresse.

ACTIVITÉS

Plongée

More Sub – *Kralja Petra Krešimira IV 43 - Makarska - ✆ 021 611 727 - www.more-sub-makarska.hr*. Outre les sorties en plongée, l'agence propose aussi des chambres chez l'habitant.

Birgmaier Sub – *Podgora - ✆ 091563 30 67 - www.birgmaier-sub.com*

Club Posejdon – *Baška Voda - ✆ 021 620 263*.

Sports

Biokovo Active Holidays - *Kralja Petra Kresimira IV 7b - Makarska - ✆ 021 679 655/657 ou 098 225 852 - www.biokovo.net*. L'adresse où organiser randonnées, visite guidée du Biokovo et de ses grottes, faire de la spéléo ou observer la nature.

Rafting club Slap – *Poljički trg bb - Omiš - ✆ 021 757 336 - Agence de Zadvarje - ✆ 021 871 108*. Le meilleur site pour le rafting sur la Cetina se situe autour du hameau de Penčići, sur la route reliant Zadvarje à Omiš. Locations de canoës, sorties en raft.

Zadar et le nord de la Dalmatie 3

Carte Michelin 757

Le parc national de la Krka.

H. Wohner / Look / Photononstop

ZADAR ET LE NORD DE LA DALMATIE

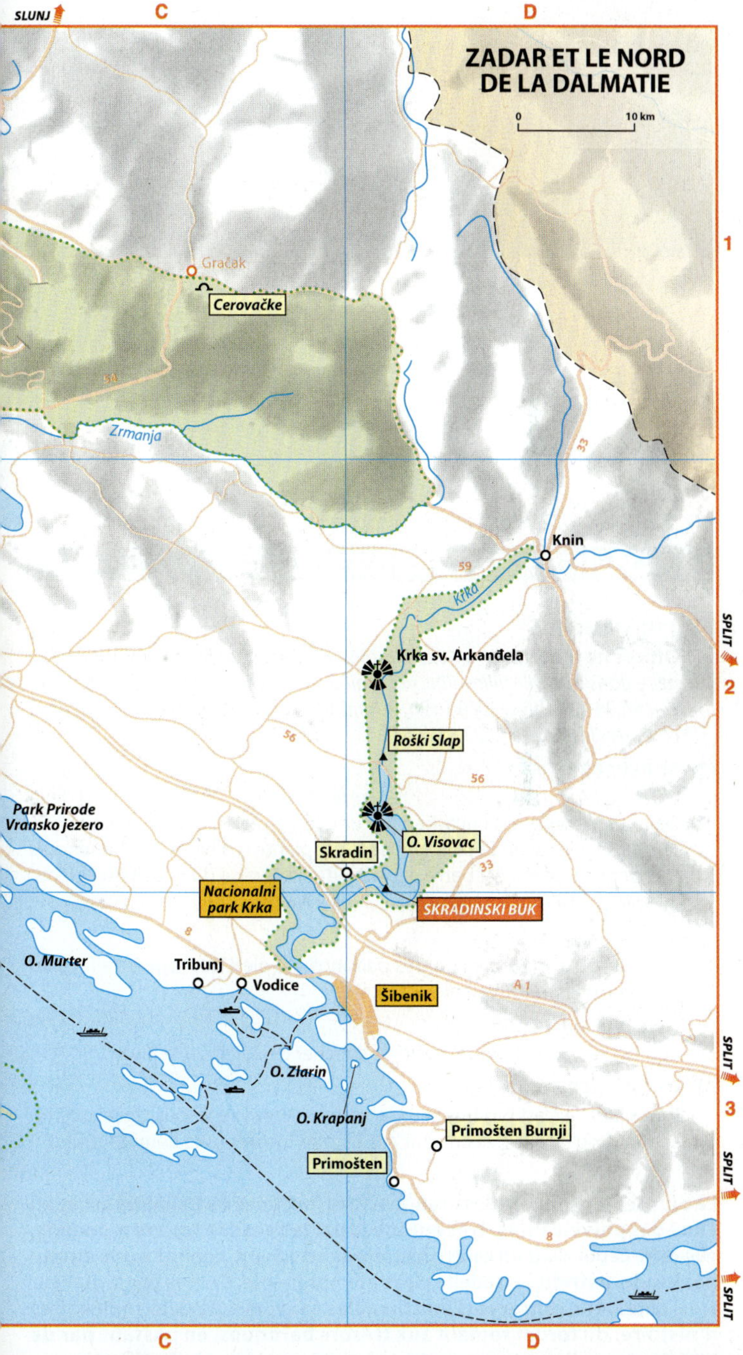
SLUNJ
C
D
ZADAR ET LE NORD
DE LA DALMATIE
0
10 km
1
Gračak
Cerovačke
54
Zrmanja
33
Knin
59
Krka
SPLIT
Krka sv. Arkanđela
2
Roški Slap
56
56
Park Prirode
Vransko jezero
O. Visovac
Skradin
33
Nacionalni
park Krka
SKRADINSKI BUK
8
O. Murter
Tribunj
Vodice
Šibenik
A 1
SPLIT
O. Zlarin
3
O. Krapanj
Primošten Burnji
Primošten
SPLIT
8
SPLIT
C
D

Zadar

★★

75 062 habitants – Dalmatie

NOS ADRESSES PAGE 234

S'INFORMER

Offices de tourisme – *023 316 166 - www.tzzadar.hr ou www.visitzadar.net – dans la vieille ville - Ilije Smiljanića 5 - 023 212 222 - été : tlj 8h-23h, w.-end 9h-23h ; hiver : tlj 9h-19h, w.-end 10h-15h – à Puntamika, le long de la côte, vers le nord - 023 332 053.*

SE REPÉRER

Carte de région B2 (p. 218-219) – *carte Michelin n° 757 D8*. Au nord de la Dalmatie, la ville est encadrée par une large plaine côtière maraîchère. Vers le sud, le relief de collines usées est planté d'oliviers et d'un maquis très dense. Le nord est barré par la haute silhouette du massif du Velebit. Voir la rubrique « Arriver/partir » dans *Nos adresses*.

SE GARER

Laissez votre voiture à l'un des parkings, au pied des remparts face au port (maxi 2h renouvelables - 10 kn).

À NE PAS MANQUER

L'église St-Donat, l'orgue marin, le coucher de soleil sur la Riva.

ORGANISER SON TEMPS

La vieille ville n'est pas très grande, vous en ferez vite le tour. Ugljan (20mn en ferry) ou la ville de Nin sont des escales idéales (une demi-journée).

La plus septentrionale des grandes villes fortifiées de Dalmatie est aussi l'une des plus vivantes. Très éprouvée par la Seconde Guerre mondiale, elle offre cependant un centre historique attachant, confiné à une étroite péninsule, autrefois citadelle close et imprenable. Cernée par la mer sur trois côtés, elle conserve d'inestimables souvenirs de deux millénaires d'histoire, du forum romain aux trésors baroques, en passant par de ravissantes églises romanes et une bonne partie de ses fortifications.

La Riva de Zadar pour flâner sur le bord de mer.
B. Rieger/hemis.fr

Se promener Plan de ville

★★ AU CŒUR DE LA CITADELLE

Circuit tracé en vert sur le plan de la ville (p. 222) – Comptez 2h30. Commencez la balade au sud-est, au port de Foša, devant la porte de Terre-Ferme.

Foša A2

Ce petit port n'existe en l'état que depuis la suppression du pont-levis qui franchissait le chenal qui entourait la cité. Un édifice fortifié, devenu un restaurant, barrant l'entrée du mouillage, abritait le poste de douane et un corps de garde. De l'autre côté du port, le puissant système de remparts et de bastions défensifs fut érigé par les Vénitiens au 16e s.

★ Porte de Terre-Ferme A2

C'est au milieu du 16e s. que les Vénitiens décidèrent de renforcer l'abord de la ville, pour mieux se défendre contre d'éventuelles attaques turques. Dessinée par le Vénitien Michele Sanmicheli (1543) et rythmée par quatre colonnes, la porte se partage en trois ouvertures : large au centre pour les attelages, petites sur les côtés pour les piétons. L'arc central porte une statue de saint Chrysogone (Krševan), patron de la ville, surmontée du lion ailé de Venise. *Tournez à droite juste après la porte et montez les quelques marches jusqu'à la place des Cinq-Puits.*

★ Place des Cinq-Puits (trg Pet Bunara) AB2

Cinq puits – Alignés au centre de la place, ils fournissaient jusqu'à la fin du 19e s. l'eau d'une citerne construite au 16e s., à la place des anciennes douves.

Tour du Capitaine –De forme pentagonale et intégrée à des vestiges de remparts crénelés (13e s.), elle constitue la seule partie encore debout des fortifications médiévales qui encerclaient entièrement la ville.

Bastion et parc municipal – Face à la tour, l'agréable parc boisé est le plus ancien jardin public du pays. Pour le créer, en 1890, on remblaya l'un des bastions de la citadelle, rajouté par les Vénitiens au 16e s.

Descendez les marches, à l'ouest, vers une autre petite place. En face, notez les vestiges romains, semi-enterrés dans une fosse.

Ancienne porte romaine

Dans la fosse, les quelques ruines sont les vestiges de la porte de la forteresse construite par les Romains. La haute **colonne** dressée à proximité, provenant d'un temple romain proche du forum, ne fut placée ici qu'en 1729. Elle marque

3

ZADAR
VIEILLE VILLE
0
100 m
SE LOGER
Albin (Pansion).............. 2
Art Hotel Kalalarga........ 7
Bastion.......................... 3
Boutique Hostel Forum.. 5
Garni............................ 4
Hrešć............................ 6
Kolovare........................ 8
Mediteran..................... 10
Nico.............................. 12
SE RESTAURER
Foša............................ 2
Kornat......................... 4
Zadar.......................... 6
A
B
1
2
UGLJAN, DUGI OTOK, ANCONA
IST, IŽ, PREMUDA
KORNATI
SPLIT, ŠIBENIK 8
2 4 6 10 12
ZADAR CENTRE, ZAGREB, RIJEKA
Orgue marin
Salut au Soleil
Istarska
obala
Bianchinija
Liburnska
Luke Jelića
Ivana Brčića
I. Danila
Trg sv. Frane
Božidara Petranovića
MONASTÈRE FRANCISCAIN
Braće Bilišić
Notre-Dame-de-Santé
Trg Tri Bunara
Paravije
Bedemi
obala
LUKA
zadarskih pobuna
JAZINE
Kralja Petra Krešimira IV
Zadarskog mira 1358
Zanottija
Vidulića
Jurja Bijankinija
Jakše Čuke
St-Élie
Zeleni Trg
Mate
Karamana
CATHÉDRALE STE-ANASTASIE
ST-DONAT
FORUM
Pr. D. Parčića
Kožičića
MUSÉE ARCHÉOLOGIQUE
Poljana Pape Aleksandra III
Obala
RIVA
Trg opatice Čike
ST-CHRYSOGONE
PORTE DU PORT
Ste-Marie
MUSÉE D'ART SACRÉ
Široka
Krnarutića
Musée de la Ville
Liburnska
Pavlinovića
Zore Dalmatinske
Braće Vranjana
Dalmatinskog
Sabora
Stomorica
ANCIEN HÔTEL ZAGREB
VAROŠ
POL
K.Dalmatina
Dalmatinca
MARCHÉ
obala
Mihovila
Putevac
Stomorica
Borelli
Garde municipale
St-Laurent
Zlatarska
VRATA SV. ROKA
PLACE DU PEUPLE
G
Vukčića
Barakovića
Sirac
S. Ljubića
Varoška
Mihe Klaića
Palais Ghirardini
Porte Neuve
Kovačka
St-Michel
Loggia municipale
Bedemi zadarskih pobuna
RIVA
Trg Petra Preradovića
Palais Petrizio
SV. DOMINIK
Spire Brusine
Elizabete Kotromanić
ST-SIMÉON
Tomislava
Sokolska
Medulića
Faculté de Lettres
Ruđera Boškovića
Trg Petra Zoranića
Palais Grisogono
Ante Kuzmanića
Tour
PLACE DES CINQ PUITS
Puits
Narodnog lista
Stratico
PORTE DE TERRE FERME
Bartula Kašića
kralja
FORTIFICATIONS ORIENTALES
Foša
Zvonimira
PERIVOJ KRALJICE JELENE MADIJEVKE
PERIVOJ JARULA
Dmitra
Medu Bedemima
Obala
Kralja
N
PERIVOJ VLADIMIRA NAZORA

le départ de l'axe majeur de la ville. Sur la gauche se dresse le **palais du Recteur**, avec ses murs jaune pâle, remanié au 19ᵉ s. dans le style néoclassique, tandis qu'à droite se trouve la longue façade orangée de l'église St-Siméon.

★ Église St-Siméon (Sv. Šimun) B2

L'édifice, à la façade typiquement baroque (17ᵉ s.), est bâti sur l'emplacement d'une basilique paléochrétienne du 5ᵉ s., dont subsistent la partie inférieure du mur sud et une rangée de fenêtres géminées. L'église fut consacrée à saint Siméon, en 1570, lorsque le sarcophage contenant les reliques y fut transféré.

★★★ **Sarcophage de saint Siméon** – *Ne se voit que de face.* Principal intérêt de la visite, il trône au centre de l'autel, soutenu par deux anges baroques, en bronze récupéré sur des canons pris aux Turcs. Il fut commandé en 1377 par Élisabeth de Bosnie, reine de Hongrie et de Croatie, épouse de Louis Iᵉʳ le Grand. Pour le réaliser, l'orfèvre milanais Francesco, qui résidait alors à Zadar, utilisa 250 kg d'argent et une généreuse quantité de feuilles d'or. Finalement achevé en 1380, le sarcophage est fabriqué en bois de cèdre entièrement recouvert d'argent et d'or, à l'extérieur et à l'intérieur. Le **gisant** du saint repose sur le couvercle, tandis que les côtés sont ornés de **treize bas-reliefs** en argent repoussé et doré, figurant des légendes liées au saint. Sur le devant, le motif central illustre la présentation au Temple de l'Enfant Jésus (inspirée d'une fresque de Padoue par Giotto). Sur la droite, c'est l'entrée du roi Louis le Grand à Zadar, sur la gauche, on voit des moines déterrant le corps du saint. À l'intérieur, outre les reliques, on trouve plusieurs ex-voto, dont la couronne de la reine.

Nef et bas-côtés – Dans le bas-côté gauche, on voit encore des traces de fresques murales du 14ᵉ s. Au fond de la nef, notez aussi, à gauche, une icône de la **Vierge à l'Enfant en marbre doré** (13ᵉ s.), incluse dans un retable baroque, et, à droite du chœur, une **icône de la Vierge à l'Enfant** (15ᵉ s.) presque entièrement recouverte d'argent, à la manière byzantine.

Sortez de l'église vers la droite et tournez à gauche dans ulica Don Ive Prodana.

Palais Petrizio B2

Au nº 7, voici un bel exemple de palais du 15ᵉ s., mélangeant harmonieusement les styles. Le portail et les fenêtres sont gothiques, le balcon est Renaissance, les deux styles se retrouvant dans la belle cour intérieure, malheureusement un peu altérée.

Revenez sur vos pas et suivez Don Ive Prodana le long de la façade latérale de St-Siméon jusqu'à l'angle de la rue Ilije-Smiljanića.

Palais Grisogono B2

Bien restaurée, cette élégante demeure médiévale conserve de beaux éléments gothiques et Renaissance (fenêtres et portes).

Repassez devant St-Siméon et prenez à droite la rue Elizabete-Kotromanić, axe principal de la vieille ville.

★ Place du Peuple (Narodni trg) B2

C'est la seule grande place de Zadar qui ait gardé son patrimoine intact. C'est aussi celle où se trouvent les terrasses de cafés les plus agréables. Au Moyen Âge, elle concentrait

LE DOIGT SACRÉ

Selon la légende, Élisabeth de Bosnie, qui vénérait saint Siméon, voulait absolument en posséder personnellement une relique. Elle s'arrangea pour arracher un doigt et le cacha dans son giron. Las ! Le doigt s'infesta d'asticots ! Il ne retrouva son intégrité qu'après que la reine l'eut remis en place. Pour se faire pardonner le sacrilège, elle décida de faire don d'un reliquaire à la hauteur de sa vénération.

toute la vie de la cité. Côté nord, elle est bordée par l'hôtel de ville, lourd édifice néo-Renaissance.

Garde municipale – Du côté ouest, ce bâtiment fermé par des grilles date de 1562 et son style Renaissance tardive annonce déjà la période maniériste. On en doit les plans à l'architecte Sanmicheli, qui dessina la plupart des fortifications de l'époque. La tour fut surélevée en 1798 pour accueillir l'horloge. Les trous ronds, le long du mur d'enceinte, servaient à placer les canons.

Église St-Laurent (Sv. Lovro) – Pour en voir les vestiges, il vous faudra entrer à l'intérieur du café Lovre *(entrée libre)*. Ce qui reste du sanctuaire est visible à l'arrière : il s'agit d'une petite église romane du 11e s. à l'architecture très harmonieuse. On y observe encore l'influence byzantine, notamment sur les sculptures.

Loggia municipale – Face à la garde municipale, ce bâtiment Renaissance (Sanmicheli, 1565) qui accueille désormais des expositions temporaires, servait jadis de tribunal. On y rendait les jugements, on y donnait lecture des décrets et on y ratifiait les contrats officiels.

Palais Ghirardini B2 – Au nord-est de la place, à l'angle des rues Ive Prodana et Jurja Barakovića, cette haute maison romane se remarque à son balcon gothico-Renaissance sculpté, exécuté par Nicolas le Florentin (15e s.).

Quittez la place vers le nord en suivant la rue Jurja-Barakovića jusqu'à la deuxième porte de la ville.

Porte Neuve B2

Percée en 1931, elle ouvre directement sur le port de Zadar et la passerelle piétonne qui assure la jonction avec les quartiers modernes au nord du plan d'eau.

Revenez sur vos pas, prenez à droite puis la première ruelle à droite, Hrvoja Šubića Hrvatinića, pour pénétrer dans le marché.

★ Marché B2

7h-13h. L'un des plus pittoresques de Dalmatie, il est connu pour la qualité de ses primeurs, car Zadar est entourée d'une plaine très fertile. Vous y goûterez les produits du terroir, huile d'olive pressée à la maison, figues enfilées à la main sur des cordelettes, jambons de pays, mais surtout les fromages des environs, à commencer par celui de l'île de Pag. Sur le côté nord-est du marché, près de la petite porte St-Roch (sv. Rok), remarquez les vestiges de la **muraille médiévale**, contemporaine de la tour du Capitaine.

Reprenez Hrvoja Šubića Hrvatinića vers l'ouest. Continuez tout droit dans Brne Krnarutića qui mène à l'arrière de l'église St-Chrysogone.

★★ Église St-Chrysogone (Sv. Krševan) B1

Consacrée en 1175, c'est un ravissant exemple d'art roman italien. C'était initialement l'église d'un monastère bénédictin aujourd'hui disparu. L'**abside** et la façade latérale sont les parties les plus spectaculaires. Les rangées d'arcatures aveugles et la succession de fines colonnettes évoquent l'influence des artistes lombards et toscans. La structure générale et le décor rappellent ceux de la cathédrale, commencée à la même époque.

★ **L'intérieur** – Très simple, à triple nef, il conserve des vestiges de **fresques romanes**★★ d'inspiration byzantine (12e s.), du côté nord, et dans les chapelles latérales du chœur. Le **maître-autel baroque** en marbre blanc (1701) porte les statues des quatre saints protecteurs de Zadar : Chrysogone, Siméon, Anastasie et Zoïle. À l'origine, la voûte du chœur était couverte d'une immense mosaïque.

En sortant de l'église, prenez à droite Poljana Pape Aleksandra III pour rejoindre la porte du Port. Juste avant, sur la droite, faites étape au musée de la Ville.

Musée de la Ville A1

Été : 9h-14h, 17h-29h (sam. 9h-13h) ; hiver : le matin - fermé dim. et j. fériés - 10 kn (enf. 5 kn).

Il rassemble dans les étages quelques meubles et objets usuels, ainsi que des peintures et des vestiges lapidaires comme ces bas-reliefs du 16e s. figurant des lions ailés de Venise. Mais son principal intérêt réside dans des **maquettes de la ville** à travers les âges (1490, 1790, 1910), qui permettent de mieux se représenter sa structure avant les démolitions et destructions successives.

★★ Porte du Port ou porte St-Chrysogone (vrata sv. Krševana) B1

Datant de 1573, elle est intégrée à une portion des remparts datant du 16e s. Côté ville, on lui a incorporé les restes d'un **arc de triomphe romain★★**, surmontés d'un fronton Renaissance et de la statue équestre de saint Chrysogone. Côté port, elle est ornée des armoiries de Venise. De part et d'autre, des escaliers mènent au sommet des remparts remblayés et occupés par une rue. Le long du quai, les embarcadères des ferries permettent de se rendre dans les îles.

Revenez sur vos pas et suivez l'axe de la porte vers le sud, le long de la rue Šimuna-Kožičića-Benje, entièrement reconstruite. Elle mène à l'ancien forum, face à l'actuel Musée archéologique.

★ Espace romain B1

L'urbanisme des Romains répondait à une géométrie bien définie, reposant sur les angles droits. Deux axes majeurs organisaient la ville : le *cardo* (aujourd'hui la rue Šimuna-Kožičića-Benje) qui la partageait dans la largeur du nord au sud, et le *decumanus* (rue Široka), perpendiculaire. Leur intersection se trouvait à l'angle nord-est du forum, le cœur de la ville romaine. Toutes les autres rues constituaient un quadrillage à partir de ce croisement central.

★ Forum

Son aménagement commença au 1er s. av. J.-C. et se prolongea jusqu'au 3e s. D'une longueur de 95 m pour une largeur de 45 m (le plus vaste de Croatie), il est partiellement envahi par des édifices ultérieurs mais a conservé son dallage et de nombreux vestiges. Sur trois côtés *(nord, est et sud)*, le forum était bordé par un **portique monumental** surmonté d'une galerie. Les côtés est et

LA CITADELLE DE LA MER

L'histoire de la ville se résume à celle de tout le littoral dalmate : occupée par les tribus illyriennes, la ville fut colonisée par les puissances successives. Les Romains s'en emparèrent les premiers, suivis par des envahisseurs slaves. Après la chute de Salona, Zadar devient la capitale de la Dalmatie (elle l'est restée jusqu'en 1918). Un temps vassale de Charlemagne, Zadar fait au Moyen Âge l'objet des querelles entre les croisés venus d'Occident et les Ottomans de Byzance. Mais ce sont les Vénitiens qui lui donneront son allure de citadelle, car ils comptent sur sa résistance pour contrer les ambitions des Turcs en Dalmatie. Quatre siècles de domination vénitienne laissent leur trace dans le patrimoine architectural et sacré exceptionnel de la ville. Malgré ces soubresauts politiques, Zadar est l'une des villes les plus prospères et les plus rayonnantes du pays, ainsi qu'en témoigne la fondation d'un embryon d'université dès 1396. Après la chute de l'Empire autrichien, la ville retrouve le giron italien en 1920, ce qui explique l'incontestable atmosphère latine que Zadar a toujours conservée, même si la plupart des Italiens ont quitté la ville lors de son rattachement à la fédération yougoslave en 1947.

nord du portique étaient occupés par des rangées de **boutiques**, dont on a conservé quelques murs. Le côté sud accueillait une **basilique** (salle municipale utilisée pour les réunions publiques et les séances du Conseil de la ville). Vers l'ouest, sur une zone surélevée de 2 m, se dressait le **capitole**, au-delà de la seule colonne encore debout. On y trouvait le plus grand **temple** de la ville, dédié à Jupiter, Junon et Minerve. Après la chute de l'Empire romain et un violent tremblement de terre, au 6e s., les édifices encadrant le forum furent détruits. Beaucoup d'éléments et de pierres furent récupérés pour des constructions diverses. Avec la christianisation, plusieurs sanctuaires ont été bâtis sur une partie du forum : l'**église St-Donat**, la cathédrale et le **palais des Archevêques** (bâtiment ocre jaune).

Colonne de la Honte

En arrière du palais des Archevêques, cette haute colonne servait de pilori au Moyen Âge. Les pitons servaient à y attacher les voleurs et les femmes adultères. À l'époque romaine, avec une seconde colonne similaire (celle que vous avez vue sur la place des Cinq-Puits), elle marquait l'accès au capitole.

Église St-Élie (Sv. Ilije) B1

Au fond du forum, derrière le palais des Archevêques, cette petite église fut consacrée au culte orthodoxe sous Napoléon, sans doute parce que son armée comptait des mercenaires grecs et serbes.

★★★ Église St-Donat (Sv. Donat) B1

Juil.-août : 9h-22h ; juin : 9h-21h ; mai et sept. : tlj sf dim. 9h-19h ; reste de l'année : voir au Musée archéologique - www.amzd.hr - 10 kn.

L'un des monuments les plus célèbres de Croatie et l'emblème de Zadar. Elle date du début du 9e s. et fut initialement consacrée à la Sainte-Trinité. Son style et son plan circulaire sont un mélange des premières églises carolingiennes et des sanctuaires byzantins. L'évêque Donat, à qui elle est consacrée, était un diplomate en relation avec la cour de Charlemagne et avec celle de Byzance. C'est lui qui ramena à Zadar les reliques de sainte Anastasie, l'une des patronnes de la ville.

★★ **Extérieur** – Il est particulièrement intéressant du côté sud. On est frappé par la hauteur de l'édifice et par son allure compacte. La nef en rotonde est flanquée de trois absides également circulaires. À la base, on voit nettement les fragments de colonnes, frontons et corniches romains, récupérés sur le forum et utilisés pour les fondations.

★★★ **Intérieur** – Parfaitement circulaire, il comporte un déambulatoire rythmé par six piliers massifs à section rectangulaire et deux colonnes romaines marquant l'emplacement du chœur. Au niveau supérieur, une galerie suit le même schéma. Les absides sont voûtées en cul-de-four, tandis que la rotonde centrale est couverte d'une charpente. Comme à l'extérieur, on remarque le remploi de matériaux antiques pour la base des murs et des colonnes.

Traversez le forum.

★ Musée archéologique B1

Juil.-août : 9h-22h ; juin et sept. : 9h-21h ; avr. : tlj sf dim. 9h-17h ; mai : tlj sf dim. 9h-19h ; *oct :* tlj sf dim. *9h-15h, hiver : lun.-vend. 9h-14h, sam. 9h-13h - 20 kn (enf. 12 kn) - www.amzd.hr. Dépliant en français, panneaux en croate, parfois en anglais.*

L'atout majeur de ce musée, en constant réaménagement et donc souvent dégarni, réside dans sa collection d'art paléochrétien. Le reste des vitrines rappelle que, jusqu'à sa colonisation par les Romains, Zadar était une cité liburnienne (tribu illyrienne du nord de la Dalmatie).

Pour suivre l'ordre chronologique, commencez par le 2e étage.

La célèbre église circulaire St-Donat.
Funkystock/age fotostock

Les étages – Le second présente les résultats des fouilles réalisées aux environs de Zadar et couvrant le paléolithique jusqu'à la **période liburnienne**. Le premier expose des **stèles funéraires★** romaines.

Rez-de-chaussée – Outre des maquettes d'églises romanes, on y découvre de splendides vestiges de l'art paléochrétien, notamment le merveilleux **chancel de pierre★★★** (11e s.) récupéré dans l'église St-Dominique, avec ses scènes de l'Évangile (admirez la Fuite en Égypte). Baldaquins, frontons, sculptures. Notez aussi les stèles funéraires en forme de bornes, très en vogue chez les Liburniens.

En sortant du musée, vous trouverez l'église Ste-Marie sur la gauche.

Église Ste-Marie (Sv. Marija) B1

Église de la communauté des sœurs bénédictines fondée en 1066 (toujours en activité), elle marie une **façade Renaissance** très sobre (début 16e s.) à un **campanile roman** séparé, beaucoup plus ancien (12e s., restauré au 15e s.).

Intérieur – Son **décor rococo** (1744), les grilles de fer forgé, les moulures et les stucs élaborés, d'une blancheur immaculée, offrent un contraste étonnant avec la simplicité extérieure. La nef conserve cependant ses **piliers** romans à chapiteaux et ses arcades d'origine. Au fond de la nef, la statue gothique de **Notre-Dame-des-Sept-Douleurs** date du 15e s. Les bâtiments du couvent abritent le musée d'Art sacré.

★★★ Musée d'Art sacré B1

Trg Opatice Čike 1 - ✆ 023 250 496 - lun.-sam. 10h-12h30 18h-20h, dim. 10h-12h30 - 20 kn (étud. et enf. 5 kn). Demandez le dépliant explicatif.

L'un des plus beaux musées de Croatie, il rassemble les plus précieux trésors de la ville, patiemment amassés et préservés par les bénédictines au fil des siècles, remarquablement présentés et mis en valeur dans les bâtiments du couvent, selon un ordre chronologique. On reste admiratif devant la persévérance et la lucidité des religieuses qui ont su préserver ces inestimables collections en dépit des guerres et des changements de régime.

Premier étage – Il est consacré à l'art sacré des périodes romane et gothique, dont de splendides reliquaires en or et en argent. Dans la première vitrine, remarquez le **reliquaire cylindrique de saint Jacques★★★** (11e s.), le **bras reliquaire de saint Isidore★★**, et ses délicats filigranes (12e s.) et le plus ancien objet du musée, la **petite croix de Čika★★★** (Palestine, 7e-8e s.). La vitrine suivante contient, entre autres, un étonnant **buste reliquaire de Marie-Madeleine★** (1332) et une ravissante **miniature de la Crucifixion★** entourée d'or (13e s.). Les autres vitrines recèlent de nombreux reliquaires, tous plus beaux les uns que les autres, comme celui du **buste de saint Sylvestre** (1367), et de splendides **croix de procession** (13e et 14e s.). Les murs portent des **icônes de la Vierge à l'Enfant★★** (13e s.), un **triptyque de la Vierge★** (14e s.), des peintures italiennes et de jolies **statues gothiques** en bois polychrome.
Deuxième étage – Il présente la période allant du gothique tardif au baroque. Ne manquez pas l'extraordinaire ensemble de **dix statues de saints en bois polychrome★★** qui ornaient la clôture du chœur de la cathédrale (1426-1431), ou cet émouvant **crucifix** peint de 1380, ou la **crosse de l'archevêque Vallaresso★** (argent doré, 1460), reconnaissable aux bustes de personnages de l'Ancien Testament qui ornent sa volute surmontée d'un Christ. Plus originaux sont ces **portraits de saints brodés** en relief au fil d'or (16e s.) ou ces **dentelles au fuseau** exécutées par les nonnes (16e-18e s.). Enfin ne manquez pas le **polyptyque de Vittore Carpaccio★★★** (15e s.) récupéré sur l'autel de St-Martin, à la cathédrale. Le reste des collections comporte nombre de peintures italiennes (16e-18e s.).
Rez-de-chaussée – Collections lapidaires : sculptures préromanes et romanes, comme le **bas-relief de sainte Anastasie★** (13e s.) ou des fragments récupérés à la cathédrale. On y a reconstitué l'**intérieur de la chapelle St-Dominique** (Sv. Nedeljica) du 11e s., première chapelle bénédictine détruite en 1890 (l'original du chancel se trouve au Musée archéologique).
En ressortant, traversez la place pour monter au campanile de la cathédrale.

Campanile de la cathédrale

Mai-sept. : tlj sf dim. et j. fériés 9h-22h - 15 kn.

Bien que situé près de St-Donat, ce haut campanile est celui de la cathédrale. Seul le premier niveau est ancien (15e s.), le reste ayant été rajouté en style néoroman à la fin du 19e s. Depuis le sommet (179 marches), le panorama sur la ville permet d'imaginer la citadelle imprenable qu'elle devait être lorsqu'elle était presque entourée d'eau.
En sortant du campanile, tournez à gauche, vers l'ouest, en suivant Široka ulica, et longez la façade latérale de la cathédrale.

★★ Cathédrale Ste-Anastasie (Sv. Stošija) B1

8h-14h 17h-19h30.

L'édifice actuel *(voir ABC d'architecture)* a remplacé au 12e s. une basilique paléochrétienne à trois nefs.
★★★ **Façade** – Édifiée au 13e s., lorsque l'on a rallongé la nef, elle rappelle celle de l'église St-Chrysogone, avec la même influence toscane. Au premier niveau, les trois **portails** sont décorés de motifs typiquement romans. Les statues des évangélistes, ainsi que celles de Marie et de l'ange Gabriel, sont plus anciennes (12e s.), sans doute récupérées sur la façade antérieure. Les sculptures du **tympan**, en revanche, datent de 1324. Mais c'est dans sa partie supérieure que la façade est la plus remarquable : l'espace est entièrement occupé par des **arcatures** aveugles à fines colonnettes (13e s.). La grande rosace est de la même époque, tandis que la petite, au-dessus, est plus tardive (fin 14e s.) et de style gothique.

★ **Nef** – Impressionnante (trois fois plus large que les nefs latérales), elle est rythmée par une succession d'arcades, alternant colonnes et piliers. Au dessus, la **galerie** s'ouvre par des arcs à balustrade ajourée.

Mobilier – Dans les bas-côtés, notez plusieurs **autels** intéressants, comme celui dont le devant est sculpté de têtes de morts et d'un ange s'adressant aux pécheurs brûlant en enfer, ou, un peu incongru, celui du Christ naïf, en céramique moderne multicolore.

Chœur – Les **stalles**★★ très richement décorées, réalisées par un sculpteur vénitien, illustrent le style gothique fleuri à la mode au début du 15e s. Le **baldaquin gothique**, qui surmonte l'autel, fut exécuté en 1332. Dans les chapelles latérales du chœur, on aperçoit des traces de fresques murales.

Crypte – *ouverture aléatoire*. Datée du 12e s., elle est soutenue par des rangées de colonnes et une belle voûte. Elle contient un autel orné du martyre de sainte Anastasie, ainsi qu'un sarcophage contenant des reliques.

Baptistère – *Visible à travers une vitre, nef de droite*. En forme d'un trèfle à six feuilles, il fut initialement construit au 6e s. Détruit durant la Seconde Guerre mondiale, il fut reconstruit à l'identique en 1990. Les fonts baptismaux octogonaux ne remontent qu'au 12e s.

En ressortant, suivez ulica Jurja Bijankinija vers l'ouest.

Église N.-D.-de-Santé (Gospe od zdravlja) B1

Toute rose, cette modeste chapelle baroque ferme la perspective de la grande rue de la ville. Elle contient la copie d'une icône miraculeuse, supposée rendre la santé aux malades, peinte au 15e s. par **Blaž Jurjev** (l'original est au musée d'Art sacré).

Au nord du petit jardin qui entoure l'église se trouve la place des Trois-Puits.

Place des Trois-Puits (trg Tri Bunara) et ancien Kaštel B1

Elle doit son nom aux **trois puits** dont on voit encore les margelles du côté nord. Ils permettaient de distribuer l'eau d'une citerne construite en dessous, à la place des douves qui isolaient jadis une forteresse médiévale, le **Kaštel**. Cette puissante citadelle, flanquée de cinq tours, gardait l'angle nord-ouest de la ville dont elle était séparée par des douves. Les gardes pouvaient ainsi surveiller l'entrée du port mais aussi se défendre contre toute insurrection venue de la ville elle-même. Des dispositifs fortifiés de ce quartier, il ne reste que le **Grand Arsenal**, réaménagé en restaurant.

Traversez le jardin derrière l'église et empruntez, en face, ulica Braće Bilišić qui mène au monastère franciscain.

★ Monastère franciscain A1

La plus ancienne église gothique de Dalmatie ne présente qu'un extérieur austère et simple. L'intérieur contient des autels baroques et des stalles de chœur gothiques (1394). Dans la sacristie, **Louis Ier le Grand** (1326-1382), roi de Hongrie et de Pologne, issu de la branche capétienne d'Anjou, fit signer aux Vénitiens un traité d'abandon de la cité et du littoral dalmate (1358). Cinquante ans plus tard, toutes ses possessions dalmates étaient revendues à Venise.

★ **Église** – *Tlj sf dim. apr.-midi, 8h-12h et le soir à l'heure de la messe entre 18h-20h.* Ne manquez pas, à l'arrière du chœur, les **stalles**★ sculptées (1394) en bois sombre. Dans la nef, sur la gauche, notez la curieuse icône de la Vierge couronnée, incluse dans une niche intégrée à une autre toile.

Cloître – Très sobre, avec son puits central sculpté, il dégage une grande sérénité.

★★ **Sacristie et collections d'art sacré** – *Juin-sept. : 9h-18h ; sur rendez-vous le reste de l'année au ✆ 023 250 468 - 15 kn (enf. 5 kn).* Elles constituent le principal intérêt de la visite. C'est dans la sacristie, richement décorée de **boiseries★** sculptées, que fut signé le traité de 1358, entre Louis Ier le Grand et la république de Venise. Dans les collections, on admire surtout un **crucifix★★★** roman byzantin peint (12e s.), un **polyptyque d'Ivan Petrov★★★** (1450), des icônes et peintures, dont une jolie *Vierge allaitant*, très gironde, et de splendides **manuscrits enluminés★★** (13e et 14e s.).

En sortant du monastère, gagnez le bord de mer, vers le sud, et la Riva.

★ Riva A1-2

Comme dans toutes les villes côtières, les habitants désignent le front de mer sous le nom de Riva. C'est à Zadar la promenade favorite, surtout quand il fait chaud et que l'on y goûte la brise marine. En face, vous apercevez l'île d'Ugljan.

Longez la Riva vers l'ouest.

★ **Orgue marin** – À l'extrémité, avant qu'elle ne fasse un coude, des escaliers descendent en cascade et, de là, montent des sons étranges. Vous êtes sur le dos d'un **orgue marin** : 35 tubes de différentes longueurs ont été aménagés à fleur d'eau et répondent différemment à l'agitation de la mer, selon une gamme de 7 cordes et 5 tons. Lorsque le vent monte et que la mer « clapote », le son de l'orgue imiterait presque le Kapla (ce chant *a cappella* à quatre voix, typique de Dalmatie). Face à de vraies vagues, il sonne comme une énorme cloche, et dès que le vent tombe, la mer devient plate et il gémit. Un lieu de relaxation, contemplation et conversation.

Salut au soleil – Autre œuvre de **Nikola Bašić** aussi réalisée à même le sol, ce vaste disque de 22 m de diamètre rassemble près de 300 panneaux de verre capables de produire 46 500 kW/an. Le soir, des éléments lumineux le traversent au rythme de la mélodie de l'orgue marin voisin. Sur son pourtour s'inscrivent le nom des saints patrons de Zadar, leur fête, la hauteur du soleil et la durée d'ensoleillement.

Faites demi-tour, empruntez désormais la Riva côté est.

Dans sa première partie, elle n'est bordée que d'immeubles modernes très laids, construits après la Seconde Guerre mondiale.

À partir de l'**hôtel Zagreb**, on retrouve la ville ancienne, ou plutôt ce qu'elle était au 19e s., sous la domination autrichienne. À cette époque, on rasa les remparts qui enfermaient la ville. Au Moyen Âge, ils étaient ponctués de tours et percés de deux portes menant à la mer.

Après leur démolition vint la mode des bains de mer et des villégiatures : la Riva se transforma alors en promenade mondaine, bordée de cafés et de restaurants, où l'on venait voir arriver les grands paquebots qui s'amarraient le long de la jetée. Malheureusement, ce fut la partie de la ville la plus touchée par les bombardements.

Traversez l'avenue Mihovila-Pavlinovića, derrière l'hôtel Zagreb, pour pénétrer dans le quartier de Varoš.

Varoš A2

Le plus ancien quartier de la ville est devenu celui des jeunes de Zadar, en raison de la proximité de la faculté de lettres et de l'École de la marine marchande. Avant d'y entrer, notez, sur le bord de l'avenue Mihovila-Pavlinovića, une fosse exposant les vestiges de la **chapelle paléochrétienne Stomorica**, avec son plan caractéristique en feuille de trèfle.

Longez ensuite l'avenue vers l'est et tournez à gauche dans ulica Putevac, puis prenez à droite dans ulica Stomorica et enfin à gauche dans ulica Varoška.

Ulica Varoška – C'est la plus animée, une étroite ruelle où les bars et les restaurants bon marché se succèdent et où les tables et les chaises envahissent les pavés. Au Moyen Âge, chaque ruelle du quartier était affectée à une corporation.

Suivez ulica Varoška jusqu'à l'angle de ulica Špire Brusine.

Église St-Michel – Cette petite église serrée dans sa ruelle mérite un coup d'œil pour sa façade gothique. Le **tympan** du portail porte un saint Michel pesant les âmes tout en les protégeant du dragon. Sur les côtés se trouvent les figures de sainte Anastasie et saint Chrysogone, patrons de la ville. Au-dessus, le bas-relief est un fragment de stèle romaine : on a gravé autour des trois visages sculptés de vagues auréoles pour en faire des saints…

Suivez ensuite ulica Špire Brusine vers l'est jusqu'à ulica Ruđera Boškovića où l'on tourne à droite.

Faculté de lettres A2

En suivant la rue, vous passez d'abord devant l'entrée imposante du nouvel espace culturel de la faculté, avec son dôme néoclassique, son portique à colonnes et sa façade jaune et blanc. En longeant les bâtiments vers la mer, vous retrouvez la Riva. La façade maritime de la faculté illustre parfaitement le style des grands édifices construits à Zadar par les Autrichiens. C'est ainsi qu'il faut se représenter l'ensemble de la Riva, avant que les bombardements de 1943 ne la défigurent.

Longez la Riva vers l'est pour rejoindre l'entrée de Foša.

★ Fortifications orientales A2

En arrivant à l'extrémité de la Riva, après la faculté, vous retrouvez les remparts vénitiens du 16e s., qui n'ont pas été rasés à cet endroit. En contournant le bastion circulaire marqué d'un lion ailé, vous rejoignez le port de Foša, devant la porte de Terre-Ferme. En arrivant par là, vous remarquez bien le système de porte supplémentaire qui barrait autrefois le bâtiment des douanes et contrôlait le canal d'accès à l'entrée de la ville.

3

À proximité Carte de région

★★ Nin A1

À 15 km au nord-ouest de Zadar. Comptez 2h.

Tgr Braće Radića 3 - 023 265 247 - www.nin.hr.

Cette minuscule cité médiévale est bâtie sur un îlot, au cœur de l'une des innombrables rades et lagunes abritées que compte la côte des environs de Zadar. Durant l'Antiquité, c'est une véritable petite cité romaine, un port très actif nommé *Aenona*.

Tout comme dans l'île de Pag, la production de sel fit la richesse de Nin. Mais à la différence de sa grande voisine, Nin conserve ses méthodes traditionnelles. L'eau de mer est d'abord pompée pour remplir les bassins, puis on laisse le sel cristalliser. On le récolte manuellement à l'aide de larges râteaux sans dents. Le sel est alors séché en petits tas le long des bassins. Les micro-algues de la lagune lui assurent une haute teneur en minéraux et oligoéléments.

Musée du Sel (Solana Nin) – *Ilirska cesta 7 - 023 264 764 - www.solanin.hr - tlj 8h-20h - visite guidée des salins 8h-11h et 17h-20h - 35 kn avec un guide (enf. gratuit).* Tout récemment ouvert, le musée du Sel de Nin rend hommage à cette culture datant de la Rome antique. Des outils anciens permettent d'appréhender aisément ce savoir-faire ancestral. Une boutique fait aussi la part belle aux produits élaborés à partir du sel de Nin. La visite des salins est également passionnante car, au-delà de la production du sel, vous pourrez découvrir un écosystème riche de nombreuses espèces d'oiseaux.

Porte Basse – Un vieux pont de pierre conduit à l'ancienne porte fortifiée (15e-18e s.), tandis que l'on aperçoit, sur la droite, les vestiges des remparts.

Église St-Anselme – Identifiable à son clocher isolé du corps principal, elle a remplacé un sanctuaire préroman, datant du temps où Nin possédait une cathédrale. Le principal intérêt de l'église est son petit **trésor★** conservé dans un local adjacent. À noter les reliquaires bourses (8e-9e s. et 13e s.) destinés à recueillir l'omoplate de saint Anselme, plusieurs autres reliquaires (13e s.) et l'anneau papal de Pie II (15e s.). *Visite du trésor, de mi-juin à mi-sept. : tlj sf dim. 10h-12h, 17h-21h - 10 kn.*

À droite, vers l'arrière de l'édifice, la **statue de Grégoire de Nin** est une réplique, en plus petit, de celle que Meštrović réalisa à Split. Cet évêque se distingua en obtenant du pape l'utilisation du croate dans la liturgie.

★★ **Église Ste-Croix** – *Derrière l'église, à gauche.* Tout près de la statue, voici le plus bel édifice du village, une ravissante église *(voir ABC d'architecture)* paléochrétienne (9e s.), la plus ancienne de Croatie. Au-dessus de la porte, les motifs archaïques du linteau attestent le style préroman.

Au-delà, vers la droite, on voit d'autres vestiges des remparts de Nin.

Revenez devant l'église St-Anselme et reprenez la rue principale en passant le puits communal.

★ **Collection archéologique** – *Juin-août : 9h-13h, 18h-21h ; sept.-mai : tlj sf dim., 8h-13h - 10 kn.* Dépendant du Musée archéologique de Zadar, elle présente les résultats des fouilles locales et en résume l'histoire. On y mesure l'importance de Nin à l'époque romaine ainsi que les débuts de la culture croate (7e-12e s.).

Poursuivez la visite en flânant dans les rues du village, à gauche du musée.

Vestiges romains – Vous serez surpris par l'importance des fouilles entreprises à travers le village. On découvre l'ampleur des vestiges datant de l'époque romaine et témoignant de l'existence d'une communauté florissante, telles les traces d'un **temple** du 1er s.

Regagnez la porte Basse et longez le quai vers la droite.

★ **Balade sur le quai** – Très pittoresque, avec ses tamaris, ses vieux pontons et ses rangées de barques traditionnelles en bois peint bleu ou vert, il contourne l'îlot de Nin et permet de découvrir la lagune qui le sépare de l'île de Pag et la longue crête du Velebit vers le nord. Les pêcheurs y trient encore le poisson au bord des embarcadères.

Quittez Nin en direction de Zadar. 200 m après le panneau de sortie de la ville, arrêtez-vous sur la droite.

★ **Chapelle St-Nicolas** – Cette minuscule chapelle à l'étrange silhouette se dresse sur un mamelon herbu, à l'écart de la route. Son originalité vient de la tour de guet que l'on a rajoutée au sommet d'un petit sanctuaire roman trilobé.

Novigrad B2

À 33 km au nord-est de Zadar : 23 km vers Zagreb, puis tournez à droite.

Tgr Kralja Tomislava 1 - 023 375 051 - www.novigrad-dalmacija.hr.

Séparée de la mer et du canal du Velebit par un étroit défilé, la mer de Novigrad, sorte de fjord entouré de collines sauvages, reste à l'écart du tourisme de masse. Le village de Novigrad est niché dans une étroite échancrure de la rive sud du fjord, où les bateaux de pêcheurs s'alignent le long du quai. Ce fut de tout temps un site stratégique, autant quand les Vénitiens voulaient stopper l'avance des Turcs que, beaucoup plus récemment, lorsque les Serbes l'occupèrent. Les habitants qui avaient fui leur maison ne purent la retrouver que plusieurs années après. Composé de maisons de pierre traditionnelles, construites en terrasses à flanc de coteau, le village est gardé par une ancienne

forteresse vénitienne. C'est dans ce château que la reine Élisabeth de Hongrie, l'épouse de Louis Ier le Grand, fut assassinée en 1387 par des prétendants à la succession de son mari.

Tour de la mer de Novigrad – *Au sortir de Novigrad, suivez la route de Pridraga (7 km), Dubraja (12 km) et d'Obrovac (28 km). Après Obrovac, il reste 44 km jusqu'à Zadar, par la rive nord de la mer de Novigrad.* Malgré la laideur d'Obrovac et les vestiges d'implantations industrielles, la route traverse d'attachants et austères paysages, où le relief rocailleux, plissé en gradins, annonce la chaîne du Velebit. Au retour, vous franchirez le spectaculaire **goulet de Maslenica** par un pont tout neuf : le précédent a été détruit en 1991.

Île de Galesnjak B2

À environ 25 km au sud de Zadar par la route côtière. L'île est à 1,5 km de la plage. Image iconique de la Croatie, Galesnjak est aussi appelée « l'île de Cupidon », En forme de cœur, ce petit bout de terre de 100 m² éblouit par ses couleurs vert et bleu éclatantes. Vierge de toute habitation et ne disposant ni d'eau ni d'électricité, cet îlot attire les amoureux du monde entier et semble là pour nous rappeler la beauté de la nature croate et la nécessité de la préserver.

Parc naturel de Vransko jezero (Park prirode Vransko jezero) C2

À 31 km au sud-est de Zadar : 26 km jusqu'à Biograd na moru, puis à gauche.
Kralja Petra Svacica 2 - 023 383 181 - www.vransko-jezero.hr - tlj 8h-16h.
Immense lac couleur de jade (le plus vaste de Croatie), en retrait du cordon littoral, il constitue une halte de choix pour un grand nombre d'oiseaux migrateurs. À ce titre, c'est un site particulièrement intéressant pour les observer aux périodes de migration, en automne et au printemps. Très peu profond, il subit des remontées salines, en raison de la proximité du littoral. Son eau saumâtre lui permet d'héberger une faune et une flore mixte, aussi riche que variée.

Îles d'Ugljan et de Pašman AB2

Ferry Zadar-Preko (Ugljan) : 14 à 17 par jour, 30mn de traversée. Ferry Biograd-Tkon (Pašman) : 8 à 11 par jour, 15mn de traversée.
Ces deux longues îles, reliées entre elles par un pont, font face à Zadar et Biograd. Elles sont restées assez peuplées grâce à la proximité de la ville et à la fréquence des bateaux. Pas vraiment spectaculaires, elles ont conservé leur vocation agricole et ne comptent que quelques plages de petits cailloux. Ugljan est réputée pour son huile d'olive : le mois de novembre, période de la récolte, y est particulièrement actif. Le sud de l'île de Pašman, passé Tkon, offre une succession de petites plages et un camp de nudistes.

★★ **Forteresse St-Michel** (Sv. Mihovil) B2 – *Sur la route de Preko à Ugljan, vers le nord-ouest de l'île d'Ugljan, tournez à gauche en suivant les panneaux. À la fourche, prenez la route de droite. La forteresse est à 3,5 km de la route principale.* C'est la plus belle balade de l'île d'Ugljan, dégageant des vues superbes sur le reste de l'île, Zadar, le continent et Dugi Otok. La forteresse (13e s.) fut très endommagée lors de la guerre d'indépendance.

Monastère bénédictin (Benediktinski samostan) B2 – *À l'extrémité sud-est de l'île de Pašman, peu avant le village de Tkon, une petite route monte à flanc de colline, à 500 m 10h-13h, 17h-20h (dim. 10h-12h) - 20 kn.* Installé dans une ancienne forteresse vénitienne du 13e s., il fut l'un des grands centres de la culture glagolitique. On peut y voir un rare **crucifix★** (14e s.).

NOS ADRESSES À ZADAR

ARRIVER/PARTIR

Aéroport

023 205 800 - www.zadar-airport.hr. À 10 km à l'est de Zadar. En été, 2 vols quotidiens Croatia Airlines, pour Zagreb. *Via* Zagreb, vols pour Paris, Zurich et Bruxelles. **Croatia Airlines** – *aéroport - 023 250 101.*

Ferry

Pour **Ancône** : plusieurs ferries par semaine, certains faisant escale à Dugi Otok.

Gare routière

A. Starčevića 2 - 023 211 555/ 211 035 - www.liburnija-zadar.hr - guichets et consigne 5h30-22h. Nombreux bus quotidiens pour Šibenik et Split (certains continuent sur Makarska, Ploče et Dubrovnik), Zagreb par Plitvice, Rijeka (puis Pula et Rovinj). 2 bus/j. pour Pag, jusqu'à Novalja, ainsi que pour Murter.

TRANSPORTS

Maritimes

Jadrolinija – *Info et billetterie, Liburnska obala 7 - 023 254 800 - www.jadrolinija.hr*

Ferries – Nombreuses lignes pour les îles et archipels au large de Zadar. Le ferry de la ligne côtière fait escale à Zadar qu'une fois par sem. en été, 2 fois en hiver.

Pour **Ugljan** (Preko) : nombreux ferries quotidiens toute l'année (20mn).

Pour **Dugi Otok** (Brbinj) : 2 à 6 ferries/j. selon la saison.

Pour **Ist** : 1 à 2 ferries/j. pour Rivanj, Sestrunj, Molat.

Pour **Iž** (Bršanj) : en été 3 ferries/j. (80mn).

Pour **Premuda** : 3 ferries/j. en sem. relient Olib et Silba.

Bateaux – Pour les îles d'Olib, de Silba et de Premura, agence **Miatours** – *Vrata Sv. Krševana - 023 254 400 - www.miatours.hr.*

Routiers

Bus locaux – *023 343 730.* Les bus 2 et 4, qui indiquent Poluotok, desservent la vieille ville, l'hôpital et la gare routière. Le bus 5 dessert en boucle Puntamika et le centre-ville moderne jusqu'aux gares ; le bus 8 passe à Puntamika et à Diklo ttes les 20mn dans la journée, service jusqu'à 23h.

Taxis – *Liburnska obala bb - 023 251 400 - www.taxi-zadar.com*

Location de voitures – **Avis, Sixt, Hertz, City Car** et bien d'autres loueurs disposent de bureaux à l'aéroport. **Zadar Rent-a-car** - Zrinsko-Frankopanska 20 - 023 251 222.

NAUTISME

Marina de Zadar – *Ivana Meštrovića 2 - 023 332 700 - www.marinazadar.com.* Très abritée, en face de la vieille ville. Équipement : *voir le chapitre Nautisme p. 25.*

Capitainerie – *Liburnska obala 8 - 023 254 888.*

Location de bateaux – S'adresser à **Tankerkomerc** (*023 332 700 - www.tankerkomerc.hr*) ou à **Pivatus** (*023 332 282*).

HÉBERGEMENT

BUDGET MOYEN

Boutique Hostel Forum – B1 - *Široka ulica 20 - 023 250 705 - www.hostelforumzadar.com - 35 ch. et dortoir. - 27 €/pers. en dortoir, 80/120 € la ch.* Idéalement située juste à côté du forum, cette auberge de jeunesse nouvelle génération a toutes les qualités. Certaines chambres donnent sur la place et donc sur la mer. Une déco pop, une ambiance conviviale et jeune, un wifi gratuit et des chambres colorées et spacieuses.

POUR SE FAIRE PLAISIR

Hotel Kolovare – Hors plan - *Bože Peričića 14 - ✆ 023 203 200 - www.hotel-kolovare.com - 🏊 🅿 - 191 ch. et 12 appart. 115/180 € ☕*. C'est le seul hôtel à proximité de la ville ancienne (*10mn à pied*). On le repère à ses moucharabiehs de béton et à son architecture des années 1970. Immense, il propose des chambres au confort fonctionnel.

Art Hotel Kalelarga – B2 - *Majke Margarite 3 - ✆ 023 233 000 - www.arthotel-kalelarga.com - 10 ch. 125/200 € ☕*. Ce tout nouvel hôtel situé dans le quartier historique de Varoš allie modernité et design dans un écrin fait de vieilles pierres et d'histoire. Les chambres sont élégantes avec leurs tons de beige et de bois. L'accueil est charmant.

UNE FOLIE

Hotel Bastion – B1 - *Bedemi zadarskih pobuna 13 - ✆ 023 494 950 - www.hotel-bastion.hr - 28 ch. et 5 suites 156/219 € ☕ - 🅿 10 €* Construit sur le site d'un bastion du 13e s., cet hôtel-boutique au luxe feutré mêle avec brio design et confort modernes. Sauna, bar. Le restaurant **Kastel** propose une cuisine du soleil soignée, goûteuse et abordable. Vins de Croatie à l'honneur.

À Puntamika

BUDGET MOYEN

Pension Albin et Hôtel garni – Hors plan - *Put Dikla 47 - ✆ 023 331 137 - 🏊 - 26 ch. 450 kn ☕ - 1/2 P 80 kn/pers*. Dans une rue calme, une charmante pension familiale. La terrasse, le jardin et la piscine entre les deux bâtiments sont bien agréables. Une maison bourgeoise située à 500 m et dénommée « Hôtel garni » permet à l'établissement d'augmenter son volume d'accueil. Les chambres y sont propres, fraîches et gaies. Excellente cuisine. La maison n'accepte les CB qu'au-delà de 2 nuits.

Hotel Mediteran – Hors plan - *Matije Gupca 19 - ✆ 023 337 500 - www.hotelmediteran-zd.hr - 🅿 - 30 ch. 520/640 kn ☕*. Si son environnement est moyen, l'hôtel est bien tenu et agréable. Chambres bien équipées, confortables, certaines climatisées et accueil sympathique. Bus à 300 m.

UNE FOLIE

Villa Hrešć – Hors plan - *Obala Kneza Tripimira 28 - ✆ 023 337 570 - www.villa-hresc.hr - 2 ch. : 180 €, 6 suites (1-2, 1-4 pers.) 42 à 100 €/pers. ☕*. Superbe bâtisse, donnant sur l'un des petits ports entre Puntamika et la vieille ville. Elle mêle luxe et sobriété. Les suites bénéficient de la plus belle vue et de dimensions plus spacieuses. Les deux chambres sont au rez-de-chaussée, l'une donne sur l'arrière de la maison. Une adresse raffinée.

À Diklo

POUR SE FAIRE PLAISIR

Villa Nico – Hors plan - *Krešimirova obala 138 - ✆ 023 331 198 - www.villa-nico.com - 🅿 - 25 ch. 70/140 € ☕ - 1/2 P 90 kn.* Dans un faubourg tranquille, le long de la côte à 5 km à l'ouest de Zadar. Bus n° 8. C'est un petit hôtel bien tenu et très confortable : canapés larges et rebondis, lits aussi larges que longs, lustres, mobilier en bois laqué percé de mille petits miroirs, large télévision. Petit déjeuner copieux. Demandez la vue sur mer. Wifi.

RESTAURATION

BUDGET MOYEN

Restauran Zadar – A2 - *Obala Petra Krešimira IV - à côté de l'hôtel Zagreb sur la Riva - 45/70 kn.* Face à la mer sur la Riva, ce vaste restaurant un brin impersonnel dispose heureusement d'une terrasse à demi ombragée, idéale pour regarder les bateaux. Préférez les pizzas et les viandes aux poissons ou aux salades.

POUR SE FAIRE PLAISIR

Restaurant Foša – A2 - *Ulica Kealja Dimitra Zvonimira 2 - ✆ 023 314 421 - www.fosa.hr - fermé vac. de Noël - plats 115/550 kn - menus 125/495 kn.* À gauche de la porte de Terre-Ferme, entre murailles et port de pêche, ce restaurant à la terrasse proche d'une poterne propose une bonne cuisine de poissons et de fruits de mer.

Restauran Kornat – B1 - *Liburnska obala 6 - ✆ 023 254 501 - Plats 70/160 kn.* Excellente table face à l'embarcadère des ferries. Cuisine raffinée et décor élégant. Ne pas manquer les spécialités de la maison, comme le filet de lotte à la sauce aux truffes accompagné de gnocchi fondants. Large carte des vins.

À Nin

Restoran Perin Dvor – *À droite en entrant dans le village, après le pont - pâtes 45 kn, plats 80 kn.* Pour un dîner agréable dans une cour intérieure ombragée. 4 chambres (simples et se partageant une salle de bains) permettent de prolonger la magie de la visite de Nin. Comptez 250 kn/nuit.

BOIRE UN VERRE

Café Zodiac – *Šimuna Ljubavca 2.* Dans le quartier de Varos, un petit bar chaleureux, avec quelques tables dans la ruelle. Bonne ambiance, la clientèle jeune écoute house et R & B.

Caffe Kult – *Stomorica 6A, dans le Varoš.* Cette grande terrasse sous d'immenses tilleuls au cœur du Varoš est fraîche et ses fauteuils confortables. Idéal pour une pause en journée.

Arsenal – *Trg tri Bunara 1 - www.arsenalzadar.com - 7h-3h du matin.* Ce bâtiment du 18e s., aux épais murs de pierre, est devenu un restaurant, lounge-bar, aménagé en espace ouvert, alliant teck et vieille pierre. Le rez-de-chaussée est ponctué de confortables banquettes. Des boutiques sur les extérieurs sont séparées par d'élégants paravents de bois. Un restaurant en mezzanine propose une restauration rapide (salades, sandwiches, pizzas). Wifi et point d'information touristique à l'étage.

Café Marex – *Obala Kneza Trpimira.* Petit bar sur le front de mer, en direction des marinas. Convivial sans être trop sophistiqué. On boit sous des paillottes en regardant les bateaux sortir du port. La vue permet d'embrasser du regard toute la baie. Un endroit reposant.

Konoba Trata – *Jerolima Vidulića 5 - ✆ 023 250 319 - www.trata.hr.* Sa cour dallée, fleurie de lauriers, offre fraîcheur et confidentialité à deux pas du forum. Idéal pour un verre en journée.

Café Sunturist - *Narodini trg 23 -* Doté d'une belle terrasse sur la très centrale place du Peuple, le Sunturist est parfait pour prendre l'apéritif en profitant de l'animation de la ville.

Parc national de Paklenica

★★

NOS ADRESSES PAGE 240

S'INFORMER

Bureau d'information principal – *F. Tuđmana 14a, à Starigrad Paklenica, sur la gauche, face à la mer lorsque l'on vient de Zadar, avant que la route ne longe la plage et le mouillage - ✆ 023 369 202/155 - np-paklenica@zd.t-com.hr ou www.paklenica.hr - 8h-11h, 16h-19h.* On peut y acheter les cartes du parc, se faire détailler les randonnées, ou alors réserver un guide. Les rangers parlent anglais, allemand ou français.

Visite – Prévoyez de bonnes chaussures aux semelles antidérapantes et de l'eau. Cartes de randonnées disponibles à l'entrée de Velika Paklenica.

SE REPÉRER

Carte de région B1 (p. 218-219) – *carte Michelin n° 757 D7.* Parallèle au littoral, le massif du Velebit s'étend sur 145 km. Il est constitué d'une impressionnante mais étroite barre de crêtes calcaires et d'un imbroglio de sommets aux formes insolites, dont plus d'une douzaine culminent entre 1 600 et 1 800 m. Par endroits, ses pentes arides plongent directement dans les eaux claires de l'Adriatique. À l'arrière, le Velebit protège le plateau de la Lika, zone de collines très boisées dévolue à la sylviculture, qui assure la transition entre la Croatie méditerranéenne et continentale.

À NE PAS MANQUER

Randonnées, randonnées et randonnées.

ORGANISER SON TEMPS

Prévoyez au moins une journée.

AVEC LES ENFANTS

Canyon de Velika, grotte de Manita peć.

3

Aménagé au cœur du massif du Velebit, ce parc national est avant tout le paradis des sportifs, amateurs d'escalade ou de randonnée. Mais les amoureux de la nature y trouveront aussi leur compte, en longeant les profonds canyons et en se rafraîchissant dans les eaux cristallines des torrents.

Découvrir

Il existe trois grandes zones de randonnées dans le parc, toutes autour du village côtier de Starigrad Paklenica, lui-même sans intérêt. Avant de les aborder, procurez-vous les cartes topographiques et renseignez-vous sur l'état des sentiers et la météo. Prévoyez toujours de l'eau, un chapeau et des chaussures de marche. Le sentier principal est facile.

★★ VELIKA PAKLENICA B1

Le principal accès au parc se trouve à Marašovići, juste avant d'arriver à Starigrad en venant de Zadar, sur la droite, une fois traversé le bourg de Seline et longée une petite anse. Point d'entrée ouvert du lever au coucher du soleil - 40 kn (valable 1 j. avec visite de Manita peć ou 2 j. sans), tarifs dégressifs pour plusieurs jours.

Marašovići ouvre sur Velika Paklenica, la partie la mieux aménagée du parc, fréquentée par les alpinistes, randonneurs et vététistes et propice aux balades de tous niveaux et durée. Le sentier principal conduit au refuge de montagne. *Les plus sportifs laisseront leur voiture au chalet d'entrée pour faire à pied le kilomètre menant au canyon, les autres iront au parking aménagé au pied de ce même canyon.*

★★ Canyon de Velika

30mn pour parcourir le canyon, facile.

C'est par le fond de ce défilé spectaculaire (400 m par endroits), creusé par la rivière Velika Paklenica, que vous entrez dans le massif montagneux. Les parois sont aménagées pour l'escalade, mais le sentier lui-même suit le cours du torrent. Au sortir du canyon, on aborde le pied de l'**Anića Kuk**, un pic rocheux vertical de 712 m, très recherché par les alpinistes *(sentier vers la droite)*.

★ Manita peć

1h de marche à partir de la bifurcation. Juil.-sept. : visites guidées 10h-13h ; juin et oct. : lun., merc., sam. 10h-13h ; mai : merc., sam. 10h-13h ; avr. : sam. 10h-13h.

À peu près à mi-chemin du refuge, un sentier bifurque vers la gauche et conduit à cette grotte longue de 175 m, présentant des concrétions en abondance. Son accès et sa structure permettent de mesurer l'effet de l'eau et de l'érosion sur la roche calcaire et la complexité du sous-sol.

Refuge de montagne

8 km, dénivelé 500 m, 2h de marche à partir du parking, facile.

En s'élevant au cœur du massif, la végétation change et le paysage devient celui de la montagne. Tout le long, on remarque l'aspect torturé du karst sous l'effet de l'érosion. Le refuge lui-même offre une halte bienfaisante, si vous souhaitez aborder les grandes randonnées à l'intérieur du massif. La plupart peuvent être accomplies en boucle à partir du refuge mais exigent une excellente condition physique et une bonne carte.

★ MALA PAKLENICA B1

Point d'entrée à Bucići. En venant de Zadar, à l'entrée de Seline sur la droite. Attention, panneaux de bois très discrets. Route de type communale. Chalet d'accueil et parking se trouvent à 1 km (première fourche, à gauche, seconde, à droite).

Niveau difficile. Moins spectaculaire et moins fréquenté que le précédent, ce canyon est lui aussi occupé par un torrent entouré de maquis. En dehors de l'été, les rochers y sont glissants et rendent souvent le canyon impraticable. Tout cela en fait un site plus sauvage, auparavant habité par

DES LOUPS ET DES OURS

Outre le profil tourmenté et fantastique des formations calcaires qui caractérisent le massif du Velebit, ce sont sa flore et surtout sa faune qui en font l'un des derniers sanctuaires naturels d'Europe. Il tire son originalité de la coexistence d'espèces méditerranéennes et continentales, incluant celles de la montagne. Parmi les plus spectaculaires, on compte les vautours fauves (leur envergure approche les 3 m), plusieurs espèces d'aigles (dont l'aigle royal), des faucons… Dans les rangs des mammifères, loirs, martres et chats sauvages cohabitent avec les lynx (réintroduits en Slovénie en 1973, ils réoccupent peu à peu tout le Velebit), les loups et même les ours bruns.

les grands vautours fauves. Le dernier aurait été vu en 1999. Un programme de réimplantation est en cours d'étude ainsi que la construction d'un centre d'interprétation sur les rapaces.

★★ À L'OUEST DE STARI GRAD A1

Quelques très beaux circuits, de difficulté moyenne ou élevée, permettent de découvrir les étonnantes formations karstiques, telle celle du **Jagin Kuk★★**, mais ils demandent la journée et une bonne forme physique *(rens. au bureau du parc)*.

À proximité Carte de région

★★ Côte du Velebit A1

Directement dominée par la montagne, cette côte austère et spectaculaire qui remonte vers Rijeka, *via* **Karlobag** et Senj *(voir carte de région 4 C2-3, p. 275)*, ne se prête pas au séjour. Les plages y sont pratiquement inexistantes, à peine peut-on se baigner en plongeant sportivement des rochers. Mais comment remonter ? Panoramas à couper le souffle agrémentent la route sinueuse.

★ Vers la Lika A1

Passé Karlobag, quittez la côte en direction de Gospić : la route s'élève au cœur du massif du Velebit en offrant des **panoramas★★★** spectaculaires des îles de Pag et Rab. À Baške Oštarije, d'autres sentiers de randonnée abordent le Velebit par sa face continentale.

★ Grottes de Cerovačke (Cerovačke špilje) C1

À Gračac. Environ 70 km au nord-est de Starigrad Paklenica par l'autoroute direction Zagreb, sortie Gračac-Knin. Les grottes sont en dehors de Gračac, en prenant la direction de Knin, sur la droite après un grand carrefour. Avr.-oct. : 9h-17h (w.-end 18h) - 2 grottes 80 kn (7-14 ans 50 kn), comptez 2h30 ; 1 grotte 50 kn (7-14 ans 30 kn), 1h. Prenez de bonnes chaussures (20mn d'ascension pour la première grotte et sol glissant). Température des grottes : de 6 à 11 °C.

Découvertes en 1913 par l'ingénieur Nikola Turkalj à l'occasion de la construction de la voie de chemin de fer Zagreb-Split, ces grottes appartiennent au parc naturel du Velebit depuis 1981. Elles représentent un réseau souterrain d'environ 4 km.

Grotte inférieure – *2 682 m de long (670 m visitables)*. Stalactites, orgues et concrétions de gypse. Admirez la série de **bassins★** formés par les dépôts calcaires.

Grotte supérieure – *1 250 m de long dont 720 praticables*. Plus on descend dans la grotte, plus la hauteur sous voûte devient importante jusqu'à former un grand **hall★**. Abysse comblée, bassin empli d'eau. Stalagmites couverts de cristaux.

Mémorial Nikola Tesla B1

À Smiljan. Environ 90 km au nord-ouest de Starigrad Paklenica par l'autoroute direction Zagreb, sortie Gospić - ✆ 053 746 530 - www.mcnikolatesla.hr - été : 9h-20h ; hiver : w.-end : 9h-15h - fermé lun. - 50 kn (étud. et enf. 20 kn).

Ouvert en 2006 à l'occasion du 150e anniversaire de la naissance de Nikola Tesla, célèbre inventeur considéré comme l'un des plus grands ingénieurs de l'histoire de la technologie, le mémorial s'articule autour d'un chemin didactique mettant en scène certaines de ses inventions, notamment sur l'électricité. Les visiteurs découvriront également la maison de son enfance.

DANS LE PARC NATIONAL DE PAKLENICA

TRANSPORTS

Bus – La ligne de bus Rijeka-Zadar passe à Karlobag et à Starigrad Paklenica.
Essence – Attention aux pannes sèches ! Essence à Starigrad Paklenica, Karlobag, Jablanac et Senj.

HÉBERGEMENT

Bon à savoir – La côte est presque inhabitée, à l'exception de Starigrad Paklenica, Karlobag, Jablanac et Senj. Prévoyez votre hébergement à l'avance car l'offre est rare et la route longue.

Dans le parc

PREMIER PRIX

Refuge de montagne – *023 213 792 - tlj de mi-juil. à mi-sept., seulement le w.-end de mi-sept. à mi-juil. - - 40 lits 65 kn/pers.* Refuge traditionnel en dortoirs, sanitaires sommaires, bassin naturel pour se baigner en été. Cuisine. Prévoir son sac de couchage et réserver en haute saison. À 2h de marche de l'entrée du parc.
Bon à savoir – Le parc met aussi gratuitement à disposition 2 refuges de montagne. Se renseigner auprès du bureau du parc.

À Starigrad Paklenica

BUDGET MOYEN

Hotel Rajna – *F. Tuđmana 105 - 023 59 121 - www.hotel-rajna.com - 10 ch. 47 €* . Située à l'entrée du parc, cette auberge familiale propose de grandes chambres aménagées dans un style rustique. Si l'on peut déplorer la proximité de la route, la cuisine de la maison compense ce désagrément. Autre option : un hébergement de charme en pleine nature, à 10mn à pied de la mer et du parc *(175 kn/pers./j).*

POUR SE FAIRE PLAISIR

Hotel et villa Vicko – *Jose Dokoze 20 - 023 369 304 - www.hotel-vicko.hr - 37 ch. et 2 appart. 80/110 € (hôtel), 96/130 € (villa) -* . Petit hôtel sympathique. La villa ouverte en 2005 est située juste devant la mer et bénéficie d'une petite plage de gravier.

À Karlobag

Il existe de nombreuses possibilités de location d'appartements et de logements chez l'habitant à Karlobag et dans ses environs. S'adresser à l'**office de tourisme de Karlobag** – *F. Tuđmana 2 - 053 694 251 - www.tz-karlobag.hr*

Vers la Lika

BUDGET MOYEN

Hotel Velebno – *Baške Oštarije (18 km de Karlobag vers Gospić) - 053 674 005 - fax 053 674 045 - 39 ch. 450 kn* . Seul hôtel d'une minuscule station de ski. Ambiance ours empaillé et table en chêne. Appartements avec chambres pour enfants.

RESTAURATION

Bon à savoir – Vu l'absence de ravitaillement dans le parc, prévoyez des pique-niques.

PREMIER PRIX

Cabane forestière Lugarnica – *À 2h de marche du parking par le chemin de Velika Paklenica - juin-sept. : 10h30-16h30 ; avr., mai, oct. : le w.-end.*

Île de Pag

★★

8 268 habitants – Dalmatie

NOS ADRESSES PAGE 245

S'INFORMER

Office de tourisme de Pag – *Ulica od Špitala 2 - ✆ 023 611 286 - www.tzgpag.hr - juin-sept. : 8h-20h ; oct.-avr. : 8h-16h ; mai-juin : 8h-16h, 18h-20h.*

SE REPÉRER

Carte de région A1 (p. 218-219) – *carte Michelin nº 757 C-D7.* Longue (63 km) et fine (5 km) comme un poignard, cette île parallèle à la côte du Velebit semble un fragment de montagne égaré dans la mer. Bien que relativement peu escarpée, elle présente la même structure géologique que la chaîne montagneuse dont elle est issue.

Voir la rubrique « Arriver/partir » dans *Nos adresses*.

À NE PAS MANQUER

Le fromage de Pag, les marais salants, le charmant village de Lun.

ORGANISER SON TEMPS

Pag mérite une visite de sa vieille ville mais pour la plage et la plongée, mieux vaut se diriger vers Novalja.

AVEC LES ENFANTS

Découverte ludique de l'île à VTT, découverte des moutons dans le désert rocailleux au nord de l'île.

3

De toutes les îles croates, celle-ci ne ressemble à aucune autre : on la dirait décrochée de la lune ! C'est un âpre désert de pierre blanche dont le chaos est zébré de mille murets. Hantée par les moutons et les ânes qui y cherchent un abri dérisoire, elle possède aussi quelques plages enchâssées entre des pentes à l'herbe rare, de petits ports serrés entre les falaises et quelques champs d'oliviers. Ici, les hommes vivent de la terre et de la mer, du fromage et du sel, et les femmes font de la dentelle…

Se promener

Sitôt franchi le pont, on découvre de somptueux **paysages minéraux**★★, avec, en toile de fond, la barre du Velebit plongeant dans les eaux bleues de la mer.

★ PAG (VILLE)

À 23 km au nord-ouest du pont.

Bien qu'occupée dès la préhistoire, la paisible capitale de l'île est en fait une ville relativement récente, puisque les habitants de Zadar l'avaient mise à sac et détruite à la fin du 14e s. Sa richesse et son prestige expliquent que l'on ait confié les plans de sa reconstruction, au milieu du 15e s., à Georges le Dalmate (Juraj Dalmatinac), le plus respecté des architectes croates de l'époque. Il a imaginé alors un plan régulier très rationnel, tout en damier, à l'image des villes romaines, autour de deux rues principales qui se croisent à angle droit et forment la place centrale dominée par l'église paroissiale.

DU SEL, DU FROMAGE ET DE LA DENTELLE
Difficile d'imaginer qu'une île aussi austère et désolée, balayée par le souffle acéré de la *bora*, puisse aussi être l'une des plus riches de la côte. C'est pourtant le cas, et cela tient d'une curieuse alchimie, un subtil dosage entre la terre, l'eau et la pierre, qui permet la production de sel, l'élevage des moutons et la fabrication du fromage (le *paški sir*), la culture de la vigne (le vin blanc local est le *paška žutica*) et de l'olivier. Autant d'atouts qui firent de Pag l'une des plus florissantes possessions de Venise sur la côte dalmate. À cela, il faut ajouter le savoir-faire ancestral des dentellières dont le travail faisait fureur à la cour d'Autriche.

★ **Église Notre-Dame** (Sv. Marija)
La façade est typique de la Renaissance dalmate, avec son fronton très sobre et sa jolie **rosace**. Un gradin de pierre longe la partie inférieure et permettait aux notables de suivre les festivités sur la place. Au-dessus de la porte, notez le **bas-relief de la Vierge** qui étend son manteau pour protéger symboliquement les habitants. À l'intérieur, on admire la triple nef et ses colonnes en pierre à **chapiteaux sculptés**, ainsi que le **plafond** baroque sculpté de scènes de l'Évangile et de martyrs. Dans la chapelle latérale de droite, notez le curieux **crucifix** naïf en bois peint, très expressif avec sa couronne métallique. Ne manquez pas non plus le beau **buffet d'orgue**.

Musée de la Dentelle
De mi-juin à mi-sept. : 9h-13h, 19h-21h - 5 kn.
Sur la place, c'est en fait une petite boutique présentant (et vendant) des dentelles traditionnelles à l'aiguille.
Repassez devant l'église et continuez tout droit dans Zvonimira ulica. Tournez à droite dans la deuxième rue, Koludraška ulica.

Couvent bénédictin Ste-Marguerite
(benediktinski samostan sv. Margarita)
Sa chapelle possède un joli clocher-mur Renaissance. Le couvent abrite une communauté de nonnes qui gardent jalousement un trésor de reliques et de peintures sacrées. Elles fabriquent aussi de petits biscuits croustillants et parfumés, appelés *Baškotini*. Leur recette est bien sûr tenue secrète. Mais en ville, on se laisse dire que le croustillant tiendrait à une cuisson en deux fois…
Revenez sur vos pas et reprenez Zvonimira jusqu'au bout.

Remparts et tour de guet
Il ne reste qu'une partie des anciens remparts, du côté nord-ouest. Il faut souligner qu'à l'origine la mer venait baigner le pied de la ville fortifiée.
Sortez de Pag en direction de Novalja. Passé la lagune, tournez à gauche, le long des salines et avancez vers Stari Grad, jusqu'au pied de l'église, à 900 m.

★ « **Vieille ville** » (Stari grad)
Perché sur une butte au-dessus des salines, ce lieu isolé dégage un charme particulier, empreint d'une grande sérénité. C'est ici que s'était établie la ville originelle de Pag, à l'époque où elle était riche du commerce du sel, l'or blanc du Moyen Âge. Une cinquantaine d'années après le raid mené par les Zadarois, les habitants désertèrent le site pour déménager dans la ville nouvelle.
La très jolie façade de l'église inspira d'ailleurs celle de la ville nouvelle qui en reprend la disposition et les thèmes. On retrouve le même bas-relief (encore

Les salines de l'île de Pag.
S. Nicolas / Iconotec / Photononstop

mieux conservé) de la Vierge protégeant les habitants sous son voile. À l'intérieur se trouve la très ancienne statue de la Vierge protectrice de Pag. Chaque veille de 15 août (montée de la Vierge Marie au ciel), on la descend en fervente procession à l'église paroissiale, où elle demeure ensuite jusqu'au 8 septembre (date de la nativité de la Vierge Marie), avant de regagner ses pénates pour le reste de l'année.
La **vue sur les salines★** et le massif du Velebit est superbe, notamment lorsqu'on s'élève sur la route, à la sortie de Pag, en direction de Novalja.

L'OR BLANC DE PAG
Depuis des siècles, le sel de Pag a contribué à la richesse de l'île. Deux zones sont toujours en activité, l'une à l'arrivée sur l'île, l'autre, nettement plus importante, juste avant l'entrée dans la ville de Pag. Elles sont exploitées de façon semi-industrielle. On pompe l'eau de mer pour l'amener dans les bassins quadrangulaires où l'évaporation commence. Lorsque la concentration en sel atteint le niveau de la cristallisation, on recueille la saumure et on achève l'évaporation de manière industrielle, avant de sécher le sel et de le conditionner. Le sel de Pag est surtout destiné à l'exportation, principalement vers le marché italien.

À proximité Carte de région A1

★ Mandre
À 17 km au nord-ouest de la ville de Pag.
Les amoureux de petits ports tranquilles ne manqueront pas ce village encore préservé du tourisme. Juste quelques maisons au milieu des pins, un joli mouillage où dansent les barques et un quai où prendre le café *(le village possède un* « turist biro »*).*

FROMAGE DE PAG

Kolan et Povljana sont les deux villages les plus réputés pour leur fromage. Chaque ferme ou presque en propose à la vente et vous êtes assuré de sa fabrication artisanale. Son goût particulier provient de l'alimentation des brebis qui paissent dans la rocaille et se nourrissent d'herbes aromatiques. Mais le détail qui change tout est la très forte salinité de cette végétation, en raison des vents puissants qui amènent en permanence des nuées d'embruns. En marchant dans les champs, vous remarquerez que l'herbe est craquante et très salée. La chair des bêtes est particulièrement goûteuse, à l'image de nos moutons de prés-salés, ce qui permet des grillades savoureuses.

Novalja

À 23 km au nord-ouest de la ville de Pag.

trg Briščić 1 - 053 661 404 - www.tz-novalja.hr - juil.-août : 7h-23h ; juin et sept. : 7h-22h.

Cette station balnéaire très bien entretenue concentre la clientèle aisée, en raison de ses restaurants, ses hôtels et ses jolies villas.

Uvala Zrće – Juste avant l'entrée de Novalja, cette grande plage bien équipée doit à son sable, presque fin, et à ses buvettes d'être l'une des plus populaires de l'île.

Uvala Caska – Entre Pag et Novalja, avant la précédente, indiquée par un panneau. Moins fréquentée et pas encore équipée, au bout d'une route à peine carrossable, cette longue plage de galets aux eaux peu profondes permet la baignade sans risque pour les familles.

★ Lun

À 23 km au nord-ouest de Novalja.

À l'extrémité de l'île vers l'ouest, c'est sans conteste l'endroit le plus charmant de l'île. On y accède par une petite route bordée de murets de pierre et encadrée par des oliviers centenaires et quelques vignes. Vous remarquerez aussi des ruches : le miel de Pag est réputé. Juste à l'entrée du village, une minuscule chapelle de pierre et de petites parcelles cernées de hauts murs restituent une atmosphère paisible et totalement authentique.

Tovarnele – *1 km après Lun.* Passé le village de Lun, ce petit port de pêcheurs est adorable, avec juste quelques cafés, tavernes et chambres chez l'habitant *(le village possède un « turist biro »)*. En face, on aperçoit l'île de Rab.

NOS ADRESSES DANS L'ÎLE DE PAG

INFORMATIONS UTILES

Bon à savoir – L'île de Pag est administrativement coupée en deux, entre Zadar, pour la ville de Pag et la partie sud-est, et la Lika-Pays de Senj, pour Novalja et la partie nord-ouest.

Autres adresses

Internet – **À Pag** – Caffe Buža - *Kralja Tomislava 5.* Dans la rue principale, à droite de l'église Notre-Dame, deux ordinateurs sont installés derrière le bar.

À Novalja – Deux postes dans le hall de l'hôtel Loža. Le Kalypso Beach Club, sur la plage Zrće, propose également un accès Internet, ainsi que le café La Paloma *(trg Bazilike)* et le café bar Harpun *(ulica braće Radića).*

ARRIVER/PARTIR

L'île est accessible en voiture par un pont (30 km au nord de Zadar).

Ferries (voitures) – De Pizna (côte du Velebit) à Žigljen, le trafic est intense : 5 passages de 0h à 8h, navette continue de 8h à 20h, puis 4 passages jusqu'à 23h. Hors sais., de 9 à 13 passages (15mn de traversée).
Jadrolinija à Žigljen - *✆ 098 299 133 - www.jadrolinija.hr*

Bateaux (piétons) – Toute l'année, un catamaran de Jadrolinija assure tlj une liaison entre Novalja et Rijeka, en passant par Rab. Traversée jusqu'à Rijeka (2h30), par Novalja et Rab (45mn).
Un autre catamaran de la compagnie Rapska Plovidba relie Lun (Tovarnele) à l'extrémité de la presqu'île et l'île de Rab (Luka Rab) 1 fois/j. hors sais. et 3 fois/j. en été, les mar., jeu., et vend.
Rapska Plovidba à Rab - *✆ 051 724 122 - www.rapska-plovidba.hr*

Autobus – En été, 9 bus (hors sais. 4-5 bus) entre Pag et Novalja (25mn env.) de 5h à 22h au dép. de Pag et de 5h à 19h30 au dép. de Novalja. Le trajet se prolonge jusqu'à Zadar (3 bus, 50mn de Pag), Split (1 bus, 4h env.), Zagreb (7 bus en été, 5h env.). Pour Rijeka 2 bus (3h30) au dép. de Novalja.

NAUTISME

Capitainerie de Pag – *✆ 023 611 023.*

Capitainerie de Novalja – *✆ 053 661 301.*

ACI Marina Šimuni – *✆ 023 697 457 - www.aci.hr.* Un petit port de plaisance dans un joli site. Carburant au port de Novalja (7mn). Équipement : *voir le chapitre Nautisme p. 25.*

HÉBERGEMENT

À Pag

BUDGET MOYEN

Hotel Tony – *Dubrovačka 39 - ✆ 023 611 370 - www.hotel-tony.com - mai-oct. - 20 ch. 52/100 € ☕ - 1/2 P 30 kn/pers. - suppl. de 30 % pour une seule nuit.* Un peu à l'écart de la ville, face à la mer, ce petit hôtel propose un bon confort et un accueil efficace et chaleureux. Si le petit déjeuner est très ordinaire, le restaurant est de bonne qualité. Bon rapport qualité-prix.

UNE FOLIE

Hotel Pagus – *A. Starčevića 1 - ✆ 023 611 310 - www.hotel-pagus.hr - 117 ch. : 1 070 kn ☕.* Ce grand hôtel à proximité du centre, face à la baie, a été entièrement rénové en 2006. Il est désormais doté d'un spa et d'une nouvelle piscine. De nombreux soins et massages imaginés à partir de l'utilisation de produits locaux (sel, argile de l'île de Pag) y sont proposés.

À Novalja

Agence Sunturist – S. S. *Kranjčevića bb - ✆ 053 661 211 - www.sunturist.com - appart. : 260/595 kn.*

BUDGET MOYEN

Hotel Liburnija – *✆ 053 663 328 - 130 ch. 632/750 kn ☕ (majoration de 20 % pour moins de 3 nuits).* Un peu à l'écart du centre, dans les pins, cet ensemble de bâtiments massifs, aux grandes vitres fumées, propose des chambres standard, au confort acceptable. Construit à la même époque que l'hôtel Loža, il a moins bien vieilli que ce dernier. La proximité de la plage constitue son principal atout. L'hôtel accueille souvent des groupes.

POUR SE FAIRE PLAISIR

Hotel Loža – *✆ 053 663 380 - 35 ch. 90 € selon la vue ☕ (majoration de 20 % pour moins de 3 nuits).* Dans le centre, face à la mer, de petites chambres bien équipées, climatisées, certaines avec balcon et vue sur la mer. La décoration du hall rappelle les années 1960-1970 mais n'enlève rien à la tenue de l'hôtel. Ouvert toute l'année. Animaux acceptés. Accès Internet dans le hall.

UNE FOLIE

Hotel Boškinac – *Stara Novlaja, à droite à l'entrée du village - ✆ 053 663 500 - www.boskinac.com - 8 ch. et 3 suites 140/190 €.* Belle demeure de pierre aux confins des vignobles. Le piano, les toiles de maître témoignent du raffinement de l'endroit. Le restaurant combine produits frais de l'île et saveurs méditerranéennes à des prix raisonnables. Le calme de la terrasse qui domine la plaine le rend très paisible.

À Šimuni

PREMIER PRIX

Camping Šimuni – *✆ 023 697 441 - www.camping-simuni.hr - ouv. tte l'année – adulte 57,5 kn, caravane et électricité 141,5 kn, bungalows luxe (4/5 pers.) 683 kn/j.* Ce beau terrain ombragé au bord d'une longue plage dispose de plus de 800 emplacements, dont de nombreux loués à l'année et d'autres occupés par des bungalows tout équipés (sanitaires, coin cuisine) et climatisés (4/5 pers.). Un camping à l'équipement complet et aux sanitaires impeccables, entièrement rénovés. Deux restaurants à l'intérieur.

RESTAURATION

À Pag

POUR SE FAIRE PLAISIR

Bistro Na Tale – *S. Radića 4 - ✆ 023 611 194 - fermé Noël - poissons 300 kn/kg, pâtes et risottos 50/60 kn, plats 100 kn.* Ce restaurant propose une longue carte croate et internationale. La petite cour arborée est agréable et le service soigné.

À Novalja

BUDGET MOYEN

Konoba Ankora – *Ribarska 19 - ✆ 053 287 168.* Dans une petite rue calme du centre et dans un décor marin, on y propose une honnête cuisine locale à des prix raisonnables (fermé hors sais.).

Konoba Vitalo – *Borovićevi Stani, à la sortie de Novalja sur la route de Lun - ✆ 053 661 721.* Perdue en pleine campagne, cette auberge traditionnelle est une excellente adresse pour déguster l'agneau grillé de l'île, de même que du poisson, des olives et tous les fromages locaux.

Bistro n° 5 – *Obala P. Krešimira IV br. 5 - ✆ 053 662 226 - plats 40/60 kn.* Sur une agréable terrasse, on déguste des pâtes et d'énormes pizzas, savoureuses et bon marché.

ACHATS

Dentelle – La véritable dentelle de Pag est réalisée à l'aiguille et il faut de très longues heures pour exécuter le plus petit dessous-de-verre. Les prix sont en conséquence. Vous en trouverez au musée-boutique, voire directement auprès d'habitantes venues les proposer sur la place. Attention toutefois à ne pas la confondre avec d'autres ouvrages, jolis, mais réalisés au crochet et de bien moindre valeur (on vous les désigne parfois en disant « Pag, Pag… »). Nombreuses pièces autour de 300 kn, comptez 400/450 kn pour une nappe de 6 pers.

Fromages – Bien que vendu partout, le fromage de Pag connaît lui aussi ses terroirs d'excellence. N'hésitez pas à vous arrêter directement dans les fermes, surtout dans les villages de Kolan et Povljana, ou sur les marchés. Comptez env. 160 kn/kg.

Vins – *Boškinac - Stara Novalja, à droite à l'entrée du village - ✆ 053 663 500 - fax 053 663 501 - www.boskinac.com.* Au cellier, de grandes tables de bois se succèdent pour une dégustation des derniers crus du vignoble accompagnée de fromage de Pag, de *prosciutto* dalmate et d'anchois marinés.

ACTIVITÉS

Randonnée-VTT – L'île est sillonnée par 115 km de sentiers que se partagent les randonneurs et les cyclistes. Les 14 parcours VTT déjà balisés permettent une découverte de l'île ludique et sportive, sans que les différences d'altitude n'en fassent un parcours du combattant. Attention, le nombre de bicyclettes à louer sur l'île étant souvent insuffisant face à la demande, il peut être judicieux d'en louer sur le continent.

Plongée – **Submarine** - *Obala Petra Krešimira IV - Novalja - ✆ 053 661 746.*

Île de Dugi Otok

★

1 698 habitants – Dalmatie

NOS ADRESSES PAGE 250

S'INFORMER

Office de tourisme – *Turistička zajednica - Obala Petra Lorinja bb à Sali - ✆ 023 377 094 ; Turističko društvo - Božava - ✆ 023 377 607 - www.dugiotok.hr - mai-oct. : 8h-13h.*

SE REPÉRER

Carte de région AB2 (p. 218-219) – *carte Michelin n° 757 C-D8*. L'ancienne Tilagus (« île des trois lacs ») s'appelle aujourd'hui Dugi Otok, ce qui signifie tout simplement « île longue » (43 km de longueur pour moins de 5 km de large). Comme toutes les îles au large de la Dalmatie septentrionale, c'est un mince ruban escarpé (plus haut sommet à 338 m), parallèle au continent. La route, qui parcourt l'île de bout en bout, permet d'apprécier ses merveilleux paysages, alternance de forêts de pins, d'oliviers et de figuiers, de sommets ronds et pelés, de maquis odorants et de vues à couper le souffle sur les autres îles et le massif du Velebit, sur le continent. Bien que proche de Zadar, elle est encore peu fréquentée, excepté en août. Voir la rubrique « Arriver/partir » dans *Nos adresses*.

À NE PAS MANQUER

Le parc naturel de Telašćica, pour ses paysages et sa géologie similaires aux îles Kornati, et son lac salé qui soigne les problèmes cutanés.

ORGANISER SON TEMPS

Prévoyez 1 à 2 jours et 1 nuit sur place. Louez une voiture de Zadar et passez-la sur l'île avec le ferry car elle est trop longue pour être parcourue à pied et les vélos sont rares.

Si vous rêvez d'une île encore intacte, propice à la solitude et à la contemplation, prévoyez une étape sur cet interminable ruban de collines qui semble avoir échappé à la folie touristique pour ne conserver que le calme et la tranquillité. Pas de villages spectaculaires mais des plages de sable ou de galets, une nature sauvage et le temps qui s'écoule encore plus lentement qu'ailleurs…

Découvrir

★ Božava A2

Au nord-ouest de l'île, 13 km de Brbinj.

Joli petit port calé dans un repli rocheux, il cache son église, une épicerie et deux tavernes au fond d'une vallée verdoyante plantée de pins et d'oliviers. La côte y est bordée de larges rochers plats propices à la bronzette.

Plage de Sakarun A2

Sur la route de Veli Rat, passez la bifurcation vers Verunić. Moins de 1 km plus loin, à gauche, un sentier caillouteux mais carrossable mène à la plage (15mn à pied).

Mi-galets, mi-sable fin, eaux turquoise… C'est la plus réputée de l'île.

Le parc naturel de Telašćica et le lac Mir.
R. Mattes / hemis.fr

3

★ Veli Rat A2

À 20 km au nord-ouest de Brbinj.

Une jolie route bordée d'arbres file entre les murets de pierre et les ajoncs vers l'extrémité de l'île. Tout au bout se dresse le **phare** de Veli Rat, construit par les Autrichiens, avec sa minuscule chapelle. À plus de 41 m de haut, c'est le plus haut de Croatie. Ses murs blancs abritent aujourd'hui des chambres d'hôte *(voir Nos adresses)*. De part et d'autre, vous trouverez des **criques de galets★★** (la plus confidentielle est vers la gauche).

★ Savar A2

À 3,5 km au sud-est de Brbinj. Dès l'entrée dans le village, tournez à droite.

Le village se termine par un îlot relié à la terre ferme par une digue où s'accrochent quelques barques multicolores. Il est occupé par une ravissante **chapelle préromane**, Sv. Pelegrina (9e s.), posée entre le cimetière marin et les eaux claires de la baie.

★ Sali B2

À 23 km au sud-est de Brbinj.

Autrefois bourdonnant de l'activité des conserveries, ce port de pêche se voue désormais au tourisme, tout en restant encore bien tranquille. Le long du quai, il fait bon de boire un verre ou de goûter la pêche locale. C'est de là que partent en été les excursions vers les Kornati toutes proches. Le village sert aussi de porte d'entrée au parc naturel de Telašćica *(voir ci-après)*.

Chaque année, le 15 août, Sali fête les ânes. On y fait courir les ânes, on boit, on chante, on danse et on joue de la corne de brume dans un tintamarre imitant le braiment des ânes. Ces derniers, importés sur l'île pour aider aux travaux agricoles et au transport, ont été utilisés jusqu'à la seconde moitié du 20e s. Une vingtaine d'entre eux vivent encore à l'année dans le parc naturel de Telašćica, d'où ils sortent pour cette fête et sa procession, toujours très fervente.

★★ **PARC NATUREL DE TELAŠĆICA** (Park prirode Telašćica) B2-3

Bureau du parc naturel de Telašćica – *Ulica Danijela Grbin bb - sur le port de Sali - ✆ 020 377 096/395 - www.telascica.hr - accès au parc : 25 kn/pers./j en voiture, 60 kn/pers./j par bateau.*
À la fondation du parc national des Kornati, en 1980, cette partie de l'île de Dugi Otok y était intégrée. Elle en a été séparée et déclarée parc naturel en 1988. Sa mer intérieure bordée par 69 km de côtes offre néanmoins les mêmes plaisirs nautiques aux marins, tandis que les randonneurs peuvent arpenter ses sentiers à leur guise, contrairement à ce qui se passe sur l'archipel voisin.

Vers Katina B3

Accès mal indiqué. Environ 100 m avant les premières maisons de Sali, un panneau à gauche indique « Réserve botanique » et à droite s'ouvre une voie vicinale. Elle mène à l'îlot de Katina par un réseau de chemins à peine carrossables.
La pointe sud-est de l'île est sillonnée de sentiers caillouteux qui traversent des paysages désolés aux herbes chiches et aux interminables murets de pierres.
L'îlot de Katina et la **passe de Proversa**, qui correspond à l'un des deux points d'entrée nautiques dans le parc, peuvent constituer un agréable but de promenade - *env. 10 km AR depuis Sali - on peut aller en voiture jusqu'à la passe.*

Vers Uvala Mir B2

La pointe sud-ouest de l'île est mieux indiquée. Le « Parc de Telašćica » est fléché une fois le panneau communal de Sali franchi. Parking à 8,5 km, puis 25mn à pied.
★ **Uvala Mir** (baie de la Paix) B2 – La première partie de la balade longe cette échancrure marine, encadrée de collines couvertes de maquis et de pins.
★★ **Falaises** – Le sentier qui y mène *(5mn)* monte entre les deux restaurants. Abruptes et composées de karst, elles sont de la même nature que les *klifs* visibles sur le chapelet extérieur des Kornati *(voir ce nom)*. À leur point culminant, elles font plus de 160 m de haut. En suivant le marquage au sol (parfois peu clair), on peut rejoindre le lac salé en contrebas, vers l'anse d'Uvala Mir.
★★ **Jezero Mir** (lac salé) B2 – En longeant la baie, après les restaurants, le sentier mène à la principale curiosité du parc *(5mn)*. Sur les vues aériennes, c'est un paysage inattendu de lac au sommet d'une falaise. Il communique avec la mer sous une barrière rocheuse mais la température y est supérieure de plusieurs degrés. Ses eaux sont censées calmer les douleurs et les problèmes de peau… À son extrémité sud, les gens ont dressé une multitude de petits cairns évoquant une forêt de personnages minéraux.
En revenant vers Sali, mais avant de sortir du parc, bifurquez à gauche vers **Grpašćak** : très beau point de **vue**★★ sur les falaises du parc.

NOS ADRESSES DANS L'ÎLE DE DUGI OTOK

INFORMATIONS UTILES

Banques – Attention, il n'y a pas de banque sur Dugi Otok. Les bureaux de poste de Sali et Božava font office de bureau de change *(tlj sf dim. 8h-14h)*.
Essence – Uniquement à Zaglav.
Santé – Pas de pharmacie mais 3 médecins à Sali, Božava et Žman.

ARRIVER/PARTIR

Bon à savoir – Les bus et la location de véhicules étant rares, mieux vaut venir avec son propre moyen de transport, car les villages sont trop dispersés pour la marche à pied. Zadar est le port de départ pour Dugi Otok.

Ferries (avec voitures) – *Jadrolinja Zadar - Liburnska obala 7 - ✆ 023 250 555 - www. jadrolinjia.hr.* **Zadar-Brbinj** – 3 à 4/j. selon saison - 1h30 de traversée.

Bateaux (piétons) – Les catamarans de Jadrolinja assurent les lignes **Zadar-Sali** *(3/j., durée 1h10)*, **Zadar-Zaglav** en passant par Sali *(durée 1h35)* et **Zadar-Božava**, faisant escale à Rivanj et Sestrunj *(durée 1h)*.

TRANSPORTS

Bus – Un bus relie les ferries de Brbinj au village de Božava. Un autre assure la liaison entre Zaglav et Sali. Il n'y a qu'un bus/sem. entre le sud et le nord de l'île.

NAUTISME

Pas de port de plaisance, mais possibilité d'amarrer les bateaux aux ports de Božava et Sali. Mouillage autorisé dans les baies (Soline, Dragove, Sakarun, Žman).

Capitainerie – *✆ 023 377 021.*

Bureau des douanes à Božava.

Carburant à Zaglav.

HÉBERGEMENT

Bon à savoir – Les offices de tourisme de Sali et de Božava proposent des chambres d'hôte ou des appartements.

Adriatica.net – *✆ (01) 24 15 614 - www.adriatica.net.* Outre des hébergements traditionnels, *Adriatica.net* se fait une spécialité d'appartements dans des phares, dont deux dans celui de Veli Rat (l'un pour 3 pers., l'autre pour 4 pers.). Ils se louent en haute saison à la sem. (du sam. au sam.). Contrairement à d'autres phares, il présente l'avantage d'être accessible en voiture, ce qui facilite le ravitaillement. Le gardien du phare et sa famille vous accueilleront sur place.

BUDGET MOYEN

Hotel Sali – *Sali - ✆ 023 377 049 - www.hotel-sali.hr - avr.-oct. - - 52 ch. 70/84 €* . 4 pavillons bleu et blanc, dispersés à l'ombre d'une pinède, au-dessus d'une baie rocheuse. Baignade depuis les rochers plats, au pied de l'hôtel. Club de plongée à 5mn à pied du village.

POUR SE FAIRE PLAISIR

Hoteli Božava – *Božava, route à droite après le panneau du village - ✆ 023 291 291 - fax 023 377 682 -www.hoteli-bozava.hr - juin-sept. - - Pavillon Lavanda 80 ch. 156 € en saison* . 3 bâtiments agréables, répartis dans les pins au bord de la mer, à 5mn à pied du port. Plongée, sauna, fitness, espace enfants, location de vélos et bateaux. Quant au **Maxim**, le plus proche de l'eau et du village, il affiche un standing supérieur.

RESTAURATION

Quelques modestes tavernes à Božava et Sali, ainsi qu'au bord d'Uvala Mir, dans le parc naturel de Telašćica. Cuisine sans prétention. Fermées hors sais.

ACTIVITÉS

Excursions – Pour les Kornati *(voir ce nom)*, au port de Sali. *Comptez 150/250 kn.*

Plongée – Club réputé au pied de l'hôtel Sali *(rens. à l'hôtel)* et aux hôtels Božava.

Plages – De galets au nord-ouest de l'île et face au large, mais la baignade est possible partout depuis les rochers.

Šibenik

★★

46 332 habitants – Dalmatie

NOS ADRESSES PAGE 261

S'INFORMER

Office de tourisme de Šibenik

Centre-ville – *Fausta Vrančića 18 - 022 212 075 - www.sibenik-tourism.hr - mai-sept. : tlj 8h-20h (22h en juil.-août) ; avr. et oct. : lun.-vend. 8h-20h, w.-end 8h-14h ; nov.-mars : lun.-vend. 8h-15h.*

Sur la Riva – *Obala Dr Franje Tuđmana 5 - 022 214 411/448 - mai-sept. : tlj 8h-20h (22h en juil.-août) ; avr. et oct. : lun.-vend. 8h-20h, w.-end 8h-14h ; nov.-mars : lun.-vend. 8h-15h.*

SE REPÉRER

Carte de région CD3 (p. 218-219) – *Carte Michelin n° 757 E8.* Bien abritée au fond d'une rade, à l'embouchure de la Krka, Šibenik, adossée à de rondes collines plantées de maquis, de vignes et d'oliviers, ouvre la porte vers le bassin de la Krka et la Krajina de Knin, verrou historique de la Dalmatie. Côté mer, sa côte est bordée d'un semis d'îlots dont le parc national des Kornati.
Voir la rubrique « Arriver/partir » dans *Nos adresses.*

SE GARER

Un parking (le plus cher de la ville : 5 kn/h) se trouve le long de la riva (Obada Dr Franje Tuđmana). Il n'est gratuit que pour les clients de l'hôtel Jadran. Le moins cher se trouve en bord de mer, après la gare routière.

À NE PAS MANQUER

La cathédrale de Šibenik, déambuler et se perdre dans les ruelles escarpées de la vieille ville, admirer la vue depuis la forteresse mais aussi l'« ascension » jusqu'à l'église de Primošten et le calme des petites rues de Zlarin, Prvić et Krapanj.

ORGANISER SON TEMPS

Attention, la capacité réduite d'hébergement de Šibenik risque de vous conduire à dormir dans les alentours. Prévoyez les distances à parcourir. La visite de la vieille ville mérite une bonne journée.

Au cœur de la Dalmatie centrale, cette jolie ville pétrie d'histoire a conservé son noyau ancien, malgré des abords peu esthétiques. On la visite surtout pour sa cathédrale, mais ses ruelles dallées et son lacis d'escaliers lui confèrent un charme tout italien. C'est aussi un point de départ pour quelques très belles excursions.

Se promener

L'arrivée à Šibenik, envahie par de tristes immeubles et des zones industrielles, est décevante. Ne négligez pas pour autant le centre médiéval, pittoresque et escarpé, sillonné de ruelles pavées et d'escaliers, et dominé par une imposante forteresse.

Laissez la voiture près de la gare routière ou sur le front de mer (parking plus cher) et remontez vers la place Tito, point de départ de la promenade.

★★ FLÂNERIE DANS LA VILLE MÉDIÉVALE

Circuit tracé en vert sur le plan ci-dessous – Comptez 3h. Partez de la place Tito.
À partir de la place Tito, tout le centre médiéval est réservé aux piétons. Il s'organise le long de deux rues principales, Zagrebačka et Tomislava qui divergent en quittant la place vers l'ouest.

SE LOGER	SE RESTAURER	
Jadran .... (2)	Gradska Vijećnica .... (2)	Tinel .... (4)

Place du Maréchal-Tito (Poljana maršala Tita) B2
Plus souvent appelée tout simplement Poljana, elle se situe à l'extérieur des **anciens remparts**, dont on ne voit plus qu'un seul pan, à l'ouest de la place. Les architectes ont audacieusement intégré ce dernier à un énorme bâtiment moderne (jadis les bureaux de l'armée fédérale yougoslave), hélas protégé de toute démolition, car autrefois primé. Le pan de muraille conserve, caché derrière les arbres, la **statue gothique de saint Michel** (sv. Mihovil), patron de la ville, qui gardait au Moyen Âge ce qui était la porte principale. À part quelques pans disséminés, les remparts ont été rasés à la fin du 19e s. Juste au nord, le **théâtre** néo-Renaissance date de 1870.
Quittez la place, à gauche du théâtre. Traversez la petite place et prenez à droite de la fourche, **la rue Zagrebačka★** (Zagrebačka ulica). *En la longeant, on arrive très vite à une étroite petite place, sur la droite.*

Église de l'Ascension (Usperije Bogomatere) B2
Ouverte aux heures de messes.
Consacrée au culte orthodoxe serbe par les Français, lors de leur occupation, cette église contient une belle iconostase et des icônes intéressantes. Notez, sur le côté ouest, les deux cloches précédées chacune d'un balconnet de pierre sculptée.
Un peu plus loin, à droite, prenez la ruelle qui monte vers l'église du St-Esprit.

Église du St-Esprit (Sv. Duha) B1
De style Renaissance, avec un fronton orné d'une colombe symbolisant le Saint-Esprit et sa jolie rosace, elle habille l'une des petites places de la ville. Notez le joli **escalier gothique** ajouré, sur le côté gauche.
Revenez sur vos pas et reprenez Zagrebačka, jusqu'à la place Ivana-Pavla-II.

★ **Église St-Jean** (Sv. Ivan) B1
Ouverte aux heures de messes.
Construite dans la seconde moitié du 15e s., c'est l'une des églises les plus attachantes. La balustrade de l'escalier latéral fut exécutée par Nicolas le Florentin. On lui doit aussi une fenêtre sculptée d'un ange et d'un agneau, à la base du clocher, et une petite sculpture de saint Jean, au-dessus du portail, sur la rue Zagrebačka. En 1648, on équipa le clocher de la première horloge mécanique de la ville.
Reprenez la balade en continuant dans la rue Krste-Stošića jusqu'aux marches.

Église St-Chrysogone (Sv. Krševan) A1
En haut des marches, sur la droite, ce n'est qu'un modeste sanctuaire, construit initialement pour les franciscains (13e, 15e s.) et désormais consacré à des expositions temporaires. On prétend que la grosse cloche posée à l'angle est la plus ancienne de Croatie (1266). Coulée après un naufrage, elle fut retrouvée par des pêcheurs d'éponges de Krapanj.
Reprenez Krste Stošića et montez à droite dans ulica Sv. Luce, le long des hauts murs de la communauté bénédictine.

Couvent Ste-Lucie (samostan sv. Luce) A1
Il abrite une communauté de religieuses cloîtrées, qui subviennent à leurs besoins en faisant des travaux de tricot, de couture et de broderie pour les costumes traditionnels. Un musée expose une intéressante collection d'art sacré : vêtements sacerdotaux, ciboires et présentoirs, crucifix en bois, belle **vierge à l'enfant★★** en terre cuite (12e-13e s.) – *Entrée sur la rue Kačića - 10h-12h, 18h-20h30 - don.*

En montant les escaliers, un peu plus loin, à droite *(n° 10)*, une simple enseigne orange et noir indique l'atelier d'une modiste à l'ancienne qui fournit les bérets des costumes locaux.

Suivez les escaliers vers la droite, puis à gauche, le long du cimetière, pour rejoindre le pied de la forteresse.

★ Forteresse St-Michel

(tvrđava sv. Mihovil) A1

De mi-mai à mi-oct. : 9h-21h - 10 kn. Le reste de l'année : ouvert et gratuit.

Dominant la mer de 70 m, elle fait partie du dispositif de protection construit dès le Moyen Âge. Les Vénitiens lui ont donné sa forme actuelle, à partir du 15e s. Les fouilles archéologiques ont révélé que le site avait déjà été occupé par les Illyriens, puis par les premiers occupants croates.

La visite ne révèle rien de ce passé, mais la **vue★★** est splendide sur toute la ville, avec la cathédrale et la rade. Côté ouest, on aperçoit nettement les **vestiges de remparts** dévalant la butte vers la mer.

Bien que le plan des ruelles ait l'air confus, en réalité tous les escaliers descendent de la forteresse vers la mer, ce qui permettait à ses occupants de s'enfuir rapidement en cas d'invasion ou d'attaque par les Turcs.

Constamment menacée par des invasions, Šibenik s'est toujours donné les moyens de sa défense. Outre celle de Ste-Anne, la ville était alors défendue par trois autres **forteresses** : St-Jean (sv. Ivan) et Šubićevac, du côté nord, et St-Nicolas (sv. Nikola), côté mer, sur un îlot gardant l'entrée de la rade. Auparavant, la défense maritime revenait à deux tours, construites de part et d'autre de l'entrée de la rade et réunies par des chaînes pour empêcher tout navire de s'approcher du port.

En redescendant, faites un détour par le **cimetière** qui dégage une grande poésie. Vous noterez que la plupart des noms sur les tombes ont une consonance italienne…

Redescendez les premiers niveaux d'escaliers de Sv. Luce puis tournez à droite dans la ruelle qui descend vers l'église St-Laurent (Sv. Lovre).

Sur la gauche s'ouvre une grille qui donne accès au **jardin médiéval de l'abbaye St-Laurent**, nom qui désigne un carré d'herbes médicinales et de rosiers, joliment cultivé en surplomb de l'église du même nom. La terrasse, qu'occupe un salon de thé, offre une jolie vue sur les toits de la vieille ville. Un lieu confidentiel et calme.

Descendez jusqu'à la rue Andrije-Kačića.

★ Les hauts de la ville A1

Au n° 3 de Andrije Kačića, observez bien les fenêtres : avançant en surplomb, elles avaient un fond vitré. On voyait ainsi le visiteur et on pouvait lui ouvrir le loquet par un système de chaînes, sans avoir à descendre.

Juste avant le passage couvert, descendez à gauche dans stube Jurja Čulinovića.

MOTIF LOCAL

Des volutes noires brodées sur fond orange, vous en verrez un peu partout à Šibenik. Il s'agit du motif qui orne le béret du costume régional. Stylisé, il est incorporé au logo de la ville et reconverti de façon originale sur les petits panneaux indicatifs, fixés aux murs de la vieille ville. Pour pointer la direction, ces mêmes panneaux se terminent par des cabochons pointus qui reproduisent les riches boutons d'argent qui parsèment les gilets des hommes.

3

Vous êtes dans l'une des parties les plus anciennes et les plus pittoresques de la vieille ville. Observez chaque recoin et levez les yeux pour admirer les **détails architecturaux★** (notamment vers la droite, les fenêtres et les gargouilles).
Chapelle de Tous-les-Saints★ (Svi Sveti) – Minuscule, blottie sur un palier entre deux volées de marches, elle semble veiller sur la cathédrale en contrebas et offre une **vue★★** intéressante de la structure du toit.
Descendez les marches pour rejoindre la place de la cathédrale.

★★ Place de la République-Croate (trg Republike Hrvatske)

Sur le côté nord de la cathédrale, elle est entourée de palais baroques d'époque vénitienne, étagés à flanc de colline. Ne manquez pas d'observer les jolies lucarnes sculptées.
★ **Ancien hôtel de ville** (Gradska vijećnica) – Il déroule ses arcades ombragées et sa loggia (aujourd'hui vitrée), d'où étaient jadis lancées toutes les déclarations officielles. L'édifice, du milieu du 16e s., fut détruit par les bombardements alliés en 1943. Restauré à l'identique, il abrite un restaurant.

★★★ Cathédrale St-Jacques (Sv. Jakov) A1

Messes 9h30, 11h et 18h. Avr.-sept. : 8h-20h ; oct.-mars : 8h30-12h, 16h-20h - 15 kn.
Considérée comme un chef-d'œuvre architectural *(voir ABC d'architecture)*, elle a mobilisé les talents des deux plus grands artistes de Dalmatie : Georges le Dalmate **(Juraj Dalmatinac)** et Nicolas le Florentin **(Nikola Firentinac)**. Sa construction s'est étalée entre 1431 et 1536.
Durant les dix premières années de travaux, c'est le style gothique qui prévaut, mais sans enchanter les commanditaires. À partir de 1441, ils font appel à Georges le Dalmate, connu pour son sens du monumental et ses innovations stylistiques, qui annoncent déjà la Renaissance. C'est à lui que l'on doit l'ajout d'un transept, la conception de l'abside et du dôme et l'introduction d'une profusion de sculptures. Mais le manque chronique de subventions et un incendie retardent les travaux. Lorsqu'il meurt, son élève Nicolas le Florentin achève la toiture et la partie supérieure de la façade, dans le plus pur style Renaissance.
★ **Façade ouest** – Sa partie inférieure et le **portail principal★** portent la marque du gothique. Les arcades et les sculptures des apôtres sont l'œuvre du Milanais Bonino. Les dais (comme ceux du portail nord) sont dus à Georges le Dalmate. En revanche, la partie haute (par Nicolas le Florentin) est typiquement Renaissance et reprend le profil des trois nefs. Les vantaux du portail, figurant la vie du Christ, datent de 1968.
Devant la cathédrale, la **statue de Georges le Dalmate** est une œuvre de Meštrović.
★ **Façade nord** – Rythmée par des pilastres et des corniches, elle s'ouvre sur la place par un **portail★** richement orné dans le style fleuri affectionné par Georges le Dalmate, encadré par deux lions de Venise et de pudiques Adam et Ève, sculptés par Bonino.
★★ **Chevet** – Constitué de trois absides à pans coupés, son principal attrait est la **frise** qui court à mi-hauteur : 72 personnages aux expressions étonnamment vivantes et aux types physiques, coiffures et costumes variés : autant d'instantanés de l'époque de la construction. Elle souligne le caractère très cosmopolite de Šibenik à l'époque, quand des artisans de toutes nationalités avaient ouvert des ateliers pour la construction de la cathédrale. Au-dessus de la frise, deux angelots tiennent un parchemin à la gloire de l'évêque, mais à sa base, Georges le Dalmate a précisé que la conception et l'exécution du monument lui reviennent.

La cathédrale St-Jacques.
H. T. Kaiser / age fotostock

★ **Sacristie** – En passant derrière le chevet, on rejoint le corps quadrangulaire de la sacristie, reposant sur un **passage voûté à caissons**★ de pierre, entièrement assemblé sans aucun joint. C'est ici que le génial architecte a testé la technique qui devait ensuite être appliquée au toit. Comme le reste du chevet, elle porte la marque de la Renaissance.

★★ **Toiture** – Cet immense berceau a fait la célébrité de la cathédrale, car il est entièrement réalisé en pierre, de même que le **dôme**, qui culmine à 38 m de haut. La structure fut mathématiquement conçue pour que les grandes dalles du toit s'encastrent les unes dans les autres sans nécessiter de joints. Mais l'architecte mourut avant de mener le projet à bien et c'est Nicolas le Florentin qui réalisa l'exploit. Il sculpta aussi les trois statues qui gardent le toit : **saint Michel anéantissant le dragon**★ *(face à l'hôtel de ville)*, saint Jacques et saint Martin.

★★ **Nef** – L'intérieur est constitué d'une triple nef en berceau qui repose sur 12 **colonnes gothiques** surmontées d'un triforium très sobre. En levant les yeux, on analyse mieux la **conception de la voûte**★★. Notez que la coupole est beaucoup plus claire, car elle fut endommagée durant la dernière guerre et refaite en pierre de Brač. Malheureusement, on ne fut pas capable de retrouver la technique de Nicolas le Florentin et on dut ajouter des joints. À gauche de l'entrée, un **sarcophage**★ porte l'effigie d'un évêque du 15e s., sculptée par Georges le Dalmate. Du même côté, à mi-nef, ne manquez pas la **balustrade** finement sculptée et surtout le **crucifix gothique**★★ (1455) en bois peint, au Christ très expressif. La **barrière du chœur** porte un décor délicatement ouvragé.

★★★ **Baptistère** – Sur la droite de l'autel, quelques marches y descendent. Sorti du ciseau de Georges le Dalmate, il illustre bien la transition vers la Renaissance, avec le mariage des dentelles de pierre gothiques et des coquilles. On retrouve le décor excessivement orné de l'artiste et ses personnages expressifs. Détail amusant : les délicates sculptures des chapiteaux sont si fines, que chacune produit un son différent quand on la frappe du doigt.

Contournez la cathédrale pour visiter le musée de la Ville, face à la sacristie.

UNE VILLE CROATE

À la différence de la plupart des villes dalmates, Šibenik ne fut pas fondée par les Romains mais par les Croates, installés dans la région au 7e s. La ville elle-même fut édifiée au 9e s. sur une butte rocheuse dominant la mer. Ville de pêcheurs et de pirates, elle fut le théâtre de la lutte séculaire entre Venise et Byzance. Après avoir envahi la Bosnie, les Turcs, maîtres de l'arrière-pays, assiégèrent en vain Šibenik aux 16e et 17e s. Sa situation stratégique obligea les Vénitiens à constamment la renforcer. Après la chute de Venise, la ville perdit de son prestige et, au 20e s., se tourna vers l'industrie.

Entre 1991 et 1995, la ville subit les bombardements de l'armée yougoslave, ainsi que les tirs de snipers. La destruction du parc industriel a décidé Šibenik à entamer sa mutation vers le tourisme et à valoriser son centre historique, heureusement préservé, bien que la coupole de la cathédrale ait été gravement endommagée.

Palais du Prince (kneževa palača)
et musée de la Ville (Šibenski muzej) A1-2

10h-13h, 18h-22h - entrée gratuite pour l'exposition permanente.

Le palais se constitue de deux ailes, l'une incorporée aux remparts, l'autre à l'arrière de la cathédrale. Il héberge un modeste musée présentant les résultats des fouilles des environs et des expositions temporaires.

Regagnez la place et tournez à droite dans Kralja Tomislava.

★★ **Église Ste-Barbe** (Sv. Barbara)
et musée d'Art sacré (Djecezanski muzej) A1-2

De mai à mi-oct. : 10h-12h30, 17h-19h30 - 10 kn.

Ce petit sanctuaire gothique (15e s.) au charme discret abrite surtout une très belle collection d'art sacré, ustensiles, manuscrits, **icônes**★★, couvrant les périodes allant du 13e s. au 18e s. Tous les styles artistiques qui se sont succédé dans la ville y sont mis en valeur.

Les plus belles pièces sont le polyptyque de la *Vierge et les saints*★★, par Nikola Vladanov (début 16e s.) et surtout le polyptyque de la *Vierge à l'Enfant*★★ de Blaž Jurjev, dit Trogiranin (de Trogir), du 15e s.

En ressortant, reprenez Kralja Tomislava.

★ **Autour de la rue du Roi-Tomislav** (Kralja Tomislava) AB1-2

La seconde grande rue de la ville médiévale mérite que l'on y flâne, sans hésiter à faire des détours dans les ruelles avoisinantes, telle **Vodička ulica** où l'on aperçoit, en contrebas, l'entrée d'un ancien palais. Plus loin, après l'entrée d'un passage voûté, sur la gauche et juste avant d'arriver sur la petite place, observez, en bas du mur de gauche, de petites cavités circulaires, dont la première est marquée *amor cani* : il s'agit d'abreuvoirs pour les chiens et chats.

Place Palih Šibenskih Boraca A2 – Un marché s'y tenait au Moyen Âge. Sur la gauche, un mur porte encore les rainures d'un double **système de mesures**, à gauche celles de Venise, à droite, celles de Šibenik. Notez la présence d'un **puits** communal.

Rue Dobrić (ulica Dobrić) – En face de la place, cette ruelle descend par un escalier : les nos 2 et 4 conservent les vestiges d'anciens palais.

Reprenez Tomislava.

Prenez le temps d'observer les détails des maisons, balcons, fenêtres en surplomb, ainsi que les ruelles perpendiculaires, telle ulica Jurja Barakovića.
Au bout de Tomislava, à l'endroit où elle rejoint Zagrebačka, descendez vers la droite dans ulica Jurja Šižgorića, jusqu'à la place Nikole-Tommasea.

Église St-François (Sv. Frane) B2
Ouverte aux heures de messes. Très sobre, cette église est rattachée au couvent franciscain. L'intérieur recèle un beau **plafond baroque vénitien** à caissons peints (1674), racontant la vie de saint François, autour d'une scène de l'Annonciation. Parmi les **retables baroques**, trois portent des tableaux d'un peintre dalmate réputé au 17e s., Matej Pončun.

★ LE LONG DE LA RIVA AB2

C'est ainsi que les habitants désignent le front de mer, leur promenade favorite. Empruntez-la depuis les jardins situés au sud de la place du Maréchal-Tito.

★ Anciens remparts A2
Les vestiges les plus visibles s'étendent entre l'hôtel Jadran et la cathédrale. Encadrés de deux tours et ultérieurement percés de fenêtres, ils datent des 14e et 15e s. La porte de style gothique entre dans la ville en traversant le palais du Prince. Un peu plus loin, après la grosse tour carrée, une autre entrée (15e s.) conduit à l'arrière de la cathédrale.
En suivant le quai vers l'ouest se trouve le point de rencontre des jeunes et des bars bruyants et animés. Plus loin encore, en direction de l'embouchure de la Krka, l'ancien site industriel détruit durant la guerre d'indépendance doit accueillir un complexe touristique et une marina.

À proximité Carte de région

★ VERS LE SUD CD3

3

Île de Zlarin C3
30mn de traversée depuis Šibenik.
Réputée pour ses coraux, elle est située juste en face de l'entrée de la rade de Šibenik. Longue de moins de 6 km, elle invite à la balade à pied. Son village, ses **plages** et ses pins évoquent la détente, tandis que son **église gothique** (15e s.) renferme d'émouvants ex-voto offerts par les pêcheurs.

Île de Krapanj D3
10mn de traversée par bateau-navette à partir de Brodarica, 6 km au sud-est de Šibenik.
Cette petite île (moins de 1 km de long) est la plus peuplée de la région. C'est aussi la plus plate, à peine une large dalle surgissant de la mer. Elle s'est spécialisée dans la pêche aux éponges, ainsi qu'en atteste le petit **musée** local. Le pittoresque village mérite une escale. Ne manquez pas le **monastère franciscain** pour ses collections d'art sacré (peintures, icônes, crucifix).

★ Primošten D3
À 28 km au sud-est de Šibenik, par la route côtière.
Station balnéaire réputée, célèbre pour son vin, le *babić*, elle se répartit sur deux presqu'îles. La première porte le vieux village serré sur une butte. Ne manquez surtout pas de suivre le joli sentier qui en fait le tour ou de lézarder à la terrasse d'un café, devant le port de pêche. La seconde péninsule, plus verdoyante, abrite les hôtels.

★ Primošten Burnji D3

À 34 km au sud-est de Šibenik. À Primošten, longez la plage de galets jusqu'au fond de la baie et passez sous la route principale. Après 1 km, prenez à droite à la fourche, passez la discothèque Aurora. Un peu plus de 1 km plus loin, tournez à gauche en direction de Šibenik et Primošten Burnji. Arrêtez-vous au village de Draga (à 3,5 km). Empruntez le chemin juste avant le minimarket. *À 50 m, un grand portail coulissant à droite ouvre sur un groupe de maisonnettes traditionnelles. Ouvert sur demande préalable ✆ 022 574 106 - www.jurlinovidvori.org - entrée libre, dégustation payante de vin (babić) et produits locaux (jambons, anchois).*

Jurlinovi Dvori est un hameau traditionnel, restauré par un curé passionné, don Stipe Perkoy. Il abritait jadis toutes les générations de sa famille (16 personnes). On y voit la chambre, la cuisine, la salle commune, les hangars, la cave et même une émouvante chapelle. En haut du village, le chemin de croix vient d'être complètement réaménagé. À chaque station, le peintre zagrebois **Zvanimir Vila** a consacré un tableau, que l'on découvre en ouvrant les volets qui le protègent.

Quittez le village en direction de Grebaštica. Après environ 8 km, on retrouve l'autre flanc de la montagne qui descend vers Šibenik et offre un splendide panorama.

L'ensemble de l'arrière-pays de Primošten est consacré à la culture de la vigne et de l'olivier. Il est parsemé de hameaux édifiés en pierre locale, y compris les lauzes du toit. Le long des routes, observez la curieuse disposition des vignobles : les parcelles sont entièrement couvertes de cailloux et seuls des rectangles sont dégagés pour accueillir les pieds de vigne ou d'olivier, transformant le flanc des collines en un étonnant damier.

★ VERS L'OUEST C3

Vodice

À 12 km à l'ouest de Šibenik.

Cet ancien port de pêche s'est tourné vers le tourisme et le nautisme, et attire une importante clientèle étrangère. Si le vieux centre garde son charme, les quais sont envahis par les boutiques et les restaurants, vibrant d'activité en été. Un grand **aquarium** *(10h-22h - 20 kn, enf. 15 kn)* vient d'y ouvrir ses portes. Il est possible d'y découvrir les poissons de l'Adriatique, de faire un tête-à-tête avec les requins, les raies, sans oublier le très rare poisson étendard, qui ne circule qu'au large des côtes croates, aux abords de l'île de Jabuka.

Tribunj

À 15 km à l'ouest de Šibenik.

Moins touristique que son voisin Vodice, mais peu à peu colonisé, ce petit port tranquille reste authentique. Son originalité : un minuscule îlot au milieu de la baie.

Île de Murter

À 23 km à l'ouest de Šibenik.

Reliée à la terre ferme par un pont, cette île est la meilleure base de départ pour les îles Kornati et c'est ce qui en fait l'intérêt. Les villages de Tisno, à son point de rencontre avec le continent, de Jezera et Bettina misent sur le tourisme, tout en conservant leur traditionnelle activité de construction navale.

NOS ADRESSES À ŠIBENIK

INFORMATION UTILE

U.O. Castello – *Božidara Petranovića 8 - ✆ 022 336 385 -* Trois ordinateurs à l'étage. La connexion est gratuite si l'on consomme, autrement 5 kn/15mn.

ARRIVER/PARTIR

Autobus – Gare routière - *✆ 060 368 368. Consigne ouverte tlj de 6h à 21h.* Bus quotidiens pour Split et Zadar 26 bus/j. pour Rijeka, Makarska et Dubrovnik, Zagreb. Quelques liaisons pour Varaždin, Osijek, Slavonski Brod et Rovinj. Se renseigner pour les liaisons avec Ljubljana et Trieste (elles n'étaient plus assurées lors de la mise à jour du présent guide).

Trains – Zagreb-Split : 3 trains/j. dans chaque sens.

Bateaux et ferries – *Jadrolinija - ✆ 022 213 468 - www.jadrolinija.hr.* Les bureaux ouvrent 1h avant le départ des ferries et des bateaux.

Des bateaux relient Šibenik à Vodice en desservant les îles piétonnes de Zlarin et de Prvić, ainsi que Žirje, *via* Kaprije.

En été, une ligne de ferry permet de passer les voitures sur l'île de Žirje, mais celle-ci les « supporte » difficilement (2 passages, le merc.).

NAUTISME

ACI Marina Vodice – *✆ 022 443 086 - m.vodice@aci-club.hr*

ACI Marina Kremik à Primošten – *✆ 022 570 068 - www.marinakremik-adriatiq.com - 3 km au sud du village.*

Marina Frapa à Rogoznica - *✆ 022 559 900 - www.marinafrapa.com.* Très bien équipée, dans une baie agréable et très abritée.

Pour les équipements de ces 3 ports de plaisance, voir le chapitre Nautisme p. 25.

HÉBERGEMENT

Bon à savoir – Malgré d'ambitieux projets d'aménagements, la ville de Šibenik ne possède encore qu'un seul hôtel dans la vieille ville. Les environs méritant la visite, préférez séjourner dans les petits ports comme Primošten, Brodarica ou encore Murter, pour visiter les Kornati. Si vous recherchez le calme, les abords de la Krka et les îles de Zlarin et de Prvić sont un bon choix. Renseignez-vous également à l'office de tourisme pour les chambres chez l'habitant, notamment celles de **Vjera Karadole**, situées à deux pas de la vieille ville *(P. Grubišića 13 - ✆ 022 330 421 ou 098 714 493 - www.infoadriatic.com/karadole - 6 ch. 300 kn).*

POUR SE FAIRE PLAISIR

Hotel Jadran – *Obala Dr Franje Tuđmana 52, à Šibenik - ✆ 022 242 000/009 - www.rivijera.hr - 57 ch. 794 kn ☕.* Reconnaissable à ses volets coulissants, à quelques mètres de la cathédrale, sur la Riva, c'est le seul hôtel de la vieille ville. Ses chambres claires, propres et confortables donnent sur les quais où se dressent les mâts des voiliers. Petit déjeuner copieux. Demandez une chambre avec climatisation.

À Vodice

BUDGET MOYEN

Hotel Kristina – *Šetalište M. Sladojeva 3, à côté de l'hôtel Punta - ✆ 022 444 173 - www.hotelkristina.net - 20 ch. 600 kn ☕.* Petit hôtel familial, donnant sur un jardin paisible, face à la mer, à l'extrémité de Vodice. Simple, sans prétention mais plein de charme. Demandez l'une des chambres du premier avec balcon.

À Primošten

PREMIER PRIX

Vila Koša – *Au bout de la place au sud de la vieille ville - ✆ 022 570 365 - www.villa-kosa.htnet.hr - ⊭ - 13 appart. dont certains 1 ch. 540/684 kn (suppl. de 60 kn pour la climatisation).* Très propres et confortables, la moitié des appartements de cette maison rose donnent sur l'eau. La vieille ville est à 5mn à pied au bout du quai.

BUDGET MOYEN

Apartmani Maja Gracin – *Put Murve 4 - ✆ 022 571 137 - leo.gracin@zg.tel.hr - demandez à la boutique qui vend du miel - 2 appart. de 4 pers. 468 kn.* Au cœur de la vieille ville, ces appartements bien équipés, de style rustique, sont dotés d'une terrasse et de la climatisation *(env. 36 kn/j).* Agréable lieu de séjour ; accueil sympathique.

POUR SE FAIRE PLAISIR

Hotel Zora – *Raduča, bb - ✆ 022 570 048 - www.hotelzora-adriatiq.com - P - 324 ch. 720 kn en 1/2 P ☕.* Ce grand complexe hôtelier moderne est perdu au milieu d'une pinède et d'un bon standing. Il offre une vue imprenable sur la vieille ville. Idéal en famille. Une piscine couverte a été aménagée au milieu des rochers. De l'autre côté de la baie, des jeux nautiques sont à la disposition des enfants.

À Prvić Luka

BUDGET MOYEN

Hôtel Maestral – *✆ 022 448 300 - www.hotelmaestral.com - 11 ch. 760 kn ☕ - 1/2 P env. 90 kn/pers.* Idéal pour qui souhaite se reposer loin de l'agitation de la ville. L'imposante bâtisse de pierre, située sur le port, a été entièrement réaménagée dans le respect des vieilles pierres. Elles sont apparentes, jusque dans les chambres.

À Brodarica

PREMIER PRIX

Pansion Zlatna Ribica – *Krapanjskih spužvara 46 - ✆ 022 350 300/350 695 - www.zlatna-ribica.hr - 28 ch. 380/450 kn ☕ et 4 appart. (2 à 4 pers.) 450/750 kn.* Cette agréable maison rose bénéficie de la vue sur l'île de Krapanj juste en face. Elle propose quelques places de camping et loue canoës, bateaux et vélos. Pas de véritable plage mais une aire de baignade au pied de l'hôtel et, dernier atout, un excellent restaurant. Certaines chambres possèdent un très grand balcon.

RESTAURATION

BUDGET MOYEN

Gradska Vijećnica – *Trg Republike Hrvatske 3 - ✆ 022 213 605 - plats 65/120 kn.* Face à la cathédrale, c'est la plus belle terrasse de la ville ! L'excellente cuisine propose, dans une salle au décor élégant, des fruits de mer et des poissons, pâtes et grillades.

POUR SE FAIRE PLAISIR

Ristoran Tinel – *Trg Pučkih Kapetana - ✆ 022 331 815.* Une terrasse ombragée au-dessus d'une chapelle, une très belle maison ancienne au décor raffiné mettent en valeur une cuisine variée : goûtez au steak tartare à la dalmate, au poisson à la Tinel ou au bar aux palourdes, le tout accompagné d'un *babić* de Primošten.

À Primošten

Bistro Panorama – *Ribarska 26, accès par le chemin côtier ou derrière l'église - ☎ 022 570 011 - plats 50/80 kn.* Légèrement en hauteur du chemin côtier dominant les toits, face aux îles Kornati, la terrasse de ce restaurant offre un exceptionnel coucher de soleil sur la mer. N'y venez donc pas trop tard. Lotte, langoustines, homards et calamars se disputent l'assiette. Attention, les garnitures sont en sus ! Ambiance conviviale.

À Brodarica

POUR SE FAIRE PLAISIR

Zlatna Ribica – *Krapanjskih spužvara 46 - Brodarica - 100/150 kn.* Considéré à juste titre comme l'une des meilleures tables de la région, ce restaurant au bord de l'eau propose une cuisine à base de poissons et de fruits de mer de grande qualité. Au dessert, essayez la *torta Ribica*.

ACTIVITÉS

Agence Atlas – *Trg Republike Hrvatske 2 - ☎ 022 330 233.* Cette agence organise nombre d'excursions à partir de Murter, du complexe Solaris, de Vodice et de Primošten. Excursion d'une journée aux Kornati *(280 kn/pers. au départ de Šibenik incluant le transfert en bus jusqu'à Murter, le guide, l'entrée et le repas)* ; dans la Krka *(320/375 kn)*. Rafting 540 kn sur la rivière Cetina. Excursions à Split, Trogir, Hvar…

Parc national des îles Kornati

Nacionalni park Kornati

★★

NOS ADRESSES PAGE 267

Dalmatie

S'INFORMER

Bureau du parc national et office de tourisme de Murter – *Rudina bb - Murter - ✆ 022 434 995 - www.tzo-murter.hr (site de la ville et des îles) - www.konati.hr (site du parc).*

SE REPÉRER

Carte de région B3 (p. 218-219) – *Carte Michelin n° 757 D8*. 140 îles composent cet archipel qui s'étire en quatre rangées parallèles à l'île de Pašman et aux côtes dalmates, entre Šibenik et Zadar. Le parc n'englobe que les deux rangées les plus éloignées du littoral, un véritable labyrinthe maritime. Kornat est la plus grande île, encadrée d'un chapelet d'îlots. Inhabitées à l'année, les Kornati comptent cependant quelques hameaux qui se repeuplent l'été. Elles sont surtout le paradis des amateurs de voile. Voir la rubrique « Arriver/partir » dans *Nos adresses*.

À NE PAS MANQUER

La petite chapelle N.-D.-de-Tarac sur l'île Kornat, la couronne de Mana.

ORGANISER SON TEMPS

Prévoyez une journée pour la visite du parc (départ 9h retour 17h) et une demi-journée pour flâner dans le port et les sentiers côtiers.

AVEC LES ENFANTS

Certains centres de plongée proposent des excursions pour les enfants.

Un semis de rocaille lâché par les dieux dans une eau bleu-vert, des rondeurs arides peuplées d'ânes et de moutons, le quadrillage inlassable des murets de pierres sèches, quelques oliviers têtus qui bravent le vent marin, de rares pêcheurs, beaucoup de plaisanciers, pour des paysages envoûtants mais âpres et sans concession…

L'archipel des Kornati.
Simeone / Photononstop

Découvrir

Uniquement en excursion organisée ou par bateau privé. L'entrée du parc n'est autorisée qu'en deux endroits précis, au sud-ouest et au nord-ouest. 50 kn par personne, vérification fréquente par les bateaux du parc. Accès par bateau particulier possible : le tarif d'entrée dépend de la longueur du bateau (150 kn/11 m). Attention, les îles sont propriété privée et il est interdit de s'y promener en dehors des sentiers marqués et autorisés. Cueillette des végétaux et pêche sous-marine proscrites.

★★ Île Kornat B3

La plus grande île de l'archipel, longue de 25 km, culmine à 235 m et commande la rangée d'îles la plus importante, dans le prolongement de Dugi Otok *(voir ce nom)*, vers l'ouest.

Vrulje – Le principal hameau s'est développé ici en raison de la largeur de la baie et des pâturages qui l'encadrent. Toute proportion gardée, il se vante de posséder trois « rues » et une cinquantaine de maisons…

3

N.-D.-de-Tarac (Gospa od Tarca) – L'adorable chapelle blanchie à la chaux (16e s.) cache les vestiges d'une chapelle paléochrétienne (6e-7e s.). Elle est le cadre d'un pittoresque pèlerinage des barques (*1er dim. de juil.*), qui attire 150 à 200 bateaux.

Toreta – Perché sur la hauteur dominant la mer, ce site antique fut occupé dès la première colonisation par les Liburniens. Les vestiges du fort datent du 6e s.

★ Île de Piškera B3

Troisième de l'archipel, avec ses 10,3 km de long, elle s'étend au sud de Kornat. C'est la principale du dernier chapelet d'îlots, le plus proche du large. Face

ROBINSON AUX KORNATI

Vous avez rêvé de jouer les aventuriers sur une île déserte ? Les Kornati vous l'offrent et l'expérience est inoubliable. Mais avant de vous décider, mesurez bien que vous vous engagez pour une semaine sur des îles isolées, presque désertes, sans végétation ni plage. Principale contrainte : il n'y a pas de nappe phréatique et l'eau douce provient uniquement de la collecte de l'eau de pluie dans les citernes ou les fosses naturelles ou de l'approvisionnement par bateau. Vous devrez donc vous montrer particulièrement économe, alors que la chaleur et le sel vous donneront peut-être l'envie lancinante de passer sous la douche…

MORCEAUX D'ÉCORCE TERRESTRE

Les Kornati devinrent des îles à la fin de la période glaciaire, lorsque le niveau de la mer monta et noya les vallées littorales, ne laissant émerger que les sommets. Auparavant, elles étaient en continuité avec la chaîne du littoral dalmate et présentaient la même géologie. À l'exception de l'île de Vela Smokvica (à l'entrée est), qui est de nature dolomitique, toutes sont constituées de karst et en adoptent les particularités (crevasses, grottes et dolines). Mais la végétation particulièrement pauvre en laisse apparaître tous les détails, ce qui permet d'imaginer les mouvements de l'écorce terrestre, ses strates, ses plissements, ses fractures, ses effondrements. Parmi les formations particulières, les *klifs* sont des falaises abruptes, formées par une rupture du sommet de l'île. Une partie a sombré dans la mer, l'autre est ensuite creusée, du côté du large, par les courants et le vent. Localement, on les appelle des « couronnes ».

Colonisées dès le néolithique, les Kornati n'ont été peuplées que de façon saisonnière par des pêcheurs, des bergers et des oléiculteurs, principalement résidents de Murter ou Dugi Otok. Jusqu'au 17e s., elles étaient recouvertes d'une épaisse forêt, progressivement défrichée pour accommoder les pacages. Aujourd'hui, le fascinant feuilleté de pierre des îles compose des paysages graphiques et dépouillés, à peine piqués de chênes verts rabougris, de sauge ou de romarin. D'innombrables murets de pierres sèches (250 km au total) les sillonnent de rayures, délimitant des enclos déserts. Ils doivent être assez hauts pour retenir les moutons et protéger les plantations du vent du large. La pierre sert aussi aux abris de berger *(stan)* et aux môles privés que le pêcheur utilisait pour amarrer sa barque, sécher ses filets, réparer ses nasses…

au port de plaisance, la petite **chapelle de la Nativité**, dédiée à la Vierge, fut construite en 1560 pour accueillir la messe durant la saison de la pêche. Elle servit d'hôpital de campagne aux partisans de Tito durant la Seconde Guerre mondiale.

★★ Couronne de Mana (Krune Mana)

Les falaises ou « couronne » de cette île du sud de l'archipel sont un superbe exemple de *klifs*. Du côté du large, les strates calcaires obliques forment un hémicycle de hautes falaises (70 m) de toutes les nuances de gris et de beige. À l'extrémité ouest de l'île, les ruines au sommet de la colline ne présentent aucun intérêt archéologique : elles ont été construites en 1959 pour le tournage d'un film.

À proximité

★ Île de Žut

Bien qu'appartenant à l'archipel, elle ne fait pas partie du parc national et n'est soumise ni à son tarif ni à son règlement.

Deuxième de l'archipel par la taille (11,7 km de long), axe du troisième chapelet d'îles (le 4e est encore plus proche des côtes de l'île de Pašman), elle n'est pas plus peuplée et présente les mêmes caractéristiques. Mais comme elle s'étend hors des limites du parc national, elle n'est pas frappée des mêmes restrictions et offre plus de liberté aux visiteurs.

DANS LE PARC NATIONAL DES ÎLES KORNATI

ARRIVER/PARTIR

Autobus – Pour rejoindre le port de Murter depuis Šibenik : 5 à 9 bus/j., 45mn.
Excursions – Les deux ports de départ des excursions sont ceux de Murter, à l'est *(voir Šibenik)*, et de Sali, sur l'île de Dugi Otok. Prix entre 250 et 320 kn, incluant l'entrée dans le parc. Nous déconseillons les excursions au départ de Zadar ou Šibenik, car le long trajet en bateau diminue d'autant le temps passé sur place.
Bateau privé – La meilleure façon de découvrir l'archipel, ce qui ne dispense pas d'acquitter les droits d'entrée. Les tickets sont à retirer au bureau du parc à Murter, dans les marinas, auprès des compagnies de charters, aux agences touristiques accréditées, ainsi qu'aux bureaux d'accueil à l'intérieur du parc : îlot de Ravni Žakan, îlot Vela Panitula, la baie Vrulje de l'île Kornat. Règlement très strict quant aux mouillages autorisés (zones marquées d'une ancre sur la carte qu'il est recommandé d'acheter en même temps que les tickets).

NAUTISME

Poste-frontière – Pour les bateaux arrivant en Croatie par les Kornati, les entrées officielles dans l'aquatorium du parc national des Kornati sont Opat et Proversa.
Port de plaisance de Piškera – ACI marina - *✆ 091 470 00 91 - m.piskera@aci-club.hr*. Carburant à Zaglav, île de Dugi Otok.
Port de plaisance de Žut – *✆ 022 786 02 78 - m.zut@aci-club.hr - avr.-oct.*
Location de bateaux – Vous pouvez louer un hors-bord (*env. 140 à 350 €/j*) auprès d'**Eseker Tours** *(Majnova bb - Murter - ✆ 022 435 669 ou 098 480 950 - www.esekertours.hr)* qui propose aussi des hébergements.

HÉBERGEMENT

Bon à savoir – L'hébergement est très rare, cher et sommaire dans le parc national. Il peut être préférable de loger à Murter (environs de Šibenik).
Murter Kornati Arta – *Prodvrtaje 21 - ✆ 022 436 544 - www.murter-kornati.com*. Agence située à l'entrée du village, proposant appart. ou ch. à Murter et des locations sur les Kornati.
Tourist Agency Lory– *Zdrače 2, Betina à Murter - ✆ 022 435 540 - www.touristagency-lori.hr*. Agence spécialisée dans l'hébergement « Robinson » et les maisons de pêcheurs. Location à la semaine uniquement.

BUDGET MOYEN

Colentum – *Put Slanice bb - ✆ 022 431 100 - www.hotel-colentum.hr - 98 ch. 1 288/1 512 kn*. Chambres au confort un peu sommaire, mais établissement agréable, à l'écart du village. Ravissante plage. Idéal en famille.

RESTAURATION

Bon à savoir – Plusieurs *konobas* sommaires ponctuent les îles. Chaque compagnie d'excursion a ses habitudes. Si vous êtes en bateau privé, essayez la marina Piškera ou Vrulje.

POUR SE FAIRE PLAISIR

Klif – *Marina Piškera - avr.-oct. ✆ 098 337 496*. Service raffiné. Délicieux poissons grillés tout frais.
Tic Tac – *Hrokešina 5 - sur la droite dans la rue Luke - ✆ 022 435 230 ou 098 278 494*.

3

Parc national de la Krka

Nacionalni park Krka

★★

Dalmatie

NOS ADRESSES PAGE 271

S'INFORMER
Office de tourisme de Skradin – *Turistička zajednica - Trg Male Gospe 3 - ✆ 022 771 329 - www.skradin.hr*

SE REPÉRER
Carte de région C3-D2 (p. 218-219) – *Carte Michelin n° 757 E8.* S'étirant entre Šibenik (15 km au sud) et Knin au nord, le parc possède deux entrées principales au sud : celle du hameau de Gulin-Lozovac, d'où partent des navettes pour les chutes de Skradinski Buk et, plus loin au nord-ouest, le village de Skradin, point de départ des bateaux et du sentier de randonnée menant à ces mêmes chutes.

SE GARER
Les deux entrées possèdent des parkings (payant à Skradin).

À NE PAS MANQUER
La vue des chutes depuis le belvédère impérial, goûter au poisson de Skradin, mi-d'eau douce, mi-d'eau de mer.

ORGANISER SON TEMPS
Pour la balade autour des chutes de Skradinski Buk, comptez 1h30. Si vous venez à pied depuis Skradin, une demi-journée. Si vous rajoutez la balade en bateau vers Visovac et Roški Slap, prévoyez la journée.

AVEC LES ENFANTS
Une baignade au pied des chutes de Skradinski Buk.

Imaginez de hautes collines rocailleuses se resserrant en étroits défilés dans lesquels se précipite une rivière tumultueuse. Imaginez encore une végétation luxuriante encadrant des successions de chutes d'eau que suivent, sous les arbres, de jolis pontons de bois, de vieux moulins. Rêvez d'un monastère sur un îlot…

Découvrir Carte de région D2

★ Skradin

Au sud-ouest du parc, à 18 km au nord de Šibenik.

Niché dans un méandre de la Krka, ce paisible village est situé au début de l'estuaire, où se mêlent l'eau douce et l'eau salée. Un port de plaisance, un bout de quai planté des sempiternels palmiers et des maisons aux enduits patinés en font une étape idéale. C'est de là que partent les **bateaux** et le **sentier pédestre★★** menant aux chutes de Skradinski Buk.

★ **Église de la Petite-Madone** (Mala Gospa) – *Sur la place principale, non loin du centre d'informations du parc.* Précédée d'un parvis de pierres et de galets, elle possède un rare **autel★★** (18e s.) recouvert d'innombrables petites plaques d'argent et de vermeil martelées représentant différentes parties du corps, un patchwork d'ex-voto offerts pour s'assurer de la protection de la Vierge contre les maladies diverses. Les fresques un peu criardes qui ornent le plafond et les parois datent de 1996.

★★ PARC NATIONAL DE LA KRKA

Entrée : 95 kn (7-14 ans 70 kn), incluant le bateau depuis Skradin (très conseillé) ou le bus-navette (paiement à l'arrivée sur place). Buvette et snack sur place. Prévoyez un maillot de bain si vous voulez plonger au pied des chutes.
Accès par bateau – *Depuis Skradin - avr.-oct. : aller 8h-18h, retour 9h30-19h30.*
Accès à pied – *Depuis Skradin, comptez 45mn le long de la berge de la rivière - départ au pont, à l'entrée du village lorsque l'on vient de Gulin et de la route Šibenik-Knin.*
Accès en voiture – *Par Gulin : en venant de Šibenik, prenez la route de Knin et, après 9 km, tournez à gauche vers Skradin, puis suivez les panneaux de signalisation. En venant de Skradin, prenez la direction de Šibenik, dépassez Lozovac et tournez à gauche dans le hameau de Gulin. Une navette assure le transfert depuis le parking, sauf en hiver, où on peut descendre en voiture jusqu'aux chutes.*
Sans avoir l'ampleur de celui des lacs de Plitvice *(voir ce nom p. 339)*, ce parc offre néanmoins une parenthèse de nature luxuriante dans un environnement rafraîchissant, qui contraste avec les plages et le maquis du bord de mer tout proche. Créé en 1985 autour de la Krka, il couvre une surface de 111 km^2, regroupant des chutes d'eau spectaculaires et un lac occupé par l'îlot de Visovac.

★★★ Skradinski Buk

Sur une distance de 800 m et un dénivelé de 45,70 m, la rivière dévale 17 paliers naturels, constitués par les barrières de travertin. L'eau s'écoule en grondant dans un fin brouillard de gouttelettes. Si la moyenne du débit à cet endroit est de 55 000 l/s, en période de fortes pluies, il peut atteindre 300 000 l ! Un ravissant sentier de découverte réunit une série de pontons qui longent les chutes d'eau au plus près. En bas des dernières chutes, le plan d'eau s'élargit et s'assagit : la baignade est même autorisée.

L'EAU ET LE KARST

La Krka prend sa source au pied du mont Dinara, le plus élevé de Croatie, au nord-est de Knin, aux confins de la Bosnie-Herzégovine. Son cours, long d'environ 72 km, a creusé de profondes gorges dans le massif karstique. Durant sa course, la rivière s'est chargée de sédiments calcaires, qui, en se déposant dans les irrégularités du terrain et en s'agglutinant avec la végétation aquatique, ont formé des barrières de travertin. L'eau ainsi retenue franchit les barrières en cascades. Sur la Krka, sept séries de ces arrières de travertin provoquent des successions de chutes d'eau.
Une faune et une flore exceptionnelles – La position du bassin de la Krka à la jonction des montagnes et du littoral méditerranéen, entre un milieu humide et un climat sec, favorise une faune et une flore originales d'une très grande diversité. On dénombre ainsi 860 espèces et sous-espèces de plantes dans le parc national, 18 espèces de poissons, 222 espèces d'oiseaux (notamment aux saisons migratoires) et, pour les mammifères, 18 espèces de chauves-souris, dont certaines en voie d'extinction.

Bordant les chutes, une série de bâtiments traditionnels en pierre, parfaitement restaurés, comprennent un moulin, un atelier de tisserand, une forge et un petit musée ethnographique.

★ Îlot de Visovac

Accès en bateau depuis Skradinski Buk. Juin-sept. : 3/j 70 kn.
En voiture, pour le point de vue sur le lac et l'îlot : prenez la route Šibenik-Knin. Dépasser la bifurcation vers Skradin : 11,5 km plus loin, tournez à gauche et suivez la direction de Visovac pendant 14 km.

Fondé au 14e s., le **monastère**, toujours en activité, fut occupé par des moines franciscains venus de Bosnie et fuyant les Turcs. L'église date du 16e s., tandis que les bâtiments conventuels ne remontent qu'au début du 20e s. Le monastère abrite une belle collection de manuscrits et de livres anciens dont des *Fables* d'Ésope illustrées (1487), des documents datant de l'occupation turque, des ex-voto et des **peintures italiennes** des 16e et 17e s.

★ Roški Slap

En bateau, depuis Skradinski Buk. Mai-sept. : 3/j 100 kn (avec escale à Visovac).
En voiture : quittez Skradin au nord et tournez à droite sur la petite route de Dubravice et Rupe. À 14,5 km, tournez à droite direction Roški Slap, 3 km plus loin.

Moins impressionnante, mais plus étendue que la précédente, cette série de **12 chutes** (le dénivelé n'est que de 25,50 m) se situe à 10 km en amont de Skradinski Buk, au-delà du lac de Visovac. Le long des berges, notez les vestiges des **anciens moulins**.

Monastère St-Archange (Krka sv. Arkanđela)

À 35 km au nord de Skradin par les routes 56, sur 17 km, puis 509, sur 15 km, jusqu'au village de Kistanje, où l'on tourne à droite. Parcourez 3 km jusqu'au monastère.

Surplombant l'étroite vallée de la Krka et un beau **panorama★**, ce monastère orthodoxe, fondé au début du 15e s. par des moines bosniaques, porte la marque de l'architecture byzantine. La chapelle possède une intéressante **iconostase★**.

VERS LE NORD D2

Knin

Verrou de la Dalmatie et de la Lika face à la Bosnie, cette petite ville, fortifiée dès le Moyen Âge, fut la capitale de la Croatie, sous le roi Tomislav, avant d'être conquise tour à tour par les Turcs et les Vénitiens. Peuplée à 90 % de Serbes, Knin fit sécession lors de la déclaration d'indépendance de la Croatie, en 1991, et devint la capitale de la République serbe de Krajina. Le tristement célèbre Ratko Mladić en commanda la garnison et y entama le nettoyage ethnique. La plupart des villages furent bombardés, désertés et brûlés. Le 5 août 1995, l'opération « Tempête » permet aux Croates de reprendre la ville. Craignant les représailles, 12 000 Serbes fuient la région. Une vaste campagne de déminage et de reconstruction efface peu à peu les stigmates de la guerre. Ancien nœud ferroviaire, Knin reste toutefois une naufragée économique.

★ **Forteresse** (tvrđava) – *7h-20h - 20 kn.* Construite au 10e s., la **forteresse**, ancien siège du royaume croate, est une des plus impressionnantes du pays, avec ses puissantes murailles concentriques couronnant un large éperon rocheux. De là-haut, large panorama sur la plaine agricole et, au fond, sur les Alpes dinariques qui marquent la frontière avec la Bosnie. L'enceinte abrite aussi un ancien baraquement présentant le produit des fouilles archéologiques de la région (tessons, outils de pierre, jarres…).

DANS LE PARC NATIONAL DE LA KRKA

INFORMATIONS UTILES

Bureau du Parc – N.P. Krka - *Trg Ivana Pavla II - Šibenik - ✆ 022 217 720 - www.npkrka.hr.*
Banques – Distributeur de billets sur le quai de Skradin.
Transports – Des bus venant de Šibenik desservent Skradin et Lozovac, en 15mn.

NAUTISME

Marina de Skradin – *Obala Pavla Šubića 18 - ✆ 022 771 365 - www.aci.hr - carburant à Šibenik (8mn).* En juil.-août, arriver en début d'après-midi pour être sûr d'avoir une place. Équipement : *voir le chapitre Nautisme p. 25.*

HÉBERGEMENT

POUR SE FAIRE PLAISIR

Skradinski Buk – *Burinovac bb - Skradin - ✆ 022 771 771 - www.skradinskibuk.hr - 24 ch. 89 €* ☕. Sur une agréable placette ombragée, un petit établissement tout confort, juste rénové. Les chambres les moins chères sont vraiment petites !

RESTAURATION

Bon à savoir – À Skradinski Buk, une buvette propose des snacks et des tables à l'ombre.

BUDGET MOYEN

Konoba Cantinetta – *S. Svilara 7 - ✆ 091 150 64 34 - www.cantinetta-skradin.com - 50/100 kn.* Cuisine simple : poisson grillé, légumes du jardin, produits de la ferme. Œufs brouillés aux asperges et soupes de tomates feront le bonheur de ceux que les féculents ont lassés. Pour le vin, le propriétaire sert un *babić* croisé au cépage espagnol grenache, produit sur les collines attenantes. Il n'est réservé qu'aux clients !

POUR SE FAIRE PLAISIR

Bonaca – *Rodovača 5 - ✆ 022 771 444 - 80/150 kn.* Située au-dessus de la marina, la réputation de la Bonaca, tenue par une famille de pêcheurs, n'est plus à faire. Le patron part lui-même pêcher ses dorades, bars, moules, anguilles, saint-pierre dans les eaux mi-salées, mi-douces du contrebas de la rivière, celles qui donnent au poisson un goût si particulier. Murs en pierre apparente, cartes marines, photos noir et blanc des pêcheurs du village donnent le ton à ce restaurant traditionnel. Une adresse très prisée. Réserver en été pour avoir une place en terrasse.

Konoba Toni – *Au bout de la rue principale - trg Ovačka 46 - ✆ 022 771 177 - plats 50/300 kn.* Table familiale où déguster la viande cuite sous cloche *(peka, 120 kn)*, selon le mode de cuisson ancestral dalmate.

Le golfe de Kvarner et l'arrière-pays montagneux 4

Carte Michelin 757

Chutes d'eau dans le parc national des lacs de Plitvice.
F. Soreau / Photononstop

LE GOLFE DE KVARNER ET L'ARRIÈRE-PAYS MONTAGNEUX

LE GOLFE DE KVARNER ET L'ARRIÈRE-PAYS MONTAGNEUX
0
10 km
CORNICHE ★★★ Vaut le voyage
Rab ★★ Mérite un détour
Volosko ★ Intéressant
Rijeka À voir
VRBOVSKO
C
ZAGREB
D
1
2
3
BIHAĆ
GRAČAC
ZADAR
KNIN
Ogulin
Klek
Oštarije
Bjelsko
Kapela
Jasenak-Vrelo
Josipdol
Jezero Sabljaki
Mala Kapela
Plaški
Lička Jesenica
Saborsko
Kuselj
Poljanak
ibinj
Senj
NACIONALNI PARK PLITVIČKA JEZERA
Sv. Juraj
Kuterevo
Krasno
VELEBIT
CORNICHE
Lika
Nacionalni park Sjeverni Velebit
Jablanac
Kruščičko jezero
A1
23
50
52
8
C
D

Golfe de Kvarner

★★

NOS ADRESSES PAGE 281

S'INFORMER

Office de tourisme de la région de Kvarner – *Nikole Tesle 2 - Opatija - ✆ 051 272 988 - www.kvarner.hr.*

SE REPÉRER

Carte de région ABC1-2 (p. 274-275) – *carte Michelin n° 757 B-C6.* Enserrant la mer Adriatique, de part et d'autre de Rijeka, le golfe de Kvarner comprend quatre îles principales : Krk, Rab, Cres et Lošinj. Au pied des monts Učka, la partie occidentale, sur la côte istrienne, est constituée par la riviera d'Opatija ; la partie orientale comprend du nord au sud les rivieras de Crikvenica et de Novi Vinodolski et, franchissant les limites administratives, s'achève au sud de Senj, à Jablanac, point d'embarquement pour l'île de Rab.

Voir la rubrique « Arriver/partir » dans *Nos adresses.*

À NE PAS MANQUER

Le charmant village de Brseč, la vieille ville de Lovran et sa promenade au bord de l'eau.

ORGANISER SON TEMPS

Comptez une journée pour la découverte de la partie occidentale (de Labin à Rijeka) et une journée pour la partie orientale (de Rijeka à Jablanac), sans compter les randonnées et les escapades sur les îles.

AVEC LES ENFANTS

Randonnées dans le parc du Velebit nord, les monts Učka, dans l'arrière-pays de Crikvenica et de Novi Vinodolski, la forteresse de Senj.

Une mer d'un bleu incroyable, un chapelet d'îles magnifiques, une côte découpée, à la végétation exubérante et spectaculaire côté Istrie, plus austère et minérale au sud de Rijeka : on comprend que ce soit autour du golfe de Kvarner que soit né, à la Belle Époque, le tourisme en Croatie… Et, s'il est parfois difficile de s'y baigner, la splendeur des paysages et l'attrait des villes et des villages compensent largement cet inconvénient !

Circuits conseillés Carte de région

★★ LA « RIVIERA LIBURNIENNE », DE LABIN À RIJEKA A1

Circuit de 61 km – Comptez une journée ou plus (hors les îles !). Voir Labin, dans la région 5 (Istrie).

★ LA CÔTE ORIENTALE, DE RIJEKA À JABLANAC AC1-2

Circuit de 106 km tracé en violet sur la carte de région (p. 274-275) – Comptez une journée (hors bien sûr les escapades dans les îles).

Golfe de Bakar (Bakarski zaljev) B1
D'une longueur de 4 km, il s'agit d'un fjord étroit et de forme oblongue, ouvrant sur la mer par le détroit de Bakar. Tracée en corniche, la route qui domine à cet endroit de très haut la baie permet d'en effectuer le tour. La **vue** serait sublime, si ce n'était un environnement industriel quelque peu agressif : raffineries et hautes cheminées rouges et blanches témoignent de l'activité du port de Rijeka. En contrebas, on aperçoit les toits roses de tuiles romaines de Bakar qui se serrent autour d'un clocher dominant les eaux turquoise de la mer.

Bakar B1
Accès par une route à droite et une descente vertigineuse en lacets serrés.
Bâti en amphithéâtre, cet ancien port de commerce et centre de pêche au thon est dominé par l'église St-André et sa citadelle. Donnant directement sur l'eau, à l'ombre de vénérables marronniers et bordée de sympathiques terrasses de cafés, la promenade de front de mer permet un moment de détente agréable.
Remontez sur la route et reprenez la direction de Split.

Kraljevica B1
C'est sur le cap fermant le golfe de Bakar, près de Kraljevica, qu'a été lancé, en 1991, sur un bras de mer (le **Tihi kanal**), le **pont de Krk★** (Krčki most), aux deux arches aussi élégantes qu'élancées, qui, prenant appui sur l'**îlot St-Marc** (Otok sv. Marko), relie désormais le continent à l'**île de Krk★★** *(voir ce nom).*
Suivant la côte vers le sud, on longe alors un bras de mer, le **Vinodolski kanal**, séparant la terre ferme de Krk, tandis que la végétation se raréfie, laissant la place à un décor de plus en plus minéral.

Dramalj B1
Charmante petite station posée en contrebas de la route, constituée de villas modernes disséminées dans l'ombre d'agréables pinèdes.

★ **Crikvenica** B1
Trg S. Radića 1c - ✆ 051 784 101 - www.tzg-crikvenice.hr - lun.-sam. : 8h-19h, dim. : 9h-12h.
Surplombée par le **viaduc de Bracina** supportant la route de Rijeka à Split, Crikvenica, située à l'embouchure de la Dubračina, est une station balnéaire très appréciée en été, tant des touristes étrangers que des habitants de Rijeka. Une rue ombragée conduit vers le port où, en bordure de la rivière, a été aménagé un vaste parking (*payant*). Une passerelle « à la vénitienne » donne accès à la petite plage de gravier que borde une promenade piétonne conduisant au port de plaisance. Sur la gauche, l'**église paroissiale N.-D.-de-l'Assomption** (Župna crkva Blažene Djevice Marije) fut donnée en 1659 par les Frankopan aux pauliniens du monastère voisin. Elle abrite un retable baroque conçu et réalisé en 1776 par le frère Paolo Riedl et décoré d'une Vierge à l'Enfant, attribuée à l'atelier de Paolo Véronèse.
Sur la gauche de la façade, un passage couvert conduit à l'hôtel Kaštel, dont les chambres ont investi les cellules des moines de l'**ancien couvent des Pauliniens**, installé dans le château construit en 1347 par le comte Martin Frankopan et largement remanié à la fin du 18e s. sous l'égide de l'archiduc d'Autriche Joseph qui en fit une maison de santé.

Novi Vinodolski B1
Kralja Tomislava 6 - ✆ 051 791 171 - www.tz-novi-vinodolski.hr.
Novi Vinodolski s'enorgueillit d'être l'une des plus anciennes stations balnéaires du littoral adriatique croate puisque c'est en 1878 qu'y fut créé le

UN DES « PÈRES » DE LA NATION

Écrivain et poète, auteur d'un poème épique connu *(La Mort de Smaïl-aga Čengić)*, membre actif du Mouvement illyrien fondé par Ljudevit Gaj *(voir à Krapina)*, **Ivan Mažuranić** (1814-1890), né à Novi Vinodolski, fut en outre le premier ban (vice-roi) roturier de la Croatie. Son action réformatrice dans le domaine social et administratif, comme sa politique en faveur de l'emploi du croate, en font un des pères du jeune État croate.

premier établissement de bains. Station balnéaire animée (bien que les plages se résument pour l'essentiel à des plates-formes de ciment), la ville est dominée par le clocher (très laid!) de son église de style composite. Novi Vinodolski n'a conservé qu'une tour (kvadrac) de sa forteresse élevée au 13e s. par les Frankopan. C'est ici que fut signé en 1288 le *Codex de Vinodol*, plus ancien texte juridique en langue croate. Parmi les édifices modernes, quelques villas historicistes ou de style Sécession témoignent de l'engouement pour la station au début du 20e s.

Face à l'île de Krk, la route parcourt en corniche, au pied de la barre rocheuse du **massif du Velebit**, un paysage minéral, à peine égayé par quelques touffes éparses d'une maigre végétation. Les quelques villages sont situés en contrebas, s'étageant au-dessus de la mer, comme le petit port de pêche de **Klenovica** *(10 km au sud de Novi Vinodolski)*, ou la minuscule station de **Sibinj** *(5 km plus loin)* qui se déploie au fond d'une anse. Les plages (de galets) sont ici relativement grandes.

Monument au 45e parallèle C2

Ce monument marque le point où l'on franchit le 45e parallèle : on se trouve alors à la latitude (entre autres) de Bordeaux.

★ Senj C2

Obala dr. Franje Tuđmana 2 - 053 881 068 - www.tz-senj.hr

Laissez votre voiture sur le parking aménagé sur le port, devant une place triangulaire, ouverte sur la mer et entourée de terrasses de cafés.

Dominée par sa forteresse médiévale **(Nehaj)**, Senj est une petite ville de pêcheurs disposée en amphithéâtre au fond d'une agréable baie, en face de l'île de Krk. Rien ne laisse soupçonner que la ville fut un haut lieu de la lutte contre les Ottomans.

Vieille ville (Stari grad) – Ulica Potok permet de pénétrer dans la vieille ville dont les ruelles tortueuses et les vieilles demeures ont conservé leur aspect

CAMPAGNES MILITAIRES

Né à Senj, **Nikola Jurišić** (1490-1545) s'illustra en effet lorsqu'en 1532 Soliman le Magnifique lança une campagne sur Vienne. Chef militaire des régions frontalières, Jurišić réussit à arrêter l'avance des forces ottomanes, près de Köszeg (Hongrie). À la même époque, c'est à Senj que se regroupèrent les **« Uskoks »** : venant des régions occupées par les Turcs, ils entreprirent une guerre de guérilla contre ceux-ci, tant sur terre que sur mer… avant de s'attaquer aux navires vénitiens qu'ils harcelèrent – sous prétexte que Venise commerçait avec les Turcs – sous l'œil bienveillant des empereurs, jusqu'à entraîner le déclenchement d'une guerre entre la Sérénissime et l'Autriche (1615). La paix revenue, l'empereur détruisit leur flotte et les chassa du littoral.

médiéval. Sur la gauche, bel ensemble de maisons gothico-Renaissance, aux abords de la **cathédrale St-Mathias** (Katedrala sv. Matija), d'origine romane mais souvent modifiée au cours des siècles. Remarquez le curieux soubassement de pierre du clocher.

Place du Marché (Trg Cilnica) – Cette vaste place rectangulaire ne manque pas d'allure, même si les façades des vénérables immeubles baroques qui la bordent portent les stigmates du conflit de 1991-1995. Au centre, la charmante fontaine est une œuvre néoclassique. Sur la gauche de la façade de l'ancien château des Frankopan, une petite rue, ornée du buste de Nikola Jurišić, conduit à la Grande Porte.

Grande Porte (Velika vrata) – Élevée en 1779, elle porte (à l'extérieur) les armes de l'Empire autrichien et l'inscription *Josephinæ Finis*. Cette porte marque la fin de la « route Josephine », du nom de l'empereur Joseph II, reliant Karlovac à Senj. Remarquez les distances qui y sont indiquées en « milles germaniques » : on apprend que *Zagrabium* est à 21 milles, *Warafdinum* (Varaždin) à 31 milles et Vienne à 63 milles.

Forteresse Nehaj (Trvđava Nehaj) – *Juil.-août : 10h-21h ; mai-juin et sept.-oct. : 10h-18h - 15 kn (enf. 7 kn).*

Au sommet d'une falaise dominant la baie, cette forteresse de plan carré, munie de tours en encorbellement à chacun de ses angles, fut élevée en 1558 par Ivan Lenković, alors capitaine des Uskoks. Très restaurée, elle abrite une petite exposition consacrée à ceux-ci. De là-haut, belle **vue**★ sur l'enchevêtrement des rues de la ville médiévale et, au-delà, sur Krk.

Quittez Senj et roulez jusqu'à Sv. Juraj d'où vous suivrez les panneaux du parc national du Velebit nord, à gauche.

★ Parc national du Velebit nord (Nacionalni park Sjeverni Velebit) C2

Direction du parc – *Krasno Selo 96 - 053 665 380 - www.np-sjeverni-velebit.hr - lun.-jeu. 7h-15h, vend.-dim. 8h-16h.*

Bureau du parc à Senj – *Obala Franje Tuđmana 6 - 053 882 436 - www.np-sjeverni-velebit.hr. Mieux vaut vous renseigner à Senj et y prendre les cartes nécessaires car la bifurcation vers les sites de randonnée se trouve avant Krasno et son bureau d'informations.*

La route qui monte vers les sommets du Velebit dévoile de magnifiques panoramas sur la côte et l'île de Prvić. Au printemps, un tapis de fleurs mauves couvre la pente avant de céder la place aux feuillus. On passe ainsi en douceur d'une végétation méditerranéenne à un paysage de montagne boisé et humide.

Après environ 17 km, tournez à droite et suivez les panneaux Zavižan. Il s'agit du sommet à partir duquel partent les principaux chemins de randonnée. Comptez environ 30mn de voiture dont 20mn de piste à petite allure.

La piste commence après la maison des rangers où l'on acquitte le droit d'entrée au parc (45 kn). Elle aboutit à un petit parking herbeux, au pied de la station météorologique. Cette dernière est pourvue d'une ou deux tables de bois où l'on peut poser son pique-nique.

Depuis le parking part un sentier qui mène à l'entrée d'une réserve botanique et aux différents sentiers de randonnée qui sillonnent le parc, dont le **sentier Premužic** (Premužićeva staza) qui le traverse du nord au sud (12 km). Le **jardin botanique** situé à 1 480 m d'altitude est une merveille, notamment aux mois de juin et juillet, au moment de la floraison. Plus de 300 espèces végétales ont été recensées, sur plus de 5 ha *(1h de marche)*.

Revenez sur la route principale et tournez à droite afin d'atteindre Krasno et le bureau du parc. La **vallée**★ est particulièrement riante.

4

Krasno – *Le bureau d'informations du parc se trouve 1 km après le bourg en direction d'Otočac.* Si vous ne les avez pas déjà obtenues à Senj, vous y trouverez toutes les cartes nécessaires et des présentations sur la faune et la flore du parc. Le bourg serait aussi connu pour son site marial *(direction Otočac, après 3 km, tournez à gauche).*

Poursuivez en direction d'Otočac. Après une dizaine de kilomètres, tournez à droite vers Kuterevo.

L'orphelinat des ours – *Kuterevo. Des panonceaux de bois portant l'effigie d'un ours mènent derrière l'église, puis jusqu'à l'orphelinat. ✆ 053 799 222 - 8h-20h - 4 €.* Au cœur du massif montagneux, le village de Kuterevo accueille, depuis 2002, un orphelinat pour de jeunes ours ayant perdu leur mère dans différentes circonstances. Le site dispose de plusieurs espaces clôturés, et d'une maisonnette pour les plus jeunes. En 2008, par exemple, le centre accueillit six ours, dont deux petits d'environ quatre mois, l'un d'eux recueilli mal en point au bord d'une route, l'autre dans une maison qu'il avait ravagée en fouinant partout ! Les guides bénévoles racontent volontiers l'histoire de chaque pensionnaire.

Revenez sur vos pas et reprenez la direction de la côte.

★★★ Corniche C2

Au sud de Senj, à partir de **Sv. Juraj**, la route, tracée en corniche, remonte et domine la mer. Côté mer, les **vues★★★** sont exceptionnelles : Krk laisse peu à peu la place à des îlots (**Prvić**, **Sv. Grgur**, **Goli Otok**, bagne pour prisonniers politiques sous Tito) et, bientôt, à l'île de **Rab**. Sur la gauche, la barre du Velebit. La végétation est rare et seuls quelques hameaux, constitués pour l'essentiel de villas modernes ou en construction, viennent l'égayer. En arrière, pour peu que l'on puisse s'arrêter pour la contempler (ce qui n'est pas toujours évident !), la **vue★★** sur le fond du golfe de Kvarner (avec la tache blanche de Rijeka) est splendide.

Jablanac C2

Accès par une étroite route à sens unique marquée « trajekt » ou Rab.

Minuscule port, surtout fréquenté pour être le point d'embarquement du ferry *(Trajekt)* pour l'île de **Rab★** *(voir ce nom).* Une jolie petite église, posée au bord de l'eau, présente sur sa façade une ancre marine ainsi que les effigies des saints Cyrille et Méthode.

Fjord de Zavratnica – *30mn - accès près de la guérite des billets pour le ferry.* Le sentier épouse le tracé de la côte en contrebas de roches blanches et délavées, éblouissantes. En face, l'île de Rab. Au détour d'un rocher apparaît le fjord aux eaux translucides dans lesquelles se mirent les résineux.

NOS ADRESSES PRÈS DU GOLFE DE KVARNER

INFORMATIONS UTILES

Bon à savoir – Sauf si vous tenez absolument à vous baigner, le littoral et les îles du golfe de Kvarner gagneront à être découverts hors saison, au printemps de préférence, ne serait-ce que pour des raisons d'affluence. Pour les mêmes raisons, évitez les week-ends lorsque les habitants de Rijeka délaissent la ville pour la côte, sans oublier les voisins Slovènes ou Italiens du Nord qui franchissent alors en masse la frontière. Difficile de se garer, en effet, dans les villages et les villes, et les quelques points de vue aménagés sont généralement inaccessibles. En outre, vous serez plus ou moins contraint de parcourir ces routes à une vitesse difficilement compatible avec la contemplation des paysages, à moins de savoir rester sourd aux coups de klaxon accompagnés de propos peu amènes des conducteurs qui vous suivent.

ARRIVER/PARTIR

Bus – Entre Lovran, Opatija et Rijeka (bus n° 32), service de l'aube à 0h, 3 bus/h dans la journée. Vers Mošćenička Draga, bus réguliers de 4h à 21h le w.-end.

Gagner les îles

Krk – Prendre à Kraljevica (23 km au sud de Rijeka) le pont à péage.

Rab – Depuis Jablanac (44 km au sud de Senj) : dép. quotidiens pour Mišnjak. Traversée de 15mn env.

Cres et Lošinj – Depuis Brestova (entre Lovran et Labin) : dép. quotidiens ttes les h pour Porozina (20mn de traversée).

D'île en île

De Rab à Krk – Ligne Lopar-Baška entre déb. juin et fin sept. (*☏ 051 211 444*).

De Krk à Cres – Ligne Valbiska-Merag, tte l'année.

Renseignements sur les horaires et les tarifs (ceux-ci étant variables selon la taille et le type du véhicule ainsi que le nombre de passagers) sur place, ainsi que sur le site *www.jadrolinija.hr* - *☏ 060 321 321.*

Bon à savoir –Notez que les horaires officiels peuvent être assez élastiques : en fonction de la demande, il est possible qu'un ferry imprévu se mette en place avant l'heure affichée.

Notez également que s'il est possible d'acheter son billet à l'avance, cela ne vaut pas réservation : on accède au ferry suivant l'ordre d'arrivée. Les navires pouvant généralement transporter une vingtaine de véhicules (moins, si un car ou un gros camion est de la partie, plus si un ferry de taille plus importante est mis en service), vous pouvez dès l'arrivée au port d'embarquement évaluer vos chances d'embarquer en fonction de la file d'attente. D'une façon générale, laissez la voiture dans la queue et prenez votre billet dès l'ouverture du guichet, de façon à ne pas voir des voyageurs plus prévoyants en profiter pour vous passer sous le nez. Prévoyez enfin, au plus fort de la saison, une attente assez longue… et de quoi l'occuper : l'équipement des points d'embarquement se résume généralement à un guichet, une buvette et des toilettes.

NAUTISME

Ports de plaisance d'Opatija-Ičići, de Punat (Krk), de Cres, de Mali Lošinj, de Rab et de Supetarska Draga.

HÉBERGEMENT

À Dramalj

UNE FOLIE

Grand Hotel Dramalj – *Braće Car 6 - ✆ 051 690 100 - www.grand-hotel.hr - 16 ch. et 5 appart. 72/79 €/pers. en ch. ☕ et possibilité de 1/2 P.* Idéalement situé, à quelques minutes de la plage et du très vivant bord de mer, l'établissement offre une vue magnifique sur la mer. Les chambres sont chaleureuses et agréables, tout comme le personnel.

À Crikvenica

BUDGET MOYEN

Hotel Kaštel – *Frankopanska 22 - ✆ 051 241 044 - www.jadran-crikvenica.hr - 66 ch. et 8 appart. 55/59 €/pers. en 1/2 P ☕.* Murs chaulés de blanc, boiseries sombres, décoration sobre donnent son atmosphère à cet hôtel installé dans un ancien monastère, et idéalement situé face à la petite plage de la station.

Appartments Lounger Frkovlc – *Vukovarska 26 - ✆ 051 785 115 - www.lounger.com.hr - 7 appart. 40/45 € pour 2 pers., 81/86 € pour 5 pers.* Tous dotés d'une petite terrasse avec vue sur la mer, les appartements sont simplement décorés et confortables. Avec son jardin fleuri, cette maison ne manque pas d'attrait.

UNE FOLIE

Hotel Balatura – *Mali Sušik 2 à Tribalj - à 7 km au N de Crikvenica - ✆ 051 455 340 - www.hotel-balatura.hr - 10 ch. 100/150 € - ☕ en hte sais.* Cette vieille demeure de plus de 300 ans a été entièrement restaurée par un couple de passionnés. Les pierres ont été mises à nu et l'architecture préservée, pour donner une maison d'hôte au charme unique. Les chambres sont spacieuses, claires et élégamment décorées ; les salles de bains sont presque creusées dans la pierre. Le patio est parfait pour boire un verre de vin blanc provenant de l'île de Krk voisine, et la salle à manger idéale pour déguster une cuisine savoureuse, saine et agrémentée des herbes aromatiques du jardin. Une adresse d'exception !

À Senj

BUDGET MOYEN

Garni-hotel Art – *Obala Kralja Zvonimira 15 - ✆ 053 884 377/78/79 - www.coning.hr- 🅿 - 24 ch. 59/65 € ☕.* Au-dessus de la ville, petit hôtel très simple dont la plupart des chambres donnent sur la mer (quoique le parking aménagé sous les fenêtres gâche un peu la vue). Accueil moyen. Pour dépanner.

RESTAURATION

À Senj

BUDGET MOYEN

Konoba Lavlji Dvor – *Preradovica 2, dans une petite rue à deux pas de la cathédrale - ✆ 053 882 107 - www.lavlji-dvor.hr - poisson 260 kn/kg, plats 40/80 kn.* Dans un joli patio aux arcades sculptées, on se régale de poissons et de fruits de mer, mais aussi des plats de viande accompagnés de légumes. Service attentif.

Restoran Krešimir – *obala Kralja Zvonimira 10 - ✆ 053 885 247 - poisson 300 kn/kg, plats 40/80 kn.* La terrasse avec vue sur le port de Senj est parfaite pour déguster un poisson, spécialité de la maison. La carte comprend aussi des viandes et des pizzas.

À Crikvenica

BUDGET MOYEN

Bistro Bodulka – *Strossmayerovo šetalište 4 - ✆ 051 241 730 -*

Idéalement situé sur la promenade, le bistro Bodulka propose une carte internationale et de qualité. Salades, poissons et viandes grillées, tout y est savoureux. Service agréable.

ACTIVITÉS

Randonnée

À pied

Les sentiers de la **Rijeka Climbing Route**, marqués **RT**, mènent aux sommets de la région (Učka, Platak, Risnjak, etc.) et se terminent à Crikvenica. Plusieurs chemins de randonnée au départ de Crikvenica, Novi Vinodolski, Jadranovo, Dramalj, le long de la côte et sur les plateaux au-dessus de la vallée de Vinodol : la carte avec description détaillée est disponible dans les offices de tourisme de la riviera Crikvenica.

À vélo

Demander la brochure **Kvarner by Bicycle** éditée par l'office de tourisme de la région de Kvarner : 19 itinéraires détaillés (schéma, niveau de difficulté, graphique de dénivellation) et un tour de 7 j. dans la région sont proposés.

Bien-être

Thalassotherapia Crikvenica – *Gajevo šetalište 21 - ✆ 051 407 666 - www.thalasso-ck.hr.* Institut spécialisé en réhabilitation des patients atteints de maladies respiratoires (enfants et adultes) et de rhumatismes.

Rijeka

128 624 habitants – Kvarner

NOS ADRESSES PAGE 292

S'INFORMER

Office de tourisme – Užarska 14 - ✆ *051 315 710 - www.tz-rijeka.hr.*
Centre d'informations touristiques – *Korzo 14 - ✆ 051 335 882 - été : 8h-20h, dim. 9h-14h ; hiver : tlj sf dim. 8h-19h30, sam. 9h-14h.*

SE REPÉRER

Carte de région A1 (p. 274-275) – *carte Michelin n° 757 B-C6.* Posée au pied du Gorski Kotar, au débouché de l'autoroute Zagreb-Pula, Rijeka est un gros port industriel qui se signale de loin par ses cheminées d'usine et les gratte-ciel construits en bordure de la route de corniche.

Voir la rubrique « Arriver/partir » dans *Nos adresses.*

SE GARER

La circulation étant une rude épreuve, stationnez au plus vite.
En arrivant par la voie de contournement (Zaobilaznica), vous rejoindrez facilement Trsat où vous pourrez garer votre voiture sur le grand parking de Trg Viktora Bubnja.
En arrivant par la route littorale, vous entrez dans la ville par Krešimirova et Riva où les quelques parkings sont vite complets. Celui de Delta, après Jelačićev trg, entre le canal Mrtvi et la Rječina, est le plus pratique pour le port et la ville basse.

À NE PAS MANQUER

La promenade sur le Korzo, l'église N.-D. de Trsat, la vue depuis le château de Trsat.

ORGANISER SON TEMPS

La promenade à travers la ville peut se faire en 2h (sans la visite des musées). Comptez 1h pour visiter Trsat. Pour ceux qui préfèrent emprunter les escaliers, la montée s'effectue mieux le matin à la fraîche.

AVEC LES ENFANTS

Le château de Trsat, son donjon et ses galeries, le musée d'Histoire naturelle.

C'est le plus grand port de Croatie, et cela fut longtemps la ville la plus importante du pays. Plaque tournante du tourisme adriatique, la ville présente au premier abord un visage un peu ingrat, que les tours juchées sur les hauteurs ne contribuent pas à améliorer. Pourtant, il serait dommage de ne pas consacrer quelques heures à la découverte de cette cité dynamique qui a conservé quelques vestiges de son passé, en particulier de l'époque pas si lointaine (celle que l'on qualifiait de « belle ») où elle dépendait directement de l'Empire austro-hongrois.

Le Korzo de Rijeka.
D. Donadoni / Marka / age fotostock

Se promener

LA VIEILLE VILLE (Stari grad) AB1-2

Circuit tracé en vert sur le plan (p. 288-289) – Comptez 2h.
Laissez la voiture sur le parking de Delta et traversez Fiumara à hauteur de la station d'autobus de Jelačićev trg. Vous arrivez à une petite place d'où part sur la gauche une rue piétonne, Ante Starčevića. Prenez tout droit dans Užarska.

Église de l'Assomption de Ste-Marie (Crkva Uznesenja B.D. Marije) B2
Elle est précédée d'un élégant **clocher★** d'époque gothique (1377). Construit en brique sur une base récupérée d'édifices antiques, orné de fenêtres géminées, son inclinaison (discrète) lui a valu le surnom de tour penchée. L'église quant à elle arbore une façade théâtrale où se mêlent avec allégresse les styles : rosace Renaissance, porche baroque, colonnade néoclassique et, pour coiffer le tout, un fronton triangulaire historiciste. Un véritable manuel d'architecture ! Décor intérieur baroque, dont les stucs sont attribués à Giulio Quadrio.
Prenez dans le prolongement d'Užarska la rue Petra-Zoranića.
Cette longue rue piétonne, étroite et sinueuse, conduit au centre de la vieille ville. Dans celle-ci, qui a beaucoup souffert de bombardements lors de la Seconde Guerre mondiale, se mêlent bâtiments anciens, fantaisies historicistes de l'ère austro-hongroise et immeubles récents, de béton pour les années de l'après-guerre, de verre et d'acier pour les plus récents. Le tout compose un ensemble assez disparate.
Prenez à droite la petite rue Andrije Medulica qui monte vers l'église St-Guy.

★ **Cathédrale St-Guy** (Katedrala sv. Vida) B2
Dépité par sa malchance au jeu, un habitant de Rijeka lança une pierre sur un crucifix. Celui-ci se mit aussitôt à saigner, miracle qui justifiait amplement la construction d'une église destinée à l'abriter. C'est un architecte jésuite

qui fut chargé en 1638 de construire l'édifice pour lequel il s'inspira, dit-on, de l'église de la Salute à Venise. Toujours est-il qu'il a adopté une forme de rotonde, unique en Croatie, et bien visible, malgré l'adjonction ultérieure d'un portique. L'intérieur est un hymne au baroque triomphant. Près de l'entrée centrale, vous verrez un boulet de canon enfoncé dans le mur. Témoignage d'un épisode des guerres napoléoniennes, l'inscription en latin qui l'accompagne ne manque pas d'humour : « Ce fruit nous fut envoyé par l'Angleterre qui voulait évincer d'ici les Gaulois. »

Revenez à la rue Petra-Zoranića.

À droite, l'**ancienne mairie** (Palača komuna) est un modeste édifice d'origine médiévale, largement retouché et agrandi à l'époque baroque. Un peu plus loin, une étroite rue est enjambée par une arche en gros appareil de pierre : c'est la **Vieille Porte** (Stara vrata), qui date probablement de la fin de l'Empire romain. En face, sur votre gauche, la **place Ivan-Kobler** (trg Ivana Koblera) communique par la voûte percée sous la **tour de la Ville★★** (Gradski toranj) avec le **Korzo★** *(voir ci-après).*

Après une place ombragée de beaux arbres, en obliquant sur la gauche, on contourne l'église St-Jérôme pour arriver sur une noble place carrée.

Place de la Résolution-de-Rijeka (Trg Riječke rezolucije) A2

Ornée en son centre d'une colonne du 16e s. sur laquelle a été sculpté un bas-relief représentant saint Guy porteur dans sa main gauche d'une maquette de la cité de Rijeka, cette place est bordée de bâtiments qui ne manquent pas d'intérêt.

Ancien hôtel de ville (Palača Municipija) – Ancien couvent des Augustins, il arbore une façade néoclassique au balcon supporté par une colonnade. Il abrite aujourd'hui le rectorat de l'université.

Église St-Jérôme (Crkva sv. Jeronima) – Construite au 14e s., l'église des Augustins a été remaniée à l'époque baroque. Sobre façade, coiffée d'un agréable pignon ondulé.

Traversez la place de la République-Croate (Republike Hrvatske) pour prendre en face la rue Dolac.

Dolac A1

Cette rue concentre un certain nombre d'immeubles historicistes, caractéristiques des opérations d'urbanisme réalisées à Rijeka à l'époque de l'essor industriel.

Bibliothèque de l'Université (Sveučilišna knjižnica) – *Au n° 1 - tlj sf w.-end 8h-15h - 10 kn.* Elle abrite au 1er étage une **collection glagolitique** (Izložba Glagoljice) consacrée à l'évolution de cette forme d'écriture et, au second, un **musée d'Art moderne et contemporain** (Muzej moderne i suvremene umjetnosti) qui présente des expositions temporaires *(tlj sf lun. 10h-13h, 18h-21h).* Quelques mètres plus loin, remarquez sur la gauche, au n° 7, un réjouissant pastiche de **« maison vénitienne »** construit pour l'industriel anglais Robert Whitehead. Au n° 13, l'ancien **théâtre Fenice**, aujourd'hui un cinéma, fut construit en 1913 en béton armé dans un style hésitant entre Sécession et futurisme.

Poursuivez jusqu'au bout de Dolac et prenez sur la gauche Erazma Barčića qui amène au Korzo.

★ Korzo A2

Large artère piétonne, sans cesse parcourue par la foule où se mêlent touristes et autochtones à l'heure de la *passeggiata*. Le Korzo a pris son allure actuelle entre 1850 et 1930 lorsque les immeubles historicistes, Sécession, futuristes et rationalistes sont venus s'y élever.

Moments d'histoire et de fête

LA RÉSOLUTION DE RIJEKA

En 1905, les troubles se multipliaient en Hongrie, les Magyars revendiquant d'une voix de plus en plus forte l'indépendance de leur nation. Le 3 octobre, réunis dans le bâtiment du Korzo qui abrite aujourd'hui les studios de Radio-Rijeka, les députés d'opposition croates votaient et envoyaient à l'empereur cette fameuse résolution dans laquelle ils affirmaient leur solidarité avec le voisin hongrois, demandaient le rattachement de la Dalmatie au royaume de Croatie et exigeaient de l'Empire la liberté politique, économique et culturelle. Mais une nouvelle fois, le vieil empereur François-Joseph fit la sourde oreille.

LE RAID DU POÈTE

Novembre 1918 et d'Annunzio

L'Italie est dans le camp des vainqueurs ; l'actuelle Croatie, dépendant jusqu'alors de l'Empire austro-hongrois, dans celui des vaincus. Que faire des territoires, vénitiens jusqu'en 1897 et revendiqués par les Italiens en qualité d'héritiers de la Sérénissime ? Les diplomates alliés tergiversent. C'est alors que l'extravagant poète **Gabriele D'Annunzio** (1863-1938) décide d'agir, sans en référer à qui que ce soit : le 12 septembre 1919, à la tête de ses fidèles, les « *arditi* », il occupe Rijeka, qui devient alors **Fiume** et y établit une république dont il se proclame le régent. Il rédige une constitution qui, sur bien des points, annonce le fascisme.

Rijeka italienne

De 1919 à 1921, D'Annunzio va légiférer et gouverner son territoire de façon à peu près autonome jusqu'à ce que, de guerre lasse, le Congrès accorde officiellement la souveraineté sur la région aux Italiens. L'Istrie, les îles de Cres et de Lošinj, Opatija (devenue Abbazia) et Fiume sont rattachés à la région du Frioul-Vénétie julienne. La frontière était alors très proche, puisque c'est la Rječina qui séparait l'Italie du royaume yougoslave, ce qui entraîna le développement du quartier de Sušak, situé à l'est du fleuve. Rijeka restera italienne jusqu'en 1943. Quant à D'Annunzio, il s'en va finir ses jours dans son domaine du lac de Garde où il mène une vie à la fois retirée et excentrique.

UN DES PLUS GRANDS CARNAVALS D'EUROPE

Il existe depuis vingt ans et il a acquis une réputation telle qu'il est aujourd'hui devenu incontournable. Quelques chiffres à l'appui de cette thèse : plus de 10 000 participants, 140 groupes représentant douze pays et un nombre de spectateurs supérieur à cent mille envahissent les rues de Rijeka chaque année, entre fin février et début mars, pour assister à ces défilés pleins de couleurs et d'humour. Il s'agit en fait d'une tradition plus ancienne qu'il n'y paraît puisqu'on se rappelle qu'aux temps de la monarchie austro-hongroise, des bals masqués réunissaient dans les salons la noblesse européenne. Parmi les manifestations les plus étonnantes du carnaval, citons le rallye automobile (masqué !) Pariz-Bakar, qui relie la capitale du Kvarner, depuis Partzanski put (à Trsat) à la petite ville côtière de Bakar, située à une quinzaine de kilomètres au sud. Ceux qui ont parcouru cette route vertigineuse, sans masque, apprécieront la performance !

On en voit un premier exemple (pas le plus réussi) avec la **place de l'Adriatique** (Jadranski trg) ornée de jets d'eau où s'élèvent deux immeubles assez pompeux, le palais de l'Adriatique (Palača Jadran) investi par des compagnies maritimes et le siège de la Banque de Rijeka, et le navrant « gratte-ciel de Rijeka » (Riječki neboder) dit aussi « l'armoire à tiroirs », élevé dans le style dit rationaliste à la fin des années 1930 par un architecte de Trieste. Au-delà, au n° 28, le bar Hemingway occupe le rez-de-chaussée d'un palais du 19e s., celui de la « philodramatique » : belle façade à colonnades peuplée de divinités dénudées, et décorée de stucs et de peintures.

Une fois franchie la place de la République, dans la partie la plus large du Korzo, vous rencontrerez sur la gauche l'agréable **Petit Salon** (Mali salon)

avec sa colonnade classique, des immeubles de style Sécession comme celui de la **Salle de lecture croate** (Hrvatska čitaonica) et le bel immeuble abritant les **magasins Karolina**, représentatif de l'architecture de fer du début du siècle passé.

★★ Tour de la ville

(Gradski toranj) A2

Cette belle tour baroque d'harmonieuses proportions a été élevée au 17e s. et coiffée d'un dôme portant une horloge. L'arche est surmontée des bustes en bas-relief de deux empereurs autrichiens, Léopold et Charles VI. Encore au-dessus plane l'aigle bicéphale des Habsbourg.

Prenez en face la rue Ignacia-Henckea.

SE LOGER

Auberge de jeunesse Rijeka.......... 2
Grand Hotel Bonavia.......... 4
Jadran.......... 6
Kontinental.......... 8

SE RESTAURER

Arca Fiumana.......... 2
Feral.......... 4
Municipium.......... 5
Zlatna Školjka.......... 6

Église orthodoxe St-Nicolas (Pravoslavna crkva sv. Nikole) A2
Au n° 4, sur la gauche. Rien n'annonce de l'extérieur cette église située dans un édifice baroque. Selon la légende, le gouverneur de Rijeka fut un jour si ennuyé par les demandes insistantes de la communauté serbe pour obtenir l'autorisation de construire une église qu'il jeta une pierre dans la mer en s'écriant : « Là ! Construisez là-bas votre église ! » Courageux, les Serbes remplirent de terre l'espace devant la Tour de la ville et bâtirent leur église. Nul ne sait si l'histoire est vraie, mais elle permet de voir l'avancée sur la mer effectuée au cours des siècles. L'église possède une collection d'icônes du 18e s. en provenance de Serbie et de Bosnie.
Poursuivez et tournez à gauche dans la rue Ivana-Zajca.

Palais Modello (Palača Modello) B2
Œuvre des architectes autrichiens Fellner et Helmer, cet imposant édifice déployant un joyeux mélange de styles était destiné à une banque. Il abrite aujourd'hui la bibliothèque municipale et le centre culturel de la communauté italienne de Rijeka.

Théâtre national croate Ivan Zajc
(Hrvatsko narodno kazalište Ivana pl. Zajca) B2
Construit par les mêmes architectes que le palais Modello, le Théâtre national croate a ouvert ses portes en 1885. Richement décoré, c'est l'un des plus beaux édifices de la ville. Les groupes sculptés évoquant *La Musique et Le Drame* sont l'œuvre d'un sculpteur vénitien Benvenutti. Ne manquez pas d'assister à un spectacle, ne serait-ce que pour admirer les peintures de Klimt au plafond. Dans un square aménagé devant le théâtre, la statue d'Ivan Zajc rend hommage au célèbre compositeur croate.
Les trois halles Belle Époque du **marché central** clôturent le square.
Par la rue Veslarska, rejoignez la place Jelačić et le parking Delta.

TRSAT C1

Depuis le centre-ville :
À pied par les escaliers. Longez le canal Mrtvi puis, juste après son confluent avec la Rječina, traversez Strossmayerova. Le « stube » Petra Kružića s'amorce juste en face.
En bus - par le 1 et le 1B à la station de Jelačićev trg ; en voiture - par l'av. Strossmayer en direction du centre, puis sur la droite le bd (bulevar) Oslobođenja qui monte en lacets serrés (le premier passe sous la voie ferrée) et se poursuit par les promenades (Šetalište) Ivana-Gorana-Kovačića et Joakima-Rakovca.
Depuis la voie express de corniche Rijeka-Zagreb-Split : sortez par Rijeka-Est à la sortie du tunnel Trsat (lorsqu'on va en direction de Zagreb). Prenez sur la gauche l'av. Franje-Račkoga en direction du centre, puis sur la gauche, la petite route signalisée Trsat.

★ **Escaliers de Trsat** (Trsatske stube)
Plus de 500 marches permettent de rallier, depuis la ville basse, Trsat (à 139 m d'altitude), par des escaliers ponctués de chapelles votives, et parcourus le 15 août par une foule de pèlerins, lors d'une procession solennelle. Une partie de ces escaliers porte le nom d'un capitaine des redoutables Uskoks *(voir à Senj, dans le golfe de Kvarner)*, Petar Kružić, qui, en 1531, en aurait commencé la construction. S'élevant sur la colline, ils ménagent de belles **vues** sur la baie de Rijeka.

DE LA TORPILLE À LA TORPÉDO

Si Ivan Luppis proposa le principe de la torpille dès 1860, c'est une fonderie métallurgique de Rijeka qui parvint à fabriquer et à commercialiser ces munitions sous-marines.
En 1866, en effet, un ingénieur anglais, **Robert Whitehead**, qui avait pris le contrôle de la société, développa le nouveau produit et lui donna son nom de torpille, *torpedo*, en italien. Le succès fut tel que la compagnie prit en 1876 le nom de Torpedo... sous lequel elle produisait encore des engins agricoles récemment. Rien à voir en revanche avec la voiture décapotable torpédo.

Monastère franciscain et église N.-D. de Trsat

(Franjevački samostan i Crkva Gospe Trsatske)
Cette église, honorant jadis la légende du transfert de la maison de la sainte Famille à Lorette, a succédé à un premier sanctuaire édifié au 13e s. par les seigneurs locaux, les célèbres Frankopan. L'édifice d'aujourd'hui date, pour ses parties les plus anciennes, du 15e s.
On y accède par le cloître baroque du monastère franciscain et une porte latérale donnant sur la chapelle où sont recueillis les dons des pèlerins. Baroque, l'église conserve une peinture de la Vierge, offerte en 1367 par le pape Urbain V. De retour au cloître, il faut visiter le réfectoire d'été et le trésor, exposé à l'étage. En juin 2003, Jean-Paul II, lors de sa troisième visite en Croatie, qui fut également le 100e voyage officiel de son pontificat, a célébré la messe à N.-D. de Trsat devant une foule considérable de fidèles.

Rue Petr Zrinski (Ulica Petra Zrinskog)

Depuis la place Frankopan, cette rue est bordée de maisons basses, la plupart reconverties en cafés. C'est que Trsat est fort appréciée des habitants de Rijeka et pas seulement pour de pieuses raisons : ils aiment fréquenter les hauteurs, lors des mois d'été, lorsque la chaleur dans la ville basse devient étouffante, afin de capter le moindre souffle d'air frais.
Au bout de la rue, sur la gauche, la petite église **St-Georges** (Crkva Sv. Jurja), au sol pavé de galets, est la reconstruction (au 19e s.) d'une église datant du 13e s.

Château de Trsat (Kaštel Trsatska gradina)

Tlj sf lun. en basse sais. 9h-20h - 15 kn.
Le château, spectaculairement médiéval, que vous découvrez aujourd'hui n'a que peu à voir avec la forteresse féodale d'où les Frankopan dirigeaient leurs États. Il s'agit en effet d'une reconstitution, à faire pâlir de jalousie Viollet-le-Duc, commandée au 19e s. par un maréchal autrichien, le comte Laval Nugent de Westmeath.
Du donjon (appelé la « tour romaine »), **vue★★★** splendide sur l'ensemble du golfe de Kvarner, la côte orientale d'Istrie et les îles de Cres et de Krk.
Remarquez également sur la terrasse supérieure l'amusant mausolée de la famille Nugent, construit à l'imitation d'un temple grec. Le château accueille aujourd'hui des expositions ainsi que des spectacles.

Parc N.-D. de Trsat (Perivoj Gospe Trsatske)

Accès en contournant le monastère et en descendant à droite le long de Fra Serafina Schona. Grand parc ombragé d'essences méditerranéennes, aménagé en contrebas du monastère. C'est le havre de verdure des habitants de Rijeka.

À voir aussi

Musée de la Marine et d'Histoire du littoral croate
(Pomorski i povijesni muzej Hrvatskog primorja) A1
Muzejski trg 1 - ✆ 051 553 667 - www.ppmhp.hr - mar.-vend. 9h-20h, sam. 9h-13h - fermé dim. et lun. - 20 kn (étud. 10 kn).
Placé sur une terrasse (les rues qui y montent sont particulièrement coupe-jarrets !), le musée est installé dans un palais pompeux qui fut la résidence des gouverneurs hongrois, puis de Gabriele D'Annunzio. Collections archéologiques, historiques, ethnologiques et maritimes retraçant l'histoire et le développement du port de Rijeka. Dans le petit jardin, remarquez les lance-torpilles : ces armes redoutées par les navires furent en effet mises au point (par Ivan Luppis), testées et fabriquées à Rijeka.

Musée de la ville de Rijeka (Muzej grada Rijeke) A1
Muzejski trg 1/1, dans un édifice récent à côté du précédent - ✆ 051 336 711 - www.muzej-rijeka.hr - tlj sf dim. 10h-13h, 16h-20h, sam. 10h-13h - 10 kn.
Il est consacré à l'histoire locale récente.

Musée d'Histoire naturelle (Prirodoslovni muzej) A1
Lorenzov prolaz 1 - ✆ 051 553 669 - www.prirodoslovni.com - tlj 9h-19h, dim. 9h-15h. 10 kn (étud. et enf. 5 kn).
Histoire géologique de l'Adriatique et de la région de Rijeka, collections de reptiles et d'insectes, un centre multimédia avec un petit aquarium… de quoi amuser les enfants et intéresser les amateurs de la nature. Un jardin botanique ouvert en 2005 permet de se familiariser avec la flore de la région.

NOS ADRESSES À RIJEKA

INFORMATIONS UTILES

Wifi gratuit – sur les principales places et axes de la ville.
Peek & Poke – *Dubrovačka 6, dans la rue qui remonte de St-Guy vers la voie de chemin de fer, après le carrefour avec Žrtava fašizma, sur la droite, une vitrine de magasin enchâssée dans un immeuble ancien - ✆ 051 680 770 - www.peekpoke.hr - sem. 10h-20h, sam. 10h-14h.* En plus d'être un point Internet, cette adresse rassemble une collection d'ordinateurs allant du plus ancien au plus moderne, tous en état de marche et que l'on peut « essayer ».

ARRIVER/PARTIR

Par mer
Jadrolinija – La compagnie de ferries a son siège social à Rijeka : *Riječki lukobran bb - ✆ 051 211 444 - www.jadrolinija.hr.*
Pour la **Dalmatie** – par la ligne côtière **Rijeka-Dubrovnik-Bari**. Plusieurs liaisons hebdomadaires selon la saison. Escales à Split (10h), Starigrad sur l'île de Hvar (12h), Korčula (14/15h) et Dubrovnik (18/20h). En été, à Brbinj (Dugi Otok) et Sobra (Mljet).
Pour les **îles du Kvarner** – Un catamaran relie quotidiennement Rijeka à **Cres**, Martinšćica, Unije,

Susak et Mali Lošinj. Un autre catamaran relie **Rab** (1h50), Novalja sur Pag (2h30), Lošinj (3h10). Pour atteindre les îles en voiture, il vous faudra aller à Brestova (42 km au sud par Opatija) ou passer par le pont de Krk puis prendre un ferry à Valbiska. Pour Rab, le ferry se prend à Jablanac (105 km au sud-est par Senj).

Autobus

Il existe deux gares routières à Rijeka, la première à l'est de la vieille ville sur Žabica, la seconde sur Jelačićev trg à l'ouest de Korzo. En venant d'Opatija, les bus desservent ces 2 gares en passant par Riva le long des quais. Terminus à Jelačićev trg.

Gare routière de Žabica (Autobusni kolodvor) – *trg Žabica 1 - ✆ 051 660 300 - consigne ouverte de 6h à 22h.*

Agence Autotrans – *riva 22 - ✆ 051 212 228 - www.autotrans-turizam.com.* **Desserte nationale** – Nombreux bus quotidiens pour Zagreb *via* Karlovac, Labin et Pula, Rovinj, Pazin, Poreč, Zadar et Šibenik, Split et Dubrovnik, Senj, Crikvenica, Krk (et Baška), enfin quelques bus pour les points d'embarquement à destination de Cres, Lošinj, Rab, Pag. Les **liaisons internationales** sont nombreuses avec les villes allemandes, plus rares avec l'Autriche et la Suisse. Quelques liaisons pour Trieste, Sarajevo et Ljubljana.

Gare routière de Jelačićev trg – *7h30-19h30.* Elle assure la desserte locale : riviera d'Opatija et Trsat (bus 1 et 1A).

Train

Gare ferroviaire (Željeznički kolodvor) – *Krešimirova 5 (à l'ouest du centre-ville) - ✆ 051 213 333 - consigne ouv. de 9h à 21h - distributeur automatique.* Pas de train direct pour la Dalmatie. Trains pour Zagreb *via* Karlovac, Split, Vienne, Ljubljana, Budapest.

En voiture

Taxis – *Auto-taxi Rijeka : ✆ 051 332 893 (*centrale de réservation pour toutes les compagnies de taxi). *Taxi Rijeka : ✆ 091 500 33 50* (pas de supplément la nuit). Taxi Adria : *✆ 051 301 301.*

HÉBERGEMENT

PREMIER PRIX

Auberge de jeunesse – Hors Plan – *Šet. XIII divizije 23 - ✆ 051 406 420 - www.hfhs.hr - 13 ch., 61 lits 18,70/21,30 €/pers. dans un dortoir, 36/38,70 €/pers. dans une ch. double.*
Dans une belle villa austro-hongroise rénovée, cet *hostel* possède des dortoirs et des chambres doubles toutes équipées d'une salle de bains. Situé dans une banlieue agréable, au-dessus d'un petit parc face à la mer, il est facile d'accès pour les motorisés. Les piétons doivent prendre le bus n° 2 dans le centre-ville.

POUR SE FAIRE PLAISIR

Hotel Kontinental – B2 - *Šetalište Andrije Kačića - Miošića 1 - ✆ 051 372 008 - www.jadran-hoteli.hr - 37 ch. 90 €* ☕. Construit en 1888 au bord de la Rječina, cet établissement ne manque pas de charme. Chambres bien entretenues.

UNE FOLIE

Hotel Jadran – Hors Plan - *Šetalište XIII divizije 46 - ✆ 051 216 600 - www.jadran-hoteli.hr - 69 ch. 97/114 €.* Chambres assez spacieuses, avec un balcon qui donne sur la mer. Murs blancs, décoration minimaliste et confort correct.

Grand Hotel Bonavia – A2 - *Dolac 4 - ✆ 051 357 100 - www.bonavia.hr - 114 ch. 1 135/1 320 kn* ☕. C'est, en plein centre-ville, l'hôtel de luxe de Rijeka. Si le bâtiment lui-même n'est pas d'une beauté fulgurante, les chambres sont agréables : belle vue sur la ville basse et décoration réussie.

RESTAURATION

PREMIER PRIX

Restaurant Feral – B2 – *Matije Gupca 5b (près du port, dans le prolongement de Adamićeva, juste avant le canal) - ✆ 051 212 274 - plats 30/70 kn.* Dans une jolie salle fraîche, un peu obscure, au décor rustico-marin, nombreuses spécialités *(bakalar, fuži sa tartufi).*

BUDGET MOYEN

Zlatna Školjka – A2 – *Kružna 12a (petite rue en retrait du Korzo) - ✆ 051 213 782 - plats 60/90 kn.* Petite salle décorée façon grotte sous-marine. Spécialités vénitiennes : délicieuses sardines en *saor* (sauce genre escabèche) et spaghettis à l'encre de seiche.

Arca Fiumana – A2 – *Adamićev gat - ✆ 051 319 084 - 50/100 kn.* Dans un bateau amarré au port de Rijeka, un restaurant simple et agréable où l'on mange du poisson et des fruits de mer. Un pub en bas, et quelques chambres aménagées dans la partie avant du bateau pour ceux qui sont lassés de la terre ferme.

POUR SE FAIRE PLAISIR

Municipium – A2 – *trg Riječke Rezolucije 5 - ✆ 051 213 000 - plats à partir de 80 kn.* Face au grand hôtel Bonavia, ce restaurant est une table incontournable de la ville. La carte fait la part belle aux spécialités croates (poissons et viandes) et le service est impeccable.

BOIRE UN VERRE

Café El Rio – *Jadranski trg 4c.* Idéalement placé aux abords de la vieille ville et sur une place animée, cette belle et grande salle sait aussi offrir quelque intimité. On peut s'y restaurer de spécialités mexicaines : *tortillas, guacamole*, etc.

Bar Hemingway (Gradska Kavana) – *Korzo 28.* Au pied d'un immeuble néo-antique, c'est le grand café-glacier de la ville. La terrasse, sur le Korzo, est un point d'observation stratégique.

ACHATS

Journaux – Presse internationale à la boutique **Tisak** de Korzo, en face de l'office de tourisme. Un des rares endroits de Croatie où trouver des journaux français (*Le Monde* et *Le Figaro* de l'avant-veille).

VBZ – *Dolac 7 - lun.-vend. 8h-20h, sam. 8h-13h, fermé dim.* Grande librairie où trouver des cartes et des guides.

Mala galerija – *Užarska 25 - 8h30-14h, 16h-20h, sam. 8h30-14h - fermé dim.* Vous y trouverez des objets en céramique, des bijoux et les fameux *Morčići*, souvenirs en forme de tête de Maure coiffée d'un turban.

Kušaonica Frajona – *Riva 16 - 8h-21h - fermé dim.* Vins en provenance de l'île de Krk. Dégustation proposée.

AGENDA

Carnaval de Rijeka – *Fév.-mars - www.ri-karneval.com.hr.*

Les nuits d'été de Rijeka – *Fin juin-fin juil.* Festival réunissant les grands noms de la scène théâtrale et musicale internationale.

Fiumanka – *Juin - www.fiumanka.hr.* Régate annuelle de Rijeka.

Opatija

★★

11 659 habitants – Kvarner

NOS ADRESSES PAGE 298

S'INFORMER

Office de tourisme – *V. Nazora 3 (entre l'hôtel Millenium et le parc) - ✆ 051 271 710 - www.opatija-tourism.hr - été : lun.-sam. 8h-20h, dim. 11h-20h ; hiver : lun.-sam. 8h-17h.*

Centre d'informations touristiques – *M. Tita 128 - ✆ 051 271 310 - juil.-août : 8h-21h ; avr.-sept. : 8h-18h, dim.15h-18h.*

SE REPÉRER

Carte de région A1 (p. 274-275) – *carte Michelin n° 757 B6.* Au fond du golfe de Kvarner, Opatija s'étage sur un versant à la végétation luxuriante plongeant dans la mer. Depuis la route de corniche, une route en lacets conduit au centre traversé par la rue du Maréchal-Tito (ulica Maršala Tita).

Voir la rubrique « Arriver/partir » dans *Nos adresses*.

SE GARER

Le stationnement est payant sur la rue M. Tita (du moins au centre) ; en saison et le w.-end, les places sont rares. Le plus simple est le parking de la marina (payant à des employés communaux, rue Adeline-del-Mestri descendant le long du parc).

À NE PAS MANQUER

La villa Angiolina, la promenade François-Joseph.

ORGANISER SON TEMPS

Il y a bien un musée et une galerie, mais tout dépend du temps que vous voulez passer en douces flâneries au bord de l'Adriatique.

AVEC LES ENFANTS

Parc Angiolina, terrain de jeu en bord de mer au centre-ville.

Un site qui évoque la Côte d'Azur, celle d'autrefois lorsque d'excentriques Britanniques venaient y passer l'hiver. Une végétation où cyprès et pins se mêlent aux palmiers, et où glycines, bougainvillées, lauriers-roses illuminent les jardins. Des villas et des manoirs, construits à la fin du 19e s. dans des styles où le néopompéien côtoie allégrement le néomédiéval et dont les jardins descendent jusqu'à la mer. Une extraordinaire promenade dont le tracé épouse les moindres sinuosités du littoral. Telle est Opatija, la « Nice de l'Adriatique » où semble perdurer quelque chose des fastes d'antan, ceux de l'Empire finissant, lorsque les princesses autrichiennes valsaient au bras de barons hongrois…

Se promener

Rue du Maréchal-Tito (ulica Maršala Tita)

C'est autour de cette rue principale, tracée à mi-hauteur de la colline, que s'articule la ville : de part et d'autre, les façades des villas et des hôtels rappellent les fastes d'antan, lorsque Opatija était une station mondaine accueillant l'élite de la société austro-hongroise : il en émane la nostalgie d'une époque révolue, avivée par l'aspect décati de constructions qui ont souffert du manque d'entretien, et de la transformation de nombre d'entre elles en établissements de soins spécialisés.

Parc et villa Angiolina

Parc très agréable à la végétation exubérante. L'intérieur de la luxueuse villa néoclassique est décoré de peintures en trompe l'œil que des expositions estivales ainsi que des salles dédiées à l'histoire du tourisme *(commentaires en croate)* permettent de découvrir. Au pied du parc et au bord de l'eau, la statue de la **Fille à la mouette**, exécutée par Zvonko Car, est devenue l'un des symboles d'Opatija. Elle remplace depuis 1956 la statue de la *Madonna del mare*, œuvre du sculpteur Rathausky détruite par une tempête, dont on peut voir une réplique devant l'église St-Jacob. La maison de la Suisse accueille également des expositions temporaires.

★★ Promenade François-Joseph (Šetalište Franja Jozefa I)

Accès par le Yacht-Club ou n'importe quelle ruelle transversale depuis la rue Tito.

Cette promenade piétonne épousant les courbes du littoral relie à fleur d'eau Volosko à Lovran sur 12 km. Passant au pied des villas et de leurs jardins, qui constituent parfois un véritable tunnel de verdure, elle permet de découvrir de petites criques où attendent quelques barques, de s'asseoir sur un banc pour lire, de se poser sur les rochers pour profiter du soleil ou de céder à la tentation de l'Adriatique.

À proximité Carte de région A1

★ Volosko

En voiture, quittez Opatija en direction de Rijeka par la route de corniche. Après avoir dépassé Volosko, tournez à droite vers Volosko Centar et garez-vous le long de la rue principale. Des ruelles en escalier permettent de descendre vers le port.

Charmant petit port situé à 3 km d'Opatija, en contrebas de la route, et accessible également à pied par la **promenade François-Joseph** *(comptez 1h)*. Quelques maisons aux façades colorées de teintes chaudes, comme empilées les unes sur les autres, des barques de pêcheurs, des restaurants de poisson composent autour de ce petit port un agréable tableau. Au-delà du port, le long de la promenade, de belles villas se nichent dans une verdure exubérante où les cyprès se taillent la part du lion. En face, la mer, Rijeka et Cres. Les rochers plus ou moins aménagés font office de plage.

★ Kastav

À 6 km au nord d'Opatija. Garez la voiture sur la petite place devant la porte d'entrée du village.

Perché au-dessus du golfe de Kvarner, ce beau village fortifié conserve de nombreux vestiges. À droite de l'entrée, une charmante **loggia municipale★** (Gradska Loža) construite en 1571 est la plus grande et la mieux préservée de la région. En passant par une belle **porte fortifiée** (Voltica) couronnée des armes de l'ordre des Jésuites (1769), on découvre un dédale de petites rues qui conduit à la place **Lokvina** où se dresse la petite **église de la Ste-Trinité** (Dvorska crkva Sv. Trojice). Bâtie à la fin du 14e-début du 15e s., elle conserva la plus ancienne inscription glagolitique de la région (1438). En face, le **Kaštel**, l'ancienne résidence des gouverneurs de Kastav, date de la même époque. Tout en haut du village, l'église paroissiale **Ste-Hélène-de-la-Croix** (Župna crkva

Statue de la *Fille à la mouette* par Zvonko Car.
Axiom / hemis.fr

Sv. Jelene Križavice), qui reçut un décor baroque au 17e s., abrite près du mur sud les tombeaux des gouverneurs de Kastav. De l'église, une superbe **vue★★** s'ouvre sur Opatija et le golfe de Kvarner. À côté de l'église, le haut **clocher** couronné d'une horloge (Zvonic) se dresse, telle une sentinelle, gardant la mémoire des siècles passés. Au pied du clocher, d'anciennes cloches et un monument aux victimes du dernier conflit en forme de croix de marbre blanc. On découvre dans le village les majestueuses ruines de l'église de l'Assomption-de-la-Vierge et une belle **vue★** sur l'arrière-pays vallonné. En quittant Kastav, n'oubliez pas de jeter un coup d'œil sur le bâtiment de **Čitalnica**, la première salle de lecture fondée en Istrie en 1866, où enseigna le célèbre poète Vladimir Nazor.

LE RENDEZ-VOUS « PEOPLE » DU TEMPS JADIS

C'est la construction de la villa Angiolina et l'aménagement du parc par Higinio von Scarpa qui marquèrent en 1843 les débuts du tourisme à Opatija. Ce puissant homme d'affaires y reçut le gratin de la société de l'époque, parmi lequel le ban Josip Jelačić et l'archiduc Maximilien. Autour de 1885, Opatija était devenue une station d'été appréciée de l'élite austro-hongroise : alors s'édifièrent hôtels (le Kvarner fut en 1884 le premier hôtel du littoral adriatique), sanatoriums et villas, dessinés par des architectes qui s'en donnèrent à cœur joie, multipliant les pastiches, alternant le pompeux et la fantaisie, mêlant le néopompéien au style troubadour, et peuplant leurs façades de statues de divinités, d'atlantes, de *putti*, de pilastres, frises, volutes, balustres… tandis que de somptueux jardins dévalant jusqu'à la mer étaient aménagés. Époque fastueuse d'une station où se retrouvaient l'élite du temps (les rois Charles de Roumanie et Oscar de Suède, la princesse Louise de Saxe-Cobourg) ainsi que des artistes tels Puccini, Mahler, Tchekhov ou Isadora Duncan…

NOS ADRESSES À OPATIJA

INTERNET

Wifi gratuit sur les principaux axes et places d'Opatija et Volosko.

ARRIVER/PARTIR

Autobus – D'Opatija à Rijeka, service de bus 24h/24. Les alentours (Volosko, Ičići, Lovran) sont, eux aussi, bien desservis. La gare routière est située au cœur de la ville, mais le bus pour Rijeka se prend à 100 m de là, rue Veli Jože.

Taxis – *051 704 100.* Des taxis stationnent près de la gare routière.

Ferries – Le port de Rijeka *(voir p. 292)* est facilement accessible. Les bus vous déposeront près des quais des ferries. La proximité de Brestova permet d'envisager une escapade sur Cres et Lošinj.

NAUTISME

Bon à savoir – Programme ininterrompu d'informations relatives aux conditions de navigation, prévisions météo et messages émis par Radio Rijeka, canaux 16, 24, 20 et 4.

Chapitre Nautisme p. 25.

Capitainerie – *Zert 3 - 051 711 249 - VHF 10 et 16.* Carburant à l'entrée du port.

ACI Marina Opatija-Ičići – *Entrée par le nord-est du grand brise-lames - ouv. tte l'année - Ičići POB 60 - 051 704 004 - canal VHF 17 - m.opatija@aci-club.hr.* À 2 km au sud d'Opatija (accès par le bus 35), c'est le principal port de plaisance de la région.

Marina Admiral – *45° 19' 06 N - 14° 18' 04 E – M. Tita 139 - tte l'année - 051 710 444 - www.aci.hr.* Petit port de plaisance au cœur d'Opatija : pratique pour une escale mondaine.

Location de bateaux

Aquatica - *Maršala Tita 139, c/o Hotel Admiral, 051 274 972.* Une agence de location de bateaux au cœur de la marina d'Opatija.

Initiation

A.N.A – M. *Tita 79 - 051 711 814 - www.anasailing.com.* L'académie nautique d'Adriatique propose des cours pour débutants (7 j. : 470 €) et des courses en mer de 7 j. pour différents niveaux.

HÉBERGEMENT

Chez l'habitant

PREMIER PRIX

Da Riva – *M. Tita 170 - 051 272 990 - www.da-riva.hr - ch. 15/20 €, studio 40/50 €, appart. (4 à 6 pers.) 70/100 €.* Grand choix de chambres et d'appartements. Supplément de 30 % pour un séjour inférieur à 4 nuits.

Hôtels

Bon à savoir – La société **Liburnia Riviera Hoteli** gère nombre d'hôtels de la riviera d'Opatija. *Réserv. : www.liburnia.hr*

POUR SE FAIRE PLAISIR

Villa Dubrava – *M. Tita 188/4 - 051 272 222 - 43 ch. 79/84 €.* Ce petit établissement propose des chambres agréables, un peu petites. Depuis certaines, belle vue sur le Kvarner.

Hotel Opatija – *Trg V. Gortana 2/1 - 051 271 388 - www.hotel-opatija.hr - – 125 ch. 60/96 €.* Situé au-dessus de la gare routière, au milieu des pins, cet ancien sanatorium propose des chambres d'une qualité variable, mais toutes d'un bon rapport qualité-prix, malgré un petit déjeuner moyen.

Hotel Istra – *M. Tita 143 - 051 271 299 - www.liburnia.hr -*

- 123 ch. 538/800 kn. Accès piéton par le *lungomare*, après la petite marina de l'hôtel Admiral. Ses chambres un peu fanées mais bien entretenues sont parmi les moins chères d'Opatija.

UNE FOLIE

Hotel Galeb – *M. Tita 160 - 051 271 177 - www.hotel-galeb.hr - ouvert toute l'année - 12 ch. 96/138 €, 12 suites - 1/2 P 90 kn.* Ce bel édifice abrite de vastes chambres, confortables et bien rénovées. Le petit déjeuner est de bonne qualité. Remise de 10 % pour paiement cash.

Grand Hotel Kvarner-Amalia – *Tomašića 2/2 - 051 710 444 - www.liburnia.hr - P - 86 ch. 500/1 110 kn*. La magnifique façade du 1er hôtel d'Opatija abrite des chambres d'un confort standard. Pourtant, sa situation dans l'agréable jardin botanique le long du *lungomare*, son aura historique et ses premiers prix en font un choix intéressant et agréable. On y trouve la célèbre salle « Kristal », un sauna, une piscine intérieure et une « plage » privée.

Hotel Mozart – *M. Tita 138 - 051 718 260 - www.hotel-mozart.hr - 26 ch. 127 €*. On ne peut manquer la façade rose et blanc de cet élégant hôtel de style Sécession situé en plein centre-ville. Les grands volumes des chambres, très confortables, répondent à la préciosité du décor des parties communes.

RESTAURATION

À Opatija

BUDGET MOYEN

Bevanda – *Zert 8 - 051 493 888 - 12h30-0h - poisson 340 kn/kg, agneau 230 kn/kg, plats 60/110 kn.* Sur le port, c'est le restaurant le plus réputé de la ville. Si le décor est assez clinquant, on vient ici d'abord pour la qualité de la cuisine et la fraîcheur des poissons. Belle carte de vins. Pianiste d'ambiance le soir et une grande terrasse en saison.

POUR SE FAIRE PLAISIR

Bistro Yacht-Club – *Zert 1 (accès par la promenade François-Joseph) - 051 272 345 - 8h-1h - plats 50/80 kn, poisson 320 kn/kg.* Un petit bâtiment blanc et bleu posé comme un navire sur le port de plaisance. Salades, poissons, risotto aux fruits de mer ou à l'encre de seiche, et langoustines *alla buzzara*. Une adresse très appréciée.

Villa Ariston – *M. Tita 174 - 051 271 379.* Les fastes de la Belle Époque dans une villa de la fin du 19e s. Belle carte de poissons et fruits de mer.

À Volosko

Bon à savoir – Les quais du petit port sont occupés par plusieurs restaurants de standing très divers : la **Gostionica Ivka**, dominant le quai sur une terrasse, le **Restoran Mili**, plus huppé et **Le Mandrać**, le plus réputé des trois. Partout, spécialités de poissons, calamars grillés et fruits de mer.

BUDGET MOYEN

Amfora – *Črnikovica 4 - 051 701 222 - www.restaurant-amfora.com - 12h-0h - poisson 300 kn/kg, plats 60/90 kn.* À gauche en haut du village, ce restaurant dispose d'une belle terrasse et d'une grande salle surplombant la mer. Une excellente adresse.

BOIRE UN VERRE

À Opatija

Hemingway – *Zert 2 - 098 307 337.* Ce café dispose d'une terrasse et donne sur les quais du port de plaisance Admiral.

Vongola – *M. Vita 113 - ✆ 051 711 854.* Avec sa très belle terrasse donnant sur la mer, c'est l'endroit parfait pour prendre l'apéritif au soleil couchant. On peut également y manger, la carte met à l'honneur les produits de la mer *(plats 100 kn).*

À Volosko

Café Bar Surf – *sur le port.* Ce petit café simple et sans prétention accueille surtout des locaux. Y boire un café en terrasse le dimanche matin est une expérience savoureuse pour découvrir la vie villageoise.

ACTIVITÉS

Achats

Magnolia – *M. Tita 93 - ✆ 051 712 924.* Huile d'olive, vin d'Istrie et bien d'autres produits de la région.

Baignade

Sur la plage municipale, hémicycle de ciment surpeuplé les w.-ends d'été ou petites « plages » le long du *lungomare.*

Spectacles

Théâtre de plein air – *Zert 2 - ✆ 051 271 377.* C'est la salle de spectacle la plus courue d'Opatija : projections de films en v.o., concerts et théâtre. Programmes et réservations sur place et dans les agences.

SANTÉ

Thalassotherapia Opatija – *M. Tita 188/1 - ✆ 051202 600 - www.thalassotherapia-opatija.hr.* Ouvert en 1957, cet établissement propose des traitements des atteintes cardio-vasculaires, pulmonaires et rhumatologiques.
Le Wellness Centar donne accès à des soins de simple remise en forme (sauna, jacuzzi, massages...).

AGENDA

Carnaval – *De mi-janv. à déb. mars, en alternance avec celui de Rijeka.* « Maskerade », défilés de chars (corso), expositions et manifestations diverses des plus colorées...
Régate internationale – *Juin.*
Liburnia Jazz Festival – *Juil.* Toute la ville retentit au son du jazz et du blues interprétés par des artistes du monde entier.

Île de Krk

Otok Krk

★★

19 383 habitants – Kvarner

NOS ADRESSES PAGE 307

S'INFORMER

Office de tourisme de Krk – *Vela Placa 1/1 - 051 221 414 - www.tz-krk.hr - juin-sept. : 8h-21h.*

SE REPÉRER

Carte de région B1-2 (p. 274-275) – *carte Michelin n° 757 C6.* Avec ses 409 km², Krk (prononcer « keurk ») est la plus grande île de l'Adriatique. On y accède par un pont à péage, le *Krčki most*, double arche de 1,5 km de longueur qui franchit un bras de mer, le Vinodolski kanal, près de Kraljevica, à 22 km au sud de Rijeka. D'abord étroite et dotée d'un maquis touffu, l'île s'élargit et devient montagneuse (elle culmine à 569 m d'altitude) à mesure que l'on avance vers le sud par la route, d'où partent des embranchements conduisant aux principales localités, souvent situées sur la côte. La ville de Krk se trouve à 34 km au sud du pont.

Voir la rubrique « Arriver/partir » dans *Nos adresses*.

À NE PAS MANQUER

La ville de Krk, le village de Vrbnik, l'église Ste-Lucie à Jurandvor.

ORGANISER SON TEMPS

La visite peut s'effectuer en une journée à condition de loger sur l'île et de se limiter à la découverte (rapide) de Krk, Vrbnik et Baška. Sinon, comptez deux jours.

AVEC LES ENFANTS

Baignades à Krk et à Baška, balades en bateau à Punat, randonnées sur l'île, promenade dans les rues labyrinthiques de Vrbnik.

4

Appréciée des amateurs de sports nautiques et de baignade (elle possède une des plus grandes plages de l'Adriatique croate), l'île de Krk ne manque pas d'atouts : des paysages spectaculaires, des petites villes perchées, un excellent vin, une « capitale » médiévale… Elle est en outre chargée d'une grande valeur symbolique pour les Croates : c'est en effet ici qu'a été mise au jour la fameuse « stèle de Baška », le plus ancien document mentionnant le nom de la Croatie.

Découvrir

★ KRK B2

À l'entrée de la ville, tournez à droite puis descendez à gauche vers le port par la rue (ulica) Josipa Mazuranića puis à droite, Slavka Nikolića. Stationnement (payant) aux abords de la place plantée d'arbres et au pied des remparts.

Capitale de l'île, Krk a conservé un centre ancien fortifié à qui sa situation, dominant la mer, confère beaucoup de charme.

Remparts

La majeure partie date du 15e s. lorsque les Vénitiens ont pris le contrôle de la ville. Depuis la place Jelačić, on accède à la ville close par Vela Placa.

★ Grand-Place (Vela Placa)

Agréable place biscornue, très théâtrale, et envahie par les terrasses de cafés et de restaurants. Sur la gauche, le donjon (Glavna gradska vrata), à la fois porte de la ville et tour de garde, a été investi par un café. Sur la droite, une maison gothique abritant une galerie et, en sous-sol, un café. Au centre, le puits est orné de bas-reliefs dont l'un représente saint Quirinus, le patron de la ville.

Rue J.- Križanić (Ulica Jurja Križanića)

Première rue sur la gauche.

Étroite rue pavée bordée de vieilles demeures puis de hauts murs de pierre sèche. Elle s'élève doucement, loin du brouhaha touristique du centre-ville : bientôt, on aperçoit des jardins cultivés et des vignes. On passe devant le monastère bénédictin avant d'arriver au point culminant de la vieille ville.

Place Glagolitique de Krk (Trg Krčkih glagoljaša)

Belle église Notre-Dame, romane aux trois nefs séparées par des colonnes à chapiteaux finement sculptés.

Redescendez vers le centre par la rue Frankopanska puis à droite, au niveau de l'hôtel Krk, suivez la rue Dinka Vitezića.

Rue Strossmayer

Rue principale de la vieille cité, cette voie rectiligne qu'enjambent parfois des arceaux est bordée de commerces et parcourue par nombre de touristes.

Tournez à gauche.

Porte de la Liberté (Vrata Slobode)

Au bout de la rue, elle défendait la ville côté est. Sur la droite, vous remarquerez une plaque avec saint Quirinus. La porte (dont il ne reste rien) débouche sur une **plage** de ciment, aménagée au fond d'une anse, et qui offre une **vue**★★ pleine d'harmonie sur la vieille ville, avec ses remparts plongeant dans l'eau, et la curieuse silhouette du campanile de la cathédrale. Depuis la plage, la promenade de bord de mer (Šetalište Dražica) conduit, parmi les pins, à la zone hôtelière (plage de ciment devant l'hôtel Koralj). Au-delà, les bons marcheurs pourront partir à la découverte de la péninsule de Prniba.

La péninsule de Prniba – Séparant les baies de Krk et de Punat, cette pointe est accessible par un réseau de sentiers qui permettent d'en faire le tour dans une végétation où se mêlent pins maritimes et oliviers : de l'autre côté de la pointe, belle vue sur Punat et l'île de Košljun. Retour par Puntarska et la porte de la Liberté.

Après le bain, franchissez à nouveau la porte de la Liberté et prenez sur la gauche la rue du Cardinal-Stepinac (ulica A. Stepinca).

Kamplin

Belle promenade ombragée aménagée dominant la mer.

Forteresse (Kaštel)

Posée sur la promenade, cette forteresse a fière allure avec ses remparts crénelés et ses tours rondes. Elle a été élevée aux 15e et 16e s. à l'époque de la domination vénitienne, à l'emplacement du château des comtes Frankopan. La forteresse accueille aujourd'hui, en été, des concerts.

La ville et le port de Krk.
Ch. Handl / imagebroker / age fotostock

Tribunal (Sudnica)
Cette tour carrée, massive, accolée à la forteresse, date du 11e s.
Poursuivant dans le prolongement de la place, on passe alors entre l'**évêché** (Biskupija) et la cathédrale qu'un passage voûté sépare du chevet roman de la chapelle St-Quirinus. Ce passage permet de jeter, par la porte, un coup d'œil sur l'intérieur de la cathédrale, avant de rejoindre la **place St-Quirinus** (Trg sv. Kvirina).

★★ **Chapelle St-Quirinus** (Kapela Sv. Kvirina)
Accès par la place en contournant le clocher et en montant les marches. 9h30-13h - 7 kn, le billet donne accès à la cathédrale.
Chef-d'œuvre de l'art roman du 12e s., la chapelle des comtes Frankopan et des évêques de Krk s'ouvrait sur la cathédrale par une large ouverture voûtée aujourd'hui murée. Elle abrite une intéressante **collection d'art sacré**★. Quelques peintures italiennes, des objets d'orfèvrerie, des vêtements sacerdotaux y sont exposés.
On remarque surtout un **retable**★★★ en argent ciselé décoré de sculptures, œuvre du maître P. Koler (1477) : de gauche à droite, en haut, sainte Ursula, saint Benoît, saint Jérôme, sainte Catherine, saint Pierre, La Vierge et l'Enfant, saint Paul, sainte Scholastique, saint Augustin, saint Georges ; en bas, saint Sébastien et ses flèches, saint Michel et le dragon, saint François, sainte Clarisse, saint Jean-Basptiste, le couronnement de la Vierge, saint Nicolas, saint Jean évangéliste, saint Autun, saint Ambroise, sainte Élisabeth. Au-dessous, reliefs de pierre provenant d'une basilique préromane (7e-9e s.). Notez aussi un crucifix gothique de bois (14e s.), saisissant de réalisme, et les peintures italiennes (*Mise au tombeau* attribuée à Pordenone).
On accède à la cathédrale par une petite porte.

Cathédrale de l'Assomption (Katedrala Uznesenja Sv. Marije)
Accès par la chapelle St-Quirinus.

LE BERCEAU DES FRANKOPAN

Au 12e s., l'île était gouvernée par les ducs de Krk, vassaux de Venise, qui devinrent bientôt l'une des plus puissantes familles de la Croatie médiévale, avant de prendre le nom de Frankopan. C'est en 1480 que le dernier Frankopan de Krk plaça son île sous la protection des Vénitiens (qui n'allaient pas tarder à l'annexer). Dès lors, le destin de la lignée s'accomplit sur le continent avec, notamment, Nikola Frankopan, *ban* de Croatie (1426). Mais la lignée disparaît tragiquement lors de l'exécution, en 1671, de Fran Krsto Frankopan, accusé avec Petar Zrinski d'avoir comploté contre Vienne. Quant à l'île, elle demeura vénitienne jusqu'à la chute de la Sérénissime (1797) avant de passer sous le contrôle des Habsbourg.

Construite sur une basilique paléochrétienne des 5e et 6e s. (*vestiges visibles à l'abside et dans une chapelle à gauche*), ce vaste sanctuaire à trois nefs séparées par des colonnes à chapiteaux date, dans son état actuel, du 18e s. Autels baroques. Sur la droite du chœur, amusant tableau représentant saint Joseph à son établi… en bleu de travail tandis que la Vierge et l'Enfant prennent le frais sur le quai.
En sortant de la chapelle, à partir de son parvis et de son café, prenez à gauche une ruelle au tracé tortueux, Č. Žica.

Petite porte (Mala vrata)
Percée dans la muraille en 1398, cette petite porte débouche sur le quai. De part et d'autre, restaurants, tavernes et cafés incitent à une pause agréable, face à la baie.
Sur la gauche, le quai (Obala hrvatske mornarice) longe le port de pêche. En saison, il est envahi par les étals des vendeurs de souvenirs et de boissons à emporter, installés sous des tentes.

Circuit conseillé Carte de région

DES PORTS, DES BOIS ET DES VIGNES B1-2

Circuit tracé en brun sur la carte de région (p. 274).

Omišalj B1
Le premier village que l'on rencontre sur l'île est posé à la manière d'un balcon à 80 m au-dessus de la mer. Restes de fortifications et église de l'Assomption d'origine romane remaniée au 16e s. En face, loggia Renaissance. Du village, belle **vue** sur la côte du Kvarner et sur l'île de Cres.

Malinska B1
Après avoir pris la direction Vladiska-Malinska, tournez à droite, puis tout de suite à gauche à un carrefour non signalisé. La route descend à travers une luxuriante végétation méditerranéenne parsemée de villas.
On laisse la voiture sur un grand parking ombragé de cyprès, en retrait du port, dont l'importance a de quoi étonner : Malinska était au 19e s. un centre d'exportation du bois vers les chantiers navals de Trieste.
C'est aujourd'hui une station fréquentée toute l'année grâce à son microclimat.

Dobrinj B1
Village médiéval construit sur les vestiges du château Frankopan et qui a conservé son authenticité. Depuis une petite place ombragée, la rue principale conduit à une église que précède une charmante loggia.

Inscription glagolitique sur la façade. Jolie vue depuis la terrasse sur les toits, le petit port de **Šilo** en contrebas et, au loin, Rijeka et la côte du Kvarner.

★ Krk B2

Quittez Krk en direction de Baška. Après 4 km, on arrive à la baie de Punat, à hauteur du centre de ski nautique de Supetarska Draga. Prenez à droite la route de Punat qui longe le littoral.

Punat B2

Pod Topol 2 - 051 854 860 - www.tzpunat.hr - été : 8h-20h, dim. 9h-13h ; hiver : 8h-15h.

Abritant dans sa baie protégée (seul un étroit chenal la relie à la pleine mer) une grande marina, Punat se résume à un agréable front de mer ombragé sur lequel s'ouvrent cafés et agences. Les quelques petites rues sont, quant à elles, envahies par des restaurants de tous styles.

Île de Košljun (Otok Košljun) B2

Accès par bateau depuis le port de Punat, toutes les heures entre 9h et 18h. Trajet 20mn - billets AR 35 kn : directement aux bateaux ou dans les agences.

Petite île boisée posée au milieu de la baie à quelques encablures du port. Le monastère franciscain, établi au 15e s., renferme un joli cloître. Dans l'église St-Bernard (Crkva Sv. Bernardina), collections d'art sacré et d'ethnographie.

Continuez vers Stara Baška.

Stara Baška B2

Ce hameau posé au bord de la mer, véritable bout du monde, est relié à Punat par une route qui s'élève dans un paysage rocailleux avant de retrouver le littoral après 7 km. Depuis la corniche, la **vue★★** est grandiose sur le bleu intense de la mer parsemé d'îlots rocheux. Les plages en contrebas ne sont accessibles qu'à pied en descendant à travers les éboulis après avoir garé la voiture comme l'on peut. Le hameau de Stara Baška (croisements aléatoires) traversé, on arrive au petit port où deux guinguettes proposent des rafraîchissements bienvenus.

Revenez à la route de Krk, puis prenez à droite vers Baška, et à gauche sur Vrbnik.

★ Vrbnik B1

Placa Vrbničkog statuta 4 - 051 857 479 - www.vrbnik.hr

Bon à savoir – *Parkings (payants) à l'entrée du village.*

Capitale du vin (on y récolte un excellent blanc sec, le *žlahtina*), Vrbnik est un agréable village perché, dont on découvre une belle **vue★** depuis les derniers lacets : ce n'est hélas pas un endroit où l'on peut se garer, fût-ce le temps d'une photo !

Par ulica Vitezićeva, on s'enfonce au cœur du village. De la petite place du Statut-de-Vrbnik (Placa Vrbničkog statuta), la rue J.A. Petrisa (à droite du café) que poursuit la rue Saliž s'élève dans un tracé zigzaguant entre de vieilles maisons, des impasses, des passages voûtés, des venelles, des caves où s'élabore le vin et des escaliers dévoilant (sur la droite) la mer en contrebas… On débouche sur une terrasse, astucieusement aménagée en stand de dégustation. Belle **vue★★** : en contrebas, le port réfugié au fond d'un petit fjord, protégé par un brise-lames semi-circulaire ; à côté, une minuscule plage de gravier sur laquelle sont tirées quelques barques ; au loin, la côte du Kvarner, avec la barre du Velebit.

Par la rue Dverca, à gauche, ruelles en escalier et placettes intimes, courettes et impasses fleuries ramènent doucement à Placa Pod Zvonik. Après une salle gothique où se dissimule une pinacothèque, on découvre la tour de l'Horloge, puis l'église de l'Assomption (Crkva Uznesenja Marijina) qui arbore, à droite de l'entrée, une tablette glagolitique. Rien de rare, en somme, mais beaucoup de charme, du moins si l'on découvre la petite bourgade avant l'arrivée des cars. De retour sur la place Ivana, par la rue Varoš à gauche, extrêmement étroite pour les voitures, puis la rue Gospoja dans son prolongement, on débouche sur un petit square où s'élève une église surplombant la mer : là encore, la **vue★★** est magnifique sur la côte de Novi Vinodolski et Crikvenica.

De retour sur la route de Krk, prenez la direction de Baška.

Après avoir dévoilé une belle **vue★★** à droite sur les îles de Cres et Lošinj et, derrière encore, sur la côte montagneuse de l'Istrie, la route s'élève en lacets dans un paysage montagneux peuplé de conifères, mais révélant des traces de cultures en escalier. Puis, dès **Draga Bašćanska**, dont les habitants vendent du miel au bord de la route, elle redescend en suivant la vallée de la Suha Ričina.

Jurandvor B2

Peu avant d'arriver à Baška, on traverse ce village, que la découverte, puis le déchiffrement de la stèle de Baška ont rendu célèbre dans toute la Croatie.

★★ **Église Ste-Lucie** (Crkva Sv. Lucije) – *Sur la gauche de la route (signalisation). Laissez la voiture au parking du cimetière et prenez les billets au pavillon d'accueil (recepcija).* ✆ *051 860 184 - avr.-oct. : visite guidée (en italien ou allemand) - 9h-16h - fermé hiver- 20 kn (enf. 10 kn).*

L'ensemble de Ste-Lucie se compose de l'église romane du même nom et des ruines d'une abbaye bénédictine dont une partie (sans doute le réfectoire) reconstruite abrite une salle où l'on visionne une **vidéo** sur la découverte de la stèle et le déchiffrement de l'écriture glagolitique (20mn, demandez la version anglaise).

Église – Édifiée vers la fin du 9e s. sur les ruines d'une villa romaine, l'**église Ste-Lucie★★** relève des débuts de l'art roman. Elle présente un beau clocher-porche carré, portant à chacun de ses angles le symbole de l'un des évangélistes. À la nef unique, très simple, s'ajoute une chapelle latérale où sont exposées des sculptures sur bois provenant d'un autel baroque disparu. Sous une trappe *(à gauche du chœur, devant la stèle)*, on aperçoit le pavement de terre cuite de l'ancienne villa romaine.

Stèle de Baška – Sa copie attire toute l'attention. Retrouvée au 19e s., cette pierre, gravée d'une longue inscription rédigée au 11e s. en croate médiéval et en caractères glagolitiques, fut déchiffrée à grand-peine puis en 1934 transférée à Zagreb. Son fac-similé a été installé à son emplacement d'origine, la barrière du chœur. Sur la droite, une autre stèle gravée, dont on n'a retrouvé que des fragments, faisait pendant. L'importance historique et symbolique de ce document pour la Croatie d'aujourd'hui est considérable : c'est en effet le plus ancien document connu comportant le mot « croate », à propos du roi **Zvonimir** qui régna de 1076 à 1089.

« Au nom du Père, du Fils et du Saint-Esprit, moi, abbé Držiha, j'ai écrit ceci à propos des terrains qu'en son temps le roi croate Zvonimir a donnés à Sainte-Lucie. En sont témoins : Desimir, gouverneur de la Krbava, Martin, gouverneur de la Lika, Pribinež fonctionnaire royal du Vinodol et Jakov, fonctionnaire royal de l'île. Et que ceux qui ignoreraient cet écrit soient maudits par les douze apôtres, les quatre évangélistes et par sainte Lucie, amen. Moi, abbé Dobrovit, j'ai construit cette église avec mes neuf confrères au temps du prince Côme qui régnait sur toute la région. À cette époque, les monastères de Saint-Nicolas d'Otočac et de Sainte-Lucie étaient unis. »

★ **Baška** B2

Kralja Zvonimira 114 - ✆ 051 856 817 - www.tz-baska.hr - été : 7h-21h ; hiver : 8h-15h, sf w.-end oct.-avr.

Bon à savoir – *Parkings payants à l'entrée du village.*

D'un côté, une anse occupée par une belle **plage** (de gravier), une des plus grandes de Croatie (1 800 m de long). De l'autre, le port de pêche, auquel on arrive en longeant la rue principale du village.

★ **Rue du Roi-Zvonimir** (ulica Kralja Zvonimira) – Elle est bordée de petites maisons qui, de l'autre côté, surplombent un *lungomare* et une étroite plage, et dont on atteint parfois la porte d'entrée par des escaliers. Cafés, étals à souvenirs, glaciers et boutiques l'animent, surtout quand les estivants la parcourent après l'heure du bain. Ne pas hésiter à dépasser les premiers mètres bétonnés et grisâtres pour découvrir le charme de la petite place centrale et du port.

Église paroissiale de la Ste-Trinité (Crkva sv. Trojstva) – De 1723, à trois nefs, d'un baroque assez sobre.

Musée (Zavičajni muzej Baška) – *✆ 051 856 530 ou 098 992 90 59 - été : tlj sf lun. 9h-13h, 17h-20h, w.-end 9h-14h - fermé hiver - 10 kn.* Dans l'ancien presbytère. Petite collection ethnographique.

Port (Luka) – Bordé de maisons aux façades biscornues, de terrasses de cafés sympathiquement ombragées. Lieu très méditerranéen, qu'en journée seuls animent les pêcheurs ravaudant leurs filets.

NOS ADRESSES DANS L'ÎLE DE KRK

INFORMATIONS UTILES

Autotrans – *Šet. sv. Bernardina 3 - Krk - ✆ 051 222 661 - www.autotrans.hr - été : 8h-21h, dim. 9h30-13h30 ; hors sais. : tlj sf dim. 8h-15h.* Dans la gare routière. Propose aussi des hébergements chez l'habitant.

ARRIVER/PARTIR

Accès en voiture

Pont de Krk (Krčki most) – *Péage : 30 kn.*

Aéroport

À **Omišalj**, sur la gauche de la route principale *(✆ 051 842 040 - www.rijeka-airport.hr).* C'est l'aéroport de Rijeka où atterrit Jean-Paul II en juin 2003. Liaison hebdomadaire en saison pour Dubrovnik et Zagreb.

Ferries

Bon à savoir – Pour les horaires et les tarifs, contactez le site de Jadrolinija : *www.jadrolinija.hr*

De Baška à Lopar (île de Rab) – *Ligne saisonnière : de fin mai à fin sept. 1 ferry/j. ; juil.-août : 5 ferries, 7h30-20h - traversée : 1h10 - ✆ 051 856 136.*

De Valbiska à Merag (île de Cres) – *Été : 3 ferries 5h45-22h ; oct.-mai : 9 ferries - traversée : 25mn - ✆ 051 863 170.*

Autocars

L'île est reliée par bus à Rijeka (80mn de trajet) et Zagreb.

NAUTISME

ACI Marina Punat – *Puntica 7 - ✆ 051 654 111 - www.marina-punat.hr.* Sur la route de Punat,

un des plus importants ports de plaisance de Croatie.
Équipement : voir le chapitre Nautisme p. 25.

Location de bateaux
KORO Charter – *Puntica 7 - Punat - 051 854 268 - www.korocharter.hr.* Dans la marina de Punat. Bateaux à moteur de type Zodiac : mai-juin, sept. à partir de 180 €/j, 950 €/sem., plus cher en juil.-août. Modèles avec cabine à partir de 2 600 €/sem.

HÉBERGEMENT

À Krk

PREMIER PRIX

Camping Bor – *Crikvenicka bb - 051 221 581 - www.camp-bor.hr - 8,10 €/pers. (7-12 ans 4,85 €), voiture 4,75 €, tente 4,85 €, électricité 4,90 €.* Camping bien tenu. Trois blocs de sanitaires impeccables sur un terrain bien ombragé, à 600 m de la plage. Restaurant.
Chez l'habitant – *Appart. 4 pers. 70 €, ch. double 35/45 €.* Adressez-vous à l'agence **Autotrans** *(voir Informations utiles).*
Hôtels – Le site *www.hotelikrk.hr* regroupe les informations pour les hôtels Marina, Tamaris, Dražica et Lovorka.

BUDGET MOYEN

Marina – *Obala hrvatske mornarice 8 - 051 221 128 - fax 221 357 - 18 ch. 58/72 €/pers. selon la vue.* Sur le port, l'une des rares options du centre-ville. Du charme, mais vite complet.
Bor – *Šet. Dražica 5 - /fax 051 220 200 - www.hotelbor.hr - 18 ch. 62/75 €/pers., 4 appart. : 85 €/pers.* Ce petit hôtel, sous les pins et au bord du rivage, propose des chambres sans charme mais d'un confort convenable. Les appartements disposent d'un balcon.

UNE FOLIE

Valamar Koralj – *V. Tomašića bb - 051 655 400 - 173 ch. et 20 suites, ch. 162/196 €/pers. selon vue et aménagement (AC).* Très agréablement situé, cet hôtel au confort garanti donne sur une petite anse aménagée en plage artificielle. Spa. Accès à pied à la ville par le *lungomare* (env. 15mn).

À Njivice

POUR SE FAIRE PLAISIR

Hotel Jadran – *Primorska cesta bb - 051 661 444 - www.hoteli-nvjivice.hr - de fin mai à déb. oct. - 223 ch. 80/150 €.* Donnant sur le quai d'un village résidentiel, cet hôtel rénové en 2008 réunit une villa de l'entre-deux-guerres à un bâtiment de l'après-guerre et à un autre des années 1970. Pour avoir une vue sur la mer depuis ce dernier, demandez à être au 4e ou au 5e étage. Fitness. Pinède, centre-ville et plages à deux pas.

À Punat

PREMIER PRIX

Camping Pila – *Obala 94 - 051 854 020 - de mi-avr. à mi-oct. - 7,10 €/pers. (7-12 ans 4,50 €), tente + voiture 12,50/22 €.* Derrière l'hôtel Park, grand camping en bord de mer. Supérette, restaurant, change, location de vélos… et petit train pour se rendre en ville.
Chez l'habitant – S'adresser à l'agence **Marina Tours** (*Obala 81, 051 854 375 - www.marina-tours.hr*).

POUR SE FAIRE PLAISIR

Hotels Park I et II – *Obala 102 - 051 854 024 - 87 et 132 ch. 70/74 €/pers.* Ces deux bâtiments situés dans une pinède proposent des chambres confortables. Copieux buffet du petit déjeuner.

UNE FOLIE

Kanajt – *Kanajt 5 - ✆ 051 654 340 - www.kanajt.hr - 20 ch. et 1 suite, ch. 128/146 €* ☕. Face à la marina, en retrait au fond d'un jardin, l'ancienne résidence d'été des évêques de Krk se cache derrière un rideau de chênes et de cerisiers. Chambres rénovées en 2004. Tennis et école de voile.

À Vrbnik

BUDGET MOYEN

Hotel Argentum – *Supec 68 - ✆ 051 857 370 - www.hotel-argentum.net - 10 ch. 390 kn/pers.* ☕ *- 1/2 P.* À l'écart du village, perché au-dessus de la mer. Toutes les chambres, de bon confort, sont dotées d'un balcon. Demi-pension intéressante. Animaux acceptés. Petite plage en contrebas.

À Baška

PREMIER PRIX

Chez l'habitant – Plusieurs agences à l'entrée de la ville. Selon leur confort, comptez de 36 € à 45 € pour les chambres, 80 € pour un appartement pour 4 pers.

UNE FOLIE

Hotels Corinthia I, II et III, Zvonimir – *Prilaz Kippaštu - www.hotelibaska.hr.* En retrait de la grande plage, vaste complexe touristique bâti en hémicycle et constitué, en fait, de 4 hôtels et d'appartements. 3 restaurants, un grand café (le **bistro Funtana**), piscine, boutiques : tout ce qu'il faut pour passer des vacances en autarcie. **Corinthia I** *(✆ 051 656 800 -105 ch. et 13 appart., ch. double 72/78 €/pers.* ☕*, appart. 150/225 €),* **Corinthia II et III** *(295 ch. et 18 appart., ch. doubles : 56/62 €/pers.* ☕*, appart. 130 €),* **Hotel Zvonimir** *(✆ 051 656 810 - 70 ch. et 15 suites, ch. double 74/82 €/pers.* ☕*, suite à partir de 153 €),* le plus proche de la plage, dans une pinède.

Villas Corinthia – *E. Geistlicha 34 - ✆ 051 656 111 - www.hotelibaska.hr - 20 appart. 100/130 €.* Dans le complexe hôtelier Corinthia, quelques « villas » abritent 2 appartements en duplex : un séjour-cuisine en rdc et 1 chambre double à l'étage.

RESTAURATION

À Krk

PREMIER PRIX

Konoba Šime – A. *Mahnića 1 - ✆ 051 220 042 - 30/70 kn.* Une atmosphère médiévale dans la salle et une belle terrasse donnant sur le port, à Mala Vrata. Cuisine simple (calamars et pâtes).

Frankopan – *Trg sv. Kvirina 1 - ✆ 051 221 437 - poissons 280 kn/kg, plats 40/70 kn.* La terrasse occupe une placette. Grillades et risottos. Vente des produits maison : vins, brandy, fromages.

Konoba Galija – *Frankopanska ulica 38 - ✆ 051 221 250 - www.galijakrk.com - 30/70 kn.* Salle sympathique avec poutres et cheminée. Grand choix de viandes grillées et de pâtes.

Konoba Nono – *Krčkih iseljenika 8 (au-delà de la porte de la Liberté) - ✆ 051 222 221 - www.konoba-ribice.com - fermé d'oct. à avr. - 50 kn.* Ambiance chaleureuse avec tables et bancs de bois et décor marin. Cuisine de la mer. La propriétaire loue aussi 2 appartements au-dessus du restaurant dont l'un dispose d'une terrasse avec vue sur la mer : 490/695 kn/pers. Demandez également pour les très sympathiques **Appartements Nono**, en face, gérés par la belle-mère de la propriétaire.

À Punat

BUDGET MOYEN

Ribice – *Travnja 95 - ✆ 091 184 13 01 (portable) - dîner seulement.* Quelques tables dans une petite cour ombragée et une minuscule salle voûtée installée dans un ancien cellier : poissons grillés et salades.

PETITE PAUSE

À Krk

Slastičarnica Katarina – M. *Gupca 2.* Café, pâtisserie et glacier à deux pas de Vela Placa. Belle cour intérieure qu'ombrage une vigne vierge.

Caffettaria XVIII St – *Vela Placa.* Grand café installé dans le bastion de la Grand-Place élevé à la fin du 15e s. Belle terrasse.

Caffe Galerija Volsonis – *Vela Placa 8 - ✆ 051 220 052 - www.volsonis.hr.* Au sous-sol de la galerie Stančić, deux grandes salles médiévales où l'on vous proposera toutes sortes de cocktails. Expositions de peintures.

ACTIVITÉS

Excursions

À Punat, nombreux taxi-boats (sur Obala) proposent des balades panoramiques en bateau (1h et 2h : 35/70 kn) et des excursions à Krk (50 kn AR), à Plavnik sur l'île de Cres (110 kn) et à Rab (165 kn AR) - Rens. auprès des différents prestataires.

Plongée

Diving centar Ježevac – Krk - *✆ 051 221 876 - www.fun-diving.com.*

Squatina Diving – *Zarok 88a - Baška - ✆ 051 856 034 ou 091 563 47 15 - www.squatinadiving.com - d'avr. à fin oct.* Location d'équipement complet : *25 €/j*, plongée d'essai : *35 €*. Plongées de nuit : *38 €*.

Location de vélos

Agence Autotrans à Krk – *✆ 051 222 661 - 20 kn/h, 90 kn/j.*

Randonnée

L'île offre près de 300 km de sentiers balisés. Cartes disponibles aux offices de tourisme. Prévoyez de bonnes chaussures, de l'eau, et faites attention aux serpents (vipères de sable) qui aiment se prélasser au soleil et grimper aux arbres…

Îles de Cres et Lošinj

★★

11 347 habitants – Kvarner

NOS ADRESSES PAGE 317

S'INFORMER

Offices de tourisme : Cres – *Cons 10 - ✆ 051 571 535 - www.tzg-cres.hr - été : 8h-20h, dim. 9h-13h ; hors sais. : 8h-14h.* **Mali Lošinj** – *Riva lošinjskih kapetana 29 - ✆ 051 231 884/547 - www.tz-malilosinj.hr - été : 8h-22h ; hors sais. : 8h-17h, sam. 8h-13h.*

SE REPÉRER

Carte de région AB1-3 (p. 274-275) – *carte Michelin n° 757 B-C/6-7.* Si elle n'est pas la plus grande île de Croatie, Cres compte parmi les plus longues : 58 km séparent en effet Porozina (où l'on aborde lorsqu'on vient de l'Istrie) d'Osor où l'on passe par un pont tournant sur l'île sœur de Lošinj. Là, il vous faudra parcourir encore 32 km pour arriver à Veli Lošinj. Cette distance se conjugue à une certaine étroitesse : la route passe sans cesse d'un versant à l'autre tantôt côté Istrie, tantôt côté Velebit, dévoilant de somptueux panoramas toujours renouvelés.

Voir la rubrique « Arriver/partir » dans *Nos adresses.*

À NE PAS MANQUER

Visite de la ville de Cres, escapade dans les charmants villages de Beli et de Lubenice, baignade à Valun, promenade sur les ports de Mali et de Veli Lošinj.

ORGANISER SON TEMPS

Comptez au moins deux jours (sans randonnées).

AVEC LES ENFANTS

Éco-centre Caput Insulæ à Beli, éco-sentiers et labyrinthes de Tramuntana, randonnées et baignades.

Serrées dans le golfe de Kvarner entre l'Istrie et les îles de Krk et de Rab, ces deux îles étroites et allongées, que seul sépare un étroit chenal, réservent des panoramas inoubliables : ici, la mer, omniprésente, apparaît de toutes parts aux moments les plus inattendus. Ajoutons des petites villes au charme fou : Beli, Cres, Valun, Lubenice, Osor ou Veli Lošinj, aux vieilles pierres dorées par un soleil sous lequel elles semblent s'être assoupies, et vous comprendrez pourquoi on ne peut que tomber amoureux de cet archipel, qui, de la légende des Argonautes aux hardis capitaines de Mali Lošinj, en passant par les navires romains et les galères vénitiennes, sait ce que naviguer signifie.

Circuit conseillé Carte de région

★★ ENTRE TRAMUNTANA ET PINÈDES AB1-3

Circuit tracé en vert sur la carte de région (p. 274-275).

Dès que l'on a débarqué à Porozina, la route s'élève en lacets sur les flancs d'un éperon rocheux, la **Tramuntana**, dominant le bras de mer séparant l'île

de l'Istrie. Elle conduit à un plateau, chaos de rochers où pousse une maigre végétation de chênes verts. Un lacis de murettes de pierres sèches parcourt le plateau où il n'est pas rare de rencontrer quelques moutons. Après 9 km, on débouche sur l'autre versant, découvrant maintenant les côtes de Krk et, au loin, la tache blanche des immeubles de Rijeka. On arrive alors sur une crête (12 km) : sublime **panorama★★★** que celui de cette sorte d'isthme d'où l'on surplombe la mer de part et d'autre : la riviera liburnienne côté droit, l'île rocheuse de Krk côté gauche.
Prenez la direction de Cres et tournez à gauche par une route très étroite.

★ Beli A1

La route qui y descend est très étroite, deux voitures s'y croisent difficilement.
Surplombant la mer d'une hauteur de 130 m, ce village situé dans la partie nord de l'île et auquel on accédait par un pont d'époque romaine *(Rimski most)* était nommé Caput Insulæ (la « tête de l'île ») par les Romains. Ancienne principauté éloignée des voies de communication, Beli a conservé quelques vestiges de l'Antiquité et du Moyen Âge. En haut du village, un espace pavé : l'agora où la population se réunissait pour voter les décisions importantes (comme celle qui la mit sous la protection de Venise).
★ **Eko-Centar Caput Insulæ-Beli** – - *À l'entrée du village, parking dans le virage qui y donne accès - ✆ 051 840 525 - www.supovi.hr - avr.-oct. : 8h-16h - 50 kn (enf. 20 kn).* Cette association protège les 70 couples de vautours fauves à tête blanche qui nichent dans les anfractuosités de la falaise. Son local est aménagé en **centre d'interprétation★** (interpretacijski centar). Vous y verrez de nombreuses photos de vautours fauves, les cartes des populations et leurs migrations. Les guides, qui sont pour la plupart des bénévoles, vous montreront l'hôpital des vautours blessés et vous raconteront l'histoire de chaque oiseau. S'il arrive qu'un oiseau soit blessé par un chasseur, la plupart, hélas, sont victimes des touristes. Venant des îles environnantes par bateau, certains se mettent à crier et à battre des mains au bas des falaises afin de voir les oiseaux sortir de leur nid. Conséquence de cette conduite irresponsable : chaque été, les volontaires et les pêcheurs ramassent les petits effrayés par le bruit et tombés de leur nid dans la mer. Plusieurs se noient chaque année.
Revenez à la route de Cres.

CONNAISSEZ-VOUS LES VAUTOURS FAUVES ?

Ces oiseaux majestueux et sauvages, dont les tours dans le ciel peuvent impressionner, ont une histoire passionnante. Quelques chiffres les concernant : poids d'un oiseau adulte : 8-15 kg, hauteur : 106-113 cm, longueur du cou : 50 cm, largeur des ailes déployées : 240-280 cm. Ils possèdent une vue très développée qui leur permet de distinguer un objet de 6 cm depuis une distance de 1 km, ce qui est évidemment pratique pour chasser. Une fois séparé de ses parents, un jeune oiseau entre dans un cycle migratoire. Au bout de cinq ans de migration dans le Moyen-Orient, près de la mer Noire et jusqu'en Afrique centrale – les voyages forment la jeunesse ! –, il revient dans sa région natale. C'est le temps pour lui de choisir un partenaire car il a désormais atteint sa maturité (ce qui se voit au col devenu blanc – signe de « sagesse »). Une fois le couple constitué, les oiseaux construisent leur nid souvent sur le même rocher que leurs parents. Le couple ne voyage plus et reste sur place en élevant ses petits (un œuf par an). Le vautour est très attaché à son partenaire auquel il reste fidèle toute sa vie.

On continue à passer d'un versant à l'autre au moindre virage, avant d'entamer une descente en lacets sur Cres dont on aperçoit peu à peu les toits en contrebas. Superbe **vue★★** sur l'anse étroite au fond de laquelle le petit port a trouvé abri.

★ Cres A2

Laissez la voiture au parking.

Une promenade ombragée de marronniers longe le lacis de ruelles de la **vieille ville★** à laquelle deux portes vénitiennes du 18e s. donnent accès. On prend plaisir à flâner dans ce dédale de venelles (Zagrad, Sv. Sidar), parfois voûtées, bordées de hautes maisons, et sur lesquelles débouchent des impasses et des cours : il s'en dégage en été une agréable sensation de fraîcheur et l'impression de se promener dans un quartier oublié de Venise. Au passage, on découvrira quelques beaux palais, l'**église St-Isidore (crkva sv. Sidara)**, romane du 12e s. (façade gothique) reconnaissable aux colonnettes insérées à ses angles, et l'église **N.-D.-des-Neiges (crkva sv. Marije Velika)** avec son clocher séparé (amusante tête sculptée), dont l'**intérieur★** ne manque pas d'allure avec ses autels baroques ornés de peintures des maîtres anciens dont un polyptyque du 15e s. par A. Vivarini.

La tour de l'Horloge donne accès au port, près d'une **loggia** Renaissance abritant le matin un marché de primeurs. De forme particulièrement biscornue, bordé de façades colorées, de cafés et de restaurants, le **port★** constitue un tableau plein de charme, que l'on appréciera mieux en prenant le temps de se poser à une terrasse. Un peu en retrait, derrière l'ancien hôtel Cres, le **palais** (palača) **Petris★**, gothico-Renaissance, se repère à la statue de Frane Petrić Petrićević (Franciscus Patricius), philosophe né à Cres (1529-1592). Cette demeure d'allure très vénitienne abrite le petit **Musée municipal** qui renferme une impressionnante collection d'amphores du 2e s. av. J.-C., un dépôt lapidaire, des icônes médiévales, ainsi qu'une collection ethnographique et numismatique *(fermé pour rénovation)*.

Poursuivant par Zazid puis, à droite en direction du port de plaisance, la place St-François (trg sv. Frane), on découvre l'**église du monastère St-François** (crkva sv. Frane). Construite au 14e s., elle possède un double cloître : l'extérieur, de style Renaissance, qui renferme les tombes de nobles familles de Cres, et l'intérieur, plus ancien, avec un puits portant des armes du 14e s.

Quittez Cres en direction de Lošinj.

Après l'embranchement de la marina, la route s'élève. Belle **vue★★** en arrière sur le golfe de Cres et les toits roses du village.

Après avoir parcouru environ 11 km, tournez à droite.

★ Valun A2

Juin-sept. : accès payant (15 kn), parking obligatoire.

Tracée en corniche, la route ménage de beaux **points de vue★★** sur la mer et la côte. Bientôt le village de pêcheurs apparaît en contrebas, lové autour de son petit port. Après avoir laissé la voiture sur un parking ombragé d'oliviers en haut de la commune, on prendra plaisir à descendre se baigner sur l'une des deux plages de galets (la première est à l'entrée du village et l'autre près du port) avant de déguster une grillade de poisson sur le quai, et pourquoi pas s'y poser le temps d'une nuit si une chambre chez l'habitant est libre. L'église paroissiale du village (1851) abrite la célèbre « tablette de Valun » découverte dans la vieille église du cimetière. Datant du 11e s., cette tablette représente l'un des plus anciens témoignages de l'écriture glagolitique en Croatie.

★ Lubenice A2

Accès payant. Garez-vous à l'entrée du village auquel on accède par un chemin bordé de murets.

Minuscule village autrefois fortifié surplombant la mer de plus de 350 m. La route qui y mène est en elle-même une curiosité : bordée de hauts murets de pierre, elle est tellement étroite que, par endroits, il est impossible de se croiser. Sur une place, posée en balcon, se dresse le campanile accolé à une ancienne loggia transformée en taverne. Au bout du village, près du cimetière, une magnifique **vue★★★** s'ouvre sur la mer, la côte et les îles environnantes.

Revenez à la route principale.

On est sur un plateau où les oliviers cèdent bientôt la place à la garrigue puis à une forêt de sapins. Sur la gauche, on aperçoit parfois la mer, la barre rocheuse du Velebit et, au premier plan, Krk. Soudain, aux abords du village de **Vrana**, on découvre sur la **droite** l'étonnant **lac Vransko★★** (Vransko jezero), jusque-là masqué par la végétation. Cette longue pièce d'eau occupant une cuvette, séparée de la mer par des arêtes rocheuses, est le lac le plus profond de Croatie (74 m !).

La route parcourt ensuite un paysage de maquis, que quadrillent de nombreuses murettes de pierre. On ne retrouve la mer qu'au détour d'un virage : en contrebas apparaît Osor, posée en bordure de l'isthme étroit qui sépare les deux îles.

★ Osor B3

Ville minuscule, célèbre pour son festival de musique et dont les rues sont parsemées de sculptures liées à ce thème : on aperçoit des œuvres de **Meštrović** *(Musicienne accordant son instrument)* et de **Vanja Radauš** (le violoniste *Franjo Krežma*, posté à l'entrée de la chapelle, à droite de la cathédrale), ainsi qu'une statue représentant **Jakov Gotovac** (1895-1981).

Immense pour une si petite ville (il est vrai que l'antique Apsorros, capitale historique des deux îles, fut abandonnée au 17e s. à la suite d'épidémies), la **cathédrale★** (katedrala) possède un beau campanile (15e-16e s.) et une façade d'une harmonieuse simplicité *(ouv. pour les messes)*. L'intérieur est coiffé d'une superbe charpente soutenue par de belles colonnes à chapiteaux. Sur la place, l'ancienne loggia municipale abrite une **collection archéologique** *(tlj sf w.-end 10h-12h - 10kn)* provenant d'une nécropole située au-delà de l'isthme. En face, l'ancien **palais épiscopal**.

On prend plaisir à flâner dans les ruelles pavées et fleuries, en particulier sur l'ancien **chemin de ronde★** plus ou moins dallé et bordé de murettes, dominant le petit détroit (Osorski tjesnac). On y accède par la place de la cathédrale en suivant la rue de la poste ou bien en prenant la rue opposée, à gauche. Au passage, on découvrira les ruines de l'**abbaye bénédictine** (1625) envahies par la végétation : celles du monastère franciscain se trouvent un

LES ÎLES MYTHIQUES

Le nom antique d'Apsyrtes donné par les Grecs aux îles de Cres et de Lošinj est lié au mythe de Médée, la magicienne célèbre pour ses crimes. Selon cette légende, qui appartient au cycle des Argonautes, Médée s'éprit du valeureux Jason qu'elle aida à dérober la Toison d'or à son père, roi de Colchide. Absyrtos, le fils du roi, poursuivant le voleur, fut entraîné dans un piège par Médée et tué par Jason. Médée dépeça alors son frère et jeta ses membres dans la mer. Ses bras se changèrent en îles qui prirent le nom des Apsyrtes.

Le village perché de Lubenice.
PATSTOCK / age fotostock

peu à l'écart, dans la garrigue. Dans le cimetière, ombragé par de majestueux cyprès (mais hélas fermé), on devine une **chapelle** (crkva sv. Marije), dont on a pu apercevoir le chevet roman depuis la route.

★★ Île de Lošinj (Otok Lošinj)

Cette île est le refuge et le terrain de jeux de nombreux dauphins (protégés par le même centre d'interprétation que celui de l'île de Cres, *voir p. 312*), ouvrez l'œil ! Une fois franchi le pont, on longe, sur la gauche, le Lošinjski kanal, profonde entaille entre les deux îles.

3 km au-delà du pont, le village de **Nerezine** a conservé l'église d'un ancien monastère franciscain posé en bordure de la mer. Dès lors, la mer, ponctuée d'îlots, est partout : sur la droite, devant soi, sur la gauche, au gré des sinuosités de la route, notamment à l'approche de Mali Lošinj, posée bien à l'abri dans une baie au goulet étroit.

Mali Lošinj B3

Après être passé devant le chantier de réparation navale, laissez votre voiture sur le quai du port (parking aménagé, payant en saison).

Grand port bordé des demeures des armateurs et négociants qui firent jadis la prospérité de la ville. On se promènera le long des quais où nombre de bateaux proposent des excursions agrémentées de baignades vers les îlots voisins (Anije, Susak, Olovik) et où sont installées des terrasses de cafés.

Centre d'éducation populaire (Pučko otvoreno učilište) – *Vladimira Gortana 35, ruelle en retrait du quai, un peu avant l'ancien hôtel Istra. Tlj sf w.-end 10h-12h.* Il abrite deux collections privées : la **collection** (zbirka) **Piperata** de maîtres anciens (italiens, français, hollandais, des 17e et 18e s.) dont le clou est la *Rencontre avec Rébecca*, tableau attribué à Francesco Solimena ; et la **collection Mihičić** d'art contemporain croate qui réunit des œuvres d'Emanuel Vidović, ainsi que de membres du « groupe de Paris » comme Antun Motika.

Église de la Nativité-de-la-Vierge (Crkva Mala Gospa) – *8h-12h, 18h-20h.* On y accède, depuis l'avenue I. et S. Vidulić (Braće Ivana i Stjepana Vidulića) par des escaliers aux marches particulièrement coupe-jarrets, tracés parmi des villas et des jardins, avec, pour seuls compagnons, quelques lézards. Posé sur un vaste terre-plein, le sanctuaire baroque (1696-1757) impressionne par ses dimensions.

De là, des panneaux invitent à continuer par des marches vers le **château** (kaštel) mais l'intérêt est limité : il ne reste que quelques pans de murailles « tagués », et la vue à laquelle on pourrait légitimement prétendre après cet effort n'est pas au rendez-vous. On aperçoit néanmoins l'impressionnante barre rocheuse du Velebit. Il vaut mieux redescendre doucement vers le quai du port en flânant dans les agréables ruelles.

Jardin des senteurs – *Prenez la direction de Veli Lošinj, dépassez l'intersection qui y mène et continuez dans le virage qui monte sur la colline, le petit parking est à droite en sortie de ce virage. www.miomirisni-vrt.hr - juin-sept. : 8h30-19h ; mai et oct. : se renseigner - accès libre, produits en vente dans la maison.* Sur les hauteurs du village, cette maisonnette en pierre reproduit à l'identique la demeure originelle de la propriétaire, qui a planté ce jardin d'herbes et de plantes insulaires afin de partager avec le public les meilleurs produits locaux : liqueurs de myrte, d'olive, de sauge ; essences de thym, de romarin, de lavande ; savons ; huile d'olive ; confitures ; figues séchées en saison... La vue dégagée sur le massif du Velebit fait oublier les voitures et même l'âne dans son enclos.

Prenez la route de Veli Lošinj et laissez de côté la route conduisant au quartier hôtelier de Čikat.

Tracée en corniche, longeant criques et baies parmi les pinèdes, la route conduisant à Veli Lošinj ne manque pas de charme, d'autant qu'ici la mer semble s'amuser à jouer sur toute la gamme des bleus et des verts.

★★ Veli Lošinj B3

À l'arrivée dans le village, laissez votre voiture au parking et prenez la rue unique qui s'ouvre en face.

Après une petite place dominée par l'**église Notre-Dame** (Crkva sv. Marije) au dôme massif et au clocher latéral, on descend la tranquille rue Vladimir-Nazor (ulica Vladimira Nazora) qui, parmi villas et jardins, conduit au **quai du Maréchal-Tito** (obala Maršala Tita).

On découvre alors un adorable **port★★** triangulaire, bordé de maisons aux teintes chaudes et littéralement envahi par les bateaux de pêche qui y ont trouvé refuge. C'est le moment de se poser à une terrasse de café et de laisser divaguer son imagination. On choisira le côté gauche de préférence : en face, la façade colorée de la *pansion* Saturn qui a investi une belle villa fin de siècle au goût antiquisant ; puis celle, non moins colorée de l'**église de St-Antoine-l'Abbé★** (crkva Sv. Antuna Opata), sise sur une plate-forme dominant l'entrée du port. Construite en 1774, cette église baroque conserve, au-dessus de la porte à gauche, une Vierge sculptée en bois de cèdre par Bartolomeo Vivarini, ainsi qu'une statue de marbre de la Vierge du Rosaire *(2e autel à droite)* exécutée par Salviati, élève de Michel-Ange.

Tour (Kula) – *Mai-juin : 10h-13h ; été : 10h-13h, 16h-22h - 10 kn (enf. 5 kn).* Sur le côté opposé du port, quelques marches *(ulica Kaštel)* conduisent à cette tour fraîchement crénelée, datant de 1455. Elle offre une jolie vue sur le village depuis son sommet et abrite une petite galerie d'art ainsi qu'une exposition sur l'histoire de la commune. Remarquez une copie de la statue en bronze de l'athlète grec **Apoxiomène**, œuvre du sculpteur Lysippe du 4e s. av. J.-C., trouvée dans les eaux de Lošinj en 1999 – vidéo sur sa découverte, sa conservation et la sculpture grecque (30mn).

Marine centre – *www.plavi-svijet.org - juil.-août : 10h-21h ; mai-juin et sept. : lun.-sam. 10h-16h (14h sam.) ; oct.-avr. : sem. 10h-14h - 15 kn.* Non loin de la tour, presque sur le port, ce centre s'est donné pour mission de sensibiliser le public à la présence de dauphins dans les eaux de l'Adriatique. Curieux de nature, ces animaux sont victimes des bateaux de tourisme et de la pollution. Panneaux en croate mais documentation en français disponible, film (20mn), bornes interactives et salle acoustique permettant d'entendre les bruits sous-marins.

NOS ADRESSES À CRES ET À LOŠINJ

ARRIVER/PARTIR

À Cres

Ferries – Depuis l'**Istrie** : de Brestova (entre Labin et Lovran) à Porozina (25 km au nord-ouest de Cres). Depuis l'île de **Krk** : de Valbiska (Krk) à Merag (12 km au nord de Cres) - 12 liaisons en sais. - 18 kn/pers. et 115 kn/voiture.

Autobus – *20 Šetalište travnja bb - ✆ 051 571 810.* Par Porozina, les bus relient Opatija (2h) et Rijeka (2h30) ou par Merag, Krk, Rijeka puis Zagreb (5h). 2 ou 3 bus/sem. à Cres pour Valun et Beli : renseignements et billets à l'agence **Autotrans** *(Zazid 4 - Cres - ✆ 051 572 050 - www.autotrans.hr).* Bus quotidiens de Cres à Veli Lošinj (1h).

À Lošinj

Séparée de Cres à Osor par un étroit chenal franchi par un pont tournant, l'île de Lošinj est desservie par les ferries de Porozina et Merag. Ce pont s'ouvre 2/j. pour laisser passer les bateaux *(9h, 17h).*

Depuis Rijeka – 1 ligne de catamaran rejoint Mali Lošinj.

Depuis Jadrolinija – *Lošinjskih brodograditelja 22 - Mali Lošinj - ✆ 051 231 765.*

HÉBERGEMENT

À Cres

PREMIER PRIX

A Travel – *Zazid 4 - ✆ 051 572 050 - www.atravel.hr - été : tlj sf dim. 7h30-21h ; hors sais. : 7h30-12h30, 17h30-21h30, dim. 7h30-12h30 - appart. 48/72 € (2 à 4 pers.).* Prix majorés de 30 % pour un séjour inférieur à 4 nuits.

Cresanka – *Varozina 25 - ✆ 051 750 600 - www.cresanka.hr - ch. 39 €, appart. 47/76 €.* Prix majorés de 20 % pour un séjour de 1 à 3 nuits durant les vac. de Noël et de Pâques.

Camping Kovačine – *Melin 1 br. 20 - ✆ 051 573 150 - www.camp-kovacine.com - 400 empl. 6,40 € (voiture, tente ou caravane, électricité), adulte 6,40 € (-12 ans 2,50 €).* À l'ouest de la ville, en 5mn en voiture, 20mn à pied en suivant le rivage : une balade agréable sur le *lungomare*. C'est un grand terrain en partie ombragé. Sur place, on peut louer bungalows et chambres. Les **bungalows** de 21 m² *(90/108 €)* permettent le couchage de 4 pers., le tout est confortable et bien placé. Les 13 **chambres** *(39/43 € ☕)* sont grandes et climatisées.

BUDGET MOYEN

Hotel Kimen – *Accès signalisé à l'ouest de la ville - ✆ 051 573 305 - www.hotel-kimen.com - 128 ch. 55/61 €/pers. ☕.* À l'écart de la ville et proche du rivage, c'est l'unique hôtel de Cres, installé dans une pinède, et accessible à pied par le *lungomare*. Prestations convenables. Préférez une chambre dans un des étages supérieurs, car les autres sont un peu sombres. Et allez dîner en ville par le *lungomare* !

4

À Beli

Bon à savoir – Les visiteurs désireux de participer à la sauvegarde et à la mise en valeur de l'écosystème de l'île (et notamment de la colonie de vautours fauves) peuvent participer à des stages avec hébergement dans les locaux de l'Association en s'inscrivant auprès de l'**Eko-Centar Caput Insulæ** - *www.supovi.hr (voir Activités).*

PREMIER PRIX

Pension Tramontana – *Beli bb - ✆ 051 840 519 - www.beli-tramontana.com - 14 ch. 30/40 €/pers. ☕ - 1/2 P 14 €/pers.* Très bien située sur la hauteur, c'est une grande maison blanche, qui abrite des chambres spacieuses avec salles de bains dans le couloir. Les 6 chambres ouvertes en 2006 avec salle de bains privée sont plus chères. C'est l'endroit idéal pour les amoureux de la nature : proximité de la réserve naturelle, éco-sentiers. La pension fait aussi club de plongée (voir *Activités*). L'accueil y est chaleureux, et la cuisine familiale. En été, les places sont rares.

À Osor

PREMIER PRIX

Autokamp Preko Mosta – *51542 Osor - ✆ 051 237 350 - www.jazon.hr - 8 € (-12 ans 5 €, animaux 3 €).* Posé sur la rive de Lošinj en bordure du chenal séparant les deux îles.

Camping Bijar – *Osor bb - ✆ 051 237 147 - www.camp-bijar.com - 54 kn/pers. (-12 ans : 29 kn), caravane équipée 247/300 kn, animaux 21 kn.* Abrité sous une épaisse pinède, il est bordé d'un agréable rivage rocheux, proche du village, à l'écart de la route.

À Mali Lošinj

Bon à savoir – L'agence **Jadranka** centralise les réservations pour nombre d'hôtels et de campings, notamment dans le quartier balnéaire de Čikat *(✆ 051 661 101/110 - www.jadranka.hr).*

PREMIER PRIX

Camping Poljana – *Otok Losinj - ✆ 051 231 726 - www.poljana.hr - ouv. avr.-oct. - 12,40 € (enf. 11,40 €).* À quelques kilomètres au nord de Mali Lošinj, ce camping est installé dans une pinède sur un terrain en pente. Plage décevante, mais le littoral rocheux est agréable.

Plusieurs agences de Mali Lošinj proposent chambres et appartements **chez l'habitant**, si vous en avez le temps, comparez les offres. Pour moins de 4 nuits, majoration de 30 %.

Lošinska Plovidba – *8 Riva lošinjskih kapetana - ✆ 051 231 077 - www.losinia.hr - ch. double avec sanitaires 20/30 €, appart. (4 pers.) 68 €.*

BUDGET MOYEN

Pansion Ivanka – *Bocac 19 - ✆ 051 231 934 - 13 ch. : 240 kn/pers. ☕, 1/2 P 380 kn/pers.* Les chambres sont décorées de bric et de broc, mais plutôt sympathiques. Toutes ont des sanitaires privés. Terrasse et machine à laver pour les résidents. Bonne cuisine familiale, poissons grillés, *brodetto* et recettes locales.

Hotel Alhambra - Villa Augusta – *Čikat bb - ✆ 051 232 022 - www.losinj-hotels.com - fermé oct.-déc. et de mi-fév. à mi-mai - P - 41 ch. : 255/300 kn en 1/2 P.* Ces deux belles bâtisses du début 20e s., rénovées en 2006, sont bien situées, au bord du littoral. Les chambres, parfois très spacieuses, ont de grands balcons.

Mare Mare Suites - *Riva Lošinjskih kapetana 36 - ✆ 051 232 010 - www.mare-mare.com - 8 ch. et suite - 46/60 €/pers. la ch.* Ce boutique-hôtel, situé sur le port, dispose de chambres très joliment décorées. L'accueil est également impeccable.

POUR SE FAIRE PLAISIR

Villa Hortensia – *Čikat bb - ✆ 051 231 222 - mars-oct. - 16 ch. 292/330 kn/pers. en 1/2 P, et 4 appart. (pour 2 pers. avec kitchenette) : 77 €.* Annexe de l'hôtel Bellevue, elle offre les mêmes types de services. L'ensemble est un peu vieillot, mais bien entretenu.

UNE FOLIE

Hotel Bellevue – *Čikat bb - ✆ 051 231 222 - www.losinj-hotels.com - ouv. mars-oct. - P - 226 ch. 897/1 064 kn* ☕. Si son architecture manque d'attrait, on y trouve des chambres agréables, malgré un papier peint un peu fatigué. Bien situé sous les pins, près de la mer, avec une plage de galets, une plage de sable et une aire de jeux en contrebas, l'hôtel dispose d'une piscine intérieure d'eau de mer chauffée *(fermée du 15 juil. au 15 août)*, d'un sauna, d'une salle de sport et organise tous les jours des animations.

Hotel Aurora – *Sunćana uvala bb - ✆ 051 667 200 - www.losinj-hotels.com - 393 ch. 1 338/1 520 kn.* Situé sur la baie du Soleil (*Sunćana uvala*), à 50 m de la mer, ce grand hôtel propose des chambres simples et doubles, sur mer et sur parc, chambres familiales et appartements, côté mer. Plage de galets avec des plates-formes rocheuses pour bronzer, 2 plages de gravier.

À Veli Lošinj

Bon à savoir – Deux agences situées toutes deux rue Vladimir Nazor vous permettent de trouver des chambres chez l'habitant : **Val Tourist Agency** (*29 Vlad. Naz. - ✆ 051 236 604 - www.val-losinj.hr*) et **Tourist Agency Palma** (*Vladimira Nazora 22, installée dans une villa dont le jardin arbore un beau palmier - ✆ 051 236 179 - www.losinj.com*).

BUDGET MOYEN

Vila San – *Garina 15 - ✆ 051 236 016 - www.vila-san.com - 14 ch. 190/225 kn/pers.* ☕. Cette jolie pension domine le village et le port. Chambres avec sanitaires, mais d'un confort basique. Le petit déjeuner sur la terrasse, avec une belle vue sur le port, est particulièrement agréable.

Vila Saturn – *Sur le port - réserv. par l'agence Val - ✆ 051 236 102 - 9 ch. 30/35 €/pers.* ☕. Adresse idéalement située, qui occupe l'ancienne mairie-prison. Grandes chambres fonctionnelles et petit déjeuner copieux.

UNE FOLIE

Hotel Punta – *Rte de Mali Lošinj - ✆ 051 236 000 - www.losinj-hotels.com - 181 ch. 1 246/1 444 kn.* Tout de blanc et bleu, posé à l'aplomb de la mer, cet hôtel moderne et fonctionnel serait parfait si l'on n'avait eu la malencontreuse idée de placer son grand parking en amphithéâtre au-dessus de l'eau. Les appartements sont disséminés dans la pinède. Piscine pour l'aquagym, tennis.

RESTAURATION

À Cres

PREMIER PRIX

Luna Rossa – *Palada 4a - ✆ 051 572 207 - avr.-oct.* La terrasse sur le quai offre une belle vue sur la ville. Pâtes et pizzas (25 à 55 kn). Service efficace.

Gostionica Adria – *Zazid 7 - ✆ 051 571 520 - plats 40/70 kn.* Cachée par un mur couvert de bougainvillées et de lauriers-roses, une courette où l'on dégustera un risotto aux fruits de mer ou une grillade de poissons. Avis aux moins polyglottes : le patron est fier de montrer ses connaissances en français.

BUDGET MOYEN

Taverna Riva – *Riva 13 - ✆ 051 571 107 - poissons 300 kn/kg, grillades 40/50 kn.* Terrasse sur le port. Courte carte de viandes, poissons grillés et risotto.

À Mali Lošinj

BUDGET MOYEN

Pension Ivanka – *Bočac 19 - ✆ 051 231 934 - poissons 240/300 kn/kg.* Dans une ruelle tranquille derrière Trg Republike Hrvatske. Hors sais., plat du jour de la patronne : *brodetto* (60 kn), agneau grillé… En été, la carte est plus complète et très italienne.

POUR SE FAIRE PLAISIR

Baracuda – *Priko 31 - ✆ 051 233 309 - poissons 350 kn/kg, plats 40/75 kn.* Sur le port dans un cadre élégant, choix à la carte axée de poissons et de crustacés.

À Veli Lošinj

BUDGET MOYEN

Restaurant Mol – *Rovenska 1 - ✆ 051 236 008 - poisson 260 kn/kg, plats 40/80 kn.* Sur le quai du petit port de pêche. Restaurant de poissons. Accueil sympathique.

PETITE PAUSE

À Cres

Café Astoria – *Šetalište 20 Travnja.* Ombragée de marronniers, sa terrasse est installée dans le jardin d'une villa. Pause agréable.

Restoran Cres – *Riva creskih kapetana 10.* Il propose des petits-déjeuners bien utiles pour les occupants des *sobe* (chambres) du vieux village.

À Mali Lošinj

Pâtisserie Alfa – *Trg Republike Hrvatske - ✆ 051 233 249 - 7h-0h.* Voilà un endroit où prendre un bon petit déjeuner, une glace ou un gâteau.

SANTÉ

Lošinj est connue comme une station balnéaire et climatique réputée soigner les affections respiratoires et les allergies. Les hôtels Bellevue et Punta proposent des semaines de détente et des programmes de bien-être destinés aux personnes qui souffrent d'asthme et d'allergies. Possibilité d'alimentation adaptée (« régime spécial antiallergies »).

ACTIVITÉS

Excursions

En bateau

Les patrons attendent le long du quai de **Mali Lošinj**. Dép. à 9h en été, vers 10h hors sais., retour en fin d'apr.-midi. Unije, Susak, Ilovik, env. 90 kn/pers. (baignade et *fish picnics* à la clé) ; pour Rab, Silba et Olib, comptez autour de 150 kn (9h-18h - les bateaux ne partent que lorsqu'ils sont pleins).

En avion

Vol panoramique au-dessus de l'île de Lošinj. Vue magnifique mais prix élevés. *Aéroport : Privlaka 9 - Mali Lošinj - ✆ 051 231 666 - www.airportmalilosinj.hr. Vol de 15mn : 420 kn, 30mn : 840 kn, 1h : 1 650 kn (3 pers. maxi).*

Plongée

Diver Sport Center – *Čikat 13 - Mali Lošinj - ✆ 051 233 900 - www.diver.hr.* Sur le rivage, il propose différentes formules. Baptême : 55 €, cours débutants (3 j.) : 135 €, location de matériel complet (1 j) : 30 €.

Voile

Sunbird – *Čikat 13 - Mali Lošinj (même emplacement que le club de plongée) - www.sunbird.de.* Cette agence allemande propose cours et location de planche à voile et de mini-catamaran.

Nautisme

ACI Marina Cres – *Jadranska obala 22 - ℘ 051 571 622.* À 2 km du centre de Cres. Si les places à l'année y sont rares, les places en transit sont assurées (prévenir).
Autorités portuaires de Cres – *℘ 051 571 111.*
Port de plaisance de Mali Lošinj – *℘ 051 231 626.* À la sortie de la ville. Carburant et matériel au port de Mali Lošinj.
Capitainerie de Mali Lošinj – *Riva lošinjskih kapetana - ℘ 051 231 438.*

Randonnée

Les pistes balisées offrent de multiples possibilités de randonnées sur plus de 130 km. Celle d'Osoršćica, une des plus belles montagnes des îles de l'Adriatique culminant à 588 m (au nord de l'île), offre un panorama exceptionnel sur l'archipel de Lošinj. Le « chemin des dauphins », au sud, vous permettra peut-être d'apercevoir ces mammifères. Quant à l'Eko-Centar de Beli, ses membres ont tracé 7 sentiers de découverte dans la vieille forêt de Tramuntana. Ils vous réservent de belles surprises, tel ce labyrinthe, copie de celui de la cathédrale de Chartres (sentier n° 1).

Vélo

Les monts Osoršćica sont parcourus par de nombreuses pistes cyclables. Procurez-vous la carte « Pistes et sentiers » auprès de l'office de tourisme.

AGENDA

Saint Grégoire (Sv. Grgur) – *Le 7 juillet.* Fête à Veli Lošinj.
Soirées musicales de Lubenice – *Juil.-août.* Concerts de musique classique, instrumentale et vocale.
Soirées musicales d'Osor (Osorske glazbene večeri) – *Été - cathédrale d'Osor.*
Régate de Lošinj – *Début août.* Régate internationale pour la classe croisière à Mali Lošinj.
Jour des dauphins (Dan dupina) – *Le premier sam. d'août à Veli Lošinj.* Exposition de dessins et de photos, jeux éducatifs pour enfants, projection de films.
Fête de la ville de Mali Lošinj – *Le 24 août.* Activités culturelles divertissantes et sportives.
Fête des pêcheurs à Mali Lošinj – *Début sept.*

Île de Rab

Otok Rab

★

9 328 habitants – Kvarner

NOS ADRESSES PAGE 326

S'INFORMER

Office de tourisme de Rab – *Trg Municipija Arbæ 8 - ✆ 051 724 064 - www.tzg-rab.hr - été : 8h-22h ; mi-saison : 8h-15h ; hiver : tlj sf w.-end.*

SE REPÉRER

Carte de région BC2 (p. 274-275) – *carte Michelin n° 757 C6-7*. L'île est parcourue de tout son long par une chaîne rocheuse qui culmine à une altitude de 410 m et plonge abruptement dans la mer. Les principales villes (Barbat, Banjol, Rab, Kampor et Supetarska Draga) se situent toutes en bord de mer au sud de cette épine dorsale, dans une plaine côtière. Au-delà de la chaîne, isolée face à l'île de Krk, Lopar semble faire bande à part.

Voir la rubrique « Arriver/partir » dans *Nos adresses*.

SE GARER

Parking sur le quai du port : Šet. Markantuna de Dominisa ; payant de juin à sept.

À NE PAS MANQUER

Balade dans les ruelles de la vieille ville de Rab, vue sur les clochers de la ville depuis le campanile de l'église St-Jean-l'Évangéliste.

ORGANISER SON TEMPS

Une journée suffit pour faire le tour de l'île (sans baignades ni randonnées). Comptez deux jours pour en profiter pleinement.

AVEC LES ENFANTS

Plage de sable à Lopar, randonnées à pied et à vélo autour de Suha Punta, sur les péninsules de Kampor et de Lopar.

Le site spectaculaire de la ville de Rab.
G. Hellier / Robert Harding Picture Library / age fotostock

De nombreuses plages (dont quelques-unes de sable) et un climat agréable expliquent que l'île soit envahie dès le printemps par une foule de vacanciers. Mais Rab ne saurait se réduire à cette image estivale de bains de mer : juchée sur un site pittoresque, la capitale de l'île, avec ses rues médiévales, ses palais, ses églises dont certaines comptent parmi les plus belles du littoral croate, est l'endroit rêvé pour une étape de charme.

Se promener

Après avoir abordé à Mišnjak, dans un environnement particulièrement minéral, on parcourt un long îlot, **Dolin Otok**, que seul un étroit bras de mer, semblable à un fleuve, sépare de l'île de Rab. Bientôt apparaissent la végétation, et les villas et petits immeubles des villages de **Barbat** et de **Banjol** qui précèdent de peu Rab, la capitale de l'île.

★★ RAB

La capitale de l'île est posée dans un **site★★** remarquable : un promontoire rocheux étroit qui s'allonge dans la mer (le cap de Kaldanac) : d'un côté, l'anse enserrant le port devant laquelle s'est construite la ville basse ; de l'autre, la ville haute, hérissée de ses quatre clochers disposés en enfilade, qui domine en à-pic la baie Ste-Euphémie.

Après avoir laissé votre voiture au parking, poursuivez vers la ville ancienne en longeant le port.

Place St-Christophe (Trg sv. Kristofora)

Bordée de cafés, elle arbore une sculpture rappelant une légende locale, la légende de Carifonte. Au fond de la place, escaliers montant à travers une pinède vers la forteresse.

★ Rue du Milieu (Srednja ulica)

Pavée et rectiligne, cette rue bien nommée est bordée de vieilles demeures et de nobles palais. À l'amorce de la rue, sur la gauche, s'ouvre la petite **rue Basse** (Donja ulica) : on aperçoit le joli **portail★** baroque à putti du **palais** (palača) **Nimira**. Au coin, une ravissante chapelle baroque (Kapela sv. Antuna), renfermant une *Vierge à l'Enfant* d'école vénitienne, fait face à un beau palais Renaissance abritant une pharmacie, le **palais Dominis★**.

Poursuivez dans la rue, sur laquelle débouchent, à droite, des venelles en escalier dévalant de la ville haute. Remarquez sur la gauche, occupé par une

4

boutique de mode, le **palais Tudorini**, qui a conservé sa voûte gothique et son balcon orné de lions ailés vénitiens.

On arrive à la belle **loggia municipale** (Gradska loža), de 1509, occupée par les tables d'un café voisin, dont la salle, au coin de la rue Radić, a investi le noble **palais Crnota**.

Face à la loggia municipale, empruntez le passage sous voûte percé sous la **tour de l'Horloge** (Gradski Sat).

★ Place du Municipe (Trg Municipium Arbæ)

Ouverte sur le port, elle rappelle par son nom les origines romaines de la ville. On y voit, sur la gauche en arrivant, l'ancien **palais du Recteur★** (Knežev dvor), aujourd'hui hôtel de ville, un bel édifice gothico-Renaissance des 15ᵉ-16ᵉ s. : fenêtres géminées, cadran solaire et lions de Venise supportant le balcon.

Revenez à Srednja ulica. Dans son prolongement, après la chapelle St-Nicolas (expositions d'art contemporain), **Dinka Dokule** est une ruelle en partie voûtée. Belles demeures, comme celle qui, au nº 6, abrite le restaurant Santa Maria.

Prenez la rue Plovanova sur la gauche, puis tout de suite à droite Biskupa Draga, courbe, que prolonge l'escalier (skaline) A.-Testena qui conduit à la ville haute, puis coupez à gauche, à travers des jardins, vers le monastère St-Antoine.

★ Monastère St-Antoine (Samostan sv. Antuna)

Très simple, la petite église du monastère a conservé de belles voûtes gothiques. L'abside date du 12ᵉ s.

Reprenez vers la cathédrale de l'Assomption, dont vous contournerez le chevet par la gauche. Vous surplomberez alors la mer.

★★ Cathédrale de l'Assomption (Katedrala Uznesenja B.D. Marije)

Elle présente, sur la place, une **façade** romane. Très simple, avec pour seule ornementation une sculpture placée au-dessus du portail (*Pietà* exécutée dans un style rustique par Petar Trogiranin, 1514), ainsi que des arcatures lombardes aveugles, elle est constituée de couches de pierres polychromes (blanc et rose). L'**intérieur★★** de cette basilique consacrée en 1177 par le pape Alexandre III est constitué d'une grande nef centrale que des colonnes à chapiteaux séparent des collatéraux. Belles stalles sculptées.

Poursuivant devant soi dans la rue Ivana Rabljanina, on découvre le beau **clocher★★** roman à cinq étages (1181) de **St-André** *(voir ABC d'architecture)*, église du monastère bénédictin (samostan sv. Andrije), transformée au 17ᵉ s. en style baroque (grand retable).

★★ Place de la Liberté (Trg Slobode)

La solitude et le silence permettent d'apprécier le charme de cette placette singulièrement harmonieuse dominant la mer *(des escaliers permettent d'accéder à une plage en contrebas)*, qu'ombrage un arbre vénérable et que borde la façade de l'église **Ste-Justine** (crkva sv. Justine), du 16ᵉ s. Outre sa collection d'art sacré, elle possède un précieux reliquaire qui contient le crâne de saint Christophe, le patron de la ville.

On poursuit dans la **rue Haute** (Gornja ulica), laissant de côté l'église de la **Ste-Croix (Crkva sv. Križa)** qui abrite un petit musée lapidaire. On découvre alors un chevet roman qui annonce une des merveilles de la ville.

★★ Vestiges de l'église St-Jean-l'Évangéliste
(Ostaci crkve sv. Ivana Evanđelista)

Montez sur la droite les quelques marches. Cette église paléochrétienne fut modifiée à l'époque romane avant d'être détruite : ses vestiges (colonnes de l'abside, notamment) se dressent en plein air, dans un jardin, et composent un tableau plein d'une mélancolique sérénité. Du haut du **campanile** (accès par des escaliers qui tiennent de l'échelle), **vue★★★** superbe sur le site de Rab, le port, la baie de Ste-Euphémie, l'enfilade de clochers de la ville haute, et les toits de tuiles de la ville basse.

Au bout de la rue, quelques marches conduisent aux vestiges de la **forteresse St-Christophe** (Tvrđa sv. Kristofora) dissimulée dans un beau parc planté de pins. Ombrage particulièrement appréciable, tandis que l'on descend doucement par des allées et des escaliers vers la place St-Christophe et l'animation estivale du port.

À proximité Carte de région B2

Monastère Ste-Euphémie (Samostan sv. Eufemija)

Route de Kampor, à 1 km de Rab, sur la gauche (au cimetière). ✆ 051 724 951 - tlj sf dim. 10h-12h, 16h-18h - 10 kn (enf. 6 kn).

Il est posé sur les rives de la baie profonde et étroite du même nom. Cloître et petit musée d'Art sacré (galerija Testen).

Suha Punta

Sur la route de Kampor, une petite route vers la gauche permet de rejoindre cette presqu'île, pour une bonne part investie par des hôtels et des bungalows. Des parkings aménagés permettent aux non-résidents de découvrir le cap, que recouvre une belle pinède dans laquelle, les mois d'été, les cigales s'en donnent à cœur joie.

Les multiples petites plages aménagées (douches, cabines) de galets ou de rochers, l'une d'entre elles étant réservée aux naturistes, sont reliées par un agréable *lungomare* (promenade de bord de mer), qui suit le tracé capricieux de la côte… Difficile de ne pas céder à la tentation des eaux turquoise !

Kampor

Au bout de la route en cul-de-sac.

Petite station balnéaire constituée de villas nichées dans la verdure, et dotée d'un port et d'une plage de sable (mais oui !) à laquelle on accède par une route très étroite construite en bordure de mer. Endroit rêvé pour la baignade des enfants, d'autant qu'on a pied très loin. Revers de la médaille : l'eau paraît un peu trouble par rapport aux autres endroits.

Revenez à Rab que vous dépasserez.

La route s'élève à flanc de coteau dominant une vallée cultivée. Paysages des plus méditerranéens avec cultures en escalier. On arrive à **Supetarska Draga**, situé au fond d'une anse profonde, où s'est établie la principale marina de l'île. À la sortie du village, la route, tracée en corniche au-dessus de la mer, ménage de superbes **paysages★★**.

Après avoir parcouru une étroite vallée, vous atteignez Lopar.

Lopar

À l'entrée de Lopar - ✆ 051 775 508 - www.lopar.com

Point de départ pour les ferries *(saisonniers)* se rendant à Baška (Krk), ce village un peu isolé possède l'une des rares plages de sable de Croatie, la Rajska plaža. Et comme ici on ne fait pas les choses à moitié, elle ne mesure pas moins de 1,5 km de long… Selon la tradition, Lopar est la ville natale d'un tailleur de pierre, **Marin**. Recruté par les Romains, il déserta et se réfugia dans les montagnes où il vécut en ermite et fonda un monastère : c'est aujourd'hui le cœur de la république de Saint-Marin. L'enfant du pays est ici curieusement honoré par… un camping San Marino situé dans une belle pinède.

4

Île de Goli

L'île de Goli, dite « l'Alcatraz croate », située à quelques encablures de Lopar, porte encore les stygmates de l'histoire du 20e s. Lors de la Première Guerre mondiale, elle devint un lieu d'internement des prisonniers de guerre russes puis, sous Tito dès 1949, une prison politique. Des communistes staliniens aux prisonniers de droits communs, plusieurs dizaines de milliers de personnes y ont été détenues et y ont péri jusqu'à sa fermeture en 1988. Laissée à l'abandon, il est cependant possible de la visiter. *Rens. au port de Lopar auprès du catamaran* Grga *et du* Moby Dick.

NOS ADRESSES DANS L'ÎLE DE RAB

INFORMATIONS UTILES

Bon à savoir – De juin à sept. : c'est la « saison » à Rab. La petite ville connaît alors une agitation frénétique, tant diurne que nocturne. Ce n'est sans doute pas le meilleur moment pour en apprécier pleinement le charme et les richesses artistiques, d'autant qu'il peut y faire très chaud.

TRANSPORTS

Accès – Depuis le **continent** par le *trajekt* (ferry) de Jablanac (38 km au sud de Senj) à Mišnjak : dép. ttes les h entre 6h (5h juil.-sept.) et 20h30, 21h30 ou 22h30 selon sais. (15mn de traversée). Depuis **l'île de Krk**, *trajekt* de juin à sept. de Baška à Lopar (5/j. en hte sais.). Rens. à Rab : **Rapska plovidba** - *Hrvatskih Branitelja- Domovinskog rata 1/2 - ✆ 051 724 122* ou à **Jadrolinija Rijeka** - *✆ 051 211 444.*

NAUTISME

ACI Marina Rab – *Avr. à oct. - ✆ 051 724 023 - www.aci.hr - carburant sur place.* Dans le port de Rab, face à la vieille ville, ce qui en fait tout l'intérêt.

ACI Marina Supetarska Draga – *✆ 051 776 268 - www.aci.hr - Pour les équipements de ces deux ports de plaisance, voir le chapitre Nautisme p. 25.*

HÉBERGEMENT

Bon à savoir – Rares sont les maisons de l'île qui ne proposent pas des chambres aux visiteurs : certaines ne sont pas achevées que déjà le panneau *sobe* (chambres) y est accroché ! Des kiosques d'agence sont installés un peu partout, le premier à l'arrivée du ferry. Les plus angoissés s'y précipiteront. Les autres feront du porte-à-porte, sachant qu'en été la recherche risque de durer.

Centrale de réservation pour la plupart des hôtels et campings de l'île : **Imperial** – *✆ 051 66 77 00 - www.imperial.hr.*

À Rab

BUDGET MOYEN

Hotel Istra – *Šet. Markantuna de Dominisa - ✆ 051 724 134 - www.hotel-istra.hr - 100 ch. 44/53 €/pers.* ☕. Idéalement situé sur le port, à deux pas de la vieille ville. Chambres avec petit balcon donnant sur le port ou sur le parc.

POUR SE FAIRE PLAISIR

Residence Astoria – *Dinka Dokule 2 - ✆ 051 774 844 - www.astoria-rab.com -*

5 ch. 60/110 € ☕. Dans une ancienne maison rénovée au cœur de la vieille ville, 5 chambres grand confort avec vue sur la grand-place et le port de Rab. 4 disposent d'un balcon. Décoration sobre.

Hotel Imperial – *Palit bb - ✆ 051 724 522 - www.imperial.hr* - 🏊 P - *134 ch. 47/62 €/pers.* ☕. Situé dans la pinède du parc Komrčar donnant sur le port, au fond d'un jardin luxuriant, un hôtel un peu vieillot mais de bon confort. Tennis et minigolf. Le bistro Taverna, dans le jardin, est particulièrement agréable.

UNE FOLIE

Hotel Padova – *Banjol 322 - ✆ 051 724 544 - www.imperial.hr* - 🏊 P - *175 ch. 56/67 €/pers. (selon vue)* ☕. Accessible par la marina ou par la route d'arrivée à Rab, ce grand hôtel ouvert toute l'année est situé à Banjol, du côté moderne du port… Chose qu'il compense par une vue magnifique du moins pour les chambres donnant sur la vieille cité hérissée de clochers. Confort standard d'un grand établissement un peu impersonnel.

À Suha Punta

BUDGET MOYEN

Bungalows et appartements – *Même gestion que les précédents. Tourist-village Suha Punta - Kampor bb - ✆ 051 724 233 - www.imperial.hr* - P - *bungalows : 22/32 €/pers.* ☕*, appart. 59/85 €*. Disséminés dans la pinède, les appartements, très agréables, se composent d'une chambre à 2 lits, d'un salon/salle à manger avec coin cuisine équipée, d'une petite terrasse, d'une salle de bains avec baignoire/douche. Les bungalows sont en fait des studios installés dans des petits immeubles collectifs à étage. Supérette et grill-restaurant dans la pinède.

POUR SE FAIRE PLAISIR

Hotel Eva – *Kampor 78 - ✆ 051 724 233 - www.imperial.hr - 45/48 €/pers.* ☕ - P. Proche du précédent, il propose des prestations comparables.

UNE FOLIE

Hotel Carolina – *Kampor bb - ✆ 051 724 133* - P - *60/80 €/pers. en 1/2 P* ☕. Piscine dominant la mer, bar avec terrasse ombragée, boutique avec journaux, tabac, accès direct à la plage. Chambres avec balcon, certaines donnant sur la mer, d'autres sur le parking. Tennis et minigolf à proximité.

RESTAURATION

Bon à savoir – Nombreuses pizzerias et autres *gostionica* dans les ruelles en pente donnant sur Srednja ulica.

BUDGET MOYEN

Gostiona Mali Gaj – *J. Barakovića 15 - ✆ 051 724 279 - poisson 250 kn/kg, plats 35/70 kn*. En retrait de la place St-Christophe, une terrasse ombragée pour déguster, au calme, une grillade de poisson.

Restoran Grand – *Palit 315 - ✆ 051 724 115 - poisson 350 kn/kg, « fish plate » 280 kn, plats 45/70 kn*. Grande terrasse ombragée entre le port et Srednja ulica. On y sert des grillades. Bondé en saison !

Restoran Santa Marija – *Dinka Dokule 6 - ✆ 051 724 196 - plats 50/60 kn, škampi 330 kn/kg*. Dans le cadre raffiné de la belle salle voûtée d'un ancien palais ou sur la terrasse, vous pourrez déguster de délicieux *škampi* (grosses

4

crevettes et langoustines) à la *buzzara* présentés avec tout le raffinement nécessaire.

PETITE PAUSE

Bon à savoir – Les terrasses se suivent le long du quai du port où la foule déambule devant les bateaux en dégustant des cornets de glace. Les soirs d'été, animation musicale.

Caffe Art – *Srednja ulica 1.* La salle est installée au rez-de-chaussée d'un palais, la terrasse sous la charpente de la loggia du 16e s. Le tout sera le cadre d'une petite pause sereine.

Caffe Biser – *Srednja ulica 15.* Dans le palais Dominis, agréable café avec terrasse sur la rue.

ACHATS

Vinoteka Paradiso – *S. Radića 1, sous la loggia municipale - 7h30-0h.* Bon choix de vins dans un décor postmoderne de sculptures et peintures contemporaines.

Souvenirs – En été, les quais et la place St-Christophe se couvrent d'échoppes de bois. Abstraction faite de la chaleur, on pourrait croire à un marché de Noël!

ACTIVITÉS

Randonnée – Avec ses 144 km de sentiers de randonnée et ses 157 km de pistes cyclables, Rab est l'île parfaite pour les amateurs de promenade. Se renseigner auprès de l'office de tourisme (cartes à disposition).

Kron Diving Center – *Kampor 413a - ✆ 051 776 620 - www.kron-diving.com*

AGENDA

Soirées musicales de Rab – *Juil.-août dans l'église de la Ste-Croix.*

Tournoi de Rab (Rapske viteške igre) – *9 mai, 25 juin, 27 juillet et 15 août.* Les arbalétriers de St-Marin viennent chaque année y montrer leur adresse.

Parc national de Risnjak

Nacionalni park Risnjak

★★

NOS ADRESSES PAGE 332

S'INFORMER

Maison du parc (Uprava Nacionalnog parka Risnjak) **à Crni Lug** – *Bijela Vodica 48 - ✆ 051 836 133 - www.risnjak.hr - 10h-16h, w.-end 9h-17h - 30 kn.*

SE REPÉRER

Carte de région Hors Plan (p. 274-275) – *carte Michelin n° 757 C5-6*. À une altitude de 696 m, Delnice, installée dans une région forestière au pied du pic de Japlenški, est le principal point d'accès au parc national de Risnjak. De Rijeka (à 43 km) ou de Zagreb par Karlovac (83 km), on y accède sans difficulté par l'autoroute en empruntant la sortie « Delnice-Lokve ».

À NE PAS MANQUER

Sentier de découverte Leska, défilé de Zeleni Vir pour les randonneurs en bonne forme physique.

ORGANISER SON TEMPS

Comptez 1h30 pour le sentier Leska, 3h pour le défilé de Zeleni Vir.

AVEC LES ENFANTS

Randonnées dans les bois.

Des reliefs karstiques aux formes étranges creusés d'avens et de dolines ; de sombres forêts de sapins où s'épanouit une flore variée ; une faune abondante en oiseaux, en insectes et en mammifères (cerfs, chevreuils, sangliers, lynx, loups et ours). Nous voici au cœur des paysages majestueux du Gorski Kotar dans une région inviolée grâce à son isolement. N'hésitez pas à vous y poser, en retrait des foules du littoral, le temps de quelques promenades : vous ne le regretterez pas !

4

Circuit conseillé

À LA DÉCOUVERTE DU PARC

Delnice

Lujzinska cesta 44 - ✆ 051 812 156 - www.tz-delnice.hr.

Cette paisible bourgade vouée à l'exploitation du bois, au pied de la montagne de Risnjak, se résume à une longue rue où les troncs d'arbres entassés attendent d'être débités à la tronçonneuse qui, ici, constitue le fond sonore. Sur la colline boisée qui sépare la cité de l'hôtel local, un **jardin zoologique** (zoo vrt), qui a sans doute connu des jours meilleurs, a été installé : sous les arbres, quelques biches désabusées s'ébattent sans joie dans un espace grillagé plutôt à l'abandon.

Quittez Delnice en direction de Lokve puis, à 2 km, prenez sur la droite la petite route marquée « Nacionalni park Risnjak ».

Contournant le mont Japlenški, la route, assez étroite et sinueuse, parcourt pendant 9 km un beau paysage de moyenne montagne, parmi d'épaisses forêts où se mêlent conifères et feuillus. Au loin, par les échancrures des collines, on aperçoit les sommets du Risnjak aux pentes tapissées de sapins. On arrive à une clairière, vallonnée, couverte de prairies et lumineuse.

Crni Lug

Charmant village de montagne à l'orée du parc national. Nombre de chalets proposent des chambres à louer aux visiteurs de passage.
À la sortie du village, prenez à gauche sur 2 km la route conduisant au parc.

Bijela Vodica

Ce hameau est constitué de deux chalets abritant la maison du parc national de Risnjak et une auberge réputée.

★★ **Sentier de découverte Leska** (Povčna staza Leska) – *4,5 km. Comptez 1h30 environ. Le sentier est tracé pour partie sur une route forestière fermée à la circulation mais encore asphaltée et pour partie sur un large chemin. Prévoyez donc uniquement des chaussures confortables et un peu d'eau. Il est ponctué à intervalles réguliers de panneaux explicatifs, judicieusement rédigés à la fois en croate et en anglais. Notez aussi que, par endroits, il fait office de sentier botanique, permettant ainsi d'identifier les plantes et arbres endémiques de la forêt.*

Tracé à partir de la Maison du parc, ce sentier en boucle permet de découvrir quelques-uns des phénomènes géologiques, botaniques et humains qui font l'originalité du parc de Risnjak. Pénétrant dans la forêt (sapins majoritaires auxquels se mêlent quelques épicéas, de nombreux hêtres, ainsi que de rares arbrisseaux comme le sorbier des oiseleurs ou le sureau), on découvre une **doline**, dépression en forme d'entonnoir caractéristique des régions karstiques, puis une zone de **chablis**, espaces de dépeuplement forestier dus au vent violent soufflant du sud, le *Jugo*, qui entraîne une modification locale de l'écosystème. Au-delà, on débouche dans des prairies de montagne couvertes de bruyères, de nards ou d'arnica, puis dans une **réserve de fourrage** (foin, lierre et gui) avec une mangeoire garnie de maïs destinée à éviter aux cerfs ou aux chevreuils de quitter le parc lors des époques de pénurie (l'hiver, notamment) et d'entrer dans une zone de chasse. Observez les réserves de sel dont les sangliers sont particulièrement friands… Au-delà, on découvre un **ponor** (perte), aven où disparaissent les eaux du torrent avant un cheminement souterrain plus ou moins long. Un **observatoire** sur pilotis a été installé dans un lieu de passage d'autant plus fréquenté par les habitants de la forêt qu'il est régulièrement garni de viande, d'os et de maïs : avec un peu de chance

COMMENT SAVOIR SI UN OURS EST DE BONNE HUMEUR ?

Question qui peut se révéler essentielle si vous vous trouvez nez à nez avec un charmant plantigrade au détour d'un sentier ! Sachez d'abord que si l'ours est debout, cela ne présume en rien de ses intentions : c'est tout simplement par commodité et pour voir plus loin… S'il est à quatre pattes et agite la tête en grondant et en claquant des dents, ce n'est pas très bon signe. Mais si ses oreilles sont dressées vers l'arrière et si les poils derrière la tête sont hérissés, c'est qu'il est carrément d'une humeur de chien ! Dans tous les cas de figure, gardez votre calme, ne faites pas de mouvements brusques, et évitez de le regarder dans les yeux. Si l'animal n'a pas l'air de vouloir rebrousser chemin, faites demi-tour lentement et éloignez-vous calmement. Sachez que les cas d'agression sont extrêmement rares et ne peuvent venir que de la part d'une mère voulant protéger son petit.

RISNJAK EN BREF
Centré autour du pic Risnjak, le parc national occupe une superficie de 3 400 ha, dont l'altitude varie de 290 m à 1 528 m. Cette région karstique marque une barrière, tant climatique que végétale, entre le littoral, franchement méditerranéen, et l'intérieur du pays, et constitue le lien naturel entre la chaîne des Alpes et les Alpes dinariques. À 15 km de la mer, on découvre toute une série de phénomènes naturels où se côtoient forêts vierges, cimes inviolées et reliefs aux formes fantastiques comme aux sources de la Kupa. Fondé en 1953 par un botaniste, le Dr Ivo Horvat, le parc a été préservé, du fait de son isolement, des activités économiques modernes, ce qui lui a permis de conserver une flore originale (chardon bleu, lys, edelweiss) et ses paysages essentiellement forestiers que peuple une faune riche et variée où l'on peut rencontrer loups, lynx et ours. L'accès à la zone centrale du parc est sévèrement réglementé.

(et si vous observez le silence le plus complet), vous pourrez apercevoir un lynx, beaucoup plus rarement un loup. Quant aux ours, ils s'y rassemblent, dit-on, certaines nuits d'hiver. Près de l'observatoire jaillit la **source karstique Klada** qui doit son nom aux troncs d'arbres (ou *klada*) dans lesquels l'eau est recueillie. À côté, enfin, se trouvent les vestiges du hameau de Leska, posé dans une clairière et constitué de maisons au rez-de-chaussée de pierre et à l'étage de bois.

Regagnez Crni Lug et reprenez sur la droite la direction de Jelenje.

Étroite et parfois défoncée, la route serpente parmi de sombres forêts. De temps à autre, des hameaux ou des fermes isolées aux bâtiments de bois ont pris prétexte d'une clairière ou d'un col pour s'établir : quelques champs cultivés attestent alors l'activité humaine. Au-delà de **Zelin Crnoluški**, on arrive dans une région défrichée couverte de prairies et de champs.

Après 3 km, prenez sur la gauche la petite route de Lokve.

Cette route, très étroite, et au revêtement dégradé, grimpe parmi des prairies encadrées de forêts. Au bout de 3,5 km, on débouche sur un petit plateau verdoyant, et on aperçoit sur la droite le beau **lac de Lokve★** (Lokvarsko jezero), créé par la construction d'un barrage sur la rivière Lokvarka. Il atteint une profondeur de 40 m. À l'approche du village, on aperçoit l'impressionnant talus herbeux retenant les eaux.

Lokve

On aperçoit d'abord de ce village montagnard une succession de chalets (certains proposent des chambres) posés en bordure de la prairie, de part et d'autre de la route. Le bourg vit de l'exploitation forestière.

Après avoir longé une chapelle curieusement tronquée, la route rejoint peu avant Delnice l'autoroute Zagreb-Rijeka.

À proximité

Fužine

À 17 km au sud-ouest de Delnice par la petite route de Vrata qui passe sous l'autoroute Rijeka-Zagreb.

Cette localité autrefois minière (fer) est aujourd'hui baignée par un lac de retenue, le **lac Bajer**, qui attire les amateurs de pêche, baignade et autres activités nautiques. Le lac, les chalets, le clocher de l'église dominant l'ensemble composent un tableau qui évoque un paysage suisse.

Skrad

À 16 km au nord-est de Delnice par la route de Karlovac.
Josipa Blaževica Blaža 8 - 051 810 680.

Alt. 700 m. Sur la **Lujzinska cesta**, ou « route Louise » ainsi nommée en hommage à l'impératrice Marie-Louise, Skrad peut, depuis l'ouverture de l'autoroute, se consacrer à sa vocation touristique, jusque-là quelque peu limitée par une circulation incessante.

Depuis cette station climatique, on domine de très haut la vallée de la Kupa, avec ses villages que surplombent les clochers à bulbe de leurs églises et posés dans un paysage où les prairies alternent avec les forêts de sapins. La **vue★** est remarquable. Rendez-vous apprécié des pêcheurs et des chasseurs, Skrad reçoit également nombre de randonneurs.

Défilé de Zeleni Vir – *Accès par une route en forte pente qui dévale jusqu'à la centrale électrique du même nom, en bordure d'un ruisseau. 3h. Réservé à des randonneurs assez entraînés et surtout non sujets au vertige.*

Le sentier conduit à une roche de 70 m de haut d'où jaillit une cascade. Au-delà, on atteint le **passage du Diable** (Vražji prolaz), canyon que l'on parcourt, hors d'atteinte des rayons du soleil, à l'aide de ponceaux et d'escaliers taillés dans la roche. Le sentier conduit à la **grotte de Muževa hižica** (belles concrétions), avant de se terminer à la gare de Skrad, toujours en contrebas du village.

NOS ADRESSES DANS LE PN DE RISNJAK

DÉCOUVERTE DU PARC

S'adresser à la **Maison du parc à Crni Lug**. Si vous avez l'intention de pousser votre découverte au-delà du sentier de Leska, sachez qu'une autorisation est indispensable et qu'il faut acquitter un droit d'entrée. Demandez les services d'un guide, ne serait-ce que pour faciliter votre voyage, assurer certains transports évitant des marches inutiles… et négocier le passage avec les ours que vous pourriez rencontrer.

Réglementation

S'abstenir de quitter les sentiers balisés. Toute cueillette est formellement interdite. De même, il est interdit de planter sa tente dans le parc et, bien entendu, d'allumer un feu. Quant à votre chien, vous devrez le tenir en laisse.

HÉBERGEMENT

Bon à savoir – Nombreuses chambres et *apartmans* à louer dans le joli village de Crni Lug, comme dans ceux de Lokve et de Fužine.

À Crni Lug

BUDGET MOYEN

Motel NP Risnjak – *Bijela Vodica 48 - 051 836 133 - 8 ch. 360/480 kn* . Aménagées à l'étage d'un chalet, les chambres, agréables, disposent de tout le confort. Nuit silencieuse en perspective…

À Delnice

BUDGET MOYEN

Pansion Lovački Dom – *Japlenški vrh 2, au-dessus de la ville et du « zoo vrt » (fléchage) - 051 812 440 - www.lovacki.com - P - 8 ch. 400 kn* . La « maison des chasseurs » offre un aspect rustique et propret que l'on retrouve dans les chambres récemment refaites.

POUR SE FAIRE PLAISIR

Hotel Risnjak – *Lujzinska cesta 36, au centre du village - ✆ 051 508 160 - www.hotel-risnjak.hr - 21 ch. 580 kn* ☕. Très agréable petit hôtel, ouvert en 2004. Chambres confortables décorées avec goût. Jacuzzi, sauna, fitness, bar et restaurant vous attendent.

RESTAURATION

Bon à savoir – Vous trouverez nombre de restaurants en bordure de la « route Lujzinska » qui relie Delnice à Karlovac. Spécialités de gibiers… ainsi que de porcs et d'agneaux rôtis à la broche.

À Crni Lug

BUDGET MOYEN

Auberge de la Maison du parc – *80/100 kn*. Un rendez-vous gourmand apprécié des amateurs de gibier. En été, il est très agréable de dîner sur la terrasse, à l'orée de la forêt. Service attentif et aimable.

ACTIVITÉS

Ski

Centre olympique croate Bjelolasica – *Rens. au ✆ 051 833 225*. Le plus grand centre en Croatie pour les sports d'hiver, situé sous le plus haut sommet du Gorski Kotar (1 534 m) au sud-est de la montagne de Bjelolasica : 6 000 m de pistes de ski, 3 téléskis.

Delnice (sur le mont Polane) – *Rens. à l'office de tourisme - ✆ 051 812 156*. Ski alpin, ski de fond, un téléski.

Pêche sportive

La pêche est possible sur la Kupa (de sa source jusqu'à Severin na Kupi) et sur le lac Bajer, à condition de posséder un permis journalier ou annuel. Rens. aux offices de tourisme de la région.

AGENDA

La Nuit des grenouilles à Lokve – *Avril*. Les grenouilles sont nombreuses dans la région et les habitants de Lokve ont eu l'idée de les célébrer… mais les pauvres bêtes ne sont pas à la fête : après avoir participé à un concours de sauts… elles se retrouvent dans l'assiette des spectateurs !

Marohlinjiada à Delnice – *Avril*. Récolte de morilles et de cèpes.

Journées des fraises et des myrtilles à Ravna Gora (à l'est de Delnice) – *Début juin*.

Ogulin

13 915 habitants – Gorski Kotar

NOS ADRESSES PAGE 337

S'INFORMER

Office de tourisme – *Ulica Kardinala A. Stepinca 1 - 047 532 278 - www.tz-grada-ogulina.hr ou www.ogfb.hr - ouv. lun.-vend. 7h-15h.*

SE REPÉRER

Carte de région C1 (p. 274-275) – *carte Michelin n° 757 C6.* Au pied du massif de Velika Kapela que domine l'emblématique mont Klek et que perce la vallée de la Dobra, Ogulin est située à 62 km au sud-est de Karlovac (par la « route Joséphine » jusqu'à Josipdol) et à 28 km à l'est de Vrbovsko, localité proche de la route de Karlovac à Rijeka. On rejoint en ce cas la petite cité par la vallée de la Dobra.

Voir la rubrique « Arriver/partir » dans *Nos adresses.*

SE GARER

Difficile de se garer autour du parc du Roi-Tomislav. Visez plutôt le grand parking à une centaine de mètres du centre, sur la route de Vrbovsko, à droite après le château Frankopan et le pont sur la Dobra.

À NE PAS MANQUER

Musée provincial d'Ogulin, gouffre de Đula.

ORGANISER SON TEMPS

Comptez 1h pour la visite du musée. Tout dépend ensuite du temps dont vous disposez pour la visite des environs.

AVEC LES ENFANTS

Gouffre de Đula.

Un grand lac pour les adeptes de la baignade, un sommet escarpé pour ceux qui préfèrent la varappe, quelques pistes à dévaler à ski, des sentiers pour explorer une campagne verdoyante et agréable… Ajoutons-y un château, un musée qui ne manque pas d'intérêt, et une curiosité naturelle peu banale : le gouffre de Đula. Cette petite ville, bien desservie qui plus est par un train spécial a tout pour devenir une station recherchée par les amateurs de tourisme vert. Tout, sauf un équipement hôtelier à la hauteur de ses ambitions… Gageons que cela ne saurait tarder !

Se promener

Prenez la rue (ulica) Stara Cesta, après le pont sur la Dobra, voyez sur la gauche la place Hrvatskih Rodoljuba.

Château Frankopan (Kaštel Frankopan)

Élevé vers 1500 par le comte Bernardin Frankopan, ce château Renaissance comporte un corps de bâtiment principal flanqué de deux tours rondes et de deux ailes enserrant un jardin. Reconverti en prison, du 18e s. à 1945 (il eut comme illustre pensionnaire un certain Josip Broz, dit Tito), il abrite aujourd'hui le musée de la Ville. Devant le château, un monument honore les patriotes croates *(hrvatskih rodoljuba).*

Musée provincial d'Ogulin (Zavičajni Muzej Ogulin)
Dans le château Frankopan, trg Hrvatskih Rodoljuba. Accès par le passage sous voûte et le jardin. Lun.-sam. : 8h-14h (en cas d'absence, frappez à la petite maison qui se situe dans le jardin) - 10 kn (enf. 5 kn).
Installé au premier étage du château (le rez-de-chaussée présente une collection lapidaire où l'on remarquera un gisant du comte Frankopan), ce musée présente trois collections bien distinctes.
La **collection ethnologique★** ne manque pas d'intérêt : métiers à tisser avec navette, *preslica* (quenouilles), objets de bois (bacs à lessive, ustensiles de cuisine, barattes), outils agricoles (araires, machines à semer). On s'attardera surtout devant la **reconstitution d'une maison paysanne★** avec son toit de chaume *(škopa)*, meublée et peuplée de mannequins portant le costume traditionnel de la région. Remarquez en particulier l'homme, coiffé d'un calot, vêtu d'un gilet passé sur une chemise bouffante et d'une culotte brodée et chaussé de grosses chaussettes de laine et d'*opanques*.
La **section archéologique** présente des objets en bronze et des bijoux provenant d'une peuplade illyrienne locale, les Iapodes, et un joli bas-relief romain représentant un jeune couple.
La dernière section est consacrée à **l'alpinisme croate** : évocation à l'aide de documents et objets (chaussures, pics, tentes) de la conquête du Klek et des grands alpinistes croates, notamment les membres d'une expédition tragique à l'Everest.
Une salle est consacrée à **Ivana Brlić-Mažuranić**, « l'Andersen croate », auteur de charmants contes de fées, née à Ogulin *(voir à Slavonski Brod)* et à son grand-père **Ivan Mažuranić**, premier *ban* croate issu du peuple *(voir à Novi Vinodolski, Kvarner)*. Enfin, vous serez invité à visiter la cellule circulaire où fut détenu pendant trois mois le futur **maréchal Tito**.

Gouffre de Đula (Đulin ponor)
Face au château, de l'autre côté de la rue.
Un petit balcon, lancé sur le gouffre, permet d'apercevoir l'impressionnante muraille au fond de laquelle disparaît la Dobra pour son parcours souterrain, dont près de 16 km ont été jusqu'à présent explorés. Autre point de vue depuis le square en face… du moins lorsque la végétation ne vient pas faire obstacle au regard.
Poursuivez vers le parc.

4

UNE MONTAGNE DE LÉGENDE

La montagne de Klek est entourée de nombreuses légendes. L'une d'elles concerne son origine. Klek était un antique dieu slave qui, en se sauvant de la colère du dieu suprême, Peroun, s'effondra, exténué, dans les environs d'Ogulin et se transforma en pierre lors de son sommeil. Aujourd'hui encore, les habitants d'Ogulin prétendent que la montagne ressemble à un géant endormi et détaillent sa tête, son dos, ses épaules…
Une autre légende raconte que les sorcières, les fées et les elfes du monde entier viennent les nuits de tempête se réunir sur le Klek où ils dansent en faisant un bruit de tous les diables. On prétend que certaines nuits leurs cris retentissent jusqu'à Ogulin… Cette légende est si populaire qu'aujourd'hui les « sorcières d'Ogulin », en costumes, viennent accueillir les voyageurs de l'écotrain. Un festival des sorcières a lieu au mois de juin *(voir Nos adresses)*.

Parc du Roi-Tomislav

Délimité par la rue B. Frankopana (l'axe majeur de la ville) et, à droite, la rue V. Nazora, ce petit parc agréablement ombragé constitue le centre de la ville. Bordé de demeures dont certaines datent du 18e s., il est orné d'un **monument au roi Tomislav**. Cette œuvre du sculpteur slovène Vitburg Meck a été placée en ces lieux en 1925 pour célébrer le millénaire de la création du royaume croate. Au centre du parc, la **fontaine de Cesarovac** est un monument empreint de classicisme, élevé en 1847 pour commémorer l'inauguration du premier aqueduc amenant les eaux du Klek à Ogulin. Enfin, au coin de la terrasse du café Starigrad, un buste, œuvre de Vanja Radauš, honore avec finesse la femme de lettres **Ivana Brlić-Mažuranić**, née à Ogulin.

Circuit conseillé Carte de région

À TRAVERS LA LIKA, D'OGULIN AUX LACS DE PLITVICE CD1-2

Circuit de 70 km tracé en bleu sur la carte de région (p. 274-275) – Comptez 2h30 environ. Quittez Ogulin en suivant la direction de Senj.

Oštarije C1

Cette petite localité conserve un des rares souvenirs de l'occupation française de 1809-1813 : le **pont Marmont**, du nom d'Auguste Frédéric Viesse de Marmont (1774-1852), maréchal d'Empire désigné par Napoléon Ier pour administrer les Provinces illyriennes et qui fut fait duc de Raguse en remerciement de ses bons et loyaux services. Long de 7 m, ce pont comprend 16 arches, dotées de puissants contreforts côté amont. À la tête du pont, sur votre gauche, remarquez la chapelle avec son toit de tuiles vernissées.

LES CAPRICES DE LA DOBRA

Curieux cours que celui de cette rivière qui va se jeter dans la Kupa au nord de Karlovac après être née à une dizaine de kilomètres de Delnice et avoir effectué une descente vers le sud-ouest pour passer à Ogulin. Curieux, oui, car à Ogulin, la haute Dobra (Gornja Dobra) s'encaisse dans une gorge impressionnante avant de disparaître sous la roche, dans le **gouffre de Đula** et de devenir souterraine sur une quinzaine de kilomètres ! Aux alentours de Gojak apparaît la basse Dobra (Donja Dobra) qui descend paresseusement vers son confluent.

Aux abords de ce gouffre, les peuples se sont succédé : les lapodes, tout d'abord, tribu illyrienne qui dut céder la place aux Romains d'Octave Auguste. Les Slaves, ensuite, lorsque le roi hongrois Bela IV donna la région aux comtes de Krk, les futurs Frankopan (1193). Trois siècles plus tard, ce furent les Ottomans qui mirent la contrée à feu et à sang entraînant le déplacement de la population, jusque-là fixée à Modruš jusqu'à Ogulin, fondée vers 1550. La menace turque se faisant pressante, Ogulin passa dans le système défensif des Confins militaires administrés directement par l'empereur d'Autriche et peuplée d'Allemands et de Serbes. Jusqu'aux Français qui s'y établirent pour quatre ans en 1809 lorsque Napoléon créa les Provinces illyriennes.

Josipdol C1

Important nœud routier, l'ancienne Munjava doit son nom à une visite de l'empereur Joseph II effectuée en 1775 : il y serait, nous dit la chronique, tombé de cheval, mésaventure qu'il attribua à l'état déplorable de la route, et qui l'incita à construire la « route Joséphine » entre Karlovac et Senj. Hors son église (vouée à saint Joseph, comme de juste !) de 1785, le principal intérêt de la petite ville est de disposer d'un hôtel…

Prenez la direction de Plaški puis, après 1 km, tournez à gauche.

Suivant la ligne de chemin de fer, la route parcourt un paysage vallonné et serein de plateaux encadrés de montagnes boisées.

Plaški D1

On commence à remarquer quelques traces du dernier conflit, activement effacées grâce aux programmes d'aide à la reconstruction. Remarquez le curieux contrefort de pierre du clocher de l'église orthodoxe, qui a survécu aux restaurations historicistes.

Après **Lapat**, la route s'élève en lacets dominant le plateau. On traverse quelques villages abandonnés ou en ruine, comme **Lička Jesenica**. La route continue à s'élever et doit être parcourue avec prudence à cause de son étroitesse, et en raison des chutes de pierres (voire d'arbres).

Saborsko D1

Village tout neuf (y compris l'église) situé sur un vaste plateau dégagé que l'on quitte pour entrer dans une épaisse forêt de sapins.

Kuselj D2

Agréable village posé dans une clairière exposée au soleil, Kuselj marque l'entrée dans le parc national des lacs de Plitvice. Au-delà, la route devient très étroite et descend en lacets serrés dans la forêt. L'absence d'accotement et la présence d'un précipice rendent assez périlleux les croisements.

Poljanak D2

C'est dans ce village que l'on sort de la forêt. Les nombreuses maisons proposant des chambres aux touristes indiquent la proximité du parc. Une descente abrupte conduit à un carrefour où l'on trouve la route de Zagreb à Split qu'on prend sur la droite sur 2 km environ pour atteindre les **lacs de Plitvice★★★** *(voir ce nom)*.

NOS ADRESSES À OGULIN

ARRIVER/PARTIR

Gare ferroviaire – *Trg Franje Tuđmana.* Ogulin est situé sur la ligne Zagreb-Split et est donc bien desservi. Signalons l'existence du populaire **Karlek**, « écotrain » touristique partant de Zagreb, dont Ogulin est le terminus.

Gare routière – *Trg Franje Tuđmana.*

HÉBERGEMENT

À Ogulin

Bon à savoir – Préférez l'hebergement chez l'habitant car les hôtels sont très touristiques et accueillent beaucoup de groupes. L'office de tourisme centralise les offres pour l'hébergement chez l'habitant.

PREMIER PRIX

Hotel Klek – *Salopek selo 2 - ✆ 047 535 346 - www.madig-mreznica.hr - 10 ch. 35 €.* Ce petit hôtel est parfait pour faire escale dans la région. Une adresse simple et sans prétention.

BUDGET MOYEN

Hotel Frankopan – *Ivana Gorana Kovačića 1 - ✆ 047 525 509 - www.hotel-frankopan.hr - 17 ch. 47/57 €/pers. et 4 suites 1 000/1 500 kn.* Cet hôtel situé à deux pas du château a rouvert ses portes en 2007 après une période de rénovation. Le restaurant est impeccable et l'accueil très aimable.

À Josipdol

BUDGET MOYEN

Hotel Josipdol – *Karlovačka 4 - ✆ 047 581 769 - www.hotel-josipdol.com- 50 ch. 29/33 €/pers.* ☕ - 🅿. Grand hôtel moderne, doté d'un restaurant et d'un bar très fréquenté. Les chambres sont vastes, même si elles manquent de charme.

RESTAURATION

À Josipdol

BUDGET MOYEN

Restaurant Gradina – *Senjska cesta (route de Senj) 32 - ✆ 047 581 515 - www.restoran-gradina.hr - plats 50/60 kn - poisson 100 kn/kg.* Charcuteries, gibier et grillades sont les spécialités de ce restaurant qui s'enorgueillit de figurer sur la liste des cent meilleurs de Croatie.

PETITE PAUSE

Café Stari Grad – *Frankopana 5.* Face aux frondaisons du parc du Roi-Tomislav, un lieu central, agréable et très fréquenté pour une petite pause en terrasse.

ACTIVITÉS

Excursions – L'office de tourisme organise des excursions à la journée dans les environs de la ville (le lac Sabljaki, Centre olympique Bjelolasica à Jasenak).

Randonnée – Nombreuses possibilités de randonnées à pied et à vélo dans le massif de Velika Kapela et autour du lac Sabljaki.

Rent-a-Bike – Au centre olympique Bjelolasica.

Pêche – Pour obtenir l'autorisation de pêcher tant dans les rivières que dans le lac Sabljaki, s'adresser à la société locale de pêche sportive *(Športsko ribolovno društvo, B. Frankopana 13 - ✆ 047 531 160 - 10h-12h)*, ou à l'office de tourisme d'Ogulin où l'on vous délivrera des permis valables une journée.

Rafting et canoë-kayak – Possibilité de pratiquer ces sports sur la Dobra accompagné par un moniteur de la société locale de rafting. S'adresser à l'office de tourisme.

AGENDA

Festival des sorcières et des fées – *Juin.* Plaisirs de la gastronomie régionale, concerts, activités sportives, et une nuit blanche sur Klek avec un bal costumé dans un refuge de montagne qui dure de minuit à l'aube. Ambiance contes de fées et nuit fantastique assurée !

Journées du folklore de la région de Karlovac – *Début juin.* Expositions d'artisanat, concours de carrioles, présentations d'anciennes coutumes, chants et danses folkloriques par des artistes venus de toute la Croatie.

Parc national des lacs de Plitvice

Nacionalni park Plitvička jezera

★★★

NOS ADRESSES PAGE 344

S'INFORMER

Informations – 053 751 026 - *www.np-plitvicka-jezera.hr.*

SE REPÉRER

Carte de région D2 (p. 274-275) – *carte Michelin n° 757 D6.* L'accès au parc national est situé sur la route de Zagreb à Split, à 85 km au sud-est de Karlovac et à 68 km au nord de Gradac. Venant de Zagreb, vous rencontrerez d'abord l'entrée *(ulaz)* n° 1 qui précède de 3 km l'entrée n° 2, toutes deux situées sur la gauche de la route, où vous pourrez laisser la voiture dans les grands parkings aménagés sous les arbres et prendre vos billets. L'entrée n° 1 permet d'aborder le site par les lacs inférieurs ; l'entrée n° 2, que nous conseillons, est placée entre les lacs supérieurs et inférieurs, à proximité de la zone hôtelière.

À NE PAS MANQUER

Tous les lacs sont beaux, chacun à sa manière. Les cascades les plus impressionnantes sont celles du lac Gradina (lacs supérieurs) et la Grande Chute (Veliki Slap) sur les lacs inférieurs.

ORGANISER SON TEMPS

Comptez 6 à 8h pour découvrir la totalité du site. Essayez de vous y rendre à l'ouverture afin d'éviter les heures d'affluence.

AVEC LES ENFANTS

Voyage en « petit train » longeant les lacs, traversée du lac Kozjak en bateau électrique, les chutes du lac Gradina et le Veliki Slap.

Seize lacs disposés en escalier, chacun alimentant le suivant par des cascades, le tout dans un paysage de montagnes couvertes de forêts : tel se présente le parc national des lacs de Plitvice. Mais ces informations ne sauraient masquer l'essentiel : la beauté, parfois tourmentée, parfois sereine de paysages qui échappent à toute monotonie, et celle de ces eaux vives qui jouent sur toute la gamme des bleus et des verts. La découverte de ce parc naturel, classé par l'Unesco sur la liste du Patrimoine mondial, est indispensable lors d'un voyage en Croatie.

Découvrir

Partez de l'entrée n° 2 et traversez la zone hôtelière jusqu'à la rive du lac Kozjak où se trouve le point d'embarquement n° 1 (P1).

Lac Kozjak

Ce premier lac plante d'emblée le décor dans lequel vous allez évoluer : des eaux vertes ou bleues composant, avec le moutonnement des collines recouvertes de forêts, des paysages majestueux. Vous apercevez en face, déjà, parmi les sapins, des cascades dont le bruit lancinant, parfois étouffé, parfois plus présent, vous accompagnera durant toute votre visite. De forme allongée (2 350 m sur une largeur variant de 135 m à 670 m), doté d'une petite île (l'**îlot Stéphanie**), le plus grand lac du parc national couvre, à une altitude de 534 m, une superficie de 83 ha et atteint une profondeur maximale de 46 m. Alimenté par les lacs supérieurs, le lac Kozjak l'est également par des sources, et par une rivière, la Rječica.

Le bateau électrique glisse sur les eaux du lac, dans sa partie la plus étroite, jusqu'au P2. Une fois débarqué, un choix s'impose : soit continuer à pied devant vous en direction des lacs supérieurs, soit attendre à l'embarcadère le départ d'un autre bateau pour partir à la découverte des lacs inférieurs.

LES LACS SUPÉRIEURS (Gornja jezera)

Dénivelé total : 102 m.

Le sentier en rondins s'élève à travers un étrange paysage mi-aquatique, mi-végétal : sous un couvert forestier, les herbes basses disparaissent en partie sous l'eau ; de tous côtés, et même sous vos pas, ce ne sont que filets d'eau scintillante, dévalant joyeusement la pente avant de se jeter par paliers successifs dans le lac Kozjak.

Les Burgeti

Trois petits lacs aux eaux agitées par un bouillonnement perpétuel, que séparent des barrières de travertin recouvert de végétation. Le sentier permet alors de grimper de façon assez abrupte jusqu'au lac supérieur.

Lac de Gradina (Gradinsko jezero)

Alt. 554 m. Superficie : 0,8 ha.

Calme et silencieux, d'un charme un peu mélancolique, ce lac est longé par un sentier tracé sur la rive. Ses eaux, d'un vert presque transparent près de la rive, foncé aux endroits les plus profonds (10 m), sont peuplées de truites. Le fond blanc caractéristique est constitué de *bjelar*, résidu de travertin vierge de toute végétation. On entend, puis bientôt on aperçoit, les grandes cascades qui l'alimentent : une passerelle de rondins permet de passer au pied de ces spectaculaires **Veliki prstavči** avant d'accéder à un superbe bassin d'un vert profond alimenté par une autre cascade, **Mali prstavčac**.

UN MONDE EN ÉVOLUTION

Creusés dans la dolomie pour ce qui est des lacs supérieurs (d'où la sérénité des paysages boisés), dans le calcaire pour les lacs inférieurs qui l'ont creusé d'impressionnantes gorges, les lacs de Plitvice sont séparés par des barrières de **travertin** ou de **tuf** : des conditions particulières, climatiques et autres entraînent la prolifération de mousses subaquatiques et d'algues qui retiennent le carbonate de calcium contenu dans l'eau, et forment un dépôt calcaire, qui se solidifie peu à peu. Ainsi naissent les barrières de travertin qui, avec le temps, finissent par émerger et retenir l'eau, formant ainsi un nouveau lac. Poreuses, elles permettent à celui-ci de se déverser dans le lac suivant par des cascades. C'est ce processus, toujours actif, qui explique l'origine du site que l'on admire aujourd'hui. Site ô combien fragile et menacé par une évolution inexorable, le « vieillissement des lacs », que la pollution ne peut qu'accélérer. C'est pourquoi, entre autres mesures de protection, la baignade est interdite dans les lacs.

Le parc national des lacs de Plitvice.
R. Mattes / hemis.fr

Lac Galovac

Alt. 583 m. Superficie : 12 ha.

D'une profondeur pouvant atteindre 24 m, le troisième lac du site est longé par un agréable sentier conduisant à de belles cascades affectant la forme d'un éventail et provenant des trois lacs supérieurs : le **Petit Lac** (Malo jezero), le lac Vir et le lac Batinovac, situé 28 m plus haut. Tandis que l'on monte vers ce dernier lac, sur la droite, l'eau ruisselle de toutes parts dans un vacarme assourdissant : c'est un véritable feu d'artifice.

Lac Batinovac

Alt. 610 m.

Petit lac longé par un sentier ombragé de hêtres. Laissant sur la droite les lacs **Okrugljak** et **Ciginovac**, on atteint **Labudovac** : là, dans une prairie parsemée au printemps de charmantes petites fleurs mauves, les scilles des prés, a été installée (à proximité de l'arrêt ST3) une aire comportant un petit café et des sanitaires. Pause bienvenue devant une stèle à la mémoire de l'écrivain Vladimir Nazor avant de partir à l'assaut du dernier lac.

Lac Prošćansko

Alt. 636 m. Superficie : 68 ha.

Accès depuis l'arrêt du petit train par la piste rouge (rondins). Dès l'approche, un concert de batraciens fait honneur au promeneur. Entouré de collines couvertes d'un mélange de sapins et de feuillus qui aiment à s'y refléter, ce lac aux eaux vert sombre, le second en dimension et le plus élevé des lacs supérieurs, alimenté par une rivière (la Matica), dégage une impression de sérénité. Le sentier qui le longe jusqu'à l'embouchure de la rivière constitue une promenade d'autant plus romantique qu'elle est (presque) solitaire, la plupart des visiteurs n'allant pas au-delà de l'arrêt du petit train. Dès lors, on redescendra suivant son état de fatigue, en explorant de nouveaux sentiers, ou en prenant le petit train à l'arrêt ST3 : de la route panoramique, on pourra alors observer la succession des lacs et leur dénivelé.

NB – Cette découverte des lacs supérieurs peut être effectuée en sens inverse, en prenant, sur la rive du lac Kozjak (sans le traverser), le « petit train » en direction de l'arrêt ST3 et en effectuant la descente à pied depuis l'aire de Labudovac et le lac Batinovac.

LES LACS INFÉRIEURS (Donja Jezera)

Accès depuis le P2 par bateau électrique qui traverse le lac Kozjak (20mn environ) jusqu'au P3 où a été installée une aire de repos. Départs à l'heure et à la demi-heure jusqu'à 19h30 en été.

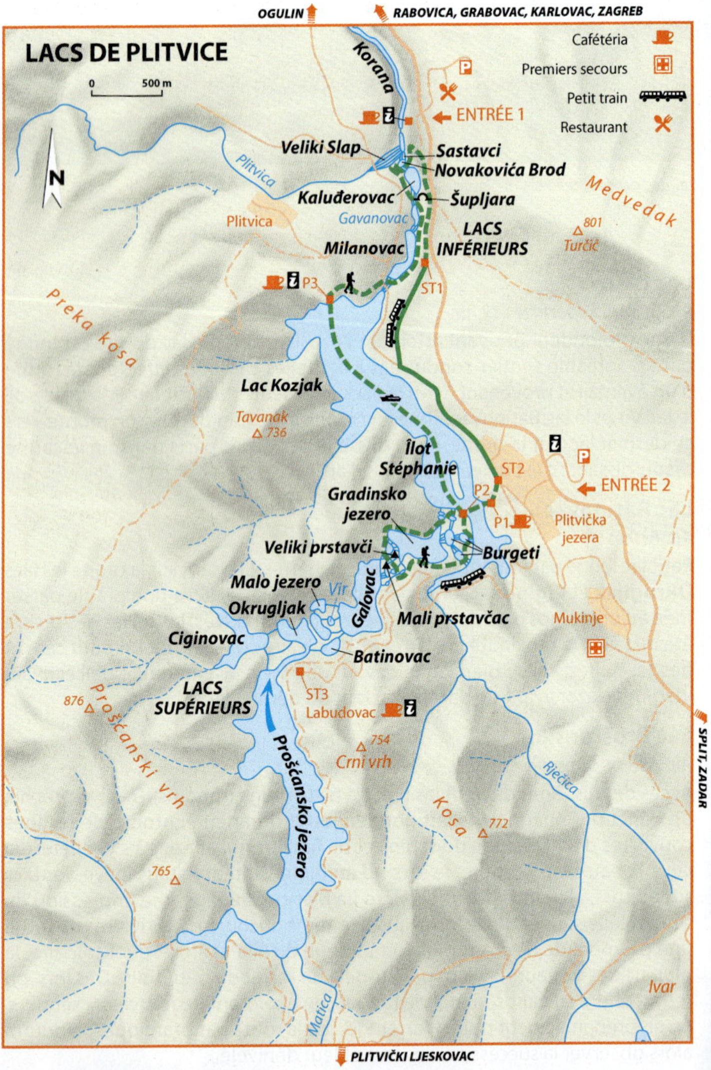

LA FORÊT ET SES HABITANTS

Créé en 1949 par le Sabor, le parc national couvre une surface de 296 km^2. Ce territoire montagneux qui culmine au mont Cigelj (1 252 m) est en grande partie couvert de forêts où se mêlent feuillus (hêtres, érables, chênes, ormes) et conifères (surtout des sapins, mais aussi des épicéas et des pins). C'est dans ce décor que vit tout un petit monde qui fera le bonheur des naturalistes : papillons, batraciens (salamandres, grenouilles et crapauds), reptiles (lézards, couleuvres, quelques vipères, tortues), oiseaux, et aussi mammifères. Parmi ces derniers, outre quelques loups, des cerfs, chevreuils et sangliers, l'**ours** est la vedette incontestée : on estime à une cinquantaine le nombre de ceux qui, plus ou moins régulièrement, fréquentent le parc. S'il est assez rare de tomber nez à nez avec l'un d'eux, peut-être pourrez-vous en observer les traces : son empreinte sur un sol boueux, ses poils sur un tronc d'arbre auquel il s'est frotté, les lieux qu'il a débarrassés de feuillages et de brindilles pour s'accorder une petite pause bien méritée…

La traversée du lac Kozjak sur toute sa longueur dans ce bateau qui glisse silencieusement sur les eaux d'un vert tendre entourées d'un moutonnement de collines constitue, en été, un fabuleux moment de fraîcheur !
À l'arrivée au P3, suivez la direction « Big Waterfall » et traversez (à moins de vouloir gravir la falaise : des points de vue ont été aménagés à son sommet).

Lac Milanovac

Alt. 523 m. Superficie : 3 ha. Un sentier tracé à fleur d'eau permet de longer ce lac d'une profondeur de 18 m aux eaux d'un incroyable bleu-vert qu'alimente un mur de cascades provenant du lac Kozjak. Ici, les lacs commencent à s'encaisser dans un canyon qui devient de plus en plus étroit : le sentier est tracé sous les frondaisons, puis creusé dans la roche (les plus grands feront attention à ne pas se cogner !). Sur l'autre rive, une falaise abrupte plonge directement dans l'eau. De nouvelles chutes conduisent au petit lac Gavanovac (alt. 514 m), puis dans un autre, plus grand.

Lac Kaluđerovac

Alt. 505 m. Superficie : 20 ha. Ici le canyon devient de plus en plus étroit et encaissé : la falaise atteint une hauteur de près de 40 m. Sur la droite, dans la roche, s'ouvre la **grotte Šupljara** : un escalier assez raide taillé dans la roche permet d'y pénétrer et d'accéder par un aven au sommet du plateau dominant le lac. Une passerelle de rondins permet de passer au pied des cascades qui alimentent le dernier des lacs de Plitvice, le **lac Novakovića Brod**, et de gagner l'autre rive dans un paysage fantastique : sur la droite, on est à l'aplomb des cascades alimentant tumultueusement un bassin situé 25 m en contrebas, le **Sastavci**. Sur la gauche, la rivière Plitvica se déverse du sommet de la falaise d'une hauteur de 70 m : c'est la **Grande Chute** (Veliki Slap). Les eaux se mêlent dans un intense bouillonnement et donnent naissance à la rivière **Korana** qui s'enfonce dans d'étroites gorges ponctuées de quatre nouvelles chutes, avant d'aller se jeter dans la Kupa, près de Karlovac, après avoir suivi un cours paresseux de 135 km.
Revenant sur ses pas, on reprendra le bateau au P3, ou le petit train qui attend à la ST1, au-dessus du lac Milanovac, et ramène à la zone hôtelière de l'entrée 2.
NB : L'entrée n° 1 est à environ 200 m de la Grande Chute.

NOS ADRESSES AUX LACS DE PLITVICE

INFORMATIONS UTILES

Bon à savoir – Le parc naturel n'est qu'à 2h30 par la route de l'aéroport de Zagreb-Pleso : il constitue une belle étape sur la route de la Dalmatie.

Desserte par autobus – La desserte de Plitvice est assurée par les lignes reliant Zagreb à la côte dalmate. Pour continuer votre voyage vers la côte dalmate, faites signe aux bus de passage. Pour Dubrovnik, prendre les bus pour Split. Les bus pour Zadar permettent un accès aisé à Dugi Otok et au littoral très bien desservi de Šibenik à Split.

Excursions – La plupart des agences touristiques et des hôtels du littoral proposent une excursion d'une journée à Plitvice.

Sur place – Un bureau à chacune des entrées fournit renseignements, change, billets. Outre de vastes parkings, on y trouve des cabines téléphoniques, des aménagements pour pique-nique, une supérette (plan détaillé des lacs en vente) et une guinguette.

Distributeurs – Deux distributeurs Bankomat dans la zone hôtelière : l'un devant l'hôtel Bellevue, l'autre à l'hôtel Jezero.

VISITE

Bon à savoir – C'est tôt le matin (dès l'ouverture) ou le soir, lorsque les cars de touristes sont repartis vers la côte, que la promenade est la plus agréable. Loger à Plitvice permet donc d'éviter les grandes affluences (impressionnantes, en été).

Horaires d'ouverture : 8h-19h.

Accès – Depuis les entrées, des ponts piétonniers traversent la route pour accéder aux lacs.

Quand y aller – Les cascades gelées en hiver sont superbes ; au printemps, lors de la floraison et, en automne, les paysages sont somptueux. En été, l'affluence est telle que la découverte des lacs ne se fait pas dans les meilleures conditions.

Billetterie – *Avr.-oct. : 110 kn (enf. 55 kn, -7 ans gratuit) ; nov.-mars : 80 kn (enf. 40 kn).* Billets vendus aux entrées. Si vous séjournez sur place, vous pouvez faire prolonger gratuitement leur validité à la réception de votre hôtel.

Organisation de la visite – Le billet d'entrée donne accès aux transports aménagés à l'intérieur du parc : « petit train » (en fait un bus électrique), longeant les lacs sur une route tracée en corniche, et bateau électrique traversant le lac Kozjak.

Équipement – Des chaussures de marche car les sentiers sont pour une bonne part aménagés sur des passerelles de rondins : talons hauts, s'abstenir !

Signalisation – Les points d'embarquement, tant sur le bateau électrique que sur le « petit train », sont abondamment signalisés. En outre, les circuits sont marqués de couleurs différentes (rouge, jaune, vert ou bleu) selon le temps nécessaire pour les parcourir.

Pauses – Des cabanes en rondins permettent aux promeneurs de se reposer devant une boisson fraîche ou chaude, voire une restauration légère : l'une est située à l'arrêt ST3 du « petit train » à proximité du plus haut des lacs, le Prošćansko jezero ; l'autre au point d'embarquement P3, sur les rives du lac Kozjak. Points équipés de WC, d'une boutique de souvenirs et d'un bar/grill.

HÉBERGEMENT

Chez l'habitant

Bon à savoir – Du fait d'une offre hôtelière de qualité standard et de la présence de nombreux groupes, privilégiez les logements chez l'habitant dans les villages alentour : Poljana (sur la route d'Ogulin), Rakovica (vers Zagreb), Jezerce (en direction de Split). Deux kiosques centralisent les offres, aux entrées du parc.

BUDGET MOYEN

Mrzlin Grad – *à Korenica - vrelo 3 - ✆ 053 755 028 - www.mrzlingrad.com - 4 ch. et 2 ch. triple. 55/65 €* . Cette maison d'hôte rustique et campagnarde ne manque pas de charme. Possibilité de chambres familiales. La table d'hôte met à l'honneur la cuisine régionale.

POUR SE FAIRE PLAISIR

Vila Vuk – *Mukinje 45 - ✆ 053 774 030 - www.plitvice-lakes-vila-vuk.com - 4 ch. 70/90 €* . Au pied du parc, cette maison d'hôtes est idéale. Les propriétaires connaissent parfaitement leur région. Simple et propre.

Camping

PREMIER PRIX

Autokamp Korana – *Route de Zagreb, à 6 km de l'entrée n° 1 sur la droite - ✆ 053 751 888 - mai-sept. - 64 kn/pers. (7-12 ans 45 kn), tente 21 kn, voiture 14 kn, caravane et camping-car 43 kn, bungalow 34 € pour 2 pers. - blocs sanitaires avec douches/WC, bac à lessive*. Doté d'un restaurant, d'un café-grill, d'une supérette, ce superbe camping, vaste et d'une propreté irréprochable, est posé au-dessus de la rivière Korana. Petits bungalows. **Navette** pour les lacs tlj à 9h ; retour : 17h *(20 kn AR)*.

Hôtels

Les 3 hôtels du site se trouvent face à l'entrée n° 2, sur la droite de la route lorsqu'on vient de Zagreb. Même centrale de réservation : *✆ 053 751 013/14/15, reservations@np-plitvicka-jezera.hr*

POUR SE FAIRE PLAISIR

Hotel Bellevue – *✆ 053 751 700/800 - avr.-fin oct. - P - 71 ch. 400/503/548 kn* . Le moins cher des 3 hôtels du site. Très correct, mais certaines chambres sont assez tristes. Animaux acceptés.

Hotel Plitvice – *✆ 053 751 100 - P - 52 ch. 548/710/784 kn* . Le prix varie selon le type des chambres. Les plus simples sont d'un bon confort.

UNE FOLIE

Hotel Jezero – *✆ 053 751 400 - fermé janv.-fév. - P - 229 ch. 636/799/873 kn* . Le plus grand hôtel du site. Sauna, piscine couverte, chambres confortables.

RESTAURATION

Bon à savoir – Les grills situés aux entrées du parc proposent des grillades *(25/35 kn)* et des sandwichs *(14 kn)*.

BUDGET MOYEN

Poljana – *Proche de l'hôtel Bellevue - ✆ 053 751 092 - 40/100 kn*. Restaurant et self-service, pour tous les budgets.

POUR SE FAIRE PLAISIR

Plitvice – *À l'hôtel - 100/200 kn*. Le restaurant de l'hôtel propose une longue carte de spécialités dalmates (charcuteries ou poissons) ou continentales.

UNE FOLIE

Jezero – *À l'hôtel - 120/250 kn*. Belle carte (goûtez aux truites), cadre soigné et service impeccable.

AGENDA

Marathon de Plitvice – *déb. juin.*

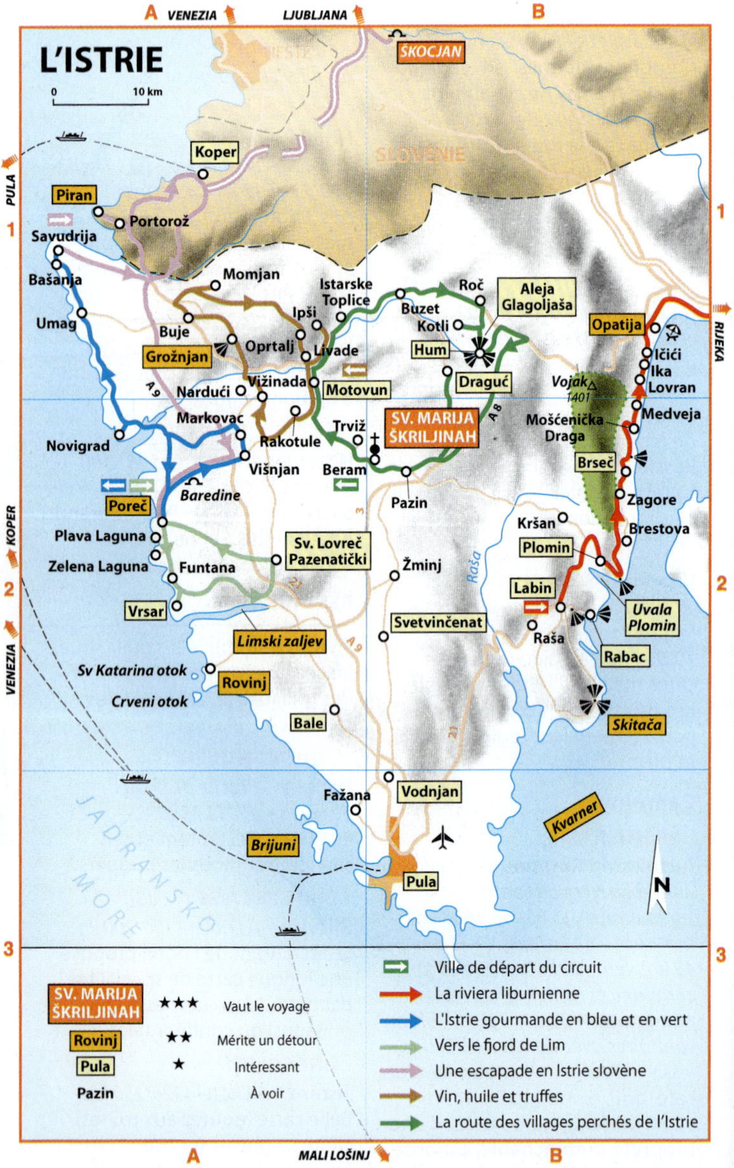
L'ISTRIE
0
10 km
A
VENEZIA
LJUBLJANA
B
ŠKOCJAN
SLOVÉNIE
PULA
Koper
Piran
Portorož
Savudrija
Bašanja
Umag
Momjan
Buje
Grožnjan
Oprtalj
Istarske Toplice
Ipši
Livade
Buzet
Roč
Aleja Glagoljaša
Kotli
Hum
Opatija
RIJEKA
Ičići
Ika
Lovran
Motovun
Vižinada
Nardući
Draguć
Vojak
1401
Medveja
Mošćenička Draga
Markovac
SV. MARIJA ŠKRILJINAH
Trviž
Rakotule
Novigrad
Višnjan
Beram
Brseč
Baredine
Pazin
Zagore
Poreč
Kršan
Brestova
KOPER
Plava Laguna
Sv. Lovreč Pazenatički
Plomin
Zelena Laguna
Funtana
Žminj
Raša
Labin
Uvala Plomin
Vrsar
Svetvinčenat
VENEZIA
Limski zaljev
Rabac
Sv Katarina otok
Rovinj
Crveni otok
Bale
Skitača
Vodnjan
Fažana
Kvarner
Brijuni
JADRANSKO MORE
Pula
N
A9
A8
SV. MARIJA ŠKRILJINAH
★★★ Vaut le voyage
Rovinj
★★ Mérite un détour
Pula
★ Intéressant
Pazin
À voir
Ville de départ du circuit
La riviera liburnienne
L'Istrie gourmande en bleu et en vert
Vers le fjord de Lim
Une escapade en Istrie slovène
Vin, huile et truffes
La route des villages perchés de l'Istrie
MALI LOŠINJ
1
2
3

Istrie 5

Carte Michelin 757

Labin

★

11 642 habitants – Istrie

NOS ADRESSES PAGE 355

S'INFORMER
Office de tourisme – *Aldo-Negri 20 - ☎ 052 855 560 - www.rabac-labin.com - tlj sf w.-end 7h-15h (tlj en été) ; place Tito, près de la porte S. Floro - ☎ 052 852 399 - été : lun.-vend. 8h-21h, w.-end 10h-14h 16h-21h ; hiver : lun.-vend. 8h-15h.*

SE REPÉRER
Carte de région B2 (p. 346) – *Carte Michelin n° 757 B6*. Dominant la côte orientale de l'Istrie, Labin est une vieille ville perchée à 48 km d'Opatija par la route de corniche de la riviera liburnienne et à 32 km au sud-est de Pazin. À l'arrivée, après avoir traversé la ville basse, on accède à la ville haute par une montée escarpée et pavée, jusqu'à la place Tito plus ou moins transformée en parking (payant).
Voir la rubrique « Arriver/partir » dans *Nos adresses*.

SE GARER
Sur la place Tito ou, plus loin, par la rue Ste-Catherine et à gauche.

À NE PAS MANQUER
Promenade dans la vieille ville, baignade à Rabac.

ORGANISER SON TEMPS
Comptez 2h pour la visite de Labin (sans escapade à la plage de Rabac).

AVEC LES ENFANTS
Le Musée populaire de Labin avec sa galerie de mine reconstituée.

Une ville fortifiée perchée au-dessus de la mer : ainsi se présente Labin, avec ses façades colorées et ses ruelles en escalier. Cité parsemée de palais, ce fut aussi une ville minière : on a peine à le croire aujourd'hui, alors que les artistes ont pris la place des mineurs de fond et investi les nobles palais d'autrefois pour y ouvrir des galeries. Et, 300 m en contrebas, Rabac, haut lieu du tourisme balnéaire en Istrie, offre la possibilité de piquer une tête dans cette mer si bleue.

Se promener

Place Tito (Titov trg)

Après y avoir laissé la voiture, et s'être désaltéré à l'agréable Velo Kafe, on se prend à regretter que cette place soit utilisée comme parking. Elle abrite en effet, sur la gauche, un **bastion circulaire** assez massif, élevé aux 16e et 17e s. et surtout, lui faisant pendant, une délicate **loggia** du 16e s. (dépôt lapidaire) qui mériteraient d'être mieux mis en valeur.
Derrière le bastion, la **porte S. Floro★** (vrata sv. Flora), 1587, ouvre sur la vieille ville.
En passant par la gauche de la loggia, vous arriverez à la promenade St-Marc.

Façades de Labin.
R. Mattes / hemis.fr

★ **Promenade St-Marc** (Šetalište sv. Marka)

Agréable promenade aménagée en terrasse. Sur la droite, dominant la campagne plantée de potagers, de vignes et de cyprès, on aperçoit, au loin, la mer et le golfe de Rabac, avec ses maisons blanches disposées en amphithéâtre. Un escalier donne accès à un sentier qui permet de descendre à pied à la mer (comptez env. 5 km).

La promenade se poursuit par une route circulaire, le **Viale dei Illustri** : des héros de la résistance istrienne au nazisme, parmi lesquels **Aldo Negri** (1914-1944), y sont honorés par une sculpture de leur buste.

De retour sur la promenade, en passant sous la petite **porte des Uskoks** (Uskočka vrata) de 1599, on pénètre dans la vieille cité par la rue J. Rakovca, en montée assez sensible.

Starigrad

Sur cette place, deux édifices intéressants : la **maison Scampicchio** (zgrada Scampicchio), élevée en style Renaissance en 1535, et le **palais communal** (Gradska palača), lui aussi du 16e s. Notez sur la gauche le vieux théâtre et sa tour-clocher, avant la ruelle en pente qui conduit à la porte S. Floro. Celle-ci ramène à la place Tito.

Prenez la petite rue qui s'élève face à la rue J. Rakovca et passe devant la façade du palais communal.

★ **Rue Giuseppina Martinuzzi** (Ulica Giuseppina Martinuzzi)

Sur le côté gauche de cette rue, bel ensemble de constructions anciennes : au n° 7 le **palais** (palaća) **Franković**, baroque, qui date du 18e s. Il abrite un petit **musée-mémorial** évoquant Matija Vlačić (1520-1575), plus connu sous le nom de **Matthias Flacius Illyricus**, disciple de Martin Luther, et fondateur de la branche des « vrais luthériens ». Suivent l'**ancien hôpital** (stara bolnica), un édifice des 16e et 17e s., et deux belles demeures baroques, les **palais Negri** et **Mancini**. En face se dresse la minuscule chapelle du 17e s., N.-D.-du-Carmel.

Empruntez les escaliers et à la fourche, prenez à droite, jusqu'à la rue Pina Budicina que vous suivrez sur la gauche.

★★ **Rue du 1er-Mai** (ulica 1. Maja)
Entrecoupée de marches, bordée de palais et d'églises, cette rue compose un ensemble aussi biscornu qu'harmonieux avec ses balcons, ses décrochements et ses façades teintées de couleurs chaudes.

★ **Église de la Nativité-de-la-Vierge** (Crkva Rođenja B.D. Marije)
Commencée au 11e s., mais remodelée au 16e s. et décorée par la suite dans le goût baroque, elle présente une agréable façade à fronton Renaissance, ornée d'une délicate rosace et d'une sculpture représentant le lion de saint Marc. Sur la droite de la porte, dans une conque, remarquez le très beau **buste★★**, œuvre maîtresse d'époque baroque (1688) honorant Antonio Bollani, qui s'illustra par sa vaillance contre les Turcs. À l'intérieur, on est frappé par la belle élévation de l'édifice, la noblesse du grand autel orné d'une toile représentant la Nativité et une jolie collection de statuettes de saints, baroques, en bois polychrome.
Remontez la rue.

★ **Palais Battiala-Lazzarini** (Palača Battiala-Lazzarini)
Ce beau palais, dont un corps de bâtiment en retour vient fermer en partie la place, a été élevé au 17e s. Sa façade rouge est ornée de balcons et de deux étages de fenêtres décorées de têtes de lion. Il abrite le Musée populaire.
Musée populaire de Labin (Narodni muzej Labin) – *✆ 052 852 477 - avr.-mai. : 10h-14h, sept.-juin : 10h-13h et 17h-20h, juil.-août : 10h-13h et 18h-22h - fermé le dim. - 15 kn (enf. 10 kn).*
Les **collections archéologiques** évoquent l'antique *Albona*, municipe romain fondé au 2e s. av. J.-C., à l'aide de stèles funéraires et votives, et d'amphores retrouvées dans le fjord de Raža, au sud de Labin, ainsi que l'arrivée des Slaves au Haut Moyen Âge. Une intéressante **section ethnographique** fait revivre à l'aide d'outils paysans, de jougs, de filets de pêche, d'instruments de musique (remarquez la crécelle, l'accordéon local et un instrument évoquant les cabrettes) la vie d'autrefois. Mais le clou de la visite est la **galerie de mine★** reconstituée avec ses étais, des wagonnets, des bruitages visant à rendre le parcours plus réaliste… d'autant que l'on aura pris soin de se coiffer d'un casque pour éviter de se cogner aux poutres. Les claustrophobes apprécieront le panneau *izlaz* « sortie » qui entretient l'espoir d'une issue ! Inattendue, cette galerie rappelle que Labin fut le centre minier le plus important d'Istrie ; exploitées depuis 1785, les dernières mines ne fermèrent qu'en 2000.
Au-delà du musée, des marches assez raides conduisent, sur la droite, au bout de la rue marquée par une **maison à cariatides**, elle aussi du 16e s.
Dans ulica Rike Milejova, que l'on prend à droite, on rencontre un **campanile** solitaire, élevé au 17e s. à côté des vestiges de l'**église St-Just** (crkva sv. Justa), du 10e s. En face, l'ancien archevêché (14e s.) à la façade gothique.
De là, revenez sur la rue du 1er-Mai par la rue à droite et quittez la ville par Stari Grad et la voûte de la porte S. Floro qui ramène sur la place Tito.

À proximité Carte de région B2

Église N.-D.-Consolatrice (Crkva sv. Marije Tješiteljice)
En dehors des remparts, sur la rue Alda Negrija, en direction de Rabac.
Érigée en 1426 par les membres de la communauté religieuse du même nom, elle est précédée d'une petite loggia.

Park Dubrova
À l'entrée de la ville de Labin.
Collection de sculptures en pierre qui compte près de 90 œuvres réalisées par les participants du Symposium méditerranéen de sculpteurs *(voir Agenda)*.

Raša

▶ *À 3 km au sud-ouest.*

Une bien étrange cité : ce village de mineurs fut entièrement construit, en 1936, par un architecte italien, Gustavo Pulitzer-Finali, et Mussolini en personne (l'Istrie était alors italienne) en a posé la première pierre. Le toit de l'église Ste-Barbe affecte la forme d'un wagonnet de mine, et son clocher a été dessiné en s'inspirant des lampes de mineurs.

Skitača

▶ *À 15 km au sud. Depuis la place Tito, suivez la direction de l'E 751 et de Raša mais bifurquez avant à gauche, dir. Kapelica puis Brovinje, qui sera signalé sur la gauche après env. 15 km. Traversez le petit village à flanc de montagne et montez encore env. 2 km par une route très étroite. Parking aménagé sur le plateau, à droite de la route, plusieurs mètres avant les maisons.*

Ce hameau de bout du monde se mérite ! Un magnifique **panorama★★** sur la pointe de l'Istrie et le golfe de Kvarner, avec les îles de Cres et de Lošinj au premier plan, sera la récompense des émotions de la conduite. Vous pouvez redescendre par l'autre côté de la montagne, mais sachez que la pente et l'étroitesse de la route y sont encore plus importantes que sur le versant précédent.

★ Rabac

▶ *À 6 km à l'est.*

C'est une belle route qui descend en lacets serrés sur la station balnéaire, dévoilant peu à peu des **vues★★** sur la baie et le village de pêcheurs qui en occupe le fond. Enserrant son port, le village s'est doté de deux grandes zones hôtelières. Sur la droite, devant une plage de gravier, se sont installés trois grands ensembles à l'architecture anguleuse. Sur la gauche, les hôtels, plus discrets, sont disséminés dans des pinèdes qui dominent une série de caps, délimitant de petites plages **(San Andrea, Lanterna)** de rochers, de gravier, ou de ciment. Une promenade piétonne bordée de restaurants et cafés, le **lungomare★**, relie ces deux zones au centre-ville en longeant la côte dont elle épouse les sinuosités. Voué au tourisme, le port pourra être le cadre d'une promenade agréable, surtout au matin, lorsque seuls les pêcheurs en animent les quais. C'est le moment d'apprécier la belle **vue★** sur le golfe et les îles.

Kršan

▶ *À 18 km au nord-ouest en direction d'Opatija puis, à Voziliči, en prenant la direction de Pazin.*

Sur la gauche de la route s'élèvent les vestiges d'un château médiéval (13e s.) : une tour quadrangulaire et un portail gothique. C'est ici que l'on a retrouvé, au début du 20e s., le parchemin porteur d'un long texte glagolitique, sorte de cadastre de l'Istrie au 13e s.

5

Circuit conseillé Carte de région B 1-2

★★ LA « RIVIERA LIBURNIENNE », DE LABIN À RIJEKA B1-2

▶ *Circuit de 61 km tracé en rouge sur la carte de région (p. 348) - Comptez une journée ou plus (hors les îles !).*

Quittez Labin en direction de Rijeka (attention : ne pas suivre la direction Rijeka par Tunnel Učka, mais par Trajekt Brestova).

On aperçoit sur la droite une haute cheminée marquant l'emplacement du port industriel de **Plomin** (Plomin Luka), installé au fond du fjord du même nom.

★ Plomin

Village perché posé à l'aplomb du fjord qui porte son nom, Plomin présente une silhouette particulièrement harmonieuse, avec ses maisons de pierres sèches couvertes de tuiles roses. Dans l'hypothèse où vous pourriez garer la voiture, ne manquez pas de parcourir les ruelles de cet ancien municipe romain, avec son **église St-Georges-le-Vieux** qui a conservé un clocher roman avec fenêtres géminées, et, sur son mur extérieur, une **inscription glagolitique** du 11e s. qui serait l'une des plus anciennes d'Istrie. L'**église St-Georges**, quant à elle, est d'origine gothique, mais a été largement transformée à l'époque baroque. Lorsqu'elle est ouverte, on peut y voir quelques sculptures sur bois (Vierge à l'Enfant, Saint Roch…).

★ Fjord de Plomin (Uvala Plomin)

On aperçoit bientôt, sur la droite, à travers un rideau d'arbres, les eaux vertes de l'étroit et encaissé fjord de Plomin, à 168 m en contrebas. Difficile cependant de s'arrêter pour le contempler avant le **panorama★★** (vidikovac) aménagé à son embouchure, 3 km après Plomin. La vue y est magnifique, tant sur le fjord lui-même que sur la côte et les îles de Cres et Lošinj.

Après le point de vue, la route longe la côte istrienne, ici très abrupte. Sur la gauche, la barre montagneuse du massif de l'Učka, culminant au mont Vojak (alt. 1 401 m). Sur la droite, en contrebas, la mer et l'île de Cres. Très ombragée, la route est parfois bordée, côté mer, de rangées de cyprès qui achèvent de conférer au paysage une touche de noblesse méditerranéenne à la fois mélancolique et pleine de grandeur. Profitez des rares possibilités de stationnement pour admirer ces paysages. C'est le cas 3 km après le panorama précédent, à l'approche de la route conduisant au ferry de Brestova.

Brestova

Accès par une route en forte descente. Dominant la mer, la route, étroite et sinueuse, parcourt des paysages d'oliveraies en terrasses jusqu'au point de départ des ferries pour les îles de **Cres** et **Lošinj★★** *(voir ce nom).*

De retour sur la route de corniche, c'est au village de **Zagore** qu'on entre officiellement dans la région de Kvarner.

★ Brseč

Dominé par le clocher de son église, ce village est posé un peu à l'écart de la route sur une falaise dominant la mer et, en face, l'île de Cres. Par une petite promenade tracée en balcon au-dessus de la mer, on accède au village en empruntant un passage sous voûte, où un petit monument rappelle la mémoire d'**Eugen Kumičić** (1850-1904), auteur de romans historiques comme *Urota Zrinsko-Frankopanska (La Conspiration de Zrinski et Frankopan).*

Niché à l'intérieur des murailles d'une forteresse aujourd'hui ruinée, le minuscule village est un véritable labyrinthe : on prend plaisir à se perdre dans ce petit dédale d'escaliers, de passages sous voûte, d'impasses, de petites cours fleuries où les maisons de pêcheurs s'enchevêtrent dans un équilibre instable sur les pentes de la falaise. Ruelles hors du temps, peuplées de chats qui s'étirent paresseusement au soleil, conduisant à l'humble église (remarquer, sur la base carrée du clocher, le couronnement octogonal) devant laquelle quelques barques ont été tirées depuis la mer (une bonne centaine de mètres en contrebas) on ne sait trop comment. De temps à autre, des échappées dévoilent un pan de mer d'un bleu intense. Lieu enchanteur où il fait bon se poser, d'autant que nombre de maisons proposent des chambres à louer : alors pourquoi ne pas frapper à une porte et s'abstraire du fracas du monde ?

Le fjord de Plomin.
R. Mattes / hemis.fr

Reprenez la direction de Rijeka.

Après 3 km, un point de vue aménagé livre une superbe **vue★★★** sur le golfe : la pointe nord de l'île de Cres puis, sur votre droite, Opatija et enfin la tache blanche de Rijeka que dominent ses tours. Deux kilomètres plus loin, une autre échappée vous permet de découvrir ce même paysage sublime. Outre la mer et les îles, le paysage est embelli par une végétation très variée : aux cyprès se mêlent des chênes verts, des pins maritimes, des marronniers, d'imposantes grappes de lauriers-roses et, parfois, quelques palmiers.

Mošćenička Draga

Petite station balnéaire posée en bordure d'une plage de galets que longe une agréable promenade plantée. Le petit port de pêche achève d'en faire un endroit charmant, et on ne peut plus tranquille, du moins hors saison…

Medveja

À la pointe d'un cap, de belles maisons aux teintes chaudes plongent de façon abrupte dans la mer. En contrebas, petite plage de galets et port de pêche.

Lovran

Trg Slobode 1 - ✆ 051 291 740 - www.tz-lovran.hr - été : 8h-20h ; hiver : tlj sf dim. 8h-15h, sam. 12h.

Garez votre voiture près de la jetée du port ou, à défaut, tentez votre chance dans les petits parkings aménagés du côté de la vieille ville, sur la gauche de la route.

Une végétation exubérante et volontiers exotique, des villas somptueuses (bien que parfois un peu décaties) où, du postpompéien au néotroubadour, pas grand-chose ne semble avoir bridé la fantaisie des architectes, de grands hôtels à l'architecture monumentale propre aux palaces d'autrefois, une vieille ville agréable, telle se présente Lovran, posée au pied des monts Učka et berceau du tourisme sur la côte adriatique. La station connut en effet ses premières heures de gloire à la fin du 19e s. lorsque l'empereur François-Joseph en fit un de ses lieux de villégiature préférés. Station climatique hivernale réputée, elle attira rapidement grâce à son climat privilégié le gratin de l'époque, avant de devenir, évolution des mœurs aidant, une station estivale. Seul bémol : la route, très fréquentée, qui traverse de part en part la station.

★ **Port** (Luka) – C'est un petit port de pêche harmonieux qui se blottit au pied de restaurants et de glaciers aménagés sur des pontons, en contrebas de la route. Là se dresse une ravissante petite église romane (modifiée à l'époque gothique), vouée à la **Sainte-Trinité** (Crkva sv. Trojstva) et hélas quelque peu défigurée par un auvent supporté par des piliers de ciment. Elle est rarement ouverte, ce qui est dommage : on peut alors y voir des restes de fresques gothiques. C'est du port que part le **lungomare★★**, longue promenade piétonne au bord de l'eau qui ne s'achève qu'à Volosko, 12 km plus loin, et qui conduit à la **plage du Kvarner** (kupalište Kvarner), artificielle (et cimentée) de la ville. Notez qu'il existe une autre plage, de galets celle-là, au sud.

RÊVERIE À FLEUR D'EAU

Entre Lovran et Volosko, c'est sur 12 km un immense « lungomare », une belle **promenade de bord de mer**, sorte de sentier des douaniers aménagé pour la promenade et réservé aux piétons et aux baigneurs. Émaillée de quelques « plages » artificielles de ciment, ponctuée de petites criques où quelques barques de pêche somnolent paisiblement sur des flots à peine troublés par un clapotis paresseux, cette longue promenade, à peine interrompue par la traversée de quelques ports de pêche, parcourt la côte dont elle épouse les moindres courbes. À l'écart de l'animation de la route, elle est ombragée par les luxuriants jardins des villas « fin de siècle » témoignant de l'opulence et de la fantaisie de la haute société austro-hongroise, et dévoile des vues superbes sur la côte, d'Opatija à Rijeka, ainsi que sur l'île de Cres. C'est un lieu paisible et hors du temps où l'on aime à flâner face à la mer qui joue sur toute la gamme des bleus…

★ **Vieille ville** (Stari grad) – On y accède par une voûte, passage percé dans les anciens remparts, en face du port. Ruelles en escalier et passages voûtés conduisent à la place de l'église, bordée de belles maisons aux façades de couleurs vives et aux balcons fleuris. Face à l'église, l'ancien hôtel de ville dit « la **maison St-Georges** » porte au-dessus de l'entrée un relief représentant saint Georges terrassant le dragon. Remarquez le porche (1722) de la maison voisine sur lequel est sculptée une amusante tête d'un homme barbu et moustachu appelé le **Mustaćon**. On plaçait ce genre de sculpture au-dessus de l'entrée pour protéger la maison des forces du Mal… De style gothique, l'**église St-Georges** a été réaménagée en pleine époque baroque aux 17e et 18e s., mais a fort heureusement conservé ses **fresques★** réalisées autour des années 1470-1480 par l'**atelier de Kastav** (partie supérieure : *cycle de Notre-Dame*) et par l'atelier istrien du **Maître des Couleurs** (partie inférieure : *Martyre de saint Georges*). La **tour médiévale** de Lovran, récemment restaurée et rouverte au public, offre une vue magnifique sur le golfe de Kvarner, l'île de Cres et la vieille ville. C'est aussi un lieu d'exposition artistique.

Ika

Banlieue d'Opatija, Ika est édifiée au fond d'une petite anse occupée par une plage de gravier, de part et d'autre du môle du port de pêche.

Ičići

Même configuration que la station précédente : plage mi-cimentée, mi en gravier, port de plaisance. Remarquez la belle villa construite à la sortie du village, dans un style évoquant l'Antiquité romaine, et les nobles colonnades de son jardin aux plantations exubérantes.

On atteint alors **Opatija★**, d'où l'on peut gagner **Rijeka** *(voir ces noms, dans la région 4, « Golfe de Kvarner »).*

NOS ADRESSES À LABIN

ARRIVER/PARTIR

Autobus – *Istarska ulica, dans la ville moderne (en retrait de l'axe principal Pula-Rijeka) - ✆ 052 855 220 - guichet : 5h30-21h.* Bus fréquents pour Pula, Rijeka, Zagreb, Rovinj, Zadar, Šibenik et Split ; 1/j. pour Varaždin, Osijek, Dubrovnik et Trieste.

Desserte locale entre Labin et Rabac pratique : 14 bus/j., 5h15-22h05.

Petit train de Rabac – *10 kn (enf. 7 kn).* Il parcourt le *lungomare*, de la pointe Sv. Andrea aux hôtels Maslinica en passant par le port de Rabac. Ttes les h : 8h30-19h20.

NAUTISME

Pas de marina à Rabac, mais quelques anneaux au port. Marinas les plus proches : Ičići (Opatija) et Pula. Grue au camping Oliva. En ville : épicerie, magasins d'équipement nautique et tous commerces. **Carburant** à 300 m du port. Enregistrement à la **capitainerie du port de Rabac** – *✆ 052 872 085.*

HÉBERGEMENT

À Labin

PREMIER PRIX

Agence Veritas – *Sv. Katarine 8 - ✆ 052 885 007 - été : 8h-21h ; hors sais. : tlj sf dim. 8h-16h, sam. 9h-12h - studio 39 €, appart. (4 pers.) 60 €.*

À Rabac

Centrale de réservation – *Rabac bb - ✆ 052 465 100 - www.valamar.com. Pour Maslinica Hotels : ✆ 052 884 150/170 - info@maslinica-rabac.com.*

BUDGET MOYEN

Hotel Mediteran – *✆ 052 862 300 - 110 ch. 43,30/44,20 €/pers. en 1/2 P.* Juste au-dessus du Marina, un grand bâtiment un peu triste évoquant les années 1970…

Hotel Marina – *✆ 052 862 300 - fax 052 862 360 - 108 ch. : 57,40/61,70 €/pers. en 1/2 P.* Accès presque direct à la plage et piscine surplombant le front de mer.

Hotel Allegro – *✆ 052 862 100 - 164 ch. et 12 appart. 66,20/70,40 €/pers. en 1/2 P.* Dans une belle pinède, un hôtel des plus convenables avec piscine et accès direct à la mer, une centaine de mètres en contrebas à hauteur d'une petite chapelle posée en surplomb du *lungomare*.

Hotel Miramar – *✆ 052 862 200 - 165 ch. et 13 appart.* Un peu moins bien situé que le précédent. Tarifs identiques.

Valamar Bellevue – *✆ 052 862 520 - 155 ch. : 57,40/61,70 €/pers. en 1/2 P.* Le plus excentré des hôtels de Rabac. Certaines chambres, très correctes, ouvrent sur la mer (belle vue).

Maslinica Hotels – *✆ 052 884 172 - www.maslinicarabac.com - ch. double 50/58 €/pers. en 1/2 P.* Donnant sur la grande plage, dont ils sont séparés par des pelouses munies de piscines, minigolf et une haie où se mêlent cyprès, pins et oliviers, il s'agit de trois hôtels identiques en forme de pyramide (pour bronzer en toute intimité), choisissez donc plutôt les étages supérieurs ! Nommés **Mimosa**, **Hedera** et **Narcis**, ils ne diffèrent que par la couleur de leur façade, plus ou moins ocre ou rouge. Chambres avec baignoire, fonctionnelles et relativement vastes. Belles terrasses. Sauna, fitness, boutique…

UNE FOLIE

Valamar Sanfior – *☎ 052 862 220 - www.valamar.com - avr.-nov. - 151 ch. 150 €.* Niché dans une pinède, face à la mer, cet hôtel offre tout l'espace, le luxe et les services dont on peut rêver. Spa, plages au pied de l'hôtel, piscines. Tout confort.

Pension Nostromo – *M. Tita 7 - ☎ 052 872 601 - www.nostromo.hr - 6 ch. 511 kn/pers., et 2 appart. 600/858 kn.* Au-dessus du restaurant du même nom, chambres et appartements avec une vue magnifique sur le port et la plage de Maslinica. Pension bien tenue et d'une propreté impeccable.

Adoral – *M. Tita 2a - ☎ 052 535 840 - www.adoral-hotel.com - 12 ch. et appart. - ch. 121/145 €, appart. 254/290 €.* Petit nouveau des hôtels de Rabac, Adoral est un établissement dernier cri. L'emplacement est exceptionnel avec ses balcons donnant sur la mer, dont le design est parfaitement maîtrisé. Une adresse chic et branchée.

À Sveti Martin

Ces deux *agroturizam* partagent l'ancienne demeure du dernier baron Lazzarini.

BUDGET MOYEN

Palača Lazzarini-Battiala – *Kort - Sv. Martin - 52 231 Nedešćina - ☎ 052 856 006 - www.sv-martin.com - mai-déc. - 6 appart. 55/62 € - ☕ 7 €.* La demeure abrite dans ses murs ocre-rouge des appartements de 30 m² et 60 m² pouvant accueillir de 2 à 6 personnes. Décor sobre et équipement complet. Ces appartements ne manquent pas de cachet. Table d'hôte.

POUR SE FAIRE PLAISIR

Pineta – *Sv. Martin 32b - 52 231 Nedešćina - ☎ 052 493 118 - www.kastelpineta.com - 6 appart. 615/675 kn - ☕ 49 kn.* Dans un cadre champêtre, de sympathiques propriétaires proposent de nouveaux appartements très confortables dans le « château » et une excellente (et roborative) cuisine. Le petit déjeuner est pantagruélique !

À Mošćenička Draga

PREMIER PRIX

Tourist Agency Annalinea – *Stari grad 1 - ☎ 051 737 207 - www.annalinea.hr - juil.-août : 7h30-22h ; juin et sept. : 10h-19h ; reste de l'année 8h-13h.* Chambres et appartements, tant à Mošćenička Draga qu'aux alentours.

Camping I – *M. Tita 85 - ☎ 051 737 523 - 38 kn (enf. 26 kn), voiture 25 kn, tente 28 kn, électricité 30 kn.* Proche de la plage, c'est un camping bien équipé, où de nombreuses activités sportives sont proposées.

POUR SE FAIRE PLAISIR

Hotel Mediteran – *trg Slobode 1 - ☎ 051 710 444 - www.liburnia.hr - fermé d'oct. à fin avr. - 69 ch. 56/98 € ☕.* Posé sur le quai du petit port de pêche. Chaque chambre dispose d'un balcon.

UNE FOLIE

Hotel Marina – *Aleje Slatina 2 - ✆ 051 710 444 - www.liburnia.hr - 192 ch. 90/102 €* ☕. Parking (payant aux beaux jours). Vaste ensemble posé dans la verdure, quelque peu sinistre (la décoration du bar est digne d'une station-service) mais de bon confort (baignoire, minibar, sèche-cheveux, TV). Les chambres donnant sur la mer sont les plus agréables. Encore faudrait-il que les frondaisons des arbres ne masquent pas l'Adriatique.

À Lovran

Bon à savoir – La route littorale est très passante, évitez de choisir une chambre qui en soit trop proche.

BUDGET MOYEN

Hotel Lovran – *M. Tita 19/2 - ✆ 051 291 222 - www.hotel-lovran.hr - P - 54 ch. 39/51 € la ch. standard* ☕. Hôtel agréable avec des chambres tout confort dont certaines disposent d'un balcon. Belle terrasse avec vue sur la mer. La grande salle de restaurant est décorée de toiles de peintres polonais. Piscine et fitness dans le voisinage immédiat (à l'hôtel Excelsior).

POUR SE FAIRE PLAISIR

Hotel Bristol – *M. Tita 27 - ✆ 051 710 444 - www.liburnia.hr - P - 101 ch. 74/110 €* ☕. Très central, mais en retrait de la route, cet hôtel ne manque pas d'atouts. Les chambres d'un confort simple sont claires et agréables, celles disposant d'une vue sur la mer sont plus chères. Chiens acceptés.

RESTAURATION

À Labin

PREMIER PRIX

Velo kafe – *Titov trg 12 - ✆ 052 852 745 - 30/60 kn.* Sympathique établissement situé face à la loggia, sur la place principale de la ville haute. Idéal pour se poser, prendre un verre, une glace, un encas ou un vrai repas. Terrasse sous treille à l'étage.

BUDGET MOYEN

Restoran Kvarner – *Š. San Marco bb - ✆ 052 852 336.* Ici la cuisine istrienne est mise à l'honneur, et notamment les plats à base de truffe. La terrasse avec vue sur la mer et sur le maquis finit d'en faire une adresse incontournable.

À Rabac

Bon à savoir – Le long du *lungomare* vers la pointe Sv. Andrea, nombreux établissements de restauration rapide (sandwiches, pizzas, salades) et glaciers.

PREMIER PRIX

Robinson caffe – *Sur la promenade allant à la plage des hôtels Maslinica (voir plus haut).* Petit café les pieds dans l'eau où il fait bon boire un verre en fin de journée ou grignoter un en-cas maison.

BUDGET MOYEN

Restoran Miramare – *M. Tita bb - ✆ 052 872 146 - 12h-23h - plats 40/70 kn, poisson 200 kn/kg.* Belle villa blanc et bleu, dominant le port avec 2 étages de terrasses à arcades. Poissons et calamars. Service un peu lent, mais la vue sur la mer est tellement agréable… Propose aussi la location de chambres.

Lino – *M. Tita 59 - ✆ 052 872 629 - 12h-23h - plats 40/70 kn, poisson 220 kn/kg.* Sur le port, une terrasse surplombant la promenade où l'on peut déguster une *gulaš* aux asperges, une grillade de poissons *(miješana riba na žaru)* et les incontournables *čevapčiči*. Menu en français. La patronne parle français, ce qui est suffisamment rare pour le signaler.

Gostionica Primorje – *M. Tita bb - ✆ 052 872 217 - 10h-0h - plats 30-70 kn.* En plein centre de Rabac, poissons et fruits de mer directement sur le quai.

Restoran Nostromo – *M. Tita 7 - ✆ 052 872 601 - 11h-23h - 45/65 kn, fish plate 80 kn, poisson 220 kn/ kg.* Filets de bar aux truffes, carpaccio de poissons, filet de dinde avec sa sauce à l'orange, homards à l'istrienne et autres plats exquis vous attendent dans cet excellent restaurant qui combine la cuisine traditionnelle et imaginative. Carte d'une soixantaine de vins.

À Mošćenička Draga

BUDGET MOYEN

Dora – *Sur la plage - ✆ 051 739 044 - Ouv. en saison uniquement.* Spécialités de poissons (soles, daurades, saint-pierre), calamars et fruits de mer.

À Lovran

PREMIER PRIX

Bellavista – *Stari Grad 22 - ✆ 051 294 461 - 40/70 kn.* Il n'a pas usurpé son nom, ce modeste restaurant qui domine la route et le petit port de pêche de Lovran ! Salades, poissons, pâtes et risotto permettent d'y déjeuner légèrement.

Knezgrad – *Trg Slobode 12 - ✆ 051 291 838 - poissons 140/240 kn/kg, plats 30/60 kn.* Un peu à l'écart au fond d'un petit parc, c'est un endroit agréable pour déguster la spécialité locale, l'asperge : minestrone, raviolis, risotto. Accueil sympathique.

BUDGET MOYEN

Kvarner – *M. Tita 65 - ✆ 051 291 118 - www.restoran-kvarner-lovran.hr - poisson et scampi 260 kn/ kg, plats 40/80 kn.* Classique restaurant de poissons sur le port.

ACHATS

Marché de Labin – *3e merc. du mois.*

À Lovran

Marché (Tržnica) – Côté centre, en face du Kavana Lovran et de la Riječka Banka. Petit marché de charcuteries et de primeurs (et, en saison, de colifichets divers).

ACTIVITÉS

Excursions

Agence Atlas – *Hotel Allegro - Rabac - ✆ 052 872 268 - www.atlas-istra.hr - 9h-13h, 18h-21h.* Excursions en bateau vers les îles de Krk et Brijuni, en car aux lacs de Plitvice et, beaucoup moins raisonnable, des journées à Venise en vedette ultrarapide : départ à 6h15, retour à 21h, le tout pour 525 kn !

Agence Kvarner Express – *M. Tita 53 - Rabac - ✆ 052 872 225 - www.kvarner-express.hr.* Croisière panoramique, pique-nique sur la plage de l'île de Zaglav, excursions dans différentes villes istriennes (Pula, Poreč, Rovinj) et même visite de Postojna, les plus grandes grottes karstiques en Europe, au sud de la Slovénie. L'agence s'occupe également de la location d'appartements, de bateaux et de voitures.

Klinica – *vieux gréement amarré au bout du débarcadère - ✆ 091 790 40 34.* Dans ce bateau aux allures de navire de pirates, des balades sont proposées au gré des vents et de la mer. Visite, plage et repas sur le bateau.

Baignade

Bon à savoir – Les eaux de Rabac arborent fièrement le pavillon bleu indiquant leur pureté.

Plages – Ne pas rêver de plages de sable fin et donc se munir de sandales adaptées. En revanche, à Rabac, la baignade est surveillée et les plages disposent de douches et de cabines.
On peut également louer des parasols et des chaises longues *(20 kn)*.

Nautisme

Location de pédalos et de canoës – *Sur la plage Sv. Andrea - Rabac*. Pédalos et petits canoës en matière plastique *(20 kn/h pour les loups de mer solitaires, 30 kn à deux)*.

Plongée

MZ Diving Center – *Sur le port de Rabac - ✆ 098 723 473 - www.mzdiving.hr*. Location de matériel et plongée. Prix dégressifs de 21 € (1 plongée) à 16 € (plus de 10 plongées), plongée nocturne 26 €.
Marina Sport Diving Center – *Hôtel Marina, à Mošćenička Draga - ✆ 051 737 837 - www.marinesport.hr*. Ce centre, proche de spots intéressants, propose de nombreuses formules de plongée.

Vélo

Location de vélos – *Plage Sv. Andrea* ou *hôtels Maslinica à Rabac*.

Tennis

Centre de tennis Prohaska – *Rabac - ✆ 091 78 81 809 - avr.-oct. : 8h-20h*. Douze courts de terre battue et école de tennis. Location de matériel.

Multisports dans les monts Učka

Park prirode Učka – *Liganj 42, Lovran - ✆ 051 293 753 - www.pp-ucka.hr*. Trekking, alpinisme, free-climbing, parapente, équitation, aventure spéléologique…

Bien-être

Wellness Centar – *Hôtel Sanfior - Rabac - ✆ 098 938 93 67*. Massages, soins du corps, aromathérapie, sauna, piscine.

AGENDA

Fête des asperges (Festival šparuga) **à Lovran** – *Avr.* Omelettes aux asperges, musique et danses sur le port.
Journées des cerises à Lovran – *Juin*. Grand choix de gâteaux aux cerises dont le « strudel » est le plus renommé.
Mélodies d'Istrie et de Kvarner (MIK) Festival – *Juin*. Festival de la chanson istrienne.
Été classique de Labin – *Juil.-août*. Concerts hebdomadaires de musique classique dans l'église de la Visitation ; performances théâtrales et expositions dans les rues de la ville.
Symposium méditerranéen de sculpteurs – *Été*. Une des plus importantes manifestations culturelles de la région. Des sculpteurs du monde entier viennent créer des œuvres en pierre dans le parc naturel de Dubrova près de Labin.
Labinske konti – *Juil.* Festival des chants populaires de Labin.
Journées de la ville de Labin – *Août*. Pendant une semaine, des événements artistiques et culturels et des divertissements de toutes sortes sont organisés.
Festival de musique électronique à Rabac – *1er w.-end d'août*.
L'été de Lovran – *Août*. Concerts de musique classique, présentation de groupes folkloriques, de compagnies de chant et d'orchestres de jazz.
Fête des marrons *(Marunada)* **à Lovran** – *Oct.* L'oie et la dinde farcies aux marrons et les gâteaux aux marrons sont servis dans presque tous les restaurants.

Pula★

Pola

57 460 habitants – Istrie

NOS ADRESSES PAGE 368

S'INFORMER

Office de tourisme – *Trg Forum 3 - ✆ 052 219 197 - www.pulainfo.hr - été : lun.-vend. 8h-21h, w.-end 9h-21h ; hiver : tlj 9h-16h.*

SE REPÉRER

Carte de région B3 (p. 346) – *carte Michelin nº 757 B7.* À la pointe sud de l'Istrie, Pula est aisément accessible par l'*autocesta* (plus une route à grande circulation qu'une véritable autoroute) arrivant de Rijeka par le long tunnel à péage de l'Učka.

Voir la rubrique « Arriver/partir » dans *Nos adresses.*

SE GARER

À l'arrivée, suivez la direction du centre et laissez la voiture au grand parking (payant) aménagé dans le Valerijin Park, au pied de l'amphithéâtre.

À NE PAS MANQUER

Visite de l'amphithéâtre, balade dans la vieille ville avec ses vestiges romains, excursion au parc national des Brijuni et, si vous avez le temps, promenade dans le village de Vodnjan qui vaut assurément un coup d'œil.

ORGANISER SON TEMPS

Prévoyez une demi-journée pour la visite de Pula et une journée entière pour l'excursion aux îles Brijuni.

AVEC LES ENFANTS

Visite de l'amphithéâtre pour rappeler les leçons d'histoire, découverte de la faune et de la flore de l'Adriatique à l'aquarium de Pula, excursion en bateau à Brijuni : safari park, randonnée en petit train et baignade au programme.

Une baie paisible aux eaux d'un bleu intense, une végétation exubérante où dominent le cèdre et l'olivier, de somptueux monuments : les Romains, en esthètes, avaient bien fait les choses ! Pula est devenue avec le temps une petite cité industrielle, siège d'importants chantiers navals… au point qu'elle semble, malgré son indéniable vocation maritime, tourner le dos à la mer. Cela ne nuit en rien au charme qui émane de cette ville sympathique et animée, très méditerranéenne, parsemée de superbes vestiges et à qui il ne manque pas grand-chose pour être tout simplement belle.

Se promener Plan de ville p. 362

★★ Amphithéâtre (Arena) B1

Mars-oct. : 8h-20h (21h en été) ; reste de l'année : 9h-16h - 40 kn (étud. et enf. 20 kn).

Le monument emblématique de Pula est juché sur une butte dominant le port, à l'extérieur des remparts de la ville romaine. Construit au début du 1er s. puis agrandi sous les Flaviens (69-96), c'est l'un des mieux conservés du

L'amphithéâtre romain de Pula.
R. Mattes / hemis.fr

monde romain et le 6e en taille de ceux qui nous sont parvenus. À l'extérieur, cette vaste ellipse de 132 m sur 105 présente un mur d'enceinte constitué de deux étages de voûtes et d'un troisième percé de fenêtres carrées. Originalité : alors que la plupart des amphithéâtres présentent un réseau complexe de vomitoires permettant aux spectateurs d'accéder à leur place, ici ce sont quatre tours appuyées chacune contre un pilastre qui remplissaient ce rôle. À l'intérieur subsistent quelques rangées de gradins *(sur le côté droit)*. L'arène, qui pouvait accueillir 23 000 spectateurs passionnés par les combats de gladiateurs, est aujourd'hui utilisée pour des concerts, ainsi que pour le festival de cinéma.

Trois salles aménagées dans les sous-sols de l'amphithéâtre *(à gauche sous la voûte d'accès)* présentent une exposition consacrée à la viticulture et à l'oléiculture en Istrie à l'époque romaine.

Par la rue (ulica) Amfiteatarska, on atteint la place du Maréchal-Tito (Titov Park) où est exposée une maquette en laiton de la ville, faisant également office de fontaine.

Prenez sur la gauche, en haut de la place, la rue Carrarina.

UN AMPHITHÉÂTRE DÉMONTABLE…

… ou presque. Selon la chronique, le sénat vénitien nourrit quelque temps le projet de transférer pierre à pierre l'amphithéâtre de Pula à Venise ! On ignore dans quelle partie de la cité des Doges ces dignes personnages comptaient le faire remonter (et encore plus quel usage ils comptaient en faire), d'autant plus que l'affaire ne se fit heureusement pas grâce à l'efficace opposition d'un de leurs pairs, Gabriele Emo. Il va de soi que Pula, reconnaissante, honore ce personnage comme il se doit, par une plaque portant son nom.

★ **Porte double** (Dvojna vrata) B2
Construite entre les 1er et 2e s., cette porte à deux arches voûtées était franchie par la voie romaine reliant Pula à Rijeka et bordée, au-delà de l'amphithéâtre, par la nécropole. Elle ouvre aujourd'hui sur un jardin, aménagé en dépôt lapidaire devant un bâtiment massif d'époque autrichienne qui abrite le **Musée archéologique d'Istrie** *(voir ci-après)*.
À proximité de la Porte double, les **galeries souterraines Zerostrasse**, vestiges des souterrains de l'époque austro-hongroise, ont récemment été restaurées. Longues de 400 m et dotées d'une salle centrale, elles étonnent par leur dimension et la température qui n'excède pas 20 °C. *9h-22h, 15 kn (étud. et enf. 5 kn).*

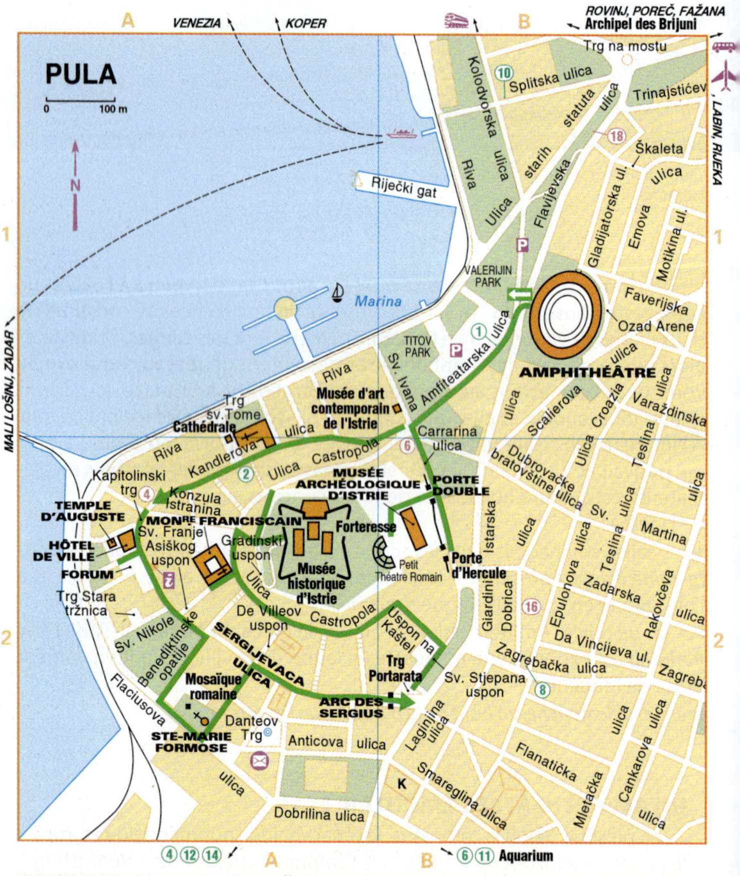

SE LOGER
- Amfiteatar .... ①
- A Turizam .... ②
- Camping Stoja .... ④
- Camping Stupice .... ⑥
- Galija .... ⑧
- Milan .... ⑭
- Park Plaza Histria .... ⑫
- Riviera .... ⑩
- Valsabbion .... ⑪

SE RESTAURER
- Barbara .... ④
- Jupiter .... ⑥
- Mido .... ⑯
- Scaletta .... ⑱

Au-delà de la porte, le boulevard, contournant la colline du château, suit le tracé des murailles romaines dont une partie a été préservée.

Porte d'Hercule (Herkulova vrata) B2
Du milieu du 1er s. av. J.-C., cette porte doit son nom à la tête sculptée qui la surmonte et qui représenterait le célèbre héros grec.

★★ **Musée archéologique d'Istrie** (Arheološki muzej Istre) B2
Carrarina 3 - ✆ 052 351 300 - www.ami-pula.hr - mai-sept. : lun.-sam. 9h-20h, dim. 10h-15h ; sept.-avr. : tlj sf w.-end 9h-14h - 20 kn (étud. et enf. 10 kn).
Fermé pour rénovation lors de notre dernier passage, ce musée présente des collections permettant de mieux prendre la mesure de l'opulence et du prestige de l'Istrie antique. Les salles du rez-de-chaussée constituent un lapidarium où l'on remarquera en particulier une belle **mosaïque de sol★** représentant deux coqs, découverte dans une villa romaine (1er s.), des autels votifs, des monuments funéraires (comme celui, à trois personnages, de la famille de C. Rufelius Rufus) ainsi que quelques éléments d'art « paléocroate » avec leurs entrelacs caractéristiques. Le 1er étage est consacré à la préhistoire : notez les objets en bronze, en poterie et en ivoire trouvés aux Brijuni, puis la finesse des **fibules** dont celle représentant un cheval provenant de la tombe dite du « dignitaire de Nesactium » (4e s. av. J.-C.). Au 2e étage, on retrouve l'époque romaine avec poteries, verreries, lampes à huile, sculptures (tête d'Agrippine, 1er s.) et le Haut Moyen Âge avec les plus belles pièces du musée : un fragment de **mosaïque★★** provenant de Ste-Marie-Formoze et un **coffret en ivoire★★★** orné de scènes dionysiaques (9e-11e s.) d'une époustouflante délicatesse d'exécution.
Contournez le musée par la gauche de la façade.
Quelques marches et l'on atteint un petit théâtre romain adossé à la colline que coiffe la citadelle. Ombragé de pins parasols, il a conservé trois rangées de gradins ainsi que quelques éléments de la scène. L'ensemble est à l'abandon.
Revenez à la place du Maréchal-Tito et prenez, dans le prolongement d'Amfiteatarska ulica, la rue Kandler (Kandlerova ulica) qui mène au centre ancien.

Musée d'art contemporain de l'Istrie (MSUI) B2
Svetog Ivana 1 - ✆ 052 423 205 - été : tlj. 11h-14h et 17h-21h ; hiver : tlj. sf. lun. 11h-19h - 10 kn.
Cette ancienne imprimerie totalement restaurée abrite le tout nouveau musée d'art contemporain où sont exposées des œuvres de la seconde moitié du siècle dernier à nos jours. Lieu de rencontre des artistes istriens, l'institution affirme aussi un parti pris multiculturel.

Cathédrale (Katedrala) A1-2
On découvre d'abord, sur la gauche de la rue, un agréable portique avant de parvenir sur la place St-Thomas (Trg sv. Tome) où se dresse le clocher de la cathédrale (fin 17e s.). D'origine paléochrétienne, le sanctuaire a subi bien des destructions, pillages et restructurations, avant de prendre son aspect actuel sous les Vénitiens. Façade sobre, de style Renaissance, surmontée d'un fronton triangulaire inspiré de l'antique, et parfaitement régulière si l'on excepte, sur la droite, le portail d'une église parallèle, vouée à saint Thomas, le patron de la ville.
L'intérieur présente une vaste nef centrale, séparée des collatéraux par deux rangées de colonnes à chapiteaux. Le grand autel est constitué d'un sarcophage du 3e s.
Poursuivez dans Kandlerova.

Au n° 10, remarquez la maison de style vénitien avec ses fenêtres de style gothique fleuri et son balcon au 2e étage.

Avant de déboucher sur le forum, faites quelques pas sur la droite sur la petite place Kapitolinski.

On aperçoit l'arrière du temple d'Auguste et, inséré dans le bâtiment de l'hôtel de ville, celui d'un édifice jumeau, l'ancien temple de Diane.

★★ Forum A2

On débouche alors sur cette belle place qui, depuis vingt siècles, constitue le cœur de la cité. Très théâtrale, elle est bordée de terrasses de cafés et de deux bâtiments phares de la cité, le temple voué à l'empereur Auguste, et l'hôtel de ville gothico-Renaissance.

★★ **Temple d'Auguste** (Augustov hram) – *9h-20h (w.-end 9h-15h) - 10 kn.* Sur la gauche de l'hôtel de ville, ce petit temple *(voir ABC d'architecture)* aux proportions harmonieuses fut construit au début du 1er s. sous le règne de son dédicataire, ce qui en fait un parfait contemporain de la Maison carrée de Nîmes que, par sa simplicité, il n'est pas sans évoquer. Six colonnes corinthiennes supportant un fronton triangulaire donnent accès à la *cella* qui sert de dépôt lapidaire.

★ **Hôtel de ville** (Gradska palača) – Contigu au temple d'Auguste, ce palais gothique a été bâti au 13e s. sur l'emplacement d'un temple qu'il a englobé dans ses murs. Belle façade à arcades Renaissance, sous lesquelles sont disposés des blasons qui achèvent de donner au lieu une touche italienne.

★ Rue Sergius (ulica Sergijevaca) A2

C'est la grande rue animée de la cité, qui conduit du forum à la place Portarata. Bordée de maisons témoignant du passé vénitien de la ville (remarquez, au n° 18, la façade rouge avec les trois têtes représentées en bas-relief), elle concentre nombre de commerces et rassemble une foule d'autochtones qui aiment à y flâner et y faire leurs courses.

Prenez sur la droite le sympathique petit square des Bénédictins (Benekditinske Opatije) qui conduit au quai.

Sur la gauche, dans le square, est exposée une superbe **mosaïque romaine**★★ du 3e s. trouvée *in situ* : c'est le pavement d'une riche demeure romaine, dont le motif représente le *Châtiment de Dirce.*

★ Chapelle Ste-Marie-Formose (Kapela sv. Marije Formoze) A2

Cette petite chapelle paléochrétienne, que son environnement ne contribue pas véritablement à mettre en valeur, est tout ce qui subsiste de la basilique du même nom (*formosa* faisait allusion à la beauté de sa décoration) élevée vers 566 : quelques autres vestiges de celle-ci sont visibles à proximité. En forme de croix, toute simple et émouvante avec ses *claustra*, elle était décorée de superbes mosaïques dont on peut découvrir des fragments au Musée archéologique.

Revenez à la rue Sergius.

★★ Arc des Sergius (Slavoluk obitelji Sergi) B2

La rue Sergius aboutit à ce bel arc de triomphe, érigé à la fin du 1er s. et décoré de reliefs finement sculptés *(façade intérieure des arches)* représentant des grappes de raisin. Appelé la « Porte d'or » (Port'Aurea, d'où Portarata) par les habitants de la ville, il honore non pas quelque empereur ou général comme la plupart de ses confrères du monde romain, mais trois frères, de riches personnages nommés Sergius, en la mémoire desquels il fut élevé.

DE NESACTIUM À PULA

Tout commence à *Nesactium*, oppidum bâti sur une colline dominant la baie de Pula, dont les Romains s'emparèrent par la ruse au printemps de l'année 177 av. J.-C., ce qui leur permit de faire main basse sur la totalité de l'Istrie. Celle-ci reçoit, au début de notre ère, le statut de « colonie » : c'est à cette époque que furent bâtis les grands monuments de la cité, comme l'amphithéâtre ou le grand théâtre (disparu depuis). Région résidentielle appréciée en été (les îles Brijuni en particulier), Pula et l'Istrie connurent alors, jusqu'aux invasions barbares, une prospérité sans pareille.

Au Moyen Âge, Pula devient le siège des féodaux les plus puissants de l'Istrie, les Castropola, appelés aussi De Sergi. La confrontation avec le voisin vénitien pour le contrôle de l'Adriatique devient inévitable : Pula doit faire serment de fidélité éternelle aux Vénitiens en 1145 et, après plusieurs révoltes, escarmouches, sacs et pillages, finit par tomber aux mains de la Sérénissime au 14e s. La cité sombre alors dans la décadence, tant politique qu'économique et les épidémies déciment la population (on fait appel à des immigrants). Pula reste vénitienne jusqu'à l'arrivée des Français en 1797. En 1813, la région passe sous le contrôle de l'Empire austro-hongrois. C'est alors que Pula prend sa physionomie actuelle, en dépassant le cadre des murailles romaines et en devenant le principal chantier naval et arsenal des nouveaux maîtres : vocation maritime qu'elle a conservée jusqu'à aujourd'hui, où il n'est pas rare de découvrir, au cœur de la ville, une énorme coque de navire en construction.

Annexée en 1918 par l'Italie, Pula est victime d'une « italianisation » forcée de sa toponymie, comme du patronyme de ses habitants. Administrée par les forces alliées anglo-américaines après le départ des Italiens, ce n'est finalement qu'en 1947 que Pula, avec l'Istrie, rejoindra la Croatie, alors partie prenante de la fédération yougoslave.

Place Portarata B2

Vaste place, à la jonction de la ville ancienne et de la cité moderne, très animée grâce à ses terrasses de café, et, les jours d'été, par toutes sortes d'activités ludiques : étals de vendeurs de souvenirs et scène où, en soirée, des musiciens locaux font danser la jeunesse sur des tubes d'aujourd'hui et des dernières décennies.

Arrivé sur la place Portarata, prenez, immédiatement à gauche, Sv. Stjepana uspon, rue en escalier, puis poursuivez l'ascension sur la gauche dans uspon na Kaštel après un virage à angle droit.

5

Rue Castropola AB2

Cernant la colline du château, parallèle à la rue Sergius à laquelle elle est reliée par de brèves rues en pente parfois entrecoupées de marches, cette agréable venelle est bordée, sur la droite, par les jardins de villas patriciennes, parfois quelque peu décaties, mais dont certaines ont conservé fière allure. Sur la gauche, on domine les toits de tuiles de la ville basse. Quelques échappées permettent d'apercevoir la mer et les cargos en construction. D'odorantes glycines accompagnent cette promenade en solitaire.

★ Monastère franciscain (Samostan sv. Franje) A2

Accès par la petite rue Sv. Franje Asiškog, en forte pente (attention pavé glissant !). 10h-17h - 5 kn.

Construite en 1314, l'**église franciscaine** présente une belle façade romane, ornée d'un porche délicat et d'une rosace octogonale, sur une petite place empreinte de sérénité. Avant d'y pénétrer, remarquez la chaire extérieure, permettant au prêcheur de s'adresser à la foule que l'on imagine massée dans la rue. L'intérieur présente les caractéristiques du style gothique, à la fois simple et plein d'élégance, en particulier un bel ensemble de voûtes d'ogives. Près du grand autel se trouve un imposant **polyptyque** de bois sculpté, pièce maîtresse de l'art gothique en Istrie (école de Vivarini, fin du 15e s.). L'église donne accès au **cloître** du monastère, ravissant dans sa simplicité, dont les murs sont ornés de stèles.

Revenez à Castropola.

Un peu plus loin, dans le jardin du monastère, glycines et oliviers encadrent un **cèdre** d'un âge plus que vénérable, à l'ombre duquel sont disposées des sculptures et stèles d'époque romaine.

Reprenant Castropola, vous pouvez alors monter au château par un escalier assez raide qui se poursuit au-delà de Gradinski uspon, voie permettant d'accéder à la citadelle en voiture.

Forteresse (Kaštel) A2

Dotée de quatre bastions, elle fut dessinée en 1631 par un ingénieur militaire français passé au service de la Sérénissime, Antoine Deville, qui n'hésita pas à réutiliser des pierres provenant de constructions romaines. Petit **belvédère** d'où la **vue★** porte, au-delà des arbres et des toits de tuiles de la ville, sur l'ellipse parfaite de l'amphithéâtre et sur la baie de Pula avec ses chantiers navals.

Musée historique d'Istrie (Povijesni muzej Istre) – *8h-21h - 15 kn (enf. 5 kn).* Dans les bâtiments encadrant la cour de la forteresse. Évocation du passé maritime de Pula : plans et maquettes de navires, beau coffre peint, outils de charpentiers de marine, étrave de vaisseau décorée du lion de Venise, et expositions temporaires.

Redescendez par Gradinski uspon sur la rue Castropola, puis par n'importe quelle rue transversale vers la place du Forum. Rejoignez votre voiture par la Riva.

Aquarium Pula A2

Fort Verudela. ✆ 052 381 402 - www.aquarium.hr - été : 9h-22h ; hiver : uniquement le w.-end 11h-18h - 60 kn (étud. et 7-18 ans 50 kn, 3-7 ans 30 kn).

Au cœur de l'ancienne forteresse austro-hongroise, cet aquarium permet d'observer de nombreuses espèces de poissons et autres créatures fascinantes peuplant les eaux de l'Adriatique. Les enfants seront enchantés par la possibilité de toucher quelques animaux marins – chiens de mer, tortues, crabes – qui se prélassent dans un bassin ouvert. L'aquarium héberge également le Centre de sauvetage des tortues de mer qui a pour mission le marquage des tortues de l'Adriatique nord, la réhabilitation des animaux blessés ainsi que la sensibilisation du public à la survie de l'espèce.

À proximité Carte de région

Fažana A3

À 7 km de Pula par la route de Poreč/Rijeka, puis à gauche.

Agréable village de pêcheurs, point d'embarquement pour Brijuni. Oliviers, cyprès et pins parasols lui confèrent une allure très méditerranéenne. Une baie, ombragée de pins, un petit port bordé de terrasses de cafés, une chapelle à portique, dont certains éléments datent du 9e s. font l'essentiel du charme de ce village dont le célèbre archipel constitue l'horizon.

L'ARCHIPEL EN BREF

Il est constitué de 14 îles ou îlots, d'une superficie totale de 736 ha, et dont la principale a pour nom Veli (La Grande) Brijun. Apprécié comme résidence estivale par les Romains, l'archipel a été mis en valeur par un Autrichien, **Paul Kupelwieser**, qui en fut propriétaire entre 1893 et 1919 : c'est lui qui y fit planter les magnifiques arbres que l'on découvre aujourd'hui, initia les recherches archéologiques, appela le célèbre **Dr Koch** pour lutter contre la malaria et fit édifier les premiers hôtels où se pressait le gratin de l'époque. Mais c'est plus tard que Brijuni allait acquérir sa notoriété internationale : le **maréchal Tito** qui en fait sa résidence préférée (résidence privée sur l'îlot de Krasnica), contribue à sa remise en valeur et y reçoit pas moins de 90 chefs d'État étrangers, du négus Hailé Sélassié à la reine Élisabeth, en passant par Nikita Khrouchtchev et Indira Gandhi. Et c'est dans la « maison blanche » de Brijuni que, le 19 juillet 1956, il signait avec Nasser et Nehru la déclaration qui allait demeurer célèbre sous le nom de **pacte des pays non alignés**. Toujours résidence officielle d'État, l'archipel est aujourd'hui classé parc national.

★★ Archipel des Brijuni A3

Réserv. au Management Office de Fažana - ✆ 052 525 882/883 - www.brijuni.hr - visite guidée (assez fréquente en anglais, allemand et italien – plus rare en français) - bureau d'accueil 8h-20h (hiver : 8h-15h) - 125/260 kn/pers. selon la saison (enf. demi-tarif) - se présenter à l'embarquement (face au bureau) 15mn avant l'heure prescrite. L'arrivée se fait dans un petit port placé entre les hôtels Karmen et Verige. La visite « officielle » s'effectue à bord d'un « petit train » (prix compris dans le billet) mais peut également (et bien plus agréablement !) se faire à pied (ou à vélo : location à l'arrivée) en parcourant les chemins qui sillonnent l'île.

Outre une superbe **végétation**★★ (un olivier, âgé d'une quinzaine de siècles, en constitue le patriarche) où se côtoient pins, épicéas, cèdres, eucalyptus, cyprès, lauriers à l'ombre desquels folâtrent en toute liberté des centaines de biches, la baie de Verige (au sud du port) abrite les vestiges d'une grande **villa romaine**★ datant du 1er s. Les amateurs d'oiseaux se rendront plus à l'est, munis de jumelles, dans les anciennes salines où nombre de volatiles trouvent asile. C'est à proximité, en bordure du rivage, que se trouve le **Kastrum**★★ byzantin : cerné de murailles, il en émane un charme indéniable. En face, un chapelet d'îlots contribue à la beauté du tableau. Suivant la baie vers le nord, vous pourrez si le cœur vous en dit vous rafraîchir grâce à une baignade bienvenue. Vous rencontrerez alors la **villa blanche** (Bijela Vila) où fut signé le célèbre pacte des non-alignés *(fermée au public)*. Au-delà, à la pointe nord-ouest, le Safari Park est un zoo où furent regroupés les animaux exotiques offerts à Tito par ses collègues des pays non alignés : zèbres, dromadaires, lamas, éléphants… Enfin, avant de reprendre le bateau, vous pourrez jeter près du port un coup d'œil à l'exposition permanente de photos intitulée « Tito à Brijuni » : vous y verrez le maréchal en compagnie de ses invités, tels que Sophia Loren ou Richard Burton (accompagné de Liz Taylor).

★ Vodnjan (Dignano) B3

À 11 km au nord sur la route de Poreč.

Narodni trg 3 - ✆ 052 511 700 - www.istria-vodnjan.com.

De très loin, on aperçoit l'immense clocher de la cathédrale de ce gros village bâti sur une hauteur. Suivez la direction du centre et laissez la voiture sur

Narodni Trg/Piazza del Popolo où se dresse la mairie, amusant bâtiment rouge théâtralement décoré. Sur la place, de belles demeures sont parfois enlaidies par des surélévations sauvages, notamment au n° 2 de la rue Castello aux fenêtres géminées gothiques.

Rue Castello – Étroite rue pavée de grosses dalles et bordée de nobles demeures. De part et d'autre s'ouvrent des passages sous voûte conduisant à un lacis de cours intérieures.

Piazza del Duomo – Sur cette petite place se dresse le **campanile**, d'une hauteur extravagante. Du sommet, on pouvait, dit-on, communiquer par signaux avec Venise.

Église paroissiale St-Blaise (Župna crkva sv. Blaža) – Cet immense sanctuaire, le plus grand d'Istrie (il peut contenir jusqu'à 1 000 fidèles), fut construit par les Vénitiens sur le modèle de l'église S. Pietro in Castello de Venise.

★★ **Collection d'art sacré** (Zbirka sakralne umjetnosti) – *Sv. Roka 4 - ✆ 052 511 420 - été : 9h-19h, dim. 14h-19h ; hiver : sur RV - visite en partie guidée - 35/50 kn selon ce que l'on choisit de voir. Tenue décente exigée.* Derrière le chœur sont rassemblés dans des cercueils de verre des os provenant des catacombes romaines et des corps momifiés de saints, dans un étonnant état de conservation. Témoignant de la foi d'une époque révolue, ces saintes reliques ont été transférées ici en 1797 lors de l'entrée des troupes françaises à Venise. La collection d'art sacré possède des pièces remarquables. Outre une impressionnante collection de reliquaires, et des vêtements sacerdotaux, on découvre des sculptures paléochrétiennes provenant d'églises de la région et portant leur décor en entrelacs caractéristique. Parmi les sculptures, remarquez un très émouvant saint Christophe (début 14e s.) ainsi qu'une série de statuettes baroques en bois polychrome. Enfin, on s'attardera devant deux peintures : l'une, de facture primitive, de la *Madone protectrice* (école vénitienne, 15e s.), l'autre, une *Madone* d'école vénéto-crétoise (15e-16e s.).

NOS ADRESSES À PULA

INFORMATION UTILE

Wifi gratuit – *principales places de Pula.*

Internet – **MMC Luka** – *Istarska 30 - tlj sf dim. 8h-0h.*

ARRIVER/PARTIR

Avion

Aéroport de Pula – *✆ 052 530 105 - www.airport-pula.hr.* Nombreux charters en été, un ou deux vols quotidiens Croatia Airlines pour Zagreb.

Croatia Airlines – *Ulica Carrarina 8 - ✆ 052 218 909.*

Route

Gare routière – *Trg Istarske brigade bb, au nord-est de l'amphithéâtre - billets ✆ 052 502 997 ou 052 500 012.* De 10 à 20 bus/j. pour **Zagreb**, **Rijeka**, **Rovinj**, **Poreč**, **Opatija**. Pour **Split**, 3 bus/j. dont 1 de nuit jusqu'à **Dubrovnik**. L'**Italie** est bien desservie : bus quotidiens pour Trieste, Venise, Padoue et, en été, 2 bus/sem. pour Milan, *via* Bergame et Vérone.

Bus locaux – Ligne 1 pour Stoja. Ligne 2 jusqu'à Veruda. Les lignes 3 et 4 poursuivent jusqu'à Verudela. La ligne 6 dessert

Pješčana Uvala (marina). La ligne 30 passe par Premantura, Banjole et Pomer. Ces bus pour les péninsules au sud de Pula desservent le centre (Giardini).

Bateau

Ferries et bateaux – 5 ferries/sem. sur la ligne Koper-Pula-Mali Lošinj-Zadar, de mi-juin à déb. sept. **Jadroagent** – *Riva 14 - ✆ 052 210 431.* **Venezia Lines** – *www.venezialines.com* - d'avr. à oct. : 3 liaisons/sem. avec Venise. Une ligne de catamaran relie Pula à Rimini, d'avr. à oct.

Train

Gare ferroviaire – *Kolodvorska 7 - ✆ 052 541 733.* Desserte de Buzet, Ljubljana, Rijeka et Zagreb.

TRANSPORTS

Location de voitures

Budget – *aéroport - ✆ 052 224 350.*
Hertz – *Hotel Histria - Verudela - ✆ 052 210 868.*

Taxis

Giardini bb - ✆ 052 223 228.

NAUTISME

ACI Marina Pula – *Riva 1 - ✆ 052 219 142 - m.pula@aci-club.hr.* Un petit port de plaisance au pied de l'amphithéâtre.
Capitainerie – *✆ 052 222 037.*
Tehnomont Marina Veruda – *Cesta prekomorskih brigada 12 - ✆ 052 397 071 - marina-veruda@t-com.hr.* Particulièrement bien abrité, ce port de plaisance est accessible par bus.
Pour les équipements de ces deux ports de plaisance, voir le chapitre Nautisme p. 25.

Location de bateaux

Pivatus – *Cesta prekomorskih brigada 12 - ✆ 052 215 155 - www.pivatus.hr.* Dans la marina Veruda, ce loueur propose des bateaux de 9 à 16 m.

HÉBERGEMENT

Bon à savoir – Abondante, l'offre est aussi très diversifiée. Les campings, les grands complexes hôteliers et les appartements de Stoja, Verudela, Pomer, Premantura et Medulin ne manquent pas d'avantages : proches du rivage, environnement boisé, équipements complets et accès privilégié aux activités sportives (tennis, plongée, sports nautiques, etc.). Le centre-ville de Pula possède quelques hôtels agréables et on y trouve aussi des chambres chez l'habitant. Dans les deux cas, réservez à l'avance pour un séjour estival. Enfin pour les amateurs de tranquillité, il existe quelques gîtes ruraux et chambres d'hôte autour de Pula.

Chez l'habitant

POUR SE FAIRE PLAISIR

A Turizam – A2 - *Kandlerova 24 - ✆ 052 212 212 - www.a-turizam.hr.* Cette agence s'occupe entre autres de la location d'appartements et de villas. Comptez 175 €/j pour un appart. de 4 pers. en haute saison et 90/110 € pour une ch.

Hôtels

POUR SE FAIRE PLAISIR

Hotel Riviera – B1 - *Splitska 1 - ✆ 052 211 166 - www.arenaturist.com - 67 ch. 41 €/pers.* Ce bel hôtel ouvert toute l'année, abrite, derrière sa façade impériale, de vastes chambres, un peu fatiguées, mais propres et d'un bon confort. Pour un séjour de seulement 1 ou 2 nuits, les prix sont majorés de 20 %.

Hotel Galija – B2 - *Epulonova 3 - 052 383 802 - fax 052 383 804 - www.hotel-galija-pula.com - 16 ch. et 5 suites 75/99 €* . Juste une rue derrière l'hôtel Omir et un peu plus cher, un nouvel hôtel dont les chambres, un peu exiguës, sont confortables (air conditionné, minibar…).

Hotel Scaletta – B1 - *Flavijevska 26 - 052 541 599/025 - www.hotel-scaletta.com - 12 ch. 83/99 €* . Près des arènes, dans une rue à escaliers qui lui vaut son nom, ce petit hôtel familial est décoré avec goût par une main féminine. Une adresse de charme.

UNE FOLIE

Hotel Milan – Hors Plan - *Stoja 4 - 052 300 200 - www.milan1967.hr - 12 ch. 720/850 kn* . Ce petit établissement excentré sur la route de Stoja (bus n° 1) propose quelques chambres de très bon standing, spacieuses, carrelées et décorées sobrement.

Hotel Amfiteatar – B1 - *Amfiteatarska 6 - 052 375 600 - www.hotelamfiteatar.com - 18 ch. 80/110 €* . À quelques mètres de l'amphitéâtre, cet établissement complètement rénové offre tout le confort moderne dans une atmosphère design et élégante. De plus, la plupart des chambres offrent une vue sur la mer. La terrasse et le restaurant *(voir plus bas)* finiront de vous charmer.

À Stoja, Verudela, Veruda

PREMIER PRIX

Camping Stoja – Hors Plan - *Stoja 37 - 052 387 144 - acstoja@arenaturist.hr - de fin avr. à déb. nov. - 7,90 € (enf. 5,50 €), empl. 11,30/17 €, bungalow 90/101 €/j.* Un immense camping occupant une presqu'île et qui bénéficie d'un excellent emplacement, à la fois tranquille et proche de Pula (bus n° 1).

Camping Stupice – Hors Plan - *Premantura bb - 052 575 111 - 7,60 € (enf. 4,80 €), empl. 10,50/16 €, bungalow 90/101 €.* Un autre grand camping, qui précède la belle péninsule de Premantura où les voitures sont interdites. Comptez 20 % en sus pour un emplacement en bord de mer. Bungalows équipés pour 5 pers. (2 ch., sanitaires et cuisine).

POUR SE FAIRE PLAISIR

Hotel Valsabbion – Hors Plan - *Pješčana Uvala 26 - 052 218 033 - www.valsabbion.hr - - 10 ch. 84/123 €, suite 169 € - 11,50 €/pers.* Les suites sont magnifiques, très lumineuses et largement ouvertes sur le ciel et la mer. La qualité du restaurant et le prix des repas rendent la 1/2 P très attractive. Animaux acceptés *(11,50 €/j).*

UNE FOLIE

Park Plaza Histria – Hors Plan - *Verudela 17 - 052 529 400 - www.arenaturist.com - - 240 ch. 73/78 €/pers.* . Entièrement rénové, le Park Plaza est splendide. De la majestueuse piscine, en passant par les chambres spacieuses et chaleureuses, la terrasse et les restaurants, le service est parfait. Pléthore d'activités sont proposées, à l'instar du centre de plongée Orca Diving Center *(voir Activités).*

À Ližnjan

UNE FOLIE

Hotel Velanera – *Franja Mošnje 3b - 052 300 621 - www.velanera.hr - 13 ch. 115/150 €* . À 10 km à l'est de Pula, ce tout nouvel hôtel offre des prestations de grande qualité. Outre les chambres et la piscine immenses, la terrasse et le restaurant invitent au farniente. Un havre de paix pour amateurs de calme.

À Krnica

BUDGET MOYEN

Hotel Carmen – *Luka Krnica bb - ✆ 052 556 272 - www.hotel-carmen.hr - 24 ch. 45/62 €/pers.* À 29 km au nord-est de Pula, sur le petit port de Krnica, au milieu d'une abondante végétation, ce petit hôtel récent et paisible, propose des chambres, confortables et très propres. La demi-pension est intéressante.

RESTAURATION

PREMIER PRIX

Pizzeria Jupiter – Hors Plan - *Castropola 42 - ✆ 052 214 333 - pizzas 23/41 kn.* En montant vers la forteresse, une sympathique pizzeria.

Barbara – A2 - *Kandlerova 5 - 30/60 kn.* Un petit bistrot avec une terrasse, au cœur de la ville ancienne. Endroit agréable pour une pause rapide (du moins si les groupes n'envahissent pas la terrasse), devant des calamars ou des sardines grillés.

Pizzeria Mido – B2 - *Dobricheva 6 - 30/60 kn.* Le restaurant de l'hôtel Omir propose une cuisine familiale à petits prix. Une bonne adresse pour se rassasier sans se ruiner.

BUDGET MOYEN

Restaurant Amfiteatar – B1 - *Amfiteatarska 6 - tlj sf dim. 10h-16h, 19h-23h - 70/100 kn.* Restaurant de l'hôtel du même nom. Risottos et produits de la mer : une façon de célébrer sans prétention la gastronomie istrienne. La cave est très bien fournie en vins de la région.

Pavilion Scaletta – B1 - *Flavijevka 26 - ✆ 052 541 025 - 80/100 kn.* Dans la salle (au rez-de-chaussée de l'hôtel) ou dans le curieux pavillon aménagé de l'autre côté de la rue : spécialités de poissons. Pas de carte, mais on vous proposera la pêche du jour. Celle-ci étant parfois miraculeuse, l'addition risque de s'en ressentir (on paie au poids comme souvent), mais la qualité est là.

POUR SE FAIRE PLAISIR

Milan – Hors plan - *Stoja 4 - ✆ 052 300 200 - fermé vac. de Noël - repas 95/220 kn, menu 200/250 kn, poisson 300 kn/kg.* Restaurant de l'hôtel du même nom. Sur la route de Stoja, un établissement à l'architecture sophistiquée et à la décoration élégante mais un peu froide. Carte très complète, qui propose poissons, mais aussi coquillages, crevettes, risottos onctueux (petites portions pour la Croatie).

PETITE PAUSE

Bon à savoir – Bordée de terrasses de cafés, la place du Forum est un endroit stratégique pour qui souhaite observer l'animation de la cité quand la chaude lumière du soir vient caresser les vieilles pierres.
Vous aurez le choix en particulier entre le **Kavana Forum**, face à la mairie, ou le sympathique **Caffe Diana** *(Forum 4)*, placé à côté de l'office de tourisme.
L'avenue des Giardini est aussi l'endroit idéal pour boire un verre, à l'ombre d'arbres centenaires.
La terrasse aux allures lounge du **Café Glam** *(Giardini 1)* est parfaite pour prendre le café du matin ou l'apéritif.

Caffe Scala – *Ozad Arene 1 - lun.-sam. 8h-22h, dim. 8h-14h.* Ce café s'avère une halte agréable, juste à côté des arènes. Dans la petite salle artistiquement décorée, on écoute jazz et blues en dégustant un cocktail *(15 kn)* ou un soda local.

Caffe Uliks – *Trg Portarata 1.* Près de l'arc des Sergius, en haut de quelques marches, il semble petit mais les apparences sont trompeuses : la salle est pleine de recoins et sa décoration d'inspiration maritime contribue à son atmosphère agréable.

SORTIR

Bon à savoir – Les nombreux spectacles proposés en été se tiennent sur la place du Forum, dans les arènes et le petit théâtre romain, ainsi que dans l'ancienne caserne Rojc. Il y en a pour tous les publics et tous les goûts : de la musique ancienne et classique, aux musiques populaires contemporaines (salsa, reggae, rock, rap, etc.), en passant par l'opéra, la musique traditionnelle, le cinéma et le théâtre. Deux sites Internet fournissent les dates, qui peuvent être assez fluctuantes, et le programme estival : *www.pulainfo.hr* et *www.istra.com*.

ACTIVITÉS

Plongée

Nombreux clubs, souvent à proximité des hôtels et campings.
Orca Diving Center – *Verudela bb - ☏ 052 224 422 ou ☏ 091 524 57 00 - www.orcadiving.hr.* En contrebas de l'hôtel Histria, c'est un club très réputé. Plongée sur épaves, plongée nocturne, sortie d'une journée et cours de tous niveaux.

Vélo

Nombreuses possibilités de balades autour de Pula. Demander le tracé des itinéraires **Istra Bike** à l'office de tourisme ou consulter le site *www.istra.com* (rubrique *Active Vacation : Bike Routes*).

Golf

Au PN de Brijuni, sur Veli Brijun. Un parcours de golf magnifique au bord de l'eau au sein du parc animalier, la pelouse étant en grande partie entretenue par les animaux eux-mêmes !

AGENDA

Semaine de l'Antiquité – *Juin-juil.* Hommage de la ville à son passé à travers spectacles de rue, défilés et combats de gladiateurs en plein cœur des arènes.
Histria Festival – *Juil.-août.* Un des événements culturels les plus prestigieux de l'année. Concerts, ballets, opéra et les plus grands noms du chant et de la danse, de Pavarotti à Ramazzotti en passant par les artistes du Bolchoï.
Festival du film – *Juil.* Présentation des derniers films croates en compétition et projection de films internationaux sur écran géant dans le cadre majestueux des arènes. *www.pulafilmfestival.hr*
Festival international de théâtre alternatif (PUF) – *1-5 juil.* La ville se transforme en scène de théâtre. Consacré à la recherche, le festival accueille essentiellement des troupes alternatives.
Brioni Polo Classic – *Juin-juil.* Un des événements sportifs les plus prestigieux qui réunit les meilleurs joueurs de polo ainsi que les membres de la jet-set internationale dans le cadre paradisiaque des îles de Brijuni.

Rovinj

★★

14 294 habitants – Istrie

NOS ADRESSES PAGE 380

S'INFORMER

Office de tourisme de Rovinj – *Obala Pina Budićina 12 - 052 811 566/813 469 - www.tzgrovinj.hr - en saison : 8h-22h ; reste de l'année : 8h-15h.*

SE REPÉRER

Carte de région A2 (p. 348) – *Carte Michelin n° 757 B6.* Sur la côte occidentale de l'Istrie, Rovinj (Rovigno) ne se laisse pas deviner à qui en approche par voie terrestre…

Voir la rubrique « Arriver/partir » dans *Nos adresses*.

SE GARER

Ne cherchez pas à gagner le centre en voiture, tout ayant été fait pour que cela se révèle ardu, mais garez-vous au parking gratuit situé près du commissariat de police (sur Istarska ulica), et descendez à pied par la rue Matteo-Benussi vers le port. La vieille ville apparaîtra alors en face de vous.

À NE PAS MANQUER

Vue sur la ville depuis le vieux port, balade dans la vieille ville, escapade à Bale.

ORGANISER SON TEMPS

Prévoyez une journée. Le mieux est de dormir sur place afin de profiter de la vue sur la ville au coucher du soleil.

AVEC LES ENFANTS

Balade à vélo à Zlatni Rat, visite de Mini-Croatie, maison de la Batana.

Imaginez une mer d'un bleu intense, sur laquelle dansent quelques barques, et un port installé au fond d'une anse, que bordent des façades aux teintes chaudes ; au large, une île et quelques îlots à la végétation sombre, presque noire ; et puis une presqu'île, fermant devant vous cette anse : elle serait occupée par une colline que des maisons italiennes, ocre, rouges, jaunes escaladeraient dans un enchevêtrement indescriptible. Enfin, un campanile vénitien dominerait l'ensemble. Vous avez imaginé Rovinj. Seulement, voilà : Rovinj existe, et cela dépasse l'imagination. Courez-y vite et nul doute que vous tomberez aussitôt sous le charme.

Se promener

On ne visite pas Rovinj : on reçoit la ville d'emblée et on tombe sous le charme de ce site extraordinaire, de ces façades aux teintes chaudes, de ces venelles en escalier, tellement italiennes, où le linge pend aux fenêtres et où somnolent les chats qui daignent à peine ouvrir un œil à votre approche. À partir de là, on consacre son séjour à de longues et paresseuses flâneries sur le port ou dans les ruelles de la vieille ville, entrecoupées de pauses à une terrasse de café. On pénètre dans une cour sous prétexte de visiter une galerie. On détaille un balcon ouvragé, un escalier sculpté ou les vénérables cicatrices d'une façade. On se dore au soleil sur les rochers, un verre à la main. On ne peut s'empêcher

de s'étonner de l'omniprésence de la mer, de cette insistance qu'elle met à se révéler dans les endroits les plus inattendus, au pied d'un escalier, au bout d'une impasse, entre deux maisons. On regarde la ville vivre sa propre vie, parallèle à celle des touristes, indifférente en apparence au remue-ménage des mois d'été : une *nonna*, assise sur le pas de sa porte, s'use les yeux sur son canevas, un maçon charrie une brouette de gravats, un homme repeint de vert sombre ses volets inclinables… Images paisibles d'un quotidien sans façons que l'on voudrait partager. Ici, vraiment, il faudrait que le temps s'arrête.
Le centre ancien de Rovinj était une île jusqu'au 18e s. C'est à partir de 1736 que l'on entreprit de combler le chenal maritime qui la séparait du continent, à hauteur d'une ligne allant de l'actuelle place Tito à Valdibora.

★★ Première approche

Après avoir laissé la voiture au parking d'Istarska, descendez vers le port par la rue Matteo-Benussi (ulica Mattea Benussija) où se concentrent administrations et commerces. On arrive à la place **Na Lokvi** (Trg na Lokvi/piazzale del Laco) C2, triangulaire, où s'élève le **baptistère de la Ste-Trinité** (Krstionca sv. Trojstva) C2, petite chapelle octogonale du 8e s., avant de rejoindre le port par **Trg Tabakina**, dont le nom évoque la manufacture de tabac voisine, principale industrie de la cité.

★★★ Vue sur la ville – On atteint alors le **quai Aldo-Negri** BC2 qui honore, lui, un résistant de Labin qui donna sa vie pour la libération du pays. Prenez-le sur la droite… et, soudain, au bout du quai, vous découvrez, au-delà du bassin du vieux port, une **vue★★★** superbe sur la presqu'île de la vieille ville : et c'est le coup de foudre !

Port Ste-Catherine (Luka sv. Katarina) B2 – Enserrant le vieux port, protégé de la houle par l'île Sv. Katarina, les quais sont bordés de demeures aux façades peintes et ravinées par le sel et le vent. C'est ici que se concentre l'animation touristique : étals et barcasses proposent toutes sortes de colifichets ou gourmandises, tandis que les gérants des bateaux de promenade vous hèlent pour vous faire découvrir le fjord de Lim.

Apparaissant sous des angles sans cesse différents, la vieille ville, juchée sur sa colline, continue à séduire. Les jardins des villas du quai Aldo Rismondo sont convertis en terrasses de restaurants ; ceux-ci cèdent la place aux cafés à mesure que l'on contourne le port pour atteindre, au pied de la vieille ville, les vastes espaces de la place du Maréchal-Tito (Trg Maršala Tita) et le quai Budicin (obala P. Budićina) qui constituent à eux deux le centre animé de Rovinj.

Place G. Pignaton (Trg G. Pignatona) B1 – Place allongée bordée de terrasses de cafés. Dans le prolongement, on aboutit sur la place Valdibora, ouverte sur la mer de l'autre côté de la presqu'île. C'est là que se tient chaque matin le marché en plein air, protégé des ardeurs du soleil par un auvent qui n'est pas des plus heureux.

Revenez vers le port Sv. Katarina par la rue Garibaldi.

★★ Une pause place du Maréchal-Tito (Trg Maršala Tita) B1-2

Triangulaire, largement ouverte sur le port de pêche, cette belle place à l'italienne entourée de terrasses de cafés compose un ensemble qui pourrait servir de décor à une représentation de *commedia dell'arte*. Elle est bordée de quelques édifices intéressants.

SE LOGER

Adriatic 2
Katarina 6
Monte Mulini 7
Park 8
Villa Angelo d'Oro 12

SE RESTAURER

Konoba Kantinon 2
Konoba Veli Jože 4
Plan del Forno 12

★ **Ancien hôtel de ville** – Ce beau palais baroque à la façade ocre rouge (1654) ne saurait nier ses influences vénitiennes. Il abrite aujourd'hui le Musée municipal.

Musée municipal de Rovinj (Zavičajni muzej Rovinja) B1 – *Trg Maršala Tita 11. ✆ 052 816 720 - été : tlj sf lun. 9h-14h, 19h-22h ; hiver : tlj sf dim. et lun. 10h-13h - 15 kn (étud. et enf. 10 kn).* Vous y verrez une exposition consacrée au passé maritime de Rovinj, des collections archéologique et ethnographique, une collection de peintures (italiennes essentiellement) du 15ᵉ au 19ᵉ s., quelques tableaux d'Alexander Kircher et une salle consacrée à l'œuvre d'un paysagiste croate renommé : Vilko Šeferof. Le musée organise tous les ans des expositions temporaires d'art contemporain croate.

★ **Arc de Balbi** (Balbijev Luk) B1 – *Trg Maršala Tita 11.* Construit en 1680 à l'emplacement d'une ancienne porte médiévale de la ville fortifiée, ce bel arc baroque est orné d'une tête de Turc enturbannée et d'un bas-relief représentant le lion ailé de Venise.

★ **Tour de l'Horloge** B1-2 – *Sur la gauche de la place du Maréchal-Tito.* Belle tour vénitienne de brique rouge, porteuse d'un lion ailé. Dommage que le rez-de-chaussée soit occupé par une agence de voyages dont les stores bleu canard nuisent quelque peu à l'harmonie d'ensemble de l'édifice.

★★ Le « chemin de ronde » AB1-2

Continuant votre découverte progressive de la ville, empruntez depuis la place le large quai Budicin puis glissez-vous dans la rue Sv. Križa dont l'entrée était jadis défendue par une porte médiévale. Suivant cette rue, vous contournez la colline sur laquelle le vieux Rovinj est bâti.

Sur votre droite, des ruelles entrecoupées d'escaliers partent à l'assaut de la colline. Sur votre gauche, les intervalles entre les maisons laissent découvrir la mer, toute proche, en léger contrebas. Seule une digue de rochers, endroit de choix aux beaux jours pour qui souhaite bronzer en prenant un verre, empêche les constructions de plonger directement dans l'eau.

Puis l'on arrive en contrebas de l'église ; à cet endroit, les maisons ont cédé la place à plusieurs esplanades superposées ; côté mer, c'est la « plage » : rochers et plates-formes de ciment ; à quelques encablures, un îlot solitaire attend un improbable Robinson.

Vous arrivez alors à la rue Vladimir-Švalbe que bordent quelques belles demeures. Remarquez, sur la droite, le palais qui abrite aujourd'hui l'hôtel Angelo d'Oro ; plus loin, à gauche, une façade ornée d'un balcon supporté par des lions. De temps à autre s'ouvrent des impasses : avec le bleu intense de la mer pour toile de fond, elles conduisent à quelques marches devant lesquelles une barque attend tranquillement.

La rue débouche sur trg Na Mostu d'où l'on peut regagner la place du Maréchal-Tito ou parcourir Carera qui s'ouvre sur la gauche.

Rue Carera – Longue rue commerçante (cafés, glaciers, ventes de souvenirs et commerces de proximité) qui, parallèle au quai, ramène à la place (trg) Na Lokvi. Quelques passages voûtés font communiquer cette rue avec le quai.

Maison de la Batana (Kuča o batani) B1-2 – *Obala P. Budićina 2 - ✆ 052 812 593 - juin-sept. : tlj 10h-14h, 19h-23h ; reste de l'année : tlj sf lun. 10h-13h, 16h-18h - fermé janv.-fév. - 10 kn (étud., enf. : 5 kn).* Sur le quai Budicin, à deux pas de l'office de tourisme, ce petit musée est consacré à la *batana*, bateau traditionnel à fond plat, tout en rendant hommage aux pêcheurs de Rovinj. Vous y verrez de nombreux objets provenant des bateaux, filets, rames, outils de pêche, accompagnés de panneaux explicatifs qui vous feront mobiliser

La ville de Rovinj dominée par la cathédrale Ste-Euphémie.
B. Gardel / hemis.fr

vos connaissances de l'italien. Des documentaires sur la vie des pêcheurs sont projetés en permanence. Conçu comme un espace interactif, le musée saura amuser les enfants auxquels il propose quelques activités ludiques. Les petits seront ravis d'allumer des schémas et dessins, de déplacer un verre rempli d'une substance énigmatique afin de déclencher l'enregistrement des récits de pêcheurs en dialecte istrien, d'enfiler un casque afin d'écouter des chansons traditionnelles…

★★ À l'assaut de la vieille ville AB1-2

De la place du Maréchal-Tito, pénétrez dans la vieille ville en empruntant l'arc de Balbi.

Place Matteotti B1 – *Juste derrière l'arc de Balbi.* Remarquez sur la gauche, une belle maison à façade rouge et portail armorié.

On poursuit devant soi, dans des rues étroites, bordées de maisons très hautes aux volets articulés. Le linge sèche sur des fils tendus au-dessus de la rue. Les couleurs, l'atmosphère, le dialecte des autochtones (ou leur intonation lorsqu'ils s'expriment en croate) ne font que renforcer l'impression de se trouver en Italie.

Grande place (Veli trg) B1 – Place que bordent de vieilles maisons, certaines assez belles. Sur la droite, la rue Arsenal s'enfonce sous voûte. Devant s'ouvre La Grisia, rue qui monte de façon assez raide vers l'église.

★ **Grisia** AB1 – Son nom signifie « l'église » en dialecte. Bordée d'échoppes et de galeries d'art proposant peintures et céramiques décoratives, elle présente de belles façades, et des cours intérieures pleines de charme. Escaliers sculptés, passages sous voûtes, fenêtres gothiques composent des tableautins vénitiens très réussis.

Cathédrale Ste-Euphémie (Katedrala Sv. Eufemije) A1 – *Accès sur le côté droit. Été : 10h-18h, sinon, sur RV au ✆ 052 816 615 - montée au campanile : gratuit.* Tout en haut de la ville, posée sur une vaste esplanade dominant la mer, l'église Ste-Euphémie *(voir ABC d'architecture)* dresse son clocher vénitien (il fut construit en 1654 sur le modèle du campanile de la place St-Marc), que

UNE VILLE ENGLOUTIE
Vérité ou légende ? Il existait jadis une île sur laquelle était bâtie une belle cité : Cissa. Et puis, un jour, un tremblement de terre l'engloutit… Certes, l'histoire rappelle l'Atlantide et maints autres récits. Il n'empêche qu'à la fin du 19e s. une expédition sous-marine fut commanditée par la marine austro-hongroise, et ses membres rapportèrent avoir aperçu dans les fonds marins une véritable cité avec ses murs, ses palais et ses rues ; avaient-ils forcé sur la grappa ? Peut-être… pourtant les pêcheurs du cru vous affirmeront que bien des fois leurs filets se déchirent après s'être pris dans les murailles de la cité sous-marine.

surmonte la statue en cuivre de la sainte à une hauteur de 63 m. La statue est en fait une girouette, bien utile pour indiquer la direction du vent aux navigateurs d'autrefois comme aux plaisanciers d'aujourd'hui. Construite à partir de 1725, il s'agit de la plus grande église baroque d'Istrie. Très sobre, sa façade symétrique dissimule un vaste sanctuaire à trois nefs. Remarquez dans la nef centrale le beau retable de marbre sculpté aux effigies de saint Georges, saint Roch et saint Marc. Dans la nef de droite, le sarcophage de sainte Euphémie (4e-5e s.) attire nombre de pèlerins.
Depuis la nef de gauche, on peut accéder au campanile, mais attention l'escalier est assez raide et vivement déconseillé aux personnes sujettes au vertige : du sommet, **vue★★** superbe sur les toits de la ville, l'isthme, le port, l'île Ste-Catherine et les îlots. Enfin, avant de sortir, remarquez, au-dessus de la porte principale, l'élégante tribune qui supporte l'orgue.
Vous pouvez alors redescendre depuis l'esplanade en retrouvant la promenade du tour de ville en contrebas… Ou bien vous abandonner au hasard de ruelles en pente qui, pour peu que vous descendiez, vous conduiront fatalement au port.

Les îles

Île Ste-Catherine (Sv. Katarina otok) – *Navette toutes les heures depuis le vieux port.* C'est à un comte polonais qui en fit sa résidence privée au début du 20e s. que l'île Ste-Catherine doit son abondante végétation de pins et de cyprès. L'île abrite aujourd'hui un complexe hôtelier.
Île Rouge (Crveni otok) – *Embarquement au port de plaisance. Un bateau toutes les heures de 5h30 à 1h. Un quart d'heure de traversée.* Cette île se compose en fait de deux îlots boisés reliés par une digue : St-André (Sv. Andrija) et Maškin. Le premier abrite les vestiges d'un monastère bénédictin, ainsi qu'un hôtel. Le second est le royaume des naturistes.

À proximité Carte de région A2

Mini-Croatie A2

À 2 km du port de Valdibora en direction de Poreč – ouvert uniquement en été d'avr. à oct. : 9h-18h ; de juin à août : 9h-20h- 25 kn (enf. ne dépassant pas 1 m de hauteur : gratuit, -18 ans 10 kn).
La Croatie en miniature avec ses îles, ses lacs et ses montagnes, ses grandes villes et ses sites culturels les plus importants.

★★ Fjord de Lim (Limski zaljev) A2

À 4 km au nord (voir p. 389).

★Bale (Valle) A2

À 14 km au sud-est par la route de Pula. Avant le croisement avec la grand-route, engagez-vous sur la gauche vers le village construit sur une hauteur. Laissez la voiture sur la petite place triangulaire (trg La Musa) à l'entrée du village et dirigez-vous vers la cité haute par ulica San Zuian.

Rovinjska 1 - 052 824 270 - www.istria-bale.com.

Juste après le panneau indiquant le territoire communal, sur la droite, ne manquez pas de faire une halte au moulin à huile **Grubić** *(voir Nos adresses).*

La Grisa – On pénètre dans le village médiéval par cette rue grossièrement pavée et bordée de hautes maisons de pierres sèches.

Trg/Piazza Tommaso Bembo – Sur cette place tranquille, on découvre, à droite, la mairie, précédée d'une élégante loggia à arcades. En face se dresse la haute silhouette du **palais Bembo** (palača Bembo), avec sa façade gothico-Renaissance, marquée par une belle loggia aux fenêtres géminées, et encadrée de tours, vestiges d'une forteresse antérieure.

On accède au quartier du château par un passage sous voûte marqué du lion de Venise.

Quartier du château (Kaštel) – Ce quartier est né et s'est développé dans l'enceinte du château féodal. Il est parcouru par une rue circulaire (Castel), enjambée par des arceaux et bordée de vieilles demeures parfois en ruine. Par son harmonie et son homogénéité, il constitue un remarquable ensemble médiéval. L'église St-Julien (crkva sv. Zuiana) a succédé en 1880 à une première église romane. Peinture baroque à l'intérieur (attribuée à Matej Pončun) et sarcophage qui daterait du 8e s. Détaché de l'église, sur une charmante placette fleurie, le clocher a conservé son soubassement roman.

Revenez à La Musa et prenez la petite rue Sv.-Elia et un chemin de terre à gauche.

Chapelle St-Élie (Kapela sv. Elia) – Cette chapelle élevée au Haut Moyen Âge possède un ravissant clocher roman à deux étages d'arcatures.

Žminj B2

À 22 km à l'est.

Agréable village perché. L'**église** paroissiale possède une chaire et un autel baroque, ainsi qu'un retable de bois sculpté du 17e s. Près de l'église, une **chapelle de la Ste-Trinité** (kapela sv. Trojstva) a conservé des fresques du 15e s. figurant la Vierge à l'Enfant entourée d'anges et la Cène. Vous pourrez également voir une harmonieuse **église gothique** consacrée à saint Antoine (crkva sv. Antuna) et élevée en 1381 par le maître Armirigus si l'on en croit une inscription latine. Le plus souvent fermée, elle est décorée de fresques (fin 14e s.), malheureusement assez dégradées, qui représentent le couronnement de la Vierge.

★Svetvinčenat B2

Svetvinčenat 20 - 052 560 349 - www.tz-svetvincenat.hr

Au centre de ce village, vous découvrirez une **belle place Renaissance★** rectangulaire. Autour du puits central se dressent la **forteresse** (kaštel), édifice du 15e s. muni de tours d'angle, l'**église Ste-Marie** (crkva Sv. Marije), la belle **loggia** municipale et un ensemble de maisons de la même époque.

Au cimetière, l'**église St-Vincent** (crkva Sv. Vinčenata), romane bien que quelque peu modifiée à l'époque gothique, a conservé un bel ensemble de **fresques★**.

NOS ADRESSES À ROVINJ

INFORMATIONS UTILES

Internet – **Café A-Mar** - *Carera 26.*

ARRIVER/PARTIR

Gare routière – *Au coin de la rue Matteo Benussi-Cio et de la place (trg) Na Lokvu - ✆ 060 333 111.* Dép. pour Dubrovnik, Rijeka, Split, Varaždin, Zagreb. Desserte locale : Pula, Umag, Poreč, Buzet, Vrsar. Liaisons internationales pour Munich, Francfort, Stuttgart, Padoue, Trieste (Trst), Venise.

Bateau – Liaisons rapides par catamaran entre Venise et Rovinj, en sais. 2/sem., 2h30 de trajet et 495 kn AR dans la journée. Rens. **Venezia Lines** – *✆ 00 39 (041) 882 11 01 (Italie) ou 052 422 896 (Croatie) - www.venezialines.com et dans les agences de Rovinj.*

Excursions – Pour l'île Ste-Catherine, 18 AR/j., dép. ttes les h, de 6h à 0h. Pour l'île de Crveni, un bateau ttes les h de 6h à 0h.

TRANSPORTS

Autobus – Des bus locaux (gare routière) desservent les complexes touristiques d'Amarin et des Villas Rubin.

Taxis – *✆ 052 811 100, à la gare routière.*

Location de voiture : **Vetura** – *V. Nazora bb - ✆ 052 815 209;* **Lucky Way** – *V. Nazora bb - Sur Riva, à côté du port de plaisance et de l'hôtel Park - ✆ 098 824 322.*

Location de vélos : **Agence Globtour** – *Sur le port - 15 kn/h, 40 kn la 1/2 j, 60 kn/j;* **Lucky Way** – *20 kn/h, 50 kn pour 6h, 70 kn pour 24h.*

NAUTISME

ACI Marina – *Au pied de l'hôtel Park, face à la vieille ville que l'on gagne à pied en 10mn par les quais.*

Capitainerie – *✆ 052 811 132. Équipement et prestations : voir le chapitre Nautisme p. 25.*

HÉBERGEMENT

Bon à savoir – **Maistra** *(V. Nazora 6 - ✆ 052 800 250 - www.maistra.hr)* est la centrale de réservation de la plupart des hôtels de Rovinj.

Nombre d'hôtels et pensions se trouvent dans la zone hôtelière, installée dans une belle pinède au sud du port et accessible en voiture par ulica Stjepana Radića (suivre le fléchage *Hoteli*). De là, on peut gagner le centre à pied sans problème en suivant le *lungomare*.

Chez l'habitant

Nombre d'agences disséminées dans la ville proposent chambres et *apartmani.*

POUR SE FAIRE PLAISIR

Hotel Adriatic – B2 - *P. Budicina bb - ✆ 052 800 250 - d'avr. à mi-oct. - 27 ch. 56/61 €/pers.* ☕. Sur la place centrale, c'est un petit établissement agréable en prise directe avec l'animation du port. Récemment rénovées, les chambres sont confortables et bien équipées.

UNE FOLIE

Hotel Park – Hors Plan - *Ronjgova bb - ✆ 052 808 000 - 202 ch. 71/82 €/pers.* ☕. Sans doute pas un prix d'architecture, mais les chambres, donnant sur la mer au-dessus de la marina, offrent une vue imprenable sur Rovinj.

Hotel Katarina – Hors Plan - *Otok Katarina bb - ✆ 052 804 100 - avr.-oct. - 210 ch. 91/98 €/pers. en 1/2 P.* Situé sur la petite île Katarina dans un cadre très boisé en face du port de Rovinj, ce complexe hôtelier répartit ses chambres sur plusieurs bâtiments. De différentes catégories, elles ont toutes vue sur la mer. Les deux piscines, le restaurant, les courts de tennis, le minigolf et un littoral rocheux en font un endroit très agréable. Navette toutes les heures pour la ville.

Hotel Villa Angelo d'Oro – A1 - *Via Švalbe 38-42 - ✆ 052 840 502 - www.rovinj.at - fermé janv.-fin fév. - 24 ch. 152/222 € ☕, suites (2/4 pers.) 216/332 € ☕.* Ouvert dans une demeure aristocratique, cet établissement a su respecter la qualité des lieux, tout en proposant un excellent confort. La décoration est soignée jusque dans les moindres détails, le mobilier est ancien. Restaurant, sauna, agréable jardin intérieur. Ajoutons-y les transferts, vous évitant de vous engager à pied, vos bagages à la main, dans la zone piétonne. Bref, la vie de château.

Monte Mulini – Hors Plan - *A. Smareglia bb - ✆ 052 636 000 - www.montemulinihotel.com - 113 ch. et suites à partir de 430 €.* Ce nouvel hôtel tourné vers la mer et parfaitement intégré à la pinède affiche les standards de confort et de luxe les plus élevés. Tranquillité assurée. Piscine, spa. Par le quai, la vieille ville n'est qu'à 10mn à pied.

RESTAURATION

Bon à savoir – Les restaurants de poissons (**Amfora, Da Piero**…) se succèdent sur les quais du port. Ils affichent leurs menus en plusieurs langues (français exclu), et parfois même en photos dont l'aspect délavé ne contribue pas à ouvrir l'appétit. Ils attirent les clients à l'aide de portiers parfois insistants et sont bien souvent plus chers qu'ils ne le devraient.

PREMIER PRIX

Plan del Forno – A1-2 - *Trevisol 2 - 30/60 kn.* Sur une placette de la vieille ville, c'est une étape idéalement située et économique pour vous restaurer sereinement lors de votre flânerie. Selon le temps, choisissez la minuscule salle du bas, aménagée dans un ancien four, ou la terrasse. À deux pas de l'animation du port, le lieu est d'un calme étonnant ! On y mange des pizzas mais aussi des assiettes composées (fromage et charcuteries).

BUDGET MOYEN

Konoba Kantinon – B2 - *Obala Alda Rismonda 18 - ✆ 052 816 075 - à partir de 100 kn.* Entièrement refait, le Kantinon propose une cuisine méditerranéenne de grande qualité. Le choix des vins y est exceptionnel !

Konoba Veli Jože – A2 - *Sv. Križa 1 - ✆ 052 816 337. Poissons 250 et 300 kn/kg, plats 30-140 kn.* Le scaphandrier accoudé au comptoir attirera votre regard. L'intérieur est un capharnaüm invraisemblable d'instruments de musique, de photos, de gravures et d'outils anciens. La cuisine fait honneur aux spécialités locales : *bakalar, buzzara, rezanci sa tartufima* (pâtes aux truffes).

PETITE PAUSE

Bon à savoir – Nombreuses terrasses de cafés-glaciers face au port de pêche sur la place du Maréchal-Tito.

Caffe Bar XL – *En contrebas de l'esplanade de la cathédrale.* S'y poser pour un apéritif, tandis que le soleil disparaît sur la mer : moment de sérénité.

Caffe Bar Valentino – *Sv. Križa 28.* Aux beaux jours, vous pouvez y déguster votre apéritif, installé sur des coussins disposés sur les rochers.

Viecia Batana – *Trg Maršala Tita 8*. Une terrasse ombragée de parasols fait de ce café, institution rovignaise, un point d'observation stratégique.

ACHATS

Bon à savoir – Les maisons et les cours intérieures de Grisia sont investies par des galeries proposant peintures et porcelaines. Des pseudo-naïfs débitant à l'infini des paysages enneigés ici assez incongrus aux abstraits plus ou moins lyriques, le pire y côtoie allégrement le pas très bon dans une émulation digne de la place du Tertre à Montmartre.

Marché – Tous les matins, sur trg Valdibora face à la mer : fruits, légumes, fromages, vin et huile d'olive… On trouve aussi sur cette place, à l'écart, la pêche du jour. Vous pouvez compléter ces achats par une visite à la supérette, sur trg na Lokvu *(à côté de la gare routière)*.

À Bale

Uljara Grubić – *Aldo Negri 7 - ✆ 052 824 284 - mai-sept. : 9h-13h.* Ce jeune exploitant produit trois types d'huiles (de la plus légère à la plus parfumée : *buža femina*, *buža* et *rošinjola*, un peu amère). Toutes ont un goût d'herbe et de fruit, voire parfois d'amande. Comptez de 35 à 150 kn.

ACTIVITÉS

Excursions

Delfin Excursion – *Riva - ✆ 091 514 21 69* – Visite en vedette du fjord de Lim (durée 4h, 20 €/pers.), excursions panoramiques autour des îles (1h30) et *Fish Picnic* (6h30).

Plongée

Mediterraneum Mare Sport – *✆ 052 816 648 - www.mmsport.hr.* Situé au Villas Rubin Tourist Resort, ce club propose de nombreuses prestations.

On peut faire remplir ses bouteilles aux stations-service **Proplin**, *Braće Bozica bb*, à côté de la station-service sur Istarska, et **Gripule**, *ulica Gripule bb*.

Voile

École de voile, quai Aldo-Negri.

Randonnée et vélo

Le parc forestier de **Zlatni Rat** au sud de la ville propose de nombreuses possibilités de promenades pour piétons et cyclistes. Plans disponibles à l'office de tourisme.

AGENDA

Fête de la Saint-Jacques (Jakovlja) à Kanfanar *(16 km sur la route de Žminj) – Juillet*. Une occasion de découvrir les *boškarin*, la race locale de bœufs blancs aux longues cornes en lyre.

Festival d'été – *Juil.-août*. Concerts et ballets dans la cour de l'église Ste-Euphémie et au monastère franciscain, et spectacles de rue.

Fête des pêcheurs (Ribarske fešte) – *Août*. Grillades, concerts et spectacles.

Kultfest – *Août*. Chaque année, ce festival réunit des musiciens de pays différents qui présentent chants et danses traditionnels.

Grisia – *2e dim. d'août*. Pour 24h, Grisia devient un immense marché de l'art : qu'ils soient croates ou non, professionnels ou amateurs, des centaines de peintres exposent leur production. Les places sont chères, au point qu'ils doivent souvent les occuper dès la veille au soir. Prix décernés par un jury composé d'amateurs et de professionnels. *Rens. au Musée municipal - ✆ 052 816 720.*

Poreč

★★

16 696 habitants – Istrie

NOS ADRESSES PAGE 395

S'INFORMER

Office de tourisme – *Zagrebačka 9* - *052 451 293/458* – *www.to-porec.com* - *8h-21h.*

SE REPÉRER

Carte de région A2 (p. 346) – *carte Michelin n° 757 B6.* Une route côtière bordée de complexes de vacances, et une route perpendiculaire venant de Pazin conduisent à Poreč, « Parenzo » dans le dialecte local. La ville ancienne occupe une étroite presqu'île traversée par une longue rue rectiligne, le Decumanus.

Voir la rubrique « Arriver/partir » dans *Nos adresses*.

SE GARER

Dès l'arrivée, en allant vers le centre, on est conduit à un vaste parking (payant) près de la mer. Il suffit de suivre la foule pour arriver à la vieille ville.

À NE PAS MANQUER

La basilique euphrasienne, la promenade sur le Decumanus, les villages des environs (Sveti Lovreč, Višnjan, Grožnjan).

ORGANISER SON TEMPS

Prévoyez une demi-journée pour la visite de la ville et une journée entière pour les circuits de la côte, une autre si vous souhaitez aller en Slovénie.

AVEC LES ENFANTS

L'aquarium de Poreč (pour les petits), les grottes de Baredine, une excursion au fjord de Lim.

Posée sur une presqu'île, à la fois romaine et vénitienne, Poreč est devenue un des hauts lieux du tourisme en Croatie grâce à un littoral qui, moins tourmenté qu'ailleurs, a permis d'implanter à proximité nombre de villages de vacances et de zones hôtelières. Ville de farniente ou ville de culture ? On ne saurait trancher, tant il est vrai que l'on peut passer de l'un à l'autre dans la même journée : il n'en est pour preuve que les foules qui se pressent pour admirer les extraordinaires mosaïques de la basilique euphrasienne, un des trésors de l'humanité aux yeux de l'Unesco.

Découvrir

LA BASILIQUE EUPHRASIENNE

Accès par le Decumanus puis à droite la rue Sv. Eleuterija qui conduit à Eufrazijeva face à l'entrée de la basilique.

★ **Résidence des Chanoines** (Kanonika)
Ce bel exemple d'architecture romane civile (1251) présente, le long de la rue St-Euphrase, un ensemble de fenêtres géminées. Sur la gauche du bâtiment, une voûte ornée de mosaïques donne accès au passage qui conduit à l'atrium de la basilique euphrasienne.

★★ **Atrium** (Atrij)
De plan carré, cette belle cour séduit par ses proportions et ses colonnes de marbre coiffées de chapiteaux et supportant un toit qui furent importées de Byzance. C'est autour de l'atrium que se distribuent le baptistère surmonté du campanile *(à gauche)*, l'accès aux vestiges de la basilique pré-euphrasienne et à l'ancien palais épiscopal qui abrite le musée des Mosaïques *(en face)*, et, enfin, la basilique proprement dite *(à droite)*.
De l'entrée du baptistère, on aperçoit la façade de la basilique, avec des mosaïques qui ont été largement restaurées au 19e s.

★★★ **La basilique euphrasienne** (Eufrazijeva bazilika)
Tlj 7h30-20h. Ce monument exceptionnel fut bâti entre 543 et 554 par l'évêque Euphrase et se rattache au style paléochrétien tel qu'on peut le découvrir à Ravenne où, à une tradition occidentale héritée de l'architecture antique, se mêlent de très fortes influences byzantines.Il s'agit d'une vaste basilique à trois nefs, séparées par deux rangées d'arcades reposant sur des colonnes de marbre importé de Constantinople, aux chapiteaux finement sculptés.
★★★ **Mosaïques de l'abside** – Sur fond or, cet extraordinaire ensemble représente des personnages hiératiques, caractéristiques de l'école byzantine.

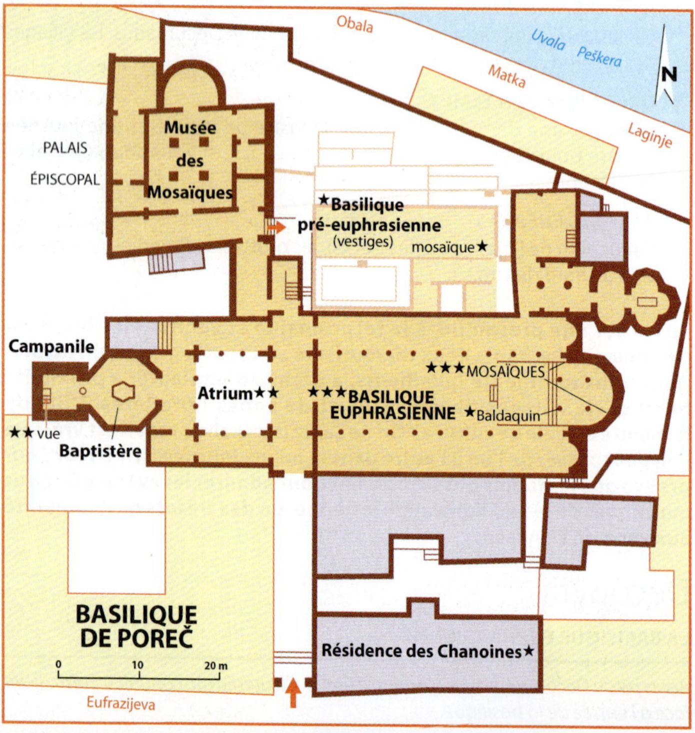

Tout en haut, sur l'arc triomphal, au-dessus de l'abside, le Christ trône en majesté entouré des douze apôtres.
En dessous, sur la partie concave de l'abside, Marie est assise sous la sphère céleste, entourée de deux anges; remarquez, au-dessus de sa tête, dans les nuées, une main, celle de Dieu, la coiffant de la couronne de la gloire éternelle. Aux trois martyrs protecteurs de la cité, sur la droite, font pendant Claude, le frère d'Euphrase, accompagné de son fils, puis l'évêque Euphrase portant dans ses bras la maquette de la basilique, et enfin, revêtu d'une tunique blanche, le martyr Mauro, premier évêque connu du lieu.
Sous les mosaïques court une inscription latine retraçant les circonstances de la construction de la basilique.
Sur la voûte de l'abside, notez les portraits en médaillon de saints entourant la représentation du Christ à l'agneau.
En dessous encore, au niveau des fenêtres, vous pouvez voir sur la gauche l'Annonciation (remarquez la finesse du visage de Marie, et l'extraordinaire rendu de la transparence de son voile), sur la droite la Visitation, avec, en arrière-plan, derrière Élisabeth, l'amusante figure de la servante écoutant, sinon aux portes, du moins au rideau ! Au centre, enfin, l'Assomption de Marie. Tout en bas, les figures décoratives géométriques sont probablement un remploi de l'antique. Elles pourraient provenir d'un temple du 1er s.
★ **Baldaquin** – Au-dessus de l'autel, il a été élevé en 1267 par l'évêque Othon. Il est lui aussi recouvert de mosaïques de style vénitien représentant l'Annonciation.
Absides latérales – On y découvre des restes de mosaïques d'un style tout différent qui furent malheureusement dégradées au 15e s. Dans l'abside de droite, autel du 6e s., on distingue çà et là des vestiges des mosaïques du sol d'origine, qui ont pour l'essentiel disparu.

Baptistère (Krstionica)

De la même époque que la basilique, sauf sa partie supérieure, reconstruite en 1935. Au centre de cet édifice octogonal, traces des anciens fonts baptismaux.

Campanile (Zvonik)

Accès par le baptistère. 10h-18h - 10 kn. Il a été élevé au Moyen Âge et achevé en 1522. Du haut, superbe **vue★★** sur le complexe de la basilique et les toits de la ville en contrebas, le site de Poreč, les îles et les presqu'îles boisées, et la mer transparente.

Musée de la basilique (Muzejska zbirka)

Accès par l'atrium. Avr-oct. : 10h-18h (15h en hiver) - 10 kn.
★ **Basilique pré-euphrasienne** – La visite permet d'apercevoir les vestiges de la première basilique, édifiée au début du 5e s. Il ne reste de cet édifice rectangulaire (et donc, sans abside, selon un plan assez courant sur la rive orientale de l'Adriatique) que quelques pans de murs, des colonnes à chapiteaux et, surtout, une belle **mosaïque★** de sol au décor géométrique, de facture très probablement locale.
Palais épiscopal – Il daterait, du moins pour ses parties les plus anciennes, du 6e s. et serait donc contemporain de la basilique. Le rez-de-chaussée abrite l'essentiel des collections.
Musée des Mosaïques – Fragments de mosaïques de style ravennien, très inspirées de l'Antiquité romaine. Le clou est sans aucun doute la **mosaïque du Poisson★** (4e s.) provenant probablement du pavement de sol du premier édifice élevé sur les lieux par les chrétiens. Remarquez également la belle **cathèdre** (9e s.).

Se promener

★★ BALADE DANS LA PRESQU'ÎLE

Après avoir laissé la voiture au parking, rejoignez, en contournant le marché couvert par la droite, la place J.-Rakovca puis, par Zagrebačka, la place de la Liberté (trg Slobode).

★ Decumanus

Parcourant la presqu'île dans sa longueur depuis la place de la Liberté (Trg Slobode) jusqu'à celle du Forum (Trg Marafor), cette rue rectiligne était la voie principale de la cité romaine. Bordée de belles maisons gothico-Renaissance ou baroques, elle l'est aussi d'innombrables boutiques de souvenirs (broderies, bougies, T-shirts…), de joailleries et de glaciers et, dès les premiers beaux jours, parcourue à toute heure (surtout en fin d'après-midi et en soirée) par une foule compacte et souvent bruyante de vacanciers que les commerçants n'hésitent pas à héler depuis le pas de leur porte pour les inciter à consommer.

Tour pentagonale (Peterokutna kula)
Bâtie en 1447 par Niccolo'Lion, cette tour de défense des anciennes murailles marque l'entrée dans le vieux Poreč, sur la gauche du Decumanus. Elle a aujourd'hui été investie par un restaurant.

Aquarium

F. Glavinića 4, petite rue à deux pas du Decumanus - été : 9h-23h ; hiver : 10h-15h - 40 kn (enf. 20 kn).
Petit et vieillot, cet aquarium donne l'impression d'étouffer les poissons qui ont eu la malchance d'y aboutir. Il amusera surtout les petits qui seront émerveillés par de grandes raies marbrées et effrayés par les méchantes murènes au regard sinistre.

★ Maison gothique (Gotička kuća)
Sur la gauche de la rue. Belle demeure vénitienne aux deux étages ornés de fenêtres de style flamboyant, agréablement fleuries, et au portail Renaissance.

Musée municipal (Zavičajni muzej Poreštine)
Decumanus 9. ✆ 052 43 15 85 - visite sur RV - 10 kn.
Installé dans le palais baroque de la famille Sinčić – la découverte des salles d'apparat n'est pas le moindre de ses intérêts –, il présente au rez-de-chaussée

NUIT D'ÉTÉ À POREČ

La nuit est tombée. C'est l'heure où des milliers de vacanciers, après avoir avalé leur dîner au buffet (fin du service à 21h !), quittent les hôtels pour la rituelle promenade en centre-ville. Sur Trg Slobode, une estrade a été dressée : elle accueille des orchestres qui reprennent les standards éternels, de *Let it Be* à *Just a Gigolo*. Un cornet de glace à la main, les touristes déambulent devant les vitrines du Decumanus, tentant de résister à l'insistance des vendeurs qui interpellent en allemand les chalands afin de leur proposer T-shirts ou bougies sculptées. Impossible de trouver une table libre à une terrasse de Marafor ! Sur la Riva, les stands exposent toutes sortes de souvenirs, à côté des caricaturistes locaux et des tatoueurs, tandis que les chalutiers amarrés au quai attendent l'heure propice pour cingler vers le large.

Détail de mosaïque dans la basilique pré-euphrasienne de Poreč.
J. Huber / SIME-4Corners images / Sime / Photononstop

une collection lapidaire illustrant le passé romain de la ville. À « l'étage noble », dans le grand salon, ont été rassemblés meubles et objets provenant des hôtels de nobles familles locales ; les salles latérales présentent des fragments de mosaïques, des amphores et des sculptures d'époque romaine. Au second, portraits (remarquez celui de Dragoman, interprète de Venise auprès de la cour du sultan, exécuté après 1650 par Sebastiano Bomboli), documents divers et archéologie d'époque préromane.

Prenez sur la gauche, dans le prolongement du Cardo, la place Matije-Gupca.

★ Maison romane (Romanička kuća)

Dans la verdure du parc Matije-Gupca, avec son escalier extérieur et son balcon de bois (celui que l'on voit date de 1930), cette maison, qui fut construite au 13e s. sur les fondations d'une villa romaine, ne manque pas d'allure.

Revenez au Decumanus.

Dans cette dernière section de la rue principale, tout autour de l'intersection avec le Cardo, on découvre une série de nobles demeures du 15e s., aux façades caractéristiques du gothique finissant. Remarquez la belle **maison aux Lions**, ainsi nommée en raison des pignons sculptés en têtes de lion surmontant les fenêtres.

Place Matije Gupca

Cette place, qui portait le nom de Piazza dei Signori sous la République vénitienne, est bordée d'une série de beaux palais baroques (comme au n° 1, la demeure à balcon surmonté d'un fronton triangulaire) ou gothiques (la demeure voisine avec ses fenêtres vénitiennes).

Place du Forum (Trg Marafor)

Cette place rectangulaire qui a conservé une partie de son dallage romain occupe l'emplacement de l'ancien forum de Parentium. C'est ici que s'élevaient les monuments les plus prestigieux de la cité antique, en particulier le Grand Temple (ou temple de Mars).

Temple de Neptune et Grand Temple (Neptunov i Veliki hram) – *Côté ouest de la place*. On peut voir dans la verdure les vestiges (soubassements des murs et colonnes) de ces temples édifiés au 2e s.
Contournez le petit square par la rue Bernobić (M. Bernobića) jusqu'à revenir sur Trg Matije Gupca et prenez, en face, la rue St-Maur.

★ Rue St-Maur (Ulica sv. Maura)

Il est des choses parfois étonnantes : nous sommes ici à moins de 10 m de l'animation bruyante du Decumanus... et seuls le silence et la solitude règnent dans cette rue oubliée des touristes, bordée de quelques beaux palais. Moments de grâce, d'autant plus précieux qu'ils sont inattendus, et dont on profitera pour détailler les façades, avant de se poser pour prendre un verre dans la cour du Lapidarium.
Maison des Deux-Saints (Kuća Dva Sveca) – Elle doit son nom aux deux personnages sculptés en bas-relief à l'époque romane, au niveau du premier étage.
Lapidarium – Vaste cour servant de dépôt lapidaire et ornée du tronc (mort) d'un arbre énorme. Les tables du café, ombragées de grands parasols, invitent à une pause des plus agréables...
Continuez dans la rue pour arriver à F. Glavinića que vous prendrez à droite pour gagner le front de mer (Obala) par la place du Peuple (Narodni trg).

Front de mer (Obala)

Tour ronde (Okrugla kula) – *Narodni trg*. De la seconde moitié du 15e s., c'est un vestige des anciennes fortifications.
Quai du Maréchal-Tito (Obala Maršala Tita) – Bordé de restaurants et de quelques hôtels, ombragé de palmiers, c'est le centre animé de la vie estivale de Poreč. Amarrés au quai, des bateaux de promenade ou d'excursions proposent au flâneur des escapades dans les îles ou le long de la côte, une découverte des fonds marins, voire une journée à Venise (qui n'est qu'à 2h30 de navigation à bord de puissantes vedettes). En face est posée **l'île** boisée **St-Nicolas** (otok Sv. Nikola), qui abrite les restes du **phare** le plus ancien de Croatie (1403) et un **château** néogothique construit en 1886 pour Benedetto Polesini.
Poursuivez sur la Riva et contournez la pointe de la presqu'île en passant devant un bastion médiéval derrière lequel, dans la verdure, se niche l'hôtel Adriatic.

LA CAPITALE DE L'ISTRIE

Camp militaire fondé par les Romains, Poreč devint un « municipe » au 1er s. et prit le nom de *Colonia Julia Parentium*. C'est à cette période brillante qu'elle doit le plan qu'elle a conservé jusqu'à nos jours avec une rue principale rectiligne, le Decumanus, conduisant au forum, et une rue transversale, le Cardo. Vite christianisée, elle eut comme évêque saint Maur, sans doute victime des persécutions de Dioclétien au début du 4e s. : jusqu'à cette époque, le culte était célébré dans une maison privée, à l'emplacement de l'actuel complexe de la basilique euphrasienne.
Poreč fut vénitienne de 1262 à 1797. La Sérénissime a laissé une profonde empreinte, notamment dans les nombreux palais construits au début de la Renaissance comme à l'époque baroque, période brillante où de nobles familles vénitiennes choisissaient Poreč comme lieu de villégiature estivale. Sous la domination autrichienne, la ville abrita à partir de 1861 le Parlement d'Istrie et devint donc la capitale éphémère de la péninsule. Si elle a perdu ce rôle, elle n'en demeure pas moins une capitale touristique, puisqu'on estime sa capacité d'accueil (hôtels, campings, villages touristiques et logement chez l'habitant) à 100 000 personnes.

★ Promenade des remparts

Au pied des remparts, un quai agréable et peu fréquenté longe la ville, derrière la basilique euphrasienne. Belles vues sur la mer, calme et silence. C'est un Poreč inattendu que seuls fréquentent quelques joggeurs, des promeneurs solitaires et des amoureux. Et la mer est si belle!

La promenade vous ramène à la rue Nikole-Tesle, toute proche du parking central.

Circuits conseillés

★★ VERS LE FJORD DE LIM A2

Circuit de 42 km tracé en vert clair sur la carte de région (p. 346) – Comptez 3h. Quittez Poreč vers le sud en direction de Vrsar.

La route longe de grands complexes touristiques : hôtels, bungalows, campings, centres naturistes se succèdent, notamment à **Brulo**, posée dans une pinède, **Plava Laguna** (« lagune bleue ») et à **Zelena Laguna** (« lagune verte ») où se concentre l'offre d'hébergement de Poreč. Nombreux restaurants.

Funtana/Fontane

Voué aujourd'hui au tourisme, ce village autrefois connu pour ses sources est devenu un immense restaurant. De part et d'autre de la route, des dizaines d'établissements proposent des grillades de porc et d'agneau : ceux-ci rôtissent, à la broche, dans de grands fours installés sur le bord de la route.

Parc des sculptures de Dušan Džamonija (Park skulture Dušana Džamonije) – *Près de Vrsar - mars-oct. : 9h-19h (20h en été) ; nov.-fév. : 9h-17h - gratuit.* Œuvres de Dušan Đamonja, dont on peut également visiter l'atelier.

★ Vrsar/Orsera

Rade Končara 46 - ✆ 052 441 746 - fax 052 441 187.

Ancienne résidence des évêques de Poreč, ce petit port devenu une importante station balnéaire a conservé un agréable **centre ancien** (Stari Grad) posé sur une colline dominant la mer. Au hasard des ruelles, on découvrira quelques vestiges des murailles du **palais des Évêques** (rezidencija porečkih biskupa) qui ont conservé des tours du 13e s. et deux portes romanes dont l'une est porteuse du relief représentant le lion de saint Marc. Vouée à saint Martin, l'**église paroissiale** (Župna crkva sv. Martina), du 19e s. est, en été, le cadre de concerts classiques.

Sur l'agréable port, installé dans une baie protégée par l'îlot Sv. Juraj, belle **basilique romane N.-D.-de-la-Mer** (romanička bazilika sv. Marije od Mora). Les résidences hôtelières et les campings sont implantés en dehors de la ville, sur les caps qui séparent Vrsar du fjord de Lim. L'immense camp de **Koversada**, relié par un ponceau à l'île du même nom, est un des plus grands centres naturistes d'Europe.

Prenez la direction de Baderna.

La route oblique et devient sinueuse en s'écartant de la mer. Quelques lacets permettent de s'élever assez vite. Attention aux autobus, assez nombreux car la route est assez étroite et les croisements ne sont pas toujours évidents.

★★ Fjord de Lim (Limski zaljev)

C'est un mot latin *limes* (« frontière ») qui a donné son nom à ce fjord étonnant qui séparait jadis les territoires des villes de Poreč et de Rovinj. Long et étroit, il s'enfonce de 9 km à l'intérieur des terres entre des parois hautes de 100 m. Toujours visionnaire, Jules Verne n'a pas hésité, pour les besoins d'un roman, à faire communiquer le fjord avec le gouffre de Pazin, une bonne trentaine de kilomètres au nord-est. Malheureusement, nulle preuve scientifique n'a pu être apportée à cette intuition géniale ! Ses eaux protégées (il est interdit de s'y baigner) sont réputées pour leur pureté : des parcs à huîtres et à moules, ainsi que des établissements de pisciculture y sont installés.

Force est de reconnaître que, depuis la route, on ne l'aperçoit qu'épisodiquement. Le seul belvédère aménagé est en outre occupé par des vendeurs de produits locaux, assez insistants pour agacer, chose rare en Croatie.

Il faut donc descendre au fond du fjord, à 14 km de Vrsar, par une petite route sur la gauche. Là, en bordure des eaux turquoise, quelques restaurants ont élu domicile près d'aires de pique-nique, tandis que dans des petites guérites de bois sont proposés aux visiteurs miel, huile d'olive et fromages fermiers.

Amarrée à un ponton, une vedette propose aux visiteurs de naviguer sur les eaux du fjord jusqu'à son embouchure, seule manière de le découvrir, à moins d'effectuer une excursion depuis les ports voisins de Poreč et de Rovinj où de nombreuses vedettes amarrées sur les quais effectuent la navette tout au long de la journée *(comptez 200 kn)*.

Suivez la direction de Baderna jusqu'à Sveti Lovreč (3,5 km, sur la droite de la route). En chemin, vous pouvez faire une halte au domaine viticole de **Matošević**, à Krunčići *(env. 1 km avant Medaki - voir la rubrique « Achats » dans Nos adresses).*

★ Sveti Lovreč Pazenatički

Beau village médiéval fortifié qui fut jadis la principale commanderie militaire vénitienne en Istrie. On accède à la place principale, ornée de l'ancien pilori, par une porte à la belle voûte d'ogives percée dans les remparts des 14e et 15e s. Face à la porte s'ouvre une petite loggia qui abrite un dépôt lapidaire. Elle s'appuie sur le mur latéral de l'**église St-Martin** (crkva sv. Martina), du 11e s., au campanile roman crénelé dont l'intérieur conserve nombre de fresques. Remarquez aussi, près de la porte, la **chapelle St-Blaise** (kapela sv. Blaža), du 15e s. L'ensemble, avec ses vieilles demeures souvent fleuries et ses pavés, compose un tableau absolument charmant.

Revenez à Poreč par Žbandaj.

★★ L'ISTRIE GOURMANDE EN BLEU ET EN VERT A1-2

Circuit de 130 km tracé en bleu sur la carte de région (p. 346) – Comptez une bonne demi-journée. Départ de Poreč en direction de Višnjan.

Bon à savoir – *En été, vu l'encombrement des routes côtières, il sera plus simple d'utiliser la voie rapide pour rallier le nord de la péninsule ou en revenir, afin d'éviter de trop grands embouteillages.*

Poreč A2

Domaine viticole – *Istarske divizije 27 - 52440 Poreč - ✆ 052 431 586 ou 098 335 129 - djordano.persuric@iptpo.hr.* Pour commencer ce circuit en beauté, passez dans le domaine de **Đordano Peršurić**, le plus grand producteur istrien de vins pétillants. Esprit chercheur, Peršurić a observé la production du champagne en France et du *spumante* en Italie avant de créer son **misal**, vin pétillant original, qui s'est hissé en quelques années au sommet du savoir-faire vinicole croate. Léger et fruité, ce « champagne istrien » se décline en cinq variétés : le *Prestige* (extra-brut) et le *Millenium* (brut) se rapprochant du champagne « classique », le *misal noir* (brut), la dernière trouvaille du maître, accompagnant des viandes, le *misal rosé* (sec) servi avec du poisson, et le *misal rouge* (demi-sec) qu'on prend au dessert. *Živjeli !* Santé ! Attention, l'abus d'alcool est dangereux pour la santé : consommez avec modération !

Reprenez la direction de Višnjan et à Novas Vas, prenez à gauche la direction Baredine.

Les grottes de Baredine.
G. Lenz / imagebroker / age fotostock

Grottes de Baredine (Jama Baredine) A2

052 421 333 - www.baredine.com - visite guidée obligatoire (40mn) - juil.-août : 9h30-18h ; mai-juin et sept. : 10h-17h ; avr. et oct. : 10h-16h - 60 kn (enf. 35 kn). Prévoyez une petite laine (la température à l'intérieur des grottes est de 14 °C).

Ce royaume souterrain cache un trésor de stalactites et de stalagmites aux formes surprenantes et merveilleuses. Une statue de la Vierge Marie, la tour de Pise, un bonhomme de neige, un porteur de torche ne sont que quelques-uns parmi ces chefs-d'œuvre sculptés par la nature. En passant à travers cinq galeries situées à 132 m de profondeur, vous apprendrez l'histoire des grottes, verrez des lacs souterrains et découvrirez des organismes peuplant ce monde mystérieux : l'étonnant *Proteus anguinus*, espèce endémique de cette région, des crabes transparents, des insectes inconnus…

Revenez à Novas Vas et tournez à gauche vers Višnjan.

Višnjan/Visignano A2

Trg Slobode 1 - 052 449 142.

Connu pour son observatoire astronomique (on y a découvert pas moins de 140 planètes, certes mineures, mais des planètes tout de même !), Višnjan est un gros village d'allure très méditerranéenne avec ses maisons de pierres sèches et ses toits de tuiles. Si l'animation se concentre autour des commerces et des cafés de sa partie basse, il ne faut pas pour autant négliger le village haut, construit sur une butte. On y voit tout d'abord *(dans le virage)* une **chapelle gothique St-Antoine** (crkva sv. Antuna), décorée de fresques par un maître originaire d'Udine et de quelques graffiti glagolitiques. De là, la rue principale conduit à la grand-place, située au sommet, où l'on découvre une **loggia** posée à l'aplomb de la plaine (on aperçoit, au loin, la mer), un beau puits, et l'**église paroissiale** (župna crkva), néoclassique, dont le clocher séparé, qui a fière allure, a été élevé au 18e s.

Quittez Višnjan par le nord-ouest, en direction de Kaštelir-Labinci puis suivez les panneaux Markovac.

Markovac (Višnjan) A2

Markovac 14 - 52463 Višnjan – ✆052 449 251 - www.vina-poletti.com
La visite du domaine de **Peter Poletti**, producteur d'excellents vins blancs (malvoisie, chardonnay) et rouges (merlot, teran), vous fournira, outre le plaisir de la dégustation, l'occasion d'apprendre l'histoire de la viticulture en Istrie. Dans son ancienne maison qui sert à la fois de salle de dégustation et de cantine, cet héritier de six générations de viticulteurs vous montrera d'anciennes photos, des documents provenant des archives familiales relatives à la viticulture et même le contrat de l'achat des terres par ses ancêtres en 1669. Vous y verrez également d'anciens outils viticoles dont le clou est l'ébullioscope français datant de 1884 (toujours en état de marche, paraît-il) qui constitue l'objet de fierté particulière du propriétaire. Avant de quitter ce domaine, n'oubliez pas de goûter au **muscat rosé** *(muškat ruža)* dit de Poreč, vin rare et difficile à produire, dont Poletti est un maître incontesté.
Revenez vers la côte via *Tar afin de rallier Novigrad.*

Novigrad/Cittanova A2

Mandrač 29a - ✆ 052 757 075.
Posée sur une presqu'île, dans un site comparable à celui de Poreč, cette petite cité a conservé des remparts crénelés munis de tours, le tout très restauré. La voie d'accès conduit au port, où l'on laissera la voiture avant de découvrir la ville, en empruntant la Grande-Rue (Velika ulica), qui a conservé quelques demeures anciennes, comme, au n° 5, le **palais Rigo** (1760) qui présente une belle façade sculptée.
La rue conduit à l'agréable Grand-Place (Veliki trg) ouverte sur la mer où se dresse l'**église St-Pélage** (crkva sv. Pelagija), d'origine romane mais largement remaniée à l'époque baroque. Sous le sanctuaire de l'église se trouve une belle crypte romane à trois nefs (8e s.) qui abrite un sarcophage du 12e s. La pointe de la presqu'île est occupée par un parc ombragé de pins parasols qui donne accès à un *lungomare* que bordent des pensions et cafés, aux façades ravinées par le sel et les embruns. Là comme ailleurs la plage se réduit à quelques plates-formes de ciment. Le *lungomare* ramène au port de plaisance où l'on reprend la voiture pour rentrer à Poreč.
Oléiculture – *Au nord du port, à l'intérieur des terres, dir. Salvela-Zidine, le domaine sera fléché sur la droite. Strada Contessa 22a - 52466 Novigrad - ✆ 052 758 093 ou 098 21 99 02 - www.altorcio.hr.* Située près de la ville de Novigrad, la petite fabrique **Al Torcio** gérée par la famille **Beletić** produit quelque 2 400 l d'huile d'olive par an. Citée dans le guide *L'Extravirgine*, primée par l'université des sciences gastronomiques de Brescia et par une quantité de grands experts, cette huile vous fera pousser des ailes. Les adorables propriétaires vous montreront leur domaine, expliqueront le processus de fabrication et vous feront déguster le merveilleux liquide aux reflets d'or accompagné de pain grillé et de fromage.
Suivez la route côtière vers le nord.

Umag/Umago A1

Prenez la direction du centre et garez la voiture aux abords du port.
Trgovačka 6 - ✆ 052 741 363.
On entre dans la ville ancienne (disposée comme Poreč sur une presqu'île oblongue) et le petit centre piétonnier par la **rue Garibaldi** (ulica Giuseppea Garibaldija) qui conduit à la **place de la Liberté** (trg Slobode) ouverte de part et d'autre sur la mer.
Hors un joli campanile porteur de bas-reliefs (un lion de Venise et le patron de la ville, San Pellegrino), cette place est malheureusement assez disgracieuse.

Néoclassique, l'église arbore sur sa façade un fronton curieusement tronqué. L'intérieur a reçu une décoration baroque assez lourde.

Depuis la place, la **rue de Rijeka** (Riječka ulica) s'enfonce dans la minuscule presqu'île. Elle est bordée de quelques maisons de style gothico-Renaissance composant un petit ensemble harmonieux et, pour la plupart, occupées par des cafés et des restaurants de poissons qui, sur leur autre façade, ont installé des terrasses sur des pontons dominant la mer, ou par des boutiques de souvenirs vendant force dentelles. Très rapidement, on tombe sur des constructions modernes et le charme qu'on avait pu trouver à la rue s'évanouit aussitôt.

Roulez en direction de la frontière slovène et de Koper.

À **Sv. Marija na Krasu**, vous pouvez faire une halte au domaine viticole Vina Kraljević-Cuj avant de rejoindre la route qui bifurque à gauche vers Savudrija. Bien que longeant la mer, on ne l'aperçoit qu'épisodiquement à travers une végétation assez fournie où abondent les tamaris. On aperçoit, de l'autre côté de la baie, la station slovène de Portorož et, au fond, les « tables saunantes » des marais salants. Quelques centres de vacances constitués de bungalows et de campings (« textiles » ou non) commencent à apparaître entre les pins, comme à **Kanegra**.

Bašanja (Savudrija) A1

Ce village de Bašanja situé au pied de Savudrija héberge la propriété de **Marino Degrassi**, un des meilleurs producteurs de vins rouges de la péninsule. Avec lui, le **refosc** *(refošk)*, proche cousin du teran, a pris la place d'honneur sur les tables croates. Léger et un brin pétillant, au joli teint cerise, ce vin accompagne agréablement les plats de volaille et de viande. Degrassi produit également du **teran**, vin rouge que les Istriens appellent « noir » pour sa couleur sang de bœuf. Vin de caractère, dont le degré varie de 12 % à 13,50 %, il se marie idéalement avec de la nourriture conséquente et grasse, mais aussi avec des fromages et l'omelette istrienne aux asperges.

Dans sa belle salle de dégustation décorée d'amphores antiques (trouvées dans la mer en 2001 à quelques kilomètres de là), le viticulteur vous proposera également du vin blanc (malvoisie, chardonnay), du muscat blanc san pellegrin ou du muscat rosé casanova qui serait aphrodisiaque !

Savudrija/Salvore A1

Posé sur une pointe commandant la baie de Piran, à l'extrême nord de l'Istrie, ce petit port de pêche marque l'entrée de la « riviera d'Umag ». Un phare, un petit port à l'abri d'une baie, deux ou trois restaurants de poissons composent ce lieu d'une simplicité charmante.

On prend alors la route côtière en direction de Poreč : de part et d'autre, à l'ombre de pinèdes, s'étendent des campings, naturistes ou plus habillés, et autres lieux réservés à l'hébergement estival des touristes : ils portent les noms, parfois évocateurs, de T.N. (*Turstičko naselje* ou « village touristique ») Pineta, Polinezija, Stella Maris, Punta…

Suivez la route côtière vers le sud pour rentrer à Poreč. Vous pouvez également continuer vers le nord pour une escapade en Istrie slovène (voir ci-après).

Escapade en Istrie slovène

Circuit d'environ 260 km tracé en violet sur la carte de région (p. 346) – Comptez une journée. Depuis Savudrija (fin du circuit précédent), la route mène à la frontière slovène et, de là, à Portorož.

L'itinéraire passe au fond du golfe de Piran, occupé par des marais salants.

Portorož/Portorose

Agréable cité de bord de mer, annexe de Piran, située sur la rive nord du golfe de Piran (Piranski zaliv). Belle promenade de front de mer donnant sur une plage artificielle de ciment.

★★ Piran/Pirano

Très jolie cité posée sur une presqu'île escarpée et dominée par les remparts de son ancien **château (kaštel)**. Tout converge vers la **piazza Tartini**, circulaire et ouverte sur le port, ornée en son centre de la statue du violoniste Giuseppe Tartini, et bordée de demeures anciennes, dont l'une, frappée du lion de saint Marc, abrite l'hôtel de ville. Sur les hauteurs, le **Duomo (église St-Georges ou crkva sv. Jurja)** présente un clocher vénitien et un baptistère en rotonde.

Reprenez la route en direction de Koper.

★ Koper/Capodistria

Assez décevant au premier abord, ce port industriel ne révèle qu'un immense parking situé à l'entrée de la vieille ville. Il faut y voir la superbe **place Tito (Titov trg)**, très italienne, avec sa loggia (occupée par un café), sa cathédrale et son campanile, ainsi que le château abritant le musée.

Après Koper, prenez la direction de Ljubljana par l'autoroute. Dépassez Kozina et quittez l'autoroute à la sortie Divača, direction Park Škocjanske jame et le centre d'information de Matavun.

★★★ Grottes de Škocjan

Centre d'information de Matavun. ✆ (386) 5 708 21 10 - www.park-skocjanske-jame.si - visite guidée (1h30) - température 12 °C ; prenez des chaussures adéquates car le sol est humide - départs : juin-sept., ttes les h 10h-17h (dernier dép.) ; avr.-mai et oct. : 10h, 13h et 15h30 ; nov.-mars : 10h, 13h (15h dim. et j. fériés) - 15 € (enf. 7 €).

Classées au patrimoine mondial de l'Unesco, ces grottes ont été creusées par la Reka, qui disparaît sous terre avant de rejaillir 34 km plus loin aux sources de la Timava, près de la mer Adriatique. La rivière a tracé un canyon long d'environ 3,5 km, large par endroits de 60 m et d'une hauteur sous voûte de 146 m !

Un passage artificiel long de 116 m mène aux premières grottes sèches, ornées de multiples concrétions. La **Grande salle** est particulièrement impressionnante avec ses stalagmites hautes de 15 m et ses orgues. Mais l'émerveillement qu'elle suscite n'est rien en comparaison de la vision qu'offre la **Salle bruyante**, ou gorge de la Reka. Le sentier débouche en effet à plus de 100 m de hauteur en surplomb du canyon où gronde la rivière. Selon la saison, le taux d'humidité peut monter jusqu'à 100 %. La descente vers le pont de Cerkvenik s'effectue alors au seul son de l'eau bouillant en contrebas. Du pont de Cerkvenik, qui surplombe la Reka de 45 m, on aperçoit mieux la rivière et l'ancien sentier à fleur d'eau. La passerelle actuelle se trouve plus haut et elle remonte le cours de la rivière pour déboucher dans un gouffre verdoyant.

Au terme de la visite, deux petites maisons présentant l'exploration de la grotte depuis deux siècles, et la tradition agricole de la région.

Revenez en Croatie par l'autoroute jusqu'à Koper, puis la route en direction de Buje (frontière à Kaštel/Castelvenere). De là, suivez les panneaux Pula puis Poreč.

NOS ADRESSES À POREČ

ARRIVER/PARTIR

Gare routière – *Rade Končara 1, derrière l'hôtel Poreč - ✆ 052 432 153 - 5h-21h.* Bus quotidiens pour Pula, Rovinj, Zagreb, Rijeka, et les alentours immédiats (Umag, Vrsar, Baderna, Sveti Lovreč, Buzet, Pazin), ainsi que pour Trieste.

Bateaux – Ligne saisonnière Trieste-Poreč-Pula. Rens. à l'agence **Sunny Way** - *A. Negri 1 - ✆ 052 452 021.*

TRANSPORTS

Taxis – *Karla Huguesa bb - ✆ 052 432 465.* Service 24h/24, station à côté de la gare routière.

Location de voitures – **Vetura** *-Trg J. Rakovca 2 - ✆ 052 434 700 et Zelena Laguna - ✆ 052 451 391 - www.vetura-rentacar.com.*

Location de vélos et de scooters – **Rent a motor Contigo** – *Rade Končara 5 - ✆/fax 052 451 149.*

Transports locaux en saison

Petits trains touristiques – Les mois d'été, entre 9h et 0h. Une ligne vers le sud Poreč-Zelena Laguna, l'autre vers le nord en direction de l'auberge Luna.

Navette maritime – L'été entre 8h30 et 0h ttes les h depuis la Riva de Poreč : escales à Brulo, Plava Laguna et Zelena Laguna. Billets au bateau.

NAUTISME

Marina Poreč – *✆ 052 451 913/ 052 453 213 - www.marinaporec.com.* Carburant sur place. Petit port situé près du centre ancien, dans l'anse séparant la presqu'île des zones hôtelières.

Capitainerie – *Obala M. Tita 17 - Poreč - ✆ 052 431 663.*

ACI Marina Umag – *✆ 052 741 066 - www.aci.hr.* Situé face à la vieille ville (navette bateau), c'est le plus nordique des ports de plaisance croates. Pour l'approche, se guider sur la cheminée de la cimenterie (au sud d'Umag). **Capitainerie** - *Au môle est - ✆ 052 741 662.*

Marina de Vrsar – *Obala M. Tita 1a - ✆ 052 441 052.*

Marina de Laguna-Novigrad – *✆ 052 757 077 - marketing@laguna-novigrad.hr*

HÉBERGEMENT

Bon à savoir – Nombre d'hôtels de Poreč et de ses zones hôtelières sont gérés par **Plava Laguna** - *Rade Končara 12 - ✆ 052 410 102 - www.lagunaporec.com*

PREMIER PRIX

Adriatic Apartmani – *Trg Slobode 2a - ✆ 052 452 663 - www.apartmani-adriatic.hr.* Cette agence propose chambres, studios et appartements chez des particuliers à Poreč et à Vrsar. Comptez 35/39 € pour une ch. double, 39/45 € pour un studio, 75/85 € pour un appart. de 4 pers.

Euro-Tours – *Partiszanska 4/1 - ✆ 052 433 635 - www.euro-tours.net.* Une agence en centre-ville où choisir, sur catalogue, un hébergement à Poreč et ses environs. 32/37 € pour une ch. double, 46 € pour un studio et 77 € pour un appart. de 4 pers.

Dans la vieille ville et ses abords immédiats

UNE FOLIE

Hotel Hostin – *Rade Končara 4 - ✆ 052 408 800 - fax 052 408 857 - www.hostin.hr - P - 40 ch. 460 kn/pers.* Dans une zone de verdure, à deux pas du port de

5

pêche et de la marina, face à la vieille ville, un hôtel confortable et calme. Petite plage à 100 m.

Sur l'île St-Nicolas

BUDGET MOYEN

Fortuna – *✆ 052 400 000/ 052 465 100 - www.valamar.com - 187 ch. 60/63 €/pers.* . Face à la vieille ville, dans un lieu idyllique, chambres confortables dont la plupart donnent sur la mer. De nombreuses plages près de l'hôtel et une piscine face au port de Poreč.

À Brulo

Accès par la route de Vrsar puis la 1re sortie à droite.

UNE FOLIE

Hotel et résidence Valamar Riviera – *Obala M. Tita 15 - ✆ 052 465 000 - www.valamar.com/porec-hotel-valamar-riviera - avr.-oct. - 105 ch. 101/238 €* :. Sur le port, donc bien placé même s'il est difficile de s'y garer. Un grand hôtel à taille humaine, avec une annexe dans un édifice du 19e s. La décoration, refaite en 2010, donne la part belle au thème marin et au yachting. Majoration de 20 % pour un séjour de moins de 3 jours. Spa.

Hôtels **Valamar Diamant, Kristal et Rubin** – **Diamant** – *✆ 052 465 000 - www.valamar.com/valamar-crystal-croatian-hotel - 244 ch. de 98 à 262 € en 1/2 P* ; **Crystal** – *✆ 052 408 000 - www.valamar.com/valamar-crystal-croatian-hotel - 223 ch. de 96 à 259 € en 1/2 P* ; **Rubin** – *✆ 052 408 000 - www.valamar.com/accommodation-porec-hotel-rubin - 258 ch. de 76 à 209 € en 1/2 P . Les prix sont majorés de 20 % pour un séjour de moins de 3 nuits.* Trois hôtels construits à l'orée d'une pinède donnant sur la mer. Navire amiral de cette flottille, le Diamant est construit sur dix niveaux (chambres rénovées), les deux autres, jumeaux, sont moins hauts.

Valamar Diamant Résidence – Même direction que les hôtels. Ils constituent un véritable village de petites maisons blanches. *✆ 052 465 100 - 128 appart. de 44 à 201 € selon capacité.*

À Zelena Laguna

PREMIER PRIX

Camping Zelena Laguna – *✆ 052 410 700 - avr.-sept. - adulte 6,90 €, enf. 4,80 €, emplacement 13,10 €, voiture 9,90 €.* Ce n'est pas le plus agréable des campings de Croatie, mais ce très grand terrain bénéficie de bons équipements et des nombreuses activités du lieu.

UNE FOLIE

Hotel Parentium – *✆ 052 411 500 - www.plavalaguna.hr - P - 368 ch. 60/69 €/pers. en 1/2 P selon orientation et équipement.* Sur une petite presqu'île ombragée de pins, c'est un grand ensemble agréable et bien équipé. Chambres correctes et accès à de nombreux sports.

Près de Baderna

BUDGET MOYEN

Baladur – *Rakovci 22, Baderna - ✆ 052 462 293 - www.baladur.com - 3 maisons 99/148 €.* Cet *agroturizam* s'inspire de l'architecture romane. Une réussite due au labeur patient du propriétaire et aux matériaux traditionnels qui font oublier que tout est récent. La fausse chapelle abrite un appartement agréable où l'on dort dans le chevet. Joli jardin, bowling, barbecue, cave à vins. Il est prudent de réserver !

À Kanegra

PREMIER PRIX

TN Kanegra – *Kanegra bb - 52470 Umag - ✆ 052 709 000 - www.istracamping.com*

- *avr.-sept. - 7,80 €, enfant 4,70 €, empl. 16,30/18 €.* Grand complexe touristique installé dans une pinède sur la rive sud de la baie de Piran : il se compose d'un village de bungalows (de 4 à 6 pers.), et de deux campings, dont un naturiste. Restaurants, guinguettes, supérettes, centre sportif, aires de jeux pour les enfants et discothèque…

À Umag

PREMIER PRIX

Camping Park Umag – *Karigador bb à Umag - ✆ 052 713 740 - www.istracamping.com - 6,50 €, enfant 4 €, empl. 9,50/16 €, bungalow standard et luxe.* Immense camping (1 815 emplacements), au bord de la mer, très propre. Restaurants, bars, équipements sportifs, piscines avec cascades et bateau pirate, terrains de jeux pour enfants, promenade aménagée au bord de la mer, supermarchés… Et en prime, un grand éco-parc aménagé pour la découverte de l'Istrie *(voir Sports & Loisirs).*

À Vrsar

UNE FOLIE

Resort Belvedere – *Petalon 1 - ✆ 052 800 250 - www.maistra.com - 134 ch. et 176 appart. à partir de 172 €* ☕. Des chambres et des appartements au confort et à la décoration soignés, un complexe idéalement situé sur la mer : on pourrait y vivre en autarcie ! Plages, piscines, location de vélos, tennis. Vrsar est à 5mn à pied.

RESTAURATION

À Poreč

PREMIER PRIX

Gostionica Leut – *Obala Maršala Tita 15 - 40/80 kn.* Grande terrasse ombragée donnant sur la Riva (front de mer) de Poreč face à l'île St-Nicolas. Poissons grillés, salades. Service diligent.

BUDGET MOYEN

Barilla – *Eufrazijeva 26 - ✆ 052 452 742 - fermé de déc. à fin janv. - plats 50/90 kn, poisson 250 kn.* Ce nom ne doit pas tromper : on y mange autre chose que des pâtes (très bonnes, du reste !). On y déguste aussi des plats aux truffes : tournedos et gnocchi.

POUR SE FAIRE PLAISIR

Konoba Ulixes – *Decumanus 2 - ✆ 052 451 132 - 12h-0h - poisson 320 kn.* Que ce soit dans la salle aux pierres apparentes ou dans la très agréable cour à l'ombre d'un olivier, vous y dégusterez des spécialités servies avec amabilité, telles que carpaccio aux truffes ou thon à la sauce aux truffes. Bon choix de vins du pays.

Peterokutna kula – *Dekumanus 1 - ✆ 052 451 378 - plats 50/100 kn, poisson 300 kn/kg.* Installé dans la tour pentagonale, ce restaurant est aménagé sur plusieurs niveaux avec des tables à ciel ouvert et une belle salle pour les frileux. Salade de poulpe et cocktail de langoustines, poisson (excellent !), cuisine istrienne. Un verre d'eau-de-vie est offert au début du repas.

Au fjord de Lim

BUDGET MOYEN

Restoran Viking – *Lim (Limski kanal) bb - ✆ 052 448 223 - 11h-16h30, 18h30-23h - 60/100 kn, poisson 300 kn/kg.* À l'extrémité du fjord, une des grandes tables d'Istrie : huîtres, poissons et fruits de mer au programme.

Fjord – *Lim (Limski kanal) bb - ✆ 052 448 222 - 50/100 kn, poisson 300 kn/kg.* Proche du précédent : langoustes, fruits de mer, lasagnes au crabe et poissons…

Près de Baderna

PREMIER PRIX

Konoba Idila – *Rakovci 4 à Baderna* - ✆ *052 462 130 - plats 35/60 kn*. Cette auberge rurale propose une cuisine à base de produits fermiers et de spécialités locales aux truffes. Salle en sous-sol pour l'hiver ou les trop fortes chaleurs, terrasse ombragée qui donne sur un paysage champêtre. Une bonne adresse, ouverte le soir en semaine et de 12h à 0h le w.-end. Location de chambres également.

À Savudrija

POUR SE FAIRE PLAISIR

Taverna Porto Salvore – *Sur le port* - ✆ *052 759 213 - poisson : 220 kn*. Dans une petite maison donnant directement sur le quai. Terrasse. Spécialités de poissons (délicieux pâté de poisson – *riblji pašteta*), fruits de mer et asperges.

PETITE PAUSE

À Poreč

Caffe Bar Torre Rotonda – *Narodni trg 3a* - ✆ *098 255 731 - www.torrerotonda.com*. Une des tours de l'enceinte de la ville reconvertie en café. Salle à l'étage avec vue sur la Riva et l'île (dommage que la tour ne soit pas plus haute d'une dizaine de mètres!). Ambiance jazzy.

Gelateria Fontana – *Decumanus 26*. Glaces à l'italienne. Les serveurs se sont fait une spécialité de jongler avec les boules de glace au grand ravissement des passants.

À Višnjan

Café Bar Emar – *Sur la droite de la route, avant le cœur du village, lorsqu'on arrive de Stuti*. Une agréable terrasse fleurie où il fait bon se poser quelques instants pour se rafraîchir.

ACHATS

À Poreč

Marché public (Tržnica) – *Mlinska bb - 7h-14h*. À côté du parking central.

Enoteca Per Bacco – *Trg Slobode 10*. Vente de produits régionaux (truffes, vin, huile d'olive, grappa…) joliment présentés dans des coffrets ou sur des tuiles. Vous y trouverez également les produits Aromatica (savons, huiles essentielles, parfums).

Librairie Matea (VIP) – *Trg Slobode 2* - ✆ *052 431 078 - tlj sf dim. 7h30-19h30*. Bon choix de cartes et de guides d'Istrie en italien, allemand, anglais et français.

Près du fjord de Lim

Matoševič – *À Krunčići, 3 km au sud de Sv. Lovreč* - ✆ *052 448 558 - matosevic.com*. Cette famille de viticulteurs propose d'excellents vins issus de cépages français et fruits d'un travail de passionnés. M. Matoševič vous fera visiter ses chais et goûter sa production. Sur la propriété, on trouve quelques chambres à louer et un restaurant.

EN SOIRÉE

Musique classique – Symphonique, de chambre ou spirituelle : l'été, dans le cadre de la basilique euphrasienne (parfois dans l'atrium).

Jazz – Soirées musicales les mercredis soir de juillet et d'août dans la cour du café Lapidarium, via S. Mauro 10.

Discothèque – International Club à Zelena Laguna. Discothèque tous les soirs à partir de 22h. Les concerts des célébrités locales comme Gibonni y sont également programmés. Night-club et bars.

ACTIVITÉS

Bon à savoir – Que vous soyez résident ou non des hôtels de Plava Laguna ou de Zelena Laguna, vous aurez accès à de multiples activités sportives : sports de ballon, tennis, ski nautique, planche à voile, canoë, parachute ascensionnel, etc.

Survol de la côte

D'avr. à fin oct., vols organisés tous les jours depuis l'aérodrome de **Crljenka**, près de Vrsar - *051 428 130 ou 091 500 9808.* 3 pers. maxi. Vols (30mn) le long de la côte Vrsar-Rovinj-Poreč-Novigrad : 800 kn, vol panoramique (15mn) : 400 kn.

Randonnée

Bon à savoir – Autour de Poreč s'étend tout un réseau balisé de pistes **cyclables**, pour vélos classiques et VTT. Si les petites routes de campagne sont agréables, méfiez-vous du trafic intense de la route littorale.

Eko Park Umag – *Au camping Park Umag - 7h-22h - www. istracamping.com - gratuit.* Ce grand parc de loisirs éducatifs qui s'étale sur 13 000 m² est entièrement consacré à la région d'Istrie, avec ses traditions et ses curiosités. La découverte des terres blanche, noire et rouge d'Istrie, de sa végétation typique, la visite des oliveraies, des vignobles, des villages perchés avec des *kazune*, maisons typiques en pierre, et tant d'autres merveilles vous attendent.

Randonnée « Chasse au trésor » (Lov na blago) – Cet itinéraire vous fera découvrir les sites historiques et archéologiques les plus importants de la riviera d'Umag. La carte est à retirer à l'office de tourisme. Comptez 1h30-2h à vélo ou en voiture pour parcourir l'itinéraire dans sa totalité.

Plongée

Il est formellement interdit de plonger dans le fjord de Lim et certaines zones ne sont accessibles qu'avec une autorisation spéciale : zones des épaves du *Coriolanus* (au large de Novigrad) et du *Baron Gautsch*.

Permis – *S'adresser à la capitainerie du port de Poreč, obala Maršala Tita - 052 431 663.* Valable un an, le permis n'est délivré qu'aux plongeurs confirmés.

Diving center - *Brulo bb (hôtels Diamant et Kristal) - 052 433 606 - www.divingcenter-porec.com.*

Centar Plava Laguna – *Hôtel Galijot à Poreč - 095 252 64 65 - www.plava-laguna-diving.hr.*

Ces deux centres louent le matériel, et conduisent les plongeurs en bateau au large. Ils possèdent également une école de plongée. Organisation d'expéditions sous-marines nocturnes.

Starfish Dinving center – *Autokamp Porto Sole à Vrsar - 098 33 48 16/098 33 55 06.*

Pêche sportive

Vente de permis – **Sunny Way** - *Obala M. Tita 17a - /fax 052 422 555 ; A. Negri 1 - 052 452 021.*

Zubatac Angling Society - *Rade Končara bb - Poreč - 052 451 850.*

Underwater activities and angling ar sea club – *Nikole Tesle bb - Poreč - 052 452 300.*

AGENDA

Vinistra – *Avr.-mai.* Salon international du vin à Poreč, centré autour du cru local, la *malvazija*. Ce cépage est aussi apprécié dans d'autres pays méditerranéens (Grèce, Italie…) :

5

c'est l'occasion de comparer tout en dégustant des produits régionaux.

Ivanja – *Juin.* Foire traditionnelle à Svetvinčenat où l'on choisit la plus belle chèvre d'Istrie, animal symbolique du pays.

Les Annales de Poreč – *Juil.* Ce grand salon d'art contemporain à Poreč réunit les principaux jeunes créateurs croates. International à l'origine (Picasso y exposa), il a révélé depuis 1960 au grand public nombre d'artistes, comme Edo Murtić. C'est en outre l'occasion de voir le salon baroque du palais de la Diète d'Istrie. *www.culture-vision.com*

Internationaux de tennis de Croatie (tournoi ATP de Stella Maris) à Umag – *3e sem. de juil.* Étape croate du circuit professionnel, où s'affrontent les spécialistes de la terre battue. Thomas Muster (1992-1993-1995), Carlos Moya (1996-2001-2002), Marcelo Rios (2000) et le Croate Goran Prpić ont déjà inscrit leur nom au palmarès de ce jeune tournoi dont le Français Jérôme Golmard a atteint la finale en 2001. *Rens. au ✆ 052 741 704 - www.croatiaopen.hr*

Festival de sculpture de Montraker à Vrsar – *De fin août à déb. sept.* Cette carrière abandonnée, située sur la presqu'île du même nom, devient un grand atelier de plein air.

ESCAPADE EN ISTRIE SLOVÈNE

Passage de la frontière – Généralement pas de problème (attente possible en saison). Munissez-vous de vos documents personnels (passeport, permis de conduire) et des papiers de la voiture (carte grise, attestation d'assurance, contrat de location). Si celle-ci est immatriculée en Croatie, attendez-vous à quelques questions à votre retour.

Indicatif téléphonique – Après le 00, composez le 386.

Argent et change – Bureaux de change une fois passée la frontière. La monnaie locale est l'euro.

Conduite – Indifférents aux limitations de vitesse lorsqu'ils se promènent en Croatie, les Slovènes se montrent plus respectueux de celles-ci lorsqu'ils sont chez eux. Sur autoroute, la vitesse est limitée à 130 km/h, sur route à 90 km/h ; en agglomération à 50 km/h.

Langue – Le slovène qui ne devrait pas trop vous dépayser si vous parlez croate : « église » ne se dit plus *crkva* mais *cerkve*, « samedi », pas *subotom* mais *sobota*, etc. Comme de l'autre côté de la frontière, possibilité de se faire comprendre en italien, voire en anglais.

Offices de tourisme

À Piran – *Tartinijev trg 2 - ✆ 05 673 44 40 - juil.-août : 9h00-13h30, 15h-21h ; reste de l'année 10h-17h, w.-end 10h-14h.*

À Koper – *Titov trg 2 - ✆ 05 664 64 03 - juil.-août : 9h-20h, dim. 13h-20h ; reste de l'année : 9h-17h, dim. 13h-17h.*

Motovun

★

1 004 habitants – Istrie

NOS ADRESSES PAGE 408

S'INFORMER

Office de tourisme de Motovun – *Trg Andrea Antico 1 - ✆ 052 681 726 - www.tz-motovun.hr.*

SE REPÉRER

Carte de région A1 (p. 346) – *Carte Michelin n° 757 B6.* Dominant la vallée de la Mirna à une altitude de 277 m, Motovun (Montona) est un beau village perché. On y accède par la route reliant Pazin à Poreč puis, entre Vela Traba et Beram, par une route en montée sensible.

Voir la rubrique « Arriver/partir » dans *Nos adresses.*

SE GARER

Suivant la saison et l'affluence, laissez la voiture au parking payant *(10 kn)* situé au pied du village et qui donne droit – en haute saison – au « petit train » qui assure la montée jusqu'au cimetière. Hors saison, rangez la voiture sur la route d'accès, jusqu'au cimetière, placé à peu près à mi-hauteur de la colline. À partir de là, la visite s'effectue à pied.

Les clients de l'hôtel ont l'autorisation de monter avec leur voiture, et de se garer sous les remparts… mais il est assez délicat d'y manœuvrer en cas d'affluence !

À NE PAS MANQUER

Balade dans la vieille ville de Motovun, dégustation de vins, d'huile d'olive et de truffes.

ORGANISER SON TEMPS

Comptez 2h pour Motovun et une demi-journée pour le circuit.

Motovun se dresse au cœur de l'Istrie verte et de ses vallonnements boisés. Lorsque, en fin de journée, les groupes quittent la cité pour rejoindre leurs cars, un silence étonnant s'empare de la vieille ville médiévale. C'est la meilleure heure pour s'abandonner à la flânerie, aller méditer sur les remparts ou s'installer en terrasse afin de déguster un verre de vin local accompagné d'une tartine de pain grillé aux truffes. Car ici, la culture et l'histoire ne sont pas seules à l'honneur : il s'agit également d'une région très appréciée des gourmets pour ses vins remarquables et les recettes traditionnelles que l'omniprésence des truffes vient anoblir.

Se promener

★★ DANS LA VILLE HAUTE

Après avoir laissé la voiture, on accède à la ville haute par une longue rue en forte pente, grossièrement pavée.

LA PATRIE DE L'HÉLICE MARINE

Motovun a beau être une ville éminemment terrienne, les marins lui doivent une fière chandelle ! **Josip Ressel** (1793-1857) a en effet longtemps résidé dans la cité. Le nom ne dira certes peut-être rien au profane, mais il mérite d'être tiré de l'oubli : il s'agit de l'inventeur de l'hélice marine sans laquelle nous en serions toujours à la marine à voile…

Parmi les autres habitants célèbres de la ville perchée, citons le pilote italien, ancien champion du monde de formule 1, Mario Andretti, et, dans un genre plus tranquille, le compositeur **Andrea Antico** (v. 1470-apr. 1539), surtout connu pour son activité de xylographe, et qui édita de nombreux motets.

Remparts

Sur la gauche, avant la porte citadine. On arrive au pied de la partie la mieux conservée des remparts médiévaux, élevés entre le 13e et le 14e s.

Porte citadine inférieure

Frappée du lion de Venise, cette double porte surmontée d'un bastion date du début du 14e s. Reconvertie en dépôt lapidaire (lions de saint Marc de diverses époques), elle donne accès à la place Josip Ressel, disposée en terrasses au-dessus de la campagne et agrémentée de terrasses de cafés où quelques passionnés jouent aux échecs.

Porte citadine supérieure

Cette superbe porte en chicane clôt la place Josip Ressel en donnant accès à la ville fortifiée.

Place Andrea Antico (Trg Andrea Antico)

Cette belle place n'est pas sans évoquer certaines « piazzas » italiennes : la partie gauche, cernée par un ensemble harmonieux de palais, par la façade de l'église et par le campanile, est ornée en son centre d'un beau puits (14e-15e s.) ; la partie supérieure de la place, à droite, est quant à elle ombragée de beaux marronniers.

Église St-Étienne (Crkva Sv. Stjepana)

Début du 17e s. Façade très simple. À l'intérieur, une chaire baroque, une *Cène* (17e s.) attribuée à Stefano Celestio, des sculptures de marbre au maître-autel, et des peintures murales du 18e s. par Giuseppe Bernardino Bison.

Tour (Toranj)

Sur la gauche de la façade de l'église, après une petite rue qui rejoint les remparts. Un escalier, assez abrupt et aux marches quelque peu irrégulières et usées par le temps (soyez prudent, d'autant qu'un panneau indique que l'ascension s'effectue aux risques et périls du visiteur), permet d'accéder au sommet de cette tour médiévale crénelée dont le style illustre la transition entre le roman et le gothique.

Du sommet, la **vue★★** est superbe, tant sur les toits de tuiles roses de la vieille ville que sur les alentours : massifs forestiers à perte de vue, villages et hameaux perchés, rangées de vignes dont le vert tranche sur l'ocre de la terre labourée. Certains affirment qu'au loin, par temps très clair, on aperçoit la mer. Croyons-les sur parole ! Ce qui est sûr c'est qu'au petit matin, l'été, lorsque la rosée s'évaporant enfouit la vallée d'un manteau de brume dont seul émerge le haut de la colline, le spectacle est aussi fantasmagorique que magnifique !

Motovun et son vignoble.
Mauritius / Photononstop

Palais communal
Face à l'église. Bel et sobre édifice d'époque Renaissance, il achève de conférer à la place toute sa noblesse.

Palazzo Polesini
Il abrite aujourd'hui l'hôtel Kaštel *(voir Nos adresses)*.

★ Promenade des remparts
Il faut absolument faire cette courte promenade qui, depuis la place Andrea Antico, emprunte le chemin de ronde des remparts et permet d'effectuer en quelques minutes le tour de la cité médiévale, en longeant des maisons dont certaines sont accessibles par des ponceaux lancés sur d'anciennes douves, et parfois reconverties en boutiques de souvenirs. Elle est d'autant plus agréable qu'elle permet de profiter, les soirs d'été, d'une brise bienvenue. Belles vues sur les vallées environnantes et, en contrebas, sur les toits de tuiles s'étageant sur les versants, assez escarpés, de la colline sur laquelle Motovun a été bâti.

Circuit conseillé Carte de région

★★ VIN, HUILE ET TRUFFES A1-2

Circuit de 76 km tracé en brun sur la carte de région (p. 346) – Comptez une demi-journée avec les visites. Quittez Motovun en direction de Pazin. Après environ 4 km, tourner à droite vers Poreč, puis après environ 1 km, à nouveau à droite.

Rakotule (voir la route des villages perchés à Beram) A2
Revenez sur la route de Poreč, continuez sur 5 km jusqu'au carrefour avec la route de Buje/Koper et prenez à droite en direction de Vižinada.

Vižinada A1
Dès que l'on approche de ce village, on aperçoit l'immense **église St-Jérôme** (crkva sv. Jeronima) qui honore le traducteur de la Bible en latin, originaire, selon la tradition, d'Istrie. À ce vaste bâtiment néoclassique, on préférera

l'**église St-Barnabé** (crkva sv. Barnabe), construite à l'époque romane (13e s.) mais largement remaniée à l'âge baroque, qui conserve quelques fresques du 15e s. Restaurées en 2000, elles présentent les scènes de la vie de Jésus. Enfin, au cimetière, l'auvent de l'ancienne église des Franciscains (crkva Majke Božje) porte une tête de bois : les autochtones prétendent avec le plus grand sérieux qu'elle représente le fameux Attila…
1 km après Vižinada (dir. Kaštelir), suivez les panneaux Narduči et cave de Marjan Arman.

Narduči (Vižinada) A1

Vous arrivez dans le domaine de **Marjan Arman**, l'un des rares viticulteurs croates connus autant pour son vin blanc (malvoisie, chardonnay, pinot gris) que pour le rouge (teran, cabernet sauvignon). Descendant de quatre générations de viticulteurs, il a complètement réaménagé les caves familiales dans le village de Narduči en 1996. On y trouve à la fois des cuves en inox et des fûts de chêne de Slavonie. Célèbre pour ses innovations dans le domaine des blancs, le nom d'Arman reste synonyme de qualité et de raffinement.
Reprenez la route en direction de Buje. Une fois franchie la Mirna et le rond-point passé, prenez à droite la direction de Grožnjan.
La piste grimpe pendant environ 3 km vers ce magnifique village perché, offrant de charmants points de vue sur le bourg et la campagne environnante. Une conduite modérée est à respecter compte tenu des cailloux et de l'irrégularité du sol. Si d'aventure, vous souhaitiez une route asphaltée, il vous faudra passer par Buje (détour env. 19 km).

★★ Grožnjan/Grisignana A1

Laissez la voiture au parking aménagé à l'entrée.
ℹ Umberto Gorjan 3 - ✆ 052 776 131 - www.groznjan-grisignana.hr.
Ce village perché est un véritable enchantement ! Une esplanade ombragée de beaux châtaigniers, posée en surplomb de la plaine, conduit à la porte aménagée dans les remparts dont une bonne partie subsiste encore. En toile de fond, la côte avec ses stations et la mer. La **vue★★** est très belle, et l'impression est d'autant plus forte que la sérénité des lieux contraste avec l'agitation du littoral.
Tout petit, le village fortifié séduit par son unité architecturale (belle pierre ocre qui semble particulièrement apprécier la caresse des rayons du soleil) : rues en escalier, passages sous voûte, placettes arborées constituent un ensemble que pas une faute de goût, pas une enseigne intempestive ne vient troubler. On y découvre une belle **loggia** Renaissance, le **fontik**, dont le nom, venant de l'arabe *fondouk*, rappelle qu'il s'agissait d'un entrepôt à grain. La chapelle St-Côme-et-St-Damien, avec son auvent, date du 16e s. L'intérieur a été décoré en 1990 par un peintre contemporain, Ivan Lovrenčić, peut-être un des nombreux artistes à avoir été assez séduit par le village pour s'y installer : une quinzaine de galeries sont aujourd'hui ouvertes en été.
Repartez vers Buje.

Buje/Buie A1

ℹ Istarska 2 - ✆ 052 772 122 - www.buje.hr.
Parmi vignes et oliviers, cette petite ville animée monte la garde sur une colline à 222 m d'altitude. Très commerçante, elle dispose de parkings souvent bondés et d'autres, plus discrets, posés sur des plates-formes surplombant la plaine… De la petite place centrale, une rue pavée, bordée de demeures qui

Trésors gourmands d'Istrie

Paradis gastronomique, l'Istrie est célèbre pour trois produits précieux qu'il faut venir déguster sur place : vin, huile d'olive et truffes.

TRUFFE (Tartufi)

Humide et ombragée, baignée par la rivière Mirna, la terre grise de la forêt de Motovun s'est révélée très propice à l'activité truffière et ce dès l'Antiquité, lorsque les empereurs romains n'en voulaient point d'autre à leur table. Ce fut le seul endroit au monde où l'on trouvait (et où l'on trouve toujours) les deux variétés de truffe à la fois : la blanche et la noire. Depuis 1990, après de longues années d'oubli, la truffe d'Istrie a reconquis ses lettres de noblesse, en particulier la truffe blanche *(Tuber magnatum)*, la plus appréciée et la plus grosse, recueillie en automne (la truffe noire ou truffe d'été est moins estimée).

HUILE D'OLIVE (Maslinovo ulje)

Réputée pour son huile depuis des temps immémoriaux, l'Istrie est parsemée de vestiges antiques de l'activité oléifère qu'on trouve tout le long de la côte ouest. Délaissée pendant des siècles, l'industrie de l'huile renaît de ses cendres en 1990. Région productrice la plus septentrionale, l'Istrie fournit aujourd'hui quelques-unes des meilleures huiles d'olive au monde. Outre ses qualités nutritives (certains lui attribuent même des vertus curatives), l'huile istrienne se distingue par ses remarquables qualités gustatives. C'est un délice au goût d'herbe et de fleurs d'une incomparable fraîcheur. Il faut venir déguster cette merveille que les producteurs vous servent avec de l'excellent *prosciutto* istrien et du fromage de brebis maison…

VIN (Vino)

Encore trop méconnu en Europe occidentale, le **vin** istrien fut pourtant apprécié pendant des siècles par les gourmands les plus exigeants. L'impératrice romaine Julia Augusta lui attribuait le secret de sa longévité. Le grand voyageur Casanova passant par l'Istrie tomba sous le charme du *refosc* qu'il mentionne dans ses *Mémoires*. Quant aux monarques austro-hongrois, leur engouement pour le vin istrien était tel qu'ils firent construire en 1902 une voie de chemin de fer Poreč-Trieste afin de mieux transporter le précieux liquide jusqu'à leur table. Délaissée pendant des décennies, la culture du vin a recouvré récemment ses lettres de noblesse. Les vignobles istriens occupent quelque 15 200 ha essentiellement à l'ouest et au nord-ouest de la péninsule. Réunissant les conditions géologiques et climatiques idéales pour la viticulture, l'Istrie produit aujourd'hui plusieurs sortes de vins dont les plus réputés sont la *malvoisie*, vin blanc au bouquet délicat, et le *teran*, vin rouge au goût riche et fruité. D'autres vins istriens jouissent aujourd'hui d'une bonne réputation : *hrvatica, refosc, misal, Momjanski muscat*…

D'une propriété à l'autre, des domaines réputés aux petits vignobles récents, les viticulteurs ouvrent leurs caves aux visiteurs en leur proposant des visites guidées. Salon de vente et de dégustation, Vinistra, qui réunit les meilleurs producteurs, vaut également un coup d'œil. Les adresses proposées ne peuvent bien évidemment constituer qu'un bref aperçu de la richesse viticole de la région qui compte au moins sept routes des vins… À vous de poursuivre son exploration !

ont conservé une certaine noblesse malgré les outrages du temps, conduit à l'**église St-Servulus** (crkva sv. Servola) du 16e s. dont la façade inachevée est ornée d'un harmonieux portail baroque.

En continuant au-delà de Buje en direction de Koper, il est possible de passer quelques heures en Slovénie en franchissant la frontière à Kaštel/Castelvenere (voir les circuits de Poreč). Si vous ne souhaitez pas le faire, prenez directement la direction de Momjan. 2 km plus loin, c'est le village de Kremenje où se trouve la propriété de Marino Markežić dit Kabola. Celle de Kozlović se trouve à Momjan-Vale.

Momjan A1

La région de Momjan avec ses hautes collines exposées au sud-ouest est particulièrement réputée pour ses vins. Le mélange des sols rouge et gris, l'alternance des vents du sud et du nord créent ici un microclimat exceptionnel qui donne aux vins de la région toute leur richesse. Parmi de nombreuses propriétés viticoles, signalons-en deux particulièrement réputées pour les vins blancs. Elles produisent également de l'huile d'olive et de la grappa, une excellente eau-de-vie locale.

Kozlović – *Dans Cremenje, suivre les panneaux du domaine (sur la gauche) qui se trouve peu après Most Ponte.* Grand producteur de la région, **Gianfranco Kozlović** est un jeune viticulteur-novateur qui a transformé ses caves en un véritable laboratoire de vin. Devenu symbole d'expérimentation, son nom reste pourtant attaché au muscat de Momjan dont il est le grand maître.

Kabola – *Revenez à Cremenje, les chais sont signalés 1 km après la sortie du hameau, avant Momjan.* Cette propriété appartient à **Marino Markežić** qui est en passe de transformer le petit village de Cremenje en une destination œnologique et gastronomique incontournable. Célèbre pour ses vins blancs comme la **malvoisie** *(malvazija)*, il est un des meilleurs producteurs du **muscat de Momjan** *(Momjanski muškat)*, vin doux et liquoreux servi au dessert ou en apéritif. Il dirige également un restaurant réputé être une des meilleures tables d'Istrie, où les vins kabola sont à l'honneur.

En sortant de la salle de dégustation, n'oubliez pas de jeter un coup d'œil sur Momjan, village médiéval qui possède une église paroissiale St-Martin du 15e s. et un ancien kaštel où fut trouvé l'un des plus anciens documents juridiques rédigés en croate.

Prenez la direction de Livade et de Motovun.

Oprtalj/Portole A1

Joli village perché dominé par le clocher de son **église St-Georges** (crkva sv. Jurja), du 16e s. À l'écart du village, deux petites églises (Ste-Marie-Mineure et St-Roch) sont décorées de fresques exécutées au 15e s. par le maître Klerigin, de Koper (Capodistria), pour la première, et au 16e s. par Antonio da Padova pour l'autre.

Descendez vers Livade. La route offre de beaux panoramas sur Motovun.

Livade A1

Au pied de Motovun, ce village agricole a trouvé une nouvelle prospérité il y a une vingtaine d'années lorsque y ont été récoltées les premières truffes de la région. C'est ici, dans le restaurant Zigante Tartufi, qu'est exposée la copie de la plus grande truffe au monde trouvée par son propriétaire **Giancarlo Zigante** aux environs de Motovun le 2 novembre 1999 : elle ne pesait pas moins de 1,31 kg ! Aujourd'hui, ce village constitue le plus grand centre truffier de la région. Tous les ans, en octobre, le Tuberfest est l'occasion de découvrir

OBTENIR L'HUILE D'OLIVE ET LA DÉGUSTER

Une fois récoltées à la main et au râteau, les olives doivent être pressées dans les trois ou quatre jours afin d'éviter l'oxydation et la fermentation. Elles passent dans une souffleuse pour être nettoyées, puis dans un bain d'eau et ensuite réduites en pâte. Celle-ci est remuée puis passée à la centrifugeuse. Ce processus permet de séparer eau et déchets de l'huile. Cette dernière passe dans un séparateur qui achèvera d'isoler l'eau pour ne retenir que l'huile non filtrée, laquelle décantera pendant un mois avant d'être transférée dans des barriques.
Le produit final se déguste dans de petits verres à peine plus grands que des verres à vodka. On pose le verre dans une paume afin de chauffer l'huile et on la fait rouler dans le verre tout en fermant celui-ci de l'autre main pour capturer les arômes. On inhale ces derniers et, comme pour le vin, on prend une gorgée que l'on fait rouler dans la bouche en l'aérant par des inspirations, puis on l'avale. Une bonne huile se caractérise par des arômes d'herbe, l'absence de gras en bouche et un picotement dans la gorge, qui rappelle celui du poivre. Tout comme pour le fromage, on commence par les huiles aux arômes les plus discrets pour terminer par les plus parfumées.

le monde de la truffe, d'apprendre ses variétés, d'assister à la démonstration de sa recherche et au concours de la sélection de la plus belle et de la plus grosse truffe de l'année, de participer aux enchères, et bien sûr de s'approvisionner en truffes !
Avant d'atteindre la route de Buzet, tournez à gauche en direction d'Istarske Toplice. Sur la route, un panneau à gauche indiquera le domaine d'Ipša.

Ipši A1
Minuscule village perché qui porte le nom ancestral du producteur de l'huile d'olive **Klaudio Ipša** dont le domaine s'étale au pied du village *(voir Nos adresses)*. À la tête de la régénération de la production de l'huile en Istrie en 1990, Ipša fut le premier à se consacrer à la reconstitution des anciennes oliveraies (13 ha) plantées par sa famille il y a des siècles. Dispersés au milieu de la colline entre 190 et 150 m au-dessus de la mer, les arbres poussent sur les anciennes terrasses réaménagées composant un paysage d'une beauté majestueuse et touchante. Avec ses cinq différentes sortes d'huile, Ipša fut le premier producteur croate à être cité dans le guide italien hautement sélectif *L'Extravirgine* (2005) consacré aux meilleures huiles d'olive du monde. Simple et généreux, il vous recevra pour une dégustation dans la salle à manger traditionnelle et chaleureuse d'où s'ouvre une **vue**★★ inoubliable sur les collines vertes d'Istrie. Longtemps encore, le goût de l'huile istrienne évoquera pour vous l'image de ces collines couvertes d'oliviers et d'herbe fraîche…
Revenez à la grand-route qui longe la Mirna et tournez à droite pour rejoindre Motovun.

NOS ADRESSES À MOTOVUN

ARRIVER/PARTIR

2 bus relient chaque jour Pula, Motovun et Buzet.

HÉBERGEMENT

À Motovun

POUR SE FAIRE PLAISIR

Hotel Kaštel – *Trg Andrea Antico 7 - ✆ 052 681 607 - www.hotel-kastel-motovun.hr - 30 ch. 41/55,50 €/pers., 3 suites 49,50 €/pers. ☕. Supplément 20 % pour un séjour de moins de 3 nuits.* Installé dans une noble demeure, tout en haut du village. Confortables, les chambres sont chacune décorées de façon différente. Les plus belles sont sans doute la 202 et la 209, un véritable petit appartement ! Dans les couloirs, exposition d'œuvres d'artistes contemporains. Spa au sous-sol, accessible aux clients extérieurs.

À Brkač

PREMIER PRIX

Agroturizam Toni – *Brkač 26a - 52424 Motovun (à 2 km de la ville) - ✆052 681 651 - 20 €/pers. ☕.* Adressez-vous directement à la ferme ou, en cas d'absence, au café Momi, au bas de Motovun. Les 3 appartements peuvent recevoir 6 personnes chacun. Au dîner, produits de la ferme.

RESTAURATION

À Motovun

BUDGET MOYEN

Enoteca Barbacan – *Ulica Barbacan 1 - ✆ 052 681 791 - 12h30-15h30 et 18h30-21h30 - tlj sf lun. et jeu. - 100 kn.* Tout en dégustant un cru local, rouge ou blanc, vous pourrez vous restaurer avec les spécialités de la maison : jambon, fromage, olives, omelettes et carpaccio aux truffes, croûtons chauds aux truffes noires, *fuži* aux asperges.

Taverna Pod Voltom – *Trg Josef Ressel 6 (sous la porte supérieure à la ville haute) - ✆ 052 681 923 - 80/100 kn.* Spécialités aux truffes (fromage, *fuži*) servies dans une salle installée dans une belle pièce voûtée de briques. Une curiosité : il s'agit de l'un des rares établissements non fumeurs de Croatie !

POUR SE FAIRE PLAISIR

Restaurant de l'hôtel Kaštel – *Trg Andrea Antico 7 - ✆ 052 681 652 - plats 70/130 kn.* Particulièrement agréable aux beaux jours lorsque l'on déjeune sur la place, à l'ombre des marronniers.

À Oprtalj

BUDGET MOYEN

Tončić – *Čabarnica 42 - Zrenj, 6 km au nord-est d'Oprtalj par Sveta Lucija - ✆ 052 644 146.* Pas de carte dans cette sympathique auberge du bout du monde, mais des plats de saison concoctés par la chef, Orjeta, avec les produits de l'exploitation familiale. En juin, cela pourra être agneau, girolles et truffe noir ; en été, asperges, jambon et *fuži* aux truffes ; en automne, champignons, truffe blanche et sanglier, et en hiver, les plats sous la cloche cuits dans la cheminée de la grande salle. À ne surtout pas manquer : la grappa au cumin en apéritif !

À Livade

UNE FOLIE

Restoran Zigante Tartufi – *Livade 7, dans le village, sur la droite lorsqu'on vient de*

Motovun - ✆ 052 664 302 - www.restaurantzigante.com - 12h-23h - 20/40 €. Classé « 1er restaurant de Croatie » en 2005, cet excellent établissement combine la cuisine traditionnelle et inventive... aux truffes, bien sûr ! De l'entrée au dessert, en passant par les raviolis, gnocchi, foie gras et côtelettes d'agneau, tout est fourré et parsemé de truffes. Même les glaces sont aux truffes (fameuses) ! Carte de vins impressionnante. Une boutique occupe une autre partie de la maison.

ACHATS VIN, HUILE ET TRUFFES

À Grožnjan

Enoteca Zigante Tartufi – *Gorjan 5 - ✆ 052 776 099 - 10h-20h (été : 9h-22h).* Bien sûr, l'Enoteca propose un grand choix de vins locaux... Mais vous y trouverez aussi miel, charcuteries, fromage et, bien sûr, truffes sous toutes les formes possibles et imaginables.

À Momjan

Marino Markežić (Kabola) – *Kremenje 96b - ✆ 052 779 047 - www.konoba-marino-kremenje.hr.* Pas de pesticides mais des engrais d'origine animale : cet exploitant propose une production bio en blanc, rouge, rosé et muscat. Comptez de 52 à 121 kn par bouteille.

Gianfranco Kozlović – *Vale 78 - ✆ 052 779 177 - www.kozlovic.hr*

À Livade

Giancarlo Zigante – *Livade 7 - ✆ 052 664 030 - www.zigantetartufi.com - Ouv. tlj sf. dim. 10h-20h, été : 9h-21h.* Cette adresse dédiée à la truffe (pas moins de 16 produits dérivés) a essaimé dans tous les villages alentour : Buzet, Buje, Motovun, Grožnjan et même jusqu'à Koper, en Slovénie.

À Ipši

Ipša – *Ipši 10 - ✆ 052 664 010 - www.ipsa-maslinovaulja.hr.* Klaudio Ipša obtient ses huiles si parfumées à partir de quatre types d'olive : *leccino, frantoio, bugla* et *istarska bjelica*. Comptez env. 40 kn pour 0,15 l, 62 kn pour un 1/4 l et 110 kn pour un 1/2 l.

ACTIVITÉS

Montgolfière

Survols de l'Istrie en montgolfière au cours de la rencontre annuelle qui a lieu début juin à la fois à Zagreb et à Motovun. *Rens. au Balloon Klub Zagreb - ✆ 098 41 51 61 - www.baloni.hr.*

AGENDA

Croatian Hot Air Balloon Rally – *Juin (1er w.-end).* Rencontre internationale de montgolfières.

Été musical – *Juil.* Concerts classiques dans le village perché de Grožnjan.

Festival du film à Motovun – *Fin juil.-déb. août.* Un festival qui fait la part belle aux films documentaires ou d'auteur.

Subotina à Buzet – *Sept.* Journée de la ville de Buzet, ville de truffes, avec préparation d'un plat géant d'œufs brouillés avec des truffes.

Tuberfest – *Oct.* Journées de la truffe à Livade, au moment où se récoltent les plus belles truffes. Démonstrations de recherches par chiens truffiers.

Beram et les villages perchés de l'Istrie ★★

Istrie

NOS ADRESSES PAGE 416

SE REPÉRER
Carte de région B2 (p. 346) – *Carte Michelin n° 757 B6.* Beram se trouve sur l'axe Pazin-Poreč, à 5 km à l'ouest de Pazin. Au nord du village se dresse un massif forestier dont le circuit conseillé fait le tour.

À NE PAS MANQUER
L'église Ste-Marie et le village de Draguć.

ORGANISER SON TEMPS
Prévoyez une journée entière pour ce circuit et les visites qui y sont associées.

AVEC LES ENFANTS
Le gouffre et le château de Pazin.

Les villages perchés de l'Istrie intérieure recèlent des trésors artistiques, dont les fresques de l'église Ste-Marie de Beram ne sont pas les moindres. Chaque petite chapelle semble avoir été décorée avec soin. Pour les atteindre, on sillonne une région boisée et vallonnée qui ménage de beaux points de vue et offre un authentique art de vivre. Un bon moyen de prendre un peu de hauteur loin de la côte trépidante !

Découvrir

★★★ **Fresques de l'église Ste-Marie** (Crkva sv. Marija na Škriljinah) **à Beram**
À 1,5 km environ au-delà du village, en contrebas. Clé (kjvć) *dans le village (frappez à la porte du n° 33 ou 38). Visite accompagnée - 20 kn (enf. 5 kn).*
Cette chapelle gothique (hors l'auvent, rajouté au 18e s.), située dans le cadre romantique d'un vallon à l'écart du village, près du cimetière, est célèbre pour ses extraordinaires **fresques**★★★ réalisées en 1474 par **Vincent de Kastav** en compagnie de deux autres peintres inconnus. Cet ensemble de peintures est tout autant un témoignage précieux sur la vie quotidienne en Istrie au 15e s. qu'une œuvre d'art exceptionnelle.
L'entrée se fait par une petite porte latérale.
Sur ce mur, une série de quatorze « vignettes » carrées présente différents épisodes de la vie de la Vierge et du Christ. En face s'étend la fameuse *Chevauchée des Rois mages*, admirable peinture de 8 m de long situant les cavaliers dans des paysages d'Istrie.
Au-dessous, sept vignettes rappellent la fin de la vie du Christ (la Tentation au désert, les Rameaux, le Mont des Oliviers, le Baiser de Judas) parmi lesquelles s'intercalent des images de la vie de saints. Les artistes y ont glissé des « clins d'œil », comme la cigogne et le renard, allusion à une fable d'Ésope (poète grec du 6e s. av. J.-C.) dont s'inspirera aussi le fabuliste français Jean de la Fontaine au 16e s.

De son côté, le mur est attire tous les regards : d'abord avec deux peintures (hélas tronquées par le percement intempestif, au 18e s., de deux fenêtres) représentant *Adam et Ève (à gauche de la porte)* et la *Roue de la Fortune (sur la droite)* qui illustre le côté hasardeux du destin humain.

Hasardeux sans doute, mais au bout du compte identique pour tous : tel est le sens de l'exceptionnelle *Danse macabre* occupant la partie supérieure de l'édifice. Tandis qu'un squelette souffle avec allégresse dans la trompette du Jugement dernier, d'autres entraînent gaiement une galerie de personnages pas vraiment rassurés parmi lesquels on peut reconnaître un soldat, un commerçant, un page, un prince, un évêque et une noble dame vers le lieu où se scellera leur sort. Ici comme devant les autres scènes représentées, on reste en admiration devant la finesse du trait, le rendu des plis des vêtements, la force d'expression des personnages et la fraîcheur des couleurs.

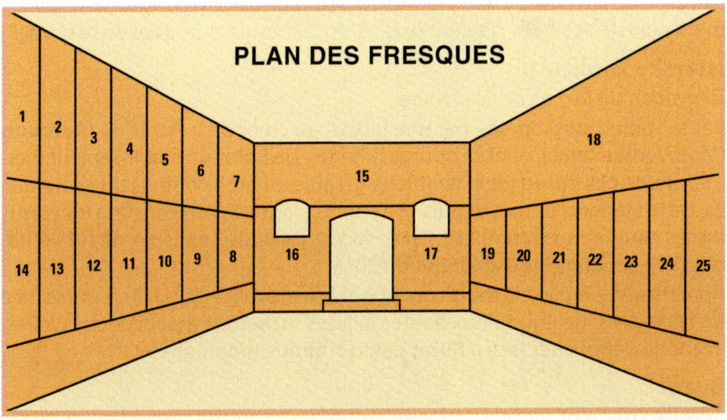

BERAM (Église Sainte-Marie della Lastre)

1 Nativité de Marie
2 Présentation de Jésus au Temple
3 Mariage de la Vierge
4 L'Annonciation
5 La Visitation de la Vierge
6 Nativité du Christ
7 Présentation de Marie au Temple
8 Mort des Innocents
9 Fuite en Égypte
10 Saint Sébastien
11 Saint Michel
12 La Présentation au Temple
13 Baptême dans le Jourdain
14 Saint Florian
15 La Danse macabre
16 Adam et Ève
17 La Roue de la Fortune
18 Chevauchée des Rois mages à travers l'Istrie
19 Jésus dans le désert
20 Ste Apolline, St Léonard, Ste Barbe
21 Saint Martin
22 Saint Georges
23 L'entrée de Jésus dans Jérusalem
24 Le Mont des Oliviers
25 Le Baiser de Judas

Circuit conseillé Carte de région

★★ LA ROUTE DES VILLAGES PERCHÉS AB1-2

Circuit de 122 km tracé en vert foncé sur la carte de région (p. 346) – Comptez une demi-journée. Quittez Beram et suivez la route de Poreč puis, après 2 km, prenez à droite vers Motovun.

On aperçoit sur la droite le beau village perché de **Trviž/Terviso** qui culmine à une altitude de 357 m. Là aussi église à fresques, en partie du 11e s., hélas le plus souvent fermée.

Poursuivez jusqu'au gros village de Karojba puis, avant la sortie de celui-ci, prenez sur la gauche une petite route en direction de Poreč. Après 2 km, tournez à droite vers le village de Rakotule.

Rakotule A2

Constitué d'un ensemble de hameaux isolés d'où l'on découvre de belles vues sur Motovun, Rakotule possède (au cimetière) une **église St-Nicolas** (crkva Sv. Nikole) dont les fresques retracent la vie légendaire du saint.

Revenez à Karojba et prenez sur la gauche en direction de Motovun.

★ Motovun A1 *(voir ce nom)*

Quittez Motovun en direction de Buzet (au pied du village à droite). Après 500 m, au stop, tournez à droite.

La vallée de la Mirna s'insinue entre les montagnes. Le paysage, particulièrement agreste et serein, devient plus sévère à mesure que la vallée se rétrécit.

Istarske Toplice A1

Dérivation sur la gauche de la route.

Petite station surplombée par une falaise, au cœur de la **forêt de Motovun** (Motovunska šuma), célèbre pour ses chênes. Un hôtel, un établissement thermal et une piscine en plein air (bien agréable en été !) composent l'essentiel de cette station, connue depuis 1807 (date à laquelle l'on constata les vertus de ses eaux, aptes à combattre avec succès l'arthrite), mais qui ne fut véritablement aménagée qu'au début du 20e s.

Après Istarske Toplice, la route continue à suivre la vallée de la Mirna, qui se fraie un large passage entre deux hautes falaises rocheuses assez spectaculaires, avant de déboucher face à Buzet dans un cirque montagneux.

Buzet B1

Accès en prenant sur la gauche une route en lacets qui part à l'assaut de la colline (montée assez rude et croisements aléatoires). Attention au dernier lacet donnant accès à la porte d'entrée au village, particulièrement traître… Garer la voiture à côté du cimetière (5e virage) et achever l'ascension à pied se révélera plus facile, car il est presque impossible de trouver une place dans le lacis de ruelles du village.

i Trg Fontana 7/1. ☏ 052 662 343 - www.istria-buzet.com.

Capitale de la truffe et ancien siège de l'administration vénitienne en Istrie, Buzet est un de ces villages perchés dont l'allure générale séduit lorsqu'on les découvre de loin, mais qui déçoivent un peu dès lors qu'on y pénètre… Frappée du lion de saint Marc, la **porte**, datant de 1574, est un vestige des remparts élevés par les Vénitiens, qui exercèrent le pouvoir dans la petite cité entre le premier quart du 15e s. et 1797 ; elle donne accès à une promenade plantée, bordée de cafés, et qui, prenant appui sur les vestiges des murailles dominant des jardins potagers, est disposée en terrasses au-dessus de la vallée. À l'intérieur du village, vous découvrirez une jolie **fontaine** baroque (sur la place principale) ainsi que l'**église N.-D.-de-l'Assomption** (Župna crkva Uznesenja Marijina), de 1784, précédée d'un **clocher** plus ancien puisqu'il a été élevé au milieu du 16e s. L'intérieur, très clair, a reçu une décoration baroque et présente quelques peintures d'école vénitienne.

À la sortie de Buzet, au grand carrefour, prenez à droite la direction de Lupoglav. Soyez particulièrement attentif : la pancarte indiquant l'accès à Roč est

Danse macabre, fresques de l'église Ste-Marie de Beram.
R. Mattes / hemis.fr

facétieusement disposée, de sorte qu'on ne la voit dans son rétroviseur qu'après l'avoir dépassée ! En arrivant au village, contournez-le par la droite et laissez la voiture près de la porte.

Roč B1

Au chevet de l'église principale. Juil.-août : 9h-19h ; mai-juin et sept.-oct. : w.-end 9h-19h. L'office de tourisme a les clés des églises. Hors saison, se renseigner à l'office de tourisme de Buzet.

Capitale du glagolitique (nombre de « calligraphes » réputés y vécurent au Moyen Âge et à la Renaissance), ce minuscule village agréablement fleuri est encerclé de remparts, construits par les Vénitiens à partir de 1421. Après y avoir accédé par une belle **porte** sous laquelle sont disposées quelques stèles d'époque romaine ou vénitienne, on prend plaisir à flâner dans les ruelles, bordées de maisonnettes (souvent abandonnées et assez dégradées) s'appuyant sur les murailles de la ville. On y découvrira, près de l'église, une belle maison Renaissance.

Église St-Barthélemy (crkva sv. Bartula) – Maintes fois remaniée, elle a conservé un élégant campanile (*à droite de la façade*).

Église St-Antoine (crkva sv. Antuna) – *À côté de la précédente.* Elle conserve le célèbre alphabet glagolitique de Roč, inscrit dans les fresques de croix du 11e s.

St-Pierre/St-Roch (crkva sv. Petara/sv. Roka) – *À l'autre bout du village.* Cette chapelle romane conserve sur les murs de son abside semi-circulaire deux remarquables cycles de **fresques★**, réalisés par des artistes locaux : l'un est consacré aux saints Paul et Pierre (14e s.) à droite, l'autre aux apôtres.

En quittant le village, revenez sur vos pas en direction de Buzet. Après environ 1,5 km se trouve à gauche la route d'Hum et l'entrée de l'allée des Prêtres glagolitiques. Soyez prudent : croiser un car s'y révèle une entreprise délicate !

★ Allée des Prêtres glagolitiques (Aleja Glagoljaša) B1

C'est sur les 7 km de la route conduisant à Hum qu'ont été aménagés les onze monuments constituant cette « allée » entre 1977 et 1985, hommage rendu aux moines qui ont assuré la préservation de l'écriture nationale. L'allée fut conçue par un poète, **Zvane Črnja**, fondateur de l'Académie *čakavienne* (du nom du dialecte parlé en Istrie et dans les îles du golfe de Kvarner), et réalisée par un sculpteur, Želimir Janeš, et un professeur de littérature ancienne, Josip Bratulić.

On rencontre tout d'abord, sur la droite, une stèle ombragée par un majestueux cyprès, élevée en l'honneur des saints Cyrille et Méthode. Notez ensuite une cathèdre posée sur la gauche de la route *(3 km après le croisement)* à l'ombre d'un chêne. Un peu plus loin, à l'entrée du hameau de **Samboriči**, une petite chapelle, à droite, est entourée d'une murette sur laquelle ont été apposées diverses stèles portant des inscriptions en glagolitique.

Kotli – *Juste avant le hameau, prenez sur la droite une route extrêmement étroite mais au revêtement tout neuf. Suivez-la sur 2,5 km jusqu'à un petit pont devant lequel s'arrête le bitume. Laissez-y votre voiture.* Un torrent précède les quelques maisons qui jouissent du calme des lieux (vente de miel et d'eaux-de-vie). Un sentier sur la droite, après la guinguette *(ouverture aléatoire)*, permet de descendre, de façon un peu abrupte, dans le lit de la rivière. Une série de petites cascades aboutit à une chute d'eau près de laquelle a été installé un moulin. Possibilité de revenir jusqu'au pont par le lit de la rivière – du moins aux beaux jours (lorsqu'elle ne charrie que de minces filets d'eau) et de retrouver directement la voiture en escaladant les rochers avec la prudence qui sied à ce genre d'exercice.

Revenez à Samboriči.

Vous verrez de nouvelles stèles 1 km plus loin, avant que l'on ne découvre, à l'approche de Hum, dans un champ situé sur la droite de la route, des pierres levées constituant une sorte d'alignement qui ne manque ni de grandeur ni de sérénité.

La route d'accès à Hum est très étroite et fréquentée : attendez-vous à croiser des voitures. Le parking se trouve à côté du cimetière, sur la droite en arrivant.

★ Hum B1

8 habitants ou 23 ? Les chiffres diffèrent selon les sources… Quoi qu'il en soit, Hum s'enorgueillit d'être la plus petite ville du monde et on aurait mauvaise grâce à lui refuser ce titre de gloire. Selon la légende en effet, les villes d'Istrie ont été construites par des géants : or, quand ils se mirent au travail pour édifier Hum, il ne leur restait plus que quelques pierres…

Église St-Jerôme (crkva sv. Jeronima) – *Clé disponible auprès du n° 11, dans le village (rue qui part en épingle, à droite de l'église des Sts-Pierre-et-Paul).* Dans le cimetière. Agréable église romane du 12e s. à la belle abside semi-circulaire. Vous pourrez y apercevoir des fresques, d'influence byzantine, réalisées au 13e s. et montrant une Crucifixion ainsi que la Mise au Tombeau.

★ **Porte** – Une belle allée ombragée par des marronniers (très belle **vue**★★ sur la campagne environnante) conduit à la porte de la ville, édifice du 16e s., aux belles portes de bronze et aménagé en chicane, que surmonte un campanile de 1552, tour de plan carré à deux étages de fenêtres géminées et couronnée d'une rangée de créneaux. Sous la porte, plusieurs stèles gravées en caractères glagolitiques.

★ **La ville** – Une fois dans la ville, on ne peut que constater qu'elle est en effet minuscule ! Elle se compose de deux rues parallèles, grossièrement pavées, reliées à leurs extrémités et séparées par une rangée d'anciennes demeures, en ruine ou en cours de restauration, souvent fleuries.

Église Sts-Pierre-et-Paul (crkva sv. Petar i Pavao) – Après la porte, sur la gauche. Sa construction remonte à 1609. Remanié en 1802, c'est un édifice de style néoclassique.

En quittant Hum, prenez à droite la route en épingle et très étroite qui descend en lacets la colline. À l'intersection suivante, prenez à gauche la direction de Ročko-Polje. Une fois dans le hameau, au bout de la route, tournez à droite pour quitter le village et retrouver l'axe principal Buzet-Lupoglav. 500 m environ après avoir passé Lupoglav, prenez la direction de Pazin et Pula. On roule alors sur l'autocesta traversant l'Istrie, du tunnel de l'Učka aux abords de Pula. L'autoroute ne comporte qu'une voie dans chaque sens, et aucune séparation entre les deux chaussées, hors une ligne blanche continue qui, ici comme ailleurs, semble n'avoir été tracée qu'à titre indicatif. Sortez de l'autoroute à Cerovlje, prenez à droite dans la direction de Lupoglav, ensuite la première à gauche vers Draguć.

★ Draguć B1

Garez la voiture à l'entrée du village près du cimetière. Demandez les clés des églises au n° 23, qui fait face au campanile, au bout de la rue principale. Si vous ne parlez ni le croate ni l'italien, voici les mots salvateurs : ključe/chiave « clé », crkva/chiesa « église ».

Merveilleux petit village perché connu pour les fresques de ses églises. La rue centrale aboutit à une place bordée de vieilles maisons et dominée par le campanile de l'église paroissiale. De la terrasse, à gauche, une magnifique **vue★★** s'ouvre sur les collines vertes des alentours.

Église St-Roch (crkva sv. Roko) – *Au bout du chemin qui passe sous la voûte à gauche de la place centrale.* Tous les murs de l'église sont couverts de **fresques★★** peintes entre 1529 et 1573 par le peintre istrien Antoine de Padoue. On verra les scènes de l'Annonciation, de l'Adoration des Mages, de la Fuite en Égypte et de la Mise au Tombeau.

St-Élysée (crkva sv. Elizeja) – *Au cimetière, à l'entrée du village.* Cette petite chapelle romane, qui date du 13ᵉ s., possède des fresques romanes inspirées du style byzantin, malheureusement à moitié effacées. On reconnaît, ou plutôt on devine, la Fuite en Égypte, l'Adoration des Rois mages, à droite, puis la Cène, le Baiser de Judas et la Crucifixion, à gauche. La scène de l'Annonciation orne l'arc triomphal. Remarquez, en bas à gauche de la porte, les diables dansant autour des flammes de l'enfer.

Revenez sur vos pas et prenez à droite la route de Pazin.

Pazin B2

Franine i Jurine 14 - ✆ 052 622 460 - www.tzpazin.hr - été : 9h-19h.

Petite ville industrielle (cimenteries) animée – en particulier le dimanche, lorsque se tient un grand marché – la capitale de l'Istrie mérite d'être mieux connue en particulier pour son quartier haut (Stari Pazin) dominé par le château médiéval, posé en bordure du gouffre de Pazin.

★ **Gouffre de Pazin** (Pazinska jama) – *10h-18h - 30 kn (enf. 15 kn).* Ici, la rivière Pazinčica disparaît dans un gouffre profond de plus de 100 m pour constituer trois lacs souterrains s'étendant sous la ville. Phénomène qui excita l'imagination de deux Français : en 1885, **Jules Verne** fit s'évader du château le héros de son roman *Mathias Sandorf*, rebelle magyar qui, s'enfonçant dans le gouffre, échappa à ses poursuivants et ne retrouva l'air libre qu'au fjord de Lim *(voir à Poreč)*. Quelques années plus tard, en 1893, c'est le spéléologue **E.-A. Martel** qui réalisa la première exploration du gouffre… Certes, personne n'a réussi à renouveler l'exploit du personnage vernien, mais l'auteur en a conservé une popularité telle dans la ville que des « Journées » lui sont consacrées chaque année.

★ **Château** (Kaštel) – Si une forteresse est attestée sur les lieux dès le 10ᵉ s., le château que l'on découvre aujourd'hui à Pazin a pris son aspect actuel aux alentours de 1540. Le château fort le mieux conservé d'Istrie présente un aspect massif que vient cependant alléger une galerie en encorbellement.

Musée ethnographique d'Istrie (Etnografski muzej Istre) – *Dans le château. Avr.-oct. : tlj sf lun. 10h-18h ; oct.-avr. : mar.-jeu. 10h-15h, vend.-dim. 12h-17h - 15 kn (enf. 8 kn).* Collection de **cloches** fondues en Istrie du 14e au 20e s., ethnographie (vêtements, instruments de musique, outils et objets de la vie quotidienne), reconstitutions d'ateliers (forgeron, menuisier) ; section retraçant la vie locale, de la préhistoire à la Renaissance, et une **exposition★** sur l'émigration croate depuis le 19e s. (documents, films, témoignages).

Église St-Nicolas (Crkva sv. Nikole) – Fondée en 1266, elle a été largement remaniée à l'époque gothique et surtout en 1659 avec la construction de chapelles latérales. Mais elle a su conserver ses belles voûtes gothiques décorées de peintures réalisées vers 1470 sur le thème du cycle de la Création.

Église St-Antoine (Crkva sv. Antuna) – L'église du monastère franciscain a été remodelée au 18e s. C'est ici qu'est conservée la statue de la Vierge qui donne lieu au grand pèlerinage du 2 août.

Quittez Pazin en prenant la direction de Rovinj/Pula puis, immédiatement à droite, Poreč. Peu après les cimenteries, à 4 km environ de Pazin, prenez à droite la route qui monte vers Beram.

NOS ADRESSES AUX ALENTOURS DE BERAM

HÉBERGEMENT

À Rakotule (Karojba)

BUDGET MOYEN

Agroturizam Špinovci – *Špinovci 88 à Karojba (accès par Karojba puis la direction de Poreč à gauche et, enfin, à droite, Rakotule ; suivez une petite route fléchée sur 3 km env.) - 052 683 404 - 5 appart. (2 ou 4 pers.) : 23 €/pers., 39 €/pers. en 1/2 P.* Une vraie ferme avec ses animaux : bien sûr, il arrive que ce petit monde se mette à beugler, braire, aboyer ou lancer des cocoricos. Mais cela fait partie des joies de la campagne, et la vue sur Motovun est si belle ! Chambres propres, et cuisine gourmande concoctée par la *mama* à base de pâtes (essayez les *fuži sa tartufima* !) et de charcuteries.

À Istarske Toplice

BUDGET MOYEN

Hotel Mirna-Terme – *Sv. Stjepana 60 - 052 603 410/411 - www.istarske-toplice.hr - 150 ch. 225 kn/pers.* . Piscines, centre d'aromathérapie, programmes de relaxation, boues médicinales… et chapelle vouée à Santa Maria della Salute : dans cet hôtel moderne dédié aux soins du corps, l'âme n'est pas oubliée !

À Pazin

BUDGET MOYEN

Hotel Lovac – *Route de Motovun, à la sortie de la ville - 052 624 324 - 27 ch. 225 kn/pers.* . Peut constituer une honnête solution de dépannage en cas d'affluence sur la côte.

RESTAURATION

À Hum

PREMIER PRIX

Humska Konoba – *À droite de la porte donnant accès à la ville - 052 660 005 - www.hum.hr/humskakonoba - tlj sf lun. - 50/60 kn.* Sur une terrasse dominant un beau paysage de montagne (ou, s'il fait frais, dans une salle au décor rustique), on s'y restaure de sandwiches ou, de façon plus élaborée, d'un savoureux petit menu comprenant fromage, *pršut*, saucisse à l'istrienne, ou *fuži al gulaš*. Il s'agit en outre du seul endroit où l'on peut déguster la *grappa* locale, célébrée pour ses vertus médicinales, la *biska*.

ACTIVITÉS

Baignade

À **Istarske Toplice**. Piscine en plein air. *Entrée : 10 kn.*

Escalade

Les fans de la varappe se donnent rendez-vous au pied des falaises qui dominent Istarske Toplice.

Thermalisme

Les bains d'Istrie à Istarske Toplice : eaux sulfureuses, radioactives, riches en calcium et en sodium et bains de boue. On y soigne l'arthrite depuis le début du 19e s. ✆ *052 603 410/411 - www.istarske-toplice.hr*

AGENDA

Marché de Pazin (Pazinski samanj) – *Le 1er mar. de chaque mois.* Le plus grand marché traditionnel d'Istrie.

Festival « Z armoniku v Roč » – *Mai.* Festival international de musique consacré à l'accordéon diatonique dit « trieština » à Roč.

Journée de Hum (Dan Huma) – *Juin.* Célébration de la plus petite ville du monde et élection traditionnelle du préfet de la région.

Journées Jules Verne (Dani Julesa Vernea) à Pazin – *Fin juin.* Le clou ? La reconstitution du procès de Mathias Sandorf et de son évasion du château. Rens. : *www.tzpazin.hr*

Pèlerinage de la Madone de l'Ange à Pazin (Rim) – *Le 2 août.* Les fidèles de toute l'Istrie se rendent à Pazin pour accompagner la procession de la statue de la Vierge. Au retour, messe en plein air dans les jardins du monastère franciscain.

Zagreb et le centre 6

Carte Michelin 757

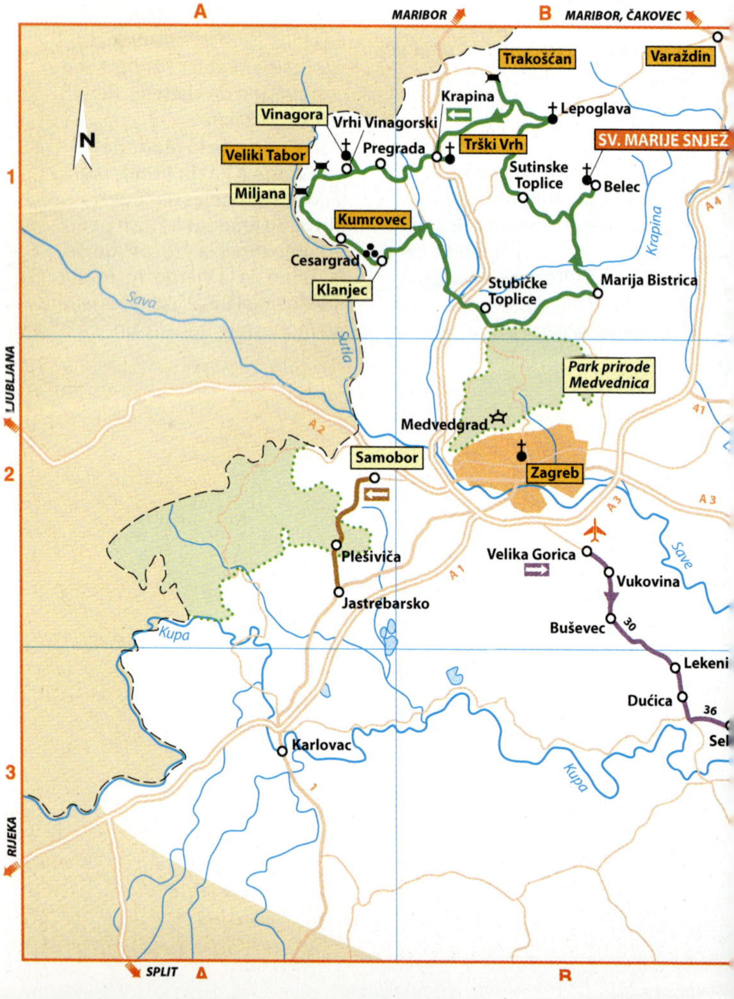

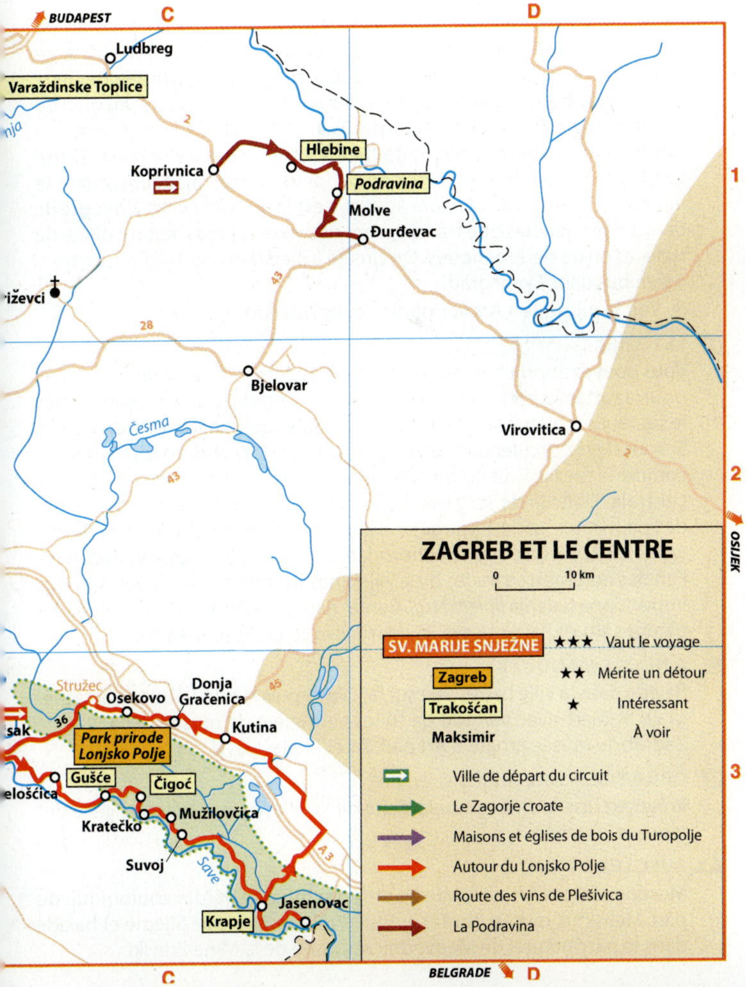

BUDAPEST
C
D
Ludbreg
Varaždinske Toplice
Koprivnica
Hlebine
Podravina
Molve
Đurđevac
Križevci
Bjelovar
Česma
Virovitica
1
2
3
OSIJEK
ZAGREB ET LE CENTRE
0
10 km
SV. MARIJE SNJEŽNE
★★★ Vaut le voyage
Zagreb
★★ Mérite un détour
Trakošćan
★ Intéressant
Maksimir
À voir
Ville de départ du circuit
Le Zagorje croate
Maisons et églises de bois du Turopolje
Autour du Lonjsko Polje
Route des vins de Plešivica
La Podravina
Stružec
Osekovo
Donja Gračenica
Kutina
Sisak
Park prirode Lonjsko Polje
Gušće
Čigoć
Mužilovčica
Kratečko
Suvoj
Sava
Jasenovac
Krapje
BELGRADE

Zagreb

★★

790 017 habitants

NOS ADRESSES PAGE 446

S'INFORMER

Office de tourisme de Zagreb – *Kaptol 5 - ✆ 01 489 85 55 - www.zagreb-touristinfo.hr.*

Centre d'informations touristiques – *Trg Bana J. Jelačića 11 : ✆ 01 481 40 51/52/54, lun.-vend. 9h-21h, sam.-dim. 10h-17h - Kula Lotrščak : Strossmayer 9, ✆ 01 481 40 510, tlj 9h-21h.*

SE REPÉRER

Carte de région B2 (p. 418-419) – *carte Michelin n° 757 D5.* Le plan de Zagreb est relativement simple : au nord, les premiers contreforts de la Medvednica portent la ville haute (**Gornji grad**), constituée de deux collines, **Gradec** et **Kaptol**, séparées autrefois par une rivière. Au pied de ces deux quartiers, séparée d'eux par Ilica, la place du Ban-Josip-Jelačić et Jurišićeva, et limitée par la ligne de chemin de fer : c'est la ville basse (**Donji grad**), édifiée au 19e s. et traversée par deux larges voies constituant le fameux « fer à cheval ». Encore au sud, c'est la nouvelle ville (**Novi grad**), barres d'immeubles que transpercent des voies rapides, faisant office de radiales ou de périphériques. On circule à pied dans Gornji grad, en tram ou en bus dans Donji grad.

Voir la rubrique « Arriver/partir » dans *Nos adresses*.

SE GARER

Vous pouvez approcher sans problème du centre-ville en voiture, mais ne pourrez atteindre les alentours de la place centrale (trg Ban Josip Jelačić), le secteur est piétonnier. Évitez également les quartiers Kaptol et Gradec. Si vous devez circuler dans des rues où le tramway va dans les deux sens, comme la rue Ilica, les voitures circulent (et parfois s'arrêtent !) sur la voie centrale. Difficile de se garer à Zagreb. Il existe 3 zones marquées par des panneaux : zone 1 (rouge) : 12 kn/h, zone 2 (jaune) : 6 kn/h et zone 3 (verte) : 3 kn/h. Paiement par horodateur. Sinon, garez votre voiture dans l'un des nombreux garages de la ville : Importanne centar *(Starčevićev trg)*, Importanne Galerija *(Iblerov trg)*, Centar Kapitol *(Nova Ves 11)* ou encore des garages situés Palmotićeva 25, Martićeva 69 ou Petrinjska 59.

À NE PAS MANQUER

Balade dans la ville haute, vue sur la ville depuis la tour Lotrščak, la cathédrale St-Marc avec son toit de tuiles vernissées, le musée de la Ville de Zagreb, le musée croate d'Art naïf, l'atelier Meštrović.

ORGANISER SON TEMPS

Prévoyez une journée pour la visite de la ville, deux jours avec celle des musées.

AVEC LES ENFANTS

Musée croate d'Art naïf, Musée ethnographique, jardin zoologique du parc Maksimir, musée des Techniques, téléphérique de Sljeme et balade dans le parc naturel de Medvednica, musée de la Mine Zrinski.

La place centrale de Zagreb avec la statue du ban Josip Jelačić.
H. T. Kaiser/age fotostock

Si Zagreb ne peut rivaliser, faute de grands monuments, avec d'autres capitales d'Europe centrale comme Prague ou Budapest, il émane cependant de cette grande ville à taille humaine un charme certain : celui baroque des quartiers hauts parcourus de venelles, d'escaliers et parsemés de vieux palais qui sont progressivement remis en valeur ; celui aussi de la ville basse avec ses imposants immeubles aux riches façades sculptées dans les styles « néo », beaux-arts ou Art nouveau. C'est surtout une ville jeune et animée, où il fait bon vivre et flâner, se poser à une terrasse de café ou observer le ballet des trams sur la place Jelačić, parcourir ses musées et galeries d'art… Alors vous l'aurez compris, Zagreb mérite plus qu'un détour, et s'impose de plus en plus comme une destination culturelle de premier ordre.

Se promener Plan de ville

C'est sur deux modestes nids d'aigle que sont Gradec et Kaptol que Zagreb est née avec d'un côté Gradec, la cité féodale, et de l'autre Kaptol, la ville épiscopale. Il va de soi que les itinéraires décrits ci-dessous n'ont d'autre prétention que de vous proposer une façon simple de découvrir les principaux points d'intérêt de la **ville haute** (Gornji grad). Libre à vous, ensuite, de vous l'approprier par de longues flâneries, diurnes ou nocturnes (Zagreb est une ville très sûre). L'ambiance très particulière du **Kaptol** tient aux nombreuses communautés religieuses encore présentes. Très différent, un peu froid dans sa partie haute, de plus en plus animé en descendant vers le marché, **Gradec** est un véritable petit bijou où il vous revient de découvrir ses trésors cachés, ici en vous engageant sous une porte cochère, là en glissant un œil dans une cour, plus loin en observant des façades joliment restaurées. Poussez la porte d'un café enterré dans une cave voûtée, empruntez un escalier inattendu qui dévale la colline parmi des jardins, n'hésitez pas à vous « perdre ». Peu à peu, vous vous sentirez chez vous et vous comprendrez l'amour que les autochtones portent à leur ville.

Deux collines et trois villes

Deux modestes collines, contreforts méridionaux des monts de la Medvednica, séparées par une vallée parcourue par un torrent, le Medveščak, tel est le site qui a vu naître et se développer la capitale de la Croatie.

LA BULLE DE BELA

À l'est, le **Capitulum (Kaptol)**, l'évêché de Zagreb, fut fondé en 1094 par le roi magyar saint Ladislas et, immédiatement, une grande cathédrale fut élevée. De l'autre côté de la rivière, sur le mont Grič, se développait un bourg médiéval, **Gradec**, au plan géométrique et aux maisons de bois se serrant autour de l'église.

En 1242, après une invasion des Tatars (Mongols) qui mirent à bas aussi bien la cathédrale de Kaptol que l'église de Gradec, le roi Bela IV, réfugié à Trogir, promulguait une « bulle d'or » qui, déclarant Gradec ville royale libre, lui conférait nombre de privilèges, entre autres celui de battre monnaie et d'édifier des fortifications, ce dont la cité ne se priva pas.

Au 15e s., une nouvelle menace se précisant, celle des Turcs, Mathias Corvin ordonnait à Kaptol de se fortifier à son tour. Dès lors, les deux cités vont vivre chacune derrière sa muraille, ce qui ne va pas sans rivalité ni quelques frictions, parfois sanglantes.

UNE VILLE NÉE D'UN SÉISME

Nous sommes en 1880. Gradec est devenue le foyer du « renouveau national croate », inspiré par le Mouvement illyrien de Ljudevit Gaj. Les bouillonnements culturels et politiques qui entourent les événements de 1848 s'accompagnent d'un essor économique : développement de l'industrie, arrivée du chemin de fer, apport de populations nouvelles (Grecs et Juifs) grâce à l'instauration de la liberté religieuse. Peu à peu, une cité commence à se développer au pied des collines.

Pour cela, on a fait appel à un architecte viennois, **Herman Bollé** : il édifie le siège de l'Académie, l'École des arts appliqués. On élève un théâtre dans un champ de maïs… Zagreb compte alors près de 30 000 habitants.

Survint alors le tremblement de terre : nombre de bâtiments s'effondrent ou sont gravement endommagés. De vastes espaces sont libérés pour les nouveaux constructeurs : la ville que nous connaissons va naître.

UNE VASTE OPÉRATION D'URBANISME

Tandis que Bollé s'attache à donner à la cathédrale une apparence gothique qu'elle avait perdue depuis belle lurette, un plan d'urbanisme rationnel est tracé pour aménager la ville basse. Dans ce damier, **Milan Lenucci** (1849-1924) trace une suite de places, aménagées en espaces verts et ponctuées de monuments. Son tracé en U lui vaudra le surnom de **fer à cheval vert**.

Les architectes se mettent à l'œuvre et s'en donnent à cœur joie. La mode est à l'**historicisme** : néoclassique, néoroman, néogothique, néo-Renaissance… tous les styles répertoriés sont revisités.

Suit, au début du 20e s., la période **Sécession**. Entre Ilica au nord et le chemin de fer au sud, **Donji grad**, la ville basse, s'édifie en quelques décennies, respectant à peu près le plan d'origine.

★★ GRADEC ABC1-2

Circuit tracé en vert sur le plan de la ville (p. 424-425) - Comptez 2h.

★ Place du Ban-Josip-Jelačić (Trg bana Josipa Jelačića) B1

Cœur animé de la ville, cette vaste place, ancien champ de foire, a été ouverte en 1830, marquant le début du développement de Zagreb hors de ses limites historiques. Aujourd'hui entourée d'immeubles élevés pour la plupart dans les années 1880 à 1900, il s'agit d'un vaste espace en grande partie réservé aux piétons, souvent occupé par des manifestations, comme pour la fête de la ville ou lorsqu'il s'agit d'honorer un sportif victorieux d'une compétition internationale. C'est également, autour de la statue du ban, le principal lieu de rendez-vous des habitants. La partie sud de la place est animée par le ballet presque incessant des tramways, qu'ils arrivent de Jurišićeva, d'Ilica ou de la gare, au sud.

Statue du ban Josip Jelačić – Cette statue équestre honore le ban (vice-roi) de Croatie, dont l'action en 1848 et le rôle dans l'éveil de la conscience nationale font de lui l'un des pères de la nation. Enlevé en 1947, le monument a retrouvé sa place en 1991.

Fontaine Manduševac – Elle a été creusée à la place de la source miraculeuse qui jaillit au début du 14e s. grâce aux prières de l'évêque Augustin Kažotić. La légende y voit l'origine du nom de Zagreb (*Mandušo zagrab!* signifiant « puise l'eau ! »).

Les immeubles entourant la place sont assez disparates (ceux des années 1970 sont assez navrants). Sur le côté est, un imposant bâtiment abrite l'office de tourisme (au coin de la rue Nikola-Jurišić) et le **Gradska Kavana**, grand café élégant de la ville.

Sur le côté sud, l'immeuble du journal *Jutarnji List* (n° 15) a été bâti en 1827 par l'architecte **Bartol Felbinger** (1785-1871). Nommé architecte de la ville en 1809, ce dernier fut l'un de ceux qui modelèrent Zagreb. Partisan d'un strict classicisme, il a édifié des palais et des immeubles aux lignes harmonieuses, parfois ravissants. Ceux qui ont résisté à la fois au séisme de 1880 et aux interventions historicistes se trouvent là, tant à Gradec que sur la place Jelačić, et témoignent de son talent.

Ici, la face nord ne manque pas d'allure avec un ensemble d'immeubles où se mêlent les styles historiciste et Sécession. Remarquez en haut du bâtiment de la Partner Bank un bas-relief de céramique : c'est une œuvre du célèbre sculpteur croate, **Ivan Meštrović**, omniprésent à Zagreb.

Rue (ulica) Ilica AB1

Parcourue par de nombreuses lignes de tramway, c'est une voie constamment animée. Ouverte à l'ouest de la grande place, elle court au pied des collines, selon un tracé à peu près rectiligne, qui se poursuit sur près de 6 km, à la limite nord de la ville basse.

Bordée d'immeubles dont le rez-de-chaussée est occupé par des magasins et des restaurants, parfois situés dans des cours, elle est, depuis la seconde moitié du 19e s., époque où s'y installèrent les plus prestigieuses boutiques de la ville, le centre de la vie élégante.

Si elle est aujourd'hui concurrencée par la zone piétonne, elle n'en a pas perdu pour autant de son attrait pour les habitants qui s'y pressent, qu'il s'agisse d'attraper un tram au vol ou de flâner devant les vitrines.

Suivez Ilica jusqu'à la petite rue Tomićeva, puis à droite vers la colline de Gradec.

ZAGREB
0
200 m
N
A
B
1
2
Cimetière de Mirogoj
Medvednica
ILIRSKI TRG
MUSÉE DE LA VILLE DE ZAGREB
GORNJI GRAD
ATELIER I. MEŠTROVIĆ
Palais du ban
Place Saint-Marc
Sabor
Palais Vojković Oršič
Musée croate d'art naïf
GRADEC
Porte de pierre
Couvent des Jésuites
Musée des Coeurs brisés
Tour Lotrščak
STE-CATHERINE
Promenade Strossmayer
Ste-Marie
Dolac
ST-DYSMAS
TOUR PRIŠLIN
PARK OPATOVINA
St-François
KAPTOL
CATHÉDRALE
PARC
PL. DU BAN JOSIP JELAČIĆ
Ilica
Trg Petra Preradoviča
Musée archéologique
PLACE NIKOLA ZRINSKI
DONJI GRAD
ACADÉMIE DES ARTS ET DES SCIENCES
Galerie d'Art moderne
Trg Maršala Tita
Théâtre national croate
MUSÉE DES ARTS DÉCORATIFS
MUSÉE MIMARA
MUSÉE ETHNOGRAPHIQUE
Pavillon des Arts
Place du roi Tomislav
ARCHIVES NATIONALES
JARDIN BOTANIQUE
ESPLANADE
ZET
SAMOBOR, KRAPINA, KARLOVAC
Musée d'Art contemporain
NOVI ZAGREB
VELIKA GORICA, SISAK

SE LOGER

SE RESTAURER

Funiculaire (Uspinjača) A1

Au bout de la rue Tomićeva. ✆ 01 483 39 12 - 6h30-22h - ttes les 10mn - 5 kn.

Construit en 1890, ce funiculaire permet de gagner la colline de Gradec depuis Ilica, à moins que les plus sportifs ne préfèrent prendre les escaliers, assez raides, qui, parallèles aux voies, grimpent jusqu'à la promenade Strossmayer.

Tour Lotrščak (Kula Lotrščak) A1

Accès au belvédère (Vidikovac), par le côté droit. ✆ 01 485 17 68 - tlj 9h-21h - 20 kn (étud. et enf. 10 kn).

C'est à l'arrivée du funiculaire que se dresse cette haute tour carrée, vestige des fortifications médiévales de la ville haute, surmontée d'un gracieux clocheton de bois. Aujourd'hui, le rez-de-chaussée de la tour est occupé par une galerie d'art. Du sommet (belvédère ou *vidikovac*), belle **vue★★** sur les toits et terrasses de la ville.

Chaque jour à midi, un coup de canon est tiré du haut de la tour. Il s'agit de commémorer un événement survenu lors du siège de la ville par les Turcs. Alors que l'on s'apprêtait à servir au pacha un chapon bien dodu (l'histoire ne dit pas s'il s'agissait de celui de Đurđevac !), un boulet tiré par les défenseurs de la ville avec une diabolique précision emporta la bête, laissant le maître d'hôtel tout tremblant d'émotion, son plateau vide à la main. Impressionnés, les Turcs préférèrent lever aussitôt le siège.

Promenade Strossmayer (Strossmayerovo šetalište) A1

Cette promenade ombragée, tracée à l'emplacement des anciens remparts de la ville haute, est un véritable belvédère sur la ville nouvelle, ses toits, ses dômes et ses pignons. Du côté droit, assis sur un banc, une effigie de bronze de l'écrivain **Antun Gustav Matoš**, par Ivan Kožarić, se dore au soleil en contemplant à ses pieds la ville tant aimée. Revenant sur ses pas, on dépassera la tour pour continuer sur la promenade, qui constitue un petit parc à cet endroit-là. Tournant à droite au coin du bâtiment, on longe le **Grič**, square à l'abandon décoré par la statue d'un sympathique lutin, jusqu'à la **place Franjo-Marković** (Trg Franje Markovića) qui, avec ses immeubles baroques, son café, sa belle vigne vierge partant à l'assaut d'un mur jaune, composerait un ensemble des plus agréables. C'est au n° 2, dans une maison à la façade Biedermeier, que vécut le poète qui a donné son nom à la place. Au coin de la rue Matoševa, le **palais Zrinski** date du 17e s. Sur la gauche, le **passage des Capucins** (Kapucinske stube), étroite venelle, se transforme bientôt en escalier dévalant, parmi les jardins, la colline de Gradec jusqu'à la rue Mesnička.

LA CAPITALE DE LA CROATIE

Zagreb, qui ne comptait que 60 000 habitants en 1900, frôle aujourd'hui le million, rassemblant avec son agglomération près du quart de la population croate. Tout cela a entraîné la construction de nouveaux quartiers, sans souci esthétique excessif, au-delà de la ligne de chemin de fer dans un premier temps, de la Save ensuite, avec l'édification de Novi Zagreb (le « nouveau Zagreb »), tandis que les villages des environs s'urbanisaient. Les zones industrielles se sont multipliées. Et pourtant : en dépit de tout cela, la capitale de la Croatie n'a rien perdu de son charme, presque campagnard : on y circule à pied, on profite du moindre rayon de soleil pour se poser sur un banc ou à une terrasse de café, on continue à y cultiver la vigne et, les dimanches d'hiver, on prend le tram pour aller skier dans la proche Medvednica.

Bordée du côté gauche de maisons basses du 18e s., et, en face, par le **palais Jelačić** élevé au 18e s. par Bartol Felbinger, la sympathique **Vranicanijeva ulica** conduit à la place Catherine-Zrinski.

★ **Place Catherine-Zrinski** (Trg Katarine Zrinske/Katarinin trg) B1

Cette place rectangulaire honore la sœur de Krsto Frankopan, épouse de Petar Zrinski et poète. Après l'exécution de son époux, elle se retira dans un couvent italien.

Musée des Cœurs brisés – *Cirilometodska 2, à l'angle du palais Kulmer, dans la rue qui monte vers la place St-Marc - ✆ 014 851 021 - www.brokenships.com - 9h-22h30 (21h en hiver) - 25 kn (étud. 20 kn).* Une ceinture, un *fresbee*, une peluche ou une menotte cassée : autant d'objets exposés pour illustrer leur pouvoir quand il s'agit d'évoquer la relation amoureuse, jusqu'à la rupture. Tous correspondent à des dons anonymes ; une note explique à chaque fois le contexte amoureux. Émotions assurées !

Palais Dverce (Palača Dverce) – *Sur la droite.* Édifié au début du 18e s., il a été remanié dans le style historiciste. La municipalité y reçoit aujourd'hui ses hôtes de marque.

Akademia – Le premier lycée de Zagreb (1607) devint ensuite le siège de l'université. Très remanié, le bâtiment a conservé sa vocation pédagogique et abrite un lycée privé.

★★ **Église Ste-Catherine** (Crkva sv. Katerine) B1

Au fond de la place. ✆ 01 485 19 50 - sem. 10h-13h.

Cette église jésuite (1632), caractéristique du style de la Contre-Réforme, a été édifiée sur le modèle du Gesù de Rome, et vouée à sainte Catherine d'Alexandrie. Sur sa façade, que surmonte un fronton, seules quatre niches abritant les statues des quatre Évangélistes viennent altérer une sobriété confinant à l'austérité.

Tout cela ne prépare pas à la découverte de l'**intérieur**★★ dont la nef unique dotée de six chapelles latérales compose un des plus beaux ensembles baroques de Croatie, d'une luminosité et d'une gaieté inattendues. Cet effet est dû au décor de stucs blancs et roses qui couvrent les parois et les voûtes de l'édifice. Ils ont été réalisés en 1726 par un artiste italien, **Antonio Quadrio**. L'attention est attirée par le retable du maître-autel que décore une peinture en trompe l'œil, réalisée par **Kristofor Andrija Jelovšek**, un artiste de Ljubljana, représentant *Sainte Catherine parmi les philosophes et les écrivains d'Alexandrie*. À la voûte, médaillons peints à fresques (vie de sainte Catherine et conversion de saint Paul), par un autre Italien, **Giulio Quaglio**. Dans la première chapelle de gauche, l'autel de saint Ignace de Loyola été sculpté par **Francesco Robba** en 1729.

Place des Jésuites (Jezuitski trg) AB1

Accès à gauche de la façade de l'église.

Sur le côté de cette place triangulaire se dresse une sculpture quelque peu tourmentée, intitulée *Le Pêcheur au serpent*, œuvre de Simeon Roksandić (1908).

Galerie (galerija) « **Klovićevi dvori** » – *Jezuitski trg 4. ✆ 01 485 19 26 - tlj sf lun. 10h-20h - 20 kn pour l'expo temporaire (enf. 10 kn) et 70 kn en cas d'expo exceptionnelle (étud. et seniors 50 kn).* L'imposant bâtiment de l'ancien couvent des jésuites (17e s., remanié depuis) a été bâti autour d'une ancienne tour médiévale. Il abrite une galerie d'expositions temporaires d'art moderne.

Revenez à la place Catherine-Zrinski et prenez à droite la rue des Sts-Cyrille-et-Méthode.

★ **Rue des Sts-Cyrille-et-Méthode** (Ulica sv. Ćirila i Metoda) A1
Avec en toile de fond la toiture de tuiles vernissées de l'église St-Marc, cette rue, baptisée du nom de deux concepteurs de l'écriture glagolitique, compose l'une des vues les plus photographiées de Zagreb. Elle est bordée d'édifices intéressants à des titres divers.

Église catholique grecque St-Cyrille-et-St-Méthode (Grkokatolička crkva sv. Ćirila i Metoda) – *Ouverte au moment des offices*. Quelques familles de Zagreb pratiquent ce culte qui suit le rite orthodoxe mais reconnaît l'autorité du pape. Leur église, au fronton orné de mosaïques représentant les deux saints, est due à Herman Bollé.

★★ **Musée croate d'Art naïf** (Hrvatski muzej naivne umjetnosti) A2 – *Au n° 3. ✆ 01 485 19 11 - www.hmnu.org - tlj sf lun. 10h-18h, w.-end 10h-13h - 20 kn (étud., enf. 10 kn).* Fraîcheur, lumière et couleurs : tels sont les mots pouvant qualifier la visite de ce musée installé dans le **Palača Kusević**, palais baroque présentant une très jolie **façade★**. 80 pièces représentatives de l'Art naïf croate entre 1930 et 1990, souvent peintes sur verre, sont présentées, l'accent étant mis sur la fameuse **école de peintres-paysans de Hlebine** *(voir à La Podravina)*.

On découvre d'abord un grand nom, **Ivan Generalić** (1914-1992), dans ses premières œuvres où il exprime des préoccupations très sociales (*La Réquisition*, 1934), et dans des paysages baignés d'un halo romantique. Vous verrez des œuvres remarquables (*Les Noces tziganes*, 1936), parfois saisissantes (*Inondations*, 1960) ou emplies de sérénité (*Autoportrait*, 1975), son art évoluant vers la simplification des formes. Autres représentants de cette première génération : **Mirko Virius** (*Moisson*, 1938), **Franjo Mraz**, et les sculpteurs **Lavoslav Torti** (sa *Tête de professeur* ne déparerait pas sur le tympan d'une église romane !) et Petar Smajić qui, lui, sculptait sur bois *(Adam et Ève habillés)*. **Ivan Večenaj** (*Les Évangélistes au Calvaire*, 1966) appartient à la seconde génération et fait preuve d'un humour confinant au burlesque. **Mijo Kovačić** a parfois des accents saisissants. Citons également la verve de Martin Mahkek *(Mon voisin)* et **Ivan Lacković-Croata**, qui représente inlassablement avec élégance, au risque de verser dans un certain académisme, des paysages sereins *(Quatre Saisons)*. Très connu en France, **Ivan Rabuzin** se distingue par un style très personnel. Autre indépendant, **Emeric Feješ**, « naïf urbain » qui fait subir à la cathédrale de Milan comme à la basilique St-Marc de Venise un étonnant traitement chromatique. Pour finir, retour à Hlebine avec les paysages de **Josip Generalić**, découverte du premier naïf dalmate, Eugen Bulktenica, et de quelques œuvres d'artistes étrangers : le Polonais Nikifor

LES « STUBE » DE GRADEC

Cité féodale, Gradec était puissamment fortifiée et ses accès commandés par des tours puissantes. Aujourd'hui encore, les seules voies d'accès à la colline sont, à l'est, la porte de Pierre, au nord la place Illyrienne, au sud-ouest la rue Mesnička. C'est pourquoi ont été aménagés des escaliers de bois, se prolongeant parfois par de pittoresques venelles pavées, et permettant aux piétons de partir à l'assaut de la cité haute sans faire de longs détours : outre Kapucinske stube, à l'ouest, vous pouvez gagner la cité depuis la place du Ban-Jelačić et Radićeva par Zakmardijeve stube. Radićeva est elle-même reliée à la rue Tkalčić par trois « stube » dont l'un, honorant l'architecte Felbinger, se situe dans le prolongement de Dvorničićeve stube.

et la Bosniaque **Sofija Naletilić-Penavuša**, dont les sculptures polychromes ne sont pas sans évoquer les œuvres de Mohammed Tabal, de l'école des artistes d'Essaouira (Maroc).

Maison de Ljudevit Gaj (Kuća Ljudevita Gaja) – *Au nº 4*. Une plaque apposée sur la façade de ce bâtiment du 18e s. rappelle que le fondateur du **Mouvement illyrien**, Ljudevit Gaj *(voir à Krapina)* habitait là. C'est ici que fut imprimé, le 10 décembre 1835, le premier journal en croate.

Ancienne mairie (Stara gradska vijećnica) – *Au nº 5*. Elle occupe les locaux du théâtre Stanković, haut lieu de la culture nationale : ici furent créés le premier drame croate moderne, *Juran et Sofija* de **Ivan Kukuljević-Sakćinski** (1840), ainsi qu'en 1846 le premier opéra croate, *L'Amour et la Malice*, de **Vatroslav Lisinski**.

Effigie de Matija Gubec – *Au nº 8, à l'angle de la place St-Marc*. Selon la tradition, la tête d'homme sculptée représenterait le chef de la révolte paysanne de 1573, **Matija Gubec** *(voir à Krapina et le Zagorje croate)*.

★ Place St-Marc (Trg sv. Marka/Markov trg) AB1

Cette place, qui doit son nom à l'église édifiée en son centre, est l'âme et le symbole de la vie politique : c'est ici que siègent le Sabor (Parlement) et le gouvernement croate.

Ancien hôtel des Monnaies – *Au nº 9, immédiatement à droite*. Immeuble baroque à l'entrée voûtée donnant sur une cour ; on y battit le Dinarius zagrebensis, monnaie d'argent des bans de Croatie jusqu'en 1834.

Diète croate (Sabor) – *Sur le côté droit de la place, au chevet de l'église St-Marc*. C'est en 1910 que cet édifice d'un néoclassicisme pompeux succéda à un palais baroque qui abritait depuis 1737 les débats du Parlement. Depuis le balcon, en novembre 1918, le leader du parti paysan, **Stjepan Radić**, prononça un discours resté célèbre, mettant en garde ses auditeurs contre l'union des Slaves du Sud.

Contournant toujours l'église, on longe le côté nord de la place : série d'immeubles du 19e s. abritant des palais officiels.

Palais du ban Jelačić (Banski Dvori) – *Au nº 1 sur le côté ouest de la place*. Construit au début du 19e s., il fut la résidence officielle des vice-rois de Croatie. Le ban Josip Jelačić, qui y mourut, fut le plus prestigieux de ses occupants. Ce palais est aujourd'hui le siège du gouvernement tandis que son voisin *(au nº 2)* faisait office de palais présidentiel lorsqu'il fut bombardé en novembre 1991.

★ Église St-Marc (Crkva sv. Marka) A1

Son toit de tuiles vernissées, portant les blasons de Zagreb et du royaume triunitaire (Croatie, Dalmatie, Slavonie), est l'une des vues emblématiques de la capitale croate. Succédant à une chapelle pillée par les Mongols en 1242, elle fut édifiée par des maîtres vénitiens, circonstance à laquelle la plus vieille église de Zagreb doit son nom.

Gothique, elle est flanquée d'un campanile baroque, du 17e s. L'aspect extérieur actuel du sanctuaire date des travaux de consolidation effectués après 1880, qui ont conduit à la recouvrir d'un crépi peu heureux : la pierre, extraite dans les monts de la Medvednica, s'est en effet révélée en vieillissant aussi poreuse que friable, circonstance qui affecte nombre d'autres bâtiments de la cité. Du fait des ravages du temps, des intempéries et de la pollution, le **portail** sud, sculpté au 14e s. par le maître praguois **Ivan Parler**, a été déposé.

À l'intérieur, l'église a conservé de l'édifice primitif ses belles **voûtes gothiques★**. Elle est ornée des fresques réalisées dans les années 1930 par Jozo Kljaković. C'est à **Ivan Meštrović** que l'on doit les remarquables **sculptures★★**

du chœur : le saisissant crucifix du maître-autel, la Pietà, à gauche, la Vierge à l'Enfant, à droite, au regard d'une infinie tendresse, et pour cause : l'artiste aurait représenté la Vierge sous les traits de sa propre mère.
Après en avoir achevé le tour, quittez la place St-Marc par Freudenreichova à droite jusqu'à la rue Antun-Gustav-Matoš (Matoševa).

★★ **Palais** (Palača) **Vojković-Oršić** A1

Matoševa 9. À l'étage - ✆ 01 485 19 00 - 10h-18h, w.-end 10h-13h - 10 kn (enf. 5 kn). Élevé en 1764, c'est probablement le plus beau palais baroque de Zagreb, avec ses grilles en fer forgé aux fenêtres et au balcon, et sa jolie porte cochère. Il abrite aujourd'hui le **musée d'Histoire de la Croatie** (Hrvatski povijesni muzej) : expositions temporaires sur des thèmes historiques. N'hésitez pas à les visiter, c'est une façon de découvrir l'intérieur de ce palais, son bel escalier et ses salles meublées de superbes poêles en faïence.
On poursuit sur la droite dans **Matoševa**, que bordent des immeubles baroques, qui gagneraient à être rénovés et repeints de frais.
Au bout de la rue, par Brezovačkog à gauche, rejoignez ulica Dimitrija Demetra (Demetrova) que vous prendrez sur la droite.

Rue Demetrova AB1

Les demeures de cette agréable rue au tracé courbe s'adossaient au rempart occidental de Gradec. Elle est aujourd'hui bordée de palais dont certains ne manquent pas d'intérêt.
Musée national croate d'Histoire naturelle (Hrvatski prirodoslovni muzej) – *Au n° 1 sur la gauche. ✆ 01 485 17 00 - mar.-vend. 10h-17h (jeu. 20h), sam. 10h-19h, dim. 10h-13h- fermé lun. - 20 kn (étud. et enf. 15 kn).* Belle cour bordée de deux étages de galeries. Pour le reste, si le côté agréablement désuet du musée, avec ses étiquettes calligraphiées dans une encre délavée et ses vitrines de bois, peut émouvoir, sauf passion incontrôlable pour la minéralogie *(1er étage)* et la zoologie *(2e étage)*, vous pouvez vous dispenser de sa visite.
Palais (Palača) **Magdalenić-Drašković-Jelačić** – *Aux nos 7-9.* On aperçoit à travers les grilles les pilastres de cette belle construction néoclassique, intégrant quelques éléments des remparts médiévaux et d'époque baroque. Conçue par Bartol Felbinger, la façade, avec sa galerie à arcades, ne manque pas d'allure !
Palais Balbi – *Au n° 11, après avoir passé la rue Mletačka (voir ci-après).* Il date du 18e s. et est séparé de la rue par un mur percé d'un portail rococo. Dans la cour, un agréable puits couvert.

Rue Mletačka A1

C'est dans cette rue, qui s'ouvre sur la droite en face du palais, que le sculpteur Ivan Meštrović installa sa demeure et son **atelier★★**.
★★ **Fondacija Ivan Meštrović** (Atelje Meštrović) – *Mletačka 8. ✆ 01 485 11 23 - tlj sf lun. 10h-18h, w.-end 10h-14h - 20 kn (enf. 10 kn).* C'est dans cet ensemble de maisons des 17e et 18e s. que le sculpteur Ivan Meštrović vécut et travailla entre 1922 et 1942. On conçoit facilement que la demeure, avec ses boiseries, son péristyle, son jardin et son mobilier conçu par l'artiste ait été un lieu d'inspiration ! Elle est aujourd'hui peuplée de plus de 120 sculptures réalisées jusqu'au départ de Meštrović pour les États-Unis. Très influencé par Rodin dont il fut l'élève, le sculpteur a su développer un style, puisant à diverses sources, mais portant toujours sa marque, qui en fait un des grands maîtres de la sculpture du 20e s. Parmi les œuvres exposées : relevons un superbe *Rodin au travail (n° 26)*, un *Christ en Croix* au pied de l'escalier, une série de reliefs représentant les membres de sa famille *(nos 78 à 82)*, un *Michel-Ange* tout en puissance retenue *(n° 56)* ; dans l'atelier (donnant sur le jardin), une

L'église St-Marc et ses toits de tuiles vernissées aux couleurs de Zagreb.
Funkystock/age fotostock

Vierge à l'Enfant en bois aux interminables mains de pianiste *(n° 36)*, un *Saint Luc*, étonnant sosie de Georges Brassens, abîmé dans une profonde réflexion *(n° 72)*, ou encore cette *Fille au luth (n° 41)* et la subtile *Étude pour la main de Grégoire de Nin (n° 62)*. Bref, une demeure « habitée », que tout amateur d'art se doit de visiter.

Ceux qui aiment Ivan Meštrović apprécieront certainement les sites qui lui sont consacrés à Split.

Au bout de la rue, traversez Opatička et empruntez le petit passage en face de vous.

Dvoranski prečac B1

Longeant le mur sud de l'ancien couvent des Clarisses, cet étroit passage se transforme bientôt en escalier **(Dvorničićeve stube)**, dévalant le versant de la colline de Gradec jusqu'à Radićeva que l'on prend sur la gauche.

Rue Pavle-Radić (Radićeva) B1

Prenez la rue sur la gauche. C'est l'ancienne Duga ulica, « la rue longue », et elle mérite bien son nom puisqu'elle court au pied de la colline de Gradec de la place Jelačić jusqu'à la place Illyrienne, suivant une pente régulière. Ce fut la principale rue commerçante de la capitale, jusqu'à ce que le développement de la ville basse entraîne son déclin. Sur la gauche, surplombant la rue, la façade de l'ancien couvent des Clarisses épouse la forme des anciens remparts.

★ Place Illyrienne (Ilirski trg) B1

Petite place triangulaire et harmonieuse formée par le confluent d'Opatička et de Radićeva. Au-delà de la place, vers le nord, après la petite chapelle néo-gothique réalisée par Herman Bollé en 1895, un ensemble de maisons basses, presque campagnardes, borde la rue (ulica) Jurjevska. Sur votre gauche, dans un petit square, où le café Palainovka déploie ses tables, s'élève une des tours de la ville, jumelle de la tour Lotrščak.

Prenez sur la gauche la rue Opatička.

★★ **Rue Opatička** B1
Bordée de palais baroques et classiques, la rue des Nonnes est certainement l'une des rues les plus agréables de Gradec.
Archives historiques de Zagreb – *Opatička 29*. Elles sont installées dans un palais à la façade classique qui mériterait d'être entretenue.
★ **Ancien couvent des Clarisses** – *Opatička 20-22*. Le côté gauche de la rue est bordé par ce long bâtiment blanc, construit contre les anciens remparts. Il se compose en réalité de plusieurs éléments distincts, aujourd'hui réunis pour abriter les collections du passionnant **musée de la Ville de Zagreb**★★ *(voir le détail ci-dessous)*. On aperçoit d'abord, enserrant un petit square, un charmant bâtiment construit par Bartol Felbinger en 1839, qui abrite les bureaux du musée. Dans une niche, buste de l'écrivain **August Šenoa (1838-1891)**. Au-delà s'allonge la façade de l'ancien couvent des Clarisses, bâti en 1605 : les fenêtres en trompe l'œil rappellent que les sœurs étaient recluses. Dans sa partie nord, le bâtiment s'appuie sur la **tour du Prieur** (Popov toranj), vestige des fortifications (13e s.), surélevée en 1903 lorsqu'elle fut transformée en observatoire astronomique. Quelques pas dans la vaste cour carrée et pavée et vous apercevrez un cadran solaire peint sur une des façades (**Stara vura** : la vieille horloge), réputé pour être le plus ancien de la ville, ce qui ne l'empêche pas, affirme-t-on, de continuer à donner l'heure exacte (!). Ce peut être l'occasion d'une pause, soit au restaurant Stara vura, installé dans les sous-sols *(accès au fond de la cour)*, soit dans le café aménagé dans l'ancienne cuisine du couvent *(accès par la salle d'accueil du musée, sous le porche à gauche)*. Dans un lieu comme dans l'autre, belles salles dont les voûtes reposent sur d'impressionnants piliers.
Continuez dans Opatička au-delà de Demetrova.
Maison du Peuple (Preporodni dom) – *Au nº 18*. Séparé du musée par Dvoranski prečac, cet immeuble néoclassique, construit par Felbinger (1838), présente une spectaculaire façade avec loggia et colonnes. Abritant aujourd'hui l'Institut d'histoire littéraire de l'Académie, il a été témoin d'événements marquants du renouveau national : c'est ici que furent rédigées en 1848 les « Revendications du peuple ».
Ambassade de Grèce (Grčko veleposlanstvo) – *Au nº 12*. Joli palais classique. Sur la façade, plaque à la mémoire d'**Antun Mihanović**, auteur des paroles de l'hymne national.

LA VILLE À LA CAMPAGNE

Imaginez des maisons basses, aux façades de couleurs pastel, rose bonbon, vert pistache, jaune moutarde, certaines dotées de galeries de bois, la plupart flanquées d'un jardinet ou d'une cour qu'une barrière sépare de la chaussée qu'ombragent tilleuls, charmes et saules. Imaginez en toile de fond les versants de la Medvednica, couverts de forêts. Ici, vous êtes à la campagne. Mais vous êtes aussi en ville, et dans le lieu peut-être le plus animé de la capitale : car la plupart de ces maisonnettes abritent aujourd'hui des cafés, et une foule jeune déambule de l'un à l'autre jusqu'à tard dans la nuit. Qu'un rayon de soleil apparaisse et, dans les cours, les tables et les bancs sont alors pris d'assaut, tandis que la chaussée elle-même devient une longue terrasse. C'est le lieu où l'on flâne en fin de journée, où l'on refait le monde avec quelques amis devant un verre, à moins qu'on ne préfère y écouter un concert de jazz improvisé. C'est aussi un résumé de Zagreb, cette cité qui a du mal à oublier sa vocation rurale, l'époque pas si lointaine où, là où se dressent aujourd'hui les immeubles de la ville basse, s'étendaient à perte de vue des champs de maïs.

Institut d'histoire croate (Hrvatski institut povijesti) – *Au nº 10*. Palais classique bâti par Felbinger et retouché par Herman Bollé, auteur de la spectaculaire façade et de la superbe **grille en fer forgé★**. Ce palais est célèbre pour son Salon doré, décoré de fresques et de sculptures de célèbres artistes croates.

Annexe du Sabor – *Au nº 8*. Joli palais baroque tout rose, édifié en 1756 par Matija Leonhart qui abrite les bureaux du Parlement croate.

★★ Musée de la Ville de Zagreb (Muzej grada Zagreba) B1

Opatička 20. ✆ 01 485 13 61/62 - www.mgz.hr - mar.-vend. 10h-18h, sam. 11h-19h, dim. 10h-14h - fermé lun. - 30 kn (étud. et seniors 20 kn).

Voici un superbe musée dont la visite est d'autant plus agréable que la présentation des collections a été conçue de manière aussi vivante que didactique : bref, un endroit à voir absolument, qui apporte un éclairage utile à la découverte de la ville. Il serait fastidieux d'énumérer toutes les sections de ce musée que vous découvrirez selon un parcours chronologique, clairement tracé. Attardons-nous, donc, sur les points forts.

★★ **Avant Zagreb** – *Sections 1 à 3*. Les travaux de rénovation du musée (1991-1995) ont permis de mettre au jour des traces des premiers habitants de la colline de Zagreb. Ce musée *in situ* permet en particulier de traverser une **salle** voûtée en sous-sol où a été mise en évidence une partie des remparts de 679.

★★★ **Kaptol et la cathédrale** – *Sections 11 à 15*. Passionnant et superbe ! On y admire des chapiteaux et fragments de sculptures provenant de la cathédrale médiévale, les sculptures qui figuraient sur le **portail** avant la reconstruction du 19e s. (œuvres de Cosmo Müller, 17e s.), l'ancien mobilier de celle-ci (fragment d'autel de Francisco Robba), avant d'évoquer la reconstruction menée à bien par Herman Bollé après 1880.

★★ **L'église et la paroisse de St-Marc** – *Sections 16 et 17*. Superbes **autels baroques** et **statues de bois polychromes** enlevés de l'église lors de sa restauration (1878-1882).

★ **Le renouveau national croate** – *Sections 26 à 30*. Il est longuement traité, dans sa dimension politique, avec la figure du ban Jelačić (*Portrait*, par Ivan Zasche), et culturelle. Mais le plus intéressant, sans doute, est la reconstitution (**mobilier Biedermeier**, tableaux) de la vie quotidienne au début du 19e s.

★ **Naissance de la ville moderne** – *Sections 32 à 34*. Le développement d'Ilica, devenant la grande rue commerçante de Zagreb, est illustré par la reconstitution des élégantes boutiques qui, à la fin du 19e s., attirèrent la foule. Mais l'heure était venue de planifier Donji grad : c'est ce que fait, au sens propre, une salle sur le sol de laquelle est tracé le plan de la ville, tandis que des maquettes en présentent les bâtiments emblématiques.

★★ **De la Belle Époque aux Années folles** – *Sections 35 à 40*. Affiches, vêtements, objets, documents retracent la vie de la cité entre 1880 et 1914 : on y présente la vie théâtrale, les arts appliqués (dans une salle où des pierres tombales voisinent curieusement avec des longues-vues et des becs de gaz), quelques inventions (le stylo à réservoir de **Slavoljub Penkala**), l'arrivée du tramway (1891) qui précéda de peu l'installation de l'éclairage au gaz… Réclames, boutiques reconstituées achèvent de faire revivre cette époque presque insouciante au cours de laquelle la capitale changea de physionomie.

★ **L'École zagreboise de dessin animé** – *Section 43*. Affiches, extraits de films, dessins et documentaire vidéo, table lumineuse où l'on découvre un dessin animé en train de se faire, retracent l'aventure de cette prestigieuse école qui, en 1961, fut récompensée par un oscar.

Au bout de la rue Opatička, on arrive à la rue Kamenita que l'on prend à gauche.

Au coin de la rue Habdelića (qui prolonge Opatička), la **pharmacie** porte une inscription : ce serait ici qu'au 14e s. Niccolò Alighieri, arrière-petit-fils de Dante, fonda la seconde pharmacie de Croatie. Depuis lors, l'officine a fonctionné sans interruption.

★ **Porte de Pierre** (Kamenita vrata) B1

Rescapée du grand incendie de 1731, cette porte médiévale, aménagée en chicane, est la dernière de Gradec. Dans une niche sur le mur de droite, la jeune femme à la silhouette déliée est Dora Krupić, héroïne de *L'Or de l'orfèvre*, roman de l'illustre écrivain de Zagreb, August Šenoa.

Sous la porte a été aménagée une petite chapelle votive (nombreux ex-voto) abritant une effigie de la Vierge. Image de la piété populaire : nombre de passants de tous âges s'arrêtent ici pour se recueillir et allumer un cierge.

La rue descend en pente assez raide jusqu'à une petite place où saint Georges, juché sur son cheval, semble tout penaud d'avoir tué le dragon. On retrouve ici **Radićeva** que l'on descend sur la droite, sur une centaine de mètres, jusqu'à Krvavi Most, à gauche.

Pont Sanglant (Krvavi most) B1

Cette ruelle permettait d'accéder à la colline de Kaptol. Ce fut jusqu'à la fin du 17e s. un pont, qui doit son nom aux échauffourées qui opposaient parfois les deux communautés.

De là, vous pouvez soit rejoindre le funiculaire en suivant la rue Radićeva jusqu'en bas, soit poursuivre avec la visite de Kaptol (circuit 2).

★ **KAPTOL** ABC1-2

Circuit tracé en vert sur le plan de la ville (p. 424) - Comptez 1h.

Dolac B1

C'est sur ce vaste espace que se tient le principal marché en plein air de Zagreb. Il s'agit d'une plate-forme surmontant le marché couvert, aménagé en 1931, où vous pourrez vous procurer des charcuteries à des prix avantageux. Aussi coloré qu'animé, le marché aux primeurs est dominé par les flèches de la cathédrale, d'un côté, et le joli **bulbe**★ vert et or de l'église Ste-Marie, de l'autre. Dans le coin à droite, marché aux poissons.

Église Ste-Marie de Dolac (Crkva sv. Marije Dolac) – *Accès sous les arcades sur la gauche du marché.* D'origine cistercienne, cette église posée sur une plate-forme dominant Tkalčićeva fut remodelée dans le style baroque en 1740.

Montez la rue Tkalčićeva et tournez à droite dans ulica Ivana Tkalčića.

★★ **Rue Ivan-Tkalčić** (Ulica Ivana Tkalčića) B1

Appelée aussi tout simplement Tkalčićeva (ou encore **Potok**, le ruisseau), cette rue a été créée en 1898 lorsque le cours de la Medveščak fut comblé. C'est aujourd'hui une succession de terrasses de cafés « branchés » le long desquelles il fait bon flâner. Dans un renfoncement aménagé en square, sous un cadran solaire, munie d'un parapluie qu'elle brandit comme un gourdin, **Marija Jurić Zagorka** (1873-1957) surveille les lieux d'un regard peu amène. Cette forte femme fut la première journaliste de Zagreb et écrivit d'innombrables romans populaires, dont les premiers romans policiers croates.

Poursuivez dans la rue jusqu'à une place anonyme. Devant vous s'élèvent des maisons de bois, toutes de guingois, où l'on s'étonne de ne pas apercevoir un coq pousser son chant matinal. C'est devant ces maisons que l'on prend un

LE CARDINAL STEPINAC
Un rôle contesté sous l'occupation nazie et le régime d'Ante Pavelić valut à l'évêque de Zagreb **Alojzije Stepinac** (1898-1960) quelques ennuis sous le régime de Tito. D'abord, en 1946, il fut condamné à seize ans de prison, la peine fut en partie effectuée à Lepoglava puis commuée en 1951 en assignation à résidence dans son village natal. Il n'en fallait pas plus pour faire du cardinal un symbole, celui de la résistance à l'arbitraire. Le cardinal Stepinac a été béatifié par Jean-Paul II au sanctuaire de Marija Bistrica.

escalier vers l'église St-François, à droite. Sur la gauche, dans le parc Opatovina, la tour Prišlin est un vestige de l'enceinte de **Kaptol**, la cité épiscopale.
Délaissant pour l'instant l'église St-François, engagez-vous dans la rue Opatovina, sur la droite.

Rue Opatovina B1
Parallèle à Tkalčićeva, cette rue, longeant le tracé de l'ancien rempart de Kaptol, est bordée, sur son côté droit, de maisons reconverties pour certaines en cafés. Ceux-ci sont ouverts jusqu'à des heures très avancées de la nuit. Remarquez au n° 43 une amusante façade avec angelots et grappes de fleurs. Sur le côté gauche de la rue, des baraques de bois, abritant un marché aux fripes, s'appuient à la muraille du monastère des franciscains.
La rue s'évase en un petit marché aux fleurs. Au centre s'élève la statue de Petrica Kerempuh, jouant de la guitare à côté d'un pendu, réalisée par Vanja Radauš. Surnommé « le petit diable du Zagorje », ce personnage, sorte de Fanfan la Tulipe croate, est passé à la postérité en devenant le héros d'un roman de Miroslav Krleža, *Les Ballades de Petritsa Kerempuh*.

★ Kaptol BC1
Kaptol, ou « le chapitre », c'est à la fois le nom de la vaste place qui s'étend devant la cathédrale, de la rue qui s'en éloigne en direction du nord, et du quartier tout entier, autrefois fortifié.
La place – Elle est ornée en son centre d'une fontaine que surmonte, sur une colonne, une statue dorée de la Vierge entourée de quatre anges, réalisée en 1873 par Antun Fernkorn.
Maisons des chanoines – D'abord en bois, elles furent remplacées aux 17e et 18e s. par des demeures dont certaines ont cédé la place à des édifices historicistes, qui n'altèrent pas, cependant, l'impression de se trouver dans un quartier avant tout baroque. Parmi ces demeures, remarquez au n° 5 celle qui abrite, au fond d'une vaste cour, le restaurant **Kaptolska Klet**, qui s'est fait une spécialité des agneaux de lait à la broche.
Enceinte de la cathédrale – Dotée de tours massives, cette enceinte fut bâtie entre 1512 et 1520 afin de protéger la cathédrale d'une attaque des Turcs. En 1906, la partie de la muraille qui masquait la façade de la cathédrale a été abattue.
Palais épiscopal – *Dans la partie sud de l'enceinte, à droite de la cathédrale*. Il a été aménagé au 18e s., doté plus tard d'un jardin, puis remodelé par l'infatigable Herman Bollé.

★ Cathédrale de l'Assomption (Katedrala Marijina Uznesenja) B1
Encadrée par les tours rondes de ses fortifications, surmontée par ses deux clochers élancés se terminant en flèches, la façade de la cathédrale ne manque pas d'allure. Succédant à un premier édifice dévasté par les Mongols en 1242, elle fut édifiée sur le modèle de l'église-halle avec trois nefs de même niveau,

puis peu à peu fortifiée : c'était, au moment de la pression turque, la cathédrale la plus orientale d'Europe. Ces fortifications n'empêchèrent pas le sanctuaire d'être atteint par la mitraille et ses clochers de s'effondrer. Ils furent remplacés par une tour qui acheva de donner à l'ensemble l'aspect d'une forteresse. Le séisme de 1880, mettant à bas une bonne part de l'édifice, permit à **Herman Bollé** de s'en donner à cœur joie et de reconstruire la cathédrale, selon une esthétique voisine de celle de Viollet-le-Duc. Pour vous faire une idée de l'édifice antérieur au séisme, une visite au **musée de la Ville de Zagreb★★** *(voir plus haut)* s'impose : vous y verrez des gravures et photographies et aussi la reconstitution du portail sculpté au 17e s. par Cosmo Müller, ainsi que des éléments décoratifs réalisés à l'époque baroque.

L'**intérieur★**, d'une belle élévation, est intéressant car il s'agit d'un véritable livre d'histoire où, mythe et réalité étroitement mêlés, se retrouvent les personnages qui ont « fait » la Croatie. Dès l'entrée à gauche, une immense plaque gravée en caractères glagolitiques donne le ton : elle commémorait, en 1941, les 13 siècles de christianisme du pays.

Longeant la cathédrale par le côté droit, on découvrira de part et d'autre de la porte latérale les stalles baroques réalisées par **Matija Erlman** succédant aux bancs en marqueterie de Pietro da Firenze. Sur le mur à droite, les vestiges les plus anciens de la cathédrale : des fragments en partie estompés de la *fresque de l'Annonciation*★ (13e s.). La fresque surmonte le monument dédié à Zrinski et Frankopan, exécutés en 1671. À côté, pierre tombale de **Toma Erdődy**, vainqueur des Turcs à Sisak en 1593. Derrière le chœur gît l'effigie de cire du **cardinal Stepinac**, dont la pierre tombale, réalisée par Ivan Meštrović, se trouve sur le flanc gauche de la cathédrale.

Poursuivant au-delà de la sacristie, on passe devant l'autel de la Cène, de style baroque (1703), puis devant l'autel des saints Cyrille et Méthode, œuvre de Mihael Stepić. Notez enfin la chaire baroque réalisée en marbre par un sculpteur slovène, **Mihajl Kusse** (1696).

En sortant de la cathédrale, prenez à droite Kaptol en direction du nord. La place peu à peu se rétrécit pour former une rue.

Rue (ulica) Kaptol B1

Elle est bordée, de part et d'autre, de demeures de chanoines, le plus souvent baroques, et dont certaines abritent aujourd'hui des restaurants. La plus jolie est sans doute la **maison du Prévôt (Prepostija)**, au n° 7 *(côté gauche)*. Remarquez aussi le bâtiment historiciste, doté d'une curieuse tourelle cachée par les arbres, qui abrite le **théâtre Komedija**.

Église et monastère St-François (Crkva i samostan sv. Franje Asiškog) – Ne vous laissez pas décourager par la laideur de l'église qui, outre le séisme de 1880, a souffert des bombardements alliés de 1944. La restauration n'a pas été des plus heureuses. C'est dans le monastère *(au n° 9)* que vous verrez un petit bijou baroque, la chapelle de St-François, ornée de stucs et de fresques représentant des scènes de la vie du *Poverello*.

Au premier carrefour, Kaptol devient **Nova Ves**, du nom d'un ancien village. Devant la chapelle St-Dysmas (le bon larron) au joli clocher à bulbe, prenez à droite dans Zvonarnička pour rejoindre le parc Ribnjak.

★ Parc Ribnjak BC1

Cet agréable parc à l'anglaise est sillonné de sentiers et d'une petite rivière artificielle qu'enjambent de charmants ponts de bois en dos d'âne. Le parc, qui abrite un café, est parsemé de statues, comme l'amusante *Pudeur effarouchée* d'Antun Augustinčić. Ce lieu paisible est bordé par les murailles de l'enceinte de Kaptol.

Quittant le parc au sud, suivez Branjugova, puis à gauche la rue Vlaška.

Rue Vlaška BC1

S'évasant en place, elle doit son charme à l'homogénéité des maisons aux façades pastel, édifiées aux 17e et 18e s. Au milieu, appuyée négligemment contre une colonne Morris, effigie d'August Šenoa, par Marija Ujević-Galejović.
Par Cesarčeva dans le prolongement, on retrouve l'animation de la place du Ban-Jelačić.

★ LA VILLE BASSE (Donji grad) ABC1-2

Cette promenade permet de parcourir la ville basse, dont la forme en « fer à cheval » est un exemple rare d'urbanisme planifié. Dans son parti pris de monumentalité, ce fer à cheval ne manque pas d'allure, même si, là aussi, on ne peut que déplorer la friabilité de la pierre employée. Sur les façades, couronnées par toutes sortes de gâbles, pinacles, tourelles, clochetons et pignons, se succèdent balcons, terrasses, loggias, décrochements. L'ensemble est animé par une foule d'atlantes, cariatides, angelots, de Vénus sortant de l'onde et de martiales effigies mythologiques. Tout cela compose un hymne à la modernité, celle d'une époque (1880-1900) imprégnée de culture classique. Sur les larges avenues, les trams, souvent bondés, glissent silencieusement, tandis que les rues transversales sont réservées à la circulation automobile.

Place Preradović (Trg Petra Preradovića) AB1

Quittez la place du Ban-Jelačić par Ilica et, à hauteur du n° 3, engagez-vous à gauche dans un passage couvert aux boutiques élégantes, fermé par une belle grille en fer forgé, qui conduit au cœur du quartier piétonnier. Formant un coude, le passage débouche sur la vaste place honorant le poète **Petra Preradović** (1818-1872), qui y est statufié. Tout autour, librairies et cinémas attirent les étudiants, tandis que les terrasses de cafés et le marché aux fleurs envahissent une bonne partie de l'espace. Sur le côté nord de la place, église orthodoxe.
Quittez la place au sud, puis tournez à gauche dans la rue Masarykova.
À l'angle de Gundulićeva, sur la gauche de la rue, remarquez la **maison** (kuća) **Kalina** (1903), Jugendstil, avec sa façade en céramique aux motifs floraux.

★ Place du Maréchal-Tito (Trg maršala Tita) A2

C'est en arrivant sur cette immense place qu'on aborde la branche occidentale du fameux « fer à cheval ». L'espace s'organise autour du **Théâtre national croate★** (Hrvatsko narodno kazalište), élevé en 1895 par deux architectes viennois, Fellner et Helmer. Cette belle réussite architecturale recèle un intérieur somptueux (rideau de scène réalisé par Vlaho Bukovac, corridors, foyer et même toilettes étant richement décorés dans un style volontiers rococo), que les mélomanes et amateurs de ballets se doivent absolument de découvrir. Devant la façade, la fontaine, *Le Puits de la vie*, est une réalisation de Meštrović. La place est entourée d'immeubles solennels, représentatifs de l'historicisme, occupés aujourd'hui par des facultés et des organismes officiels. Du côté nord, devant le rectorat de l'université, célèbre sculpture de Meštrović, *L'Histoire des Croates*. Le **musée des Arts décoratifs★** *(voir ci-dessous)*, sur le côté ouest, au n° 10, occupe quant à lui un bâtiment conçu par Herman Bollé. Côté sud, enfin, la statue de *Saint Georges combattant le dragon*, œuvre de Fernkorn, placée dans la verdure, précède un bâtiment surmonté d'un amusant clocheton.

★ **Musée des Arts décoratifs** (Muzej za umjetnost i obrt) A2
Trg maršala Tita 10. ✆ 01 488 21 11 - mar.-sam. 10h-19h (jeu. 22h), dim. 10h-14h - 30 kn (étud. et enf. 20 kn). Petit conseil : avant de commencer la visite, n'hésitez pas à demander le petit livret en anglais car, comme souvent, les seules explications sont en croate. Visite guidée en anglais.
Aménagé depuis 1890 dans un immeuble conçu par Herman Bollé, pour accueillir à la fois le musée et l'école des Arts décoratifs (Obrtna škola) de Zagreb, le MUO présente sur trois étages de remarquables collections d'arts appliqués, qui mériteraient d'être mieux mises en valeur.

Du gothique au Biedermeier – *1er étage*. Dans la salle gothique, une belle tapisserie de Tournai (vers 1500) dispute la vedette au mobilier vénitien. Dans la salle Renaissance, on remarquera un lit provenant du château de Bosiljevo. On s'attardera plus longtemps sur le baroque qui présente une superbe collection de cabinets venant de diverses manufactures européennes, dont l'un, incrusté de marbre, est ravissant. Le style **rococo** est illustré par des porcelaines et une armoire croate du 18e s. signée Sigismund Skerlecz. Après les salles consacrées au néoclassicisme et à l'Empire (mobilier, céramiques, orfèvrerie et argenterie), on ne manquera pas l'espace consacré au **style Biedermeier**, intéressant dans sa recherche de fonctionnalisme : mobilier, céramiques confectionnées à Vienne pour le marché croate (d'où leur décor à thèmes « illyriens »), portraits (dont celui de Ljudevit Gaj) dus à **Mihael Stroy** et miniatures de **Jakov Stager**.

★★ **Arts sacrés** (Sakralna umjetnost) – Un corridor présentant des objets de dévotion populaire, représentations pieuses de facture naïve, et une collection d'objets liturgiques juifs conduit à cette superbe section, remarquable pour ses sculptures sur bois. Notons un saisissant Christ provenant de Lepoglava (17e s.), l'infinie douceur du regard de saint Jean-Baptiste vu par un sculpteur de Križevci, Stjepan Severin (autel de l'église de Drnje, 1737), une série de **sculptures★★** dues à **Ivan Komersteiner** (fin 17e s.). Disposées autour de l'escalier, les peintures baroques ne méritent qu'un bref regard, à l'exception peut-être d'une toile de Guido Reni, *Énée et Didon*.

★ **De l'historicisme au design** – *2e étage*. Le voyage dans le temps continue, avec les pastiches néo-antiques, médiévaux, Renaissance ou baroques de l'**historicisme** (après 1850). Une série d'objets représente les travaux réalisés par l'école des Arts appliqués de Zagreb : mobilier dessiné par Herman Bollé, céramiques et superbes **fers forgés★★** du maître **Đuro Burić**. Dans la salle consacrée au **style Sécession/Art nouveau★**, on relèvera (outre des verres de Gallé et de Tiffany), une crédence due à **Viktor Kovačić**, des pièces provenant de la manufacture Zsolnay de Pécs et un *Paysage* en style pointilliste, de **Božidar Rašica**. Pour ce qui est de l'Art déco, notez un pastel d'Anka Kiznanić (Zagreb, 1929) et un vitrail conçu par Srećko Sabljak.

★ **Art croate du 20e s.** – *2e étage*. Une salle est réservée à un petit panorama de l'art moderne croate. On y verra quelques peintures des « peintres de plein air » : une excellente *Vue du lac Maksimir*, de Menci Klement Crnčić (1865-1930), et une toile de Ferdo Kovačević (1870-1927). **Zlatko Šulentić** *(Le Pont)* et le cubiste Marijan Trepse représentent la génération suivante. **Krsto Hegedušić** affirme les préoccupations sociales du **groupe Zemlja** (« Terre »). Remarquez également une gouache pleine de sensualité de **Marislav Kraljević**, une toile de **Edo Murtić** et des œuvres contemporaines parmi lesquelles deux belles tapisseries d'**Ivan Picelj** et de **Jagoda Buić**, et un énigmatique objet « luminotechnique » d'Alexandar Srnec, intitulé *Objekt 200 373*… La sculpture est représentée par Frangeš-Mihanović et Meštrović.

Arts décoratifs – *3e étage*. Horloges, ivoires, métaux, verreries et céramiques. Mode féminine, de 1800 aux années charleston illustrées par des créations du couturier de Zagreb, Đuro Matić.

Place Roosevelt (Rooseveltov trg) A2

Contiguë à la place précédente, elle est dominée par un immense bâtiment néo-Renaissance de 1895, dont la couleur gris plomb n'atténue pas le caractère massif et qui abrite le **musée Mimara** *(voir ci-dessous)*.

Dissimulé dans un bosquet, un carnet dans une main, l'écrivain et homme politique **Eugen Kumičić** (1850-1904), vu par Fran Kršinić, semble plongé dans une profonde méditation.

★ Musée Mimara (Muzej Mimara) A2

Rooseveltov trg 5. ✆ 01 482 81 00 - mar.-sam. 10h-17h (jeu. 19h), dim. 10h-14h - 40 kn (étud. et enf. 30 kn).

Cet immense bâtiment a été aménagé pour recevoir l'imposante collection de plus de 3 500 objets légués à la Croatie par un collectionneur, **Ante Topić Mimara**. Les collections se déploient sur trois niveaux reliés par un grand escalier (le sous-sol est réservé aux expositions temporaires, tandis qu'un auditorium accueille colloques et concerts). Par chance, la présentation est conçue de telle sorte que vous puissiez faire l'impasse sur certains thèmes. Enfin, le petit dépliant remis à l'entrée serait bien utile… si la numérotation des salles correspondait à la réalité. Dernier conseil : empruntez l'escalier de gauche et, à l'étage voulu, commencez votre visite sur votre droite.

Verres – *Rez-de-chaussée, salles 1 à 5*. Verrerie antique (joli calice d'Alexandrie à décoration irisée), islam (Égypte et Grenade), Venise, Europe centrale et Bohême (belle série rouge).

Textiles – *Rez-de-chaussée, salle 6*. Tapis persans et kazakhs.

Arts asiatiques – *Rez-de-chaussée, salles 7 à 12*. Chine, des Han aux Qing (ravissante théière Ming en jade, *salle 8*). La dernière salle est consacrée au Japon.

Archéologie, sculpture et arts appliqués – *1er étage*. Immense collection qui fait voyager de la Mésopotamie du 4e millénaire av. J.-C. au 18e s. On notera pour l'art byzantin et préroman un *Avitus (Saint Guy)* polychrome, statue bourguignonne du 6e s. ; une Vierge à l'Enfant tyrolienne (12e s.) et une belle et noble tête de Christ (Angleterre, 12e s.) se détachent dans la salle réservée à l'art roman. Pour le gothique, des ivoires et un saint Jean-Baptiste plein de sérénité (Île-de-France, 14e s.) ; la Renaissance présente un buste de Christophe Colomb, un échiquier (ivoire avec incrustations de nacre) censé avoir appartenu à Marie de Médicis, et une touchante *Fuite en Égypte*, figurines découpées polychromes (Allemagne, 15e-16e s.).

Peinture – *2e étage*. Un superbe générique puisqu'on y trouve (entre de nombreux autres tout aussi prestigieux) les noms de Simone Martini, Duccio di Buoninsegna, Joos Van Cleeve, Jérôme Bosch, Rembrandt, Rubens, Van Dyck ou encore le Greco, Constable et Turner ! Force est de constater que la mention « attribué à… » ou « atelier de… » vient en relativiser le prestige. Pour le reste, on ne se prononcera pas plus avant sur le sérieux des attributions.

Si vous désirez vous rendre au musée des Techniques, poursuivez dans le prolongement de la place Roosevelt sur la large Savska cesta et passez sous la voie ferrée.

★ Musée des Techniques Hors plan

Savska cesta 18 - ✆ 01 484 40 50 - www.tehnicki-muzej.hr - tlj sf lun. 9h-17h, w.-end 9h-13h - visites guidées de la mine : mar.-vend. 9h-17h, w.-end 11h (autrement, essayer de se raccrocher à un groupe scolaire) - 15 kn (enf. 10 kn), visite du planétarium : 15 kn.

Ce musée très complet, dont certaines sections (transformation de l'énergie, histoire et évolution des moteurs, générateurs...) s'adressent surtout aux passionnés, offre deux attractions susceptibles d'intéresser le grand public. D'une part, la grande galerie consacrée aux **transports**. On y découvrira toutes sortes de véhicules, comme le tramway de Dubrovnik (Tchéquie, 1912). Retenons un étonnant engin à hélice monté sur skis (Motor Sleigh, mis au point en Croatie en 1931) et un amusant motocycle à trois places construit à Zagreb en 1950. Mais il ne faut surtout pas manquer la section géologique et minière. Après avoir découvert les différents minerais, les techniques d'extraction et les outils du mineur, on arrive à la **mine (rudnik)**★ : il s'agit de la reconstitution, en sous-sol, d'une galerie de mine, avec ses puits et ses coffrages (attention à la tête !). C'est incontestablement le clou de ce musée. Signalons également un **planétarium (Planetarij Astronautika)** et une salle consacrée aux véhicules de **pompiers** (camions, pompes, lances à incendie, etc.).

Revenez sur Trg maršala Tita et prenez immédiatement sur la droite.

★ Musée ethnographique (Etnografski muzej) A2

Mažuranićev trg 14 - ✆ 01 482 62 20 - www.emz.hr - Tlj sf lun. 10h-18h, vend.-dim. 10h-13h - 15 kn (étud. et enf. 10 kn).

Sur la gauche de la place, un immeuble de style Sécession coiffé d'un dôme (1903) abrite le Musée ethnographique. Ce dernier mérite absolument une visite pour la richesse de ses collections consacrées aux différentes régions de la Croatie.

Au rez-de-chaussée, des collections réunies par de pittoresques aventuriers, les frères **Mirko et Braća Seljan** et **Dragutin Lerman**, présentent des vitrines consacrées au Japon, à la Chine, à l'Australie, à la Mélanésie et à la Polynésie, au Congo, etc. On en retiendra surtout une impressionnante armure japonaise, ainsi qu'un rouleau peint chinois.

C'est à l'étage que la magie opère avec la présentation d'objets et de vêtements évoquant les trois grandes régions ethnographiques de la Croatie, dont une exceptionnelle **collection de costumes traditionnels**★★, présentés sur des mannequins et représentatifs de la Pannonie (ensemble des régions intérieures), de l'Adriatique (Istrie, Kvarner, Dalmatie) et des régions montagneuses (Lika, arrière-pays dalmate).

Place Marko-Marulić (Marulićev trg) A2

Force est de reconnaître que les immeubles bordant cette partie du « fer à cheval » ne sont pas tous des réussites. La partie centrale, cependant, ne manque pas d'intérêt avec, entre les deux bâtiments de l'université, une sculpture bien représentative de l'art de Meštrović. En face, le bâtiment des **Archives nationales**★ (Hrvatski državni archiv) est le chef-d'œuvre de la Sécession croate. Construit par Rudolf Lubynski (1913), il présente une façade ornée de reliefs dus à Frangeš-Mihanović.

Au bout de la place, prenez sur la gauche la rue Antun-Mihanović qui longe les grilles du jardin botanique.

★ Jardin botanique (Botanički vrt) AB2

Marulićev trg 9a - ✆ 01 489 80 60 - www.botanic.hr - avr.-oct. : lun.-mar. 9h-14h30, merc.-dim. 9h-18h (19h été) - gratuit.

Superbe jardin conçu en 1889 dans ce qui était alors la limite sud de la ville. Arboretum aménagé à l'anglaise, parterre de fleurs à la française, lacs, font de ce parc un lieu de promenade apprécié des Zagrebois. Après le jardin, le légendaire **hôtel Regent Esplanade**, le plus réputé des palaces de Zagreb.

Statues Art nouveau du Musée ethnographique.
Funkystock / age fotostock

Place du Roi-Tomislav (Trg kralja Tomislava) B2
Avec cette place immense, agrémentée de parterres et bordée de nobles façades, on aborde la partie la plus prestigieuse du « fer à cheval ».

Gare centrale (Glavni kolodvor) – Bâtiment néoclassique édifié en 1892 par Ferenc Pfaff.

Statue équestre du roi Tomislav – Sculptée par **Robert Frangeš-Mihanović**, cette statue honore le fondateur du royaume croate (910).

Pavillon des Arts (Umjetnički paviljon) B2 – Réalisé en 1895, représentatif de l'architecture de métal, ce pavillon de l'Exposition universelle de Budapest (1896) fut démonté pièce par pièce et remonté ici. Son dôme abrite une galerie présentant des expositions temporaires, ainsi qu'un restaurant réputé. Devant le pavillon, statue (toujours par Meštrović) du peintre Andrija Medulić, plus connu sous le nom d'**Andrea Schiavone** (1522-1582).

Place Strossmayer (Strossmayerov trg) B2
Bordée d'immeubles de haute tenue, verdoyante, parsemée de statues et de bustes honorant des célébrités (dont l'évêque Strossmayer, vu par Meštrović), elle s'étend entre le pavillon Strossmayer et le palais de l'Académie. Parmi les bâtiments les plus remarquables, citons celui de l'**hôtel Palace** (*au n° 10, ouvert depuis 1891*), avec son café Art déco au coin de Katančićeva, le **palais Vranicani** (1882) où est logée la **Galerie d'Art moderne★** *(voir ci-dessous)*, au coin de Hebrangova et, au n° 4, le **Laboratoire de chimie**, construit par Bollé, en 1895.

★ **Galerie d'Art moderne** (Moderna galerija) B2
Andrije Hebranga 1 (au coin de la place Strossmayer) - ☏ 01 604 10 55 - www.moderna-galerija.hr - tlj sf lun. 10h-18h, w.-end 10h-13h - 40 kn (étud. et enf. 20 kn).
Cette galerie présente une exposition permanente « Deux cents ans d'art croate, 1800-2000 ». Au 1er étage, on découvre les œuvres de peintres et de sculpteurs du 19e s. : grands formats par C.-M. Medović (*Bacchanale*), paysages

italiens par F.-C. von Hötzendorf, portraits par Mihael Stroy et Vjekoslav Karas. Quelques bustes d'Ivan Rendić (remarquez une adorable *Fille de Herzégovine*) et de Robert Frangeš Mihanović (*Saint Dominique*) donnent une idée de la sculpture de l'époque. On verra ensuite les portraits par Vlaho Bukovac dont la galerie possède plusieurs œuvres, remarquez la différence de style entre *Fille de Monténégro au rendez-vous*, de facture classique, et *Mon nid*, portrait de la famille du peintre, à la touche beaucoup plus libre. Le développement du **symbolisme** dans la peinture croate est évoqué par les toiles de Mirko Rački *(Cité de Dys)* et de Bela Csikos Sessia (*Scènes de l'Apocalypse*) qui semble beaucoup emprunter à Gustave Moreau et à Odilon Redon. Remarquez également le diptyque du peintre dalmate Emanuel Vidović (*Un petit monde*) qui a beaucoup œuvré pour le développement de la peinture en Dalmatie.

La section du 20e s. commence avec les bustes d'Ivan Meštrović et de Rudolf Valdec qui voisinent avec le portrait de Miroslav Kraljević *(Autoportrait avec un chien)*, les marines de Menci Clement Crnčić *(Maestral)* et les paysages hivernaux d'Oton Iveković *(Hiver)*. La peinture moderne fait son apparition avec les toiles de Milivoj Uzelac *(Femmes dans un bateau)*, marqué par le **cubisme**. Une galerie est consacrée à Ivo Kerdić (médailles).

Le parcours continue au 2e étage avec les toiles des **peintres naïfs** : Krsto Hegedušić *(Inondation)*, Marijan Detoni *(Distribution des repas)* et Ivan Generalić *(Enterrement de Štef Halaček)*. Les photos de Tošo Dabac représentent des scènes de vie et de misère urbaine. L'art des années 1930 est marqué par la recherche sur la lumière (Vladimir Becić, *Marins*) et sur la couleur (Ignat Job, *Lumbarda*, et Petar Dobrović, *Île de Hvar*, qui vire à l'expressionnisme). Remarquez également les peintures de Juraj Plančić *(Pêcheurs de Bretagne)* évoquant des personnages populaires avec beaucoup de grâce et de tendresse. La **peinture abstraite** a donné dans les années 1950 et 1960 une pléiade d'artistes comme Vladimir Kristl, Ivan Picelj, Julje Knifer et beaucoup d'autres. Si Ivo Dulčić *(Danse)* reste à la frontière de la peinture figurative et non figurative, Ljubo Ivančić *(Sensation de la mer)* et Rudolf Sablić *(Rythme gris)* essaient de traduire leurs sensations au moyen de l'abstraction. D'autres encore préfèrent une escapade dans le rêve comme Miljenko Stančić *(Peintre vagabond)*. Dans les dernières salles, on verra les créations d'Ivan Lesniak, qui évoquent la terreur du monde moderne *(Séquence de têtes, Mangeurs)*, les collages de Željko Jerman, les installations de Mladen Stelinović et d'autres œuvres d'artistes contemporains croates.

★★ Place Nikola-Zrinski (Trg Nikole Šubića Zrinjskog) B2

Elle porte le nom de **Nikola Šubić Zrinski** (1508-1566) qui choisit la mort plutôt que de se rendre aux Turcs lors du siège de Szigetvár (Hongrie). Sa résistance et celle des assiégés ralentirent d'autant l'avance ottomane sur Vienne.

Appelée aussi Zrinjevac, cette ancienne foire aux bestiaux est pourtant devenue, à la fin du 19e s., la plus belle place de la ville basse, tant dans son organisation générale que pour l'architecture et l'élégance des immeubles qui l'entourent. Ces derniers constituent une parfaite illustration de la diversité du style historiciste.

Son centre est occupé par un beau square, planté de platanes importés de Trieste et orné d'une série de bustes sculptés de célébrités (Fran Krsto Frankopan, Andrea Schiavone, Giulio Clovio, Ruđer Bošković…), de fontaines, d'un charmant kiosque à musique et d'une colonne météorologique, due à Bollé.

Palais de l'Académie croate des lettres, des sciences et des arts (HAZU) – *Au n° 11*. Ce bel édifice néo-Renaissance de brique a été construit par Bollé sur des plans de l'architecte Friedrich von Schmidt (1825-1891) pour abriter l'Académie fondée par l'évêque Josip Juraj Strossmayer *(voir à Đakovo)*. Dans l'atrium sont exposées deux pièces remarquables : la copie de la châsse en argent de saint Siméon (l'original est à Zadar) et la **stèle de Baška** (vers 1100), le plus ancien document écrit mentionnant le terme « croate », rédigé en caractères glagolitiques. Au 2e étage, l'Académie accueille la galerie Strossmayer des Maîtres anciens.

★★ **Galerie Strossmayer des Maîtres anciens** (Strossmayerova galerija starih majstora) – *Zrinski tgr 11 - ✆ 01 489 51 17 - www.hazu.hr - mar. 10h-19h, merc.-vend. 10h-16h, w.-end 10h-13h - 10 kn (étud. et enf. 5 kn).* Ce musée, constitué à partir des collections réunies par l'évêque Strossmayer *(voir à Đakovo)*, présente des œuvres, souvent de qualité, allant du Quattrocento italien au 18e s. Les salles 1 à 7 réunissent les **écoles italienne, croate et espagnole**. Dans la salle 2, notez une *Vierge* de Lorenzo di Credi et une amusante *Fuite d'Adam et Ève*, par Mariotto Albatinelli. Un *Saint Sébastien* attribué à Carpaccio et un lumineux portrait d'adolescent du Pinturicchio *(salle 3)* précèdent une œuvre du Croate **Andrija Medulić Schiavone** (1500-1563) et un échantillon de l'école vénitienne (ateliers de Palma et Titien), avec un saisissant clair-obscur de Francesco Bassano da Ponte *(salle 4)*. Un *Saint Jérôme* surgissant de l'ombre, de Ribera (Lo Spagnoletto) illustre le ténébrisme des disciples du Caravage. Dans la salle 6, le baroque est représenté par **Federico Benković** *(Le Sacrifice d'Abraham)* et Elisabetta Sirani *(Salomé)*. Les **écoles du Nord** sont exposées en salles 7 et 8. Une *Sainte Anne* attribuée à Dürer, une *Mère et l'Enfant* de Jörg Breu, un beau *Portrait de femme* de Frans Pourbus et une scène villageoise pleine de verve dans la manière de Bruegel, précèdent une *Kermesse* assez rabelaisienne de David Teniers et une énigmatique *Scène d'intérieur* de T. Burg. Enfin, l'**école française** *(salle 9)* est représentée par une scène paysanne de Fragonard, un tableau de Poussin montrant la Vierge, Élisabeth et leurs enfants, les ruines de Hubert Robert, un souk marocain brossé par Delacroix, une marine de Vernet, un *Portrait de Madame Récamier* par le baron Gros et des paysages signés Corot, Courbet ou Daubigny.

Caffe Lenuci – Sur la gauche de la place. Étonnant immeuble néopompéien avec façade couleur pistache, fenêtres soutachées de jaune, sa loggia à colonnes ornée de fresques.

Musée archéologique (Arheološki muzej) – *Trg Nikole Šubića Zrinjskog 19. ✆ 01 487 30 00 - www.amz.hr - visite guidée en anglais sur réserv. - mar.-vend. 10h-18h (jeu. 20h), w.-end 10h-13h - 20 kn (enf. 10 kn).* Le meilleur de ce musée, assez décevant dans l'ensemble, est l'immeuble qui l'abrite, expression de l'euphorie de l'architecture historiciste. Outre une collection numismatique, le musée présente quelques poteries originaires des colonies grecques d'Issa (Vis) et de Stari Grad (Hvar). L'époque romaine est illustrée par une collection de sculptures. La culture néolithique de la région d'Ilok-Vukovar est évoquée par quelques poteries, et par l'emblématique **Colombe de Vučedol**★★. La salle égyptienne présente la « momie de Zagreb », achetée en Égypte en 1848. Ce n'est qu'en 1892 que l'on découvrit qu'elle était enveloppée dans le *Liber Linteus Zagrabiensis* qui, avec ses 1 200 mots, est le plus long texte connu rédigé en étrusque (3e-1er s. av. J.-C.).

Après une agréable pause sur l'un des bancs, très fréquentés, vous pouvez regagner la place du Ban-Jelačić par Praška… à moins que vous ne souhaitiez découvrir un bâtiment construit par Ivan Meštrović. Dans ce cas, prenez à hauteur du palais de l'Académie la rue Bosković et poursuivez jusqu'à la place des Victimes-du-Fascisme (Trg žrtava fašizma).

★ Maison des Artistes croates
(Dom hrvatskih likovnih umjetnika, HDLU) C2

Trg Žratva Fašizma - ✆ 01 461 18 18 - www.hdlu.hr - tlj sf lun. 11h-19h, w.-end 10h-14h - 20 kn (enf. et étud. 10 kn). Au centre de la place s'élève cette curieuse rotonde à colonnades, une des rares réalisations architecturales de Meštrović. Expositions temporaires d'art contemporain.

Revenez par la rue Franje Račkog.

N'hésitez pas à pénétrer dans le monumental **palais de la Poste** (1904) dont la salle des guichets avec ses peintures et ses verrières ne manque pas d'allure. À côté, le petit **musée de la Poste** (HT muzej), qui présente une brève histoire de la distribution du courrier depuis que la compagnie Turn & Taxis assura au 16e s. le premier service postal sur le territoire de l'actuelle Croatie *(accès par Palmotićeva - ✆ 01 491 15 89 - tlj sf w.-end 10h-14h, jeu. 18h - gratuit).*

Le retour sur la place centrale s'effectue par Jurišićeva.

À L'ÉCART DU CENTRE

Parc Maksimir (Maksimirski park i Zoološki vrt)

Au nord-est du centre-ville. Accès par Vlaška et, dans son prolongement, Maksimirska cesta. Desserte par les trams 4, 7, 11 et 12. Tlj 9h-20h (16h en hiver) - fermeture billetterie à 18h30 - www.zgzoo.com - 30 kn (enf. 20 kn, -7 ans gratuit).

Cet immense parc de 316 ha fut aménagé à partir de la fin du 17e s. sous l'égide de l'évêque Maksimilijan Vrhovac dans une forêt de chênes centenaires. Il abrite aujourd'hui le **jardin zoologique** de la ville.

★ Cimetière de Mirogoj

Au nord du centre-ville. Accès en voiture depuis Ribnjak par Medveščak, puis à droite Mirogojska cesta. Desserte par les trams 8 et 15, puis à pied.

Ouvert en 1876, il a depuis lors été élu comme lieu de résidence par près de 300 000 Zagrebois. C'est Herman Bollé qui a aménagé les monumentales arcades néo-Renaissance et l'église du Christ-Roi.

★ Musée d'Art contemporain

Au sud du centre-ville, en dir. de Novi Zagreb. Avenija Dubrovnik 17 - ✆ 01 605 27 00 - www.msu.hr - tlj sf lun. et j. fériés 11h-18h (sam. 20h) - 30 kn (étud. 15 kn), gratuit le 1er merc. du mois.

Construit par l'architecte Igor Franić dans le respect des règles de l'architecture fonctionnaliste, le musée d'Art contemporain a ouvert ses portes en 2009 dans la ville nouvelle de Zagreb. Tableaux, vidéos, sculptures, montages, collages, installations… ce musée explore et expose toutes les formes d'expression artistiques à travers les œuvres d'artistes croates et internationaux depuis les années 1950. Les deux boutiques du musée (Shopworks) valent le détour, tout autant que le bar tout de blanc vêtu, qui invite à la pause café.

The Lauba House

À l'ouest du centre-ville, Baruna Filipovicá 23a - ✆ 01 630 21 15 - www.lauba.hr - lun.-vend. 14h-22h, sam. 11h-22h - fermé dim. - 25 kn (étud. 10 kn).

The Lauba House est le dernier-né des musées de la capitale croate. Établi dans d'anciennes écuries militaires, cet espace alternatif se propose de mêler art contemporain et projet social. Cette galerie d'art clairement ancrée dans le 21e s. organise des expositions temporaires d'artistes croates allant de l'art conceptuel à la sculpture en passant par la peinture et le design. Des ateliers sont aussi proposés aux enfants et le bistrot est un lieu branché par excellence.

À proximité Carte de région

★ **Parc naturel de Medvednica** (Park prirode Medvednica)

Immédiatement au nord de Zagreb, la montagne aux Ours culmine à 1 032 m au pic de **Sljeme** *(accès par téléphérique, 8h-20h, à 10mn à pied du terminus du tram n° 15).* Elle a été aménagée en station de ski, avec quelques remontées mécaniques. Sa proximité de la capitale et ses forêts en font un lieu fort apprécié, en toutes saisons. À 4 km de là se dressent les ruines de l'impressionnante forteresse de **Medvedgrad** (13e s.) qu'un séisme dévasta en 1590, et qui abrite l'autel de la patrie où brûle la flamme symbolisant l'éternité de la Croatie. Belles **vues★** sur Zagreb en contrebas.

Musée de la Mine « Rudnik Zrinskih »

À la sortie du téléphérique, suivez le sentier n° 26 dans la direction de « Žensko sedlo » jusqu'au refuge « Grafičar ». ✆ 01 458 63 17 - www.pp-medvednica.hr - visite guidée : 30mn - w.-end 10h-17h ; été : dim. seulement - 20 kn (étud. 15 kn, enf. 12 kn).

Aménagée en musée souterrain, cette ancienne mine d'argent appartint à la noble famille des Zrinski qui possédait le droit d'exploitation des métaux depuis 1463. En 1527, Nikola Zrinski signa un contrat d'ouverture de la mine avec les autorités de la ville de Zagreb. De nombreux puits et des centaines de mètres de galeries furent alors creusés pour extraire le plomb argentifère dont on faisait de l'argent.

Dans la salle d'entrée sont exposés 12 panneaux avec les esquisses tirées du livre de Georgius Agricola *De Re Metallica*. Ce précieux ouvrage, considéré à l'époque comme la « bible » de l'industrie minière, a servi de base pour la reconstitution des scènes de travail dans la mine. En passant à travers les galeries, vous verrez du matériel traditionnel utilisé depuis le Moyen Âge ainsi que des statues en bois grandeur nature représentant les mineurs d'autrefois (remarquablement exécutées par Damir Pavelić). Des enregistrements audio de bruits de gouttes d'eau et d'outils d'ouvriers, du grincement des roues de brouettes et de la simulation des conversations d'ouvriers, ajoutent encore à l'ambiance…

NOS ADRESSES À ZAGREB

INFORMATIONS UTILES

Représentations diplomatiques

Ambassade de France – *Hebrangova 2 - ✆ 01 489 36 00 (service consulaire) - www.ambafrance.hr.*

Ambassade de Belgique – *Pantovčak 125b1 - ✆ 01 457 89 01.*

Ambassade de Suisse – *Bogovićeva 3 - ✆ 01 487 88 00.*

Ambassade du Canada – *Prilaz Gjure Deželića 4 - ✆ 01 488 12 00.*

Autres adresses

Institut français de Zagreb – *Hebrangova 2 - ✆ 01 485 52 22 - http://institutfrancais.hr - lun.-vend. 12h30-19h30, sam. 11h-14h.*

VISITES

Plans et informations – Disponibles dans les offices de tourisme et dans les hôtels, plusieurs brochures, *Zagreb de A à Z* et *In Your Pocket*, offrent des informations complètes.

Toponymie – Du fait du jeu des déclinaisons, le nom des rues peut parfois déconcerter le visiteur : Nikola Tesla est ainsi honoré par ulica (rue) Nikole Tesle, Ivan Tkalčić par ulica Ivana Tkalčića, etc. Mais là où les choses se compliquent, c'est que sur les plans et les plaques de numérotation des immeubles, on fait l'économie du mot *ulica*. C'est ainsi que *Teslina* remplace Tesla, et *Tkalčićeva*, Tkalčić et que *Gajeva* désigne la rue Ljudevit-Gaj, autrement dit *ulica Ljudevita Gaja*.

La **Zagreb Card** (disponible à l'office de tourisme et dans la plupart des hôtels) offre en plus du libre accès aux transports en commun de la ville (dont le funiculaire de Gradec et celui du mont Sljeme) un ensemble de réductions dans les musées et les parkings de Zagreb (50 %), pour les visites guidées en bus (25 %), dans plusieurs restaurants et discothèques, certaines boutiques et agences de location de voitures (10-20 %). Elle coûte 60 kn pour une journée, 90 kn pour 3 jours.

Visites guidées

Organisées par l'office de tourisme de Zagreb, ces visites s'effectuent à pied et en bus. Réserv. dans les offices de tourisme, hôtels et agences de voyages. Centrale de réserv. : *Agence Globtour Event - ✆ 01 488 11 16 - www.globtour.hr.*

À pied – *Lun., merc. : 16h-18h ; mar., jeu. : 10h-12h. Se présenter devant l'office de tourisme, trg bana Jelačića 11 - 95 kn.*

En bus et à pied – *Vend. 16h-19h ; w.-end : 10h-13h - dép. d'Arcotel Allegra Hotel, Branimirova 29 - 150 kn - réduc. de 25 % pour le ticket de bus avec la Zagreb Card. Billet familial : 180 kn (parents avec enf. -12 ans), enf. 7-12 ans : -50 %, enf. -7 ans : gratuit.*

ARRIVER/PARTIR

Avion

Aéroport international de Zagreb (Zraćna Luka Zagreb) à Pleso – *Infos ✆ 060 320 320 - www.zagreb-airport.hr.* À 17 km sur la route de Sisak. Bureau de change, poste, agences de location de voitures, distributeurs automatiques. Navettes régulières pour la gare routière *(ttes les 30mn, 30 kn).* Trajet en taxi aéroport-centre-ville : *150/200 kn.*

Les **vols internationaux** desservent de nombreuses villes européennes : 2 à 3 vols/j. vers Paris et Zurich, 1 vol/j. pour Bruxelles, et des vols fréquents pour la plupart des capitales.

Vols intérieurs quotidiens pour Dubrovnik, Pula, Split et Zadar.
Croatia Airlines – *Tgr N. Zrinski 17 - ☏ 01 481 96 33 - lun.-vend. 9h-17h, sam. 9h-12h.*
Air France – *Kršnjavoga 1 (Hôtel Westin) - ☏ 01 489 08 00 - cto.zag@airfrance.fr - lun.-vend. 9h-17h.*
Lufthansa – *À l'aéroport - ☏ 01 390 72 84 - lun.-vend. 8h30-17h.*

Train

Gare ferroviaire (Glavni kolodvor) – *Trg kralja Tomislava 12 - ☏ 060 333 444 - www.hzpp.hr.* Desserte quotidienne de Split, Rijeka, Osijek, Pula et Varaždin. Pour Zadar changer à Knin.
La ligne qui dessert Slavonski Brod continue jusqu'à Belgrade, Skopje et Thessalonique. Trains pour Venise, Ljubljana et Vienne. La consigne fonctionne 24h/24 (15 kn).

Route

Gare routière (Autobusni kolodvor) – *Avenja Marina Držića 4 - ☏ 060 313 333 - www.akz.hr.* Desservie par plusieurs lignes de tramway (n°s 2, 5, 6, 7, 8), elle fonctionne 24h/24, dessert toute la Croatie et de nombreuses villes étrangères. Distributeurs automatiques, consigne, supérette, poste, agence de voyages et bureau de change.
Desserte quotidienne de **Dubrovnik** (11h à 13h de trajet), **Split** (5h), **Zadar** (3h30), **Rijeka** (3h), **Osijek** (4h-5h), **Varaždin**, lacs de **Plitvice** (3h).
Les **lignes internationales** desservent surtout les villes allemandes et suisses, mais aussi Amsterdam, Utrecht et Rotterdam, Prague, Brno, Bratislava, Vienne, Trieste et Paris. **Intercars** – *Avenja Marina Držića 2 - ☏ 016 15 02 07 - www.intercars-ctz.hr.* Depuis la France et à partir de Zagreb. Correspondances assurées pour les villes de Dalmatie, Mostar et Sarajevo.

Ferry

Jadrolinija – *Rens. au ☏ 051 211 444 - www.jadrolinija.hr. Pour réserver vos billets de ferry : Agence Marko Polo - Masarykova 24 - ☏ 481 52 16.*

Locations de voitures

Avis – *Kneza Borne 2 (Hotel Sheraton) - ☏ 062 222 226 - aéroport ☏ 062 65 190 - www.avis.com.hr - 8h-20h, dim. 8h-12h.*
Budget – *I. Pile 1 - ☏ 01 480 56 88 - ☏ 01 456 22 21 (aéroport) - www.budget.hr - 7h-20h, dim. 8h-12h.*
Hertz – *Vukotinovićeva 4 - ☏ 01 484 67 77 - ☏ 01 456 26 35 (aéroport) - www.hertz.hr - 8h-20h, dim. 8h-12h.*
Sixt – *Trg Sportova 9 (hôtel Four Points) - ☏ 01 301 53 03 - hr.sixt.com - lun. 8h-19h, sam. 8h-18h, dim. 8h-12h.*

TRANSPORTS

Transports en commun

L'agglomération de Zagreb est irriguée par un réseau très dense de transport en commun. Les tickets de bus et de tramways sont en vente dans les kiosques, les bureaux de poste (8 kn) et dans les voitures (10 kn). Titre de transport valable 1 journée : 25 kn.
Tramways – Contribuant à l'atmosphère de Zagreb, ils roulent entre 4h et 23h45. Fréquence de 6 à 13mn. Service de nuit assuré. **ZET** – *Ozaljska 105 - ☏ 060 10 00 01.*
Téléphérique – Funiculaire de la ville : *Tomićeva bb - 6h30-22h : ttes les 10mn - 5 kn.*
Téléphérique de Sljeme : *8h-20h30 : ttes les heures - 11 kn aller simple, 20 kn AR.*

Taxis

060 800 800. Majoration de 20 % pour le trajet de nuit, le dimanche et les jours fériés.

HÉBERGEMENT

Bon à savoir – Si vous arrivez tard ou devez prendre un avion de bonne heure, voyez aussi les adresses de Velika Gorica. À Zagreb, certains hôtels et pensions augmentent leurs prix de 20 à 30 % en période de **Zagreb Fair** qui a lieu 2 fois par an, en septembre et avril.

Chez l'habitant

BUDGET MOYEN

Ilicki Plac – A1 en dir. - *Britanski tgr 1 - 09 841 92 31 - www.ilicki.com - 2 ch. 450 kn.* Proche du centre-ville, cette maison d'hôte est accueillante et impeccable.

Hôtels

PREMIER PRIX

The Brit Hostel – A1 en dir. - *Fra Andrije Kačića Miošića 3b - 01 484 75 16 - www.brithostel-zagreb.com - 14/24 kn/pers. - ch. double, familiale et dortoir.* Cette auberge de jeunesse nouvelle génération séduit par sa déco, l'accueil et sa localisation au cœur de la ville. L'adresse parfaite pour petits budgets.

BUDGET MOYEN

Ilica – Hors Plan - *Ilica 102 - 01 377 75 22 - www.hotel-ilica.hr - P - 20 ch. 499/599 kn et 4 appart. 899 kn.* Cet hôtel, situé dans une cour à 500 m de la place centrale, propose des chambres un peu exiguës mais d'un bon confort. Appartements spacieux au décor baroque. Délicieux petit déjeuner. Réservation indispensable.

POUR SE FAIRE PLAISIR

Jadran – C1 - *Vlaška 50 - 01 455 37 77 - www.hoteljadran.hr - P - 48 ch. 726,44 kn.* Proche du centre-ville et entièrement rénové, l'hôtel dispose de chambres claires et spacieuses et de salles de bains impeccables. La décoration est design et de bon goût.

Hotel Jägerhorn – A1 - *Ilica 14 - 01 483 38 77 - www.hotel-jagerhorn.hr - 11 ch. 850 kn, suite 1 100 kn.* En plein centre-ville dans un passage bordé de boutiques, cet établissement calme ne manque pas de charme. Les chambres sont d'un bon confort, bien entretenues et les prix raisonnables.

Dubrovnik – B1 - *Gajeva 1 - 01 486 35 55 - www.hotel-dubrovnik.hr - P - 266 ch. à patir de 105 €, suites à partir de 145 €.* Ce grand hôtel moderne, symbole de la place Ban Josip Jelačić, est idéalement situé dans le quartier piéton. Très bonnes prestations. Confort contemporain.

Palace Hotel Zagreb – B2 - *Strossmayerov trg 10 - 01 489 96 00 - www.palace.hr - 121 ch. 90/125 €, 3 appart. à partir de 1 890 kn - réduc. 20 % w.-end.* Au cœur du « fer à cheval », un palace à l'ancienne ouvert depuis 1891. Beaucoup de cachet.

Best Western Astoria – B2 *-Petrinjska 71 - 01 480 89 00 - fax 01 480 89 08 - www.bestwestern.com - 100 ch. à partir de 90 € et 2 appart.* En plein centre-ville, à deux pas du pavillon des Arts, cet hôtel de luxe offre les meilleures prestations et un excellent accueil.

UNE FOLIE

Regent Esplanade – B2 - *Mihanovićeva 1 - 01 456 66 66 - www.esplanade.hr - 209 ch. 129/189 € 20 €, 16 appart.*

à partir de 239 €. Ouvert en 1925, cet hôtel mythique, rendez-vous des célébrités de passage à Zagreb, retrouve une nouvelle jeunesse grâce à d'importants travaux de modernisation visant à restituer son décor Art nouveau.

Hotel President Pantovčak – A1 en dir. - *Pantovčak 52 - ✆ 01 488 14 80 - www.president-zagreb.com - 7 ch. à partir de 125 € ☕.* Ce boutique-hôtel ne manque pas de charme. Doté de chambres spacieuses au design sûr, l'établissement dispose d'un restaurant terrasse immergé dans la nature. Le personnel chaleureux et dévoué en fait un lieu à la fois unique et intime.

À proximité

PREMIER PRIX

Pansion Medvednica – *Sljemenska cesta bb - ✆ 01 455 07 37 - fax 01 455 58 45 - www.pansion-medvednica.com - 28 ch. de 2, 3 ou 4 lits 310 kn - 25 kn ☕ - repas 60 kn.* Un chalet de pierre et de bois dans les sapinières de la Medvednica. Les chambres, simples et propres, sont dotées d'une petite véranda.

BUDGET MOYEN

Tomislavov dom – *Sljemenska cesta 24 - ✆ 01 456 04 00 - www.hotel-tomislavovdom.com - 42 ch. à partir de 490 kn.* Au cœur de la forêt de Medvednica, à proximité des pistes de ski, cet hôtel offre un bon confort et différents programmes de remise en forme : hydrothérapie, aromathérapie, massages, relaxation… Salle de fitness, sauna, solarium et piscine.

RESTAURATION

Ville basse et Gradec

PREMIER PRIX

Mimice – C1 -*Jurišićeva 21 - ✆ 01 481 45 24 - tlj sf dim. 7h-21h30 (17h sam.) - 40/50 kn.* L'ambiance cantine en sous-sol peut dérouter mais la qualité de ce qu'on y mange à des prix dérisoires et une ambiance purement locale en font vraiment un endroit à ne pas manquer.

BUDGET MOYEN

Mali Bar – C1 - Vlaška 63 - *✆ 01 553 10 14 - 10h-0h - 70/220 kn.* Cette nouvelle adresse est le rendez-vous branché de la capitale croate, d'autant que le chef n'est autre qu'une star de la télé locale. La cuisine est simple et s'inspire des tapas espagnols. Un lieu convivial et fameux, dans tous les sens du terme !

Boban – B2 - *Gajeva 9 - ✆ 01 481 15 49 - 10h-0h - plats 50/80 kn.* Le football mène à tout : Zvonimir Boban a donné son nom à ce bar souvent bondé, tandis que le restaurant en sous-sol jouit d'une ambiance plus calme, où vous pourrez déguster pâtes et grillades.

Stari Fijaker – A1 - *Mesnička 6 - ✆ 01 483 38 29 - www.starifijaker.hr - tlj sf dim. 12h-0h - plats 55/100 kn.* Cette taverne aux allures un peu désuètes, fait la part belle à la cuisine traditionnelle locale. Ces plats mijotés, tels que le goulash ou le bœuf à la dalmatienne, ont été longtemps l'alimentation de base des Croates. Excellent !

Lanterna – B1 - *Opatovina 31 - ✆ 01 481 90 09 - www.restoran.lanterna-zagreb.com - plats 15-85 kn, jusqu'à 150 kn pour les viandes ou les poissons.* Aux beaux jours, préférez la petite terrasse pour savourer omelettes, charcuteries, légumes, pâtes ou viandes bien préparés. Service souriant.

Carpaccio – B2 - *Teslina 14 - ✆ 01 482 23 31 - www.ristorantecarpaccio.hr - plats 70-150 kn.* Comme le nom du restaurant l'indique, ici la gastronomie italienne est mise à l'honneur. Carpaccio, risotto, pasta, tout y est excellent. À l'extérieur en terrasse ou à l'intérieur dans une salle aux allures de bistrot italien, le service est parfait.

POUR SE FAIRE PLAISIR

Konoba Čiho – C2 - *Pavla Hatza 15 - ✆ 01 481 70 60 - tlj sf dim. midi 10h-24h - poisson 180/320 kn/kg, repas 150/250 kn.* À deux pas du pavillon des Arts, un restaurant de poissons réputé et assez cher : délicieuses *buzzara*, excellents vins dalmates.

Vinodol – B2 - *N. Tesle 10 - ✆ 01 481 14 27 - 10h-0h - plats 65/110 kn, agneau 220 kn/kg.* Au fond d'une agréable cour, sur une terrasse, ce restaurant réputé pour ses spécialités de viande (goûtez à l'agneau ou au veau cuit sous cloche) vous réserve un dîner convivial.

Kaptol

BUDGET MOYEN

Kaptolska Klet – B1 - *Kaptol 5 - ✆ 01 481 48 38 - 7h-0h - plats 60/90 kn.* Une grande salle au-delà d'une vaste cour qui, aux beaux jours, sert de terrasse. La carte propose une cuisine locale simple, goûteuse et abondante. Goûtez à l'agneau rôti, surtout au début du printemps. Musique live à partir de 19h.

Baltazar – B1 - *Nova Ves 4 - ✆ 01 466 69 99 - www.restoran-baltazar.hr - tlj sf dim. et vac. - plats 45/70 kn, spécialités 70/105 kn.* Situé dans le prolongement de Kaptol, ce restaurant devrait s'appeler les Trois Mages car il réunit trois salles aux noms de ces rois, proposant des ambiances et des cuisines bien différentes : viandes, poissons, bar à vins. Faites votre choix, plats accessibles à tous les budgets.

POUR SE FAIRE PLAISIR

Konoba Ston – B1 - *Kaptol 10 - ✆ 01 481 87 75 - tlj sf dim. 9h-23h - plats 50/80 kn, poisson 200/380 kn/kg.* Spécialités de poissons et belle carte de vins en font un des plus prestigieux restaurants de la capitale.

Pod Gričkim Topom – A1 - *Zakmardijeve stube 5 - ✆ 01 483 36 07 - 11h-0h, dim. 11h-17h - 100/200 kn à la carte.* Accroché en haut de la pente, à la sortie du funiculaire. Spécialités de poissons que l'on déguste, en été, dans le jardin dominant la ville basse.

À proximité

BUDGET MOYEN

Medvedgradski podrum – *Dans la forteresse de Medvedgrad - ✆ 01 455 62 26 - plats 50/70 kn, viande 140 kn/kg.* Dans une belle salle en pierre et brique, on se régale des spécialités traditionnelles croates. Goûtez au succulent *kulen*, au jambon maison *(domaća šunka)* et au *teleća koljenica* (veau cuit dans le vin blanc servi avec des pommes de terre). Et n'oubliez pas le strudel aux cerises pour le dessert *(strudl od trešanja, višnjui)* – il fond dans la bouche !

PETITE PAUSE

Bon à savoir – Vous serez sans doute surpris, en vous promenant dans le centre de Zagreb, par la passion des habitants pour les glaces. Pas de petites boules de sorbets, mais d'imposantes glaces un peu baroques, crémeuses à souhait, que vous trouverez chez les très nombreux glaciers de la ville ; laissez-vous tenter !

Pâtisseries

Princess – *Gajeva 4 - 8h-22h.* Face à l'hôtel Dubrovnik, bon choix de gâteaux (de 6 à 11 kn) et de glaces, que l'on accompagnera d'un café ou d'un chocolat chaud.

Vincek – *Ilica 18 - 8h30-23h.* Glaces et gâteaux où la *Sacher Torte* voisine avec les spécialités du lieu : *Zagrebačka torta* (crème et chocolat), *Princes Krafne* (énorme chou à la crème fouettée) ou *Vincek torta* (chocolat, noisette). Une institution bondée le samedi !

Millenium – *Bogovićeva 7 - ✆ 01 48 10 850 - 8h30-23h.* Grand concurrent du précédent, ce glacier propose également un grand choix de sorbets et de crèmes glacées. Les pâtisseries ne sont pas en reste non plus !

Cafés et bars

Bon à savoir – Les **rues piétonnes** des alentours de la place Jelačić se transforment aux beaux jours en d'immenses terrasses de cafés ; privilégiez la **rue Ivana-Tkalčića** qui ne manque pas de charme avec ses maisonnettes converties en bars ouverts parfois très tard le soir, où se retrouve la jeunesse de Zagreb. Si vous cherchez un **café Internet**, vous avez le choix mais vous êtes sûr d'en trouver sur la place Petra Preradovića, au sud de la rue Ilica.

Kavkaz – *Trg M. Tita 1.* Œuvre de l'architecte Martin Pilar, ouvert depuis 1906, c'est un modèle de café viennois, calme et confortable, juste à côté du Théâtre national d'où il tire son nom (*Kazališna Kavana,* café du théâtre, abrégé).

Velvet – *Dežmanova 9.* Caché dans un passage aux abords de la très fréquentée Ilica, le Velvet est un havre de paix. La déco est pointue car elle est imaginée mise en œuvre par son propriétaire, un fantasque fleuriste avant-gardiste de Zagreb.

Cica Bar – *Tkalčiceva 18.* Alternatif, branché, underground, arty… autant de qualificatifs qui définissent parfaitement cet établissement culte de Zagreb. Lieu idéal pour goûter au *rakia*, la *grappa* locale.

Caffe bar Strossmayer – *Šet. Strossmayer.* Pour prendre un café, en contemplant les toits de la ville basse en compagnie de Antun Gustav Matoš.

Kolaž – *Amruševa 11.* Pour ceux qui ont envie de découvrir le vrai Zagreb, le Kolaž est idéal. La journée, il se remplit des travailleurs du quartier et la nuit il rassemble une jeunesse éclairée et festive.

EN SOIRÉE

Bon à savoir – Le programme mensuel des spectacles est disponible dans les offices de tourisme et les hôtels.

Cinéma

Il existe de nombreux cinémas à Zagreb. Les films n'étant jamais (ou presque) doublés, vous pourrez y voir les dernières productions américaines ou européennes.

Kic Art – *Preradovićeva 5 - ✆ 01 481 07 14.*

Opéra et concerts

Salle de concert Lisinski (Koncertna dvorana V. Lisinski) – *Trg S. Radića 4 - ✆ 01 612 11 66 - www.lisinski.hr - concerts à 21h30.*

Théâtre national (Hrvatsko narodno kazalište) – *Trg M. Tita 15 - ✆ 01 488 84 18 - www.hnk.hr - billetterie : lun.-vend. 10h-13h, 17h-19h30, sam. 10h-13h, 1h30 av. les spectacles, dim. 1h30 av. les spectacles.* Comédies et tragédies, ballets et opéras.

Jazz

Bacchus Jazz Bar – *Tgr Kralja Tomislava - ✆ 01 492 22 18.* L'un des meilleurs clubs de jazz de la ville.

6

Bars et Pubs

Tolkien's House – *Opatovina 49 - ✆ 01 48 52 050.* Derrière la tour Carrée, non loin de l'arrivée du funiculaire, ce pub sympathique jouit d'une petite cour bien abritée où se détendre aux beaux jours. La salle est chaleureuse et pleine d'atmosphère. Ferme à 1h.

Lemon Bar – *Ljudevita Gaja 10h.* Situé à côté du Musée archéologique, ce bar lounge est également une discothèque. Pour les amateurs de dancefloor !

Green Gold – Radnicka cesta 52 - Situé dans la ville nouvelle au dernier étage d'un *mall*, le Green Gold s'est imposé rapidement comme le rendez-vous des noctambules.

ACHATS

Bon à savoir – Les horaires habituels sont de 8h à 20h. Attention, le samedi à 15h la vie s'arrête à Zagreb et nombre de commerçants tirent le rideau de fer jusqu'au lundi matin.

Marché de Dolac – *Lun.-vend. 8h-18h, sam. 8h-15h.* Au cœur de la ville, entre Donji Grad et Kaptol, il est constitué de deux marchés superposés : charcuteries, fromages, miel et vins au marché couvert ; fruits et légumes sur la place de Dolac.

Marché aux puces – *Bristanski tgr.* Tous les dimanches matin se tient sur cette place l'une des plus belles brocantes du pays. Les amateurs d'objets de l'époque socialiste et les chineurs en tout genre trouveront à coup sûr leur bonheur.

Vinoteka Bornstein – *Kaptol 19 (dans la cour) - www.bornstein.hr - lun.-vend. 9h-20h, sam. 9h-14h.* Une belle cave voûtée sert de cadre à cette « ambassade » d'Istrie : rens. touristiques et vente de vins, truffes, huiles d'olive, miel.

Natura Croatica – *Preradovićeva 8 - lun.-vend. 9h-21h, sam. 10h-16h.* Le temple des vins et spiritueux et des spécialités croates : divers *rakije* et le fameux bermet de Samobor, produits régionaux et souvenirs.

Aromatica – *Vlaška 7 - lun.-vend. 8h-20h, sam. 8h-15h - www.aromatica.hr.* Tisanes, sels de bains, shampooings aux extraits naturels… le tout à base de plantes aromatiques de Dalmatie.

Croata – *Kaptol 13 - ✆ 01 481 46 00 - www.croata.hr.* Cravates, nœuds papillons, foulards. Comptez au moins 100 kn pour une cravate classique.

Librairie Algoritam – *Gajeva 1 - www.algoritam.hr.* Livres en français et en anglais, hebdos, magazines, presse internationale (*Le Monde* et *Le Figaro*)… Cartes, guides et livres sur la Croatie.

Croatia Records – *Bogovićeva 5.* L'essentiel de la production discographique croate, en classique, traditionnel *(klapa, tamburica)* et variétés.

Borovo – *Preradovićeva 16.* Les accros de la mode ne pourront partir de Zagreb sans avoir acheté une paire de Startas, ce modèle de baskets mythique d'origine yougoslave de l'époque communiste. Courez-y !

I-Gle – *Dežmanova 4.* Zagreb compte quelques noms dans la mode et I-Gle en est un merveilleux exemple. Deux stylistes croates sont à l'origine de ces collections où l'élégance et la pureté des lignes semblent être les maîtres mots.

Prostor – *Mesnička 5 - www.prostoreshop.com.* Un concept-store qui n'a rien à envier au Colette parisien. De la mode, de la musique, des livres et de l'art… un mélange pointu et presque 100 % croate.

ACTIVITÉS

Baignade, détente

Pour échapper à la chaleur estivale, rendez-vous au **lac Jarun**, grand bassin artificiel au sud-ouest de Zagreb aménagé en grand centre de loisirs. Plages « classique » et naturiste, location de pédalos, de barques, de canoës, de kayaks… On y pratique également toutes sortes de sports : football, beach-volley, softball, minigolf, tennis de table… *Trams nos 5 et 17.*

Le **lac Bundek**, récemment aménagé, constitue une autre aire de détente et de loisirs avec plages, terrains de jeux et de sports, pistes cyclables et nombreuses possibilités de promenades.

Randonnée

Plusieurs possibilités de randonnées autour de la capitale : le parc naturel de Medvednica possède de nombreux sentiers dont certains sont aménagés pour enfants et personnes à mobilité réduite. Demandez le plan du parc dans les OT. Des sentiers de promenade sont également aménagés autour des lacs Jarun et Bundek.

Zagreb vue du ciel

Vols panoramiques au-dessus de la capitale et des châteaux de Zagorje par **Aeroklub Zagreb** – *☏ 01 481 35 67 - www.aeroklub-zagreb.hr - 400 kn pour un vol de 15mn pour 3 pers., 850 kn pour un survol de 6 châteaux de Zagorje pour 3 pers.* Le **Balloon Klub Zagreb** propose des vols en **montgolfière** : *770 kn/pers. pour un vol de 90mn - ☏ 01 204 78 38 - www.baloni.hr.*

Vélo

Pas de pistes cyclables à Zagreb. Location de vélos près du lac Jarun où des pistes sont aménagées. Possibilité de faire du VTT sur les collines et dans la forêt de Medvednica (pour les cyclistes entraînés !).

Ski

La petite station de ski située sur le versant nord du mont Sljeme (1 030 m) est l'endroit favori des Zagrebois en hiver. La saison dure jusqu'à fin mars. 4 pistes, 1 télésiège, 2 téléskis, nombreux chalets pour se reposer et se restaurer. Hébergement dans la pension Medvednica et à l'hôtel Tomislavov dom *(voir Hébergement).*

Golf

Le **Golf club Zagreb** possède un parcours de golf 9 trous sur 25 ha de terrain, sur la commune de Blato, à 15mn de la ville. *Jadranska avenija 6 - 10020 Zagreb - ☏ 01 653 11 77 - www.gcczagreb.hr.* Un autre terrain de golf à Zaprešić, à 20 km au nord-ouest de Zagreb, dans le complexe historique de « Novi dvori ». *Aleja Đure Jelačića bb - 10290 Zaprešić - ☏ 01 334 07 77 - www.zapresic.hr.*

Pêche

Le **lac Jarun** est le paradis des pêcheurs, avec quelque vingt espèces de poissons peuplant le lac (carpe, poisson-chat, perche).

Le petit **lac de Bundek** est également réservé à la pêche.

AGENDA

Festival international du film documentaire (Zagreb DOX) – *Fév.* Présentation de nouveaux réalisateurs et producteurs de documentaires.

Revue du film d'amateurs (RAF) – *Mars.* Présentation des films de jeunes auteurs.

Fête des fleurs – *Avr.*

Biennale de musique contemporaine – *Avr. (années impaires).*
Festival de danse contemporaine – *Mai-juin.*
Festival de musique contemporaine – *Juin.*
Festival international de théâtre d'avant-garde – *Juin.*
Festival du film d'animation – *Juin (tous les deux ans, années paires).*
Festival international du folklore – *Juil.* Œuvres des grands maîtres de la musique baroque jouées dans la cathédrale et certaines églises de Zagreb.
Festival baroque de Zagreb – *Juil.-août.* Chants populaires et sacrés, danses folkloriques, spectacles par des artistes de différentes régions de Croatie et de divers pays du monde.
Festival international du film de Zagreb – *Oct.* Festival destiné à récompenser la meilleure première œuvre, qu'elle soit un long-métrage, un court-métrage ou un documentaire.

Le théâtre et la fontaine de Zagreb.
J. Warburton-Lee / Photononstop

HRVATSKO NARODNO KAZALIŠTE

Samobor

★

37 633 habitants – Croatie centrale

NOS ADRESSES PAGE 461

S'INFORMER
Office de tourisme – *Trg kralja Tomislava 5 - 01 336 00 44 - www.tz-samobor.hr - 8h-17h (sam. 9h, dim. 10h).*

SE REPÉRER
Carte de région A2 (p. 418-419) – *carte Michelin n° 757 D5.* Il n'est pas évident de parvenir en voiture au centre de Samobor, et ce en raison des sens interdits et d'une signalisation parfois fantasque : si bien que vous risquez de faire plusieurs fois le tour du petit centre par le circuit imposé. Un conseil : garez la voiture dès que possible avant de gagner à pied la place du Roi-Tomislav *(Trg kralja Tomislava)* !

À NE PAS MANQUER
Balade à travers la ville.

ORGANISER SON TEMPS
Comptez 2h avec la visite des musées.

À moins de 30 km de la capitale, le dépaysement est complet : posée au pied des monts de Samobor (Samoborska gora) et du massif du Žumberak, Samobor est une petite ville baroque d'une remarquable unité, arrosée par une rivière (la Gradna) qu'enjambent de charmants petits ponts. Rien d'étonnant si les Zagrebois en ont fait une de leurs destinations préférées de week-end. Point de départ de promenades dans la forêt, c'est aussi une ville animée, réputée pour son carnaval, comme pour ses spécialités : la charcuterie, la « moutarde » de Samobor, le bermet, seul véritable apéritif croate, et la fameuse pâtisserie Samoborska kremšnica.

Se promener

Charmant, le centre de Samobor s'aligne le long de la rivière, de part et d'autre d'une belle place centrale.

★ Place du Roi-Tomislav (Trg kralja Tomislava)

De forme oblongue, ornée en son centre d'un puits de brique, bordée de maisons aux façades peintes de tons pastel et de terrasses de cafés, c'est le cœur de la cité.

Église Ste-Anastasie (Crkva sv. Anastazije)

Pour y accéder, prenez la direction de la rue Perkovčeva en traversant un petit pont. Sur la gauche, on aperçoit l'arrière des demeures bordant la place, avec des ponceaux jetés sur la rivière : c'est ce qu'on appelle, avec emphase, la « Venise de Samobor » ! Édifiée au 17e s., l'église possède un beau retable baroque. En continuant au-delà du parvis par la rue Ste-Anne *(Sv. Ane)*, on arrive au cimetière où repose Ljubica Cantilly.

Samobor, aux portes d'une nature sublime.
Jon Arnold / hemis.fr

★ Promenade Livadić

Traversez la place dans toute sa longueur et franchissez un curieux **pont de bois** couvert. On arrive à cette agréable esplanade, aménagée en bordure de la rivière. Dans ce cadre romantique, outre un hôtel et quelques cafés aux terrasses bordant le cours d'eau, s'élève la maison de Ferdo Livadić aménagée en **musée**.

Quatre promenades balisées (de 1h à 3h) partent de cette esplanade. De la visite des galeries et des musées à la découverte de la nature et des trésors de la ville, ces balades constituent un excellent moyen de saisir les beautés de la région.

Musée de Samobor (Samoborski muzej)

Livadićeva 7 - ☏ 01 336 10 14 - mar.-vend. 9h-15h, sam. 9h-13h, dim. 10h-17h - 8 kn (étud. et enf. 5 kn).

Il est installé dans une maison où vécut le compositeur **Ferdo Livadić** (1799-1879), auteur de délicats nocturnes. On y trouve des collections minéralogiques et archéologiques, portant une attention particulière aux sites

LAURE ET PÉTRARQUE À SAMOBOR

Comme Laure en Avignon quelques siècles plus tôt, la belle **Ljubica Cantilly**, dont les grands yeux noirs faisaient frémir les âmes les mieux trempées, était accoudée à son balcon. Et, comme Pétrarque, le poète **Stanko Vraz** (1810-1851) leva les yeux et fut aussitôt foudroyé par l'amour. Las, comme Laure, la belle était mariée et vertueuse. Et, comme Laure, elle mourut sans avoir accordé ses faveurs au poète. Comme Pétrarque, Stanko Vraz lui dédia un *canzione re*, qui fut l'un des grands poèmes d'amour de la littérature croate. Ljubica est enterrée au cimetière de Samobor, et sa tombe attire encore les âmes romantiques de tout le pays…

de l'âge du bronze des environs immédiats : la nécropole de Budinjak, avec ses 141 tumuli, a livré un important matériel (bijoux, poteries, monnaies). L'Antiquité romaine est représentée par une pierre levée sculptée en bas-reliefs, monument funéraire.
Dans une belle salle voûtée, une maquette représente le village au 18e s. avec ses maisons alors construites en bois, et les vignes qui l'entouraient. À l'étage, différents documents et objets relatifs à l'histoire de Samobor. Une vitrine est consacrée aux œuvres du poète **Stanko Vraz** (1810-1853). Portraits de notables locaux par Mihael Stroy et Ivan Franke. Enfin, on découvre le piano de **Ferdo Livadić** : Franz Liszt, dit-on, en joua.

Taborec

Poursuivez au-delà de la promenade en suivant la rivière par un sentier ombragé sur 1 km environ jusqu'à ce faubourg, noyau historique de Samobor, qui se développa au Moyen Âge, au pied de la **forteresse (Stari grad)**, construite au 13e s. On aperçoit de celle-ci quelques pans de murs perdus dans la verdure.
En bas, l'**église St-Michel** (Crkva sv. Mihalja), d'origine gothique, a reçu au 18e s. une décoration de style baroque.

Circuit conseillé Carte de région

★ ROUTE DES VINS DE PLEŠIVIČA

31 km - environ 2h – circuit tracé en brun sur la carte région (p. 418-419). Quittez Samobor par l'ouest et bifurquez en direction de Rude (7 km) et Jastrebarsko (24 km). Suivez la route 3055. Attention, la route est assez viroleuse et dangereuse par endroits. Soyez prudent.
Au départ de Samobor, la route suit le petit cours d'eau Gradna pour se perdre dans la forêt. Ce n'est qu'à partir du village de Plešivića, au début de la descente, qu'apparaissent les premiers vignobles, accrochés à flanc de coteaux. La route des vins, à proprement parler, se situe entre le village de **Plešivića** et la ville de Jastrebarsko.
Ouverte en 2001, cette route rassemble aujourd'hui près de 35 caves qui proposent des vins issus de cépages locaux, tels que le portugizac et le plavec, et d'autres venus d'ailleurs comme le chardonnay, le riesling, le pinot gris et blanc, le sauvignon, etc. Indiquées aux abords de la route grâce à de jolis panneaux de signalisation, les caves accueillent les amateurs pour des dégustations *(voir « Achats » dans Nos adresses).*
Au croisement avec la route 3104, prenez-la à gauche jusqu'à Jastrebarsko.

Jastrebarsko A2

Strossmayrov trg 4 – 01 627 29 40 - www.visitjaska.com - lun.-vend. 8h-16h.
Appelé aussi Jaska, ce gros bourg de viticulteurs est posé au pied de la **montagne de Samobor** (Samoborsko gorje).
Monastère franciscain (Franjevački samostan) – *Tournez à droite juste avant l'hôtel Jaska, puis à gauche dans un lotissement.* Ce monastère se trouve aujourd'hui enserré dans un ensemble résidentiel, mais niché dans la verdure d'un petit parc bien entretenu. Édifiée au 18e s., l'**église Ste-Marie** (crkva sv. Marije) présente une façade creusée de niches et un beau porche voûté. À l'intérieur, le décor baroque contient un retable de marbre exécuté par Giovan Rossi (1734).

Château Erdődy – *Au milieu du village, prenez sur la gauche la direction Sv. Jana.* À 200 m environ, sur la gauche, dans le **parc Erdődy** (Erdődijev park) aménagé en jardin public avec un étang, se niche ce château entouré de douves. Ce grand bâtiment de deux étages doté de deux tours rondes (16e s.) mériterait, tout comme le parc, un sérieux entretien.

À proximité Carte de région

Karlovac

23 km au sud de Jastrebarsko par la route 310 puis la A1, ou 47 km au sud de Samobor par la A1.

Ulica P. Zrinskog 3 - 047 615 115 - www.karlovac-touristinfo.hr - tlj sf dim. 8h-15h, sam. 9h-13h - fermé j. fériés.

On l'appelait l'Étoile : à juste titre, puisque cette cité conçue à la Renaissance et rebâtie au 17e s. dans un style baroque homogène, était enserrée dans des murailles en forme d'étoile à six branches. Aujourd'hui devenue un important nœud routier et ferroviaire, cette ville industrielle présente au voyageur un abord quelque peu ingrat même si le centre ancien, niché dans la verdure, mérite un coup d'œil.

Place Matije Gupca (Trg Matije Gupca) – Plus qu'une place, c'est une large avenue autour de laquelle l'ancienne cité fortifiée et la ville moderne se distribuent. Bordée d'un côté d'immeubles récents, et de l'autre d'une série de maisons basses du 18e s. Dotées de cours intérieures abritant commerces et cafés, et communiquant avec la promenade des remparts, elles constituent un ensemble d'une belle unité.

Dirigez-vous vers la vieille ville par Radićeva, puis prenez tout de suite à droite la promenade F.-Tuđman où vous tournerez immédiatement à droite.

★ **Promenade F.-Tuđman** (Šetalište F. Tuđmana) – Aménagée sur les remparts, cette belle promenade plantée de marronniers contourne la vieille cité. Promeneurs, gamins en tricycle, jeunes en rollers y déambulent dans un espace de verdure ponctué de bancs et de terrasses de cafés.

LA VILLE DE CHARLES, UNE « CITÉ IDÉALE »

Neveu de Charles Quint et fils cadet de Ferdinand Ier (1556-1564), Charles II de Habsbourg, archiduc de Styrie et autres lieux, commandant en chef des Confins militaires, décida de construire une cité fortifiée dans cette région stratégique, au confluent de quatre rivières (la Kupa, la Mrežnica, la Korana et la Dobra) et de deux importantes routes, de façon à défendre la région contre les Ottomans. Tout naturellement, la nouvelle cité, dont la première pierre fut posée le 13 juillet 1579, prit le nom de son fondateur, Carlstadt, avant de devenir Karlovac.

Conçue par l'urbaniste italien N. Angelini, la ville répondait aux critères de la « cité idéale » de la Renaissance. Entourée de murailles, elle se divisait en vingt-quatre blocs séparés par des rues tracées selon un plan en damier, et répartis autour d'une place carrée. Si les remparts ont disparu, remplacés par une promenade ombragée, une grande partie du tracé de l'ancienne place forte demeure en l'état, et nombre d'immeubles élevés au 17e s. par l'architecte J. Stiller subsistent, même si la cité a subi des dégradations lors du dernier conflit.

On longe les façades des maisons basses décrites précédemment : décrochements, balcons, bow-windows, frontons plus ou moins complexes confèrent à chacune d'entre elles sa personnalité.

Entrez dans la vieille ville par la rue du Roi-Tomislav (ulica Kralja Tomislava).

On découvre très vite le fameux plan en étoile, dont les rues se croisent à angle droit autour de la **place du Ban-Jelačić** (trg bana Jelačića). Ce vaste espace rectangulaire, où se tient un petit marché aux primeurs le matin, donne une triste impression d'abandon.

Rejoignez la place Strossmayer par la petite rue Grégoire-de-Nin (ulica Grgur Ninski).

★ **Place Strossmayer** *(Strossmayerov trg)* – En forme d'hémicycle, c'est le plus bel ensemble baroque de la vieille ville. Au centre, on aperçoit les fondations de l'**ancienne chapelle St-Joseph** (kapela sv. Josipa), du 17e s., qui appartenait aux chevaliers de l'ordre de Malte, d'où son plan circulaire caractéristique.

Au-delà se dressent le baroque **monastère des Franciscains** et le **palais Frankopan** (17e s.), qui abrite le **Musée municipal** *(voir ci-dessous)*. Dans le prolongement de celui-ci *(rue Grgur-Ninski)*, l'**hôtel de ville** est une harmonieuse construction portant les armes de la ville. L'autre côté de la place est occupé par un ensemble homogène d'étroites maisons, anciennes demeures d'artisans, parfois reconverties en cafés.

Musée municipal (Gradski muzej) – *Strossmayerov trg 7. ✆ 047 615 981 - tlj sf lun. 7h-15h, w.-end 10h-12h - 10 kn (enf. 5 kn), gratuit merc.* Il retrace l'histoire locale à l'aide de pièces archéologiques préhistoriques, romaines (bas-reliefs et bijoux) ou historiques (**maquette★** de la ville au 18e s., évocation de la vie d'une cité de garnison). La partie la plus intéressante concerne l'**ethnologie régionale** : la vie rurale est illustrée par des costumes, bijoux, parures, *preslica*, tissages et poteries, la vie urbaine, par des outils d'artisans (cordonnier, imprimeur…), des enseignes de boutiques, et la reconstitution d'un intérieur bourgeois du 19e s.

Par la petite rue à droite du musée, rejoignez la rue Stjepan-Radić.

Rue Stjepan-Radić (Ulica Stjepana Radića) – Traversant de part en part la vieille ville, Radićeva, rue piétonne bordée de quelques belles demeures, est l'artère la plus animée de l'Étoile, grâce à quelques cafés aux terrasses disposées sur la chaussée. Sur la droite, série de maisons à arcades, restaurées.

NOS ADRESSES À SAMOBOR

INFORMATIONS UTILES

Gare routière *(Autobusni kolodvor) – Gajeva. Plus de 30 cars/j. pour Zagreb.*
Banques – Distributeurs automatiques sur Trg Kralja Tomislava et dans ulica Ivana Perkovčeva, rue commerçante conduisant à la place. Bureau de change à la gare routière.
Poste *(Pošta) – Gajeva 6 (en face du marché).*

HÉBERGEMENT

Bon à savoir – Samobor propose quelques pensions comme la **pension Golubić** *(Obrtnička 12 - ✆ 01 336 09 37 - 11 lits).*

BUDGET MOYEN

Hotel Livadić – *Tomislava 1 - ✆ 01 336 58 50 - www.hotel-livadic.hr - 23 ch. 465 kn* ☕ - **P**. Couloirs et escaliers décorés avec goût conduisent aux agréables chambres de cet hôtel familial.
Lavica hotel – *Ferde Livadića 5 - ✆ 01 336 80 00 - www.lavica-hotel.hr - 300 kn* ☕ - **P**. Central, propre et chaleureux, l'établissement est idéal pour les amateurs de calme. Les chambres sont spacieuses et confortables. Excellent rapport qualité/prix.

À Jastrebarsko

BUDGET MOYEN

Pastuh Pub – *F. Tuđmana 31 - ✆ 01 628 36 42 - www.pastuhpub.hr -* **P** *- 9 ch. 500 kn* ☕. Sur la route principale de Jaska, ce B&B est chaleureux et accueillant. Chambres spacieuses et colorées. De plus, on y mange d'excellentes grillades.

À Karlovac

UNE FOLIE

Hotel Korana Srakovčić – *Perivoj J. Vrbanića 8 - ✆ 047 609 090 - www.hotelkorana.hr -* **P** *- 15 ch. 120/135 €* ☕. Niché dans la verdure en bordure de la Korana à deux pas de l'Étoile, cet hôtel date de 1906. Atmosphère Belle Époque soigneusement reconstituée, activités sportives (chasse, équitation, centre de remise en forme) et deux restaurants en font la nouvelle adresse incontournable de la ville.

RESTAURATION

BUDGET MOYEN

Samoborska pivnica – *Šmidhenova 3 - ✆ 01 337 99 24 - www.samoborska-pivnica.hr - 9h-23h - 50/80 kn.* À deux pas de la place, un restaurant cossu qui propose une cuisine roborative : *Samoborski kotlet, punjeni lungić na žaru* (steak farci au jambon, champignons et fromage), charcuteries, gibier…

À Jastrebarsko

BUDGET MOYEN

Dragutin Ciban – *Pavlovčani 12c - ✆ 09 824 62 56 - www.cibandrago.hr - sur RV.* Au-delà de ses vins, cette maison viticole est aussi une table traditionnelle où la gastronomie locale est à l'honneur. Gibier, grillades, canard… tout y est délicieux.

À Karlovac

BUDGET MOYEN

Pod starimi krovovima – *Radićeva 8-10 - ✆ 047 615 420 - 9h-22h - 50/100 kn.* Installé dans une belle maison à arcades, malgré un décor intérieur banal, la cuisine y est excellente. Goûtez à la *puretina sa šparogama*, porc émincé aux pointes d'asperges. Grand choix de vins croates de qualité, à des prix modérés.

PETITE PAUSE

Bon à savoir – La place du Roi-Tomislav regorge de terrasses où l'on peut se désaltérer.

Livadić Cafe – *Kralja Tomislava 1.* Café et pâtisserie de l'hôtel du même nom : on y déguste la spécialité locale, la *Samoborska kremšnica*, gâteau à la crème qui fait le délice des gourmands.

À Karlovac

Café-bar-pâtisserie Mozart – *Trg Matije Gupca 1.* Très fréquentée, sa terrasse est envahie aux beaux jours par une clientèle de gourmands : grand choix de glaces et de pâtisseries.

ACHATS

Filipec – *Stražnička 1A (ruelle descendant de la place de la Ste-Trinité) - www.bermetfilipec.hr.*Depuis 1808, la famille Filipec élabore selon une recette gardée jalousement secrète, le **bermet**, seul apéritif croate. Dans leur minuscule boutique, vous trouverez la fameuse **« moutarde » de Samobor** et, par une lucarne, apercevrez les fûts où s'élabore le célèbre breuvage.

Marché – Vous y trouverez les charcuteries de Samobor : *salamijada* (saucissons assaisonnés de divers ingrédients) et *češnjovke* (saucisses). Le marché le plus important se tient tous les samedis place Tržnica.

Sur la route des vins

Zvonimir Tomac – *Donja Reka 5 - www.tomac.hr - ✆ 01 628 26 17 - sur RV.* Tomac est l'une des caves les plus réputées de la région. Vous pourrez y déguster du vin, du vin pétillant, de l'eau-de-vie et y savourer des plats froids.

Velimir Korak – *Plešivica 34 - www.vino-korak.hr - ✆ 01 629 30 88 - sur RV.* Une sélection de vins, notamment des pinots, et des plats de la région en guise d'accompagnement à savourer.

Krešimir Režek – *Plešivica 39 - www.rezek.hr - ✆ 01 629 30 83 - sans RV le w.-end.*

Zdenko Šember – *Pavlovčani 11b - ✆ 01 628 24 76 - www.sember.hr - sur RV.*

ACTIVITÉS

Sentiers balisés dans la montagne de Samobor. Rens. et carte à l'office de tourisme.

AGENDA

Fašnik (Carnaval) – *Fév.* Suivant une tradition instaurée en 1827, une sorte de folie douce s'empare des rues de Samobor : feu d'artifice, défilés de personnages déguisés et masqués, chansons satiriques célèbrent l'avènement de la « République libre et carnavalesque de Samobor ». Quant au prince Faynik, il est, comme c'est la règle, brûlé au dernier jour des festivités (suivies naturellement de libations !).

Festival du salami – *Avr.*

Festival d'automne – *Sept.-oct.*

Journées de la bière – *À Karlovac - sept.-oct.* Cité de brasseries (la Karlovačko), Karlovac se devait d'avoir sa fête de la bière, organisée à la manière de la célèbre *Oktoberfest* de Munich.

Velika Gorica et le Turopolje

63 517 habitants – Turopolje

NOS ADRESSES PAGE 465

S'INFORMER

Office de tourisme – *Kurilovečka 2 - 01 622 16 66 - www.tzvg.hr - tlj sf w.-end 7h30-15h30.*

SE REPÉRER

Carte de région B2 (p. 418-419) – *carte Michelin n° 757 D5*. Velika Gorica est située à 16 km au sud de Zagreb par la route de Sisak, juste après la dérivation conduisant à l'aéroport de Zagreb. Lorsqu'on arrive de la capitale, un sens unique oblige à contourner le centre de la ville. Il faut donc, à la sortie de la ville, reprendre la direction de Zagreb par la Zagrebačka ulica. On aperçoit bientôt la place plantée vouée au roi Tomislav : c'est ici que tout – ou presque – se passe.

Voir la rubrique « Arriver/partir » dans *Nos adresses*.

SE GARER

Parking payant à acquitter à des employés municipaux qui rôdent autour de trg Kralja Tomislava *(3 kn/h, 7h-21h)*.

À NE PAS MANQUER

Musée du Turopolje.

ORGANISER SON TEMPS

Comptez 1h30 pour la visite de la ville, 2h pour le circuit.

À deux pas de Zagreb et de l'aéroport, la capitale du Turopolje est une cité résidentielle moderne. Si l'on ajoute qu'elle est parcourue le matin et le soir par un flot incessant de véhicules, voilà qui n'encourage guère le visiteur à y jeter plus qu'un regard distrait. Et pourtant, sur le chemin de Sisak, le petit centre de Velika Gorica mérite un arrêt.

Se promener

★ Place du Roi-Tomislav (Trg kralja Tomislava)

Aménagée en parc, cette agréable place est le cœur de la cité. Bordée par la route principale *(Zagrebaćka ulica)* et la promenade Franjo Lučić *(Šetalište Franje Lučića)*, elle sert d'écrin aux deux principaux monuments de la cité.

★ Musée du Turopolje (Muzej Turopolja)

Trg kralja Tomislava 1. 01 622 13 25 - tlj sf lun. 9h-18h (16h hors saison), w.-end 10h-13h - 8 kn (étud. et enf. 6 kn). Expositions temporaires.

Il est installé dans le manoir, construit vers 1765, où se réunissait jadis l'assemblée nobiliaire du Turopolje. C'est une bâtisse rectangulaire à deux étages, dont l'accueillante façade, donnant sur le parc, est agrémentée d'une rangée d'arcades. La visite du musée permet de découvrir le décor baroque du grand salon, constitué de fresques et de gypseries. Belle collection ethnologique avec costumes traditionnels, coiffes et *opanques*, linge de maison brodé, outils de fileuse (*preslica* finement sculptés), outils paysans en bois. Poteries et tessons provenant du site archéologique voisin de Šćitarjevo.

Église de l'Annonciation
Avec ses tourelles et ses clochetons, elle ressemble à un manoir néomédiéval. Et pour cause, puisque cette église, édifiée au 17e s., a été complètement remodelée en 1893 par **Herman Bollé**.

À proximité

★ **Chapelle de Jésus Blessé à Pleso** (Crkva ranjenog Isusa)
2 km au nord contre la voie d'accès à l'aéroport. À Velika, dir. Zagreb, suivez « Stadion ». En vue de celui-ci, prenez au stop à gauche : vous arrivez au hameau de Pleso. Tournez à gauche au niveau d'une chapelle et suivez la voie jusqu'au bout parmi les maisons. La chapelle apparaît bientôt, solitaire, dans son enclos de bois au centre d'un grand terrain cerné par les immeubles et l'enceinte de l'aéroport.
Charmante, toute simple et comme perdue dans son environnement, cette chapelle de bois se dresse dans un champ, comme rescapée d'une époque révolue, depuis 1757. Construite en poutres de chêne massif, elle a pris son aspect actuel à la fin du 19e s., avant d'être rendue au culte en 1983.

Parc archéologique d'Andautonia à Šćitarjevo
(Arheološki Park Andautonia)
8 km au nord-ouest par la promenade Franjo-Lučić. Fléchage. Continuez tout droit sur une route bombée et étroite jusqu'à Črnkovec où l'on retrouve un panneau de signalisation. Dans le village, allez tout droit jusqu'au supermarché Mercator où vous laisserez la voiture en face du site. www.andautonia.com - mai-sept. : tlj sf lun. 9h-13h, 16h30-20h, w.-end 10h-20h ; oct. : tlj sf lun. 10h-18h - 20 kn (étud. et enf. 15 kn).
La visite de ce municipe romain permet de découvrir les vestiges d'une villa à colonnades, un tronçon de rue avec son trottoir, l'hypocauste des thermes, et une section en partie reconstruite du mur d'enceinte. Dépôt lapidaire avec beau relief de Nemesis (3e s.).

Circuit conseillé Carte de région

★ **MAISONS ET ÉGLISES DE BOIS DU TUROPOLJE** B2

Circuit de 101 km AR tracé en violet sur la carte de région (p. 418-419). Quittez la ville en direction de Sisak.

Vukovina
Sur la gauche de la route, l'**église N.-D.-de-la-Visitation** présente un curieux dôme qui semble un gonflement de la toiture. À l'intérieur *(à travers les grilles)*, on devine un décor baroque.

Buševec
À droite de la route, bordant la petite voie conduisant à Podvornica, minuscule **chapelle de St-Jean-Baptiste**, édifiée en bois, en 1768.

Lekenik
Ce village présente quelques maisons rurales de bois construites de part et d'autre de la route.

Dućica

Au centre du village, bel ensemble de **maisons de bois★**, aux balcons parfois finement ouvragés.

3 km plus loin, toujours en direction de Sisak, prenez à gauche vers Sela.

Sela

Sur la droite de la route, au fond d'un enclos, se dresse la monumentale **église Ste-Marie-Madeleine★** (1759-1765) présentant une façade encadrée de deux clochers à bulbe et une coupole que coiffe un clocher à lanternon. L'intérieur, de forme elliptique, qu'éclairent des œils-de-bœuf percés dans la coupole, est en cours de restauration.

À VELIKA GORICA ET DANS LE TUROPOLJE

ARRIVER/PARTIR

Station d'autobus (autobusna stanica) – *Trg kralja Petra Krešimira IV.* Cars fréquents pour la gare, pour Zagreb et Sisak.

Gare (Žjeleznički kolodvor) – *À Gradiči.* Assez éloignée du centre, par Kolodvorska, route de D. Lomnica. Nombreux trains quotidiens en provenance de Zagreb (ou de Sisak).

HÉBERGEMENT

BUDGET MOYEN

Dream Hotel – *Fausta Vrančica 12 - ✆ 01 621 53 44 - www.dreamvg.com - 10 ch. 62 € ☕.* Bien que proche de l'aéroport, le Dream Hotel ne manque pourtant pas de qualités. Les chambres sont grandes, belles et propres, le restaurant y sert une cuisine internationale mais de qualité, et l'accueil y est courtois.

Prenočište Ikar – *Klarići 46 - Rakarje (vers Pleso) - ✆ 01 622 33 02 - www.ikar.com.hr - P - 4 ch. équipées d'un coin cuisine 400 kn ☕.* Dans une villa posée en bordure de champs, quatre chambres toutes neuves, vastes et bien équipées. Accueil charmant et silence complet, malgré la proximité de l'aéroport.

RESTAURATION

PREMIER PRIX

Galerije Kordić – *Šetalište Franje Lučića 15 - ✆ 01 622 22 08 - plats 30/60 kn.* Face à l'église, lieu idéal pour prendre un café dans un décor cossu à l'ambiance feutrée (boiseries, moquettes, fauteuils « crapaud » curieusement munis de roulettes)... Ce « bistro-grill » sert en outre des spécialités croates telles que *gulaš, punjena paprika...* mais il est possible de se restaurer plus légèrement de salades et *pršut*.
Aux beaux jours, on dîne dans la cour.

BUDGET MOYEN

Restoran Park – *Šetalište Franje Lučića 1 - ✆ 01 622 11 11 - plats 40/70 kn.* Face au musée, ce restaurant sert la roborative cuisine locale dans une salle aussi vaste qu'impersonnelle.

ACHATS

Marché – Le grand marché couvert est installé dans un immeuble de métal et de verre sur *trg kralja Petra Krešimira IV* qui abrite également un **centre commercial**.

Sisak

47 768 habitants – Banovina

NOS ADRESSES PAGE 471

S'INFORMER
Office de tourisme – *Mali Kaptol, Rimska bb* - *041 522 655, 041 521 615 - www.sisakturist.com - 8h-17h (vend.-sam. 13h) - fermé dim.*

SE REPÉRER
Carte de région C3 (p. 418-419) – *carte Michelin n° 757 E5.* Le centre-ville de Sisak est posé sur une étroite bande de terrain délimitée par le confluent de la Kupa et de la Save. La cité est construite selon un plan en damier s'articulant autour d'une avenue commerçante, Stjepana i Antuna Radića, dont le tracé rectiligne conduit de la gare au centre ancien, situé à proximité du vieux pont (Stari most).
Voir la rubrique « Arriver/partir » dans *Nos adresses*.

À NE PAS MANQUER
Les cigognes, les maisons en bois et les réserves du Lonjsko Polje, une nuit dans une vieille maison en bois si vous avez le temps.

ORGANISER SON TEMPS
Prévoyez 3h pour la visite de Sisak et une journée entière pour Lonjsko Polje.

AVEC LES ENFANTS
Une excursion à Čigoć, dans le parc naturel du Lonjsko Polje, pour voir les cigognes, des balades (en barque, à cheval ou à pied) dans les réserves.

Au confluent de trois rivières, l'Odra, la Kupa et la Save, Sisak occupe une position stratégique, ce que ses maîtres successifs ont bien compris, puisque, tour à tour, ils y édifièrent leurs châteaux. Si la forteresse est aujourd'hui le monument le plus connu de Sisak, il ne faut pas pour autant négliger le centre qui a conservé quelques traces du passé romain de l'antique « Siscia ». Ville animée et commerçante, Sisak constitue en outre une base de départ pour une découverte des paysages marécageux du Lonjsko Polje.

Se promener

Depuis la gare, rejoignez la rivière et longez-la par la gauche afin de rejoindre l'office de tourisme qui se trouve sur Rimska.

Rimska

C'est le « quai des Romains », agréable promenade ombragée longeant la rivière que bordent d'anciens entrepôts de brique rappelant (ainsi que quelques vénérables engins de levage) la longue tradition batelière de la cité.

Mali Kaptol

Au débouché de la rue Kukuljević.
Cette demeure, posée en bordure de l'eau, fut bâtie en brique à la fin du 18e s., alors que le reste de Sisak était en bois. Elle abrite aujourd'hui un café ainsi que l'office de tourisme.
Continuez sur le quai jusqu'à la place du Ban-Jelačić.

SISCIA

C'est en 119 av. J.-C. que les Romains apparurent à Sisak en s'emparant de la forteresse de *Segestica* bâtie par une tribu celte. Mais il fallut attendre près d'un siècle avant qu'ils n'établissent véritablement leur domination, avec l'arrivée des légions d'Octave (35 av. J.-C.), le futur Auguste. Siscia obtint le statut de colonie *(Colonia Flavia Siscia)* sous le règne de Vespasien et devint alors une importante cité commerciale, grâce au trafic maritime sur la Kupa. Après une période troublée (invasions des Barbares au 2e s.), elle connut une nouvelle époque de splendeur sous le règne de Septime Sévère et fut érigée par Dioclétien au rang de capitale administrative de la Pannonie. Puis, en 441, le déferlement des Huns d'Attila entraîna la ruine définitive de la colonie.

Construite entre 1530 et 1544 par un architecte de Milan pour les évêques de Zagreb, la forteresse de Sisak était le principal système défensif des « restes des restes », ce territoire auquel était réduite la Croatie après la création des Confins militaires, placés sous l'administration directe de Vienne pour résister à la poussée ottomane. C'est sous ses remparts que, le 22 juin 1593, ces derniers essuyèrent leur première défaite en Europe face aux troupes commandées par le ban **Toma Erdődy**. Éminemment symbolique (les armées ottomanes n'allaient pas tarder à se reprendre), le fait d'armes est aujourd'hui considéré comme un des actes fondateurs de la Croatie.

Veliki Kaptol

Sur la droite.

Ce palais du 18e s., précédé d'un agréable jardin, présente une façade fatiguée surmontée d'un fronton triangulaire.

Parc archéologique de Siscia (Arheološki Park)

Sur le parvis de l'église.

Il présente *in situ* des vestiges de la cité antique, dont la plus grande partie se trouve sous la ville d'aujourd'hui. On distingue le soubassement de remparts (tour circulaire) et des colonnes de l'odéon.

Église de la Ste-Croix (Crkva sv. Križa)

Décor baroque sobre, d'où se distinguent deux statues exécutées par Francesco Robba. Au-delà du petit square avec charmant kiosque à musique, bel alignement de façades couleur rouille du 18e s.

Vieux Pont (Stari most)

Construit en pierre et en brique, ce pont achevé en 1936 lance élégamment ses quatre arches au-dessus de la Kupa.

Par ulica Kranjčevića qui s'amorce en courbe depuis la place Jelačić, on rejoint la rue du Roi-Tomislav (kralja Tomislava).

★ Musée de la Ville (Gradski muzej Sisak)

Ulica Kralja Tomislava 10. ✆ 044 811 811 - www.muzej-sisak.hr - tlj sf lun. 10h-18h, w.-end 9h-12h - 15 kn.

Il présente, dans une série de vitrines, une collection archéologique restreinte mais pleine d'intérêt, retraçant l'histoire de Sisak, du néolithique aux ducs croates (9e-10e s.).

Des petites statuettes retrouvées dans la boue des rives marécageuses de la Kupa illustrent le néolithique. De l'âge du bronze, on retiendra un superbe

STJEPAN RADIĆ, HÉROS ET MARTYR DE LA CAUSE CROATE
Né à Trebarjevo, près de Sisak, **Stjepan Radić** était le principal leader du Parti paysan croate lorsqu'en 1918 la victoire des Alliés entraîna l'éclatement de l'Empire austro-hongrois. La Croatie risquait d'être dépecée au profit des vainqueurs. Aussi, à contrecœur, Radić dut se rallier à l'idée d'une union des Slaves du Sud : ce fut le royaume des Serbes, Croates et Slovènes. Las, la Serbie avait combattu dans le camp des Alliés et était en position de force pour dicter ses conditions. Le respect des identités nationales n'en faisait pas partie et l'historique Sabor (Parlement croate) fut supprimé d'un trait de plume. En 1928, Stjepan Radić était abattu au sein même du Parlement de Belgrade au cours d'une séance. Les troubles qui s'ensuivirent débouchèrent sur l'avènement d'un régime autoritaire imposé par le roi Alexandre, qui prit le titre de roi de Yougoslavie.

casque illyrien. Mais ce sont avant tout les vestiges de la Siscia romaine qui attireront l'attention : urnes funéraires, fibules, stylets, instruments chirurgicaux, verrerie, jarres et amphores, bijoux et pièces, témoignent de l'importance de la colonie. Enfin, ceinturons, bagues et épées évoquent la création de la Croatie des ducs, puis des rois à partir de Tomislav. Les salles de l'étage, disposées en mezzanine autour du patio central, accueillent des expositions temporaires.

★ **Forteresse** (Stari grad)
Sortez de Sisak vers le nord en direction de Kutina et Popovača. Juste avant le pont sur la Save, prenez sur la droite une rue que vous suivrez jusqu'à la rivière. Tournez alors à droite sur la digue que vous suivrez sur 1,5 km environ. Possibilité de visite guidée en anglais : ✆ 044 811 813 (demandez Kristina) - juin-sept. : tlj sf lun. 10h-18h - 10 kn.
Posée au confluent de la Kupa et de la Save, cette forteresse triangulaire aux murs en brique est dotée de trois formidables tours rondes au toit pointu. Les remparts sont coiffés d'une galerie de bois. L'ensemble ne manque pas d'allure et a retrouvé une grande partie de splendeur depuis les derniers travaux de restauration (le château avait été bombardé lors du dernier conflit). On peut dorénavant découvrir sa belle cour en triangle et son musée historique, aménagé sur deux étages. Ce dernier aborde notamment la défaite ottomane de 1593.

Circuit conseillé Carte de région C3

★★ AUTOUR DU LONJSKO POLJE

Bon à savoir – Privilégiez le printemps, lorsque les jardins fleuris viennent illuminer les maisons de bois. Tracée sur une digue, la route est très étroite, souvent défoncée et parfois même dépourvue de revêtement : faites donc attention aux projections de gravillons et, par temps de pluie, aux risques d'embourbement.

▶ *Circuit de 140 km tracé en rouge sur la carte de région (p. 418-419). Quittez Sisak en direction de Popovača. Après le pont sur la Save, prenez à l'entrée de Baldovo, sur la droite, avant la station-service, la direction de Topolovac que vous traverserez. Poursuivez tout droit au-delà du croisement de la route conduisant à la zone industrielle.*

La forteresse de Sisak.
B Kadic/age fotostock

La route rejoint bientôt la Save que l'on suit désormais au sommet d'une digue. Beaux paysages de rivière sur la droite de la route. Sur la gauche, en contrebas, plaine maraîchère parsemée de villages.

Prelošćica

C'est dans ce premier village que l'on commence à observer des maisons de bois, parfois dégradées, parfois plus riches, avec leurs escaliers extérieurs desservant une galerie aux balustrades ouvragées.

★ Gušće

Long village aux belles maisons de bois, souvent dotées à l'étage de galeries. La vie rurale est intense et paisible. Des poules, accompagnées de leur coq, picorent çà et là. On aperçoit parfois des porcs noirs replets qui, en grognant, cherchent leur pitance sur le bord de la route. De véritables troupeaux d'oies s'ébattent au bord de la rivière. À la sortie du village, un panneau annonce l'entrée dans le **parc naturel du Lonjsko Polje★★**.

LE LONJSKO POLJE

C'est la Lonja, une petite rivière qui d'ordinaire ne paie pas de mine, qui a donné son nom à cette région. Au moment des crues (six mois par an), les terres sont en effet submergées et nombre d'oiseaux migrateurs (on en a compté 239 espèces, parmi lesquelles les cigognes, la spatule blanche…) viennent nicher aux abords de ce grand marécage que l'on peut alors découvrir en barque. C'est ce qui a valu au secteur d'être déclaré réserve ornithologique dès 1963, et parc naturel en 1990. Mais l'intérêt du Lonjsko Polje ne se limite pas à son avifaune et à ses paysages : les villages qui l'entourent, placés en contrebas d'une digue, ont su conserver un mode de vie traditionnel, symbolisé par ses superbes maisons de bois, tandis que dans les prés paissent des chevaux de Posavina, race locale.

★ Čigoć

« Capitale » du parc, ce village a également reçu le titre de « capitale européenne de la cigogne ». À juste titre, car il n'est guère de toit de ces maisons en bois fleuries qui n'héberge sa pensionnaire ailée.

C'est ici, dans une maison reconstruite avec les matériaux traditionnels que se situe le **point d'information** *(informacije)* du parc où vous trouverez tous les renseignements sur l'écosystème et les balades en barque.

Quelques numéros plus loin se trouve la maison de la famille Susic qui expose une multitude d'outils agricoles d'antan. La maîtresse de maison tisse encore le lin à la main et vend ses réalisations (nappes, écharpes…).

Après une petite forêt (saules, frênes et chênes), la route devient très étroite (refuges aménagés pour les croisements). Des cygnes glissent dédaigneusement sur la Save assez large à cet endroit. Dans ce paysage serein, quelques pêcheurs à la ligne taquinent le goujon installés sur des pontons.

On traverse de charmants villages aux jardins fleuris comme **Kratečko** ou **Mužilovčica** : des filets séchant devant les maisons de bois indiquent que les paysans du lieu se livrent également à la pêche. Sur la droite, la forêt baigne désormais dans l'eau, ainsi que dans un vacarme animalier où crapauds et volatiles s'expriment en toute liberté, parfois rappelés à l'ordre par un coq au chant autoritaire.

Suvoj

Bel ensemble de maisons aux décorations parfois recherchées (fleurs sculptées).

Après le village de Lonja, la route devient difficile, le goudron n'étant parfois plus qu'un lointain souvenir. Ce n'est qu'après l'écluse permettant à la Veliki Strug de communiquer avec la Save que le revêtement redevient convenable.

★ Krapje

Village considéré comme un conservatoire de l'architecture de bois. Et, de fait, les maisons s'alignent sur le bord de la route, parfois posées sur des soubassements en maçonnerie. Au printemps, lorsque les jardins sont fleuris (nombreux magnolias), elles composent un ensemble plein de charme.

Jasenovac

Laissez sur la droite l'accès au poste-frontière avec la Bosnie, prenez sur la gauche la route de Novska, et traversez tout le village.

Musée-mémorial – *www.jusp-jasenovac.hr - 9h-17h, w.-end 10h-16h - fermé lun. - gratuit (200 kn pour une visite guidée en anglais, français ou allemand).* Des bâtiments et un monument (une grande tulipe évasée de béton) dessinés par B. Bogdanović marquent l'emplacement du camp de concentration de sinistre mémoire. Du 23 août 1941 au 22 avril 1944, des dizaines de milliers de Croates (Juifs, Tsiganes ou résistants) et de Serbes y furent exterminés. Une exposition retrace le contexte historique, les conditions de vie, les révoltes, au travers de photographies, de témoignages et de films.

Revenez sur Krapje et traversez le marécage par Plesmo, puis Nova Subovka où vous prendrez à gauche vers Lipovljani.

Kutina

Après avoir longé un grand bassin de retenue (le Ribnjak Lipovjani), on aborde cette ville industrielle (usines pétrochimiques) et viticole, qui a conservé un petit centre ancien disposé aux abords de la **place du Roi-Tomislav**, aménagée pour partie en parc, et sur laquelle donne le **manoir Erdődy** qui abrite un **musée de Moslavina** (muzej Moslavine) aux heures d'ouverture plus que confidentielles.

La **rue de l'Église** (Crkvna ulica) s'élève au-dessus de la place. On rencontre là encore de sympathiques maisons de bois, souvent laissées hélas à l'abandon. Au sommet de la colline, enfermée dans son enclos, comme le sont habituellement les églises de pèlerinage, **N.-D.-des-Neiges★★** (Crkva sv. Marije Snježne) dresse ses clochers à bulbe au-dessus des frondaisons. En fin d'après-midi, il est possible de rentrer dans l'enceinte (très joli jardin) et de pénétrer dans le sanctuaire élevé par le comte Karlo Erdödy. Par sa richesse, sa profusion, ses courbes et ses volutes, ses dorures et ses gypseries, la décoration intérieure coupe le souffle : remarquez en particulier la chaire sculptée, le grand retable peuplé d'une foule d'angelots, les extraordinaires confessionnaux, ainsi que les peintures murales réalisées en trompe l'œil en 1779 par Josip Görner.
Quittez Kutina en suivant la direction de Zagreb par Voloder. Avant d'arriver à ce village, dans Grasčenica, prenez sur la gauche en direction de Donja Gračenica.

Donja Gračenica

Dans ce village, on commence à apercevoir à nouveau de jolies maisons de bois, disposées de part et d'autre d'une rivière qui serpente paresseusement à travers les jardins potagers.
Au carrefour *(prenez à droite en direction d'Osekovo)* s'élève une petite **chapelle★** de bois consacrée à saint Fabien et saint Sébastien.

Osekovo

Dans ce village aussi, dont la rue principale est allègrement parcourue par toute une basse-cour insouciante, s'élèvent des maisons de bois. Parfois à un seul niveau, parfois dotées d'un étage, certaines portent des traces de peinture. Les galeries de l'étage sont souvent sculptées.
Poursuivez jusqu'à Stružec. À la sortie du village, prenez sur la gauche la route qui, tracée sur une digue, ramène à travers une belle forêt jusqu'à Sisak.

NOS ADRESSES À SISAK

INFORMATIONS UTILES

Poste (Pošta) – *Radićeva 29 - lun.-vend. 7h-20h, sam. 8h-14h.* Bureau de change, distributeur.
Banque – *Radićeva 10.* Distributeur.
Internet – Café Supracomp.

ARRIVER/PARTIR

Gare ferroviaire (Željeznički kolodvor) – *Trg Republike, au bout de Radićeva.* 10 trains/j. pour Zagreb : 1/j. pour Sarajevo.
Gare routière (Autobusni kolodvor) – *Sur la place de la gare.* Une quinzaine de liaisons quotidiennes pour Zagreb ; cars locaux pour Gušče, Lonja, Karlovac, Kutina ; à l'international : Francfort et Munich.

HÉBERGEMENT

POUR SE FAIRE PLAISIR

Hotel Panonija – *Sakcinskog 21 - ✆ 041 515 600 - www.hotel-panonija.hr - P - 30 ch. 560 kn ☕.* Un grand bâtiment sans charme excessif mais d'un confort très convenable, d'autant que l'hôtel a subi une rénovation complète. Le bar, dominant la rue, est agréable.

À Petrinja

BUDGET MOYEN

Gostionica MIS – *trg dr. Franje Tuđmana 10 - ✆ 041 526 811 - www.mis-gostionica.hr - 8 ch. 205 kn/pers. ☕.* À l'étage de cette maison récemment remise à neuf, quelques chambres petites mais très propres, même si elles gagneraient à changer la couleur des murs. Café et restaurant bondés les jours de marché. Plats copieux.

À Kutina

BUDGET MOYEN

Hotel Kutina – *Dubrovačka cesta 4 (depuis la place par Kolodvorska puis à droite - signalisation plus que discrète) - ✆ 041 692 401 - www.hoteli-daim.com - P - 65 ch. 350 kn* ☕. Relativement moderne mais plutôt dépourvu d'âme et de charme, cet hôtel a le mérite d'exister. Une partie des chambres a été rénovée. Restaurant de spécialités régionales. Accueil aimable.

RESTAURATION

BUDGET MOYEN

Cocktail – A. *Starčevića 27 - ✆ 041 549 137 - cocktail.hr -50/100 kn.* Totalement rénové, ce restaurant possède une grande salle design avec une exposition de bouteilles de vin croate. On y sert de belles spécialités de poissons de rivière (excellents) et des plats de cuisine italienne. Service attentif. Terrasse agréable aux beaux jours.

Stari Grad – *Dans les dépendances du château - ✆ 041 543 700 - www.restoranstarigrad.hr - 10h-22h - 60/110 kn.* Spécialités locales servies dans une belle salle voûtée aux murs chaulés. Le soir, concerts de *tamburica*.

PETITE PAUSE

Bon à savoir – Aux beaux jours, nombreuses terrasses de cafés ensoleillées sur Rimska, en bordure de la rivière.

Kavana Mali Kaptol – *Rimska.* Dans le bâtiment de l'office de tourisme. Salle rustique et agréable terrasse à côté d'un engin de levage rappelant le passé marinier de la cité.

Gradska kavana – *Kranjčevićeva 9 (au coin de la rue Radić).* Le grand café élégant de la ville, également pâtissier et glacier.

Caffe Bar Elephas – *Trg bana Jelačića 3, au fond de la cour.* Un « café brun » avec ses tables hautes et un décor hésitant entre le Tex-Mex et le Croato-Croate : instruments de musique traditionnels et plaques d'immatriculation de toutes les provenances au mur. Clientèle jeune et ambiance musicale.

À Kutina

Gradska Kavana – *Kolodvorska.* Grand café-glacier-pâtisserie dont l'étage est doté d'une terrasse dominant la rue. C'est là que la jeunesse se retrouve, au son des tubes de la variété croate.

ACHATS

Tous commerces sur ulica Stjepana i Antuna Radića, avec en particulier la galerie commerciale **Nama**.

Autour du Lonjsko Polje

INFORMATIONS UTILES

Parc naturel de Lonjsko Polje – *Krapje 30 - 44325 Krapje - ✆ 041 672 080 et 041 611 190 - www.pp-lonjsko-polje.hr - 25 kn (étud. et enf. 20 kn).* À acquitter dans les centres d'information.

Centres d'information

Čigoć – *Čigoć 26, dans une jolie maison traditionnelle rénovée - ✆ 041 715 115 - 8h-16h.* On y trouve tous renseignements sur les possibilités de promenade en barque, ainsi que sur l'écosystème de la région (en particulier sur l'avifaune). Plan du parc, livres, brochures, CD-rom, souvenirs et cartes postales. Toilettes.

Krapje – *Krapje 1 - ✆ 098 222 086*. Mêmes informations et services.

HÉBERGEMENT

Bon à savoir – Les adresses des maisons qui louent des chambres dans les villages du parc sont disponibles aux centres d'information.

PREMIER PRIX

Pansion « Iža na trem » – *Čigoć 57 - ✆ 041 715 167 - www.iza-na-trem.hr - 3 ch. 150 kn/pers.* ☕. Dans une maison en bois restaurée de 1915, de jolies chambres de style rustique dont une dispose d'une cuisine. Accueil charmant (en croate).

Pansion « Jozin budžak » – *Krapje 76 - ✆ 041 611 202 - 4 ch. 150 kn/pers.* ☕. Pension agréable dans une vieille maison en bois, aux chambres spacieuses décorées de tableaux et de draps brodés. Le petit déjeuner se prend sur la terrasse dans la cour, dont une partie est aménagée en musée de vieux outils. Location de barques et de vélos. Accueil amical (en croate).

Pansion Rakarić – *Krapje 164 - ✆ 041 611 079 - 2 ch. 100 kn/pers. ☕ 20/30 kn*. Belles chambres spacieuses dans une maison en bois restaurée. Le petit déjeuner servi sur la galerie est particulièrement agréable. Le propriétaire ne parle que croate.

BUDGET MOYEN

Pansion Ravlić – *Mužilovčica 72 - ✆ 041 710 151 - jaksa.ravlic@sk.htnet.hr - 2 ch. 170 kn/pers. ☕ 35 kn. 1/2 P 55/85 kn/pers*. Une belle maison ancienne en bois avec des chambres à la décoration soignée. Le petit déjeuner et les repas se prennent dans une superbe salle à manger décorée de cloches provenant de la collection du propriétaire. Location de barques et de vélos, promenade à cheval. Accueil attentif du propriétaire francophone (!) qui se souvient toujours de son séjour en Camargue il y a trente ans de cela !

RESTAURATION

BUDGET MOYEN

Kod Ribića – *V. Nazora 24, Jasenovac - ✆ 041 672 066 - poisson 130/160 kn/kg, plats 35/45 kn*. Un petit restaurant sans prétention où l'on trouve des plats pour tous les goûts : *kulen* slavon, jambon dalmate, omelettes, plats de viande et poisson de rivière.

AGENDA

Fête de saint Antoine à Krapje - *13 juin*. Seule occasion d'admirer les magnifiques broderies et vêtements sacerdotaux conservés dans l'église St-Antoine-de-Padoue de Krapje.

Krapina et le Zagorje croate

★★

12 480 habitants – Hrvatsko Zagorje

NOS ADRESSES PAGE 482

S'INFORMER
Office de tourisme – *Magistratska 11 - 049 371 330 - www.tzg-krapina.hr - tlj sf dim. 8h-15h, sam. 8h-12h.*

SE REPÉRER
Carte de région B1 (p. 418-419) – *carte Michelin n° 757 D4.* À 57 km au nord de Zagreb à laquelle la relie l'autoroute de Maribor, la capitale du Hrvatsko Zagorje s'étire sur la rive gauche de la Krapinica. Surplombée par l'autoroute, Krapina s'organise le long d'un axe à sens unique constitué par la rue Ljudevit Gaj que prolonge la rue Magistratska. Pour circuler dans l'autre sens, il faut traverser la rivière et prendre la rue Rendiba.
Voir la rubrique « Arriver/partir » dans *Nos adresses*.

À NE PAS MANQUER
Promenade au centre-ville, le site paléolithique de Hušnjak, les châteaux du circuit du Zagorje croate.

ORGANISER SON TEMPS
Prévoyez 3h.

AVEC LES ENFANTS
Le site paléolithique, le musée de l'Évolution.

Parmi des collines couvertes de vignes, Krapina a conservé d'anciennes demeures qui s'égrènent le long de la rue principale. Les visiteurs viennent y découvrir l'extraordinaire église N.-D.-de-Jérusalem de Trški Vrh ou flâner en saluant le créateur de la langue croate moderne. Mais la renommée de Krapina est aussi due à ses plus anciens citoyens qui chassaient le rhinocéros à l'aide de silex taillés. Krapina est enfin le point de départ d'un beau circuit dans le Zagorje croate, poumon vert de la capitale, où vous verrez stations thermales, églises et châteaux.

Découvrir

SITE PALÉOLITHIQUE DE HUŠNJAKA (Nalazište pračovjeka Hušnjakovo)

Contournez le centre de Krapina et laissez la voiture sur le petit parking, à droite de la route. Le site se trouve de l'autre côté de la voie ferrée.

Une promenade agreste, la **šetalište Ivana Trnskog**, s'insinuant entre deux collines boisées peuplées de sculptures animalières, conduit vers le musée, caché derrière une grande façade vitrée.

★ **Musée néandertalien de Krapina** (Muzej krapinskih neandertalaca)
049 371 491 - www.tzg-krapina.hr - dernière entrée 1h av. fermeture - tlj sf lun. avr.-sept. : 9h-18h ; oct. et mars : mar.-vend. 9h-16h - nov.-fev. : mar.-vend. 9h-14h -50 kn (étud. et enf. 25 kn).

HISTOIRES D'OS

C'est presque un millier d'os, appartenant à une vingtaine d'individus, que le professeur **D. Gorjanović-Kramberger** découvrit en 1898 dans un abri-sous-roche situé sur le flanc de la colline de Hušnjak. Relevant du groupe des Néandertaliens, l'**Homo krapinensis** vivait au paléolithique moyen (200 000 à 35 000 ans av. J.-C.). Il vivait de chasse (le site a livré des os d'ours et de rhinocéros) et de cueillette, sans dédaigner parfois (semble-t-il) d'améliorer son ordinaire en dégustant un de ses semblables, et fabriquait des armes en silex. Puis un lointain cousin, l'*Homo sapiens sapiens*, arriva d'Afrique et l'homme de Neandertal dut céder la place.

« Une nation sans sa langue est comme un corps sans os ! » s'écriait **Ljudevit Gaj** (1808-1872). Poète romantique auteur d'une *Ode au Zagorje* (1832), professeur de philologie, Ljudevit Gaj est le père de la langue croate actuelle : il en codifia l'orthographe et choisit d'adopter le dialecte štokavien comme langue littéraire. Fondateur du **Mouvement illyrien**, il fut à l'origine du renouveau national croate des années 1830 à 1848, éditant le premier journal rédigé en croate et participant comme député au Sabor de 1848 à la rédaction des « revendications du peuple » présentées à l'empereur. L'idée d'une nation croate commençait alors à faire son chemin…

Le nouveau musée rend compte de l'histoire de l'évolution à travers 17 étapes, mettant chacune en perspective de façon très pédagogique et ludique les découvertes archéologiques par rapport à leurs contextes philosophique et scientifique. Le circuit commence par un film *(env. 20mn)* montrant une cérémonie funéraire préhistorique jouée par des acteurs. On passe ensuite à la découverte de l'homme de Krapina (2) et aux théories de l'évolution (3) avant de comprendre les méthodes de fouilles employées (4) par Gorjanović-Kramberger (5), ainsi que les conséquences de la découverte (6). Puis l'on retourne aux origines du monde (8) depuis le big bang jusqu'à l'apparition des hominidés. Des écrans et des ateliers invitent à comparer les morphologies (11), on découvre la culture de l'âge de pierre (12), l'environnement de ces populations (13) et leurs comportements (14), leur diversité aussi (15). Enfin, la spirale s'achève avec le recensement des sites paléolithiques mis au jour en Croatie (17).
Ce n'est qu'après tout ce parcours que l'on accède au site de la découverte de l'homme de Krapina.

Du musée, un chemin à flanc de colline conduit à l'abri-sous-roche où le professeur Kramberger découvrit les ossements fossilisés des premiers habitants du lieu. Il ne reste plus rien de la grotte ou du moins du rocher sous lequel ces hommes préhistoriques se réfugiaient : la pluie a dissous la roche calcaire. Aujourd'hui, un farouche Néandertalien brandissant une massue d'un air peu amène permet de repérer l'endroit. Non loin, madame attise le feu familial.

Se promener

LE CENTRE-VILLE

Minuscule, il mérite une brève promenade de découverte.

Place Ljudevit-Gaj (Trg Ljudevita Gaja/Gajev trg)
Tout tourne autour de cette place, de forme irrégulière. Ombragée et dotée de quelques terrasses de cafés, elle descend vers la rivière. C'est ici qu'a été placé le **buste de Ljudevit Gaj**, exécuté par **Ivan Rendić**.

Promenade Hrvatskog Narodnog Preporoda

Prenez sur la gauche de la place cette promenade qui longe la rivière. Ce parc, ombragé de beaux arbres et doté d'un kiosque à musique, sert de cadre champêtre au festival de septembre.

Prenez à gauche vers la rue Ljudevit Gaj (Gajeva).

Rue Ljudevit Gaj (Ulica Ljudevita Gaja/Gajeva)

Elle est bordée de quelques maisons anciennes. Parmi elles, au n° 14, la **maison natale de Ljudevit Gaj** (Rodna kuća Dr Ljudevita Gaja) abrite quelques objets personnels et manuscrits. *Sur réserv. au ✆ 049 370 810.*

Magistratska

Au-delà de la place. Là aussi, quelques maisons datant des 18e et 19e s. Le n° 25 abrite le **Musée municipal** (Galerija grada Krapine) : collections archéologiques et historiques. *Tlj sf dim. 10h-13h et 17h-19h (sam. 10h-13h).*

Vieux château (Stari grad)

Juchée sur une colline, sa façade jaune semble veiller sur la cité. En y montant, par Usca ulica puis à gauche par Starosgradska (assez raides), on aperçoit les vestiges d'une forteresse médiévale. Du château, il ne subsiste qu'un corps de bâtiment doté d'arcades, qui a subi des outrages dont le temps n'est pas le seul responsable. Pour reprendre son souffle, on contemplera la **vue** sur les toits de la ville et la vallée.

SUR LA RIVE DROITE

Église Ste-Catherine et monastère franciscain

(Crkva sv. Katarine i franjevački samostan)

Accès en face de la place Ljudevit Gaj par la petite rue du Monastère (Samostanska), chemin en pente conduisant au parvis. Construite au 17e s., l'église arbore un beau portail. Décor baroque à l'intérieur. Le monastère abrite une bibliothèque réputée (incunables, enluminures) et une collection d'art sacré *(sonner).*

Circuit conseillé Carte de région

★★ LE ZAGORJE CROATE (HRVATSKO ZAGORJE) AB1-2

Circuit de 195 km tracé en vert sur la carte de région (p. 418-419). Circuit au départ de Krapina.

L'Outremont croate (Hrvatsko Zagorje) s'étend au nord de la Medvednica, jusqu'à la frontière slovène. Très vallonné, il est traversé, du nord au sud par l'*autocesta* (autoroute) Zagreb-Maribor qui suit la vallée de la Krapinica. Attention, cette région n'est pas encore très touristique et le fléchage peut se révéler parfois insuffisant dans certains villages.

Châteaux et manoirs, villages partant à l'assaut de collines que coiffent les clochers à bulbe, coteaux arborant des rangées de vignes, forêts giboyeuses, sources thermales, ainsi se présente le poumon vert de la capitale.

À Krapina, engagez-vous dans ulica Ljudevita Gaja puis, à hauteur du marché, prenez sur la gauche la rue du Cardinal-Stepinac (Kardinala Stepinca) qui monte de façon assez raide vers le cimetière (Groblje). Poursuivez ensuite, toujours en montée par la rue Miroslav-Krleža.

★★ Trški Vrh : église N.-D.-de-Jérusalem

(Crkva Majke Božje Jeruzalemske)

Ouv. en principe dim. matin, sinon, contactez l'office de tourisme qui préviendra la personne chargée des clés.

Couronnant une colline, perdu dans la verdure, c'est un hameau constitué de quelques maisons, entourant une église de pèlerinage, édifiée vers 1750 par un architecte local, **Josip Javonik**. Sertie dans son enceinte octogonale ponctuée de tours rondes que coiffent des bulbes, elle recèle un **décor★★★** baroque époustouflant, propre à défier toute description ! Il s'agit d'une sorte d'art total où architecture, sculpture, peinture se répondent et se complètent afin d'entraîner le visiteur dans un tourbillon où se mêlent angelots, stucs et trompwe-l'œil. On prendra du temps à détailler la tribune, les deux voûtes peintes par **Antun Lerchinger**, ou les autels qui abritent une population considérable de saints, expressions d'une piété exubérante.

Revenez à Krapina et prenez à droite la rue Pavleka Miškine. Continuez tout droit sur la D1 pendant 6,5 km et prenez à droite en direction de Đurmanec. Continuez vers Podbrezovica et passez Putkovec, Gornja, Vosjsac et Klenice pour arriver à Pregrada.

Pregrada A1

Gros bourg sans charme particulier. Il se distingue par son **église de l'Assomption**, à qui sa taille démesurée a valu le surnom de « cathédrale du Zagorje ».

Prenez à gauche (avant l'église) la route partant de Kumrovec/Desinić.

Vrhi Vinagorski A1

Village perché. Sur la droite, une route *(2 km)* conduit à **Vinagora**, avec son **église de la Visitation★** (crkva sv. Marije od Pohoda), jolie église de pèlerinage baroque enfermée dans son enceinte. Comme la toponymie le rappelle avec insistance, nous sommes au cœur du vignoble du Zagorje qui occupe les versants exposés au soleil.

Revenez sur vos pas et prenez à droite la route à Vrhi Vinagorski. Passez Dubravica, Desinicka, Gaber et Desinić, puis prenez à droite vers le château (panneau).

★★ Château de Veliki Tabor (Dvor Veliki Tabor) A1

Sur la droite de la route. ✆ 049 343 963 - avr.-sept. : 9h-17h (w.-end : 9h-19h) ; oct. et mars : 9h-16h (w.-end : 9h-17h) ; nov.-fév. :9h-16h - fermé 1er janv., Pâques, 1er nov., 25 et 26 déc. - 20 kn (étud. et seniors 10 kn).

Chemin d'accès pavé assez étroit et en forte pente que l'on suit sur 1 km environ, jusqu'au pied des remparts, où l'on laisse la voiture près d'une ferme. Cette formidable forteresse *(voir ABC d'architecture)*, dont cinq grosses tours rondes et trapues et le plan pentagonal ne font qu'accentuer l'aspect massif, est un des plus beaux exemples d'architecture militaire de la fin du Moyen Âge, et constitue l'une des vues emblématiques du pays. Ce château, édifié pour le ban Ivaniš Corvin au 15e s., appartint de 1506 à la fin du 18e s. à la noble famille des Ratkaj.

Si l'extérieur est encore marqué par les épreuves du temps, l'intérieur a été remarquablement restauré. Passé le portail, on accède à une élégante cour de forme irrégulière, bordée de deux étages de **galeries à arcades★** d'une grâce singulière. Un clocheton de bois achève de conférer au lieu son originalité. Remarquez, toujours dans la cour, le puits de 31 m de profondeur qui alimentait le château. Pour découvrir l'histoire des lieux, rendez-vous dans le **donjon** où une muséographie récente retrace les grandes heures et l'architecture du château. Parmi les points forts de la visite : la cave voûtée avec son impressionnant pressoir et d'énormes fûts, la chapelle baroque et le crâne de la malheureuse Veronika *(voir encadré ci-dessus)*, la grande salle du donjon, avec la pierre tombale de Petar II Ratkaj (1586), et son gisant en bas-relief. En face du donjon, derrière les arcades, des expositions temporaires.

Revenez sur vos pas, prenez à droite, direction Košnica, et poursuivez à gauche jusqu'à Miljana.

VERTIGES DE L'AMOUR

Elle était sans doute très belle, cette malheureuse **Veronika Desinić**, pour que le fils du hobereau local en tombe aussi follement amoureux. Hélas, elle n'était qu'une roturière d'humble extraction, circonstance impardonnable qui rendait impensable toute union. Au grand désespoir de ses parents, le godelureau persistait et se refusait à oublier sa belle… Il fallait que ce fût une sorcière pour ainsi lui faire tourner la tête ! Aussi, on enferma la jeune fille dans une geôle du château de Veliki Tabor et, deux précautions valant mieux qu'une, un beau soir, on envoya un soudard l'étrangler.

Miljana A1

Sur la droite de la route, le **château★** (17e s.), avec ses deux étages d'arcades et sa tour, a fière allure. Restauré en 1782, il est réputé pour les **peintures murales** rococo (paysages et thèmes allégoriques), attribuées à l'auteur des fresques de l'église de Trški Vrh, **Antun Lerchinger** *(voir à Krapina).*
On atteint la frontière slovène (poste-frontière à **Radzvor**), matérialisée par le cours de la Sutla, que l'on suivra désormais.
Dans un paysage de collines boisées, la route, assez étroite, traverse des villages aux maisons basses badigeonnées de teintes pastel, et aux granges où le maïs est mis à sécher, dégageant une impression d'authenticité. Des clochers à bulbe montent la garde au sommet des collines tandis que les maisons s'égrènent sur les pentes.
Revenez sur vos pas et prenez à gauche en direction de Plavić. Passez Zagorska Sela et poursuivez jusqu'à Kumrovec.

★★ Kumrovec

Josipa Broza 12 - ✆ 049 553 728 - www.kumrovec.hr.
De grands parkings, de part et d'autre de la route, des espaces aménagés pour pique-niques, un ensemble de boutiques de souvenirs et de buvettes, ainsi qu'aux beaux jours une grande animation annoncent l'arrivée au village natal de Tito où a été aménagé le premier musée ethnographique de Plein Air de Croatie.
★★ **Musée du Vieux Village** (Muzej Staro Selo) – *✆ 049 225 830 - avr.-sept. : 9h-19h ; oct. et mars : 9h-16h ; nov.-fév : 9h-14h, w.-end : 9h-18h - fermé 1er janv., Pâques, 1er nov., 25 et 26 déc. - 20 kn (étud. et enf. 10 kn).* Restaurées avec soin, les maisons, à l'architecture typique, ont été aménagées de façon à reconstituer la vie rurale du temps passé.
Précédée de la statue de l'ancien chef de l'État (œuvre d'A. Augustinčić), la première maison sur la droite *(n° 20)* est la **demeure natale de Tito**. Cette petite maison basse, construite en 1860, possède le plan que nous retrouverons dans toutes les autres chaumières du village : une petite entrée *(lospa)* que prolonge la cuisine *(kuhinja)* et, de part et d'autre, la chambre *(iža)*, et la pièce principale *(komorica)*. Une petite exposition évoque la vie publique du grand homme à l'aide d'uniformes d'apparat, de documents divers et de photos en compagnie des chefs d'État et de gouvernement qu'il a rencontrés : Nehru, Nasser, Churchill, Kennedy et Nixon…
Plus avant, de part et d'autre de la rue, on découvre un ensemble d'une vingtaine de maisons (aux murs de brique pour les plus récentes) et de granges (rez-de-chaussée aux murs de torchis, étage en bois) où des grappes de maïs sont mises à sécher. Toutes édifiées entre 1860 et 1937, les façades peintes de couleurs pastel, parfois coiffées de toits de chaume, elles accueillent

objets, outils, meubles, tissages et figurines de cire. On découvre ainsi successivement l'artisanat rural en visitant la maison du charron et celle du forgeron – avec son soufflet de forge, son enclume et ses outils aussi mystérieux qu'effrayants ! – celle du tonnelier, de la fileuse (métier à tisser, dévidoir, rouet). Une chaumière illustre le processus allant du grain au pain, une autre présente les pains d'épice traditionnels de la région, en forme de cœur. Bref, dans ce village où coqs et poules déambulent tranquillement, l'illusion d'un voyage dans le temps est complète. Même l'ancien corbillard du lieu a été conservé, sous l'auvent d'une grange, achevant de donner une touche réaliste à ce village muséifié.

Longeant toujours le territoire slovène, sur l'autre rive de la Sutla, la route, encadrée de collines boisées, parcourt sur 3 km le **défilé de Zelenjak**. Au débouché du défilé, à proximité du monument commémoratif aux victimes croates de la Première Guerre mondiale, des aires de pique-nique ont été aménagées, autour d'une auberge.

Après le monument, prenez à gauche au carrefour, en direction de Klanjec, une route qui s'élève en lacets sur les pentes de la Cesargradska Gora, qui doit son nom au château de ***Cesargrad****, construit par le roi Sigismond de Luxembourg à la fin du 14e s. Il en reste quelques impressionnants pans de murs (sur la gauche de la route).*

★ Klanjec A1

i trg A. Mihanovića 2 - ✆ 049 551 002 - www.klanjec.hr.

Le village apparaît en contrebas de la route, dominé par son imposant monastère franciscain. Prenez sur la droite le chemin d'accès qui descend vers la place où on laisse la voiture. Devant la façade de l'église, la place est ornée en son centre d'un buste réalisé par Robert Frangeš à la mémoire d'**Antun Mihanović (1796-1861)**, poète, auteur de *Lijepa naša domonivo (Notre belle patrie)*, l'hymne national. En face de l'église, une ravissante demeure abrite la Gradska knjižnica (bibliothèque municipale) A. Mihanović.

Monastère franciscain (Franjevački samostan) – Il fut fondé par Nikola Erdődy au début du 16e s. (blason au-dessus de la porte d'entrée).

Église Notre-Dame (Crkva sv. Marije) – Toute blanche, très claire, cette église présente un décor baroque relativement sobre. Dans le transept gauche, monument funéraire de la famille Erdődy et autel dédié à saint Antoine (sv. Antun) ; lui faisant pendant, autel baroque de saint François (sv. Franjo).

★ **Galerie Antun Augustinčić** (Galerija Antuna Augustinčića) – *Face à l'entrée du monastère franciscain. ✆ 049 550 343 - avr.-sept. : 9h-17h ; oct. et mars : tlj sf lun. 9h-15h - fermé 1er janv., Pâques, 25 et 26 déc. - 20 kn. En cas d'absence, tambourinez à la porte de l'Uprava Galerije A Augustinčića, Trg Antun Mihanović 13.*
C'est dans un bâtiment moderne, inauguré en 1976, que la donation de l'artiste est exposée dans deux salles symétriques réparties de part et d'autre d'une galerie.

On découvre d'abord *(salle de gauche)* les « **travaux intimistes** »★, série de sculptures, pour l'essentiel antérieures à 1930, qui pour d'aucuns représentent le meilleur de son œuvre. Notez les belles études de torses, un remarquable *Arlequin*, une *Gitane* pleine de fougue. Dans la galerie sont exposés les **portraits** : vous remarquerez l'évolution, qui, partant d'un modelé très minutieux (*Nadia Mikačić*, 1923), s'attache par la suite à obtenir un rendu expressionniste (*Branko Gavella*, 1974). La deuxième grande salle, consacrée aux **œuvres monumentales**, est dominée par le *Monument de la Paix*. Installé dans l'ancien potager des franciscains, le **jardin des sculptures**★ a été conçu comme une « fusion entre sculpture et horticulture ». Dans ce très bel endroit, vous pourrez voir la *Pudeur effarouchée*, ainsi que la *Statue de Marin Držić* (1508-1567), le « Molière croate ».

Nouveau château (Novi dvori) – Dans un triste état d'abandon, ce château fut construit par **Toma Erdődy** en 1603 *(voir à Sisak)*. Deux niveaux d'élégantes galeries à arcades superposées subsistent, supportant un toit qui ne demande qu'à s'effondrer. Vestiges des tours circulaires.

N'hésitez pas, avant de repartir, à faire quelques pas dans le village : des maisons traditionnelles aux murs de torchis, parfois badigeonnés de tons pastel, bordent les ruelles qui, bientôt, se transforment en chemins.

Revenez sur vos pas et prenez à droite, direction Dol Klanječki. Poursuivez sur Sveti Križ eb en direction de Dubrovčan. Après Jezeo Klanjecko, prenez à gauche en direction de Pavlovec Zabocki. Continuez jusqu'à Zabor puis prenez la direction d'Oroslavje. Poursuivez jusqu'à Stubičke Toplice.

Stubičke Toplice B1

Animée, cette station thermale ombragée de sapins a été créée à partir de 1776 par l'évêque de Zagreb, **Maksimilijan Vrhovac**, celui-là même qui fit aménager dans la capitale le parc Maksimir. Une longue rue centrale bordée de commerces et des piscines d'eau thermale posées dans la verdure et couvrant une superficie totale de 6000 m^2 attirent nombre de visiteurs tout au long de l'année.

Prenez la direction de Donja Stubica, puis Modrovec. Poursuivez jusqu'à Gusakovec, puis passez par Hum Bistricki jusqu'à atteindre Marija Bistrica. Boisé et vallonné, le **paysage★**, parsemé de hameaux aux maisons de bois, est charmant.

Marija Bistrica B1

Zagrebačka bb - ✆ 049 468 380.

Haut lieu de la foi chrétienne en Croatie, Marija Bistrica est un des principaux lieux de pèlerinage du pays depuis qu'on y a découvert par hasard en 1588, dans un mur de l'église, une Vierge noire, œuvre en bois réalisée par un artiste local, qui avait été dissimulée en prévision d'une attaque des Turcs. Exposée depuis 1684 sur l'autel de l'église, la Vierge attire depuis lors des foules ferventes. Le 3 octobre 1998, le pape Jean-Paul II prononça, devant une foule énorme, la béatification du cardinal **Alozije Stepinac** *(voir à Zagreb)*.

Église de la Mère-de-Dieu-de-Bistrica (Crkva Majke Božje Bistričke) – Si l'église a conservé sa belle enceinte du 18e s., c'est tout ce qui reste du sanctuaire antérieur au passage d'**Herman Bollé** en 1879. Alliant néoroman au néobaroque en passant par un zeste de Renaissance et un soupçon de classicisme, l'œuvre de l'architecte, à défaut de séduire, ne laisse pas d'étonner ! Elle est entourée d'un monumental portique à colonnades en forme d'hémicycle recouvert d'ex-voto et de peintures réalisées avec plus de ferveur que de talent. Derrière l'ensemble, sur une colline en demi-cercle d'où les pèlerins assistent aux messes en plein air, le chemin de croix est orné de sculptures contemporaines.

Quittez la ville en direction de Zlatar Bistrica (cité industrielle) et de Zlatar. Devant l'église de Zlatar, prenez à droite la direction de Belec.

★★★ Église N.-D.-des-Neiges, à Belec (Crkva sv. Marije Snježne) B1

Sur la gauche de la route, juste après l'entrée dans le village. Dim. 9h-11h. Dans un paysage vallonné, avec en toile de fond les sommets souvent enneigés des montagnes de l'Ivančica, Belec abrite une des églises baroques les plus étonnantes de Croatie.

L'apparence extérieure de cette église de pèlerinage (1741), enfermée dans son enceinte, ne laisse guère préjuger de l'extraordinaire richesse de son décor intérieur. La surprise est totale dès l'entrée dans l'église, mais on appréciera

Le romantique château de Trakošćan.
Mauritius/Photononstop

d'autant mieux en montant à la tribune. On reste sans voix devant cette profusion de volutes, de stucs, de médaillons et de peintures en trompe l'œil où abondent pilastres et draperies (réalisées par un maître du genre, **Ivan Ranger**) ; l'œil ne sait où se poser dans cet incroyable décor qui constitue, avec la chaire et les autels exécutés par un artiste de Graz (J. Shokotnig), une spirale baroque où le mouvement semble perpétuel !

Tout en haut du village, l'humble **chapelle Ste-Anne** est, avec son petit porche latéral, absolument charmante.

Belec est le point de départ de sentiers de randonnée vers les monts de l'Ivančica. L'un d'entre eux en particulier permet de rejoindre en 3h le refuge Josip Pasarić, sur le versant sud de la montagne, par Belecgrad, ruines de l'ancienne forteresse du 13e s.

Revenez à Zlatar et empruntez à gauche de l'église la route indiquée « Mihovljan/ Kuminec » en direction de Mače qui parcourt un plateau avant de s'insérer dans une étroite vallée.

Sutinske Toplice B1

Deux piscines de plein air posées dans la prairie au pied de versants boisés, et quelques chalets composent cette minuscule station thermale. L'eau, qui jaillit à plus de 30 °C, est radioactive et riche en magnésium et en calcium. Ce ne sont sans doute pas seulement ces vertus qui attirent la grande foule aux beaux jours, mais plus sûrement la possibilité de se rafraîchir.

Poursuivez sur la route qui parcourt un plateau, parsemé de quelques villages. On peut regretter que les maisons traditionnelles disparaissent au profit de constructions récentes, en brique non revêtue d'un rouge orangé agressif, assez peu esthétiques. Indifférents à la circulation, oies et dindons se dandinent au bord de la route (et parfois au milieu !).

Après Mihovljan, prenez à droite en direction de Lepoglava. Une fois à Lepoglava, prenez à gauche en direction de Benkovec et poursuivez jusqu'à Bednja et Pleš. Continuez la route jusqu'au château de Trakošćan.

★★ Château de Trakošćan B1

✆ 049 796 422 - été : 9h-18h ; reste de l'année : 9h-16h - 30 kn (étud., enf. 15 kn). Juché sur une colline boisée de sapins centenaires avec en contrebas un lac *(baignade possible)*, le château de Trakošćan est une véritable splendeur. Construit au 13e s. pour servir de lieu d'observation, il change de propriétaires au gré des dominations et devient le lieu de résidence des comtes Drašković à la fin du 16e s. Son apparence actuelle date du milieu du 19e s. et fait référence aux châteaux romantiques allemands. Avec ses murailles crénelées et ses fenêtres gothiques, ses salles de chasse et de chevaliers, l'édifice s'illustre aussi par son impressionnante collection d'armes à feu, datant du 15e s. au 19e s., et de portraits. Le château a cette qualité d'avoir gardé tout son mobilier d'origine dont la plus grande partie a été réalisée spécialement, avec les armoiries de la famille. Quelques pièces plus anciennes comme les cabinets-armoires du 17e s. valent aussi le coup d'œil.

Revenez à la route et reprenez vers Gornja Jesenje puis, une fois passé le pont, poursuivez toujours à gauche en direction de Krapina.

NOS ADRESSES À KRAPINA

ARRIVER/PARTIR

Gare ferroviaire (Željeznički kolodvor) – *I. Rendića bb (sur la rive droite de la rivière, sur la droite de la rue, après la rue Ante-Starčević).* Nombreux trains quotidiens pour Zagreb (durée 1h30), mais avec correspondance à Zabok.

Gare routière (Autobusni kolodvor) – *I. Rendića bb (face à la précédente).* Une dizaine de cars pour Zagreb en semaine, la moitié le w.-end. Le trajet ne dure que 1h et le billet est moins cher !

HÉBERGEMENT

À Krapina

BUDGET MOYEN

Pansion Pod starim krovovima – *Trg L. Gaja 15 - ✆ 049 370 536 - 16 ch. 322 kn ☕.* En plein centre, une pension très bien tenue aux chambres fonctionnelles.

Dans le Zagorje croate

PREMIER PRIX

Pansion Puntar – *Trg sv. Jurja 12 - Gornja Stubica - ✆049 289 286 - www.puntar.hr - 6 ch., 1 appart. 240 kn ☕.* Dans un bâtiment tout neuf à côté de l'auberge. Chambres simples et vastes, parfaitement tenues.

Lojzekova Hiža – *À Gusakovec - Marija Bistrica (route de Stubica, puis fléchage « Seoski Turizam ») - ✆ 049 469 325 - www.lojzekova-hiza.com - 9 ch. 120 kn/pers. ☕.* Cette ferme-auberge joint au calme de la campagne un bon confort et une table de produits fermiers.

BUDGET MOYEN

Hotel Matija Gubec – *Viktora Šipeka 31 - Stubičke Toplice - ✆ 049 282 501 - www.hotel-mgubec.com - P - 92 ch. 540 kn ☕ - 🏊.* Dans la verdure, petites chambres bien équipées. Piscine intérieure d'eau thermale, bassins extérieurs, restaurant, sauna, salle de gym.

POUR SE FAIRE PLAISIR

Hotel Bežanec – *Valentinovo 55, 49218 Pregrada - ✆ 049 376 800 - www.bezanec.hr - P - 24 ch. à partir de 92 €, suites à partir de 125 € - ☕ 10 €.* Chambres meublées à l'ancienne, œnothèque et galerie d'art, centre hippique : la vie de château ! Possibilité d'excursions en montgolfière (2 228 kn), location de vélos…

UNE FOLIE

Bluesun Hotel Kaj – *Zagrebačka 42 - Marija Bistrica - ☎ 049 326 000 - P - 61 ch. et 5 suites 118/210 € ☕ - wifi.* Bâtiment moderne récemment rénové, le Kaj dispose de deux restaurants, d'un bar et d'un spa. Chambres spacieuses et modernes. Une adresse de qualité. Personnel aux petits soins.

Hotel Trakošćan – *42253 Trakošćan - ☎ 042 440 800 - P - 126 ch. À partir de 430 kn/pers. ☕.* À l'orée d'un grand parc, au pied du célèbre château. Restaurant, sauna, solarium, l'hôtel offre des prestations de qualité.

À Pregrada

RESTAURATION

À Krapina

BUDGET MOYEN

Vuglec Breg - *Skarićevo 151 - en venant du centre, prendre à droite vers Scarićevo, au bout de 2 km tourner à gauche et monter au sommet d'une colline (fléchage) - ☎ 049 345 015 - www.vuglec-breg.hr - P - à partir de 100 kn - 7 ch. et 3 appart.* Un lieu magique et authentique. L'été, la pergola est idéale pour déguster des grillades et profiter d'une vue extraordinaire sur la campagne. Belle cave à vins.

Dans le Zagorje croate

PREMIER PRIX

Bistro Leonardo/Caffe Bar Leo – *À l'entrée du site, en bordure des parkings - Kumrovec - 30/50 kn.* Restauration légère. Détail amusant : vous êtes invité à déposer vos armes à feu à la réception !

BUDGET MOYEN

Restoran Grof Ratkay – *Trg sv. Jurja 3 - Desinić - ☎ 049 343 255 - plats 35/70 kn.* Au centre du village, à deux pas du château de Veliki Tabor, une maison de village dotée d'un belle véranda. Spécialités locales.

Puntar – *Trg sv. Jurja 12 - Gornja Stubica - ☎ 049 289 286 - 30/60 kn.* Sur la place du village, une auberge simple où l'on peut déguster, en terrasse, une assiette froide composée de *kulen*, *pršut* et fromage caillé.

Restoran Zelenjak – *Risvica 1 - Kumrovec - ☎ 049 550 747 - www.zelenjak.com - poisson 35/55 kn, spécialités 40/70 kn.* Au débouché du défilé de Zelenjak : cuisine de pays servie dans un chalet. Terrasse aux beaux jours. Fait également pension *(se rens.)*.

ACTIVITÉS

À Trakošćan

Pédalos – Location près de la buvette au bord du lac. 30 kn pour 2 pers., 60 kn pour 4 pers. pour une demi-heure de balade.

Vélo et randonnée – Nombreux circuits autour du château pour les amateurs de randonnées et de VTT. Rens. à l'hôtel Coning et aux offices de tourisme de la région.

AGENDA

Festival de musique « kaï » – *Sept.* Festival de chansons (et poèmes) en *kajkavien*, le dialecte local. La ville devient une sorte de grande guinguette à ciel ouvert.

Varaždin

★★

46 946 habitants

NOS ADRESSES PAGE 495

S'INFORMER

Office de tourisme à Varaždin – *Palača Padovec - Ivana Padovca 3 - 042 210 987 - www.tourism-varazdin.hr - tlj sf dim. 8h-16h, sam. 10h-13h.*

SE REPÉRER

Carte de région B1 (p. 418-419) – *carte Michelin n° 757 D4.* Le petit centre piéton de Varaždin est ceint par une voie à sens unique constituée des rues Vladimira-Nazora et Stanka-Vraza qui bordent le château, Augusta-Cesarca et A.-Stepinca que prolonge Augusta-Šenoe. Plusieurs parkings (payants par horodateur) sont aménagés à proximité du centre ancien.

Voir la rubrique « Arriver/partir » dans *Nos adresses.*

SE GARER

Laissez votre voiture sur le parking aménagé au centre de la place du Ban-Jelačić.

À NE PAS MANQUER

La balade dans la vieille ville, la Galerie des Maîtres anciens et modernes, le musée de la Ville.

ORGANISER SON TEMPS

Prévoyez une journée avec la visite des musées.

AVEC LES ENFANTS

Le vieux château, la collection d'entomologie.

Il y a une lumière particulière à Varaždin : toujours douce, souvent chaude, elle dore les façades, caresse la silhouette des clochers à bulbe, exalte l'élégance des nobles demeures qui bornent les rues piétonnes de la ville historique. Et c'est un plaisir auquel on s'abandonne volontiers que de flâner dans ce petit joyau baroque où règne une ambiance particulière, subtile alchimie née de la rencontre d'une jeunesse dynamique et d'un passé raffiné qui semble s'être figé dans l'éternité : pas de doute, ici, on est dans l'Europe centrale telle qu'on aime à se l'imaginer !

Se promener Plan de ville

★★ LA VILLE BAROQUE

Circuit tracé en vert sur le plan (p. 486).

Place du Ban-Jelačić (Trg bana Jelačića) B1

Place bordée de quelques beaux immeubles, à la lisière du centre piétonnier. Après avoir laissé la voiture, on s'y engagera en empruntant la rue Ljudevit Gaj.

Tour Lisak (Lisakova kula)

Cette tour du 16e s. est le dernier vestige des remparts de la ville, abattus au milieu du 19e s. Juste à côté, une noble demeure abrite, en sous-sol, un pub très couru, le Zlatni Lampaš. Au coin de la place et de la rue L.-Gaj naquit le pianiste **Jurica Murai** (1927-1999), un des plus prestigieux interprètes croates, qui perpétua la longue tradition musicale de la ville.

Par la rue Ljudevit-Gaj puis à droite Bakačeva, on atteint la place Stančić.

★ **Place Miljenko-Stančić** (Trg Miljenka Stančića) A1

Face à la tour d'accès au château, c'est une charmante petite place de forme irrégulière, bordée par des palais et des maisons à arcades, investie aux beaux jours par les tables d'un café, dont la salle confortable est un véritable bienfait lorsque la bise vient !

★★ **Palais Sermage** AB1

Au coin de Bakačeva.

Construit au 17e s. *(voir ABC d'architecture)*, il prit sa belle façade rococo bicolore, ornée de médaillons et d'un beau balcon, lorsqu'en 1759 il fut acquis par la noble famille Sermage. Passant sous le porche, on accède à une cour ornée d'une galerie à arcades, tandis qu'un escalier permet d'accéder à l'étage où est installée la **Galerie des Maîtres anciens★**.

★ **Galerie des Maîtres anciens et modernes**

(Galerija starih i novih majstora) AB1

Palais Sermage, trg Miljenka Stančića 3. ✆ 042 214 172 - www.gmv.hr - mar.-vend. 9h-17h, w.-end 9h-13h - 20 kn (étud. et enf. 12 kn).

Cette galerie, installée à l'étage, présente une collection de peintures, allant du 15e au 19e s., et provenant pour la plupart de demeures patriciennes de la ville.

Écoles européennes, 15e au 17e s. (salle 1) – Deux portraits anonymes représentant Philippe II d'Espagne et un jeune homme, un paysage fantastique attribué à Albrecht Altdorfer, un petit format de Bernardino Luini *(La Justice et la Médecine)* d'une douceur un peu mièvre, précèdent une *Fête au village*, et des scènes de tavernes hollandaises réalisées avec verve. Mais le « clou » est *La Madone aux épis*★, peinture sur bois probablement autrichienne ou allemande (15e s.), pleine d'élégance et de grâce.

Écoles hollandaise et italienne, 17e et 18e s. (salle 2) – Cette salle est centrée autour du *Portrait d'Hélène Fourment*, désormais définitivement attribué à **Rubens**, copie réalisée par l'artiste de l'original exposé au palais Pitti à Florence. Notez également un *Paysage de bord de mer*, anonyme, et la précision du détail d'un tableau de Gael Barent représentant des cavaliers lors d'une petite pause devant une auberge de campagne.

Écoles flamande, allemande et italienne, 17e et 18e s. (salle 3) – Deux œuvres attribuées à l'atelier de Canaletto et des natures mortes hollandaises.

Écoles des 17e et 18e s. (salle 4) – Paysages, parmi lesquels un (probable) Poussin *(Paysage de montagne)* et un délicat portrait de Johann Weikert, *La Dame aux pigeons*.

Écoles croate et slovène, 18e et 19e s. (salle 4) – Nombreux portraits de l'aristocratie locale réalisés en grande partie par Mihael Stroy et Matej Brodnik. Mais celui qui frappe le plus l'imagination est antérieur et anonyme : il représente dame Rosalie Somogy, incontestablement une forte femme !

Écoles croate, allemande et autrichienne, 19e s. (salle 6) – Encore des portraits, dont deux réalisés par **Albert Moses** (1835-1903), peintre né à Varaždin et formé à Vienne. La peinture de genre est représentée par une amusante scène d'école, de Hugo Oehmichen, et le style Biedermeier par deux portraits anonymes.

Écoles française et hongroise, 19e s. (salle 7) – Un lointain émule hongrois de Poussin **(Karoly Marko)** est encadré par un paysage de Léon Richet (1847-1907, sous-produit de l'école de Barbizon) et un inattendu *Portrait de George Sand*, par Eugène Louis Charpentier.

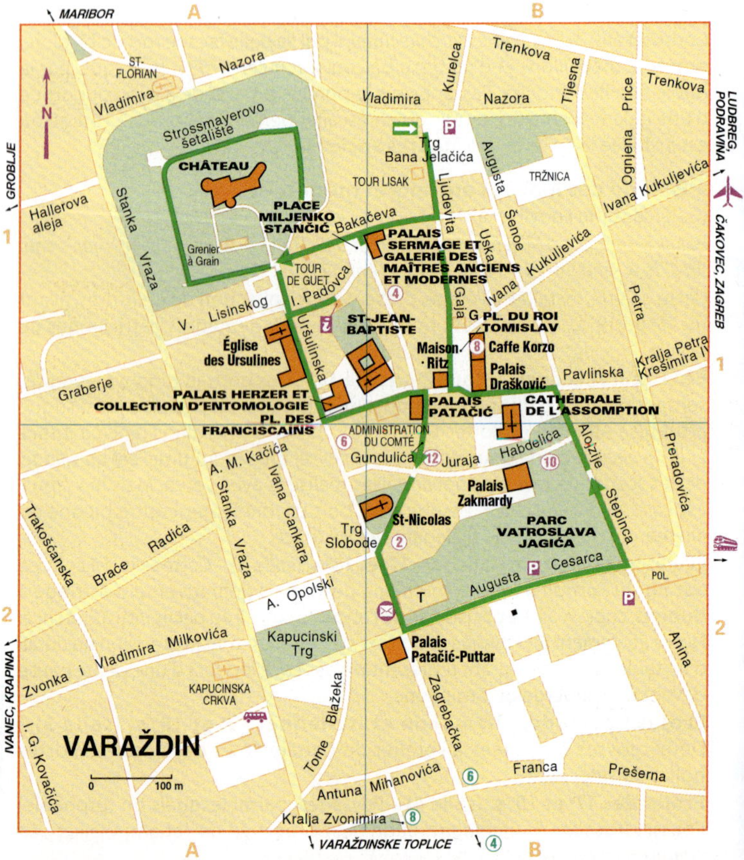

SE LOGER

- Pansion Garestin .... ④
- Pansion Maltar .... ⑥
- Turist .... ⑧

SE RESTAURER

- Domenico .... ②
- Kavana Dora .... ⑥
- Mamma mia .... ⑧
- Park .... ⑩
- Raj .... ⑫
- Verglec .... ④

★ **Tour de guet** (Kula Stražarnica) A1

C'est par cette porte de style Renaissance, construite dans la première moitié du 16e s., que la place communique avec le château : un pont-levis, jeté sur les douves aujourd'hui comblées, achevait de protéger la citadelle.
Passez sous la porte voûtée pour accéder au château.

★★ **Vieux château** (Stari grad) A1

Mi-forteresse, mi-palais, le vieux château autour duquel s'est développée la ville dresse sa silhouette blanche et trapue au milieu d'un beau parc, délimité par les anciens remparts. Été comme hiver, les enfants s'y retrouvent pour jouer (et, lorsque la neige est au rendez-vous, faire de la luge).

Ancien grenier à grain (Žitnica)

Sur la gauche, avant la rampe d'accès au rempart. Du 15e s., il fut transformé en dépôt de munitions à l'époque des Confins militaires.

Promenade Strossmayer (Strossmayerovo šetalište) A1

Aménagée sur les anciens remparts, elle constitue une promenade agréable dans la verdure, procurant des vues tant sur le château que sur les toits de la vieille ville hérissée de clochers.

★ **Château** A1

De forme irrégulière, il se distingue par ses deux tours rondes et un donjon carré reliés par des corps de bâtiments qui, certes percés de fenêtres, ont toutefois conservé l'aspect général d'une forteresse.
Construit au 12e s., ce fut tout d'abord une formidable construction aux grosses tours carrées, surveillant, sur la rive droite de la Drava, le carrefour stratégique constitué par deux routes (l'une reliant Zagreb à Budapest, l'autre Graz à Osijek et Belgrade), au pied de laquelle se développa petit à petit la ville de Varaždin. Les parties les plus anciennes (les tours rondes) datent quant à elles du 14e s. Autour de 1560, la menace ottomane se faisant pressante, il fut en grande partie reconstruit par des artisans de la région de Côme (les fameux *maestri comacini,* sous la direction de **Domenico dall'Allio**), doté de nouveaux systèmes de défense et prit son aspect Renaissance, qui est plus ou moins celui que l'on découvre aujourd'hui, si l'on excepte quelques transformations effectuées au 18e s. C'est à la fin du 16e s. que **Toma Erdődy**, vainqueur des Turcs à Sisak, en prit possession, et, le comté (*županija* ou « joupanie ») devenant alors héréditaire, la famille le conserva jusqu'en 1925, date à laquelle la ville en fit l'acquisition pour y installer l'excellent **musée de la Ville★★** *(voir ci-dessous).*
On pénètre dans la **cour★** charmante, d'une légèreté insoupçonnable de l'extérieur. Entourée de deux étages de galeries, de murs blancs aux fenêtres peintes en trompe l'œil, elle conserve en son centre un beau puits. L'accès aux appartements (« ulaz ») se fait dans l'angle opposé de la cour.

★★ **Musée de la Ville** (Gradski muzej) A1

Dans le château. ✆ 042 658 754 - www.gmv.hr - été : tlj sf lun. 10h-18h ; hiver : tlj sf lun. 10h-17h (w.-end 13h) - 20 kn (étud. et enf. 12 kn).
Visite doublement intéressante puisqu'elle permet de découvrir l'intérieur du château, ainsi qu'une collection qui retiendra surtout l'attention pour le mobilier présenté. Le circuit de visite aménagé permet de découvrir les différentes salles, très simples, avec leurs murs blancs, leurs sols carrelés et leurs plafonds garnis de poutres.

POUVOIR FÉODAL ET POUVOIR MUNICIPAL

D'un côté, une forteresse féodale commandant un carrefour important de routes en bordure de la Drave. De l'autre, une ville qui avait obtenu dès 1209 le statut de ville royale libre – promulgué par le roi de Hongrie András II – lui donnant entre autres privilèges, celui d'édifier ses propres murailles. C'est de ces deux entités indépendantes (et, parfois, opposées) ne communiquant que par un pont-levis qu'est née la physionomie actuelle du centre de Varaždin.

Dans le courant du 18e s., une série d'épidémies et des incendies à répétition dévastèrent Zagreb où siégeait le pouvoir civil du royaume croate. Il fut alors décidé par le ban (vice-roi) **Franjo Nadásdy** de transférer les institutions politiques à Varaždin qui devint ainsi, en 1756, la capitale de la Croatie : le Parlement *(Sabor)* y tenait session, ainsi que le Tribunal suprême. Mais cette période de splendeur ne dura que jusqu'en 1776 où la cité fut à son tour dévastée par un grand incendie. La capitale retourna dès lors à Zagreb.

Cependant, Varaždin n'allait pas pour autant sombrer dans le déclin. Riche d'une ancienne tradition universitaire (depuis l'arrivée des jésuites), la cité où de nombreuses familles nobles (les Drašković, Patačić et autres Sermage) s'étaient fait édifier de superbes palais continua à connaître une vie mondaine brillante et raffinée. Si des industries ont peu à peu fait grossir la ville au-delà de ses limites historiques, elle n'en a pas pour autant renoncé à son rôle de capitale culturelle (symbolisé par les « soirées baroques ») et a su préserver son patrimoine architectural.

Les premières salles évoquent l'histoire de la cité et des personnages qui l'ont marquée ; tels que le ban (vice-roi) **Nadäsdy**, l'écrivain et homme politique **Ivan Kukuljević-Sakćinski** auteur de *Juran et Sofija*, première œuvre dramatique en croate (1840) et **Vatroslav Jagić**, linguiste.

Une salle circulaire (le donjon) est consacrée aux guildes d'artisans et de négociants : les corporations (bouchers, tailleurs…) sont évoquées par des enseignes et des bannières. Dans la salle suivante, la voûte gothique est un vestige du château féodal.

À l'étage, un corridor conduit à la **Sala Major** (premier quart du 16e s.), ornée d'une belle cheminée et de mobilier allemand. Le corridor suivant présente des **cibles peintes** criblées de balles, commémorant les vainqueurs des concours organisés à partir de 1819 par la Société de tir de Varaždin.

On accède alors à un étonnant **salon baroque★★** circulaire (nous sommes à l'étage supérieur du donjon), baignant dans une lumière rose. Remarquez en particulier une belle armoire avec pilastres torsadés et un superbe cabinet confectionné à Augsbourg (1625). Après un nouveau corridor, on débouche dans un **salon rococo★** où trône le portrait de l'impératrice Marie-Thérèse. Dans l'alcôve, reconstitution d'un salon baroque de la classe moyenne de l'époque avec une étonnante *Crucifixion*, peinture croate du 18e s., présentant au premier plan l'histoire biblique de Chanaan. Dans un second salon rococo présidé, lui, par Joseph II, superbe commode autrichienne avec incrustations de marqueterie.

Une longue galerie permet d'apercevoir, depuis le seuil, quatre salles meublées et décorées selon différents styles : classicisme, Empire et **Biedermeier★** : cette dernière, remarquable, contient des meubles signés de Joseph Müller, ébéniste

L'atmosphère surannée et calme des rues piétonnes de Varaždin.
A.Pöschel/imagebroker/age fotostock

à Varaždin. Même disposition dans la galerie inférieure où l'**historicisme** est illustré par une chambre néobaroque, et un salon « haut allemand » (qui pourrait correspondre à notre style « troubadour »). La dernière pièce est meublée et décorée dans le style Sécession.
Les salles voûtées du sous-sol sont réservées aux expositions temporaires.
Quittez l'enceinte du château dans le prolongement de la promenade Strossmayer en vous guidant sur le clocher de l'église des Ursulines.

Rue Ivan-Padovec (Ulica Ivana Padovca) A1

Sur la gauche. Quelques pas dans cette courte rue au tracé décrivant une courbe vous permettront de découvrir, au n° 3, une harmonieuse maison à un étage, du 18e s. : c'est la **kuća Ivana Padovca** qui abrite aujourd'hui l'office de tourisme de Varaždin.
Revenez vers la rue des Ursulines que vous prendrez sur la gauche.

Église des Ursulines (Uršulinska crkva) A1

Sur la gauche. Toute rose, cette église à nef unique, construite en 1712, est surmontée d'un gracieux **clocher★**, sans doute le plus élégant de la ville.

Couvent des Ursulines A1

Au n° 3. Immédiatement après l'église s'étend la longue façade du couvent des sœurs ursulines, doté de fenêtres en trompe l'œil. L'édifice actuel, du milieu du 18e s., a été bâti pour abriter cette congrégation, arrivée à Varaždin depuis Bratislava à l'invitation de la famille Drašković, pour y ouvrir une école de filles.

Pharmacie du monastère franciscain

Au n° 4, sur le côté gauche de la rue. ✆ 042 212 144 - lun., jeu.-vend. 9h-11h.
C'est en pénétrant dans cette cour que l'on accède au monastère franciscain, bâti en 1673. Sur la droite, le plafond de la pharmacie est décoré de fresques exécutées en 1750 par un maître du baroque, le moine paulinien **Ivan Ranger**.

★ Palais Herzer AB1

Au n° 6, au coin de la rue des Ursulines. Ce palais fut aménagé en 1795. Il présente sur la **place des Franciscains★** (Franjevački trg) une façade à la belle ordonnance classique que vient animer un portail baroque surmonté du blason du propriétaire. Il abrite aujourd'hui une étonnante **collection d'entomologie★★**.

★★ Collection d'entomologie (Entomološka zbirka) A1

Palača Herzer - ✆ 042 658 760 - www.gmv.hr - tlj sf lun. 10h-17h (w.-end 13h) - 20 kn (étud. et enf. 12 kn).

Installé dans le palais Herzer, voici un passionnant musée qui captivera même ceux d'entre vous qui ne portent pas un intérêt démesuré à la vie des insectes. Cela tient à son étonnante muséographie qui nous présente une fabuleuse collection d'insectes exposés dans des vitrines, des tiroirs, des dioramas… et dont la vie, sociale ou intime, nous est présentée à l'aide de maquettes peuplées d'effigies grossies. Ajoutons que le fait que les explications demeurent totalement impénétrables à qui ne maîtrise pas le croate, s'il nuit sans doute au côté didactique de la visite, permet au curieux, dégagé du souci de comprendre, d'apprécier pleinement la poésie de cet endroit plongé dans la pénombre et le silence.

On fait ainsi connaissance avec ces bestioles d'aspect parfois répugnant, parfois effrayant (ainsi ce *Lucanus servus* avec ses redoutables pinces ou ce *Cerambyx credo* et ses grands élytres repliés vers l'arrière). La vie de la forêt nous est présentée à travers des arbres et leurs habitants – et l'on s'étonne alors de la foule insoupçonnée qui vit, se nourrit, se reproduit et meurt autour de chacun de nos arbres familiers. Fourmilières, termitières et ruches nous renseignent sur l'organisation sociale de certains insectes *(salle 3)* tandis que les libellules se taillent la part du lion dans la salle 4, où l'on découvre, sous nos pieds, la vie des insectes aquatiques. Une salle consacrée aux papillons de nuit nous conduit au bureau du professeur **Franjo Košćec** (1882-1968), qui fut à l'origine de cette extraordinaire collection : on découvre ses livres, les boîtes où ses proies étaient présentées, bien alignées, chacune piquée par une épingle, et les boîtes qu'il emportait lors de ses expéditions afin d'y emprisonner ses futurs pensionnaires. Et puis, on arrive au seuil du bureau : on a alors l'impression que le professeur vient de s'absenter et va revenir d'une minute à l'autre. On quitte alors les lieux sur la pointe des pieds : s'il découvrait notre intrusion, nul doute que sa colère serait terrible !

Statue de Grégoire de Nin (Spomenik Grgura Ninskog)

Évêque de Split au 10e s., Grégoire de Nin est considéré comme l'un des pères de l'identité nationale croate : c'est grâce à lui que les Croates bénéficièrent du privilège unique d'entendre la messe dans leur langue. Posée devant la façade de l'église des Franciscains, la statue, œuvre tout en puissance de **Ivan Meštrović**, est une réplique de celle qui se dresse devant la porte d'Or du palais de Dioclétien à Split *(voir ce nom)*.

★ Église franciscaine St-Jean-Baptiste (Crkva sv. Ivana Krstitelja)

Cette église baroque fut élevée par un architecte de Graz, Peter Rabb, en 1650. Le clocher est le plus haut de la ville. Le **décor intérieur★★** *(accès aux heures des messes)* est somptueux, qu'il s'agisse du spectaculaire retable polychrome du maître-autel, des chapelles latérales décorées par Quadrio ou des statues de saint François d'Assise et de saint Antoine de Padoue exécutées par un sculpteur local, I.-J. Altenbach. Notez également la chaire ornée de fines sculptures de style maniériste représentant le Christ et les apôtres.

Palais de Varaždinska županija

Côté droit de la place au n° 7. Il présente une belle façade avec balcons et colonnes.

★★ Palais (Palača) Patačić

Côté droit de la place à l'angle de Gundulića. La façade de ce palais rococo, édifié en 1764 pour Franjo Patačić, est une des plus belles de la ville, avec son balcon, et sa porte encadrée de colonnes.

Palais Patačić-Bužan

Côté gauche, face au précédent. Beau palais édifié en 1756.

Prenez sur la droite Gundulića, bordée elle aussi d'immeubles intéressants, jusqu'à la place de la Liberté (Trg Slobode) et la rue de Zagreb (Zagrebačka, à gauche).

Église St-Nicolas (Crkva sv. Nikole) B2

Toute grise, cette ancienne église romane, consacrée au saint patron de la ville, a été largement remodelée dans le style baroque entre 1753 et 1791 par un architecte local, Matija Mayerhofer, mais a gardé son clocher de la fin du 15e s. L'intérieur a reçu lui aussi un décor baroque. Une curiosité : derrière le grand autel, une fresque représente la ville à la fin du 18e s.

Palais Patačić-Puttar B2

Sur la gauche, au coin de la rue Augusta-Cesarca.

Observez le portail ouvragé (et décoré du blason de son ancien propriétaire) de ce palais où néoclassicisme et baroque se mêlent harmonieusement.

Revenez un peu sur vos pas.

Théâtre national croate (Hrvatsko narodno kazalište) B2

Belle construction historiciste due à l'architecte viennois Hermann Helmer (1873). Son portail à colonnades donne sur la rue Augusta-Cesarca que l'on prend, à gauche.

★ Parc Vatroslava Jagića B2

Ce beau parc est orné d'une statue de Vatroslav Jagić, historien des langues slaves. Vous remarquerez également une de ces colonnes météo dont les Croates sont friands. Dans les allées du parc où il fait bon flâner, vous trouverez un restaurant (judicieusement nommé Park) dont la salle ouvre par de larges baies vitrées sur la verdure.

À côté, dans la rue Habdelića, s'élève le **palais Zakmardy**, quelque peu massif. Cet ancien collège de jésuites a été construit à la fin du 17e s. par deux architectes locaux, Jakob et Blaž Jančić.

Remontez à gauche par ulica A. Stepinca jusqu'à Pavlinska ulica que vous prendrez toujours à gauche.

★ Cathédrale de l'Assomption

(Katedrala Uznesenja Blažene Djevice Marije) B1-2

Ouverte aux heures des messes… ou pendant les concerts.

Édifiée entre 1642 et 1646, cette ancienne église jésuite puis paulinienne a été élevée au rang de cathédrale lors de la création du diocèse de Varaždin en 1957. Sur la façade, remodelée au 18e s., on distingue les armes de son commanditaire, le comte Gašpar Drašković. À **l'intérieur★★**, très clair, admirez, au-dessus du maître-autel, le somptueux retable de l'Assomption, décoré d'une peinture attribuée, peut-être généreusement, à Rubens. Notez aussi la chapelle St-François-Xavier, ornée de stucs réalisés par Quadrio (1710) et les **stalles peintes** par Ivan Ranger.

★★ **Place du Roi-Tomislav** (Trg kralja Tomislava) B1
On débouche bientôt sur la place principale de la ville, aménagée à l'italienne, très théâtrale, et bordée de quelques-uns des plus beaux palais de la cité.

Hôtel de ville

Sur le côté nord de la place.
La mairie occupe cet emplacement depuis 1573… mais bien des avatars, suivis de reconstructions, totales ou partielles, ont quelque peu altéré la construction d'origine. La façade agréable que l'on découvre aujourd'hui, surmontée par un beffroi, a été réalisée dans la dernière décennie du 18e s. Remarquez le beau balcon ouvragé et, au-dessus du portail, les armes de la ville, sculptées dans la pierre.

Caffe Korzo

Sur le côté droit. À la fois café et pâtisserie, cet établissement au décor Art déco et à l'ambiance typique des cafés d'Europe centrale occupe le rez-de-chaussée d'un amusant immeuble doté d'une tourelle d'angle.

Palais Drašković

À droite du café. Beau portail surmonté des armes de la prestigieuse famille qui lui a donné son nom. Le palais actuel, qui arbore une belle façade rococo, fut construit dans la seconde moitié du 18e s. et appartenait au ban Nadäsdy. Dans l'immeuble situé à sa droite, le Sabor se réunit entre 1756 et 1776.

Maisons Bakić et Mrazović

Côté opposé de la mairie. Il s'agit de deux exemples de maisons bourgeoises : la première, sur votre gauche, date du début du 18e s. La seconde, du 16e s., a été largement remodelée au 19e s.

Maison Ritz

Côté gauche de la place, à l'angle de Franjevački trg. Dotée d'arcades, cette maison dont le rez-de-chaussée est aujourd'hui occupé par un café est réputée comme étant la plus ancienne de la ville, puisqu'elle date de 1540.
Par la rue Ljudevit-Gaj (ulica Ljudevita Gaja), sur la gauche de l'hôtel de ville, regagnez la place du Ban-Jelačić.

À L'ÉCART DU CENTRE

Église St-Florian (Crkva sv. Florijana) A1
Vladimira Nazora, au nord du château.
Cette église baroque fut bâtie en 1738. Elle a été rénovée dans le style rococo en 1777, après l'incendie qui dévasta la ville l'année précédente. Sa façade s'orne d'un cadran solaire. Elle abrite une peinture représentant le grand incendie… mais est, hélas, rarement ouverte !
Prenez la rue V. Nazora puis, à gauche, Stanka Vraza qui longe à l'ouest l'enceinte de Stari grad (le château) et, enfin à droite, l'allée Haller (Hallerova aleja) jusqu'au croisement avec la route de Zagreb (5mn). Le cimetière se trouve au-delà de cette route.

★ **Cimetière paysager** (Groblje)

Été : 7h-21h ; hiver : 7h-19h - 🅿. *Plan d'orientation près du dépositoire.*

Lieu de promenade dominicale des habitants de la ville, ce cimetière a été aménagé par un paysagiste, **Herman Haller** (1875-1953), qui a voulu qu'arbres, buissons, fleurs et sentiers composent un ensemble harmonieux. Le résultat est beaucoup moins mélancolique qu'on ne pourrait le penser et constitue un parc où l'on prend plaisir à se promener. On y verra des sculptures (*Femme affligée* par Antun Augustinčić) et quelques monuments, impressionnants comme la chapelle rococo de la famille Orčić, émouvants (à la mémoire des victimes des différents conflits), voire amusants : ainsi ce défunt qui a eu la délicate pensée de faire aménager un banc pour ses visiteurs…

À proximité Carte de région

Čakovec Hors plan (B1)

▷ *À 14 km au nord-est.*

Kralja Tomislava 1 - ✆ 040 313 319 - www.tourism-cakovec.hr - lun.-vend. 8h-19h, sam. 8h-13h.

Capitale du Međimurje, cette petite région s'étendant au nord de la Drave jusqu'aux frontières avec la Slovénie et la Hongrie, Čakovec est aujourd'hui une banlieue résidentielle de Varaždin.

La ville ancienne s'articule depuis le parc abritant le château, autour d'une longue rue piétonne vouée au roi Tomislav. Cette rue conduit à la place des Franciscains *(Franjevački trg)* où s'élève l'**église St-Nicolas**. Sur la façade, deux rois au regard farouche veillent dans des niches. En face de l'église, la rue Strossmayer présente un agréable ensemble de maisons baroques.

Vieux château (Stari grad) – *Trg Republike 5. ✆ 042 313 499 - www.muzej-medjimurja.hr - lun.-vend. 7h-18h, w.-end 10h-13h - 15 kn (enf. 10 kn).* Protégés par des remparts aménagés sur l'ordre de Nikola Zrinski, surmontés par un beffroi, l'ancien et le nouveau château se font face dans un agréable parc aménagé à la fin du 19e s. Le nouveau est un palais baroque qui abrite le **musée du Međimurje** : collections ethnographiques et évocation du compositeur local J. Slavenski (1896-1955).

★ **Varaždinske Toplice** C1

▷ *À 16 km au sud-est par la route de Zagreb puis à gauche dans la traversée de Gornja Kreginec.*

Posée sur le versant ensoleillé d'une colline, c'est une station thermale animée, dotée de restaurants et cafés, et spécialisée dans le traitement des rhumatismes. Les thermes étaient déjà fréquentés par les Romains, qui nommaient le lieu *Aquæ Iasæ* en référence à la population locale illyrienne, les Iassi.

Anciens thermes romains (Arheološke skopine iz doba Rimskog Carstva) – *Park Dr Ivana Krstitelja Lalangue.* Dans le cadre sympathique d'un parc aménagé à flanc de colline, on découvre les vestiges assez imposants d'*Aquæ Iasæ* : vestiges de murailles, système de drainage, bains et ruines dans lesquelles les archéologues ont pu voir les vestiges de temples dédiés à Jupiter, Minerve et Junon.

Musée (Muzej Varaždinskih Toplica) – *En rénovation lors de la mise à jour de ce guide. Se renseigner au ✆ 042 633 339.* Dans le bâtiment qui abrite l'office de tourisme, en contrebas des thermes romains, il présente des sculptures et des bas-reliefs provenant de ceux-ci.

Ludbreg C1

À 25 km au sud-est par la route d'Osijek.

Trg sv. Trojstva 14 - 042 810 690 - www.tz-ludbreg.hr.

Ludbreg est le centre du monde : pour bâtir celui-ci, le Créateur, en effet, commença par tracer des cercles concentriques autour d'un point. C'est précisément à l'emplacement de ce point que se trouve la ville. C'est du moins ce que les habitants du lieu affirment avec le plus grand sérieux, de sorte qu'ils ont baptisé une rue (et pas n'importe laquelle : celle qui, de la place Sv. Trojstva, permet de gagner l'église paroissiale) rue du Centre-du-Monde. Cette situation peu banale méritait bien une célébration officielle : elle fait l'objet de festivités animées, chaque année, le… 1er avril !

Place de la Ste-Trinité (Trg sv. Trojstva) – Cette belle place, à l'ordonnancement classique, paraît démesurée pour une si petite ville ! Au centre, les statues dorées (saint Jean Baptiste et saint Jacques) brillent de mille feux pour peu que le soleil se mette de la partie. Le coin de la place, avec l'immeuble occupé par le café Putnik dont semble émerger le clocher à bulbe de l'église, compose un ensemble harmonieux.

Par la rue du Centre-du-Monde (ulica Centar Svijeta/Centrum Mundi), gagnez l'église.

Église de la Très-Ste-Trinité (Crkva presvetog Trojstva) – C'est un bel exemple d'église close dans une **enceinte★** de forme irrégulière, datant de 1779, dont les galeries à arcades forment une sorte de petit cloître baroque. L'église, quant à elle, date dans son état actuel de 1829. On accède par un porche couvert à l'intérieur de cet édifice à trois nefs décoré de fresques très lumineuses (remarquez en particulier *La Cène*, au plafond), exécutées en 1937 par le peintre symboliste **Mirko Rački**. La chaire est un spectaculaire exemple de baroque. Dans le chœur est exposé le reliquaire contenant le calice miraculeux du saint Sang, réalisé en 1721 par Casper Rises, orfèvre d'Augsbourg.

Chapelle votive du Sabor croate (Zavjetna kapela Hrvatskog sabora) – *À gauche à l'entrée de la ville, juste avant d'arriver à la place.* En 1411, un prêtre, célébrant la messe dans la chapelle du château Batthyäny *(voir ci-après)*, vit le vin se transformer en sang du Sauveur dans son calice. Dès que l'affaire fut connue, les pèlerins affluèrent, d'autant que les guérisons miraculeuses se multiplièrent. Officiellement reconnu par le pape Léon X en 1513, le miracle donne dès lors lieu à un pèlerinage officiel. Considérant le calice sacré comme « le plus grand trésor du royaume croate », le Sabor (Parlement) réuni à Varaždin en 1739 vota la construction d'une chapelle vouée à célébrer l'événement. L'affaire prit quelque temps, puisque ce n'est qu'en 1994 que la chapelle fut consacrée. Précédée d'un chemin de croix, elle est édifiée sur un vaste espace destiné à accueillir la foule des pèlerins. Sa façade est décorée de mosaïques (d'un style très sulpicien) réalisées par Goran Petrač.

Château Batthyäny (Batthyäny dvorac) – Cet imposant ensemble néoclassique abrite un centre de restauration, créé avec l'aide du gouvernement bavarois, où sont traitées les œuvres d'art endommagées lors du conflit de 1991.

NOS ADRESSES À VARAŽDIN

ARRIVER/PARTIR

Proche de Zagreb, mais aussi de Maribor en Slovénie (80 km), Varaždin est une ville bien desservie par la route et le train.

Train – *Kolodvorska 17.* Un peu à l'écart à l'est du centre-ville. Consigne ouverte 24h/24 et distributeur automatique. Nombreuses liaisons avec Zagreb. Deux trains/j. pour Budapest.

Autobus – *Zrinskih i Frankopana bb.* La gare routière est à l'image de la ville : de taille moyenne mais très active. Deux lignes pour Zagreb (50 kn). Bus fréquents pour Varaždinske Toplice, les villes du Zagorje, ainsi que Trakošćan (26 kn) *via* Lepoglava. Pour les destinations plus lointaines, dessertes régulières de Knin, Bjelovar, Zadar, Šibenik, Split (correspondance pour Dubrovnik), Pula, Rovinj et Poreč, Osijek et Vukovar.

Taxis – *À la gare routière - ✆ 042 313 303.*

HÉBERGEMENT

À Varaždin

BUDGET MOYEN

Pansion Maltar – B2 - *Prešernova 1 - ✆ 042 311 100 - www.maltar.hr - 11 ch. 488 kn* ☕. À 300 m de la gare routière, derrière le supermarché Konzum, cette pension familiale propose, dans une jolie maison, des chambres confortables. Toute proche du centre, c'est une adresse agréable, où l'accueil est particulièrement amical. Deuxième pension récemment ouverte non loin de la première *(Anina 38)* avec 7 vastes studios tout confort.

Pansion Garestin – *Zagrebačka 34* - Hors plan - *✆ 042 214 314 - 13 ch. 460 kn* ☕. En s'écartant du centre sur le même axe, on trouve cette pension équivalente à la précédente, mais disposant d'un restaurant.

Hotel Turist – B2 -*Aleja kralja Zvonimira 1 - ✆ 042 395 395 - www.hotel-turist.hr - 115 ch. 60/90 €.* ☕. Ce bâtiment moderne abrite l'hôtel le plus complet de la ville, qui compte deux catégories de chambres, de très bon confort. Vous pouvez réserver pour des activités dans la région : randonnées, chasse, pêche.

À Čakovec

BUDGET MOYEN

Hotel Park – *Zrinsko-frankopanska 14 - ✆ 040 311 255 - www.hotel-park.info - 98 ch. 420 kn* ☕. Un peu impersonnel mais confortable et bien tenu, cet hôtel situé à l'orée du parc constituera une halte bienvenue sur la route de Budapest ou une solution de dépannage au cas où les hôtels de Varaždin seraient complets.

À Varaždinske Toplice

PREMIER PRIX

Motel Tonimir – *Kralja Tomislava 1 (au bas du village) - ✆ 042 633 504 - 15 ch. 294 kn* ☕. L'esthétique peut certes rebuter, notamment le vert épinard de la façade, mais cette auberge de campagne est confortable et d'une propreté immaculée. Bonne adresse de dépannage.

POUR SE FAIRE PLAISIR

Hotel Minerva – *Trg slobode 1 - ✆ 042 630 000 - www.minerva.hr - P - 261 ch. 70/96 € selon le confort, l'usage des piscines inclus* ☕. Immense hôtel du complexe thermal. Architecture de style « chalet » (un grand chalet !) et situation idéale à flanc de colline. Chacune des chambres possède son balcon. Outre les prestations thermales, toutes sortes de services sont proposés : café-bar, restaurants, dancing, boutiques, salles TV…

À Ludbreg

BUDGET MOYEN

Hotel Crnković – *Petra Zrinskog 9 (dans la rue principale, peu avant d'arriver à l'église lorsqu'on vient de Varaždin) - ✆ 042 810 727 - www.hotel-crnkovic.hr* - P - *11 ch. 340 kn* ☕. Dans une maison du début du 20e s., les chambres mansardées sont simples mais vastes et très propres.

Hotel Raj – *A. Stepinca 2 - ✆ 042 306 377 - www.hotel-raj.com - 11 ch. 360/385 kn et 2 appart. 400 kn* ☕. Petit hôtel rose en sortie de village, tenu par un jeune couple.

RESTAURATION

À Varaždin

PREMIER PRIX

Bistro Mamma Mia – B1 - *Trg Kralja Tomislava 2 - 20/30 kn.* On y trouve un petit pain typique : le *klipiči* ou « doigt de Varaždin » : nature ou au fromage, au pavot, au sésame ; des brioches fourrées de saucisse, viande ou fromage.

Kavana Dora – A2 - *Franjevački trg 17, dans la cour - ✆ 042 215 086 - 7h30-22h30 - 30/40 kn.* C'est un établissement qui tient du salon de thé, mais où l'on peut aussi boire un vin chaud et se restaurer de crêpes, de *štrukle* et de gâteaux, accompagnés d'un chocolat chaud à moins de préférer une assiette de *pršut* agrémentée d'un vin local.

Restaurant Raj – B2 - *Gundulića 11 - ✆ 042 213 146 - 8h-22h - 25/40 kn.* Une adresse qui tient plus du réfectoire que d'un restaurant, mais les prix peu élevés y attirent beaucoup de jeunes. Choix limité de plats, de qualité correcte.

Restoran Verglec – B1 - *Kranjčevićeva 12 - 8h-23h - ✆ 042 221 131 - plats 24/53 kn.* Une taverne où dans une ambiance bon enfant on déguste *pisanica* et autres *čevapčiči*.

Pizzeria Domenico – B2 - *Trg Slobode 7 - ✆ 042 212 017 - 9h-23h - 20/35 kn.* L'inévitable « italien » constitue une adresse sympathique, particulièrement économique où l'on se restaure de pizzas copieuses. Salle et terrasse agréables.

BUDGET MOYEN

Park – B2 - *Juraja Habdelića 6 - ✆ 042 211 499 - plats 30/90 kn.* Comme son nom l'indique, il est largement ouvert sur le parc de la ville. Grillades et spécialités slavonnes. Terrasse en été.

À Ludbreg

BUDGET MOYEN

Crnković – *Petra Zrinskog 9 - ✆ 042 810 727 - 10h-0h - 80/110 kn.* 3 grandes salles vieillottes au rez-de-chaussée d'une villa comme on en construisait autrefois. Spécialités régionales copieuses. Ambiance feutrée.

PETITE PAUSE

Caffe Ritz – *Franjevački trg 4.* Sous les arcades de la plus ancienne maison de la ville.

Caffe Lavra – *Gajeva 17.* En sous-sol. Salle voûtée et ambiance jeune.

Pub Zlatni lampaš – *Trg Bana Jelačića 3.* Au sous-sol d'une noble demeure : bière et rock.

ACTIVITÉS

Casino – *À l'hôtel Turist. Ouv. à partir de 22h.*

Aquacity – *Motičnjak bb - ☏ 042 350 555.* Situé à 5 km à l'est de la ville, ce plan d'eau aménagé sur le cours de la Drave permet de nombreuses activités sportives : planche à voile, pédalos, canoës et tennis (courts couverts).

Chasse – *Voir à l'hôtel Turist ou : « Zelendvor huntings grounds », 42206 Petrijanec - ☏ 042 209 944 - www.zelendvor.hr.* 8 000 ha où l'on chasse lièvres, faisans, perdrix, cerfs et chevreuils.

Vélo et randonnée – Plusieurs pistes cyclables et sentiers de marche sont aménagés autour de Varaždin. Demander les plans à l'office de tourisme.

ACHATS

Marché (Tržnica) – *A. Šenoe, sur une petite place en retrait de la rue.* Fromages et charcuteries, primeurs…

Gavrilović – *I. Kukuljević 1.* En plus des produits de la célèbre marque, on trouve aussi jambons, saucisses, fromages et vins du pays, de quoi acheter les ingrédients d'un bon pique-nique ou de rapporter de savoureux souvenirs du pays.

Konzum – *F. Prešerna.* Pour les produits de première nécessité ou pour faire vos courses, une grande surface pratique, proche de la gare routière et des hôtels.

AGENDA

Carnaval de Ludbreg (Lubreški Fašnjač) – *Fév.* L'un des plus réputés et colorés de Croatie.

Jour du Centre-du-Monde (Dan Centra Svijeta) – *1er avr.* Manifestations diverses sous le signe de l'humour à Ludbreg.

Ateliers des « vieux métiers » – *Juil.-août.* Forgerons, mosaïstes, sculpteurs sur bois… et spectacles folkloriques à Varaždin.

Fête du Dimanche saint (Dan Svete Nedjelje) – *1er dim. de sept. À Ludbreg.* Le pèlerinage du Saint-Sang s'accompagne de festivités plus profanes qui se déroulent tout au long de la semaine précédente : les rues et les places de la petite cité se couvrent alors de stands, d'étals et de restaurants en plein air.

Špancirfest - *Fin août - déb. sept.* Festival de la ville de Varaždin avec de nombreux concerts de la musique du monde, spectacles de rue, théâtre pour enfants, présentation de vieux métiers… Hôtel à réserver longtemps en avance : 150 000 visiteurs chaque année !

Soirées baroques de Varaždin (Varaždinskih baroknih večeri) – *Fin sept.-déb. oct.* Messes, oratorio, musiques pour orgues et orchestres de chambre sont au programme. Les concerts se tiennent dans la cathédrale de Varaždin mais aussi dans les églises et châteaux des environs : Varaždinske Toplice, Trakošćan, Lopatinec et Lepoglava.

Bureau des Concerts – *Cesarćeva 1 - ☏ 042 212 907 - www.koncertni-ured.com.hr.*

La Podravina

★

NOS ADRESSES PAGE 504

S'INFORMER

Office de tourisme de Koprivnica – *Trg bana Jelačića 7 - ✆ 048 621 433 – www.koprivnicatourism.com - tlj sf dim. 8h-16h (sam. 12h).*

SE REPÉRER

Carte de région A1 (p. 418-419) – *carte Michelin n° 757 E4.* Ce circuit des peintres-paysans s'effectue à partir de Koprivnica, petite ville industrielle située sur la route de Varaždin à Osijek, à 110 km au nord-est de Zagreb. Voir la rubrique « Arriver/partir » dans *Nos adresses.*

À NE PAS MANQUER

La galerie de Hlebine, la forteresse de Đurđevac et un pèlerinage à la maison d'Ivan Generalić pour les admirateurs.

ORGANISER SON TEMPS

Commencez les visites dès le matin car les galeries ferment relativement tôt. Une visite rapide peut s'effectuer en 2-3h mais tout dépend du temps que vous passerez devant les tableaux.

Ici, les bœufs ont une robe couleur rouge vermillon, on crucifie le coq du voisin dont le chant matinal nous tire du lit, et on ne s'étonne pas de rencontrer la tour Eiffel parmi d'humbles chaumières. Dans ces villages où les paysans se font volontiers peintres, le merveilleux et la poésie prennent le pas sur la réalité quotidienne que de lumineux talents de coloristes viennent transfigurer… Mais la transfigurent-ils vraiment ?

Circuit conseillé Carte de région CD1

Circuit de 37 km tracé en vermillon sur le plan de région (p. 418-419) - Comptez une demi-journée.

Koprivnica

Gros bourg industriel spécialisé dans l'agroalimentaire. Malgré un premier accueil austère, la ville mérite qu'on s'attarde dans le centre historique constitué par la place Zrinski et ses abords immédiats.

Place Zrinski (Trg Zrinski) – Cette place est bordée d'un côté par un beau parc, de l'autre par une rangée de nobles demeures, dont l'une, très belle, avec sa façade à pans de bois et ses arcades, abrite café et restaurant. De cette place rayonnent la place du ban Jelačić, large avenue piétonne, et, en face, ulica Đure Estera.

★ **Parc** – Avec sa colonne météo surmontée d'un coq, son kiosque à musique coiffé d'un clocheton, ses grands arbres et ses parterres fleuris, ce vaste parc est charmant.

Au bout de la place, prenez sur la droite ulica Đure Estera qui longe le parc.

Sur la gauche, un passage donne accès au **marché couvert**, très animé.

Place Leander Brozović (Trg Leandera Brozovića) – Un peu à l'écart de la rue, sur la gauche, cette tranquille placette, ornée de statues juchées sur des colonnes, ne manque pas de charme.

LES PEINTRES-PAYSANS DE HLEBINE

Né à Hlebine, le peintre **Krsto Hegedušić** n'avait rien d'un autodidacte. Mais c'est lui qui, après avoir fondé le groupe Zemlja, découvrit dans son village natal la première génération des peintres-paysans, constituée par Ivan Generalić, Marko Virius, Ivan Večenaj et Franjo Mraz, et qui les fit exposer à Zagreb. **L'école de Hlebine** était née, et son succès fut considérable : la fraîcheur de ces peintures, souvent réalisées sur verre, l'humour avec lequel certains thèmes étaient traités, emportèrent l'adhésion. Le succès a été tel qu'aujourd'hui, à Hlebine, Molve, Koprivnica, Đurđevac, ils sont près de trois cents, sculpteurs ou peintres, à s'être à leur tour lancés dans l'aventure de l'art. Bien sûr, tous n'ont pas le génie du premier Generalić, le pire côtoie souvent le meilleur (et le naïf, le roublard), dans la répétition sempiternelle de thèmes qui ont fait leurs preuves, tels que le village sous la neige. Néanmoins, c'est toujours avec intérêt que l'on visite les ateliers qui parsèment les villages…

★ **Musée municipal** (Muzej grada Koprivnice) – *Trg Leandera Brozovića 1. ✆ 048 622 307 - www.muzej-koprivnica.hr - lun.-vend. 8h-15h, w.-end. 10h-13h - 10 kn (étud. 5 kn).*

Installé dans une belle demeure, il présente des collections archéologiques, ethnologiques et historiques. Au rez-de-chaussée, sous la voûte cochère, dépôt lapidaire d'où l'on retiendra un saint Job pensif (18e s.). À l'étage, objets, mobilier, enseignes de boutiques, horloges, portraits évoquent avec une sensibilité empreinte de nostalgie la vie locale aux 18e et 19e s. La vie rurale de la Podravina est quant à elle retracée à l'aide d'objet. Art sacré. Deux salles sont consacrées au conflit de 1991-1995.

Poursuivez dans la rue Đure-Estera.

On arrive devant le **monastère franciscain** (franjevački samostan). Sur la droite, au n° 12, remarquez la villa, quelque peu décatie, avec sa façade sculptée et son balcon de bois. L'église **St-Antoine-de-Padoue** (crkva sv. Antuna Padovanskog) possède un décor baroque dont se détachent une chaire en marbre et, sur la gauche, un autel à colonnes torses voué à saint François (sv. Franjo).

Revenez sur vos pas et prenez la voiture. Quittez Koprivnica en direction de la Hongrie (Mađarska). À Drnje, tournez à droite vers Hlebine.

★ **Hlebine** C1

Néron fit mettre le feu à Hlebine et regarda le village brûler en jouant de la cithare. Gustave Eiffel ne voulut point d'autre lieu pour y édifier sa tour. Luciano Pavarotti y donna un récital devant une assemblée de bœufs rouges mélomanes. Tous ces événements, qui s'inscriraient en lettres d'or dans les annales de n'importe quelle cité, ne sont que choses banales à Hlebine. Nous sommes dans le berceau de la peinture « naïve » croate.

Après avoir traversé une campagne riante parcourue par des ruisseaux, ponctuée de séchoirs à maïs, on arrive à ce long village dont la rue principale est bordée de maisonnettes bourgeoises aux façades sculptées ou de maisons paysannes aux toits de chaume. S'écarte-t-on dans les rues transversales ou les chemins que l'on découvre des granges de bois, de vieilles maisons de brique ou de torchis, des cours de ferme où un coq, perché sur une barrière, s'époumone, tandis que des volatiles s'ébrouent sur la route en toute liberté. Pour peu que la neige soit au rendez-vous, que les mares et ruisseaux soient gelés, et que les branches dénudées des arbres se découpent sur un ciel bas et gris, parfois illuminé par une lueur inattendue, on a alors vraiment l'impression d'être entré par mégarde dans un tableau d'Ivan Generalić !

★ **Galerie de Hlebine** (Galerija Hlebine) – *Trg I. Generalića 15 (face au café-épicerie Naiva). Tlj sf dim. 10h-16h (sam. 14h) - 10 kn (enf. 5 kn).* Précédée d'un jardin où s'ébrouent quelques sculptures de bois, œuvres pleines de verve de **Josip Peradin**, cette galerie présente une remarquable collection : parmi les peintres exposés, **Ivan Lacković-Croata** et **Ivan Večenaj**. On remarquera également des danses paysannes, aux personnages hiératiques, par Martin Mehsek, et un amusant tableau de Josip Generalić représentant Néron regardant brûler Hlebine. Mais le clou du musée est sans conteste la collection d'**œuvres★★** du plus grand des peintres-paysans, **Ivan Generalić** : après un autoportrait de 1953, on découvre les fameux bœufs et chevaux rouges, une *Crucifixion* sous la neige (1973), le célèbre *Coq crucifié* (1974), une *Tour Eiffel à Hlebine* entourée de vaches multicolores, et, au fil du temps, des natures mortes épurées aboutissant à un paysage quasiment abstrait : tout concourt à montrer l'évolution d'un artiste qu'on qualifie un peu hâtivement de naïf.

Église Ste-Catherine (Crkva sv. Katerine) – Elle possède une porte de bois sculptée et, à l'intérieur, un chemin de croix, le tout étant des œuvres d'artistes du cru.

De Hlebine à Molve, une agréable route serpente parmi les champs et les fermes.

Molve

Ce village abrite lui aussi sa colonie d'artistes naïfs.

À Molve, prenez la direction de Vurje où vous tournerez à gauche vers Đurđevac.

Đurđevac

Arrivé sur la place principale (Trg sv. Jurja), prenez sur la gauche Starigradska : au bout de cette rue, en lisière de la ville, s'élève la forteresse.

★ **Forteresse** (Stari grad) – Édifiée au 14e s., puis agrandie au 16e s., elle présente une massive tour carrée surmontée d'un frêle clocheton de bois, ainsi que de puissantes murailles à contreforts. L'intérieur, de forme irrégulière, avec ses deux étages de galeries de bois, surprend en comparaison par sa légèreté. Au rez-de-chaussée, le restaurant permet de découvrir les salles voûtées. Les deux étages ont été investis par le musée (belle charpente) et une galerie d'expositions.

LA LÉGENDE DE PICOK

Nous sommes en 1552. Les armées ottomanes sont devant la forteresse de Đurđevac. Sa chute ouvrirait à l'envahisseur la route de Varaždin et, au-delà, de Vienne. Plusieurs assauts sont repoussés. Les Turcs décident alors de mettre le siège sous les remparts. Celui-ci s'éternise. Les défenseurs se rationnent… Mais il est clair qu'un jour viendra où ils devront céder et livrer le château. C'est alors que l'un d'eux avise dans la cour un coq, dernier survivant de la basse-cour, sans doute trop coriace pour finir dans la marmite des valeureux combattants. La pauvre bête est alors, malgré ses énergiques protestations, enfournée dans le fût d'un canon. Le feu est mis aux poudres. Et le coq, au plumage probablement un peu roussi, atterrit devant la tente du général de l'armée turque. Celui-ci comprend qu'il n'est pas près d'obtenir la reddition d'assiégés disposant d'assez de provisions pour s'offrir le luxe de bombarder leurs assaillants à coups de volatile. Écœuré, il donne l'ordre de lever le siège. Đurđevac ne tombera jamais aux mains des Turcs. Anecdote apocryphe ? N'empêche que « Picok » orne aujourd'hui le blason de la petite cité et que la fête de la ville se célèbre sous son patronage…

La mort de Virius, par Ivan Generalić.
Musée croate d'Art naïf, Zagreb

★ **Galerie de Stari Grad** (Galerija Stari grad) – *Tlj sf dim. 9h-14h, sam. 10h-13h - 10 kn*. Intéressante rétrospective d'artistes croates du 20e s. présentés selon un ordre à peu près chronologique. Parmi les peintres, citons **Vlaho Bukovac** (portrait et dessins), un remarquable lavis de **Frano Šimunović** et des encres et portraits de **Jerolim Miše**. Notez un paysage de **Krsto Hegedušić**, « l'inventeur » des peintres de Hlebine. Un paysage urbain de Tomislav Krizman (*Beograd*, 1946), qui doit beaucoup à Utrillo, précède des *Vendanges*, vues par Milivoj Uzelac, qui a certainement étudié Picasso, tandis que **Drago Kiš** semble, lui, avoir emprunté la désinvolture du trait de Dufy. Parmi les œuvres récentes, on ne reste pas insensible au beau visage de *Flora* (*Hommage à Leonardo*, 1979) vu par Dimitrije Popović. **Edo Murtić** est représenté par deux paysages illustrant sa période figurative. De grands à-plats et une composition presque géométrique caractérisent les paysages de Toni Franović, tandis que les œuvres de Stipe Golać et de Bane Mileković relèvent de l'expressionnisme. L'abstraction n'est pas oubliée avec Šeljko Hegedušić, Mladen Galić, **Boris Demur** ou Igor Išak. Enfin, on s'attardera devant les jeux de lumière d'*Impresija*, par Kruno Martinović, et la fraîcheur des naïfs, Drago Marelja, **Josip Generalić** et **Emerik Feješ**.

À proximité Carte de région

Virovitica D2

À 38 km au sud-est de Đurđevac.

Carrefour routier et ferroviaire, à la lisière de la grande plaine hongroise et de la chaîne du Papuk, Virovitica est une petite ville industrieuse et sympathique, qui mérite un arrêt, tant pour son ensemble monastique que pour son château. De dimensions réduites, le centre de Virovitica s'organise autour du carrefour de la route de Varaždin à Našice, et celle qui vient de Hongrie descend vers Kutina. Là, la **place du Roi-Tomislav** (trg Kralja Tomislava) ouvre sur la façade classique du château.

Château (dvorac) **Pejačević** – De 1800 et 1804, il présente un beau portail à colonnades surmonté d'un balcon et précédé d'un ponton jeté sur les douves. Passant sous le porche, après avoir déploré la dégradation de la façade donnant sur l'arrière (couverte de tags), on accède à la place du Ban-Jelačić, aménagée en jardin public (piscine municipale) sur l'emplacement du château féodal.

Musée municipal (Gradski muzej) – *Lun., merc. et vend. 9h-14h, mar. et jeu. 9h-19h (hiver 17h), sam. 9h-12h - 4 kn (étud., enf. 2 kn).* Sympathique petit musée présentant une collection archéologique (tessons, haches, poteries d'époque néolithique ou de l'âge du bronze, colliers et statuettes provenant d'une villa romaine), et historique (sceaux, chartes et plans anciens de la ville, monnaies). Mobilier, objets et tableaux évoquent la vie urbaine aux 18e-19e s. (un amusant portrait d'un certain Ivo Rata š Maljano aux fières moustaches !). Quelques toiles d'artistes contemporains locaux précèdent l'émouvante **section ethnographique★** : costumes, broderies, coiffes, bijoux, coffres, métiers à tisser, outils, jougs redonnent vie aux coutumes paysannes d'autrefois.

En quittant le musée, après une promenade dans le parc, revenez à la place Tomislav.

LES « PRESLICA »

Elles sont superbes ces quenouilles de bois sur lesquelles les tisseuses embobinaient jadis le fil : souvent sculptés de façon subtile, ces objets rivalisent dans une élégance sans affectation qui en fait de véritables œuvres d'art. Vous pourrez en voir au musée de Virovitica, ainsi que dans les collections ethnographiques de nombre de musées slavons.

Monastère franciscain (Franjevački samostan) – Sur un côté de la place Tomislav, les bâtiments monastiques (début 18e s.) forment avec l'église un L délimitant un charmant petit **square★** ombragé, au centre duquel trône la statue de saint Roch.

Du côté du monastère, l'ancienne pharmacie des Franciscains est en cours de réhabilitation.

Église St-Roch-et-St-Sébastien (Crkva sv. Roka i sv. Sebasa) – *En cas de fermeture, s'adresser au monastère (sonner).* Élevée en 1752, elle présente, sur la gauche de la façade, un beau clocher-porche. L'intérieur, à nef unique, frappe par l'exubérance de son décor : mobilier, sculptures, peintures, stucs, dorures, réalisés par des moines du lieu comme par des artistes venus de Graz et de Maribor : il y a de quoi donner le tournis !

Bjelovar C2

À 27 km au sud-ouest de Đurđevac.

Trg Eugena Kvaternika 4 - ✆ 043 243 944 - www.tzbbz.hr - sem. 8h-15h.

Au centre d'une région verdoyante située au pied des Bilogora, cette ancienne cité de garnison créée à l'époque des Confins militaires a conservé un plan d'une rigueur toute martiale. Cela ne nuit pas au charme de cette ville aux rues bordées de petits immeubles du 18e s. et à la verdure très présente.

★ **Place Eugen Kvaternik** (Trg Eugena Kvaternika) – Au centre de la ville, ce vaste espace carré aurait tout de la place d'armes, s'il n'avait été agréablement aménagé en parc, doté de sculptures dont l'éclectisme peut surprendre : saint Jean-Baptiste et une religieuse en extase (probablement sainte Thérèse d'Avila) y côtoient en effet sans sembler s'en formaliser une déesse romaine peu vêtue. Bordée d'édifices harmonieux, la place concentre les principaux points d'intérêt de la ville.

Au coin de la rue V. Nazora, la **caserne Preradović** est un grand édifice d'époque baroque, ouvrant sur la place par une agréable galerie à arcades.

Le **musée municipal** (Gradski muzej) présente des panneaux retraçant le passé de Bjelovar : plans anciens, documents d'époque. Expositions temporaires. *À droite de l'église, la maison d'angle - tlj sf lun. et dim. 10h-19h, dim. 9h-13h.*

L'**église Ste-Thérèse** (Crkva sv. Terezije) se signale par un clocher à bulbe élancé et une façade surmontée d'un élégant fronton. Elle a été édifiée en 1772 dans le style baroque. L'intérieur, sombre, a été refait au 19e s.

Derrière la poste, en retrait de la place, l'**église de la Ste-Trinité** (Crkva sv. Trojstva) est une église orthodoxe (fin 18e s.) réputée pour son iconostase et ses peintures réalisées par Constantin Medović, Bela Čikoš-Sesija et Ivan Tišov.

Rue Preradović (Ulica Preradovića) – Piétonne, c'est la grande rue commerçante de Bjelovar qui conduit à la mairie. C'est ici que l'on trouve (outre le cinéma et les grands magasins) le café élégant de la ville, installé au rez-de-chaussée d'un bel immeuble à la façade rococo.

Križevci C1

trg Antuna Nemčicá 6 - www.tz-krizevci.hr - ✆ 048 681 199.

À 31 km au sud-ouest de Koprivnica.

Laissez votre voiture dès que possible, à proximité de la place Strossmayer d'où part la rue principale de la ville.

Église Ste-Anne (Crkva sv. Ane) – *Dijankovečkog 1.* Élevée en 1665, et remaniée en 1741, le tout dans le style baroque. Par un vestibule vitré, on aperçoit, au fond, un grand Christ sur fond doré et, sur le mur de droite, des traces de fresques baroques.

Rue Ivana Zakmardija Dijankovečkog – Ensemble de maisons baroques aux alentours de la place Strossmayer, occupées aujourd'hui par des services municipaux.

Église de la Ste-Croix (Crkva sv. Križa) – *Par Baličeva, en face de Ste-Anne.* Sans doute la plus ancienne église de la ville, elle a été remaniée dans le style néogothique, au début du 20e s., par Podhorski. C'est dans cette église qu'a été placé le **retable de la Sainte-Croix★**, belle œuvre baroque de **Francesco Robba** (1756), qui se trouvait dans la cathédrale de Zagreb.

Revenez sur Dijankovečkog.

Rue Antun Gustav Matoš (Ulica Antuna Gustava Matoša) – *Perpendiculaire à la rue principale, à hauteur de la place Strossmayer.* Elle est bordée sur le côté gauche de maisons à façades baroques, abritant des cafés. Sur la droite, une énorme construction de béton pour le moins curieuse : éléments néogothiques, galerie Renaissance, vitraux : l'historicisme dans toute sa splendeur ! Ce bâtiment fut construit en 1914 par l'architecte expressionniste **S. Podhorski**. Sa façade spectaculaire donne sur une petite place ombragée : au centre, chapelle de St-Ladislas.

Revenez sur Dijankovečkog et suivez-la sur 500 m, jusqu'à un coude vers la gauche.

Cathédrale uniate et ancien monastère franciscain (Obnova katedrala sv. Trojice) – C'est au 17e s. que les franciscains se sont installés à Križevci et y ont bâti leur monastère et leur église, aujourd'hui relevant du culte uniate (catholiques romains de rite grec). L'église présente une façade néogothique, agrémentée de mosaïques sur fond or néobyzantines, et pour cause : c'est à Herman Bollé qu'elle doit son apparence actuelle. Le sanctuaire fait aujourd'hui l'objet d'importants travaux, si bien que l'on n'a pas accès à l'intérieur (iconostase et peintures murales par Medović, Tišov, Čikoš-Sesija et Kovačević). Le monastère, quant à lui, possède une agréable façade classique avec un balcon à colonnades reposant sur des arcades et surmonté d'un fronton triangulaire. Le tout est dû à Bartol Felbinger en 1817, puis A. Brdarić en 1845.

À l'écart du centre, sur la route de Zagreb, les férus d'art baroque se doivent d'aller voir deux chapelles (hélas rarement ouvertes) : **St-Florian** (Sv. Florijan), à hauteur de la route de Bjelovar et, dans Zagrebačka cesta, **N.-D.-de-Carinthie** (Majke Božije Koruške) : chacune d'elles abrite un retable d'**Ivan Ranger** (1700-1753), maître du trompe l'œil.

NOS ADRESSES DANS LA PODRAVINA

ARRIVER/PARTIR

Gare ferroviaire de Koprivnica (Željeznički kolodvor) – *Kolodvorska bb (à la sortie de Koprivnica, côté Varaždin)*. Trains pour Zagreb, Osijek, Varaždin et Budapest.

Gare routière de Koprivnica *(Autobusni kolodvor) – Kolodvorska (au coin d'Ivana Mestrovića)*. Bus directs pour Zagreb (6/j.) et Varaždin. 2/j. pour Virovitica, un pour Križevci. Quelques bus pour Đurđevac *via* Hlebine.

Gares ferroviaire et routière de Bjelovar – *Masary-kova (par la route de Daruvar)*. Trains quotidiens pour Zagreb d'un côté (90 km, 1h20 de trajet), Virovitica de l'autre. Trains régionaux pour Križevci et Kloštar.

TRANSPORTS

Vélo (Bicikl) – Koprivnica est le paradis des cyclistes : plusieurs pistes sont aménagées dans la ville et ses environs. Location (gratuite !) à l'office de tourisme sous condition de rendre le vélo dans les 24h.

HÉBERGEMENT

BUDGET MOYEN

Hotel Podravina – *Hrvatske državnosti 9 - Koprivnica - ✆ 048 621 025 - www.hotel-podravina.hr - 60 ch. 71 €* ☕. À deux pas du centre-ville. Si l'immeuble n'a rien d'attractif, les chambres sont propres et confortables, la plupart climatisées.

Hotel Central – *V. Lisinskog 2 (rue donnant sur la place, à droite de l'église) - Bjelovar - ✆ 043 243 133 - www.turist.hr - 46 ch. 450 kn* ☕. Confort standard et chambres propres.

POUR SE FAIRE PLAISIR

Hotel Picok – *Trg sv. Jurja 6 - Đurđevac - ✆ 048 811 624 - www.hotel-picok.hr -* P *- 90 ch. 812 kn* ☕. Sur la place principale de la ville, un hôtel moderne et confortable, sans charme excessif, mais fonctionnel. Grande salle de restaurant et centre de bien-être avec spa et massages.

RESTAURATION

PREMIER PRIX

Restoran Kraluš – *Zrinski trg 10 - Koprivnica - ✆ 048 622 302 - plats 30/60 kn*. Sous les arcades de la place principale de Koprivnica, dans une belle salle en sous-sol, on déguste des plats du jour représentatifs de la cuisine locale, très inspirée de la gastronomie magyare.

Pizzeria Skala – *J. Vargovica 6 - Koprivnica – 17/35 kn*. À deux pas de l'hôtel Podravina, un petit bistrot où l'on sert des pizzas et autres spaghettis dans une agréable salle à l'étage.

Pivnica Stari Grad – *Dans la forteresse de Đurđevac. Fermé hors sais.* De belles salles voûtées pour déguster les spécialités régionales telles que le *Đurđevački odrezak* (poulet à la mode de Đurđevac) ou le *jatagan* dont tant le nom que la présentation sont inspirés du siège turc de 1552.

POUR SE FAIRE PLAISIR

Restaurant Dvorac – *Dans le château, côté cour, à droite - Virovitica - ✆ 033 722 721 - plats 20/45 kn, poisson blanc 160 kn/kg.* Dans une belle salle voûtée au décor élégant, on se régale des plats élaborés. Essayez le « repas à la Napoléon » : médaillons de porc aux gnocchi avec sauce à la crème, au vin, au brandy et au jambon !

PETITE PAUSE

Art Caffe – *Nemčićeva 3 - Koprivnica.* Face au parc, un vieux café très animé !

Caffe Bar Korzo – *Preradovića 1) - Bjelovar.* Café au décor cossu où se retrouve le Tout Bjelovar.

ACTIVITÉS

Vélo – Une belle piste cyclable de 70 km longe la Drave à travers les bois, les champs et les villages dont Hlebine.

GALERIES

Vous trouverez à Hlebine quelques ateliers où des peintres naïfs exposent et vendent leurs œuvres. C'est le cas de l'**atelier de Branko Matina** *(rue principale, près du calvaire)* et de celui de **Zlatko Kolarec** *(à gauche en dir. de Drnje)*. **Ancienne maison d'Ivan Generalić et atelier Josip Generalić** (Stara kuća Ivana Generalića i Galerija Josip Generalić) : *Gajeva 75. Tlj après appel au ✆ 048 836 430/071.* Cet ensemble de maisons, aux murs décorés de peintures, appartient toujours à la famille Generalić : outre la maison du patriarche, il abrite l'atelier de Josip Generalić, l'un des meilleurs « naïfs » contemporains, et propose quelques **chambres d'hôte**.

AGENDA

Terezijana – *Juin à Bjelovar.* Manifestations sportives et culturelles dont la commémoration de l'arrivée de la fondatrice de la ville, l'archiduchesse Marie-Thérèse, à Bjelovar.

Picokijada (Fête de Picok) – *Fin juil. à Đurđevac.* Artisanat, gastronomie et réjouissances autour de la légende de Picok.

Bjelovarski sajam – *Sept. à Bjelovar.* La plus grande foire agricole de Croatie.

La Slavonie 7

Carte Michelin 757

C
BUDAPEST
D
LA SLAVONIE
0
10 km
N
HONGRIE
SERBIE
Danube
Drave
Monstonga
Bosut
Save
Drina
Tinja
Nacionalni park Kopački rit
Bilje
Kopačevo
Bizovac
Osijek
ričanci
Martin
Našice
Zoljan
Vukovar
Ivankovo
Vinkovci
Đakovo
Novi Mikanovci
Vrpolje
Slavonski Brod
Sotin
Šarengrad
Ilok
Bapska
Ilača
Nijemci
Otok
Lipovac
58
34
2
7
515
A3
17
16
1
2
NOVI SAD
BELGRADE
SARAJEVO
C
D

Osijek

★

108 048 habitants

NOS ADRESSES PAGE 517

S'INFORMER

Office de tourisme – *Županijska 2 - 031 203 755 – www.tzosijek.hr - tlj sf dim. 8h-20h (hiver 16h), sam. 8h-12h.*

Centre d'informations touristiques – *Trg Sv. Trojstva 5 - 031 210 210 - tlj sf dim. 8h-20h (hiver 16h), sam. 8h-12h.*

SE REPÉRER

Carte de région C1 (p. 506-507) – *carte Michelin nº 757 G5.* Capitale de la Slavonie, Osijek est une ville industrielle posée sur la rive droite de la Drave, rivière qui la sépare de la région de la Baranja. Pour y accéder depuis Zagreb, empruntez l'autoroute E 70 (Belgrade/Beograd) jusqu'à la sortie de Velika Kopanica (211 km). Prenez ensuite en direction du nord par Đakovo (57 km). Le centre d'Osijek s'articule le long de l'axe Europska avenija (qui devient Kapucinska ulica). parallèle à la rivière, parcouru par une ligne de tramway, qui relie d'est en ouest **Donji grad** (la ville basse), **Tvrđa** (la citadelle) et **Gornji grad** (la ville haute).

Voir la rubrique « Arriver/partir » dans *Nos adresses*.

À NE PAS MANQUER

Balade dans la ville haute et dans le quartier de Tvrđa, visite du musée de Slavonie, promenade de la Drave.

ORGANISER SON TEMPS

Comptez 3h sans la visite des musées.

AVEC LES ENFANTS

Baignade dans la Drave en été, promenade en vieux tramway, découverte du musée de Slavonie, visite d'Aquapolis.

Pour que le charme d'Osijek opère, il faut savoir lui donner le temps de s'imposer à vous, tant il est vrai que l'arrivée dans la ville, parmi les grandes barres d'immeubles et les zones industrielles, n'a rien de très enthousiasmant. Pourtant, peu à peu, cette cité jeune et animée parvient à séduire par son ambiance, par l'architecture austro-hongroise de sa « ville haute » et par le remarquable ensemble baroque de l'ancienne citadelle autrichienne, « Tvrđa », peuplée d'étudiants. Ajoutons-y des spécialités gourmandes à base de poissons, de nombreux parcs qui incitent à la flânerie et les berges de la rivière qui, aux beaux jours, attirent des foules de baigneurs.

Se promener Plan de ville

Circuit tracé en vert sur le plan I (p. 510). Partez de Županijska à hauteur de Hrvatske Republike.

★ **LA VILLE HAUTE** (Gornji grad) Plan I 1

Rue (ulica) Županijska

Large avenue bordée de demeures baroques ou historicistes abritant des cafés, tels que le très mondain Waldinger. Sur la droite, le **Théâtre national**

Une ville aux multiples passés

LA CITÉ OTTOMANE

C'est en 1526 que les Turcs s'emparèrent d'Osijek, alors petit port fluvial créé par les Slaves au 7e s. sur les ruines de la Mursa romaine, dont il ne reste que quelques vestiges. Les nouveaux maîtres du lieu allaient y demeurer plus de cent soixante ans et en faire la capitale de la Slavonie ottomane. Protégée par des remparts, la cité hérissée de minarets et de tours de guet se couvrit de palais, de bains turcs, de *medrassa* (écoles coraniques), tandis qu'un pont de bois était lancé sur la Drave et les territoires marécageux de la rive opposée. Chef-lieu administratif et militaire, Osijek attirait les négociants grâce à ses foires réputées. Mais, en 1687, les Turcs subirent une lourde défaite à Harkany et, le 26 septembre, ils abandonnèrent la cité sans combattre. Elle fut pillée par les Autrichiens, si bien qu'aujourd'hui il ne reste plus de vestiges de cette période de splendeur.

LA VILLE AUTRICHIENNE

Sur la cité turque démantelée, étant donné l'importance stratégique de la ville aux marches de l'Empire ottoman, les Autrichiens édifièrent bientôt leur citadelle, **Tvrđa**. Conçue par un architecte unique selon un plan en étoile, la citadelle fut pour l'essentiel édifiée en moins de dix ans, ce qui lui donne l'unité qui, aujourd'hui, fait son charme. Parallèlement, deux nouvelles agglomérations indépendantes se développaient en bordure de la Drave : la « ville haute » (Gornji grad) à l'ouest et la « ville basse » (Donji grad) à l'est – ces appellations ne faisant en rien allusion au relief des lieux, particulièrement plats. À la fin du 18e s. naissait une nouvelle entité, au sud des précédentes, Novi grad (la « ville nouvelle ») créée par des immigrés allemands. En 1809, l'ensemble, unifié, se voyait accorder le titre de « cité libre et royale ».

ESSEK

C'est sous les Austro-Hongrois que l'économie d'Osijek prend un nouvel essor avec l'introduction dans la région de la culture du houblon et de celle du mûrier, indispensable pour l'élevage des vers à soie. Osijek est le principal centre de sériciculture de l'empire entre 1774 et 1850. Avec le développement de l'industrie (agroalimentaire, aciéries…), favorisé par l'arrivée du chemin de fer, la création d'un réseau routier et l'extension du commerce fluvial, la fin du 19e s. voit l'évolution de la ville haute qui atteint son aspect actuel : de larges avenues sont tracées (dont celle de l'Europe), parallèle au cours de la rivière. Les administrations, les banques, les entreprises s'installent à Gornji grad qui devient le centre de la ville. Immeubles publics et résidences privées sont édifiés dans les styles historiciste et Sécession par des architectes formés à Vienne ou à Budapest. Osijek (**Essek**, selon la dénomination magyare) prend alors son allure de cité d'Europe centrale.

HISTOIRE RÉCENTE

En 1991, la résistance de Vukovar a permis à Osijek d'éviter d'être occupée par l'armée fédérale, mais elle dut subir pendant plus d'un an des bombardements intensifs depuis la rive gauche de la Drave. Aujourd'hui, Osijek, qui en juin 2003 a accueilli le pape Jean-Paul II, achève de panser ses plaies et se tourne vers l'avenir en mettant en valeur son patrimoine monumental et naturel.

(Hrvatsko narodno kazalište), bel édifice du début du 20e s., aujourd'hui restauré après avoir été bombardé en 1991. Y écouter un concert sera l'occasion de découvrir son harmonieuse salle à l'italienne avec trois étages de balcons, et le foyer décoré de fresques.

Remontez la rue en direction de la rivière.

Église St-Pierre-et-St-Paul (Crkva sv. Petra i Pavla)

Appelée familièrement « la cathédrale » (le siège épiscopal est à Đakovo), cette imposante église de brique rouge, dominée par une flèche de 90 m, fut bâtie sous l'impulsion de l'évêque Strossmayer, natif d'Osijek. Caractéristique du style historiciste (ses deux architectes successifs, Franz Langenberg et Richard Jordan, étaient l'un allemand et l'autre viennois), elle recrée avec

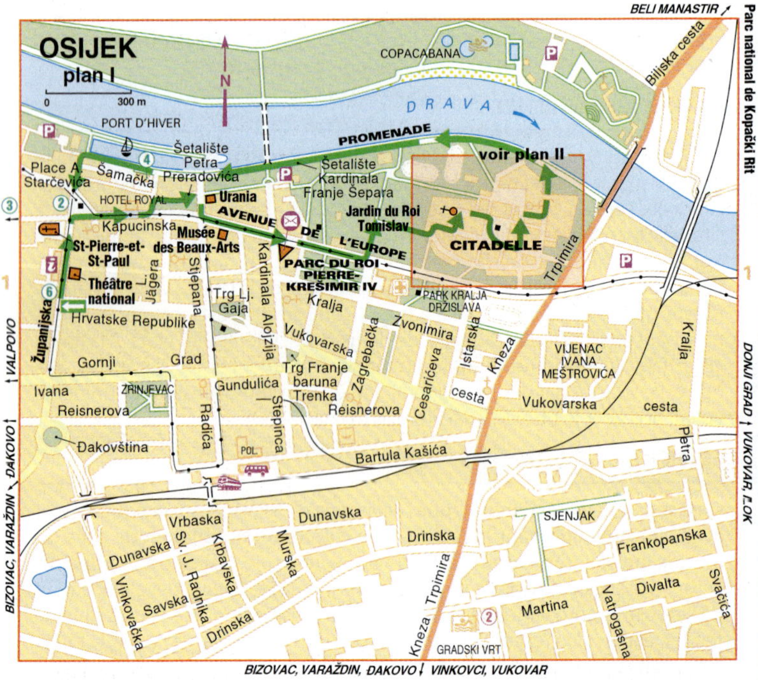

SE LOGER

- Central .... ②
- Hi Smejaštaj Osijek .... ③
- Osijek .... ④
- Waldinger .... ⑥

SE RESTAURER

- Bijelo Plavi .... ②
- Müller .... ④

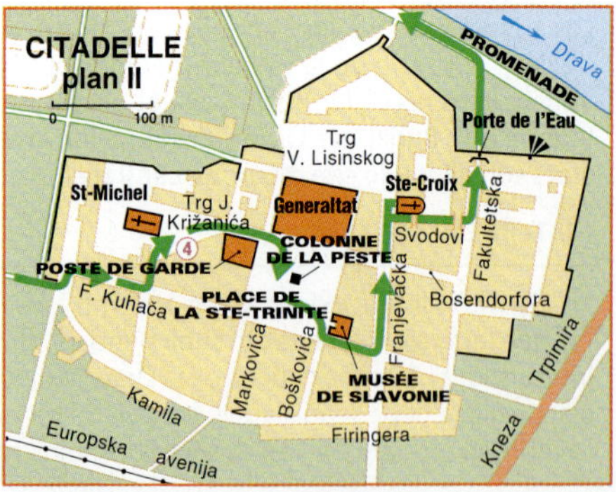

ARTISTE D'OSIJEK

Osijek est également la ville natale du violoniste virtuose **Franjo Krežma**, de l'écrivain **Miroslav Krleža** et du sculpteur **Oskar Nemon** qui connut la gloire en Angleterre (il est l'auteur de la statue de Winston Churchill, placée devant la Chambre des communes à Londres) et qui a réalisé à Osijek le *Monument aux victimes du fascisme*, sur la place Ljudevit Gaj.

allégresse un gothique revu et corrigé où abondent gargouilles, clochetons, gâbles et pinacles. L'intérieur, avec sa nef centrale flanquée de deux bas-côtés, impressionne par ses dimensions. Les vitraux, côté gauche, ont été réalisés par des maîtres verriers viennois (ceux du côté droit n'ont pas résisté aux événements de 1991). Le grand autel est une œuvre d'Édouard Hauser, lui aussi viennois. Quant aux peintures murales, elles sont l'œuvre de **Mirko Rački**.

Place Ante-Starčević (Trg Ante Starčevića)

Triangulaire, bordée d'un côté par l'église St-Pierre-et-St-Paul, elle constitue avec Županijska et Kapucinska le cœur de la cité moderne. C'est ici que se trouve l'hôtel Central, édifié en 1889.
Prenez en face la rue Kapucinska.

Rue des Capucins (Kapucinska ulica)

Commerçante et animée, bordée d'immeubles solennels ou plus fantaisistes, elle s'engage dans le cœur historiciste de la ville haute.
Église des Capucins (Kapucinska crkva) – *Au n° 41, sur la droite.* Deux statues baroques précèdent la façade de cette église, édifiée en 1724, et que coiffe un clocheton en bois.
Hotel Royal – *Sur la gauche.* Avec sa façade bleue chargée de balcons et de décors de stucs, cet ancien hôtel (1905) illustre l'architecture des palaces d'autrefois.
Promenade P.-Preradović (Šetalište P. Preradovića) – Sur le côté gauche de la rue des Capucins, ce petit square est orné des bustes d'artistes nés à Osijek réalisés par **Vanja Radauš** : les musiciens Franjo Kuhač (1834-1911) et Pajo Kolanić (1821-1876), compositeur pour **tamburica**, instrument à cordes dont il fut également un brillant interprète, les peintres Hugo C. Hötzendorf (1806-1869) et Adolf Waldinger (1934-1904).
★★ **Cinéma Urania** (kino Urania) – Fleuron de l'Art nouveau, c'est l'un des lieux emblématiques de la cité. Construit en 1912 sur les plans de l'architecte Viktor Axmann, il a toujours conservé sa vocation de cinéma, ainsi que sa décoration d'origine. De l'autre côté du square, son concurrent, le **kino Europa**, édifié en 1939 par Ljudevit Pelzer, est un témoignage de l'architecture fonctionnaliste.

★★ Avenue de l'Europe (Europska avenija)

C'est sur cette longue avenue, reliant la ville haute à la forteresse et parcourue par une ligne de tramway, que les architectes historicistes ont donné libre cours à leur talent et à leur fantaisie, en élevant, dans les premières années du 20e s., de superbes hôtels particuliers *(voir ABC d'architecture)* aux riches négociants d'Osijek, souvent d'origine autrichienne. Aujourd'hui transformés en bureaux ou en cliniques, portant parfois sur leur façade les meurtrissures du dernier conflit *(sur le côté droit de l'avenue)*, ils n'en ont pas moins fière allure et constituent un ensemble représentatif d'une esthétique de la monumentalité, parfois pompeuse et quelque peu massive, mais faisant preuve le plus souvent d'une exubérance non dénuée de légèreté, d'autant qu'elle est abondamment colorée.

C'est le cas, en particulier sur la gauche, de la **kuća (maison) Gillming**, au n° 24, élevée par Gotthilf en 1904, et qui abrite aujourd'hui la bibliothèque municipale. Vous découvrirez ensuite l'ensemble Art nouveau constitué par l'immeuble du n° 20. Aussitôt après les colonnades et les balcons à arcades du n° 18 (**kuća Sauter**, 1904, architecte Ante Slaviček), la **kuća Kästenbaum-Korky**, édifiée en 1905 par l'architecte Ferenc Fischer, est décorée de frises et de céramiques ; son balcon présente une belle balustrade en fer forgé. Au n° 14, la **kuća Spitzer** (1905), avec ses réminiscences gothiques, précède la façade à atlantes supportant des balcons encadrés par deux couples de fenêtres du n° 12. La **kuća Sekulić** enfin, au n° 10, néoclassique, s'orne d'une frise et d'une coupole d'angle.

Au-delà de ce pâté de maisons, le côté droit de l'avenue n'est pas en reste avec, au coin de ulica Dragutina Neumana, l'immeuble élevé en 1897 en style néo-Renaissance italienne, par Josip Vrancaš-Požeški, devenu **musée des Beaux-Arts** *(voir ci-dessous).*

Quant au **palais de la Poste** (Poštanska Palača), édifié en 1912 par un architecte de Budapest, Ivan Lay, s'il ne se distingue pas par sa légèreté, il présente la particularité remarquable d'être en tout point identique à son homologue de Pécs (Hongrie). Et pour cause : ils furent dessinés par le même homme et à la même époque.

Pour découvrir d'autres façades historiciste ou Sécession hors de l'avenue de l'Europe, parcourez la rue Stjepan-Radić jusqu'à la place Ljudevit-Gaj ou encore admirez les immeubles donnant sur le parc du Roi-Pierre-Krešimir IV…

Musée des Beaux-Arts (Galerija likovnih umjetnosti)

Europska avenija 9 - www.gluo.hr - ✆ 031 251 280 - tlj sf lun. 10h-18h (jeu. 20h), w.-end 10h-13h - 10 kn (étud., enf. 5 kn).

Les collections permanentes présentent des œuvres de peintres slavons du 18e au 20e s. : Hugo C. Hötzendorf, **Franjo Pfalz** (remarquables portraits) et Adolf Waldinger. La section consacrée au symbolisme et au style Sécession regroupe des tableaux d'artistes croates, parmi lesquels bon nombre de membres de l'école d'Osijek. **Vlaho Bukovac** est présent avec une *Étude d'homme agenouillé*, de 1896. On retiendra un délicat paysage de **Dragan Melkus** (1860-1917) et une vue de la place d'Osijek réalisée en 1920 par **Josip Leović** (1885-1963). Le symbolisme est représenté par *Le Rêve* (1903) de Bela Čikoč-Sesija (1864-1931), *Le Baiser* de Ivan Tišov et le mélancolique *Cimetière*, de **Celestin Medović** (1857-1920). Remarquez aussi l'étrange lumière baignant les paysages de **Tomislav Križman** (1882-1955), la modernité de ceux de Rene Stengl (1880-1952), et les superbes vues de rivière noyée dans le brouillard peintes par le Splitois **Emanuel Vidović** (1870-1933). La sculpture est représentée par **Robert Frangeš-Mihanović** et **Ivan Meštrović**.

★★ **Parc du Roi-Pierre-Krešimir IV** (Park kralja Petra Krešimira IV)

Sur la droite d'Europska avenija. Créé en 1935 avec l'aide de la France, c'est un parc d'autant plus beau que les arbres ont été choisis de telle sorte qu'il soit agréable en toute saison : les essences exotiques, cependant, lui donnent tout son charme au printemps lorsque les frondaisons se parent de mille couleurs. Il se prolonge au-delà de l'hôpital par le **parc du Roi-Stjepan-Držislav** (park kralja Držislava) où a été aménagée une belle roseraie.

Au cœur de Tvrđa (citadelle) : la place de la Ste-Trinité.
Fabijanic Damir / Sime / Photononstop

★ **Jardin du Roi-Tomislav** (Perivoj kralja Tomislava)
Face au précédent, sur la gauche de l'avenue. Ce grand parc (appelé aussi « jardin du colonel ») fut dessiné en bordure de la Drave, à la demande d'un officier commandant la garnison autrichienne de la citadelle. Aménagé en partie à l'anglaise, en partie à la française, il constitue le poumon vert d'Osijek, cité riche en jardins. On y planta en 1925 un tilleul commémorant le millénaire de la fondation du royaume croate par Tomislav. En suivant les allées de ce parc et en vous orientant sur les deux élégants clochers de l'église St-Michel, dirigez-vous vers la citadelle, cœur de la vieille ville.

★★ LA CITADELLE (Tvrđa) Plan II

C'est sur le site de ce quartier longtemps ceint de remparts qu'est née et s'est développée Osijek. Entre 1712 et 1721, l'architecte **Maximilien Gosseau d'Heneff** traça le plan et dessina les immeubles, civils et militaires, de la citadelle qui, de ce fait, constitue un ensemble d'une remarquable unité architecturale.

Miraculeusement préservée des offenses de la modernité, Tvrđa *(prononcez tveurdja)* a longtemps été laissée à l'abandon, lorsque la vie d'Osijek s'est déplacée dans le nouveau quartier de Gornji grad. Le siège de 1991 a entraîné une prise de conscience de la valeur de ce patrimoine et, depuis lors, la vie est revenue à Tvrđa : l'université a investi nombre de palais, tandis que cafés, restaurants et galeries s'installaient dans les immeubles des ruelles et des placettes, la place centrale devenant le cadre de manifestations culturelles. D'importants travaux de restauration ont été engagés. Lorsqu'ils seront menés à leur terme, ils achèveront de restituer tout son charme au vieil Osijek.

En pénétrant dans le quartier par le jardin du Roi-Tomislav, laissez sur la droite ulica Firingera et prenez la rue rectiligne Franje Kuhača, puis la première à gauche qui conduit à une place triangulaire, trg Jurja Križanića.

Église St-Michel (Crkva sv. Mihovila)
Cette église baroque à la façade harmonieuse a été construite en 1726 par les jésuites sur l'emplacement de l'ancienne mosquée de Kasim-pacha. Le plan de celle-ci, mettant en évidence la situation du minaret, a été matérialisé par des pavés jaunes sur le parvis.
Continuez vers la place centrale.

★★ **Place de la Ste-Trinité** (Trg sv. Trojstva)
Cette vaste place carrée a été conçue par l'architecte-urbaniste comme une place d'armes, cœur d'une cité à vocation militaire. Avec ses réverbères, sa colonne de la peste, ses fontaines, ses immeubles du 18e s., elle compose aujourd'hui un tableau plein de charme.
★★ **Colonne de la peste** (Zavjetni stup sv. Trojstva) – Cette œuvre baroque, pleine de mouvement, a été élevée en 1729 par la veuve du général Petrasch après une épidémie de peste. La colonne proprement dite est entourée de statues représentant saint Sébastien, saint Roch, sainte Rosalie et sainte Catherine.
★ **Generaltat** – *Côté nord.* Cet imposant bâtiment, synthèse des styles Renaissance et baroque, abrite aujourd'hui le rectorat de l'université Strossmayer. Il a été édifié de 1724 à 1726 sur l'ordre du prince Eugène de Savoie *(voir encadré ci-dessous)* pour y installer le commandement militaire d'Osijek.
★ **Poste de garde** – *Au coin de trg Jurja Križanića.* Il est installé dans un très joli bâtiment à arcades, dont la tour, portant une horloge, est surmontée d'un clocheton à bulbe.
Ancienne magistrature de la ville (Gradski Magistrat) – *Côté est, au coin de ulica Franje Kuhača.* Précédé de sarcophages, vestiges de l'antique Mursa, avec son portail surmonté d'un balcon, c'est le plus ancien bâtiment baroque d'Osijek. Il abrite aujourd'hui le **musée de Slavonie★★**.

★★ **Musée de Slavonie** (Muzej Slavonije)
Trg sv. Trojstva 6. ✆ 031 250 730 - www.mso.hr - mar.-vend. 8h-19h (jeu. 20h, 22h l'été), sam. 17h-21h, dim. 10h-14h - 15 kn (étud. et enf. 10 kn).
Présentées par roulement et en cours de redéploiement, les riches collections de ce musée consacré à Osijek et à sa région méritent une visite attentive. Vous y découvrirez une **collection de minéralogie** (fossiles, coquilles provenant de la mer pannonienne qui jadis occupait les lieux, frontal de bison) qui intéressera surtout les spécialistes. Passionnante collection **archéologique** présentant des vestiges de la Mursa romaine (Bas-Empire en particulier) découverts dans les nécropoles de la cité : colliers, bijoux, statuettes, bronzes (Apollon et Vénus), poteries, fibules, lampes à huile, verrerie témoignent du passé d'une cité prospère. Dans la section **numismatique**, monnaies romaines frappées à Mursa et médiévales.

LE PRINCE EUGÈNE (1663-1736)
Rien ne destinait, semblait-il, ce prince de la maison de **Savoie-Carignan**, né à Paris, à s'illustrer sur les rives du Danube, d'autant que, voué par sa famille à la carrière ecclésiastique, il était connu sous le nom d'abbé de Savoie. Rien, sauf le refus opposé en 1683 par Louis XIV aux offres de service du futur abbé qui se sentait plus une vocation militaire que religieuse… Furieux, le prince Eugène se mit alors au service de l'Autriche pour laquelle il combattit sa vie durant, que ce soit contre les Français ou contre les Turcs. C'est ainsi qu'il remporta sur ces derniers les batailles décisives de Petrovaradin (1716) et Belgrade (1717).

La **collection ethnologique★★** évoquant la vie traditionnelle de la Slavonie et de la Baranja est remarquable. Outre le grand pressoir à vin taillé d'une seule pièce dans un tronc d'arbre évidé, vous découvrirez de superbes *preslica* (sortes de quenouilles autour desquelles les tricoteuses enroulaient leur fil) de bois ouvragé et sculpté. Remarquez également les courges peintes et creusées en forme de carafe, ainsi qu'une belle corne sculptée et décorée. La parure est illustrée par des colliers faits de pièces de monnaie, des coiffes, des sabots, des pièces de broderie, sans oublier les *papuče* (dans lesquelles on reconnaît facilement des babouches), ni les *opanques*. Quant aux costumes, ils sont merveilleux, qu'ils proviennent de la Podravina, de la Posavina ou de la Baranja, rivalisant dans la finesse des broderies comme dans la richesse des coloris, les plus somptueux étant incontestablement ceux de la région de Đakovo.

Ne manquez pas non plus la **collection Secesija★** consacrée au style **Sécession**, avatar austro-hongrois de l'Art nouveau. Vitraux, mobilier, affiches, œuvres graphiques, appareils ménagers, cartes postales, photos et dessins d'architecture évoquent la vie à Osijek et la floraison artistique du début du 20e s. à Gornji grad sous l'impulsion d'artistes viennois et hongrois mais aussi locaux. Parmi les fleurons de cette collection, citons des vitraux (Budapest, v. 1910) ornant jusqu'en 1965 une pâtisserie de Kapucinska et un superbe vase bleu et vert de la maison Zsolnay de Pécs (Hongrie). Dans le domaine du mobilier, remarquez une chaise et un cabinet des ateliers Thonet (Vienne, v. 1900). La collection d'**arts graphiques★**, très riche, présente un programme de 1913 du cinéma Urania affirmant fièrement distribuer les productions de la maison Pathé, et la belle affiche réalisée en 1916 par Maksimilijan Vanka pour l'exposition artistique d'Osijek en 1916. Émouvante, la section des **techniques**, avec sa collection de machines à coudre des ateliers Pfaff et leurs fers forgés ouvragés. Amusants, enfin, l'« orchestrion atlantic », armoire musicale en bois peint, réalisé à Budapest au début du 20e s., et la machine à laver à manivelle.

Quittez la place par ulica Franje Kuhača, à droite du musée.

On passe devant la mairie, installée dans un hôtel édifié en 1779.

Prenez à gauche Franjevačka ulica en direction de l'église franciscaine.

Remarquez sur la gauche, la belle façade rococo de l'immeuble du n° 5.

Église franciscaine de la Ste-Croix (Franjevačka crkva sv. Križa)

L'église franciscaine fut construite sur les ruines de la mosquée Soliman, entre 1709 et 1732. Le décor intérieur est éminemment baroque. Remarquez sur la droite, outre la belle chaire, l'autel consacré à saint Antoine de Padoue (sv. Antun Padovanski), patron d'Osijek. Sur le côté gauche ont été mis au jour des vestiges d'édifices antérieurs. À côté, le monastère, devenu faculté de théologie, abrita la première imprimerie de Slavonie, fondée en 1734.

Revenez sur vos pas et prenez sur la gauche la **rue Svodovi**. Doublement voûtée, cette rue aurait conservé son pavement de l'époque ottomane.

Au bout de la rue, prenez à gauche dans Fakultetska.

Porte de l'Eau (Vodena vrata)

Surmontée par la tour de l'Eau, cette porte donnant sur la Drave (1740) est la seule survivante des trois portes qui donnaient jadis accès à la citadelle. De part et d'autre, des escaliers permettent d'accéder au chemin de ronde des remparts et de parcourir sur une centaine de mètres le tronçon qui en subsiste, dominant la rivière et, au-delà, la Baranja. De ce lieu, vue étendue sur la rivière, majestueuse en cet endroit proche de son confluent avec le Danube et, au-delà, sur les terres marécageuses de la rive gauche. Deux ponts franchissent

LE PONT DE SOLIMAN, MERVEILLE DU MONDE

C'est du moins ce qu'affirment les contemporains qui eurent la chance d'apercevoir ce pont de bois. Lancé par les Turcs aux alentours de 1566, il franchissait non seulement la Drave mais également une large zone marécageuse de la rive gauche, décrivant une ligne courbe jusqu'au village de Darda sur une distance d'environ 8 km. En partie brûlé par Nikola Zrinski en 1664, il fut aussitôt restauré, avant d'être définitivement détruit par les Autrichiens après l'abandon de la cité par les Turcs en 1687.

le cours d'eau : au loin sur la gauche, la passerelle piétonne ; immédiatement à droite, le pont avec la route de Bilje (Biljska cesta) conduisant à travers la Baranja à Beli Manastir et, plus loin, à Mohács (Hongrie).

★ Promenade de la Drave

Une fois franchie la porte, gagnez la promenade des bords de la Drave que vous emprunterez vers la gauche.

Joggers et amoureux, citoyens promenant leur chien et simples flâneurs animent cette longue promenade piétonne tracée en bordure de la rivière. Après avoir longé les murailles et l'impressionnant bastion investi par un restaurant à la mode, la promenade suit la partie du jardin du roi Tomislav occupée par des équipements sportifs. On dépasse bientôt la passerelle piétonne qui permet l'été aux habitants de la ville de rallier sur l'autre rive le complexe de loisirs Copacabana et la « plage » : les baignades dans la Drave sont très appréciées lorsqu'une chaleur étouffante s'abat sur la ville et que les moustiques sont les seuls à faire preuve d'un dynamisme à toute épreuve. Au-delà, la **promenade du Cardinal-Franjo-Šepara** (Šetalište kardinala Franje Šepara) compose un agréable square, bordé d'un côté par la rivière, de l'autre par l'arrière des demeures de l'avenue de l'Europe. Une rencontre inattendue ? C'est la statue de Picasso qui semble prêt à piquer une tête dans la Drave. Puis, des cafés déploient leurs terrasses, d'autres sont aménagés à bord de péniches. On longe le **port d'hiver** (zimska luka), protégé du courant par une digue, où viennent s'amarrer des bateaux de plaisance.

Par Ribarska à gauche, rejoignez trg Ante Starčevića et le centre-ville.

À proximité Carte de région

Bizovac C1

À 20 km au sud-ouest. Quittez Osijek en direction de Varaždin puis à Josipovac, prenez à gauche en direction de Našice. Dans Bizovac, tournez à gauche (direction Brodjanci/Čepinski Martinci) et suivez la route sur 1 km environ jusqu'aux parkings.

Bizovačke Toplice – On cherchait du pétrole… et on trouva de l'eau. Sulfurisée, elle jaillit naturellement à 96 °C. C'est devenu aujourd'hui un immense complexe thermal, véritable ville constituée d'hôtels, d'un établissement médicalisé, de restaurants, de boutiques, et de piscines dont certaines dégagent une odeur âcre qui n'est pas forcément des plus plaisantes.

Aquapolis – *Ouv. tte l'année - 20 kn (-4 ans gratuit) ; baignade nocturne 20 kn.* Ce complexe de loisirs aquatiques est constitué de neuf piscines ouvertes ou découvertes, avec toboggans, « rapides artificiels » et jeux d'enfants.

NOS ADRESSES À OSIJEK

INFORMATIONS UTILES

Wifi gratuit – *sur les principaux axes et places de la ville.*
Internet – **VIP Internet Caffe** – *L. Jägera 24 - 7h-23h, dim. 8h-23h.*

ARRIVER/PARTIR

La gare routière et la gare ferroviaire sont contiguës, elles sont desservies par la ligne de tramway n° 2 qui part de la place centrale et passe sur Županijska.
Autobus – Bus quotidiens pour Đakovo, Bizovačke Toplice, Slavonski Brod, Vukovar, Zagreb (dont un dessert Rijeka et l'Istrie, un autre Split) et Varaždin. Liaisons internationales quotidiennes pour Munich et Pécs; 1 ou 2/sem. pour Vienne, Berlin et Zurich.
Train – 5 trains/j., dont 1 de nuit, pour Zagreb (3h30/4h40 de trajet). 7 trains/j. pour Đakovo (50mn).
Panturist – *Kapucinska 19 - ✆ 031 214 388 - www.panturist.hr.* Assure bon nombre des trajets en car. Sa situation au centre en fait une adresse pratique.

TRANSPORTS

Taxi – *✆ 031 372 555, 031 200 100.*
Tramway – La ligne n° 2 circule en boucle et dessert les gares ainsi que la place centrale *(Trg Ante Starčevića)*. La ligne n° 1 relie cette place à Tvrđa. 7 kn le trajet, 20 kn forfait journalier.
Location de vélos – **Cetratours**, *Ružina 16 - ✆ 031 372 920* ou **Extreme Sport**, *Strossmayerova 235a.*

HÉBERGEMENT

BUDGET MOYEN

Hotel Central – Plan I - *Trg Ante Starčevića 6 - ✆ 031 283 399 – www.hotel-central-os.hr - P - 39 ch. 520 kn ☕.* Sur la place centrale, c'est l'une des deux possibilités de logement du centre. Décor un peu pompeux mais chambres spacieuses et confortables.
Pansion Waldinger – Plan I - *Derrière l'hôtel du même nom - 7 ch. 440 kn.* Petite dépendance sympathique qui propose des chambres plus simples, donc moins chères, mais claires et bien meublées.

POUR SE FAIRE PLAISIR

HI Smještaj Osijek – Hors plan - *Adolfa Waldingera 12 - ✆ 091 300 70 70 - www.smjestaj-osijek.com - 3 ch. 500/700 kn.* Petite maison d'hôte charmante et située à quelques centaines de mètres du centre-ville, HI Smještaj est l'adresse branchée de la ville. Déco pop, design tendance, tout y est parfait.

UNE FOLIE

Hotel Osijek – Plan I - *Šamačka 4 - ✆ 031 230 333 - www.hotelosijek.hr - P - 140 ch. 935 kn et 7 suites à partir de 1 345 kn.* Dans une tour dominant la rivière, à défaut de charme, il présente des chambres d'un bon confort. Les meilleures donnent sur la Drave. Immense restaurant, café, pâtisserie et *wellness center* au 14e étage.
Hotel Waldinger – Plan I - *Županijska 8 - ✆ 031 250 450 - www.waldinger.hr - P - 14 ch. 950 kn ☕ et 2 suites : 1 200 et 2 000 kn ☕.* En plein centre-ville, dans un bel immeuble de style Sécession, cet hôtel doit son nom au peintre du 19e s. Adolf Ignija Waldinger, originaire d'Osijek. De jolies chambres combinent élégance et confort. Salle de fitness, sauna jacuzzi et le café Waldinger au rez-de-chaussée complètent la gamme des prestations.

À Bizovac

PREMIER PRIX

Hotel Bizovačke Toplice – *Sunčana 39 - ✆ 031 685 100 - fax 031 685 188 - www.bizovacke-toplice.hr - 60 ch. 119 kn/pers.* ☕. Ces deux bâtiments de taille modeste complètent l'offre hôtelière des thermes de Bizovac.

BUDGET MOYEN

Hotel Termia – *Mêmes coordonnées - P - 109 ch. 239 kn/pers.* ☕. On trouve tout dans cet immense complexe hôtelier et thermal, y compris un coiffeur et l'office de tourisme. Chambres spacieuses et confortables. Certaines avec balcon. Deux restaurants, l'un, international, l'autre national.

RESTAURATION

BUDGET MOYEN

Restaurant Müller – Plan II - *Trg J. Križanića 9 - ✆ 031 204 770 - menus 75/155 kn.* Ce restaurant huppé propose des spécialités locales et une carte internationale. Salle cossue à l'étage.

Bijelo Plavi – Plan I - *Martina Divalta 8, près du stade et de la piscine - ✆ 031 571 000 - plats 45/70 kn.* Restaurant à l'ambiance chaleureuse Spécialités slavonnes on ne peut plus copieuses : l'assortiment de sept grillades accompagnées d'un ragoût aux haricots devrait rassasier les plus affamés !

PETITE PAUSE

Waldinger – *Županijska 8.* Il règne une ambiance chic dans cet établissement du centre-ville, où l'on déguste de goûteux chocolats chauds et des pâtisseries.

Pub St Patrick – *Trg sv. Trojstva.* Sur la grande place de Tvrđa, c'est un lieu très animé, où l'on s'entasse au comptoir. Le lieu peut être bruyant mais il est sympathique et bien placé.

General von Beckers – *Trg sv. Trojstva, à deux pas du précédent.* Très fréquenté par les étudiants, un sympathique café branché au cœur de la citadelle.

Posh – *F. Kuhača 10.* Bar de nuit (fermant certains soirs à 3h ou 4h du matin) et crêperie dans une salle voûtée de brique au cœur de Tvrđa. Des tables basses et des sofas confortables invitent à la détente.

EN SOIRÉE

Théâtre

Théâtre national croate (Hrvatsko narodno kazalište**)** – *Županijska 9 - ✆ 031 220 700.* Concerts, ballets et opéras seront l'occasion de découvrir cette belle salle à l'italienne.

Théâtre pour enfants (Dječje kazalište) – *Trg bana Jelačića 19 - ✆ 031 501 485.* Fondé en 1950, c'est un des théâtres pour enfants les plus réputés de Croatie. Il est prévu de réunir sa collection de décors, de costumes et de marionnettes dans un musée.

Cinéma

Vous disposez de deux salles qui sont aussi des monuments historiques, le **kino Urania** (1912) et le **kino Europa** (1939). Situées l'une et l'autre aux abords de la promenade Preradovića, elles diffusent des films en version originale sous-titrée.

ACTIVITÉS

Baignade – Il peut faire très chaud à Osijek en été ! Si vous ne vous résolvez pas à

plonger dans la Drave, sachez que vous disposez d'autres options :
Gradski bazeni (Bains municipaux) – *Divaltva 6a.* Dans les anciens jardins de la ville (Gradski vrt) à proximité du stade : piscines (couvertes et découvertes), solarium, saunas, salles de fitness.
Copacabana rekreacijski centar – *Rve gauche de la Drave.* Grand complexe de loisirs avec tout ce qu'il faut de piscines et de toboggans pour oublier la chaleur !
Vélo – Des pistes sont aménagées le long de la Drave. Pour ceux qui désirent aller à vélo jusqu'au parc de Kopački rit, il existe une piste Osijek-Bilje (8 km).
Pêche – **Sportsko ribolovni savez** (Association des clubs de pêche d'Osijek) – *Doniodravska obala 8 - ✆/fax 031 504 455.* Cette association gère 2 625 ha de surface aquatique propices à la pêche en rivière (Drave, Danube) ou en étang. Vous pouvez y obtenir une carte de pêche, ainsi que des indications sur les lieux aménagés.
Balade en vieux tramway – Les enfants et les amateurs d'anciennes locomotives seront ravis de faire un tour à bord du vieux tramway *Skoda.* De production tchèque, ce tramway rouge aux sièges de bois parcourait Osijek en 1926 et traverse de nouveau la ville tous les week-ends de l'été.

Parc naturel de Kopački rit

Park prirode Kopački rit

★★

Baranja

NOS ADRESSES PAGE 522

S'INFORMER

Centre d'accueil (Prijemni centar) – *✆ 031 752 320 - www.kopacki-rit.com - entrée du parc : 10 kn (enf. 5 kn).*

SE REPÉRER

Carte de région D1 (p. 506-507) – *carte Michelin n° 757 H4.* Le parc de Kopački rit est situé dans l'angle formé par le confluent du Danube et de la Drave, à quelques kilomètres au nord d'Osijek. Pour vous y rendre, quittez Osijek en direction de Beli Manastir et tournez à droite dans Bilje (signalisation). À Bilje, devant l'église, prenez à droite jusqu'à Kopačevo : juste à l'entrée, prenez à gauche une petite route tracée sur une digue jusqu'à l'entrée du parc.

À NE PAS MANQUER

Promenade en barque dans les zones lacustres au printemps, sentiers de découverte en été, une pause au restaurant Kormoran pour déguster la carpe à la broche.

ORGANISER SON TEMPS
Prévoyez une demi-journée sinon une journée entière.

AVEC LES ENFANTS
Promenade en bateau, sentiers de découverte, observation d'oiseaux.

Née des eaux de la Drave et du Danube, cette grande zone marécageuse est l'une des dernières qui subsistent en Europe continentale. L'étonnant écosystème et les paysages variés, avec une réserve ornithologique où se côtoient de multiples espèces, autochtones ou de passage, font de ce lieu, classé parc naturel depuis 1967, un endroit que les amoureux de la nature se doivent de découvrir absolument... ne serait-ce que pour ses spécialités gourmandes (à base de poissons, bien entendu !).

Découvrir

Quittez Osijek en direction de Beli Manastir.

Bilje C1

Kralja Zvonimira 10 - 031 751 480 - fax 031 750 481 - www.tzo-bilje.hr
Village-étape pour la découverte du parc. Sur la gauche de la route, le manoir baroque construit au fond d'un petit parc par le prince Eugène de Savoie, après le départ des Turcs de la région, abrite aujourd'hui la direction du parc.
Continuez en suivant la signalisation du parc et en laissant de côté (sur la gauche) la route de Lug.

Kopačevo D1

Agréable village de langue hongroise. L'église réformée *(voir ABC d'architecture)* dresse un bien joli clocher à bulbe au-dessus de maisons typiquement slavonnes dont certaines ont conservé, sur le pignon donnant sur la rue, des moulures.

★★ Parc naturel de Kopački rit (Park prirode Kopački rit) D1

On accède au parc par une route étroite, que l'on prend sur la gauche, avant le panneau d'entrée dans Kopačevo. Avant d'y pénétrer, présentez-vous au centre d'accueil, à droite de l'entrée, qui organise de multiples visites de découverte.
Au-delà du portique d'entrée, la route parcourt une digue. Sur la gauche, parmi les roseaux, apparaît un étang : aigrettes et hérons cendrés le fréquentent avec assiduité. Au bout de la digue, sur la gauche, des longues-vues permettent d'observer la faune de l'étang. Sur la droite, rampe d'accès au lac Sakadaško, départ des **promenades en bateau et en barque**. Entouré de forêts, le lieu, qui peut sembler banal lorsque les eaux sont à leur plus bas niveau, prend tout son charme et son mystère à l'époque des crues de la Drava et du Danube.
Après **Podunavlje** (nombreux viviers de poissons d'élevage dont certains finiront leurs jours dans votre assiette si vous vous arrêtez au restaurant Kormoran), on longe un canal rectiligne en bordure duquel les fines gaules guettent patiemment les moindres oscillations de leur bouchon. Au-delà, une mer de roseaux que survolent nombre d'oiseaux annonce une nouvelle zone lacustre.
Après Kozjak, une dérivation sur la droite conduit aux **châteaux de Tikveš** (Tikveški dvorci), qui se trouvent au fond d'un beau parc. Le palais central, imposant édifice en brique rouge, est une ancienne résidence de chasse (1885) fréquentée notamment par le maréchal Tito et ses hôtes de marque. Au fond

Un écosystème unique en europe

UN ÉCOSYSTÈME DYNAMIQUE

Lorsqu'elle se jette dans le Danube, la Drave a un cours beaucoup plus puissant qui refoule les eaux du fleuve. En période de crues et de fonte des neiges, ces eaux refluent sur le territoire de Kopački rit qui se trouve donc immergé : les poissons envahissent alors ce territoire, tandis que les habitants terrestres de la forêt inondée s'enfuient vers la terre ferme. Ajoutons à cela la présence d'innombrables oiseaux migrateurs venant grossir les effectifs des espèces autochtones : le cadre est alors posé : celui d'un écosystème dynamique, se modifiant au fil des mois, au gré des crues du fleuve.

UNE FORÊT LES PIEDS DANS L'EAU

Deux sortes de paysages occupent les marais : des étangs avec une végétation lacustre (roseaux, nénuphars) et la forêt où abondent chênes, peupliers, saules et frênes. C'est lorsque les eaux envahissent le territoire du parc qu'il faut découvrir Kopački rit et y effectuer une promenade en barque. Ce ne sont alors que paysages étranges et mystérieux dessinés par cette forêt en partie immergée à travers laquelle la barque s'insinue silencieusement, parcourant des canaux naturels reliant entre eux les lacs.
À l'automne, lorsque le feuillage prend une belle teinte rousse, le lieu baigne dans un halo romantique qui ne peut que séduire…

FAUNE ET FLORE

Le paradis des oiseaux

Si le parc abrite 20 000 oiseaux en temps normal, ils sont plus de 70 000 représentant 291 espèces lorsque les migrateurs viennent s'y poser : cigognes, aigrettes, hérons cendrés, spatules blanches peuplent alors la forêt et les marais. Dans le ciel planent quelques spécimens d'aigles à queue blanche. Kopački rit héberge une des plus importantes colonies de cormorans d'Europe : ils sont près de 3 000 à faire leur nid sur les branches des saules pleureurs. Quelques espèces rares en danger d'extinction y séjournent également : la cigogne noire, le faucon sacré…

Et sous l'eau…

Tortues aquatiques, grenouilles et serpents abondent. Dans les eaux, carpes, brochets, silures et perches se côtoient.

Un royaume forestier

Quant au « peuple de la forêt », il est constitué de daims, de cerfs, de sangliers, qui payèrent un lourd tribut à la folie des hommes puisque nombre d'entre eux succombèrent, victimes des mines posées par l'armée serbe. Avec le temps, cette population se reconstitue peu à peu.

d'une allée à droite, un autre château en brique jaune entouré d'une galerie en bois est l'ancien **pavillon de chasse de Franz Josef** (1875). Une petite **chapelle** (kapela) à droite, bâtie en 1875 et toujours en activité, est décorée de panneaux en bois sculpté qui représentent les scènes de la Passion.

Non loin de là, le **Centre européen pour l'environnement** (Europski centar za okoliš), récemment ouvert, sert de base à différents programmes de découverte de la nature. Il contient une bibliothèque spécialisée avec une salle de lecture, une salle multimédia, une salle de conférences, un hôtel et un restaurant.

NOS ADRESSES AUTOUR DE KOPAČKI RIT

VISITES

Le programme de visite est établi en fonction du temps dont on dispose, ainsi que des intérêts de chacun : géographique, hydrologique, zoologique… Vous pouvez faire des promenades de 2h, 3h, d'une demi-journée ou d'une journée entière, sachant que pour une bonne découverte des lieux, il faut y consacrer au moins une demi-journée.

En barque (bateau) – Les visites s'effectuent en barque d'une capacité de 5 pers. (en été, des bateaux pouvant accueillir 15 pers. sont mis à la disposition des visiteurs). Durée : 1h. Prix de la balade : 40/60 kn/pers. selon la saison.

À pied – Un sentier de découverte a été aménagé : long de 1,2 km, il commence près du café du parc. Des panneaux explicatifs renseignent les visiteurs sur les diverses espèces de faune et de flore. Deux autres sentiers se trouvent près des châteaux de Tikveš, et le long de la digue jusqu'au restaurant Kormoran. Les visites guidées pédestres ou combinées (à pied et en barque) sont possibles sur réservation (contactez le centre d'accueil).

À vélo – Des pistes cyclables parcourent l'ensemble du parc, permettant ainsi de découvrir la faune et la flore à vélo. Location : 10 kn/j, se renseigner à l'accueil ou *031 752 320.*

Activités

Observation des oiseaux – *Sur réserv.* - 100 kn/pers./h. Les visites s'effectuent en groupe (15 pers. maxi) accompagné d'un guide, pendant une période d'environ 6h. À la belle saison (printemps et automne), vous pourrez voir près de 50 espèces d'oiseaux.

Pêche – Munis d'un permis de pêche journalier *(50 kn/j)*, les amateurs de pêche pourront s'adonner à leur loisir favori. Une autre façon d'appréhender le parc. Renseignement à l'accueil.

Sécurité

Si une surface d'environ 300 ha n'est pas encore déminée, la plus grande partie du parc – et en particulier les sentiers accessibles aux visiteurs – est désormais sécurisée. Faites toutefois preuve de la plus grande prudence et ne vous aventurez pas en dehors des sentiers balisés sans y avoir été invité !

Quand y aller ?

Inutile d'espérer visiter le parc en hiver : tout y est gelé et les oiseaux migrateurs sont aux abonnés absents. En été, les moustiques seront de désagréables compagnons de visite. Les deux meilleures saisons sont donc la fin du printemps (avr.-mai) et le début de l'automne (sept.-oct.).

Ne pas oublier

Crème antimoustiques, appareil photo (avec téléobjectif !). Les jumelles sont en location au centre d'accueil.

HÉBERGEMENT

Bon à savoir – Le **Centre européen pour l'environnement** propose le seul hébergement ouvert dans le parc (26 lits). Se renseigner auprès du centre d'accueil.
Il existe de nombreuses possibilités d'hébergement privé à **Bilje**. Contactez l'**office de tourisme de Bilje** ou demandez la brochure de *private accommodation* au centre d'accueil du parc.

PREMIER PRIX

Pansion Corina– *Tina Ujevića 11 - Bilje - ✆ 031 322 106 - pansion.corina@email.t-com.hr - 2 ch. 280 kn/j ☕, 1 appart. 340 kn/j.* Idéalement située entre Osijek et le parc, cette pension est confortable et accueillante, notamment grâce à son jardin. Possibilité de louer des vélos et des jumelles pour observer les oiseaux.
Agroturizam Lacković – *Vinogradarska 5 - Bilje - ✆ 031 750 850 ou 098 762 712 - 4 ch. 134 kn/pers. ☕, 1/2 P et pension 50/150 kn le repas.* Petit *agroturizam* avec potager et animaux qui propose 2 jolies chambres dans une maisonnette blanche (salle de bains à partager) et 2 chambres dans la grande maison, au-dessus de celles des propriétaires, avec salle de bains privée. Les repas se prennent dans une sympathique maisonnette avec terrasse au fond du jardin. Accueil chaleureux.

RESTAURATION

PREMIER PRIX

Restoran Kormoran – *À Podunavlje, sur la droite - ✆ 031 753 099 - 10h-22h - 40/90 kn.* Une salle rustique à boiseries et une terrasse où l'on déguste les spécialités de la région : *fiš paprikaš* et carpes à la broche.
Varga (Kod Varge) – *Kralja Zvonimira 37 - Bilje - ✆ 031 750 120 - www.kod-varge.hr - 8h-23h - plats 25/50 kn.* Deux salles au décor évoquant la pêche où l'on sert des poissons de rivière frits ou panés et des saucisses grillées pour les carnivores. Adresse sympathique malgré une TV un peu bruyante.
Zelena Žaba – *Ribarska 3 - Kopačevo - ✆ 031 752 212 - tlj sf lun. 9h-22h - 40/70 kn.* Les nombreux plats de poisson, dont le traditionnel *perkelt* (ragoût de poisson) et les cuisses de grenouilles panées, font de cette adresse une étape gastronomique bien agréable.

PETITE PAUSE

Café du parc – *Derrière le centre d'accueil - 9h-17h.* Dans une petite maison en bois sur pilotis, agréable café-bar où boire un verre en écoutant le concert des grenouilles.

Vukovar

27 683 habitants – Slavonie

NOS ADRESSES PAGE 528

S'INFORMER
Office de tourisme – *J. Strossmayera 15 - ✆ 032 442 889 - www.turizamvukovar.hr - lun.-vend. 8h-15h.*

SE REPÉRER
Carte de région D2 (p. 506-507) – *carte Michelin n° 757 H5.* Vukovar est posée en bordure du Danube, au confluent de la Vuka, à 37 km en aval d'Osijek.

SE GARER
En venant d'Osijek, après avoir passé le marché de plein air et le pont sur la Vuka, prenez à gauche (feu) par ulica Stanzeva (direction « *centar* ») et poursuivez jusqu'au grand parking aménagé en bordure du Danube, sur la place de la République-Croate (trg Republike Hrvatske) devant l'hôtel Dunav.

À NE PAS MANQUER
Le Musée municipal de Vukovar.

ORGANISER SON TEMPS
Prévoyez une demi-journée.

Vukovar n'est plus une cité en ruine. Au fur et à mesure que la reconstruction avance, la ville reprend son ancien visage. Les édifices les plus importants ont été restaurés, de nouveaux immeubles ont surgi, la vie culturelle a repris. Mais ce n'est pas pour cela qu'on vient à Vukovar. On y vient comme on visite un lieu de mémoire. On va dans cette ville martyre, devenue au même titre que Guernica un symbole de la folie humaine, pour rendre hommage à ses maisons effondrées, ses toitures éventrées, ses impacts de mitrailles qui perdurent encore sur les façades. On vient rendre hommage à ses habitants qui reconstruisent, bâtissent, restaurent, avec courage et opiniâtreté, sans jamais perdre l'espoir que tout va redevenir comme avant. Qu'un jour l'insouciance reviendra dans les rues d'une cité qui aura effacé ses cicatrices. Qu'un jour, il sera possible de tirer un trait sur l'horreur.

Se promener

LE « VIEUX VUKOVAR » (Stari Vukovar)

Si, aux abords de la cité, nombre de maisons neuves attestent des travaux de reconstruction, dès que l'on entre dans la ville, l'aspect des choses ne trompe pas : maisons en ruine, impacts de balles sur les façades des immeubles… Plus on approche du centre, plus le cœur se serre, même si les chantiers de reconstruction montrent que, peu à peu, la vie reprend ses droits.
Sur la rive droite de la Vuka, la vieille ville est dominée par la haute silhouette du **monastère franciscain** restauré (sur une colline à droite de la route d'Ilok).

Confluent de la Vuka et du Danube

Contournant l'hôtel Dunav, on arrive devant la Vuka, cours d'eau qui a donné son nom à la ville, et que l'on suit, sur la droite, jusqu'à son confluent avec le Danube. Une sympathique promenade fleurie y a été aménagée. Là, le fleuve se révèle dans toute sa splendeur, immense plan d'eau au cours tranquille et majestueux. Au loin, dans la brume, la rive serbe. Le paysage est serein. De l'autre côté de la Vuka, cependant, dominant le fleuve, une croix vient rappeler la triste réalité : il s'agit du **monument élevé à la mémoire des défenseurs de Vukovar**.

Remontez le cours de la Vuka que franchissent deux petits ponts. Au second, prenez sur la gauche vers un grand bâtiment à arcades.

Foyer des travailleurs (Radnički dom)

Ce grand bâtiment historiciste, reconnaissable à l'angle de son toit surmonté d'un bulbe, est en cours de restauration. C'est ici que se tint en 1921, sous la direction de Tito, le second congrès du Parti communiste yougoslave. Jusqu'en 1991, il abritait un musée d'Histoire, ainsi qu'une salle de théâtre.

Dans un petit square devant le bâtiment, un monument honore Marco Marulić, le « père de la littérature croate ».

Rue Franje Tuđman (Ulica Franje Tuđmana)

Cette rue conduit au centre baroque du vieux Vukovar : les maisons jaunes à arcades qui en bordaient les rues en faisaient tout le charme. Certaines ont été restaurées à l'identique. D'autres sont en cours de rénovation.

LE « NOUVEAU VUKOVAR » (Novi Vukovar)

Sur la rive gauche de la Vuka. Franchissez le pont le plus proche du Danube et continuez parallèlement au fleuve.

C'est ici qu'au 18e s., sur la rive gauche de la rivière, s'installa une communauté allemande qui édifia une ville nouvelle où, bientôt, la noblesse locale fit construire ses palais.

Église St-Roch (Crkva sv. Roka)

Baroque, la chapelle du château Eltz a été restaurée.

Château Eltz (Dvorac Eltz)

Ce vaste manoir au style hésitant entre baroque tardif et classicisme précoce fut construit en 1749 pour les comtes Eltz qui en demeurèrent propriétaires jusqu'en 1944. Il fut remodelé dans le style historiciste entre 1895 et 1907 par l'architecte Viktor Sidek. Le bâtiment, encadré de deux ailes délimitant un jardin ouvert sur le Danube, qui abrite le Musée municipal de Vukovar, fut l'une des premières cibles des bombardements de 1991. Le rez-de-chaussée a été aujourd'hui rénové. Les salles de l'étage offrent quant à elles un spectacle hallucinant.

UN NOBEL À VUKOVAR

Natif de Vukovar, le chimiste **Lavoslav Ružička** (1887-1976) se rendit célèbre pour ses travaux portant sur les stéroïdes et la synthèse des hormones mâles, testostérone et androstérone, qui lui valurent le prix Nobel de chimie en 1939. Jusqu'en 1991, sa maison natale abritait un musée présentant des objets personnels et ses recherches. Il n'en reste rien aujourd'hui.

Pour ne pas oublier…

Vukovar n'est pas une cité qui se visite. Elle ne peut qu'offrir un moment d'émotion brute et une leçon sur l'absurdité des querelles humaines. Il faut y aller pour cela.

SIX MOIS DE SIÈGE

Mai 1991 : douze policiers croates sont tués dans une embuscade à Borovo Selo. Immédiatement après, l'armée fédérale yougoslave pénètre en Croatie, et s'empare de la Baranja et des villages entourant Vukovar. Le 25 août, le siège de la ville commence, ponctué d'incessants bombardements. Encerclés, les habitants organisent leur défense. Pendant près de quatre mois, ils vivront dans les caves.

Dans les sous-sols de l'hôpital, on opère sans relâche les blessés. Les volontaires, avec un armement de fortune, parviennent à repousser plusieurs assauts. Petit à petit, la ville devient un champ de ruines. Faute de munitions, la cité, épuisée, tombe le 18 novembre. Mais sa résistance n'a pas été vaine : elle a assez freiné l'envahisseur pour donner le temps à l'armée croate de s'organiser.

L'HORREUR

Le drame n'était pas pour autant terminé : dans cette cité où les différentes communautés ethniques se côtoyaient sans heurts commence alors l'épuration ethnique. Les Croates sont arrêtés, souvent torturés, envoyés dans des camps ou exécutés sommairement. Le comble de l'horreur survient à l'hôpital. Les blessés comme le personnel sont emmenés : on retrouvera dans des fosses communes une partie des corps, que l'on pourra identifier par des tests ADN. D'autres sont toujours portés disparus. La ville restera occupée par les Serbes jusqu'en 1995.

AUJOURD'HUI… ET DEMAIN

Après une période d'occupation par les forces internationales d'interposition, la Croatie a retrouvé sa souveraineté sur Vukovar le 15 janvier 1998. Elle héritait d'une ville dévastée, en partie vidée de ses habitants. Après un débat (fallait-il reconstruire ou conserver en l'état ce témoignage de la folie humaine ?), la vie reprend peu à peu ses droits.

Aujourd'hui, Vukovar n'est plus une ville en ruine. On a reconstruit plus de la moitié des maisons d'habitation, on a restauré les édifices marquants de la ville. Le musée de Vukovar, la Maison croate et le théâtre ont rouvert leurs portes et les échafaudages ne cessent de passer d'une façade à une autre pour continuer la campagne de restauration. Inéluctablement, la ville avance sur le chemin au terme duquel seront effacées les traces de la tragédie.

UN « MUSÉE EN EXIL »
Une grande partie des riches collections, historiques, archéologiques et ethnologiques du Musée municipal, comme de la collection de peinture moderne réunie par le **Dr Antun Bauer** (1911-2000), a survécu au conflit. Certaines avaient été mises à l'abri dans des musées de Zagreb. D'autres furent volées, mais ont été récemment rendues et, pour une grande part, restaurées. En attendant de pouvoir les exposer à nouveau, la direction multiplie les initiatives visant à redonner une vie culturelle à la cité, et à réunir les fonds pour sa restauration : parmi celles-ci, le Festival de musique de chambre et l'originale célébration du 27 mai, « le Ciel de Vukovar », série de manifestations marquant l'anniversaire du retour du musée dans ses locaux. La solidarité, nationale et internationale, n'est pas en reste : c'est ainsi qu'une vingtaine d'artistes de l'abstraction géométrique, parmi lesquels François Morrelet, Bruno Munari, Jerzy Grabowski et Ivan Picelj ont répondu à l'appel du peintre **Getulio Alviani**, et ont fait don d'œuvres qui trouveront leur place définitive dans le musée de Vukovar, une fois sa reconstruction achevée.

Musée municipal de Vukovar

Županijska 2. ✆ 032 441 270 - Symbole de la foi des habitants de Vukovar dans un avenir meilleur, car il avait rouvert ses portes alors que le bâtiment avait subi de lourds dommages, il fait enfin peau neuve. Ses collections s'articulent autour du matériel archéologique mis au jour à Vučedol et des fonds reconstitués après la guerre *(voir encadré ci-dessus).*

L'**Exposition commémorative** qui présentait les 90 jours de siège ainsi que des objets provenant de l'hôpital de Vukovar où eut lieu le massacre des prisonniers, a été transférée dans une caserne au sud de la ville *(à Rata - 8h-19h - entrée gratuite mais il faut laisser ses papiers d'identité à la guérite d'entrée - pas d'explications en français ni en anglais).* Sur le site, musée militaire en plein air.

À proximité

Nouveau château d'eau (Novi vodotoranj)

À la sortie de la ville en direction d'Ilok, à gauche de la route.

Avant la guerre, un restaurant tournant était installé au sommet de ce château d'eau. Aujourd'hui, c'est un symbole de la résistance de la ville. Chaque jour, pendant le siège, le drapeau croate y était hissé. Chaque jour les assiégeants le prenaient pour cible. Aujourd'hui, le drapeau flotte librement sur une structure éventrée qui semble ne tenir debout que par miracle.

Cimetière-mémorial

À 1 km au sud en direction d'Ilok, sur la droite de la route.

Vaste cimetière où sont inhumées près d'un millier de victimes du siège et des événements qui suivirent, certaines demeurant anonymes. 938 corps ont été exhumés de 13 fosses communes et 938 croix blanches ont été plantées. Un monument en forme d'une croix ouverte – symbole du sacrifice de Vukovar – fut inauguré en 2000.

Site archéologique de Vučedol

À 1,5 km au sud en direction d'Ilok. Voie d'accès sur la gauche.

Découvert et exploré en 1897, le site de Vučedol a donné son nom à l'une des premières civilisations préhistoriques d'Europe. Le site fut, semble-t-il, occupé dès le début du 6e millénaire. Mais c'est la période 3300-2400 av. J.-C. qui a livré le plus d'enseignements sur cette culture, grâce aux nombreuses poteries découvertes dans les tombes. On sait ainsi que les habitants de Vučedol pratiquaient l'agriculture et la pêche, qu'ils vivaient dans des huttes aux toits de chaume composées de deux pièces, dont l'une servait à entreposer les récoltes, et qu'ils se livraient probablement à des sacrifices humains. Mais le plus extraordinaire est sans doute qu'ils ont inventé le premier calendrier d'Europe, grâce à leurs connaissances astronomiques très précises. C'est du moins la conclusion que les archéologues ont tirée des symboles gravés sur une poterie mise au jour à Vinkovci.

Les recherches archéologiques ont repris sur ce site en bordure du Danube, parsemé d'îles en cet endroit, et considéré aujourd'hui comme le principal vecteur du futur développement touristique de la région. Les autorités ont conçu le projet d'y créer un **parc archéologique** comportant des boutiques (d'artisanat « préhistorique »), une école d'archéologie, des aires de pique-nique et de baignade, ainsi qu'un musée qui permettra de faire plus ample connaissance avec cette civilisation du début du néolithique qui connut son apogée au 3e millénaire av. J.-C., et que symbolise la fameuse *Colombe de Vučedol* exposée au Musée archéologique de Zagreb.

Mémorial d'Ovčara

À 10 km au sud en direction d'Ilok. Indication : « Spomen obilježje Ovčara ».

C'est dans cet endroit isolé, au milieu des champs, que furent abattues les 200 personnes – blessés, civils, membres du personnel – qui se trouvaient dans l'hôpital de Vukovar, le 18 novembre 1991. Un monument, œuvre du sculpteur zagrebois Slavomir Drinković, est érigé sur l'emplacement du charnier. C'est un obélisque noir traversé d'une fissure en forme de croix avec une colombe de la paix découpée en son milieu. On retrouve le même monument sur toutes les fosses communes de Croatie.

NOS ADRESSES À VUKOVAR

INFORMATIONS UTILES

Gare routière (Autobusni kolodvor) – *À l'entrée de la ville en venant d'Osijek, face au marché.* Cars pour Vinkovci (*via* Nuštar), Osijek et Ilok.

Internet – *À la bibliothèque (Gradska knjižnica), bât. en face de l'hôtel Dunav - 5 kn/30mn.*

SÉCURITÉ

Si la ville est aujourd'hui sécurisée, ne pas s'aventurer dans les champs ni les sous-bois en raison de la **présence de mines**. Ne pas tenter de pénétrer non plus dans les **maisons détruites ou abandonnées**.

HÉBERGEMENT

UNE FOLIE

Hotel Lav – *J. Strossmayera 18 - ✆ 032 445 100 - fax 032 445 110 - www.hotel-lav.hr - 38 ch. 457 kn/pers. et 4 appart. à partir de 900 kn/pers.* Tout beau tout neuf, cet hôtel moderne se dresse non loin du centre. Chambres spacieuses (dont la moitié donne sur le Danube), tout confort. Restaurant, bar, wifi.

RESTAURATION

BUDGET MOYEN

Restaurant Grof – *Zmajeva 7 - ✆ 032 441 392 - plats 20/50 kn.* À deux pas de la rue F. Tuđman, un petit restaurant sympathique où l'on mange des pizzas, spaghettis, et des plats de poisson arrosé de *graševina*. Quelques plats végétariens également.

AGENDA

Le Ciel de Vukovar – *27 mai.* C'est le 27 mai 1998 que les responsables du musée de Vukovar retrouvèrent leur musée après sept ans d'exil. Ce jour-là, quelqu'un eut l'idée de photographier le ciel, qui servait désormais de plafond à la grande salle du château. La tradition s'est depuis lors instaurée : chaque année, une photo est prise du même endroit, tandis que diverses manifestations culturelles sont organisées autour des collections du musée.

Festival de musique de chambre – *Dans les jardins du château Eltz.* De prestigieux interprètes se mobilisent pour le musée.

Célébrations de l'Avent – *Déc. Dans le musée.* Autour des traditions locales liées à la fête de Noël, concerts, pièces de théâtre et lectures poétiques.

Jour de commémoration du sacrifice de Vukovar – *18 nov.* Ce jour-là, des milliers d'habitants de la ville et de toute la Croatie parcourent le chemin des exilés de Vukovar, de l'hôpital jusqu'au cimetière.

Ilok

★

6 767 habitants – Srijem (Slavonie orientale)

NOS ADRESSES PAGE 534

S'INFORMER

Office de tourisme – *Trg Nikole Iločkog 2, dans l'hôtel de ville, au sommet de la colline, au niveau de la fourche qui mène au château - 032 590 020 - www.turizamilok.hr*

SE REPÉRER

Carte de région D2 (p. 506-507) – *carte Michelin n° 757 H5.* À 43 km au sud-est de Vukovar, Ilok est bâtie sur une hauteur en bordure du Danube, à l'extrême pointe orientale de la Croatie, au pied des monts de Fruška Gora. C'est la capitale du Srijem, petite région cernée sur trois côtés par le territoire serbe et l'on se doute bien que ce voisinage entraîna quelques complications… En arrivant à Ilok, pour rejoindre la ville haute, suivez la direction « dvorac » (château).

À NE PAS MANQUER

Dégustation de vins dans les celliers d'Ilok, promenade Mladen-Barbarić, visite de l'église St-Jean-de-Capistran.

ORGANISER SON TEMPS

Comptez 2h à 3h avec la visite des celliers d'Ilok. Le circuit des églises, quant à lui, nécessite au moins 5h à 6h.

Voilà une petite cité fortifiée, dominant le Danube, célèbre depuis des temps immémoriaux pour son vignoble. Des remparts médiévaux, un mausolée turc, un château posé en surplomb du fleuve légendaire, une colline creusée de celliers où vieillit le traminac, un paysage riant et harmonieux : tout concourt à faire de la capitale du comté de Srijem un endroit agréable.

Se promener

★★ LA VILLE HAUTE

★ **Celliers d'Ilok** (Iločki podrumi)

Franje Tuđmana 72, à l'entrée de la ville haute sur la gauche en direction du château, face à la poste. ✆ 032 590 003 - www.ilocki-podrumi.hr - avr.-oct. : 10h-19h - dégustation et visite (sur RV mais on peut se présenter à l'entrée et demander à faire l'un ou l'autre) - visite 10 kn, dégustation au verre (7/30 kn).

Les celliers sont installés dans de vastes souterrains, creusés au 14e s., dans la colline qui supporte le château. C'est dans ces galeries qui fleurent bon le chêne et l'alcool que vieillissent les vins locaux. Ces caves peuvent contenir jusqu'à 1 000 fûts ! On y apercevra une collection de crus anciens, ainsi que d'énormes barriques d'une capacité de 56 000 litres.

L'endroit a été entièrement restauré et mis en valeur par cette société viticole, qui compte parmi les plus importantes du pays (ses 350 ha produisent quelque 4,5 millions de litres chaque année). On y trouve dorénavant une auberge, où l'on peut tester les crus maison et savourer aussi des produits locaux accompagnant fort à propos les verres de dégustation. Autre option possible : dormir sur place *(voir Nos adresses)*.

★ **Château** (Dvorac)

Ce grand bâtiment est constitué d'un corps principal et de deux ailes enserrant un jardin ouvert sur le Danube qui coule en contrebas. Depuis ce dernier, belle **vue**★ sur le fleuve, au-delà duquel s'étend la Serbie.

La restauration toute récente du bâtiment met en valeur les différentes époques de construction, ou de ruines, jouant sur les contrastes entre la brique

LE PAYS DU TRAMINAC

Ce sont les Romains qui introduisirent la vigne à Ilok. Prospère au Moyen Âge, la cité comptait plusieurs églises et monastères. Tombée de 1526 à 1688 au pouvoir des Turcs, la ville et la région furent données par la suite en fief à la famille italienne des **Odescalchi** dont était issu le pape Innocent XI, en remerciement pour le rôle déterminant tenu par ce pontife dans la lutte contre les Ottomans. Cette famille développa la viticulture en important des cépages de qualité et en creusant dans la colline les celliers où le vin vieillit dans d'énormes fûts de chêne. La renommée des vins blancs d'Ilok ne fit dès lors que croître, au point que le *traminac*, le cépage vedette du lieu, est, depuis le 19e s., servi à la table des souverains anglais. Du fait de sa situation, Ilok se trouvait en première ligne lors de l'offensive serbe d'août 1991 et fut entièrement vidée de ses habitants. La ville ne fut rétrocédée à la Croatie qu'en 1998, année où l'on fêta les premières vendanges de la cité libérée, tandis qu'on commençait à replanter les 670 ha de vignes qui avaient disparu. Peu à peu, les vins blancs d'Ilok recouvrent leur qualité et leur prestige de naguère.

Les vignobles ceignent le village d'Ilok.
Sime / Photononstop

médiévale, le crépi des ailes du 19e s. et le verre contemporain. L'ensemble, très réussi, accueille à nouveau le musée de la ville.

★ **Musée** – *✆ 032 827 410 - www.mgi.hr - mar.-jeu. 9h-15h (vend. 18h), sam. 11h-18h, dim. : visite guidée sur réservation - fermé lun. - 20 kn (étud. et enf. 10 kn).* Sur deux niveaux et en suivant une muséographie moderne et aérée, on découvre l'histoire d'Ilok : depuis la préhistoire, en passant par le cimetière et les bijoux romains, le *lapidarium* du Haut Moyen Âge ou la domination des ducs de Transylvanie, et les troubles dus à une situation aux marches des Empires romain-germanique et ottoman. Au fil des panneaux bilingues, des photos, des musiques et des objets, on parvient ainsi au Ilok du 19e s. puis du 20e s., avec une salle consacrée notamment aux conflits de ce dernier siècle.

★ Remparts

Ces murailles crénelées furent élevées au 14e s. et dotées de tours de défense circulaires. Dans l'une d'entre elles *(côté droit avant le terrain de sport sur la promenade Mladen-Barbarić)*, les Ottomans aménagèrent un **hammam** : il en reste quelques vestiges décorés d'arabesques.

★ Mausolée turc (Turbe)

Face au château, ce mausolée tout simple, portique doté d'arcs outrepassés, confère à la place une touche discrètement orientale et vaguement mélancolique.

★ Promenade Mladen-Barbarić (Šetalište Mladena Barbarića)

C'est sur cette place oblongue, ceinte de remparts et aménagée en parc, que se situent les monuments de la cité.

Église St-Jean-de-Capistran (Crkva sv. Ivana Kapistrana)

Elle fut construite en style gothique en 1349 puis remaniée dans le style baroque. C'est en 1912 qu'elle a pris son aspect actuel lorsque Herman Bollé lui redonna une allure gothique, ajouta deux chapelles latérales et éleva le clocher. À l'intérieur,

QUELQUES CÉLÉBRITÉS

C'est dans le monastère des Franciscains d'Ilok que le moine italien **saint Jean de Capistran** s'éteignit en 1456 après avoir victorieusement défendu Belgrade contre les Turcs. Le comte local, **Nikola Iločki**, fut, quant à lui, roi de Bosnie entre 1471 et 1477. Enfin, les armes de la ville ont été dessinées au 16e s. par le prestigieux miniaturiste croate **Julije Klović**, plus connu sous le nom de **Giulio Clovio**.

au-dessus de l'autel, peinture du 19e s. représentant saint Jean de Capistran (inhumé dans l'église) devant le château de Belgrade.

Monastère franciscain (Franjevački samostan)
Fondé au 14e s. Son aile la plus ancienne englobe l'une des tours des remparts. Les deux autres ailes datent du 18e s.

Circuit conseillé Carte de région

★ ÉGLISES DE SLAVONIE CD2

Circuit de 159 km d'Ilok à Đakovo, tracé en vert sur la carte de région (p. 506-507). Quittez Ilok en direction de Vukovar.
Remontant le cours du Danube (que l'on aperçoit de temps à autre), la route, sinueuse, descend parmi un paysage de collines de tuf boisées ou plantées de vignobles.

Šarengrad D2
Bâti en amphithéâtre ouvert sur le Danube, dominé par les ruines d'une forteresse du 15e s., ce village occupe un **site★** très agréable.
Église St-Pierre-et-St-Paul (Crkva sv. Petra i Pavla) – *Dans le village, sur la gauche de la petite route signalant « Bapska ».* C'est l'église du monastère franciscain fondé au début du 15e s. L'église a été rénovée au milieu du 18e s., en pleine époque baroque. De récents travaux de restauration ont mis en évidence les parties gothiques.
Continuez vers le sud. La route s'élève parmi les arbres jusqu'à atteindre un plateau où, là encore, pour des raisons élémentaires de prudence, on s'abstiendra de gambader dans les champs.

Bapska D2
Pour atteindre l'église romane, il faut traverser le village. Après la dernière maison, au bout de 1,5 km environ, on aperçoit sur la gauche la petite église veillant sur son cimetière. Garez la voiture sur le bord de la route… qui, à 1 km au-delà, est barrée : c'est la frontière serbe, infranchissable à cet endroit. Empruntez le sentier qui conduit au cimetière sur 300 m et, par précaution, veillez à ne pas vous en écarter.
★ **Église Notre-Dame** (Crkva Sv. Marije) – Il s'agit d'un exemple presque unique d'art roman en Slavonie. Construit sans doute au début du 13e s., le sanctuaire a été depuis lors modifié à plusieurs reprises : il fut agrandi à l'époque gothique, remanié au 18e s. dans le goût baroque, doté d'un agréable porche muni d'un autel extérieur au 19e s., avant de perdre son clocher d'origine. Édifiées en brique, les parties romanes sont visibles au chevet, depuis le chemin de croix qui descend dans la vallée. L'ensemble est charmant. Tout autour, silence, solitude et forêt composent un cadre serein.
Revenez à Šarengrad et reprenez sur la gauche la direction de Vukovar.

Sotin D2

Sur la gauche de la route, on aperçoit l'**église N.-D.-du-Bon-Secours** (crkva svetište pomoćnice kršćana), construite en 1758 pour abriter une peinture miraculeuse de la Vierge. Le sanctuaire, qui a beaucoup souffert de la guerre, attend toujours d'être restauré pour retrouver la peinture, mise en lieu sûr à Đakovo.

À Sotin, prenez la direction de Tovarnik (16 km). Dans ce village, tournez vers Vinkovci.

Ilača D2

On aperçoit à nouveau de nombreuses maisons détruites ou abandonnées, suite aux combats de 1991.

Dans le village, tournez à gauche au carrefour et suivez la rue Stjepana-Radića sur 500 m environ.

Chapelle N.-D.-des-Eaux (Crkva svetište Gospe na vodici) – *Sur la droite, au fond d'un petit square triangulaire.* Ce petit sanctuaire blanc a été élevé au 19e s. afin de célébrer le jaillissement d'une source miraculeuse, en 1865, sur la route de Nijemci. C'est aujourd'hui un lieu de pèlerinage réputé.

Reprenez la route en direction de Vinkovci, puis, après 5 km, tournez à gauche en direction de Nijemci et Lipovac.

Nijemci D2

Dans ce village, sur une motte circulaire, l'**église Ste-Catherine★** (crkva sv. Katarine) se signale par son élégant clocher à bulbe. Lors des récents travaux de reconstruction (l'église a été en grande partie détruite en 1991), les archéologues ont mis au jour des vestiges d'un sanctuaire préroman auquel a succédé l'église actuelle bâtie en style gothique, au 14e s. On a également découvert une petite nécropole datant du paléolithique. Les parties les plus anciennes de l'église ont été élevées en brique, visibles au chevet soutenu par de puissants arcs-boutants.

Continuez en direction de Lipovac.

Là encore, les dommages de la guerre sont spectaculaires. La route traverse plusieurs fois le cours fantaisiste de la rivière Spačva, parfois sur des ponts de fortune. On apercevra çà et là des croix de bois, fleuries et coiffées d'un casque de combattant.

Lipovac D2

À 3 km à l'ouest du village, dans un méandre de la Spačka, l'**église St-Luc** (crkva sv. Luke ou Lučica) se dresse dans un paysage mélancolique. Cette église gothique de brique, que surmonte un joli clocheton de bois, a reçu en 1991 quelques obus avant d'être restaurée.

Revenez à Nijemci, où vous prendrez la direction de Vinkovci.

Otok D2

Gros bourg rural possédant une église de style baroque tardif. Comme souvent en Slavonie, la traversée interminable de ce village vous permettra de faire connaissance avec poules, oies et autres dindons.

Continuez jusqu'à Privlaka (7 km) et prenez à droite vers Vinkovci (à 15 km).

Vinkovci D2

À l'arrivée dans la ville, suivez la direction de Đakovo.

Cette ville industrielle, sans charme excessif, a conservé un petit centre ancien.

Place du Ban-Šokčević (Trg bana Šokčevića) – Place principale aménagée en parc, dotée d'une statue dédiée à la Sainte-Trinité et entourée de quelques façades baroques. C'est ici que s'élève l'**église St-Eusèbe et St-Pollion** (crkva sv. Euzebije i Poliona), de 1772, vouée aux martyrs chrétiens morts au 3e s. dans la ville romaine de Cibalae dont Vinkovci occupe aujourd'hui le site. Au n° 16, le musée de la ville présente une collection ethnographique de costumes traditionnels et d'objets d'artisanat de la région (*tlj sf lun. 10h-13h, 17h-19h, w.-end 10h-13h, gratuit*).

Galerie d'art – *Duga ulica 3*. Œuvres du sculpteur Vanja Radauš.

Ancienne église St-Élie-de-Meraja (Crkva sv. Ilije na Meraji) – *Par Duga ulica, puis à droite sur une place*. C'est certainement l'élément le plus curieux de la cité. Construite en style gothique au début du 14e s., elle fut restaurée à la fin du 17e s., dans le style baroque. À partir de 1777, elle fut reconvertie en magasin militaire. Le récent projet de la restauration n'a pas vu le jour, l'édifice étant défiguré par une surélévation peu heureuse. Tout à côté, on aperçoit les fondations de l'église primitive, minuscule sanctuaire élevé sous le règne de Koloman (fin 11e s.), et probablement détruite par les Tartares. Il s'agit de l'un des rarissimes exemples d'art préroman de Slavonie.

Roulez en direction de Đakovo.

Ivankovo C2

Sur la droite de la route, immense église précédée d'un escalier et d'un chemin de croix, le tout étant un pur produit de l'esthétique du 19e s.

Novi Mikanovci C2

Presque à la sortie de ce long village, laissez la voiture à proximité du calvaire *(sur la gauche)*. Prenez une allée ombragée de pins et suivez-la sur 300 m.

Église St-Barthélemy (Crkva sv. Bartola) – Entourée d'un petit cimetière, cette église romane, transformée par la suite en style baroque, fut édifiée au 13e s. Le curieux **clocher**, un peu de guingois, est le vestige d'une tour de guet antérieure.

Par le village jumeau de Stari Mikanovci, rejoignez Đakovo (15 km).

NOS ADRESSES À ILOK

SÉCURITÉ

Sur la route, prenez garde aux **chutes d'arbres** : ceux-ci poussent dans un équilibre improbable sur les versants des collines et leurs troncs surplombent parfois la voie. Si vous voyez par ailleurs des panneaux signalant des mines (bien qu'on les rencontre plus souvent vers Vukovar, Osijek ou Đakovo), respectez-les.

HÉBERGEMENT

PREMIER PRIX

Srijemska Kuća – *M. Gupca 89 - ✆032 593 064 ou 098 718 612 - www.srijemska-kuca.com - 3 ch. 200 kn*. Une pension un peu à l'écart des voies principales du village, autour d'une cour pavée à l'ancienne qui a conservé son étable retapée et un petit cellier. La famille Barošević ne dort plus sur place mais veille au bien-être de ses hôtes avec beaucoup d'attention, d'autant plus qu'elle fait table d'hôte (cuisine locale).

BUDGET MOYEN

Hotel Dunav – *J. Benešića 62 - ✆ 032 596 500 - www.hoteldunavilok.com - 14 ch. 500 kn/pers. ☕, 2 appart. 750 kn.* Dans la ville basse, au bord du Danube, ce joli petit hôtel récent – belle imitation d'une maison ancienne – propose quelques chambres spacieuses et confortables dont la moitié donnent sur le fleuve. Aux beaux jours, le petit déjeuner dans le jardin au bord de l'eau est très agréable.

Celliers d'Ilok – *Franje Tuđmana 72 - ✆ 032 590 003 - www.ilocki-podrumi.hr - 18 ch. 70 € ☕.* Chambres tout confort, avec vue sur le Danube.

À Vinkovci

POUR SE FAIRE PLAISIR

Garni Hotel Cibalia – *Ante Starčevića 51 - ✆ 032 339 222 - fax 032 339 220 - www.hotel-cibalia.com - 20 ch. 80 € ☕, 3 appart. (4 pers.) 107 €.* Petit hôtel moderne sans charme excessif mais d'un bon confort. Chambres simples et fonctionnelles. Centre de fitness et restaurant aux spécialités slavonnes.

RESTAURATION

PRIX MOYEN

Cinema – *Julija Benešića 42 - ✆ 032 591 159 - pizza 25/37 kn, pâtes 29/33 kn.* Comme son nom l'indique, cette adresse occupe l'ancien cinéma de la ville, dont la salle a été transformée en club. Le bar qui le précède affiche une décoration de vieux vinyles et de journaux. Une salle adjacente accueille les amateurs de pizza et de pâtes dans un décor de cuisine campagnarde. Un lieu amusant où l'assiette est raisonnable.

À Vinkovci

PRIX MOYEN

Restaurant de l'hôtel Gem – *Kulen 50 kn, plats 40/50 kn.* Les amateurs de spécialités slavonnes seront comblés : *kulen*, steaks, *slavonski paprikaš* (ragoût de viande) et *tacci* (gâteaux) au pavot et aux noix, arrosés d'un bon *graševina* d'Ilok…

ACHATS

Celliers d'Ilok – *Franje Tuđmana 72, 32236 Ilok - ✆ 032 590 003/054 - www.ilocki-podrumi.hr.* Dégustation et vente (à l'unité ou en cartons) des principaux crus élevés à Ilok : *graševina*, pinot blanc, chardonnay, riesling, ainsi que le *traminac*, à la fois sec et très fruité. Prix producteurs.

Stipetić – *S. Radića 16 - ✆ 032 591 068 ou 098 186 39 42 (portable).* Derrière le grand portail vert du porche se cache une petite cour au fond de laquelle est enfouie la cave familiale. La cinquième génération a pris aujourd'hui la relève pour continuer à produire des vins au goût étonnant d'épices et de vanille. Dégustation au verre (20/30 kn, trois crus). Une bouteille 30/80 kn.

Đakovo

27 745 habitants – Slavonie

NOS ADRESSES PAGE 539

S'INFORMER

Office de tourisme – *Kralja Tomislava 3 - 031 812 319 - www.tz-djakovo.hr.*

SE REPÉRER

Carte de région C2 (p. 506-507) – *carte Michelin n° 757 G5.* Đakovo est située au cœur de la Slavonie, à 20 km au nord de la sortie Vela Kopanica de l'autoroute Zagreb-Belgrade, à 37 km au sud d'Osijek, à 35 km au sud-est de Našice et à 30 km à l'ouest de Vinkovci.

SE GARER

On y trouve facilement des places de parking (payantes par horodateurs du lundi au samedi), autour de la cathédrale, comme aux abords de l'église de Tous-les-Saints.

À NE PAS MANQUER

La cathédrale St-Pierre, balade sur le Korzo, les haras lipizzans.

ORGANISER SON TEMPS

1h30-2h suffisent pour découvrir cette petite ville (sans la visite des musées et des haras).

AVEC LES ENFANTS

La visite des haras lipizzans.

Renommée pour ses superbes costumes traditionnels, pour ses vins, ainsi que pour l'élevage des chevaux lipizzans, Đakovo l'est également pour son importance religieuse. C'est en effet le siège d'un évêché à la tête duquel s'illustra durant de longues années le fameux évêque Strossmayer qui y fit construire la cathédrale néoromane. Cette bourgade rurale n'est sans doute pas d'une beauté bouleversante : elle ne manque cependant pas d'intérêt et son animation en fait une agréable étape, dont la situation centrale permet de rayonner en Slavonie.

Se promener

Pour l'essentiel, la vie se concentre autour d'une rue principale piétonne, **Pape Ivana Pavla II**, reliant l'ancienne église paroissiale à la place Strossmayer.

★ Église de Tous-les-Saints (Crkva svih Svetih)

En dépit de sa façade baroque, il s'agit d'un des rares exemples d'architecture musulmane ayant subsisté en Croatie : elle a conservé la coupole et, sur les côtés, les arcs en fer à cheval de la mosquée qui s'élevait sur les lieux.

Rue du Pape Jean-Paul II (Ulica Pape Ivana Pavla II) - Korzo

Bordée de maisons basses converties en commerces, cette rue centrale, qui a changé de nom après la visite du pape en 1993, devient aux beaux jours une longue terrasse de café.

LA VILLE DONT LE PRINCE ÉTAIT UN ÉVÊQUE

Né à Osijek, **Josip Juraj Strossmayer** (1815-1905), après des études de philosophie et de théologie, devint chapelain à la cour impériale de Vienne (1847). Partisan du programme austro-slavon en 1848, il fut nommé sur la proposition du ban Jelačić évêque du diocèse de Bosnie et de Sirmium, et fut installé à Đakovo en 1850. La richesse de l'évêché servit ses ambitions, dans les domaines économique, politique et culturel. Strossmayer entreprit la modernisation du diocèse, fit construire la cathédrale, créa une imprimerie, aida à la construction de routes et à la fondation d'une banque de crédit à Zagreb. Il acheta des bibliothèques, réunit une collection d'œuvres d'art (exposée à Zagreb) et fonda l'Académie yougoslave des lettres et des arts (JAZU), devenue l'Académie croate. Sur le plan politique, il ambitionnait de faire de la Croatie une nation souveraine, chose qui passait, selon lui, par l'union des Slaves du Sud. Il s'attacha à revivifier l'héritage culturel traditionnel des saints Cyrille et Méthode et prôna la réunion des églises catholique romaine et orthodoxe.

★ Cathédrale St-Pierre (Katedrala sv. Petra)

7h-12h, 15h-20h - gratuit.

Voulue par Josip Juraj Strossmayer qui en surveilla de près les travaux, c'est un immense édifice néoroman, élevé en brique entre 1866 et 1882 par les architectes Charles Roessner et Frederik Schmitz. Ses deux clochers culminent à une hauteur de 84 m. Si la façade est avant tout monumentale (rosaces, portails, niches, étranges pinacles posés de part et d'autre de l'escalier), le chevet ne manque pas d'une certaine élégance. L'intérieur à trois nefs est assez impressionnant par ses dimensions : la nef principale est longue de 74 m et haute de 27 m, tandis que la longueur du transept est de 52 m. Réalisées à fresque entre 1870 et 1880 par Alexandre Maximilien Seitz et son fils Ludovico dans un style postnazaréen, les peintures n'ont rien de bouleversant. Les deux grands autels latéraux sont consacrés aux patrons du diocèse, saint Élie et saint Demetrius.

Palais épiscopal (Biskupski dvor)

Imposant bâtiment néobaroque (1860) qui domine la place Strossmayer. Sa façade a retrouvé sa splendeur après des travaux conduits en perspective de la visite de Jean-Paul II (juin 2003). En face, de petites maisons basses hébergent les chanoines de la cathédrale.

Musée Strossmayer (Strossmayerov muzej)

Luke Botića 2. Sur le côté droit de la façade de la cathédrale, la maison qui fait l'angle. ✆ 031 802 698 - tlj sf dim. 8h-18h, sam. 8h-13h30 - 10 kn (enf. 5 kn).

Gravures, tableaux (dont un, de facture naïve, représentant l'arrivée de l'évêque à Osijek en 1850), correspondances, œuvres imprimées, maquettes, bustes, objets personnels et vêtements sacerdotaux évoquent la vie et la longue carrière de Josip Juraj Strossmayer (1815-1905), personnage clé du réveil du sentiment national croate au 19e s.

Parc Strossmayer (Strossmayerov perivoj)

Ce grand parc, fort agréable lorsqu'il fait beau, est longé par la rue Petra-Preradovića, bordée de demeures, dont certaines ont gardé leur cachet ancien.

À voir aussi

★ **Haras lipizzans de Đakovo** (Ergela Đakovo)
Augusta Šenoe 45 - 031 813 286 - www.ergela-djakovo.hr - sur réserv. - 20 kn (enf. 10 kn).
Les haras ont deux emplacements : Ivandvor, à quelques kilomètres de la ville, où les chevaux sont élevés jusqu'à l'âge de 3 ans, et les haras du centre-ville (Pastuharna) où ils sont dressés et préparés aux compétitions. Les deux sont ouverts au public et peuvent se visiter sur réservation préalable. Outre les chevaux eux-mêmes (superbes !), vous verrez, dans les haras du centre-ville, les impressionnants arbres généalogiques des lipizzans, les nombreux prix qu'ils ont obtenus lors de différentes compétitions, et, à la place d'honneur, la photo de la visite des haras par la reine Élisabeth d'Angleterre en 1972.

LES CHEVAUX DE ĐAKOVO
La tradition d'élevage de chevaux à Đakovo est ancienne puisque les premiers haras furent fondés en 1506. C'est Napoléon toutefois qui fut le responsable (indirect) de l'introduction des lipizzans – les fameux chevaux de l'école espagnole de Vienne – en Slavonie : devant l'avancée de ses troupes, on évacua les chevaux de Lipica (Slovénie) qui trouvèrent refuge sur le domaine épiscopal. Certains firent souche et constituèrent la base de l'élevage lipizzan en Croatie, qui fut organisé à partir de 1854 par l'infatigable évêque Strossmayer.

Musée régional de Đakovo (Muzej đakovštine)
Ante Starčevića. 031 813 254 - 7h-15h, w.-end 9h-13h.
Petite collection ethnographique : mobilier régional, très beau métier à tisser, bijoux, bannière de Saint-Florian. Poteries représentatives de la culture de Badenskoj (4e millénaire av. J.-C.). À l'étage, expositions temporaires (peintures, sculptures, photos, architecture contemporaine).

À proximité Carte de région

Vrpolje C2
À 11 km au sud en suivant la direction de Zagreb (par autoroute).
C'est à Vrpolje qu'est né, en 1883, le sculpteur **Ivan Meštrović**. S'il n'y vécut qu'un an et n'y revint jamais par la suite, le village a cependant pu réunir une collection constituée à partir de donations faites par la veuve et la fille de l'artiste.
★ **Galerie Ivan Meštrović** (Galerija Ivana Meštrovića) – *Sur la droite au carrefour. Tlj sf lun. 8h-14h.* On y découvre des dessins préparatoires, la fameuse sculpture intitulée *Povijest Hrvala* (*L'Histoire des Croates*, 1932) représentant une femme assise tenant une tablette aux inscriptions en glagolitique, dont l'original est à Zagreb devant l'université. Remarquez entre autres un *Ange Gabriel*, très épuré (1919), et une remarquable *Vierge à l'Enfant*, de 1916-1917.

NOS ADRESSES À ĐAKOVO

INFORMATIONS UTILES

Commerces – Vous trouverez plusieurs commerces en libre-service dans la rue centrale *(ulica Pape Ivana Pavla II)*.

Gare routière (Autobusni kolodvor) – À l'écart du centre (depuis Trg Strossmayera par Splitska). Bus pour Osijek, Slavonski Brod et Našice.

HÉBERGEMENT

BUDGET MOYEN

Hotel Blaža – *Ante Starčevića 158 (rte de Našice) - ✆ 031 816 760 - www.hotel-blaza.hr* - P - *22 ch. 500 kn*. Cet hôtel privé, récent, propose des chambres vastes et confortables, disposées en mezzanine autour d'un grand patio. Évitez toutefois celles qui ne disposent pas de fenêtres sur l'extérieur. L'accueil est charmant.

RESTAURATION

BUDGET MOYEN

Gradski Podrum – *Pape Ivana Pavla II 9 - ✆ 031 813 199 - plats 20/65 kn*. En sous-sol, dans une confortable salle voûtée. Spécialités slavonnes particulièrement copieuses. Excellentes charcuteries (*kulen* et *pršut*). Bonne carte de vins locaux.

Croatia – *Petra Preradovića 24 (face au parc) - ✆ 031 813 391 - plats 30/50 kn*. Installé au pied de la pension Turist qui a perdu de son lustre, c'est un restaurant chaleureux très apprécié des habitants de Đakovo et donc souvent comble. Petites tables aux nappes à carreaux et spécialités locales.

AGENDA

Carnaval « Đakovački bušari » – *Déb. fév.* Le plus grand carnaval de la partie est de la Croatie. Cérémonie de la transmission des clés de la ville aux *bušari*, processions festives, bals masqués, *Gastrofest* (dégustation de *kulen*).

Festival « Đakovački vezovi » (Les Broderies de Đakovo) – *1re sem. de juil.* Les somptueux costumes traditionnels de la région sont sortis à l'occasion de ce festival qui anime le parc et les rues de la ville : chars tirés par des chevaux, musiques et danses folkloriques de Slavonie et de la Baranja. C'est à cette occasion que l'on peut déguster le vin de l'évêché, très réputé.

Festival d'anciennes danses et chansons citadines – *Fin nov.* Événement unique en Croatie dédié à la préservation d'anciennes traditions et coutumes de ville. Beaux costumes, chants et danses au programme.

Požega

★

26 248 habitants – Slavonie

NOS ADRESSES PAGE 544

S'INFORMER
Požega – *Trg sv. Trojstva 1 - ✆ 034 274 900 – tlj sf dim. 8h-15h (sam. 13h) - www.pozega-tz.hr*

SE REPÉRER
Carte de région B2 (p. 506-507) – *carte Michelin n° 757 F5.* Požega est posée sur la rive droite de l'Orljava, au cœur d'un plateau fertile (au point d'être appelé *Vallis aurea* ou « Vallée dorée » par les Romains), au sud de la chaîne du Papuk, sur les hauteurs dominant la vallée de la Save. En suivant le « *centar* », on se trouve bientôt sur la place centrale, vouée à la Sainte-Trinité.

SE GARER
Garez-vous sur la place centrale ou dans ses environs immédiats (stationnement payant en semaine et le samedi matin).

À NE PAS MANQUER
Balade au centre de Požega, visite de la forteresse de Slavonski Brod.

ORGANISER SON TEMPS
Comptez 2h pour la visite de Požega, une demi-journée avec l'escapade à Slavonski Brod.

AVEC LES ENFANTS
Visite de la forteresse de Slavonski Brod.

Il ne faut pas manquer de visiter Požega ! Le centre piétonnier, sympathique et animé, de cette petite ville baroque, mérite une longue flânerie. Ajoutons-y une grande tradition viticole (attestée depuis le Moyen Âge) et gourmande, ainsi qu'une vie culturelle maintenue vivante par la présence d'établissements d'enseignement, parmi les plus anciens de Croatie. Si l'on ajoute que la cité est entourée d'agréables paysages vallonnés, on conviendra que l'« Athènes slavonne » mérite largement le détour.

Se promener

Il faut prendre le temps de flâner dans cette cité aux maisons à arcades badigeonnées de teintes pastel. On éprouve un sentiment de paix en arpentant ces rues (nombre d'entre elles sont réservées aux piétons) où le temps semble comme suspendu.

★★ **Place de la Ste-Trinité** (Trg sv. Trojstva)
De forme allongée, cette place dessinée au 18e s. compose un ensemble des plus plaisants, d'autant qu'elle est bordée d'immeubles à arcades (sous lesquelles les autochtones se retrouvent dans le sympathique **Caffe Boba** à la belle salle voûtée) qui lui confèrent une bonne part de son cachet.
★★ **Colonne de la peste ou de la Ste-Trinité** (Zavjetni kip presvetoga

Požega, ville baroque au cœur des vallons.
S. Grandadam / age fotostock

Trojstva) – *Au centre de la place, face à la rue Matice Hrvatske.* Érigée en 1749 pour célébrer la fin d'une épidémie de peste survenue dix ans plus tôt, cette belle colonne baroque, ornée des statues de saint Roch, saint Sébastien, saint Charles Borromée et saint Jean Népomucène, a été sculptée par un artiste vénitien, Gabriele Granicio.

★ **Église de la Ste-Trinité** (Crkva sv. Trojstva) – *9h-11h30, 17h-18h.* Toute blanche, d'une sobriété reposante, l'église des franciscains présente une tribune soutenue par de massifs piliers de pierre. Outre des fresques consacrées à la vie de saint François, on découvrira les peintures du chemin de croix, pleines de fraîcheur… ainsi qu'un amusant confessionnal rococo *(bras droit du transept).*

Quittez la place en empruntant sur quelques mètres la rue Matice Hrvatske.

Musée municipal (Gradski muzej)

Matice Hrvatske 1. 9h-14h - 5 kn.

Petite collection d'ethnographie et d'archéologie, sculptures romanes provenant de l'abbaye bénédictine de Rudena.

Prenez sur la droite ulica Županijska.

Cette rue est bordée d'immeubles baroques, aux façades colorées, composant un remarquable ensemble. On prend à droite la **rue Mesnička**, piétonne et courbe, bordée de cafés dont l'un affiche son admiration pour Napoléon, tandis que le suivant semble préférer Mozart. Ces deux établissements comme leurs voisins, inspirés, eux, par le Far West, accueillent la jeunesse jusqu'à des heures avancées.

Rue Cehovska (ulica Cehovska)

Piétonne, c'est la grande artère commerçante du centre-ville. Restaurants, cafés, pâtisseries et magasins s'y succèdent et la foule y déambule après le travail.

Prenez sur la gauche la rue Lerman.

UNE « ATHÈNES SLAVONNE »

Placée sous la domination turque pendant plus d'un siècle et demi, Požega, reconnue par l'impératrice Marie-Thérèse en 1765 comme cité libre, possédait depuis 1699 un lycée, le Gymnasium, le plus ancien de Croatie, que compléta au 18e s. l'Academia Požegana, ouverte par les jésuites. Parmi ceux-ci **Antun Kanižlić** (1699-1777) se fit connaître à la fois comme théologien et poète. Mais c'est au 19e s. que la vie intellectuelle et culturelle de la cité où résidaient nombre d'artistes et d'écrivains lui valut ce surnom flatteur.

La cité a aussi donné le jour à des personnalités au parcours peu commun, comme celui de **Dragutin Lerman** (1863-1918), explorateur et ethnologue, membre de l'expédition dirigée par Henry Stanley au Congo et devenu par la suite commissaire général du gouvernement belge dans ce pays, et gouverneur d'une province. Les objets qu'il a rapportés de ses périples forment aujourd'hui une partie du Musée ethnologique de Zagreb.

Rue Lerman (ulica Lermana)

Cette rue porte le nom du célèbre explorateur Dragutin Lerman, né à Požega, Bordée sur la gauche par un beau palais baroque, elle conduit à la cathédrale Ste-Thérèse dont on aperçoit, au-dessus des toits, le clocher.

Place Ste-Thérèse (Trg sv. Terezije)

Agréable petite place ombragée, face à l'entrée de la cathédrale.

Monument de Fra Luka Ibrišimović (Spomenik fra Luki Ibrišimoviću) – Un moine farouche dégainant son épée : tel apparaît Luka Ibrišimović vu par le sculpteur György Kiss. Ce franciscain est connu pour avoir chassé les Turcs de Požega en 1688 en remportant la bataille de Sokolovac.

★ **Cathédrale Ste-Thérèse d'Ávila** (Katedrala sv. Terezije Avilske) – Cette petite cathédrale baroque, élevée en 1763, est dotée d'un élégant clocher à bulbe. Décor très chargé. Peintures murales réalisées en 1895 par **Oton Iveković** (1869-1939) et **Celestin Medović** (1857-1920).

Remontez par la rue Jean-Paul-II (ulica Pape Ivana Pavla II). Prenez ensuite sur la droite la rue qui, en s'évasant, se révèle être la place de la Ste-Trinité.

★★ **Église St-Laurent** (Crkva sv. Lovre)

Elle ne paie pas de mine, cette église, située en haut d'une volée de marches que ferme une grille de fer forgé, entre les bâtiments massifs du Collège des jésuites et du palais de justice! Si vous avez la chance de la trouver ouverte, n'hésitez pas une seconde. Outre une belle charpente de bois, elle a conservé une ravissante **abside gothique**★★ décorée de restes de fresques.

À proximité Carte de région

Slavonski Brod C2

À 40 km au sud-est par Pleternica. Laissez votre voiture près de la forteresse (Tvrđa).

Trg Pobjede 28 - ✆ 035 447 721 - www.tzgsb.hr - sem. 8h-15h.

À première vue, Slavonski Brod n'a rien qui puisse attirer… d'autant que la cité frontière, posée sur la Save qui la sépare de la Bosnie, a été largement bombardée lors du conflit de 1991-1995. Et pourtant, le petit centre ancien, né autour de la forteresse austro-hongroise et du monastère franciscain, mérite que l'on s'y attarde.

Citadelle de Brod (Tvrđa Brod) – *Entrée libre, mais l'éclairage n'est pas assuré partout. Se renseigner au ✆ 034 217 000.* Cette citadelle à la Vauban fut édifiée au début du 18e s. afin de protéger les frontières méridionales de l'empire austro-hongrois contre les Turcs établis en Bosnie. Elle a assuré la paix en Slavonie pendant deux siècles et demi. Bâtie en brique en forme d'étoile, elle se compose de divers édifices dont le Cavalier, immense bastion en forme de fer à cheval qui encercle la place centrale. Cet édifice unique en son genre contenait pas moins de 108 salles disposées sur 2 niveaux et utilisées pour divers besoins de l'armée. Domaine militaire jusqu'en 1994, la citadelle fut la cible des bombardements lancés depuis l'autre rive. Aujourd'hui restaurée, elle abrite le siège de l'administration de la ville, un gymnase et une galerie d'art. Dans la cour de la forteresse, vous aurez peut-être la chance d'apercevoir des cavaliers portant l'uniforme du régiment des hussards du 18e s.

★ **Galerie Ružić** – *Dans l'aile sud-ouest du Cavalier - tlj sf lun. 9h-13h, 17h-20h, w.-end 10h-14h - gratuit, mais une participation est toujours bienvenue.* Cette galerie détient plus de 400 œuvres d'art contemporain croate (2e moitié du 20e s.) provenant de la collection du peintre et sculpteur **Branko Ružić** (1919-1997), originaire de Slavonski Brod, que l'artiste a léguée à sa ville natale en 1993.

Par la place Stjepana-Miletića, rejoignez la place Mažuranić.

Place Ivana Brlić-Mažuranić (Trg Ivane Brlić-Mažuranić) – Plus qu'une place, c'est une large avenue qui relie la rue du Roi-Pierre-Krešimir IV à la rivière. Elle est bordée de petits immeubles baroques aux façades pimpantes.

Maison de la famille Brlić (Kuća obitelji Brlić) – *Place Mažuranić, près de la Sava.* Meubles, objets personnels et lettres évoquent les membres de cette illustre famille, qui compta dans ses rangs Ignjat Alozije Brlić, écrivain et linguiste, Andrija Brlić, journaliste et politicien, Fani Brlić, peintre, et surtout Ivana Brlić-Mažuranić, « l'Andersen croate ».

On prend une longue rue piétonne, la **rue Starčević**, parallèle à la rivière. Elle est bordée de quelques palais et de petites maisons de brique, souvent investies par des cafés.

Musée du Brodsko Posavlje (Muzej Brodskog Posavlja) – *Ante Starčevića 40. ✆ 035 447 415 - tlj sf sam. 7h-15h, dim. 10h-13h.* Collections géologiques et archéologiques. Armes et objets évoquant l'époque des Confins militaires. Ethnologie régionale avec costumes traditionnels et mobilier.

Au bout de la rue, traversez ulica Tome Skalice et passez sous une voûte.

Place de la Ste-Trinité (Trg sv. Trojstva) – Ouverte sur la rivière, cette place compose, avec les murs aux teintes chaudes du monastère des franciscains, l'église de la Ste-Trinité avec son curieux clocher et l'amusant clocheton du Vastrigasni Dom, un ensemble d'une grande sérénité.

« L'ANDERSEN CROATE »

Petite-fille de l'écrivain, membre du Mouvement illyrien et ban (vice-roi) de Croatie **Ivan Mažuranić** (1814-1890), **Ivana** (1874-1938) s'installa à Brod après avoir épousé un membre de la famille Brlić. Écrivain, elle publia nombre de livres pour la jeunesse, dont *Lapitch le petit cordonnier* (1913), qui devint par la suite un célèbre dessin animé et *Contes croates du temps jadis* (1916). Traduite en plusieurs langues, elle fut « nominée » pour le prix Nobel de littérature. En 1937, elle fut la première femme à être élue à l'Académie (alors yougoslave) des sciences et des arts.

Monastère franciscain (Franjevački samostan) – *(Sonner)*. Si vous avez la possibilité d'y entrer, ne manquez pas de jeter un œil à son beau cloître baroque.
Revenez sur ulica Tome Skalice et remontez-la vers ulica Petra Krešimira IV qu'on prend sur la gauche.
Rue Pierre-Krešimir-IV (Ulica Petra Krešimira IV) – C'est la rue principale de la vieille ville, la plus animée et la plus commerçante, qui ramène jusqu'à Vukovarska où l'on retrouve la citadelle.

NOS ADRESSES À POŽEGA

INFORMATIONS UTILES

Autres adresses

Internet – **VIP Centar** – *Matrice Hrvatske 16 - tlj sf dim. 8h-20h (sam. 13h)* ou à la **bibliothèque municipale** (Gradska knjižnica) – *A. Kanižlića 1 - tlj sf dim. 8h-18h45 (sam. 12h45).*

TRANSPORTS

Gare routière (Autobusni kolodvor) – *S. Radića bb.* Cars pour Zagreb, Osijek, Slavonski Brod et Našice.
Gare ferroviaire (Željeznički kolodvor) – *Cirakijeva 3.*

HÉBERGEMENT

BUDGET MOYEN

Hotel Grgin Dol – *Grgin Dol 20 - ✆ 034 273 222 - www.hotel-grgin-dol.hr - P - 17 ch. 425 kn ☕.* Un peu à l'écart du centre (on l'atteint depuis la place par la rue A.-Kanižlića), c'est un petit hôtel, doté d'un restaurant et de terrasses. Chambres confortables et modernes. Mieux vaut réserver.

À Brodski Stupnik

POUR SE FAIRE PLAISIR

Hotel Zdjelarević – *Vinogradska 102 - ✆ 035 427 775 - www.zdjelarevic.hr - 12 ch. 534 kn ☕, 3 appart. 600 kn ☕. Supplément repas 11 €.* Voilà une excellente adresse pour les amateurs de vin ! Construit sur un terrain viticole, cet hôtel aux jolies chambres avec vue sur les vignes est spécialisé en œnogastronomie. Restaurant, soirées dégustation, cours d'œnologie, mais aussi parties de chasse, randonnées équestres et promenades à vélo font partie de son offre, très diversifiée.

RESTAURATION

PREMIER PRIX

Restoran Evergreen – *Sv. Florijana 19 - ✆ 035 271 710 - plats 30/45 kn.* Dans la principale rue piétonne de la ville, un restaurant de spécialités locales – *gulaš*, poissons (de rivière) – servies dans un cadre sympathiquement vieillot. Terrasse sous tonnelle pour les beaux jours.

À Slavonski Brod

BUDGET MOYEN

Restoran Zvonimir – *S. Miletića 11 (à deux pas de la citadelle et du fleuve) - ✆ 035 448 876 - plats 30/70 kn, poisson 120 kn/kg.* Salle à manger cossue. Spécialités de poissons d'eau douce (*gulaš*). Terrasse en été.

PETITE PAUSE

Ivančica Slastičarnica – *Kamenita Vrata 3 (au bout de Županijska, à gauche).* Pâtisserie, salon de thé et glacier très réputé.

Caffe Boba – *Trg sv. Trojstva 7.* C'est dans cette salle cossue et confortable aux murs de brique et au plafond reposant sur de solides piliers que le Tout-Požega vient prendre son café ou son *cappuccino* en consultant les nouvelles du jour.

Kazališna kavana – *Trg sv. Trojstva 20.* Le café du théâtre fait pendant au Caffe Boba et reçoit une clientèle nettement plus jeune.

AGENDA

Grgurevo – *Le 12 mars.* Pour la Saint-Grégoire, les habitants de Požega célèbrent l'expulsion des Turcs de 1688.

Festival du film d'1mn (Hrvatska revija jednominutnih filmova) **à Požega** – *Mai.* Des courts-métrages plus que courts, venus du monde entier, y sont présentés.

Kulenijada – *Fin juin.* Fête gastronomique à Požega autour des *kulen*, ces salamis au paprika que l'on déguste accompagnés d'excellents vins locaux, rouges ou blancs.

Brodsko kolo – *Juin.* Le plus ancien festival du folklore de Croatie qui a lieu à Slavonski Brod.

Les Cordes d'or (Zlatne žice Slavonije) – *3e w.-end de sept.* Festival de musique slavonne à Požega avec concerts de *tamburica*. Le festival suit de quelques jours la traditionnelle **Fišijada**, dégustation de poissons de rivière accommodés selon des recettes locales.

Našice

★

16 224 habitants – Slavonie

NOS ADRESSES PAGE 550

S'INFORMER
Office de tourisme – *Pejačevićev trg 4 (dans le hall de l'hôtel Park) - 031 614 951 - www.tznasice.hr*

SE REPÉRER
Carte de région C1-2 (p. 506-507) – *carte Michelin n° 757 G5.* Entre Osijek et Virovitica, Našice se situe un peu à l'écart de la route principale. Prenant la direction de la ville haute, on atteint la place Pejačević : là, nous sommes au centre de la ville, entre le château et le parc d'une part, le monastère franciscain de l'autre ; de nombreuses places de parking y ont été aménagées.
Voir la rubrique « Arriver/partir » dans *Nos adresses.*

À NE PAS MANQUER
Visite du musée municipal et de l'église St-Antoine-de-Padoue, promenade dans le parc du château, escapade dans les monts Papuk.

ORGANISER SON TEMPS
Comptez 3h avec la visite du musée. Prévoyez une demi-journée pour le circuit des monts Papuk.

Cité verte, posée sur les contreforts des monts Krndija, Našice, terre d'élection de la noble famille Pejačević, est un lieu très apprécié, tant des randonneurs qui trouvent leur bonheur dans les montagnes des environs que des chasseurs et des amateurs de pêche à la ligne qui se pressent autour des proches lacs de Lapovac et de Našička breznica dans l'attente d'une prise miraculeuse.

Découvrir

UNE VISITE AUX PEJAČEVIĆ

C'est l'une des plus prestigieuses familles de la noblesse slavonne dont une branche établie à Našice a donné à la ville le parc et le château, qui font une grande partie de son intérêt. Originaires de Bulgarie, les Pejačević de Virovitica furent anoblis en 1696 par l'empereur Léopold Ier. Au cours de son histoire, la famille a donné à la Croatie nombre de militaires, deux bans (vice-rois), et, au début du 20e s., la première compositrice de musique du pays : Dora *(voir encadré ci-contre).*

★★ Parc
Superbe, ce grand parc dévale la colline, depuis la ville haute, jusqu'à la route d'Osijek en contrebas. Aménagé pour l'essentiel à l'anglaise, peuplé de chênes, saules et sapins et de quelques statues, ponctué de parterres fleuris et d'un étang artificiel sur lequel quelques cygnes évoluent dédaigneusement, ce parc romantique est un lieu de promenade, de flânerie et de rêverie, lieu

DORA PEJAČEVIĆ
Fille du comte Teodor Pejačević, qui allait être ban de Croatie de 1903 à 1907, Dora était née à Budapest en 1885 et passa son enfance dans le château familial de Našice. Initiée à la musique par sa mère, la jeune fille suivit de solides études musicales à Zagreb, Dresde et Munich. Morte subitement à Munich (1923) où elle résidait avec son mari, la première compositrice croate repose aujourd'hui près du mausolée familial. Elle a laissé une œuvre en partie inédite où l'on relève les influences de Wagner, Schumann, Brahms et Mahler et d'où se détachent un concerto pour piano de 1913 et une symphonie écrite en 1918.

idéal pour se poser, aux beaux jours, avec un livre, sous la caresse du soleil couchant. C'est sur ce domaine que les Pejačević ont élevé à partir de 1735 leurs demeures successives.

★ Ancien château des comtes Pejačević
(Stari dvorac grofa Pejačevića)
Édifié en 1811 à l'orée du parc, sur la crête de la colline, dans un style classique (avec quelques éléments d'un baroque finissant), il présente une façade symétrique, avec, au centre, un bel avant-corps surmonté d'un pignon à corniche cintrée et supporté par une colonnade. Les deux tours carrées datent de 1865. Il abrite le musée municipal.

★ Musée municipal (Zavičajni muzej Našice)
Pejačevićev trg 5, à l'étage - lun.-vend. 8h-15h, mar.-jeu. 8h-18h, sam. 9h-12h - 15 kn (étud., enf. 7 kn) - visites guidées sur réserv. au ✆ 031 613 414.
Voilà un musée qui mérite une visite en raison de l'intérêt et de la qualité de ses collections.
La visite commence par des salles consacrées à des artistes originaires de la région ou y ayant vécu : **Hinko Juhn** (1891-1940), céramiste (terres cuites, faïences, majoliques), qui s'est fait une spécialité de sculptures en miniature ; **Izidor Kršnjavi** (1845-1927), qui fut peintre, est surtout connu pour avoir aidé l'évêque Strossmayer à réunir sa collection *(voir à Zagreb, Galerie Strossmayer des Maîtres anciens)*. On découvre ensuite, non sans émotion, la salle consacrée à la mémoire de la **comtesse Dora** : photos, documents, manuscrits, mobilier, et bien sûr son piano, évoquent la figure de cette talentueuse musicienne chère au cœur des locaux.
Après une section consacrée à l'histoire de la région, des temps préhistoriques à l'époque contemporaine, la belle **collection ethnographique** se répartit dans deux salles, dont l'une reconstitue une pièce d'une maison paysanne telle qu'elle était un jour de fête : objets et outils, broderies, vêtements, instruments de musique *(tambura)*. Vous découvrirez dans ces lieux de superbes tissages !
L'atelier de poterie de Feričanci est lui aussi digne d'intérêt : ce village, situé à l'ouest de Našice, était en effet autrefois l'un des principaux centres de poterie de Slavonie, activité qui a complètement disparu depuis lors : outre un tour de potier et quelques documents, vous découvrirez la production de ces ateliers, en particulier les émaux bleus qui firent sa réputation.

Nouveau château Pejačević (Novi dvorac grofa Pejačevića)
Dans le parc également. Ce manoir, élevé en 1911 pour le comte Mark Pejačević, a pris pour modèle le fameux château Sans-Souci construit à Potsdam par l'empereur Frédéric le Grand.

★ **Mausolée et chapelle** (Mauzolej i kapelica)
Devant le cimetière (groblje). La chapelle funéraire des comtes Pejačević est une construction néogothique de Herman Bollé. La comtesse Dora, quant à elle, repose à part, sous une simple pierre tombale, surmontée de son buste.

Se promener

Outre les domaines de la famille Pejačević, les principaux points d'intérêt de la ville se concentrent autour de la place et de la rue du Roi-Tomislav (trg/ulica Kralja Tomislava) qui la prolonge.

Maison Goldfinger

Face à l'hôtel Park, cet harmonieux ensemble classique témoigne de l'importance passée de la communauté juive à Našice. L'aile droite du bâtiment abrite aujourd'hui un élégant café, qui a pris le nom des anciens propriétaires de l'immeuble.

Monastère franciscain (Franjevački samostan)

Kralja Tomislava, sur la gauche.
Construit au 18e s., cet imposant monastère aux teintes chaudes abrite une collection d'art sacré et une bibliothèque riche en incunables *(possibilité de visite en sonnant).*

★★ Église St-Antoine-de-Padoue (Crkva sv. Antuna Padovanskog)

Accessible par le cloître, en contournant l'édifice.
D'origine gothique (voir le chevet à contreforts qui a conservé la structure d'origine), l'église attenante au monastère a été largement reconstruite et agrandie en style baroque entre 1719 et 1763 : réfection de la façade, adjonction de chapelles latérales et érection d'un clocher à bulbe. Le **décor intérieur★★** est extraordinaire : notez la spectaculaire chaire, le riche retable du maître-autel orné d'une peinture d'Ivan Garikovac et, sur la droite, une tribune tout en or, gypseries et mouvement, illustration d'un baroque exultant.

Zoo

Radnička 55 à Markovac Našički. Prenez la direction de Đakovo, un panneau annonce le zoo à gauche, sur le bord de la route, en plein quartier résidentiel- ✆ 031 699 258 - 7h-21h - 5 kn.
Ce modeste pavillon de banlieue masque un jardin aménagé en micro-zoo. La concentration des cages est impressionnante et on peut regretter le peu d'espace laissé aux animaux, mais les enfants seront toujours enchantés de voir entre autres des ours, des tigres, un léopard, un jaguar noir, un porc-épic, des mouflons et une multitude d'oiseaux. On peut parfois les admirer de très près : attention aux petites mains !

UNE COLONIE DE CÉRAMISTES

Est-ce l'existence d'une tradition régionale (avec en particulier le village de Feričanci, connu jadis pour ses poteries) ou, plus vraisemblablement, l'influence exercée par le céramiste **Hinko Juhn,** originaire de la ville, sur les créateurs d'aujourd'hui ? Toujours est-il que, chaque année depuis 1979, quatre à six céramistes rejoignent pour quelques jours le château Pejačević pour constituer la **colonie artistique Hinko Juhn**, fondée par **Ljerka Njerš** et **Dora Pezić-Mijatović**. Là, pendant près d'une semaine, ils créent et exposent des œuvres d'art qui, conservées ensuite par la ville, constituent le fonds d'un futur **musée de la Céramique**.

Circuits conseillés Carte de région

AUTOUR DES MONTS PAPUK BC1-2

Circuit de 70 km tracé en brun sur la carte de région (p. 506-507). Quittez Našice à l'ouest en direction de Zagreb.

Martin

Cette ancienne place forte des Templiers a conservé (au cimetière) sa jolie petite **église St-Martin★** (crkva Sv. Martina), en grande partie romane. Édifiée au début du 13e s., elle est surmontée par un clocheton de bois.

Feričanci

Village naguère réputé pour ses ateliers de poterie.
Après 9 km, prenez à gauche la route d'Orahovica.

Orahovica

Tournez avant les cimenteries sur la gauche.
Agréable petite cité spécialisée dans la céramique industrielle et la viticulture, posée sur le versant nord du Papuk. Une longue rue bordée par des terrasses de cafés conduit au petit centre, constitué de maisons basses à côté d'un beau parc. C'est là que se trouve, sur la gauche, l'église de la Ste-Croix, baroque (1756).
Devant l'église, engagez-vous sur la petite route de Kutjevo/parc naturel du Papuk.

Duzluk

Vision inattendue lorsqu'on arrive dans ce village déjà montagnard aux rues étroites : sur la gauche, dans un champ, des autruches se promènent gravement, au pied d'un piton rocheux. Devant soi, on aperçoit, juchées sur un sommet, les ruines de la forteresse médiévale de **Ružica**.
La route s'élève en lacets (chaînes nécessaires par temps de neige) dans un paysage boisé. 5 km après Duzluk, un panneau sur la gauche indique le chemin d'accès au monastère orthodoxe St-Nicolas-de-Remeta.
St-Nicolas-de-Remeta (manastir sv. Nikole zvan Remeta) – *30mn AR.*
Le chemin empierré descend parmi les sapins jusqu'au vallon dans lequel se niche le monastère fraîchement restauré, enserré dans une enceinte que domine une tour de 1735. L'endroit, solitaire et silencieux, posé près d'un torrent, baigne dans une grande sérénité.
Reprenez votre route. Elle franchit le sommet du **Krndija** (792 m) dans un paysage très montagnard. Dans la descente, on aperçoit des ruches montées sur roulottes, placées dans les sous-bois : grand bourdonnement aux alentours.

Kutjevo

Un des grands centres de viticulture de Slavonie. Sur la gauche, près d'un ancien monastère, le **château** baroque construit au 17e -18e s., avec sa tour centrale coiffée d'un bulbe, dissimule des **celliers souterrains★** creusés au 13e s. par des moines cisterciens venus de France. Presque accolé à lui se trouve le point de vente d'une coopérative viticole *(**Kutjevo** - www.kutjevo.com)*. Vous repartirez peut-être avec le fameux *graševina*, le *traminac* et le « vin glacé » *ledena vina* fait avec du raisin cueilli en décembre.
Poursuivez vers le sud.
On aperçoit de nombreux chalets posés dans un paysage dégagé (reboisement en cours) que parcourent des troupeaux de moutons.

Après 3 km, prenez à gauche en direction de Našice, puis encore à gauche vers Našice (3 km) où vous retrouverez la route principale.

Parc naturel du Papuk (Park prirode Papuk)
Sinueuse mais large, la route franchit à nouveau le **massif du Krndija** dans un très beau paysage forestier. Peu après **Gradac**, à proximité de **Zoljan** *(à 14 km du carrefour)*, on rencontre les énormes cimenteries qui apportent une bonne part de sa prospérité à Našice, dont on atteint bientôt les premiers faubourgs.

NOS ADRESSES À NAŠICE

ARRIVER/PARTIR

Gare ferroviaire (Željeznički kolodvor) – Trains quotidiens pour Osijek d'une part, Zagreb *via* Koprivnica d'autre part.

HÉBERGEMENT

BUDGET MOYEN

Hotel Park – *Trg Franje Tuđmana 4 - ✆ 031 613 822 - www.hotel-park.hr - 70 ch. 496 kn* ☕. Hôtel récent et confortable, doté de boutiques et même d'une discothèque. Demandez les chambres donnant sur le parc et le château.

RESTAURATION

BUDGET MOYEN

Ribnjak 1905 – *Stjepana Radića 1 - Ribnjak, 6 km de Našice - accès par la route d'Osijek puis à gauche dans la traversée de Jelisavac - ✆ 031 607 006 - 80/100 kn.* Au bord d'un grand étang et d'une aire de loisirs, ce restaurant est spécialisé dans les poissons de rivière : carpes grillées et *fiš paprikaš* diverses.

Restaurant de l'hôtel Park – *80/120 kn.* Restaurant réputé pour ses spécialités comme le *riblji paprikaš*, ragoût de poissons de rivière, mais aussi pour ses grillades et autres plats traditionnels. Décor un peu daté.

PETITE PAUSE

Café Goldfinger – *Pejačevićev trg.* Très agréable, surtout aux beaux jours quand il déploie sa terrasse sur la place. Son nom ne fait pas allusion à James Bond mais à la famille qui fit construire le palais dont le café occupe une partie du rez-de-chaussée.

Gradska Kavana – *Pejačevićev trg (face au précédent).* Le grand café de la ville. Banquettes confortables, lumières tamisées et ambiance jazzy.

ROUTE DES VINS

L'agence **Zoa-tours** – *Dragutina Lermana 10 à Požega - ✆ 034 272 505 - www.zoatours.hr.* Organise des visites-dégustations chez les meilleurs producteurs dans la région de Kutjevo : Krauthaker, Enjingi, etc.

AGENDA

Festival de céramique – *Août.* Pour voir à l'œuvre les artistes de la colonie Hinko Juhn.

Daruvar

11 633 habitants – Slavonie

NOS ADRESSES PAGE 553

S'INFORMER

Office de tourisme – *Trg Kralja Tomislava 12 - www.visitdaruvar.hr - ✆ 043 331 382 - tlj sf dim. 8h-15h, sam. 9h-13h.*

SE REPÉRER

Carte de région B1 (p. 506-507) – *carte Michelin n° 757 F5.* Dans la vallée de la Toplica, à l'ouest des monts Papuk, Daruvar est située à 140 km d'Osijek et à 130 km de Zagreb. C'est au nord de l'agglomération, dont il est séparé par un très beau parc, que se trouve le complexe thermal.

À NE PAS MANQUER

Promenade dans le parc Julijev.

ORGANISER SON TEMPS

Prévoyez 2h (3h avec la baignade).

AVEC LES ENFANTS

Baignade dans les piscines de l'établissement thermal.

Située dans un cadre verdoyant, parmi des coteaux dont les vignobles produisent un excellent graševina, Daruvar est une petite cité agréable dotée de parcs et d'un établissement thermal. Elle attire toute une population de curistes ou de visiteurs souhaitant tout simplement se mettre au vert, alternant les balades sur les sentiers tracés dans la forêt avec les plongeons dans des piscines à l'eau d'autant plus bienfaisante qu'elle est riche en calcium, en magnésium et en hydrocarbonates.

Se promener

LE CENTRE-VILLE

Meurtrie pendant le dernier conflit, la ville a été en partie reconstruite selon une architecture moderne de métal et de verre assez impersonnelle, abritant cafés et commerces. Ce qui reste de la ville ancienne se concentre autour de la **place du Roi-Tomislav** (trg kralja Tomislava).

LES TCHÈQUES DE DARUVAR

Avec les villages environnants, Daruvar constitue le principal centre de la minorité tchèque en Croatie. Arrivés voici plus de deux siècles, pour des raisons essentiellement économiques, les Tchèques (au nombre de 6 000 environ) ont conservé, voire soigneusement entretenu, leur culture, leur folklore, leur gastronomie et leur langue. Ils possèdent à Daruvar une maison d'édition, et la radio locale émet des émissions en tchèque. Peut-être aurez-vous l'occasion de trouver, au menu d'un restaurant, quelques-unes de leurs spécialités à l'occasion de la Fête des moissons.

Église de la Ste-Trinité (Crkva presvetog Trojstva)
À l'extrémité de la place, cette église baroque possède un plan assez complexe : octogonale, elle est surmontée par une coupole à lanternon et flanquée de deux clochers-porches et de deux absides en plus de son clocher principal. L'intérieur a été malheureusement dévasté.

Brasserie Staro Češko
Occupant le pâté de maisons séparant la place du parc Julijev, elle perpétue la fabrication de la bière locale, brassée ici depuis 1840.
Franchissez le pont sur la petite rivière canalisée.

AQUÆ BALISÆ
Fins connaisseurs, les Romains eurent tôt fait de repérer ces eaux qui jaillissaient à une température de 39 à 47 °C sur le territoire d'une tribu pannonienne, les Iasa. La chronique locale affirme que plusieurs empereurs comptèrent parmi les curistes du lieu : Hadrien et Commode y précédèrent Constantin (4e s.). Quelques siècles plus tard, les Turcs utilisèrent également les thermes. Mais c'est en 1765 que Daruvar allait devenir une véritable station thermale, grâce au suzerain du lieu, le comte **Antun Janković**. Il fit procéder à d'importants travaux d'aménagement : après avoir capté les eaux des sources afin de les amener dans des bassins, il édifia des bâtiments susceptibles d'accueillir les curistes. Daruvar allait dès lors devenir une station mondaine fréquentée par l'aristocratie de l'Empire austro-hongrois, attirée par les bienfaits des traitements souverains contre les rhumatismes et les affections gynécologiques. Aujourd'hui, la clientèle s'est démocratisée, et l'offre s'est étendue : stages de remise en forme et activités sportives rythment la vie du visiteur, qui peut également effectuer des randonnées sur des sentiers aménagés ou, plus paisiblement, s'adonner aux joies saines de la pêche à la ligne, que ce soit dans la rivière ou dans les plans d'eau aménagés.

★ **Parc Julijev** (Julijev park)
Ce beau parc, parsemé de sculptures (dont l'une, représentant une jeune femme, est due à Antun Augustinčić) qui achèvent de lui donner une touche romantique, occupe un vaste quadrilatère, bordé d'un côté par la rivière, de l'autre par la route conduisant au complexe thermal et une petite voie de chemin de fer. Il possède plusieurs sources thermales dont une, aménagée en piscine de plein air, reçoit des baigneurs même au plus fort de l'hiver – spectacle qui ne manque pas de faire frissonner les promeneurs transis. Sur la droite, côté ville, on remarquera une amusante construction néomauresque, reconnaissable à sa coupole : ce pastiche, réalisé à la fin du 19e s., abrite ce qui subsiste des anciens thermes (kupalište).

Complexe thermal (Daruvarske Toplice)
www.daruvarske-toplice.hr.
Sur la gauche, au fond du parc. Cet immense bâtiment moderne abrite, outre un hôtel, plusieurs piscines et bassins, de températures différentes selon la source captée. On peut également s'y faire envelopper de « fango », cette boue recueillie à proximité des sources d'eau thermale. Les patients qui ne résident pas à l'hôtel disposent de salles de repos pour se remettre de leurs émotions.

À proximité Carte de région B2

Pakrac

À 21 km au sud.

Encore une petite ville fortement endommagée par les combats de la guerre. Mais alors qu'il y a encore quelques années on voyait nettement les traces des combats liés au dernier conflit (maisons détruites, éventrées, charpentes effondrées), un nouveau spectacle s'offre désormais au visiteur. La place principale occupée, comme souvent, par un petit parc, sourit à nouveau. Tout autour, les immeubles baroques affichent enfin leurs belles façades. L'**église de l'Assomption-de-la-Vierge-Marie** (Crkva Uznesenja Blažene Djevice Marije) a retrouvé ses couleurs et son clocher ; des vitraux du peintre contemporain Josip Botteri Dini viennent désormais éclairer la nef. Enfin, un petit **musée** municipal a été créé.

Lipik

À 25 km au sud.

Naguère station thermale mondaine, également aménagée par la famille Janković, Lipik n'a pas échappé aux destructions de 1991. Les thermes se trouvent au fond d'un beau parc où la célèbre source « Baron » jaillit à 64 °C. Les imposants bâtiments de l'établissement thermal, de style austro-hongrois, ont été restaurés. En face du parc, la rue est bordée d'une série de belles demeures historicistes. Quant à la ferme d'Izidorovac, où étaient élevés les fameux chevaux lipizzans, elle s'est relevée de ses ruines.

NOS ADRESSES À DARUVAR

HÉBERGEMENT

BUDGET MOYEN

Hotel Termal – *Julijev park 1 - 043 623 000 - www.daruvarske-toplice.hr* P - *120 ch. 227 kn/pers.* . Établissement moderne, en partie médicalisé et doté de plusieurs piscines, bains de boue, saunas, salles de squash, restaurants, poste, boutique de souvenirs, billards. Bref, le confort !

Hotel Balise – *Trg Kralja Tomislava 22 (entrée sous le porche) - 043 440 220 -www.hotel-balise.hr - 18 ch. 160 kn/pers.* . Installé dans une demeure ancienne décorée avec goût et sobriété, il propose des chambres petites mais d'un confort que pourraient lui envier bien des hôtels plus huppés. Accueil chaleureux.

RESTAURATION

BUDGET MOYEN

Restoran Terasa – *Julijev park - 043 331 705 - plats 30/50 kn.* À l'orée du parc, installée dans un agréable bâtiment ouvert sur la verdure, une terrasse (comme son nom l'indique) et une salle à manger assez pompeuse. Bonne cuisine locale et vins provenant des vignobles voisins.

AGENDA

Obžinkove Slavnosto (Fête des moissons) – *Sept.* C'est la fête de l'importante minorité tchèque qui vit dans la région de Daruvar. Spectacles et costumes folkloriques hauts en couleur.

L'Aventure Michelin

Tout commence avec des balles en caoutchouc ! C'est ce que produit, vers 1880, la petite entreprise clermontoise dont héritent André et Édouard Michelin. Les deux frères saisissent vite le potentiel des nouveaux moyens de transport. L'invention du pneumatique démontable pour la bicyclette est leur première réussite. Mais c'est avec l'automobile qu'ils donnent la pleine mesure de leur créativité. Tout au long du 20e s., Michelin n'a cessé d'innover pour créer des pneumatiques plus fiables et plus performants, du poids lourd aux voitures de course, en passant par le métro et l'avion.

Très tôt, Michelin propose à ses clients des outils et des services destinés à faciliter leurs déplacements, à les rendre plus agréables… et plus fréquents. Dès 1900, le guide MICHELIN fournit aux chauffeurs tous les renseignements utiles pour entretenir leur automobile, trouver où se loger et se restaurer. Il deviendra la référence en matière de gastronomie. Parallèlement, le Bureau des itinéraires offre aux voyageurs conseils et itinéraires personnalisés.

En 1910, la première carte routière MICHELIN remporte un succès immédiat ! En 1926, un premier guide régional touristique invite à découvrir les plus beaux sites de Bretagne. Bientôt, chaque région de France a son Guide Vert. La collection s'ouvre ensuite à des destinations plus lointaines de New York en 1968… à l'Islande en 2012.

Au 21e s., avec l'essor du numérique, le défi se poursuit pour les cartes, les guides et les services numériques MICHELIN qui continuent d'accompagner le pneumatique. Aujourd'hui comme hier, la mission de Michelin reste l'aide à la mobilité, au service des voyageurs.

MICHELIN AUJOURD'HUI

- 69 sites de production dans 18 pays
- 113 400 employés de toutes cultures, sur tous les continents
- 6 000 personnes dans le centre de Technologie Michelin
- Une présence commerciale dans plus de 170 pays

Avancer
monde où la

Mieux avancer, c'est d'abord innover pour mettre au point des pneus qui freinent plus court et offrent une meilleure adhérence, quel que soit l'état de la route.

LA JUSTE PRESSION

BONNE PRESSION

- Sécurité
- Longévité
- Consommation de carburant optimale

-0,5 bar

- Durée de vie des pneus réduite de 20% (- 8000 km)

-1 bar

- Risque d'éclatement
- Hausse de la consommation de carburant
- Distance de freinage augmentée sur sol mouillé

ensemble vers un mobilité est plus sûre

C'est aussi aider les automobilistes à prendre soin de leur sécurité et de leurs pneus. Pour cela, Michelin organise partout dans le monde des opérations **"Faites le plein d'air"** pour rappeler à tous que la juste pression est vitale.

L'USURE

COMMENT DETECTER L'USURE ?

Vos pneus MICHELIN sont munis d'indicateurs d'usure : ce sont de petits pains de gomme moulés au fond des sculptures et d'une hauteur de 1,6mm.
Lorsque la profondeur des sculptures est au même niveau que les indicateurs, les pneus sont usés et doivent être remplacés.

Les pneus constituent le seul point de contact entre le véhicule et la route, un pneu usé peut être dangereux sur chaussée mouillée.

PNEU NEUF

PNEU USÉ
(1,6 mm de sculpture)

Ci-contre, la zone de contact réelle photographiée sur chaussée mouillée.

Mieux avancer,
c'est développer une mobilité durable.

INNOVATION ET ENVIRONNEMENT

Chaque jour, Michelin innove pour réduire la quantité de matières premières utilisée dans la fabrication des pneumatiques, et 99,8% des pneus produits dans le Groupe le sont dans des usines certifiées ISO 14001. La conception des pneus MICHELIN permet déjà d'économiser des milliards de litres de carburant, et donc des millions de tonnes de CO_2.

De même, Michelin choisit d'imprimer ses cartes et guides sur des « papiers issus de forêts gérées durablement ». L'obtention de la certification ISO 14001 atteste de son plein engagement dans une éco-conception au quotidien.

Un engagement que Michelin confirme en diversifiant ses supports de publication et en proposant des solutions numériques pour trouver plus facilement son chemin, dépenser moins de carburant.... et profiter de ses voyages !

Chattez avec Bibendum

Rendez-vous sur : www.michelin.com

Découvrez l'actualité des produits et services et l'histoire de MICHELIN.

QUIZZ

Michelin développe des pneumatiques pour tous les types de véhicules. Amusez-vous à identifier le bon pneu...

Résultat : A-6 / B-4 / C-2 / D-1 / E-3 / F-7 / G-5

Notes

INDEX GÉNÉRAL

Note au lecteur : tout au long de ce guide, nous avons adopté l'ordre alphabétique croate. Les noms commençant par Č sont classés après ceux commençant par C. Il en va de même pour Đ (après D), Š (après S) et Ž (après Z).
Zadar : villes, curiosités et régions touristiques.
Radić, Stjepan : noms historiques et termes faisant l'objet d'une explication.
Les sites isolés (châteaux, abbayes, grottes…) sont répertoriés à leur propre nom.

A

B

C

D

INDEX GÉNÉRAL

K

L

O

P

Q

R

S

T

U

V

Disons-le tout de suite : hors de rares cas, pour qui n'a jamais pratiqué de langue slave, il est impossible de deviner la signification d'une inscription en croate. Le petit lexique suivant n'a d'autre but que d'éclairer le voyageur sur certains mots qu'il sera amené à rencontrer ou à utiliser.

LA PRONONCIATION

c ts (**Virovitica** = Virovititsa)
č tch (**Poreč** = Poretch)
ć tch, moins appuyé que le précédent (**Orebić** = Orèbitch)
đ dj (**Đurđevac** = Djurdjevats)
e toujours è (**Našice** = Nachitsè)
g toujours gu (**Generalić** = Guènèralitch).
h comme la jota espagnole
j y (**Rijeka** = Riyeka)
lj li (**Ljubosina** = Lioubosina)
nj ni (**Baranja** = Barania)
r eur (**Krk** = Keurk) (entre deux consonnes)
s toujours ss (**Osijek** = Ossiyèk)
š ch (**Baška** = Bachka)
u ou (**Hum** = Houm)
ž j (**Požega** = Pojèga)

MOTS USUELS

attention !	**pozor !/oprez !**
aide	**pomoć**
au revoir	**doviđenja/đenja**
beaucoup	**mnogo**
à bientôt	**vidimo se**
bon marché	**jeftino**
bien	**dobro**
bonjour/salut	**dobar dan/bog**
cher	**skup**
combien ça coûte ?	**koliko stoji ?**
comment ?	**kako se ?**
excusez-moi	**oprostite**
grand	**velik**
gratuit	**besplatan**
interdit	**zabranjen**
je voudrais	**želim**
je ne comprends pas	**ja ne razumijem**
merci	**hvala**
oui/non	**da/ne**
où ?	**gde**
parler	**govoriti**
petit	**malen**
pluie	**kiša**
plus	**više**
payant	**plaćanje**
pouvez-vous ?	**možete li ?**
quand ?	**kada**
s'il vous plaît	**molim**
soleil	**sunce**
un peu	**malo**

VIE COURANTE

fermé	**zatvoreno**
horaires	**red vožnje**
madame	**gospoda**
monsieur	**gospodin**
ouvert	**otvoreno**
toilettes	**nužnik**

LE TEMPS

lundi	**ponedjeljak**
mardi	**utorak**
mercredi	**srijeda**
jeudi	**četvrtak**
vendredi	**petak**
samedi	**subota**
dimanche	**nedjelja**
aujourd'hui	**danas**
demain	**sutra**
heure	**sat**
hier	**jučer**
jour	**dan**
jour férié	**blagdan**
matin	**jutro**
nuit	**noć**
soir	**večer**

EN VILLE

bureau de change	**mjenjačnica**
boulangerie	**pekarnica**
café internet	**internet kafić**
chèque	**ček**

carte de crédit **kreditna kartica**
distributeur automatique **bankovni automat**
jardin **vrt**
librairie **knjižara**
libre-service **samoposluga**
marché **tržnica**
magasin **prodavaonica**
monnaie **kusur**
pâtisserie **slastičarnica**
promenade **šetalište**
place **trg** ou **poljana**
rue/avenue **ulica/avenija**
supermarché **robna kuba**
taverne **konoba**
théâtre **kazalište**
timbre **markica**

URGENCES

dentiste **zubar**
hôpital **bolnica**
médecin **liječnik**
pharmacie **ljekarna**
pompiers **vatrogasci**
police **policija**

HÉBERGEMENT

chambre(s) **soba (sobe)**
chambre à louer **najmljena soba**
couverture/oreiller **pokrivač/jastuk**
hommes/femmes **muški/ženski**
hôtel **hotel**
lit **krevet**
maison **kuba**
pension **prenoćište**
pousser/tirer **guraj/vuci**
réception **recepcija**
réserver **rezervirati**
salle de bain **kupaonica**

RESTAURATION

addition **račun**
apéritifs **aperitivi**
bière **pivo**
beurre **maslac**
café **kava**
confiture **džem**
chaud/froid **toplo/hladno**
crêpes **palačinke**
chocolat **čokolada**
déjeuner/dîner **ručak/večera**
dessert **poslastice**
eau **voda**
entrée **predjelo**
fromage **sir**
fruits **voće**
glace **sladoled**
lait **mlijeko**
légumes **povrće**
manger/boire **jesti/piti**
menu **jelovnik**
menu enfant **dječji jelovnik**
pain **kruh**
poisson **riba**
poivre **papar**
petit-déjeuner **doručak**
plat principal **glavno jelo**
restaurant **restoran**
salade **salata**
sel **sol**
soupe **juha**
sucre **šećer**
thé **čaj**
viande **meso**
vin (blanc, rouge) **vino (bijelo, crno)**

TOURISME

beau **lijep**
château **dvorac, kaštel**
église **crkva**
exposition **izložba**
fort/forteresse **tvrđa/tvrđava**
île **otok (otoci)**
lac **jezero**
mer **more**
musée **muzej**
monastère **samostan**
montagne **planina**
office de tourisme **turistička zajednica**
plage **plaža**
ticket **ulaznica**
ville/village **grad/selo**

DIRECTIONS ET TRANSPORTS

à droite/à gauche **desno/lijevo**
autoroute **autocesta**

aéroport	**zračna luka**
avion	**zrakoplov**
arrivée/départ	**dolazak/odlazak**
bagages	**prtljaga**
billet	**karta**
car-ferry	**trajekt**
douane	**carina**
dernier	**zadnji**
entrée/sortie	**ulaz/izlaz**
essence	**benzin**
guichet	**šalter**
gare	**kolodvor**
louer	**iznajmiti**
loin	**daleko**
où se trouve ?	**gde se nalazi ?**
ouest/nord	**zapad/sjever**
panne	**kvar**
port	**luka**
parking	**parkiralište**
passeport	**putovnica**
péage	**cestarina**
pont	**most**
premier	**prvi**
prochain	**slijedeći**
proche	**blizu**
quai	**peron**
route	**cesta**
sud/est	**jug/istok**
station-service	**benzinska stanica**
taxi	**taksi**
train	**vlak**
tramway	**tramvaj**
voiture	**auto**
voyageur	**putnik**

CHIFFRES ET NOMBRES

0	**nula**
1	**jedan**
2	**dva**
3	**tri**
4	**četiri**
5	**pet**
6	**šest**
7	**sedam**
8	**osam**
9	**devet**
10	**deset**
11	**jedanaest**
12	**dvanaest**
13	**trinaest**
14	**četrnaest**
15	**petnaest**
100	**sto**
1000	**tisuću**

CARTES ET PLANS

CARTE GÉNÉRALE

CARTES DES RÉGIONS

PLANS DE VILLE

PLANS DE MONUMENTS

CARTES THÉMATIQUES

CARTE THÉMATIQUE

Note au lecteur

Michelin a apporté le plus grand soin à la rédaction de ce guide et à sa vérification. Toutefois, les informations pratiques (formalités administratives, prix, adresses, numéros de téléphone, adresses Internet, etc.) doivent être considérées comme des indications du fait de l'évolution constante de ces données.

Il n'est pas totalement exclu que certaines d'entre elles ne soient plus, à la date de parution du guide, tout à fait exactes ou exhaustives. N'hésitez pas à nous signaler toute omission ou inexactitude que vous pourriez constater, ainsi qu'à nous faire part de vos avis et suggestions sur les adresses contenues dans ce guide.

Avant d'entamer toute démarche, formalités administratives ou douanières notamment, vous êtes invité à vous renseigner auprès des organismes officiels. Ces informations ne sauraient, de ce fait, engager notre responsabilité.

Collection Le Guide Vert sous la responsabilité de Philippe Orain

Édition
Hélène Payelle, Émilie Morin

Rédaction
Alexandra Forterre, Mathieu Guillochon, Christine Legrand, Pierre Plantier, Nathalie Rouveyre-Scalbert

Cartographie
Stéphane Anton, Michèle Cana, Nicolas Robert, APEX Cartographie

Relecture
Zone libre

Remerciements
Didier Broussard (couverture), Marie Simonet (iconographie)

Conception graphique
Christelle Le Déan

Régie publicitaire et partenariats
business-solutions@tp.michelin.com
Le contenu des pages de publicité insérées dans ce guide n'engage que la responsabilité des annonceurs.

QR Codes
QR Code est une marque déposée de Denso Wave Incorporated.

Contacts
Michelin
Guides Touristiques
27 cours de l'Île-Seguin, 92100 Boulogne-Billancourt
Service consommateurs : tourisme@tp.michelin.com
Boutique en ligne : www.michelin-boutique.com
www.voyage.michelin.fr

Écrivez-nous

Parution 2014

Michelin Travel Partner
Société par actions simplifiées au capital de 11 288 880 EUR
27 cours de l'Île-Seguin - 92100 Boulogne-Billancourt (France)
R.C.S. Nanterre 433 677 721

Dépôt légal : 12-2013 – ISSN 0293-9436
Compograveur : Nord Compo, Villeneuve-d'Ascq
Imprimeur : La Tipografica Varese, Italie
Imprimé en Italie : 12-2013

Usine certifiée 14001
Sur du papier issu de forêts gérées durablement (100 % PEFC)